DÉVELOPPEMENT ÉCONOMIQUE ET ÉTAT CENTRAL (1815-1914)

CÉDRIC HUMAIR

DÉVELOPPEMENT ÉCONOMIQUE ET ÉTAT CENTRAL (1815-1914)

UN SIÈCLE DE POLITIQUE DOUANIÈRE SUISSE AU SERVICE DES ÉLITES

PETER LANG
Bern · Berlin · Bruxelles · Frankfurt am Main · New York · Oxford · Wien

Information bibliographique publiée par «Die Deutsche Bibliothek»
«Die Deutsche Bibliothek» répertorie cette publication dans la «Deutsche Nationalbibliografie»; les données bibliographiques détaillées sont disponibles sur Internet sous ‹http://dnb.ddb.de›.

La recherche et la publication ont reçu le soutien financier des organismes suivants:
- Fonds national suisse de la recherche scientifique
- Fonds des subsides pour l'impression des thèses de l'Université de Lausanne
- Fonds du 450e anniversaire de l'Université de Lausanne
- Fondation J. J. Van Walsem
- Société académique vaudoise

Illustrations de la couverture:
- Filature mécanique Heinrich Kunz Windisch © Hansruedi Bramaz
- Ernst Laur (droite de la croix) © Union suisse des paysans
- Palais fédéral, Berne © Thomas Jaberg
- Conrad Cramer-Frey (gauche de la croix) © Verein für wirtschaftshistorische Studien, Meilen
- Incendie d'Uster de 1832. Original à la Bibliothèque centrale de Zurich, coll. graphique

Réalisation couverture: Thomas Jaberg, Peter Lang AG

ISBN 3-03910-390-3

Hochfeldstrasse 32, Postfach 746, CH-3000 Berne 9
info@peterlang.com, www.peterlang.com, www.peterlang.net

Imprimé en Allemagne

A mes parents

Remerciements

A Hans Ulrich Jost qui m'a éveillé l'esprit et m'a convaincu de me lancer dans cette galère

Aux experts, Michel Margairaz, Sébastien Guex et Bouda Etemad pour leurs précieux conseils

A Céline pour son soutien moral et les centaines d'heures passées à réaliser la mise en forme de ce travail
A Sophie Pavillon et Mathieu Leimgruber, duumvirat dont la quantité et la qualité de travail m'ont permis de rester en deçà de la décennie...

A Josette Suillot, Mari Carmen Rodriguez, Jacques Troyon, Nicolas Chiesa, Dominique Dirlewanger, Malik Mazbouri, Gian Franco Pordenone et Julien Beuchat pour leur travail de relecture
A toute l'équipe du bureau Jost

Au personnel des Archives fédérales, des Archives de l'USP, de l'USAM et de l'USCI
A Jean-Damien Humair et Gaston Clivaz pour leurs conseils en informatique
A Monique Tanyeri pour sa disponibilité et sa gentillesse

Au professeur Alain Dubois pour son soutien logistique
Aux organismes qui m'ont aidé financièrement: la Société académique vaudoise, la Fondation du 450e anniversaire de l'Université de Lausanne, la Fondation van Walsem

A la famille Boillat, toujours présente dans les moments difficiles
A la famille Tschan, à ses feux de camp et à sa cave
A la famille Chiesa et à ses petits plat revigorants
A la famille Troyon et à Suzanne Peters pour leur accueil
A tous mes amis pour m'avoir si souvent rappelé que les intellectuels ne travaillent pas

A tous ceux que j'aurais oubliés...

Table des matières

Première partie
1815-1869

Révolution industrielle, Etat fédéral et unification du système douanier suisse sur une base libre-échangiste

Annexes

Liste des abréviations

1. *Références*

AdT	Abschied der Tagsatzung
AF	Archives fédérales
BSO	Bulletin sténographique officiel
FF	Feuille fédérale
MCF	Message du Conseil fédéral à l'Assemblée fédérale
RCF	Rapport du Conseil fédéral à l'Assemblée fédérale
RO	Recueil officiel des lois et ordonnances de la Confédération suisse
DDS	Documents diplomatiques suisses
DHBS	Dictionnaire historique et biographique suisse
NHS	Nouvelle histoire de la Suisse et des Suisses
SHS	Statistique historique de la Suisse
Centralblatt	*Schweizerisches Centralblatt für Industrie, Handel und Verkehr*
Gewerbeblatt	*Schweizerisches Gewerbeblatt oder Mittheilungen über Volkswirthschaft, Handel und Industrie*
JdG	*Journal de Genève*
Monatblatt	*Monatblatt des schweizerischen Gewerbsvereins*
NZZ	*Neue Zürcher Zeitung*
PS	*Paysan suisse*
RSH	*Revue suisse d'histoire*
SBWS	*Schweizerische Blätter für Wirtschafts- und Sozialpolitik* (1893-1916); *Schweizerische Zeitschrift für Volkswirtschaft und Sozialpolitik* (1917-1927)
SLC	*Schweizerisches landwirtschaftliches Centralblatt* (organe de la GSL)
SLZ	*Schweizerische landwirtschaftliche Zeitschrift* (organe de la SLV)
Wochenblatt	*Wochenblatt des schweizerischen Industrievereins*
ZSV	*Zeitschrift für schweizerische Statistik* (1865-1915); *Zeitschrift für schweizerische Volkswirtschaft* (1916-1944); *Schweizerische Zeitschrift für Volkswirtschaft und Statistik* (dès 1945)
CA	conseil d'administration
cts	centimes, centime

CV	chevaux-vapeur
EPFZ	Ecole polytechnique fédérale de Zurich
frs	francs suisses, franc suisse
frsa	francs suisses anciens, franc suisse ancien (1 frsa = 1,45 frs)
hl	hectolitres, hectolitre
kg	kilos, kilo
max	maximum
min	minimum
mios	millions, million
PIB	produit intérieur brut
PV	procès-verbal
VAA	valeur ajoutée agricole

2. *Champ étatique*

AsF	Assemblée fédérale
BNS	Banque nationale suisse
CaE	Conseiller aux Etats
CCN	Commission du Conseil national
CdE	Conseiller d'Etat
CE	Conseil des Etats
CF	Conseil fédéral
Cféd	Conseiller fédéral
CFF	Chemins de fer fédéraux
CN	Conseil national
CNA	Caisse nationale d'assurance accident
Cn	Conseiller national
DFCA	Département fédéral du commerce et de l'agriculture
DFCC	Département fédéral du commerce et des chemins de fer
DFCP	Département fédéral des chemins de fer et des postes
DFDC	Département fédéral des douanes et du commerce
DFFD	Département fédéral des finances et des douanes
DFIA	Département fédéral de l'industrie et de l'agriculture
DFIAC	Département fédéral de l'industrie, de l'agriculture et du commerce
DFP	Département fédéral de politique extérieure
PAB	Parti des paysans, artisans et bourgeois
PRDS	Parti radical-démocratique suisse
PSS	Parti socialiste suisse

3. *Liste des cantons*

AG	Argovie	NW	Nidwald
AI	Appenzell Rhodes-Intérieures	OW	Obwald
AR	Appenzell Rhodes-Extérieures	SG	Saint-Gall
BE	Berne	SH	Schaffhouse
BL	Bâle-Campagne	SO	Soleure
BS	Bâle-Ville	SZ	Schwyz
FR	Fribourg	TG	Thurgovie
GE	Genève	TI	Tessin
GL	Glaris	UR	Uri
GR	Grisons	VD	Vaud
JU	Jura	VS	Valais
LU	Lucerne	ZG	Zoug
NE	Neuchâtel	ZH	Zurich

4. *Associations économiques*

4.1. Commerce et industrie

ACIG	Association commerciale et industrielle genevoise (1865)
AHIV	Aargauischer Handels- und Industrieverein (1874)
BHIV	Basler Handels- und Industrieverein (1876)
BVHI	Bernischer Verein für Handel und Industrie (1860)
HCGL	Handels-Commission des Kantons Glarus
IVSG	Industrieverein St. Gallen (1875)
KDSG	Kaufmännische Direktorium St. Gallen (1730)
KGZ	Kaufmännische Gesellschaft Zürich (1873)
KSHIV	Kantonaler Solothurnischer Handels- und Industrie-Verein (1874)
SEV	Schweizerischer Elektrotechnischer Verein (1889)
SGCI	Schweizerische Gesellschaft für chemische Industrie (1882)
SGG	Schweizerische gemeinnützige Gesellschaft (1810)
SGV	Schweizerischer Gewerbsverein (1843)
SICVD	Société industrielle et commerciale du canton de Vaud (1859)
SIIJ	Société intercantonale des industries du Jura (1876)
SIV	Schweizerischer Industrieverein (1848)
SSH	Société suisse des hôteliers (1882)
SSZWV	Schweizerischer Spinner-, Zwirner- und Weberverein (1877/ 1879/1884)
THIV	Thurgauischer Handels- und Industrieverein (1870)

USCI	Union suisse du commerce et de l'industrie (1870)
VSL	Verband der schweizerischen Leinenindustrie (1882)
VSM	Verein Schweizerischer Maschinenindustrieller (1883)
VSW	Verband der schweizerischen Wollindustrieller (1882)
ZIV	Zürcher Industrieverein (1842)
ZSIG	Zürcherische Seidenindustrie Gesellschaft (1854)
ZSOV	Zentralverband der Stickereiindustrie der Ostschweiz und des Vorarlbergs (1885)

4.2. Agro-alimentaire

FSASR	Fédération des sociétés d'agriculture de Suisse romande (1881)
GSL	Gesellschaft schweizerischer Landwirte (1882)
SAV	Schweizerischer alpwirtschaftlicher Verein (1863)
SBB	Schweizerischer Bauernbund (1893)
SLV	Schweizerischer landwirtschaftlicher Verein (1863)
USP	Union suisse des paysans (1897)
VOLG	Verband ostschweizerischer landwirtschaftlicher Genossenschaften (1886)
VSKE	Verband schweizerischer Käseexporteure (1896)

4.3. Arts et métiers

SHGV	Schweizerischer Handwerks- und Gewerbeverein (1849)
USAM	Union suisse des arts et métiers (1879)

4.4. Salariés

AB	Zweiter Arbeiterbund (1887)
UVS	Union des villes suisses (1897)
SdG	Société du Grütli (1838)
USC	Union suisse des coopératives de consommation (1890)
USS	Union syndicale suisse (1880)
VMAV	Verband der katholischen Männer- und Arbeitervereine (1888)

Liste des tableaux

Chapitre 4

Liste des graphiques

Chapitre introductif

Chapitre 2

Chapitre 3

Liste des cartes

Liste des annexes

Chapitre introductif

I. Problématique: développement économique et Etat central

I.1. Causes et caractéristiques du développement économique helvétique

Au cours du XIXe siècle, la Suisse connaît une évolution économique rapide qui modifie ses structures productives et son rapport à l'économie mondiale. De pays agricole – 60% de la population active en 1820[1] –, dont le sol ne parvient pas à nourrir certaines bouches contraintes d'émigrer pour survivre[2], l'Helvétie passe au rang d'Etat industriel qui fournit du travail à une nombreuse main-d'œuvre étrangère – 11,8% de la population résidante en 1910[3]. A la veille de la Première guerre mondiale, le secteur secondaire emploie 45,5% de la population active alors que le secteur primaire n'en occupe plus que 26,8%. Dans les branches de la chimie, des machines ou encore de l'industrie électrique, les entreprises helvétiques se situent à la pointe de l'innovation technologique. L'horlogerie et la broderie se distinguent sur tous les marchés mondiaux par leur savoir-faire. Bien que sur le déclin, les branches du coton et de la soie, à l'origine du développement industriel, n'en demeurent pas moins importantes. Enfin, les productions de l'industrie laitière – fromage, lait condensé et chocolat – bénéficient d'une réputation mondiale.

La Suisse a alors acquis un strapontin dans la cour des grandes puissances économiques européennes. Avec un total de 60 dollars par habitant, l'exportation suisse se situe au second rang européen derrière la Belgique, mais devant la Grande-Bretagne[4]. Par ailleurs, le capital accumulé au cours du XIXe siècle est si important que la Suisse est en tête des pays exportateurs de capitaux: environ 700 dollars par habitant contre 440 pour la Grande-Bretagne, qui occupe la deuxième place[5]. En pleine structuration, le système bancaire et la branche des assurances profitent de cette abondance. De sorte qu'en 1913, la Suisse est le second pays européen qui produit le plus de richesse. Avec un PIB de 4207 dollars internationaux de 1990 par habitant,

1 Bergier, 1984, p. 207.
2 Jusque dans les années 1880, le bilan migratoire de la Suisse est négatif (plus d'émigrés que d'immigrés); l'apogée du mouvement d'expatriation des Helvètes se situe durant la période 1880/1888 – le solde négatif moyen de la balance migratoire s'élève alors à 3,8 pour mille de la population résidante; SHS, 1996, p. 357.
3 SHS, 1996, p. 145.
4 Bairoch, 1984, p. 475; il s'agit de dollars courants.
5 *Ibidem*, p. 480.

elle se situe derrière la Grande-Bretagne (5032), mais loin devant l'Allemagne (3833), la France (3452) et l'Italie (1746)[6].

Face à ce développement économique, qualifié par certains de miraculeux[7], l'historien s'interroge: comment se fait-il qu'un pays à marché intérieur restreint, au sol pauvre en matières premières et de surcroît sans accès direct à la mer, ait réussi à s'industrialiser et s'enrichir de la sorte? Les études consacrées à la question apportent plusieurs éléments de réponse. Elles mentionnent l'existence de nombreux savoir-faire acquis dans les activités protoindustrielles, la disponibilité de capitaux accumulés grâce au mercenariat, au commerce et à l'exportation agricole, la présence d'une main-d'œuvre bon marché et d'une énergie hydraulique abondante ainsi que l'avantage d'une pression fiscale faible. En outre, le génie du patronat helvétique est glorifié, de même que son esprit d'entreprise et son acharnement au travail[8]. Le pendant de cette apologie est un silence presque complet sur le rôle joué par l'Etat dans le développement économique.

Le cliché qui prévaut est celui d'un système politique fédéraliste très libéral. L'Etat central ne serait pas ou peu intervenu, s'effaçant au profit des pouvoirs cantonaux. Ainsi, la Confédération n'aurait pas participé activement au développement économique fulgurant du XIXe siècle, cela au moins jusque dans les années 1870[9]. Les interprétations les plus libérales défendent même que ce prétendu vide étatique serait une des clefs du succès helvétique: en assurant un maximum de liberté d'entreprise aux glorieux pionniers de l'industrie, l'Etat leur aurait permis d'exprimer pleinement leur génie individuel, pour le plus grand bien de la collectivité. A ce propos, l'analyse développée par William Rappard, cent ans après la création de l'Etat fédéral, est révélatrice. Certes mentionnées, diverses interventions économiques de

6 Maddison, 1995, p. 20; Bairoch donne quant à lui le PNB par habitant de 1913 en dollars de 1960: Grande-Bretagne (1030), Suisse (900), France (480), Allemagne (440), Italie (300); Bairoch, 1984, p. 494.

7 Le terme de «miracle» est déjà utilisé par les économistes du XIXe siècle; en 1850, Georg Friedrich Kolb affirme que l'essor industriel suisse est *«le plus insolite, le plus surprenant et absolument miraculeux qui fût dans l'ordre économique des nations»*; cité in Veyrassat, 1990, p. 291; par la suite, plusieurs historiens reprennent cette idée; cf. notamment Bairoch, 1984, p. 474; Bairoch, 1990, p. 105.

8 Sur les conditions de la Révolution industrielle en Suisse, cf. Rappard, 1914, pp. 1-225; Bodmer, 1960, pp. 275-337; Wittmann, 1963, pp. 592-615; Biucchi, 1970, pp. 627-655; Menzel, 1979, pp. 3-52; Veyrassat, 1982, pp. 15-76; Bergier, 1984, pp. 176-184; Bernegger, 1983, pp. 1-33; Dudzik, 1987, pp. 17-63; Fritzsche, 1996, pp. 126-148.

9 Sur l'intervention économique de l'Etat central durant la 1ère Révolution industrielle, cf. Rappard, 1914, pp. 16-33/110-122; Rappard, 1948, pp. 1-6; Gruner, 1964, pp. 35-50; Handwörterbuch der schweizerischen Volkswirtschaft..., 1955, pp. 579-589; le rôle joué par l'Etat central à la fin du siècle fait l'objet de quelques études plus critiques; Jost, 1979/80; Zimmermann, 1980; Strebel, 1980; Zimmermann, 1987.

l'Etat central sont interprétées comme un ballon d'oxygène libéral offert à l'initiative privée:

> *Ces principes étaient ceux d'un libéralisme intégral et même d'un individualisme délibéré et intransigeant [...] Oui, sans doute, les architectes de cet Etat le voulurent fort. Mais sa force, il devait la tirer non de la multiplicité de ses compétences administratives et policières, mais de la prospérité et de la concorde de ses citoyens. Et cette prospérité et cette concorde n'étaient concevables que dans la liberté individuelle. Ce n'est donc pas aux dépens de l'individu que fut érigé l'édifice de 1848, mais bien plutôt à son profit*[10].

Le développement d'une conception passive de l'Etat, dont le rôle se serait limité à éliminer les entraves de l'Ancien Régime, permet de le revêtir d'un manteau de neutralité. En s'abstenant d'intervenir, il n'aurait pas avantagé les intérêts de certains groupes socio-économiques au détriment d'autres.

L'aura libérale dont a été enveloppé le «miracle» économique helvétique a eu des répercussions sur la production historiographique consacrée à l'évolution de l'Etat central. La plupart des analyses se concentrent en effet sur les aspects constitutionnels ou sur les querelles politiques et religieuses, comme si l'économie – son évolution, ses problèmes, ses besoins, ses intérêts – était déconnectée de la vie des institutions politiques. Certes, à partir des années 1920, quelques études amorcent une histoire de la Confédération suisse qui tisse des liens entre les sphères économique et politique[11]. Ces quelques voix dans le désert ne parviennent toutefois pas à imposer leur grille de lecture.

Cette situation perdure encore aujourd'hui, comme en témoigne le récent débat historique qui a eu lieu en 1998, à l'occasion du 150e anniversaire de la création de l'Etat fédéral[12]. Quelques contributions tentent bien d'inscrire cette transformation de l'Etat central suisse dans l'évolution sociale et économique de moyenne durée provoquée par la Révolution industrielle, mais l'interprétation dominante perpétue la thèse de la guerre civile déclenchée par les tensions religieuses et politiques des années 1840. Il est d'ailleurs significatif de constater que la mise en place d'un système monétaire unifié, la transformation des fondements du système fiscal suisse, la création d'un marché du travail élargi ou encore l'élaboration d'une législation favorisant la construction de chemins de fer sont autant de sujets économiques fondamentaux ignorés par les historiens participant au débat. En l'absence d'analyses centrées sur l'action de l'Etat central en matière économique, la thèse de son effet marginal sur le développement, défendue notamment par Hansjörg Siegenthaler, demeure dominante tout en avouant son caractère hypothétique:

10 Rappard, 1948, p. 2.
11 Les études parmi les plus significatives sont: Fueter, 1928; Nabholz, 1944; Rupli, 1949.
12 Revolution und Innovation..., 1998; Im Zeichen der Revolution..., 1997; Studer, 1998.

> *So eng die Beziehungen zwischen staatlicher Neuordnung und sozialökonomischer Modernisierung auch waren, so unklar bleibt vorläufig das Ausmass der unmittelbaren Auswirkungen, die von staatlicher Neuordnung auf die Modernisierung ausgegangen sind. Dass die Gründung des Bundesstaates der Wachstumsphase der 1850er und frühen 1860er Jahre voranging und zeitlich mit den Anfängen modernen Wirtschaftswachstums zusammenfiel, weist auf einen Kausalzusammenhang nur hin und belegt ihn noch nicht. Fragwürdig erscheint besonders die Vorstellung, wonach mit der Beseitigung der Binnenzölle und des Mass- und Münzwirrwarrs entscheidende Wachstumshemmnisse abgebaut worden seien. Bis in die 1870er Jahre hinein blieben die führenden Industriesektoren so entschieden auf Aussenmärkte ausgerichtet, dass die institutionelle Integration des Binnenraumes kaum entscheidende wachstumswirksame Impulse hervorgebracht haben dürfte*[13].

Il ne s'agit pas ici de nier l'aspect fédéraliste du système politique helvétique, ni même de contester que cette caractéristique ait pu avoir certains avantages sur le développement économique, notamment en allégeant la fiscalité supportée par les entreprises. Le propos n'est pas non plus de contester l'importance des autres facteurs de développement déjà évoqués. Il paraît toutefois nécessaire de rendre à l'Etat central ce qui est à l'Etat central. A-t-il réellement joué un rôle négligeable dans le développement économique ou y a-t-il contribué et, si oui, dans quelle mesure? La réponse à cette question nécessitera une mise en question systématique des clichés libéraux charriés par la conscience collective, dont certains se sont incrustés dans l'historiographie suisse.

I.2. «Mondes de production» et élites économiques: divergences d'intérêts en matière d'intervention étatique

Au cours du XIXe siècle, les besoins d'intervention exprimés par les milieux de l'économie varient en qualité et en intensité selon deux dimensions: l'espace et le temps. Vers 1815, l'espace économique helvétique se caractérise par sa très forte segmentation. Les cantons étant de véritables Etats souverains, il n'existe pas d'unité nationale en la matière. Ainsi, chaque économie cantonale forme une entité spécifique avec ses douanes, sa monnaie et sa législation économique. Les frontières cantonales ne constituent toutefois pas les lignes de démarcation géographiques décisives si l'on veut comprendre la diversité des intérêts économiques en présence. Enjambant les frontières politiques, non seulement intérieures, mais aussi extérieures – en direction des régions limitrophes des quatre pays voisins –, cinq «mondes de production»[14] cohabitent en Suisse.

13 Siegenthaler, 1985, p. 472.

14 Le concept de «monde de production» est emprunté à Salais et Storper, 1993; dans le cadre de cette étude, qui traite de la production industrielle contemporaine, les auteurs

Carte 1. Mondes de production en Suisse au début du XIXe siècle

Suisse occidentale marchande
marchands-banquiers
commerce de spéculation
denrées coloniales, fabriqués étrangers
import / import-export

Région zurichoise
grands industriels
industrie en fabrique
semi-fabriqués en coton
marché intérieur

Suisse orientale industrielle
marchands-entrepreneurs
industrie à domicile
textiles de luxe
exportation

Suisse occidentale agricole
aristocratie terrienne
agriculture de plaine
production mixte (animale / végétale)
exportation / marché intérieur

Suisse centrale et méridionale agricole
aristocratie terrienne
agriculture de montagne
production animale (bétail, fromage)
exportation

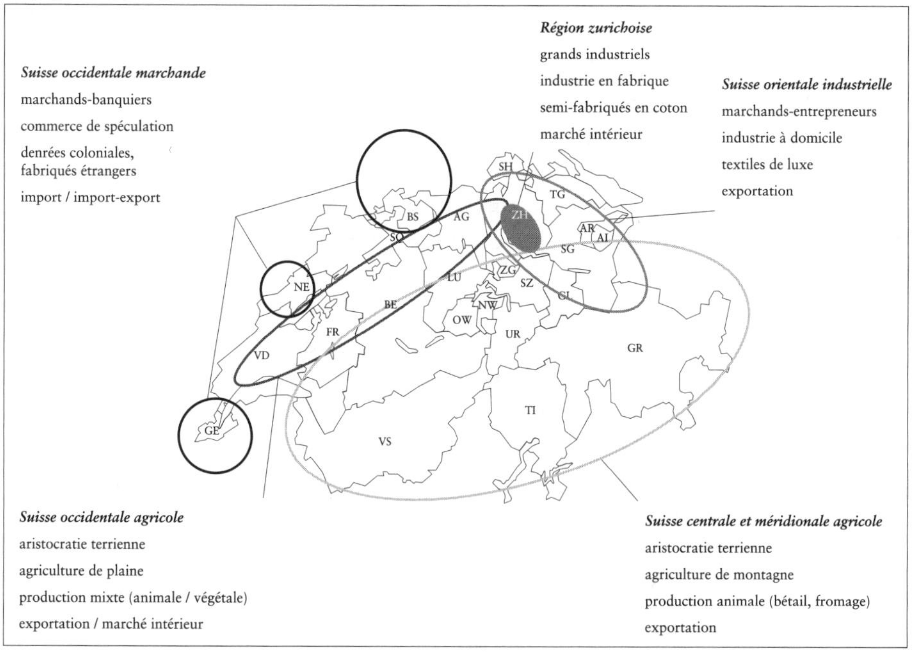

En fonction de l'activité économique dominante en son sein – banque, commerce, tourisme, production industrielle, production agricole – et des caractéristiques de ses produits (marchandises/services), chaque monde développe des processus de production et/ou de commercialisation particuliers qui se traduisent par des divergences d'intérêts à l'égard d'une intervention de l'Etat. En outre, chaque «monde de production» est dominé par un groupe social qui cherche à imposer sa conception de l'Etat et de ses devoirs

définissent quatre mondes de production possibles ayant chacun ses caractéristiques productives et commerciales; bien que les cinq «mondes de production» présentés dans la suite de l'analyse ne correspondent pas exactement à ceux définis par Salais et Storper – d'où les guillemets –, la démarche analytique est semblable: en partant des particularités d'un produit ou d'un service, des spécificités des processus de production et de commercialisation nécessaires à sa réalisation et à sa vente, il est ensuite possible de déterminer les besoins d'encadrement de l'activité économique en question et d'analyser si l'Etat y répond de manière appropriée. A noter encore que le modèle spatial des «mondes de production» proposé à la carte 1 réduit la complexité réelle du tissu économique helvétique. Les différentes entités ont des frontières beaucoup plus floues et aucune n'est totalement homogène (cf. chapitre 1.2); en outre, l'agriculture de montagne de l'Arc jurassien, région encore peu industrialisée au début du XIXe siècle, n'est pas prise en compte, car son poids économique est faible et sa représentation politique sur la scène fédérale également.

aux différents niveaux politiques – communal, cantonal et fédéral. Les cinq groupes sociaux en question seront regroupés sous le terme d'élites économiques. Bien que ce concept soit contesté[15] et qu'il puisse paraître vague, il est pourtant celui qui convient le mieux pour englober cinq groupes socio-économiques dominants très différents.

En Suisse centrale et méridionale, l'aristocratie terrienne domine une agriculture de montagne qui élève du bétail et fabrique du fromage. La compétitivité de ces produits, voués surtout à l'exportation en direction du sud des Alpes, dépend autant de leur qualité, liée à un savoir-faire, que de leur prix. En conséquence, le besoin d'une intervention étatique dans les processus de production et de commercialisation reste limité. En Suisse occidentale, l'aristocratie terrienne s'adonne à une agriculture de plaine mixte – productions végétales et animales en majeure partie destinées à des marchés de proximité. Du fait que la compétitivité de la culture céréalière, qui est une production standardisée, dépend avant tout des prix, des mesures étatiques peuvent être décisives dans la lutte concurrentielle. A l'extrémité ouest de la Confédération, les marchands-banquiers de quelques cantons pratiquent le commerce à l'échelle internationale. Leurs profits proviennent de la vente de produits coloniaux en Europe, mais également d'un intense commerce intermédiaire – achat et revente de produits fabriqués soit sur place, soit dans les autres cantons suisses, ou encore à l'étranger. Selon ces négociants, l'Etat a pour mission d'assurer la liberté des transactions et des coûts de commercialisation avantageux (fiscalité, transport, etc.). En Suisse orientale, les marchands-entrepreneurs font fabriquer à domicile des produits industriels à haute valeur ajoutée, en particulier des textiles de luxe, qu'ils exportent sur les marchés internationaux. Leur compétitivité dépend en partie du prix, mais aussi de l'originalité de la conception et de la qualité de l'exécution, qui doivent être en adéquation avec le goût des consommateurs. En conséquence, il est demandé à l'Etat de veiller à la reproduction d'une main-d'œuvre bon marché et suffisamment qualifiée.

Avec les débuts de la Révolution industrielle[16] en Suisse, au début du XIXe siècle, un cinquième «monde de production» naît et se développe rapidement à partir d'un centre de gravité, le canton de Zurich. Les grands industriels de la branche du coton construisent des fabriques où ils produisent du fil au moyen de machines coûteuses actionnées par une force motrice hydraulique.

15 Pour une critique du concept d'élites, cf. Busino, 1970, pp. 247-273.

16 Le concept de Révolution industrielle est utilisé ici pour caractériser les bouleversements technologiques survenus dans l'industrie à la fin du XVIIIe siècle et en particulier la mécanisation de la production; il n'est pas compris dans le sens large développé par Kuznets et repris par Bernegger – phase de passage à une forte croissance économique caractérisée par une augmentation rapide du produit national par habitant et par d'importants bouleversements sectoriels de la production; Bernegger, 1983, pp. 18-26.

Ce nouveau mode de fabrication nécessite rapidement l'investissement de capitaux fixes considérables souvent recherchés à l'extérieur de l'entreprise. En période de crise, leur rentabilisation devient vite problématique. Les marges bénéficiaires des produits de masse standardisés, déjà limitées en temps normal, sont encore réduites par une pression concurrentielle accrue. La survie de l'entreprise dépend alors de la faculté de compresser les coûts de production et de commercialisation. Certes, l'Etat ne peut se substituer au privé dans l'exécution de cet exercice, mais il peut y contribuer de manière importante par son intervention – mise à disposition de capital bon marché, réduction des coûts de l'énergie, fiscalité avantageuse, diminution des coûts de transport, conclusion de traités de commerce, etc.

La demande d'intervention étatique, qui diffère donc en fonction des processus de production et de commercialisation, varie aussi dans le temps. Il existe en effet une dynamique évolutive interne propre à chaque «monde de production». L'introduction de nouvelles activités, l'évolution technologique, les changements dans l'organisation du travail, l'intensification de la capitalisation, la complexification des processus d'échange, etc. sont autant de paramètres susceptibles de faire évoluer le besoin d'encadrement étatique. A cette dynamique interne se superpose l'aiguillon externe de la concurrence internationale. Dans certaines circonstances, le maintien de la compétitivité des productions helvétiques, autant sur le marché intérieur que sur les marchés extérieurs, exige des adaptations que l'Etat peut faciliter. A cet égard, les changements d'orientation de la politique commerciale internationale déclenchent souvent de nouveaux besoins, en particulier dans le domaine de l'intervention douanière. Les périodes de crise, qui engendrent de profondes restructurations de l'appareil productif et d'échange, sont toutefois les périodes où les appels à l'Etat sont les plus intenses.

I.3. Luttes politiques au sujet d'une intervention de l'Etat

Pour voir leurs besoins d'encadrement satisfaits, les milieux économiques ont la possibilité d'agir à plusieurs niveaux politiques. La sollicitation des pouvoirs communaux et cantonaux offre des avantages certains. L'«immersion» des autorités locales dans le «monde de production» demandeur se traduit souvent par une compréhension bienveillante. La proximité du législateur peut aussi être le gage d'une meilleure adéquation de l'action étatique aux nécessités économiques. Toutefois, une intervention à l'échelle régionale peut se révéler insuffisante. L'efficacité de certaines mesures nécessite en effet une extension de l'aire géographique d'application. En outre, la réalisation d'infrastructures dépasse parfois la capacité financière cantonale. La présente étude limite son champ d'investigation aux demandes d'intervention adressées à l'Etat central.

Tout au long du XIXe siècle, la Confédération est sollicitée par les différents «mondes de production». Jusqu'à la création de l'Etat fédéral, en 1848, celle-ci n'a toutefois que très peu de compétences et de moyens pour les satisfaire, puisque les cantons sont souverains en matière de politique économique. A moins d'une très hypothétique unanimité à la Diète, toute collaboration économique passe alors par la conclusion de concordats intercantonaux. Or, la plupart des tentatives faites dans ce sens, notamment pour simplifier les systèmes monétaires et douaniers, se soldent par de retentissants échecs.

A partir de 1848, l'Etat central joue un rôle beaucoup plus efficace dans l'encadrement du développement économique. Les constitutions de 1848 et 1874, suivies de multiples révisions partielles (1890-1914), permettent les adaptations nécessaires pour lutter contre la concurrence internationale. L'optimisation des conditions de production et de commercialisation se fait alors selon diverses modalités d'intervention. Pour éviter des dysfonctionnements du système économique, une législation peut être introduite afin de régler une pratique. Plus intrusive, l'intervention au moyen de subventions permet d'encourager une activité sans devoir la prendre en charge. L'Etat fédéral peut ainsi intervenir dans la vie économique sans avoir à centraliser des compétences. En subordonnant la distribution de l'aide financière à certaines conditions d'utilisation, il impose des normes aux cantons, qui sont chargés de l'application. Enfin, l'Etat central peut prendre en charge une activité afin de la rationaliser. Monopolisés et nationalisés, certains services peuvent être offerts à l'économie avec une efficacité accrue (postes, télégraphes, chemins de fer, écoles, etc.).

Au niveau de la Confédération, la réalisation d'une intervention demandée par un «monde de production» pose toutefois un problème politique beaucoup plus ardu que sur les niveaux communal et cantonal. Chaque mesure fait l'objet d'une lutte intense entre les élites économiques reliées aux cinq «mondes de production» décrits. Aristocraties terriennes de plaine et de montagne, marchands-banquiers, marchands-entrepreneurs et grands industriels défendent bec et ongles leurs intérêts économiques souvent divergents.

La première étape de la lutte oppose les élites qui ont besoin d'une intervention à celles qui n'en veulent pas. La centralisation d'un domaine de compétence signifiant l'abandon d'une parcelle de pouvoir cantonal, les élites peu intéressées craignent en effet de devoir supporter une législation fédérale allant à l'encontre du bon fonctionnement de leur «monde de production». Même si l'intervention ne pose pas ce genre de problèmes, une élite peut la combattre pour ne pas avoir à participer aux coûts de son application par le biais de la fiscalité fédérale. Une fois la compétence d'intervenir acquise par l'Etat central, la seconde étape de la lutte concerne la mise en œuvre de la législation. Alors que les opposants cherchent à limiter au maximum sa portée, les partisans s'entredéchirent sur les modalités d'application. La possibilité de dégager un consensus susceptible de réunir une majorité politique est parfois ténue, voire nulle.

A partir des années 1850, le jeu politique fédéral est encore compliqué par la présence renforcée des élites financières engagées dans la construction des chemins de fer. Leurs liens avec les autres élites régionales sont toutefois étroits. Jusqu'à la Première guerre mondiale, elles ne développent pas un discours économique propre, à l'exception de quelques domaines d'intervention les touchant de plus près (émission des billets de banque, législation ferroviaire, etc.). Par conséquent, les élites financières n'apparaîtront que peu dans la suite de l'analyse. Il faut aussi mentionner la naissance d'élites économiques impliquées dans le développement du tourisme. Situées principalement dans les régions alpestres, celles-ci cherchent à limiter la charge fiscale sur les denrées alimentaires, l'ameublement et les produits de luxe consommés par les touristes.

Encore un mot au sujet des groupes socio-économiques qui ne sont pas intégrés dans le concept d'élites économiques. Certes, tout au long du XIXe siècle, les classes moyennes possèdent un certain poids dans la vie politique régionale, mais jusque dans les années 1870, leur influence sur l'intervention de l'Etat central demeure faible. A la fin du siècle, leur position se renforce quelque peu grâce à la pression mise par le mouvement démocratique qui obtient l'introduction d'éléments de démocratie directe – référendum législatif et initiative constitutionnelle. Par ailleurs, des associations à dimension nationale sont créées pour mieux organiser des intérêts jusqu'alors émiettés. Il faut préciser que le concept de classes moyennes est utilisé ici dans un sens restrictif, adapté aux particularités de l'analyse de la politique douanière. Il n'intègre que les producteurs indépendants, à savoir les petits et moyens industriels, les artisans et les petits et moyens paysans. Les fonctionnaires, employés, techniciens ou autres cols blancs sont rangés dans les classes salariées, en compagnie des ouvriers, car ils défendent les mêmes intérêts de consommateurs-salariés.

A l'instar des classes moyennes, les salariés ne parviennent pas à acquérir un poids politique important sur la scène fédérale. Jusqu'à la Première guerre mondiale, la très forte fragmentation du mouvement ouvrier – langue, religion, doctrine – empêche une organisation efficace du groupe socio-économique le plus nombreux. A partir des années 1890, ce sont donc les associations de consommateurs qui prennent en charge la défense des intérêts douaniers des salariés. Malgré une base relativement nombreuse, celles-ci ne jouent qu'un rôle marginal dans la définition de la stratégie douanière fédérale. Quant aux indépendants du secteur tertiaire – médecins, petits commerçants, transporteurs –, ils ne jouent pas un rôle visible dans le débat douanier. Les avocats font exception, mais ils fonctionnent le plus souvent en tant que représentants des élites économiques de leur «monde de production».

I.4. L'Etat fédéral au service de l'industrialisation

Durant la seconde partie du XIXe siècle, l'action de la Confédération en faveur du développement économique est loin d'être négligeable. Certes, comparativement au rôle joué aujourd'hui par l'Etat central dans l'économie, l'intensité de l'intervention est alors sans commune mesure. Autant l'étendue des domaines touchés que les moyens mis en œuvre sont nettement plus limités. La même remarque est valable si l'on compare l'intervention de la Confédération à celle de certains autres Etats européens du XIXe siècle. Il n'en demeure pas moins que la construction de l'Etat fédéral marque les débuts d'une intervention certes limitée, mais qualitativement nécessaire au processus de développement économique.

Au cours de cette période, la nécessité de répondre aux besoins d'intervention des élites économiques accélère la construction de l'Etat central. Un processus de va-et-vient fonctionne en effet entre sphères économique et étatique: la demande d'intervention formulée par les divers «mondes de production» requiert la centralisation de compétences qui permettent à la Confédération d'installer les conditions de production et de commercialisation favorisant la poursuite du développement économique. Autrement dit, pour faire face aux exigences d'une économie toujours plus complexe et mondialisée, les élites économiques helvétiques sont contraintes de déléguer davantage de pouvoir à la Confédération. Cette thèse est explicitée de manière plus provocatrice par Rubattel et Masnata: «*L'histoire suisse – c'est là sa principale caractéristique – peut se réduire aux réponses successives que les classes dominantes ont données aux nécessités économiques.*»[17] En conséquence, le premier objectif de ce travail sera d'analyser les évolutions structurelles de l'économie et de l'Etat central helvétiques en explicitant leur interdépendance.

Tout au long du XIXe siècle, le groupe socio-économique des grands industriels constitue le moteur de l'intervention fédérale. Les caractéristiques de leur «monde de production» exigent en effet une intervention accrue du pouvoir central. Durant la première moitié du siècle, leur démarche se heurte toutefois à l'opposition conjuguée des marchands-banquiers et de l'aristocratie terrienne, élites conservatrices qui dominent alors la scène politique fédérale. Avec la création de l'Etat fédéral, en 1848, les grands industriels parviennent à instaurer un nouvel Etat central au sein duquel ils exercent une influence accrue. Pour y parvenir, ils sont contraints de chercher des alliances politiques en direction des autres élites économiques –

17 Masnata, 1991, p. 27.

surtout les marchands-entrepreneurs –, mais aussi chez les classes moyennes. Le radicalisme est l'expression politique de cette alliance progressiste aux visées centralisatrices.

Certes, après 1848, le problème de rassembler des majorités politiques favorables à la poursuite de la construction de l'Etat fédéral demeure. Les trois épisodes de la première révision de la constitution – 1866, 1872, 1874 – en sont une illustration significative. L'Etat fédéral devient toutefois un instrument politique efficace au service des grands industriels qui sont à la pointe du développement économique. Au glissement du pouvoir des élites marchandes vers les élites industrielles correspond un déplacement du centre de gravité économique d'ouest en est, des centres commerciaux de Bâle, Genève et Neuchâtel vers les régions industrielles de Zurich, St-Gall et Glaris. En 1848, les quatre experts «mobilisés» par le Conseil fédéral (CF) pour élaborer la législation économique étaient des représentants du capital bâlois. A la fin du siècle, toute intervention économique fédérale fait l'objet d'une collaboration étroite avec le Vorort de l'Union suisse du commerce et de l'industrie (USCI), dont le siège, devenu permanent en 1882, est à Zurich. Le second objectif de ce travail consistera à expliciter la domination des structures politiques fédérales par les différentes élites économiques et à esquisser l'évolution de leur poids relatif.

I.5. Valeur et actualité de la problématique

La valeur d'une problématique historique est souvent mesurée à l'aune de son utilité à la compréhension de la société contemporaine. L'explication des évolutions, dont est issu un problème de société, peut en effet permettre de mieux l'appréhender pour ensuite tenter de le résoudre: mieux connaître d'où l'on vient afin de mieux décider où l'on aimerait aller, telle est la philosophie d'une histoire critique au service du collectif.

Depuis le début des années 1990, la société suisse traverse une période de profonde restructuration, notamment marquée par la redéfinition des rapports entre l'Etat et l'économie. Le point de départ de cette phase de changement est à chercher dans la transformation accélérée du cadre économique: phase de stagnation structurelle dans les pays industrialisés (dès le milieu des années 1970), révolution technologique liée à l'informatique et à la génétique, accélération de la mondialisation de l'économie, concentration industrielle et bancaire, passage à une société postindustrielle dominée par le tertiaire. Dans le domaine douanier, la Confédération doit adapter sa stratégie en fonction de deux exigences fondamentales: la libéralisation des échanges impulsée à l'échelle mondiale par le GATT/OMC et la construction du marché unique européen.

L'intensité du débat qui agite la classe politique fait écho à l'ampleur de cette secousse structurelle. Les tabous tombent, les mythes se lézardent, les acquis s'effritent et la discussion touche les fondements des rapports entre Etat et économie. Le fonctionnement du système politique est rediscuté afin d'optimiser son efficience. Unité de base de la Confédération, depuis son origine, le canton est remis en question et des fusions sont envisagées. Il en est de même au niveau des communes. Les rapports entre l'Etat fédéral et les cantons sont aussi en pleine refonte. Sur le plan fédéral, le Gouvernement comme le Parlement font l'objet de multiples projets de réorganisation, tandis que les acquis de la démocratie directe vacillent. Par ailleurs, le besoin de redéfinir le rôle de l'Etat dans la société est à l'origine du processus de révision de la constitution qui vient de s'achever. La tendance est à une diminution de l'intervention étatique, selon la doctrine néo-libérale, ce qui contribue à accélérer la tertiarisation et à accentuer les inégalités sociales. Même l'armée, vache sacrée de la Confédération, participe à la cure d'amaigrissement. Enfin, la Confédération éprouve le besoin d'une redéfinition fondamentale de ses relations extérieures, qui met à mal le concept de neutralité. La nécessité économique et politique de s'intégrer à des ensembles plus grands pose notamment des problèmes de souveraineté.

Les bouleversements de cette fin de siècle, liés à la troisième révolution industrielle, ne sont pas sans rappeler les deux grandes périodes de transformation du XIXe siècle. Des homologies avec les années 1830-1854 et 1884-1902, qui sont marquées par une adaptation de la sphère étatique aux exigences de la première Révolution industrielle, puis de la deuxième, sont incontestables. A chaque fois, la volonté d'améliorer la compétitivité helvétique pousse les secteurs dominants de l'économie à formuler des projets de réforme débouchant sur une transformation du système politique et un changement qualitatif du rôle joué par l'Etat central dans la sphère économique.

II. La politique douanière helvétique du XIXe siècle: objet historique au centre des rapports entre économie et Etat central

II.1. Enjeux financiers du débat douanier

Tout au long du XIXe siècle, les différentes taxations douanières constituent une des principales ressources fiscales de l'Etat. Dans la première moitié du siècle, cette imposition du trafic commercial, qui se répercute sur la consommation, est un pilier important de la plupart des fiscalités cantonales, l'imposition directe de la fortune et du revenu n'étant alors qu'à leurs premiers balbutiements. En 1832, les revenus douaniers représentent 30% des recettes totales du canton des Grisons – donc une part encore plus importante des recettes fiscales[1]. Après la centralisation du système douanier, en 1848, la part de cette imposition dans la fiscalité suisse ne cesse de croître. Alors qu'en 1868, les revenus douaniers représentent 24% de la charge fiscale totale prélevée par les collectivités publiques en Suisse, ce ratio est de 34% en 1910[2]. Le contrôle de cet outil fiscal fait par conséquent l'objet d'une lutte politique sans merci, dont les enjeux sont multiples.

Le premier est celui de la répartition de la charge fiscale. Qui supportera les frais engendrés par le fonctionnement de l'Etat? La compétence douanière permet en effet d'orienter la fiscalité en faveur, ou au détriment, des différents groupes socio-économiques. Un premier débat oppose les «fiscalistes», qui désirent financer la majeure partie des dépenses par le recours aux taxations douanières, et les libre-échangistes, qui tentent de réduire l'imposition de la consommation en la remplaçant par d'autres formes d'impôts, entre autres ceux sur les revenus et la fortune. La part du budget à couvrir par les revenus douaniers étant fixée, celle-ci peut être répartie de plusieurs manières. Faut-il frapper plutôt les exportateurs, les importateurs ou les transporteurs de marchandises (transit)? Concernant l'importation, doit-on renchérir les matières premières des industriels, le pain des ouvriers ou les fabriqués industriels consommés par les paysans?

Le contrôle des revenus douaniers constitue aussi un bras de levier efficace pour moduler le degré d'activité de l'Etat dans la société. Toute inter-

1 Chiffre tiré in Schanz, 1890, vol. 3, p. 220.
2 Les revenus douaniers sont tirés de l'annexe 1 et la charge fiscale totale in Rutz, 1970, p. 63.

vention nécessitant un financement, la maîtrise de l'outil douanier permet d'orienter la politique étatique dans un sens plus ou moins libéral. Les représentants de secteurs économiques peu intéressés par une intervention étatique s'opposeront en règle générale à un accroissement des revenus, alors que les secteurs tributaires de cette intervention en seront les partisans. A l'inverse, les secteurs économiques les plus prétérités par une taxation de la consommation tendront à réduire l'action de l'Etat à sa plus simple expression ou à la financer par des moyens fiscaux alternatifs.

Aux oppositions entre libre-échangistes et fiscalistes, milieux libéraux et interventionnistes, se superpose encore celle entre fédéralistes et centralisateurs. Qui de la Confédération ou des cantons doit bénéficier de la manne fiscale douanière? La réponse à cette question détermine dans une large mesure la possibilité de centraliser certains pouvoirs dans les mains de la Confédération. En effet, dès 1815, les revenus douaniers sont considérés comme étant la seule solution réaliste pour financer les activités de l'Etat central. Afin d'entretenir le trésor de guerre, une modeste taxe de frontière est alors préférée au système des contingents d'argent cantonaux – contributions des caisses cantonales aux dépenses de la Confédération. Quant à l'introduction d'un impôt fédéral direct, elle n'est pas même évoquée durant la première moitié du siècle. La logique veut donc que les milieux fédéralistes s'opposent à toute centralisation du système douanier, eu égard aux moyens financiers que cette opération pourrait procurer au pouvoir central. Pour une raison différente, les milieux sensibles à la taxation de la consommation s'y opposent également. Ils craignent en effet que le transfert de compétence débouche sur un accroissement de la charge fiscale, notamment en raison des coûts administratifs liés à un système fédéral.

L'analyse du débat douanier sur le plan fédéral se révèle donc difficile à cause de la grande complexité des motivations fiscales des acteurs historiques en présence. Il est souvent ardu d'opérer une distinction entre refus d'une taxation de la consommation, opposition à une intervention accrue de l'Etat et lutte contre la centralisation du pouvoir politique, ces différents niveaux étant parfois liés. D'autant plus que des objectifs libre-échangistes peuvent être camouflés au moyen d'arguments fédéralistes ou libéraux et vice versa.

II.2. Les revenus douaniers: pierre angulaire des finances fédérales

Avec la création de l'Etat fédéral, en 1848, le système douanier helvétique est centralisé. Désormais, le prélèvement des revenus s'effectuera de manière exclusive aux frontières extérieures du pays. Si les compétences en matière de douanes sont confiées dans leur totalité à la Confédération, une partie des revenus douaniers est rétrocédée aux cantons pour compenser leurs pertes fiscales. Cette concession faite aux pouvoirs cantonaux, qui ne sera abolie qu'avec la constitution de 1874, n'empêche pas la taxation douanière de devenir le centre de gravité du financement du nouvel Etat fédéral[3]. Certes, la possibilité d'un recours à des contingents d'argent cantonaux est bien ancrée dans la constitution, mais elle restera lettre morte. Quant à l'instauration d'un impôt fédéral direct, proposée par les milieux économiques les plus libre-échangistes, elle ne se réalise pas avant la Première guerre mondiale.

Pierre angulaire du nouveau système fiscal fédéral, la taxation douanière représentera entre 60 et 85% des revenus totaux de la Confédération durant la période courant de 1849 à 1913 (moyenne de 72%) (annexe 1). Si l'on déduit la part des revenus fédéraux consacrés à l'indemnisation des cantons – indemnités douanières (1850-1874), indemnités postales (1849-1874), taxe militaire (1875-1913), monopole de l'alcool (1888-1913), taxation des voyageurs de commerce (1893-1913), indemnités de la BNS (1907-1913) – pour ne prendre en compte que les recettes consacrées au ménage fédéral proprement dit, la proportion des dépenses couvertes par les revenus douaniers est encore plus élevée: elle ne descend qu'exceptionnellement en dessous de 75%. Le graphique 1 montre qu'en comparaison internationale, la dépendance de l'Etat central helvétique vis-à-vis de la taxation douanière est très élevée. De cette caractéristique découle deux constantes importantes à prendre en compte pour une analyse de la politique douanière suisse.

La première constante est qu'en Suisse plus que dans n'importe quel autre pays européen, la capacité de mobiliser des moyens financiers pour une intervention du pouvoir central dépend de l'évolution des recettes du système douanier. Ainsi, le graphique 2 permet de constater que la courbe des dépenses fédérales suit de très près celle des revenus douaniers. Certes, à partir de 1888, date de l'introduction du monopole de l'alcool, l'écart entre les courbes s'accentue. Toutefois, le degré de dépendance de la Confédération vis-à-vis des douanes demeure le même, puisque l'imposition de l'alcool est intégralement reversée aux cantons. Tout débat douanier prend donc une forte connotation politique. Un accroissement des revenus peut non

3 Sur le développement du système fiscal suisse et l'évolution des finances fédérales avant la Première guerre mondiale, cf. Schanz, 1890; von Burg, 1916; Holzach, 1918; Steiger, 1919; Schneider, 1925, Mani, 1928; Grossmann, 1930; Geyer, 1934; Probleme der öffentlichen Finanzen..., 1949; Higy, 1958; Bickel, 1964; Oechslin, 1967; Weber, 1969; Arlettaz, 1977; Gross, 1980; Halbeisen, 1990; Guex, 1993; à noter la parution d'un ouvrage collectif consacré à la problématique des finances étatiques en Suisse; aucune contribution n'est toutefois consacrée au XIXe siècle; Guex, 1994.

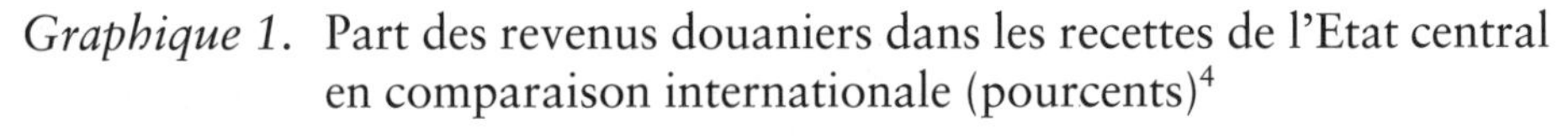

Graphique 1. Part des revenus douaniers dans les recettes de l'Etat central en comparaison internationale (pourcents)[4]

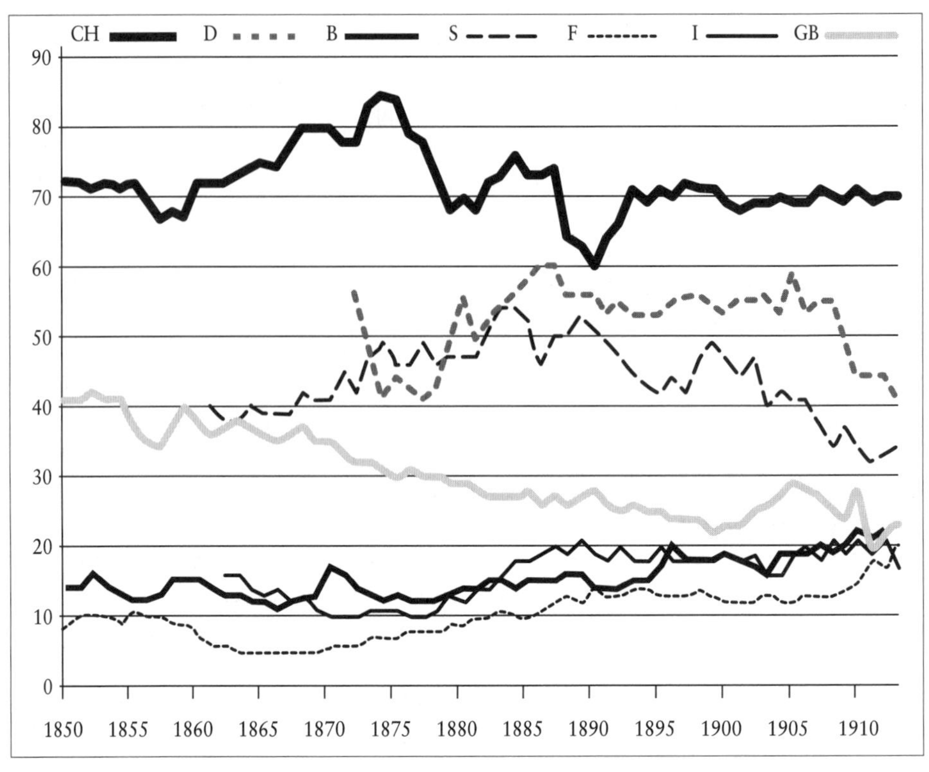

seulement être combattu par les puissantes élites économiques libre-échangistes – opposées à la taxation de la consommation et du trafic commercial – ainsi que par les élites libérales – opposées à une intervention économique de l'Etat –, mais également par des élites fédéralistes soucieuses de conserver un maximum de compétences politiques dans leurs bastions cantonaux.

Or, en instrumentalisant les fortes divergences d'intérêts entre élites économiques, mais aussi la forte segmentation linguistique et religieuse du pays, les milieux fédéralistes parviennent à limiter efficacement le degré de centralisation du pouvoir politique. En comparaison internationale, la Suisse figure parmi les pays les moins centralisés, en dépit de la construction de l'Etat fédéral de 1848 et de la révision constitutionnelle de 1874. Cette caractéristique politique peut être explicitée en analysant la part de la charge fiscale totale revenant au pouvoir central, en comparaison interna-

4 Les chiffres sont tirés in Flora, 1983, pp. 281-344; les chiffres utilisés pour la Suisse figurent dans l'annexe 1.

Graphique 2. Evolution des revenus douaniers et des dépenses fédérales (y compris indemnités aux cantons) en termes réels (mios de frs de 1890)[5]

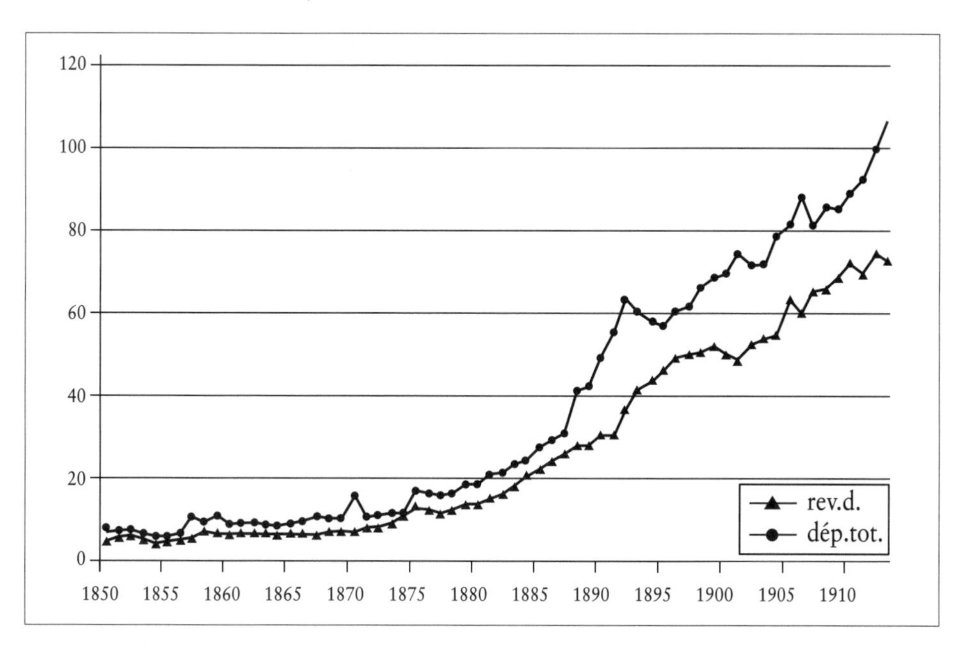

tionale (graphique 3). Bien que le ratio suisse progresse au cours du XIXe siècle, il demeure inférieur à celui d'autres pays européens.

Le faible degré de centralisation a pour conséquence de limiter les dépenses de l'Etat fédéral. D'autres facteurs y contribuent aussi: politique extérieure de neutralité entraînant des dépenses militaires modérées, situation géographique ne demandant pas l'entretien d'une flotte militaire, absence d'un pouvoir royal dépensier. Alors que la logique voudrait que la couverture de près de trois quart des dépenses de la Confédération au moyen des douanes se traduise par un charge douanière plus forte en Suisse qu'à l'étranger, c'est le contraire qui est vrai. Vu la modicité des dépenses de l'Etat central suisse, l'économie helvétique bénéficie en effet d'une fiscalité douanière plus basse que la plupart de ses concurrentes européennes (chapitre II.3).

La deuxième constante liée à la dépendance de l'Etat fédéral vis-à-vis des revenus douaniers est une gestion financière délicate. Cette imposition, qui a pour principale caractéristique d'être soumise aux aléas du commerce

5 Les chiffres utilisés figurent dans l'annexe 1.

Graphique 3. Degré de centralisation du pouvoir mesuré au moyen de la part de la charge fiscale totale du pays (impôts directs et indirects) qui est prélevée par l'Etat central (pourcents)[6]

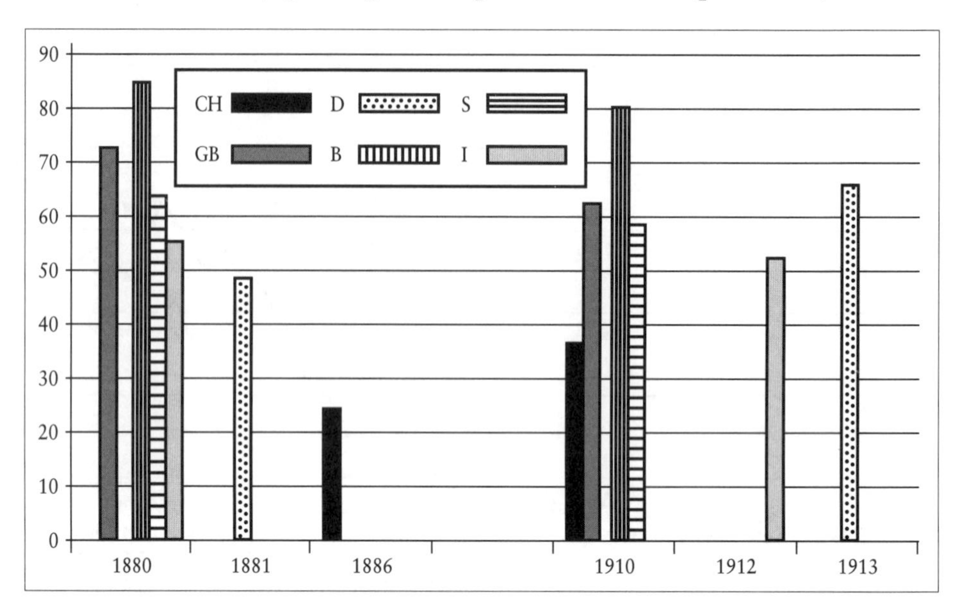

extérieur, manque en effet singulièrement de flexibilité. En période de bonne conjoncture, les échanges internationaux se développent et il en est de même des revenus. Mais durant les phases économiques de dépression, les rentrées stagnent, voire diminuent, alors que les besoins financiers de l'Etat ont tendance à augmenter en raison d'une intervention économique et sociale accrue. Ainsi, de 1876 à 1877, les revenus douaniers nominaux chutent de 9,4% suite aux premiers effets de la Grande dépression sur le commerce extérieur helvétique.

En théorie, les aléas de l'évolution des échanges internationaux pourraient être maîtrisés par une adaptation régulière du niveau de la taxation. Mais la réalité est toute autre, car la pratique de révisions tarifaires trop fréquentes n'est pas possible. D'un point de vue politique, l'opération prend

6 Les chiffres sont tirés in Flora, 1983, pp. 272-273; le pourcentage suisse de 1886 (39%) ne tient pas compte des impôts communaux pourtant importants en Suisse (environ le tiers de la charge fiscale au XIXe siècle); il a donc été recalculé à partir des données sur les impôts fédéraux et cantonaux in Bickel, 1964, p. 279 et d'une estimation des revenus fiscaux communaux construite sur la base des dépenses communales in SHS, 1996, p. 945 et du rapport charge fiscale/dépenses communales tiré in Rutz, 1970, p. 63; le taux de 25% ainsi obtenu est corroboré par les chiffres donnés par ce dernier auteur; selon lui, les impôts prélevés par l'Etat fédéral représenteraient 24% du total de la charge fiscale en 1868, 33% en 1900 et 34% en 1910.

souvent plusieurs années. Après avoir consulté les différents milieux économiques, il faut encore parvenir à un consensus susceptible de rassembler une majorité politique. D'un point de vue commercial, une instabilité douanière chronique n'est pas propice au négoce, qui a besoin de bases de calculation stables pour se développer. Enfin, dès 1862, le tarif douanier helvétique est en partie lié par la conclusion de traités de commerce internationaux. Pour une durée déterminée, la taxation de certaines marchandises ne peut donc pas être revue à la hausse.

Malgré le manque de flexibilité du système fiscal introduit en 1848, la gestion financière de l'Etat fédéral ne pose pas trop de problèmes jusqu'à la Première guerre mondiale. Certes, l'équilibre entre revenus et dépenses est parfois rompu, mais les déficits restent relativement limités, que ce soit dans leur ampleur ou leur durée. Entre 1851 et 1878, l'accroissement des revenus lié au développement du commerce extérieur suffit à faire face à l'augmentation des dépenses. Non seulement le tarif douanier de 1851 n'est pas révisé à la hausse, mais il est abaissé, durant les années 1860, via la conclusion de traités de commerce avec les pays voisins. Comme le montre le graphique 4, il s'ensuit des difficultés budgétaires entre 1865 et 1879. A cette longue phase de stabilité succède une activité douanière frénétique. De nombreuses révisions partielles ou totales du tarif – 1879, 1884, 1887, 1891, 1902 – sont nécessaires pour faire face à une centralisation du pouvoir et à un accroissement de l'intervention. Il faut toutefois préciser que ces révisions poursuivent aussi des objectifs de politique commerciale que nous aborderons plus loin.

II.3. Imposition de la consommation et coûts de production

La taxation douanière est une imposition de type indirect. Contrairement aux impôts dits directs, qui frappent le revenu et la fortune, elle porte sur la consommation des marchandises importées, les transactions commerciales (exportation, transit, import-export, etc.) et les services de transport (roulage, pontonnage, etc.). Elle exerce donc une influence multiple sur les coûts de production et de commercialisation des différents «mondes de production».

Le coût des matières premières ou des semi-fabriqués utilisés dans l'industrie, l'artisanat ou l'agriculture peut être renchéri par une taxation à l'importation et/ou des taxes sur leur transport. Mais c'est surtout le facteur des salaires qui est influencé. La charge douanière imposée par l'Etat aux denrées alimentaires et objets de première nécessité renchérit la vie ouvrière et exerce ainsi une pression à la hausse des salaires. Si l'adaptation du salaire au coût de la vie ne s'effectue pas de manière mécanique, le fait que les ouvriers gagnent alors des revenus proches du minimum vital oblige souvent

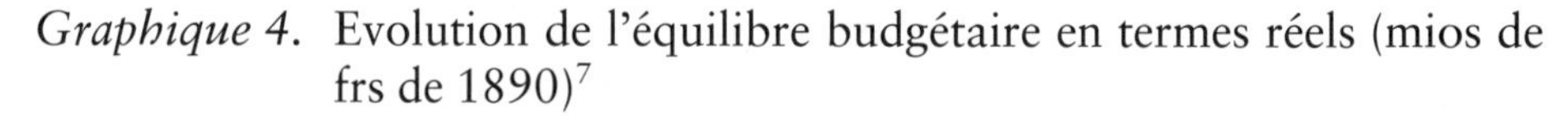

Graphique 4. Evolution de l'équilibre budgétaire en termes réels (mios de frs de 1890)[7]

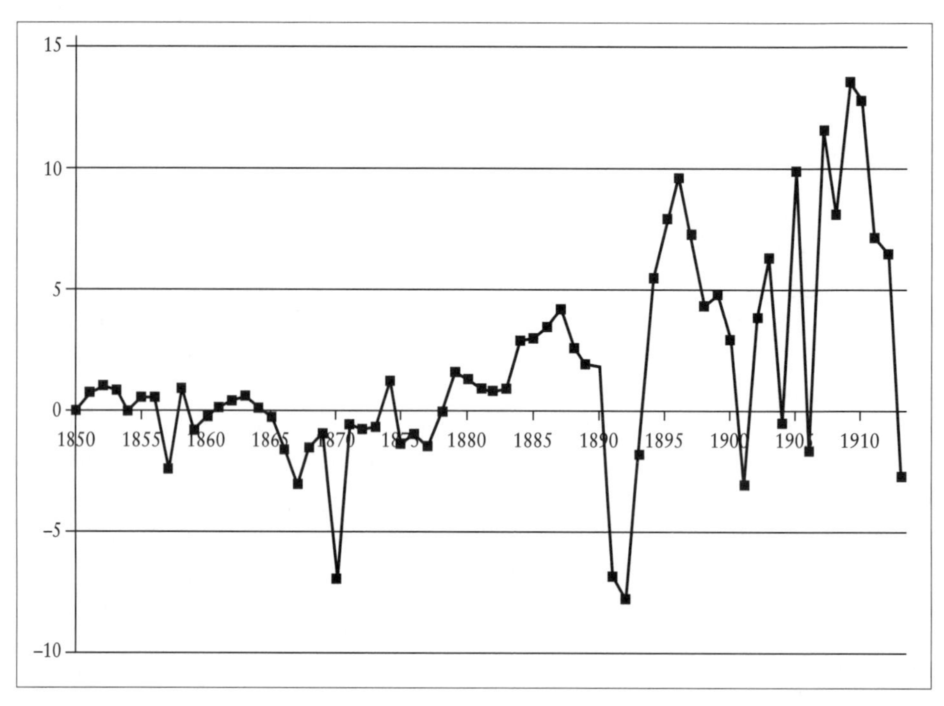

le patronat industriel à supporter une partie du renchérissement induit par la taxation de l'Etat. Quant à la phase de commercialisation du produit, elle peut aussi être renchérie, soit par une taxation de l'exportation, soit par des taxes sur le transport.

De toute évidence, les différents «mondes de production» suisses décrits plus haut ne sont pas touchés de la même manière par les effets de la taxation douanière. S'il ne s'agit pas de décortiquer les intérêts fiscaux divergents dans cette partie introductive de l'analyse, la présentation de quelques grandes constantes est susceptible de faciliter la lecture. La première ligne de force du débat est l'opposition fondamentale des élites agricoles à une imposition directe sur la fortune foncière. Pour l'éviter, ces dernières sont favorables à une taxation indirecte frappant surtout les transactions commerciales et la consommation des produits de l'agriculture. Face à ce bloc agricole, marchands-banquiers et marchands-entrepreneurs tentent au contraire de réduire l'imposition indirecte. Alors que les premiers cherchent à empêcher un renchérissement des coûts de commer-

7 Les chiffres figurent dans l'annexe 1.

cialisation, les seconds, qui exportent des fabriqués à haute valeur ajoutée, veulent éviter un renchérissement des salaires, qui constituent une partie importante de leurs coûts de production. Ils combattent tout particulièrement une taxation des produits agricoles. Enfin, les grands industriels adoptent une position médiane. Certes, ils cherchent à réduire au maximum l'imposition douanière des matières premières et des denrées de première nécessité, mais la forte capitalisation de leur production les pousse par ailleurs à combattre l'introduction d'impôts directs sur le capital. En règle générale, les grands industriels sont donc favorables à un équilibre entre impôt direct et impôt indirect, le dernier volet étant financé par la taxation des fabriqués industriels.

Tout au long du XIXe siècle, le développement économique de la Suisse a été facilité par une charge fiscale plutôt faible. Le graphique 5 montre que, rapportée au PIB, l'imposition suisse est parmi les plus basses d'Europe.

Graphique 5. Rapport entre la charge fiscale totale prélevée dans un pays (impôts directs et indirects) et le PIB (pourcents)[8]

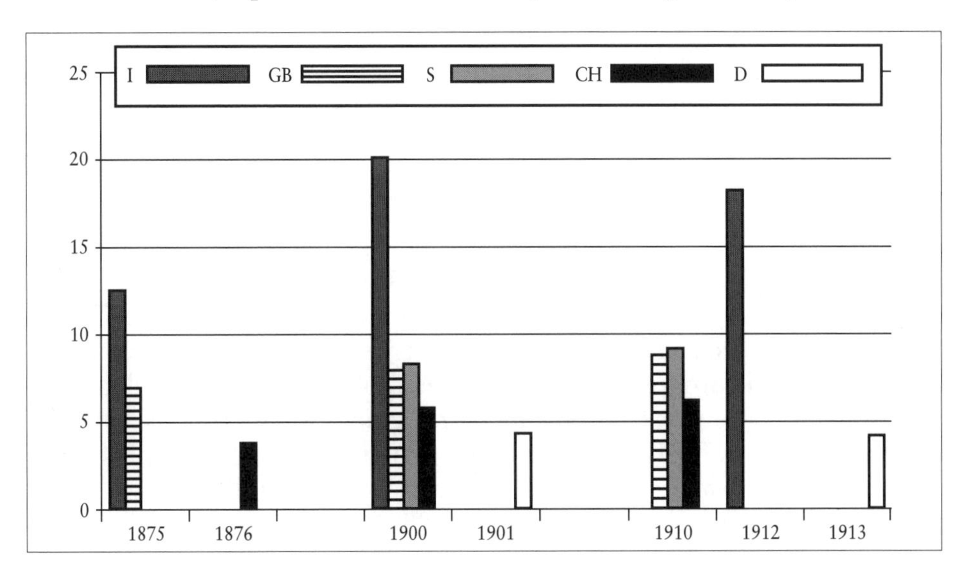

8 Les chiffres sont tirés in Flora, 1983, p. 264; pour la Suisse, la charge fiscale de 1876 est construite à partir des données sur les impôts fédéraux et cantonaux in Bickel, 1964, p. 279 et d'une estimation des revenus fiscaux communaux construite sur la base des dépenses communales in SHS, 1996, p. 945 et du rapport charge fiscale/dépenses communales tiré in Rutz, 1970, p. 63; les charges fiscales de 1900 et de 1910 sont tirées in Rutz, 1970, p. 63; le PIB suisse est tiré in SHS, 1996, p. 866.

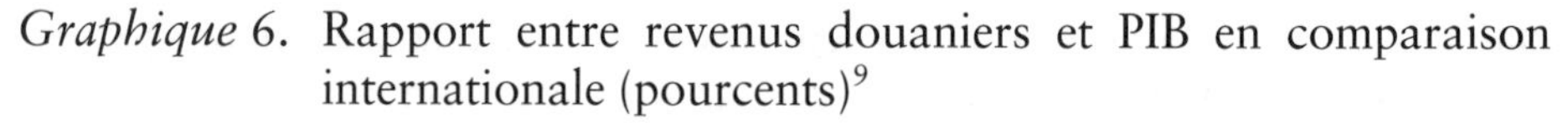

Graphique 6. Rapport entre revenus douaniers et PIB en comparaison internationale (pourcents)[9]

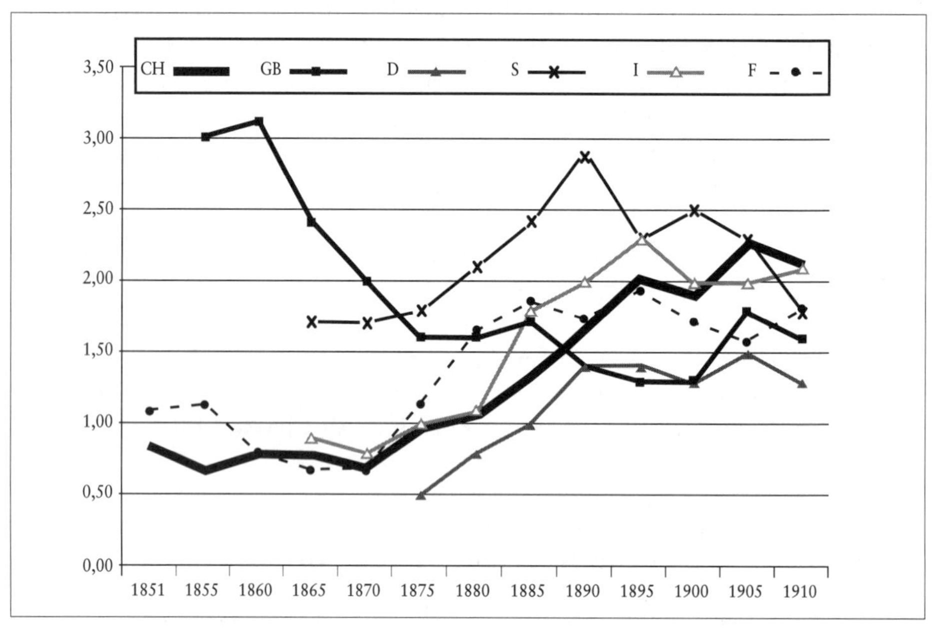

En ce qui concerne la taxation douanière, l'économie suisse bénéficie d'un avantage concurrentiel indéniable, en particulier avant la création de l'Etat fédéral. Réalisée en 1849, une enquête auprès des cantons fixe la somme des revenus douaniers à 3,3 mios de francs, soit 0,5% du PIB suisse de 1851. A la même date, la concurrence anglaise doit supporter une charge douanière équivalente à 3,6% du PIB. En raison du financement du nouvel Etat central, les revenus douaniers suisses gonflent à 5,7 mios en 1852, soit 0,8% du PIB. Avec l'augmentation des dépenses fédérales, la charge douanière continue de progresser. Toutefois, le graphique 6 montre qu'en comparaison internationale, elle demeure parmi les moins importantes, jusqu'au tournant du siècle. En 1875, l'Allemagne bénéficie du rapport le plus faible des pays pris en compte (0,5%), devant la Suisse (1%) et l'Italie (1%), puis la Grande-Bretagne (1,6%) et la Suède (1,8%).

Au début du XXe siècle, la situation d'avantage relatif se transforme en une situation de léger désavantage. En 1905, l'Allemagne reste en tête de ce

9 Les revenus douaniers sont tirés in Flora, 1983, pp. 281-344; les PIB in Flora, 1987, pp. 340-369; pour la Suisse, le PIB est tiré in SHS, 1996, p. 866; pour la France, les revenus douaniers sont tirés in *Annuaire statistique*, 54e volume, Paris, 1938, pp. 215-216 et le PIB in Maurice Lévy-Leboyer, *L'économie française au XIXe siècle*, Paris, 1985, pp. 328-332.

groupe (1,5%), devant la Grande-Bretagne (1,8%), l'Italie (2,0%), la Suède (2,3%) et la Suisse (2,3%).

En déduire que la Suisse impose alors la consommation plus que les autres pays européens serait cependant erroné. En effet, la taxation douanière ne forme qu'une partie de l'imposition totale de la consommation. Si l'on prend en compte l'entièreté de cette charge – taxation douanière et autres impôts de consommation parfois appelés accises –, l'avantage fiscal comparatif de l'économie suisse est encore plus important que pour les douanes. En 1849, la taxation douanière, les impôts sur l'alcool («Ohmgeld»), la régale du sel et diverses taxes, notamment sur le luxe et le tabac, peuvent être estimées à environ 9 mios de francs, soit 1,5% du PIB de 1851. En Grande-Bretagne, les taxes douanières et les accises représentent environ 6% du PIB. Comme le montre le graphique suivant, l'avantage concurrentiel demeure après la mise en place de l'Etat fédéral et se perpétue, bien qu'en s'amenuisant, jusqu'à la Première guerre mondiale. A la veille du conflit, la Suisse arrive en tête (2,4% en 1913), devant l'Allemagne (2,5% en 1913), la Grande-Bretagne (3,4% en 1910), la Suède (3,7% en 1913) et l'Italie (6,6% en 1912).

Graphique 7. Rapport entre imposition de la consommation et PIB en comparaison internationale (pourcents)[10]

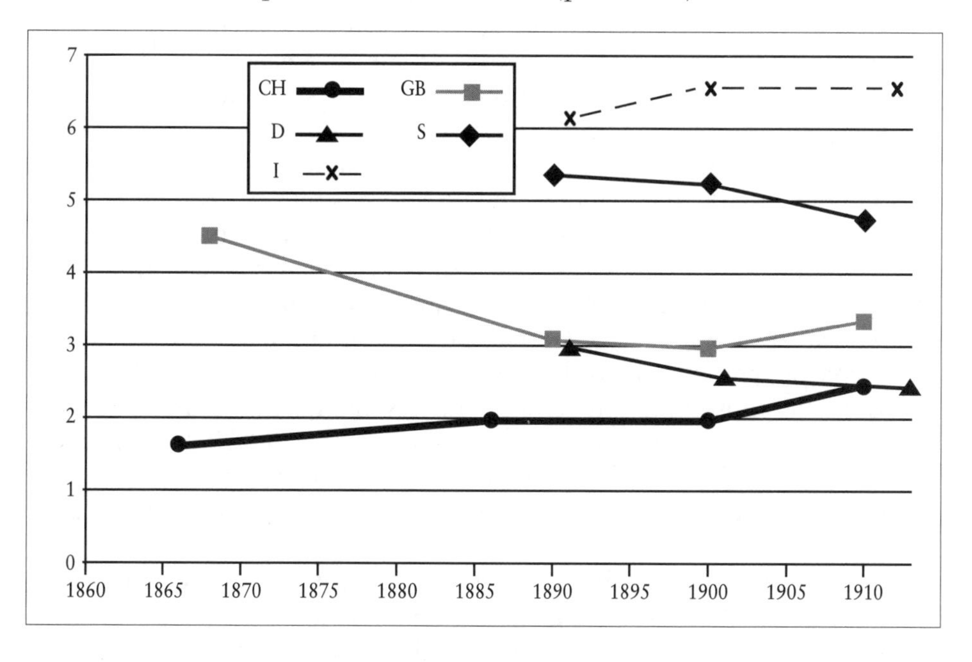

10 L'imposition de la consommation est tirée in Flora, 1983, pp. 281-344; les PIB in Flora, 1987, pp. 340-369; pour la Suisse, le PIB est tiré in SHS, 1996, p. 866.

Certes, l'imposition de la consommation n'est de loin pas le seul facteur qui détermine le niveau des salaires dans un pays. La fluidité du marché du travail et le degré d'organisation syndicale, entre autres, constituent des éléments tout aussi décisifs. Il n'en demeure pas moins indéniable que cet avantage fiscal a contribué à maintenir des salaires bas dans le pays, en particulier durant la première phase de l'industrialisation. Le développement de productions à haute valeur ajoutée – broderies, dentelles, horlogerie – en a été facilité, la masse salariale de ces branches représentant plus de 50% des coûts de production.

II.4. Taxation douanière et régulation du commerce extérieur

Outre le rôle d'outil fiscal servant au financement de l'Etat, la taxation douanière peut être instrumentalisée à des fins commerciales. En jouant sur l'effet de renchérissement des marchandises taxées aux frontières, un Etat peut en effet intervenir pour réguler son commerce extérieur. Au cours du XIXe siècle, la plupart des pays européens recourent à cette possibilité, faisant des douanes leur principal instrument de politique commerciale. D'autres, moins nombreux, décident de mener une politique douanière purement fiscale.

Ces deux options fondamentales se traduisent par des choix de taxation différents. Après avoir fixé la charge fiscale à prélever au moyen des douanes, chaque Etat peut en effet répartir celle-ci selon de multiples combinaisons qui se matérialisent dans la structure du tarif douanier. Si une politique de non-intervention commerciale l'emporte, la taxation portera sur l'importation de marchandises qui ne sont pas ou peu produites dans le pays. En Europe, ces taxes dites fiscales frappent certaines matières premières (coton, pétrole, drogues, etc.), les denrées coloniales (sucre, cacao, thé, café, fruits exotiques, épices, etc.) ainsi que les produits de consommation de luxe (alcools, tabacs, etc.). Le renchérissement des marchandises ne profitant pas ou peu à des producteurs indigènes, l'ensemble de la charge imposée à la consommation tombe dans les caisses de l'Etat. Grâce aux réformes douanières entreprises durant les années 1840-1860, la Grande-Bretagne devient le modèle type d'une politique douanière fiscale. L'essentiel des revenus douaniers est alors prélevé sur le thé, le sucre, le tabac, le vin et les spiritueux.

En cas de volonté étatique d'intervenir dans le processus de commercialisation des marchandises indigènes, la taxation douanière offre de nombreuses possibilités d'action. Celles-ci peuvent toutefois être regroupées selon deux visées fondamentales: la protection de l'écoulement des productions indigènes sur le marché intérieur ou l'encouragement de l'exportation sur les marchés internationaux. Dans le premier cas de figure, les coûts de commercialisation des produits étrangers sont renchéris par une taxe plus ou moins importante prélevée lors de leur importation. Cette charge fiscale imposée aux concurrents étrangers constitue une sorte de privilège commercial accordé aux agriculteurs, artisans et industriels locaux qui écoulent leur production à l'échelle régionale ou nationale. Selon la situation du marché, ils peuvent en effet reporter tout ou partie de la taxe d'importation sur leurs prix de vente, tout en demeurant compétitifs. De ce fait, le consommateur supporte non seulement la taxation des produits étrangers, qui garnit les caisses de l'Etat, mais également le renchérissement des produits indigènes qui augmente le profit de certains milieux socio-économiques. A charge fiscale égale, par exemple cinq mios de frs qui tombent dans les caisses de l'Etat, un tarif de type fiscal augmentera moins le coût de la vie qu'un tarif de type protectionniste. Il n'est dès lors pas étonnant que les milieux libre-échangistes cherchent non seulement à diminuer la charge douanière, mais également à déplacer sa répartition vers les positions fiscales du tarif.

Malgré l'effet de renchérissement des coûts de production provoqué par une politique douanière protectionniste, via la poussée à la hausse des salaires, une telle intervention commerciale de l'Etat peut avoir des effets bénéfiques sur le développement économique d'un pays. Une taxation protectionniste est parfois en mesure de faciliter le démarrage de nouvelles productions qui ne pourraient résister d'emblée à la concurrence internationale. En cas de retard technologique d'un secteur ou d'une branche de production, ce privilège commercial peut permettre de rassurer les entrepreneurs devant consentir des investissements importants pour retrouver leur compétitivité. Enfin, le protectionnisme douanier peut avoir pour objectif de maintenir des branches de production non compétitives lorsqu'elles sont considérées indispensables selon des critères autres que la rentabilité économique (apport technologique, maintien de l'emploi, soutien aux régions périphériques, etc.). Outre des motivations de type économique, une politique douanière protectionniste répond parfois à des enjeux sociaux (maintien des classes moyennes), politiques (contrepartie économique à une alliance) ou encore militaires (branches indispensables à la défense du territoire).

La politique douanière d'un Etat peut aussi avoir pour but de faciliter l'exportation des productions indigènes sur les marchés internationaux. Si tel est le cas, la charge douanière sera limitée au maximum et sa répartition orientée vers les taxes fiscales. Toutefois, une politique libre-échangiste, qui tend à augmenter la compétitivité des exportateurs par une diminution des coûts de production, n'est pas toujours suffisante pour permettre aux produits indigènes de franchir les murs douaniers étrangers. Une intervention commerciale plus musclée de l'Etat est alors nécessaire. Le moyen le plus courant est la conclusion de traités de commerce avec les partenaires économiques les plus importants. Des conditions douanières compatibles avec la compétitivité des exportateurs sont ainsi négociées et fixées par voie contractuelle. Pour parvenir à cette fin, il est parfois nécessaire d'exercer une pression commerciale en entravant l'importation d'un pays par des taxes protectionnistes. Appelée politique de rétorsion, cette méthode comporte le risque d'une guerre douanière avec l'Etat directement visé par les mesures. Autre moyen de pression, la politique de combat consiste à protéger le marché intérieur par un tarif douanier élevé (tarif général), destiné à être abaissé si l'étranger accorde des concessions à l'exportation indigène. La capacité de consommation intérieure est alors troquée contre des brèches dans les murs douaniers étrangers. Le tarif d'usage issu des négociations n'est appliqué qu'aux pays ayant conclu des traités, alors que les autres doivent supporter le tarif général (taxation différentielle).

Quelle a été l'attitude de la Confédération helvétique à l'égard d'une utilisation commerciale de la taxation douanière? Pour répondre à cette question, il est nécessaire d'analyser les trois principaux facteurs ayant influencé la pratique de l'Etat central suisse, c'est-à-dire l'importance macro-économique de l'exportation de marchandises, l'évolution de la structure du commerce extérieur helvétique et la répartition géographique des échanges, qui dépend notamment des tendances de la politique commerciale internationale.

II.5. Importance macro-économique du commerce extérieur et primat de la défense des exportations

L'importance du commerce extérieur dans le développement économique de la Suisse est une question difficile à analyser de manière objective. La principale raison de ce constat est l'insuffisance de données statistiques. Avant la création de l'Etat fédéral, les échanges commerciaux avec l'étranger ne sont pas saisis de manière unifiée. Puis, de 1851 à 1892, la statistique commerciale fédérale comporte de nombreuses lacunes[11]. Jusqu'à cette date,

11 De 1851 à 1884, la statistique commerciale ne fournit que des indications sur le volume des marchandises échangées avec les quatre pays limitrophes, de surcroît selon le poids brut (tare inclue); du fait de la disparité entre les prix à l'importation – matières premières et denrées alimentaires – et ceux à l'exportation – fabriqués industriels et produits agricoles animaux –, les indications quantitatives fournies sur l'évolution de la balance commerciale ne sont que peu significatives; il n'est pas non plus possible de déterminer la géographie réelle des exportations et des importations, la provenance et

l'historien désireux d'appuyer son travail sur quelques jalons statistiques s'avance donc en terrain mouvant. Quant à un recours aux statistiques commerciales étrangères, il se heurte à l'imprécision et à la forte hétérogénéité des données[12]. La marge d'erreur des estimations du commerce extérieur suisse produites sur la base de ces deux sources d'information est donc importante, d'autant plus que l'ampleur des mouvements de marchandises pris en charge par le trafic de contrebande est alors considérable.

Ce commerce illicite étant par définition secret, il est impossible de déterminer de manière précise son volume, qui varie d'ailleurs dans le temps et dans l'espace en fonction des circonstances commerciales et politiques. Quelques informations concernant le commerce de contrebande avec l'Italie confirment toutefois son importance[13]. En 1810, Napoléon ordonne l'occu-

---

la destination finale des envois étant inconnues; à partir de 1885, le mouvement des marchandises est enfin exprimé en volume et en valeur, mais jusqu'en 1892, le manque d'indications fiables quant à la destination définitive et à la provenance effective des produits induit encore de fortes imprécisions dans l'analyse géographique des échanges extérieurs; sur le problème de la statistique commerciale suisse, cf. entre autres SHS, 1996, pp. 656-660; Veyrassat, 1990, pp. 287-293; Geering Traugott, *Bibliographie de la statistique commerciale*, Berne, 1892; Buser J., La statistique du commerce suisse, in *La Suisse économique*, Lausanne, 1918, pp. 183-217.

12 La *statistique française* offre des données intéressantes mais problématiques au sujet du commerce franco-suisse; jusqu'en 1846, la valeur des échanges étant fixée sur la base d'une valeur officielle fixée en 1826 pour chaque marchandise, ce chiffre indique en fait la variation du volume des échanges; par ailleurs, le commerce spécial français, comme d'ailleurs celui de tous les autres pays limitrophes, enregistre comme exportations suisses l'ensemble des marchandises de provenance suisse entrant dans la consommation française; or, toute une série de produits ne sont en fait pas fabriqués en Suisse, mais importés d'autres pays pour être réexportés en France par le commerce d'entrepôt helvétique; quant aux chiffres du commerce général, ils représentent le commerce spécial plus toutes les marchandises de provenance suisse qui transitent par la France en direction d'autres marchés; la *statistique allemande* est encore plus problématique du fait que l'unité nationale ne s'effectue qu'en 1870; durant la période du Zollverein, une statistique unifiée du commerce extérieur avec la Suisse n'est pas mise en place et les quelques estimations construites par les économistes de l'époque portent uniquement sur le commerce général; entre 1872 et 1880, la statistique allemande sur le commerce germano-suisse n'est exprimée qu'en unités de poids; entre 1880 et 1892, des données concernant le poids et la valeur des échanges sont à disposition, mais la classification de la statistique se fait parfois selon le tarif allemand de 1879, parfois selon la nature des marchandises, ce qui rend difficile une analyse de la structure des échanges; la *statistique italienne* n'est elle aussi unifiée que tardivement avec la construction de l'Italie moderne; quant à des données statistiques sur le commerce avec les Etats sardes limitrophes, elles ne remontent pas plus loin que 1852; enfin, la *statistique autrichienne* est difficilement utilisable sur le long terme en raison des multiples remaniements territoriaux de l'Empire; sur la question de l'utilisation des statistiques commerciales étrangères et les difficultés méthodologiques rencontrées, cf. Veyrassat, 1990, pp. 293-297; Gern, 1992, pp. 281-286; Busino, 1990, pp. 6-14.

13 Polli, 1989, pp. 31-46.

pation du Tessin pour endiguer un trafic à grande échelle qui remet en question l'efficacité du Blocus continental[14]. A la Restauration, la contrebande entre le Tessin et la Lombardie, qui adopte un régime douanier protectionniste, se développe à tel point qu'elle devient une importante source de revenus pour la population tessinoise[15]: en 1830, des inspecteurs autrichiens estiment que 75% des denrées coloniales consommées en Lombardie sont importées en contrebande. Dans un rapport daté de 1888, le Ministre suisse à Rome communique que les pertes fiscales italiennes dues à l'importation en contrebande de Suisse sont évaluées à environ 10 mios de frs[16]. Si l'on estime le taux d'imposition douanier italien à 10% de la valeur des importations[17], le commerce de contrebande porterait sur 100 mios de frs, soit près du double du commerce d'exportation helvétique déclaré[18]. Certes, le chiffre de 10 mios est peut-être surestimé par les autorités italiennes, décidées qu'elles sont à obtenir un contrôle douanier plus efficace de la Suisse. Il n'en demeure pas moins évident que les mouvements de marchandises qui ne sont pas saisis par la statistique sont parfois loin d'être négligeables. Plus la taxation douanière est élevée aux frontières suisses, plus le trafic de contrebande est lucratif[19].

En l'absence de données chiffrées précises, l'importance du commerce extérieur dans le développement économique helvétique a longtemps été jaugée à partir des poncifs hérités de la conscience collective du XIXe siècle. Deux idées fortes, véhiculées dans la culture politique, structurent alors la vision de la position de la Suisse dans l'économie mondiale. Petit pays au sol pauvre, la Suisse est incapable de nourrir sa population grâce à la production agricole indigène. De ce constat découle l'alternative suivante: trouver les moyens de financer l'importation de denrées alimentaires ou condamner l'excédent de population à émigrer. Dans ce cadre de réflexion, l'exportation de fabriqués industriels est

14 Cinq cents passeurs sont employés par les seuls commerçants des environs de Bellinzone; *ibidem*, p. 38.

15 Des villages entiers tirent leurs revenus de la contrebande; à Chiasso, environ 500 personnes sont au service des maisons d'expédition, dont les plus suspectées sont «Pietro Soldini et Huber» et «Zollikofer»; des sociétés sont même créées pour assurer les risques de saisie des marchandises; en 1823, 63 entreprises lombardes sont suspectées de pratiquer le «blanchissage» de textiles de contrebande; *ibidem*, pp. 40-42.

16 DDS, vol. 3, n° 388, p. 865, «Der schweizerische Gesandte in Rom, S. Bavier, an den Vorsteher des Departements des Auswärtigen, N. Droz», 29. Dezember 1888.

17 Bairoch, 1989, pp. 42/76.

18 Geering, 1902, p. 84.

19 En 1849, un industriel neuchâtelois estime qu'avec la taxe maximale du nouveau tarif suisse, pourtant fixée de manière modérée à 15 frsa/50 kg, chaque voyage effectué à travers les frontières avec une charge de 12,5 kilos rapporte 3,75 frsa, soit le salaire de trois jours de travail pour un manœuvre occupé dans l'industrie des indiennes; Du Pasquier, s.d., pp. 14-15 – classé sous l'année 1849 dans la bibliographie.

comprise comme le principal moyen d'éviter un exode massif. Certes, les contemporains sont conscients que cette exportation ne parvient jamais à équilibrer la balance commerciale helvétique, qui demeure négative tout au long du siècle, mais elle contribue à maintenir le surplus des importations dans une mesure qui permette à d'autres facteurs économiques d'équilibrer la balance des paiements (mercenariat, revenus rapatriés par les émigrés, revenus de l'exportation de capital, services commerciaux, tourisme, etc.). L'importance accordée par les contemporains à l'industrie d'exportation ne s'explique pas uniquement par sa fonction d'équilibrage des échanges extérieurs. L'avis que la croissance économique dépend de la bonne santé de ce secteur est en effet peu contesté à l'époque, même parmi les milieux socio-économiques travaillant pour le marché intérieur. Au tournant du siècle, une étude consacrée à l'économie helvétique affirme que la conjoncture dépend, plus que dans tout autre pays, d'une évolution satisfaisante du commerce extérieur:

> *Es gibt überhaupt kein Land, dessen Volkswirtschaft so innig mit dem Weltmarkt verbunden, so sehr von ihm abhängig ist, wie unser kleines Binnenland [...] Darum kommt auch dem Aussenhandel der Schweiz für die gesamte Beurteilung der wirtschaftlichen Gebarung des Landes eine viel grössere, massgebendere Bedeutung als bei andern Ländern*[20].

Après la Deuxième guerre mondiale, les progrès de l'histoire économique helvétique contribuent à une meilleure connaissance du commerce extérieur suisse. Basés sur des estimations de la valeur des exportations et des importations, les chiffres de Bosshardt et Nydegger (1964) sont à prendre comme des ordres de grandeur[21]. Ils confirment la persistance d'un déficit commercial qui s'accentue au cours du siècle. En francs constants de 1890, le solde négatif de la balance des échanges de marchandises passe de 32,6 mios (1840) à 472,5 mios (1913). La formidable augmentation du déficit commercial pourrait laisser croire à un écroulement des exportations helvétiques. En fait, il n'en est rien. Les indices du volume des exportations calculés par Chappuis (1975), Bairoch (1978) et Bernegger (1983)[22] montrent tous une progression continue, qui ne réussit pourtant pas à compenser une augmentation encore plus rapide des importations.

Le ralentissement de la croissance des exportations observé dans les années 1880 peut en partie être imputé aux effets de la Grande dépression et au renouveau protectionniste en Europe. Il ne faut toutefois pas perdre de vue qu'à partir des années 1870, l'expansion économique suisse sur les marchés internationaux se fait selon d'autres modalités. Grâce à l'exporta-

20 Il s'agit d'une étude menée par l'économiste bâlois Traugott Geering; cité in Bernegger, 1983, p. 127.

21 Bosshardt, 1964, pp. 324-325.

22 Chapuis, 1975; Bairoch, 1978; Bernegger, 1983, pp. 214-215; les indices de Bairoch et Bernegger sont ramenés à l'indice 1913 = 100 in SHS, 1996, p. 667.

Graphique 8. Evolution du déficit du commerce extérieur suisse en termes réels (mios de frs de 1890: échelle de gauche) et de l'indice du volume des exportations (1913 = 100: échelle de droite)[23]

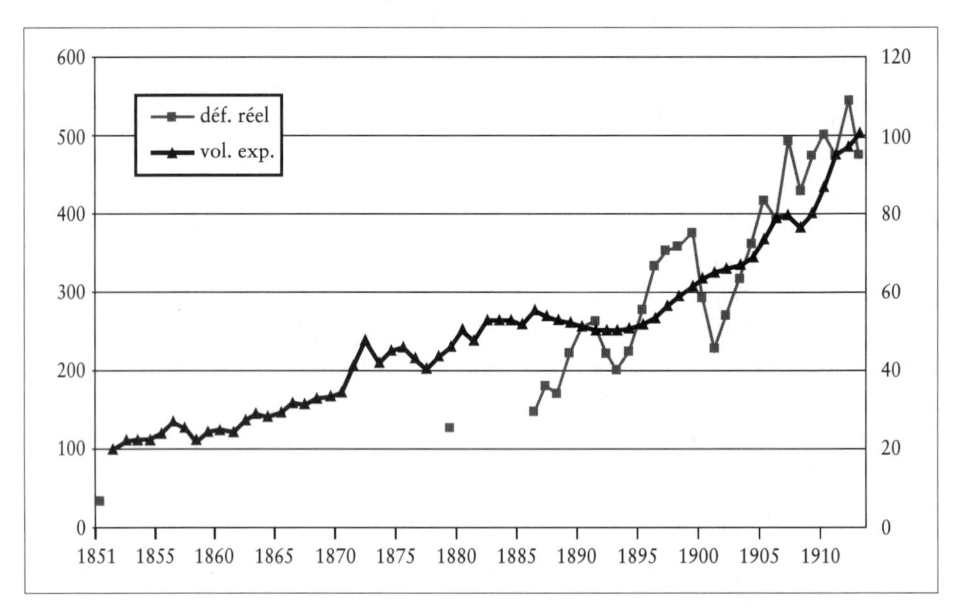

tion de capital, une partie toujours plus considérable de la production est délocalisée, cela principalement dans les quatre pays limitrophes[24]. La concurrence helvétique implantée à l'étranger fonctionne alors comme un frein à l'exportation des marchandises produites en Suisse. Par conséquent, les statistiques commerciales ne reflètent pas fidèlement l'expansion de la production helvétique sur les marchés internationaux qui évolue de manière plus favorable que les chiffres de l'exportation peuvent le laisser croire. Quant aux revenus rapatriés par les entreprises helvétiques établies à l'étranger, ils contribuent à compenser une balance commerciale toujours plus déficitaire. Grâce à l'accroissement des autres revenus de l'exportation du capital (banques, assurances) et au développement du tourisme, l'économie helvétique parvient à équilibrer sans trop de problèmes sa balance des paiements[25]. Malgré leur développement quantitatif continu durant le

23 Le déficit du commerce extérieur est tiré de Bosshardt, Nydegger, 1964, pp. 324-325 et de la SHS, 1996, p. 668; l'indice des exportations est celui calculé par Bairoch; SHS, 1996, p. 667.

24 Masnata, 1924; Behrendt, 1932; Stucki, 1970; Schröter, 1990/1993.

25 Les premières estimations de la balance des paiements helvétique datent du tournant du siècle; sur cette question, cf. La Suisse économique et sociale, 1927, pp. 362-384; Handwörterbuch der schweizerischen Volkswirtschaft, 1955, pp. 656-660; Kneschaurek, 1952, pp. 236-251; Bernegger, 1983, p. 150.

XIXe siècle, les exportations de marchandises jouent donc un rôle qualitatif de moins en moins important dans le maintien de l'équilibre des échanges extérieurs.

Dans un premier temps, l'idée de l'importance macro-économique décisive de l'industrie d'exportation est reprise sans interrogation critique dans l'historiographie d'après-guerre. Ainsi, en 1964, Böhi fait de l'évolution des exportations son principal indicateur de la conjoncture économique. Les travaux de Bairoch insistent par ailleurs sur le caractère particulièrement extraverti de l'économie helvétique en comparaison internationale[26]. L'analyse consacrée par Bernegger à la croissance économique entre 1851 et 1913 remet toutefois en question quelques certitudes héritées du XIXe siècle. En effet, la valeur nette produite par l'industrie d'exportation ne représenterait que 15% du PIB en 1850 et 17% en 1912[27]. Sur la base de ces chiffres, Bernegger estime que les exportations jouent bien un rôle important dans le développement économique, mais qu'elles ne déterminent à aucun moment la croissance de manière décisive. Quant au degré d'intégration de l'économie suisse dans le commerce international, Bernegger estime que celui-ci n'a rien d'exceptionnel en comparaison des autres petits pays européens[28].

Certes, la pertinence de la démonstration de Bernegger souffre parfois de la fragilité des chiffres utilisés pour étayer l'analyse. Il n'en demeure pas moins que la remise en question du primat de l'industrie d'exportation dans le développement économique suisse est plutôt convaincante. Il apparaît en

26 Les conclusions de Bairoch se fondent sur le critère chiffré de l'exportation par habitant; Bairoch, 1978, p. 30; Bairoch, 1984, p. 475; Bairoch, 1990, p. 106.

27 Bernegger, 1983, pp. 13-14/26-27/126-130; ces chiffres sont de loin inférieurs aux estimations d'autres économistes qui jaugent l'importance des exportations au moyen du rapport valeur brute/PIB; Bosshardt, Nydegger, 1964, p. 327; Bairoch, 1976, p. 80; or, la valeur des matières premières importées, qui doit être déduite pour obtenir la valeur nette, constitue une forte proportion de la valeur brute des principales exportations – cotonnades (50%), soieries (65%), chocolat (70%), etc.

28 Bernegger estime que le chiffre des exportations par habitant utilisé par Bairoch ne mesure pas la valeur macro-économique des exportations de manière pertinente; du fait que le niveau de vie suisse est très élevé en comparaison d'autres pays, la part des exportations dans la production de richesse a tendance à être exagérée en comparaison internationale; en considérant le rapport de la valeur brute de l'exportation au PIB, il soutient que la position de la Suisse n'a rien d'exceptionnel par rapport aux autres petits pays européens; en 1913, le rapport helvétique (32%) est en effet largement dépassé par les Pays-Bas (110%) – peu probable – et la Belgique (57%); en cas de prise en compte de la valeur nette de l'exportation en lieu et place de la valeur brute, Bernegger estime que le ratio helvétique (17%) serait proche de ceux de la Suède, de la Norvège et du Danemark; Bernegger, 1983, pp. 127-130; il faut toutefois relativiser la pertinence des conclusions de Bernegger en remarquant que les ratios qu'il avance ne correspondent pas aux mesures les plus récentes données par Maddison – 1913: Suisse 35%, Allemagne 26%, Belgique 23%, Pays-Bas 18%, Grande-Bretagne 18%, Suède 15%, France 8%; Maddison, 1995, pp. 37/192-195/254.

tout cas évident que le rôle quantitatif réellement joué par ce secteur de production dans la croissance économique ne correspond pas à celui qui lui a été attribué depuis deux siècles dans la conscience collective. Ce constat ne doit toutefois pas nous faire tomber dans le travers inverse, à savoir une banalisation de l'importance du commerce extérieur. Le rôle qualitatif joué par l'exportation dans le développement économique reste important. Entre autres, la possibilité d'exporter sur les marchés internationaux a été décisive pour l'expansion de la plupart des grandes branches d'industrie suisses – coton, broderie, soie, horlogerie. Ce développement s'est ensuite traduit par de nombreux effets d'entraînement. Sans l'exportation massive de cotonnades qui caractérise le début du XIXe siècle, il n'est pas certain qu'une industrie cotonnière mécanisée se serait développée en Suisse, favorisant à son tour la croissance de l'industrie des machines et de la métallurgie.

En conclusion, le rôle de l'exportation dans le développement économique suisse ne doit être ni dogmatisé ou exagéré, ni sous-estimé à cause d'une approche purement quantitative de son apport à la croissance. En outre, l'historien ne doit pas perdre de vue que les contemporains, eux, étaient convaincus de l'importance vitale de l'industrie d'exportation. Une majorité de la classe politique identifiait en effet la défense de l'exportation suisse à la défense des intérêts économiques de l'ensemble du pays et, dans cette logique, prônait une politique douanière de promotion des exportations.

II.6. Evolution de la structure des exportations suisses et besoins d'intervention commerciale

Nous avons vu précédemment que l'encouragement de l'exportation de marchandises pouvait se faire selon diverses modalités: libre-échange, traités de commerce, politique de rétorsion, politique de combat. Le meilleur choix entre ces variantes dépend notamment de la composition de l'exportation et de la géographie des débouchés.

Pour déterminer ses options douanières, un pays exportateur doit par conséquent tenir compte de la structure de ses échanges. Quels sont les produits qui constituent la majeure partie de l'exportation? Quelles sont les caractéristiques de ces produits, autant du point de vue de leur production que de leur commercialisation? Durant la première partie du XIXe siècle, l'exportation suisse est largement dominée par les textiles – cotonnades, soieries, broderies, dentelles, etc.[29] – et l'horlogerie. En 1840, ces deux groupes de marchandises représentent respectivement 72,6% et 8,2% des expéditions (graphique 9).

29 L'évolution de la part des différents textiles aux exportations suisses figure in Bergier, 1984, p. 240.

Graphique 9. Evolution de la composition des exportations suisses (pourcents)[30]

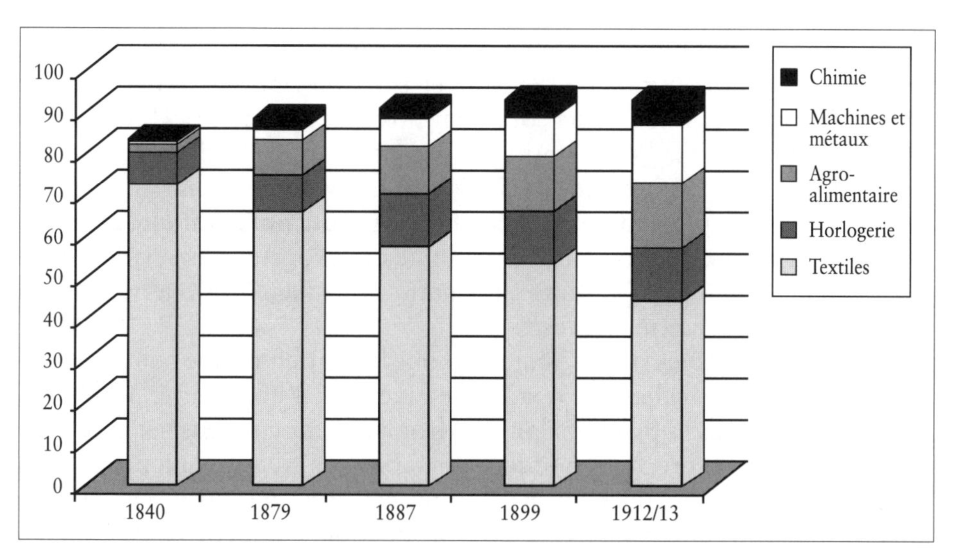

La majeure partie des produits textiles et horlogers sont des produits de qualité et même de luxe. Leur fabrication, qui demande du goût, du savoir-faire et beaucoup de travail n'est dans la plupart des cas ni standardisée, ni mécanisée. Le salaire constitue de ce fait une part importante des coûts de production, ce qui rend les entrepreneurs sensibles à toute augmentation du coût de la vie. Quant à la commercialisation, elle est facilitée par plusieurs caractéristiques des produits en question. En tant que biens de consommation universels, textiles et montres sont susceptibles d'être vendus sur l'ensemble des marchés mondiaux, d'autant plus que le coût de leur transport reste limité en raison d'un rapport poids/valeur faible. Cette capacité de diversification des débouchés est doublée d'une bonne faculté à percer les murs douaniers. Les produits spécialisés proposés par les industries suisses bénéficient souvent d'une compétitivité hors-prix. N'étant pas fabriqués sur la plupart des marchés, ils sont achetés indépendamment de leur taxation douanière. Par ailleurs, la taxation de la plupart des pays se faisant en fonction du poids et non pas de la valeur, le rapport poids/valeur faible des produits suisses permet de payer une charge douanière modeste en rapport des prix de vente. Enfin, en cas de taxes prohibitives, montres, rubans de soie et autres dentelles se prêtent à merveille au commerce de contrebande. En conséquence, beaucoup d'exportateurs suisses bénéficient des atouts nécessaires pour déjouer les barrières douanières étrangères sans une intervention

30 Bergier, 1984, p. 241.

commerciale de l'Etat. Leur priorité va à la défense du libre-échange qui doit leur permettre de produire bon marché.

La situation se modifie quelque peu dans la seconde moitié du siècle. Certes, l'industrie textile continue de développer ses exportations qui passent de 151,3 mios à 608,1 mios de frs courants entre 1840 et 1912/1913. En comparaison européenne, l'exportation suisse demeure celle dont la part du textile est la plus importante (44,5%)[31]. Mais en termes relatifs, ce poste perd du terrain au profit d'autres branches de production. Durant la période 1870/1892, le taux de croissance du volume des exportations textiles est de 1,3%, contre 1,7% aux produits alimentaires, 2,4% à l'horlogerie, 6,8% à la chimie et 7,1% aux machines[32].

Les caractéristiques des produits qui ont le vent en poupe sont relativement différentes de celles des textiles de luxe et de l'horlogerie. Machines, produits chimiques et produits laitiers (fromage, lait condensé et chocolat) sont en général des produits standardisés fabriqués en usine. La proportion des salaires dans les coûts de production est donc moindre. Par contre, les investissements nécessaires à une production compétitive exigent un minimum de sécurité des débouchés qui ne peut être assuré que par des traités de commerce fixant la taxation douanière pour une certaine durée. En raison de la fonction des produits, la capacité des industriels de diversifier leurs débouchés est aussi moins grande. Biens d'équipement (machines) et semi-fabriqués (colorants) sont en effet destinés avant tout à des pays industrialisés. Par ailleurs, les coûts de transport empêchent certains produits pondéreux d'accéder aux marchés d'outre-mer. Certes, pour les produits de haute qualité et les technologies de pointe, la capacité de franchir les murs douaniers reste plutôt bonne, mais il en va autrement pour d'autres segments moins spécialisés de la production. En outre, la contrebande de ces marchandises est quasi impossible en cas de taxation élevée. Enfin, la commercialisation des nouvelles productions est moins exclusivement dépendante de l'exportation, une bonne partie étant écoulée sur le marché intérieur.

En conséquence, les nouveaux exportateurs sont en partie tributaires d'une intervention commerciale plus musclée de l'Etat. Leur priorité va à la promotion de l'exportation – conclusion de traités de commerce au moyen d'une politique de combat ou de rétorsion –, même si celle-ci doit provoquer une augmentation modérée de la charge douanière. En certaines circonstances, la protection du marché intérieur peut servir de ballon d'oxygène.

31 *Ibidem*; Bairoch fixe cette part à 40,5% en 1913, contre 38,3% à la Grande-Bretagne, 29,3% à la Belgique, 24,9% à la France et 13,2% à l'Allemagne; Bairoch, 1976, pp. 94/276-277.

32 Chappuis, 1975, p. 76.

II.7. Répartition géographique du commerce extérieur et possibilités d'intervention commerciale

Outre la composition de l'exportation, la politique douanière d'un Etat doit aussi prendre en compte la géographie des débouchés qui est notamment conditionnée par la politique douanière des partenaires commerciaux[33]. Quels sont les principaux acheteurs de marchandises helvétiques? Dans quelle mesure peut-on conclure des traités de commerce avec ces pays? Jusqu'en 1892, l'analyse de ces questions est rendue très aléatoire à cause du manque de statistiques précises. Il est toutefois possible de dégager quelques tendances.

Durant tout le XIXe siècle, environ 50-70% de l'exportation prend la direction de la Grande-Bretagne, des Etats-Unis, de l'Allemagne et de la France. Le graphique 10 permet de constater que la part de chacun de ces pays varie notablement en fonction de leur politique commerciale du moment. Avec la montée du protectionnisme européen durant la première moitié du siècle, l'exportation suisse se développe en direction de l'outremer. Le graphique 11 donne une idée de la prépondérance de ces marchés au milieu du siècle (64% des exportations en 1845). Dans les années 1820-1830, les Etats-Unis représentent un véritable eldorado pour les marchandises helvétiques qui prennent aussi la direction des pays du Levant (Turquie, Syrie, Perse et Egypte).

Entre 1840 et 1860, des difficultés sur les marchés américains provoquent un retour progressif sur les marchés européens. Ce mouvement est facilité par la conversion progressive de la Grande-Bretagne au libre-échange et la politique protectionniste modérée du Zollverein qui devient le débouché principal de l'exportation helvétique. Les Etats-Unis, dont la production industrielle standardisée ne laisse que peu de place au goût et au savoir-faire, demeurent toutefois un débouché de première importance pour les productions de luxe helvétiques. En raison du niveau élevé des salaires américains, celles-ci parviennent à rester concurrentielles malgré une taxation douanière en augmentation[34]. En 1892, les Etats-Unis absor-

33 La géographie des échanges est aussi largement conditionnée par la structure économique des différents pays; les besoins en produits suisses sont très différents s'il s'agit de concurrents industriels ou de pays agricoles; par ailleurs, les échanges agricoles avec le Danemark ou la Hollande, qui développent aussi une production animale, ne peuvent être que limités; au contraire, la forte complémentarité entre les industries allemande et suisse, dans la seconde moitié du XIXe siècle, tend à favoriser les échanges; dans la suite de l'analyse, les explications concernant l'évolution des marchés suisses se concentrent sur le facteur de la politique commerciale des principaux partenaires, ce qui est bien évidemment réducteur.

34 En 1856, environ 50% des rubans de soie bâlois sont exportés vers les Etats-Unis; Lampenscherf, 1948, p. 95; en 1884, la diplomatie suisse estime qu'il en est de même pour

Graphique 10. Part de l'exportation vers les quatre principaux partenaires commerciaux (pourcents)[35]

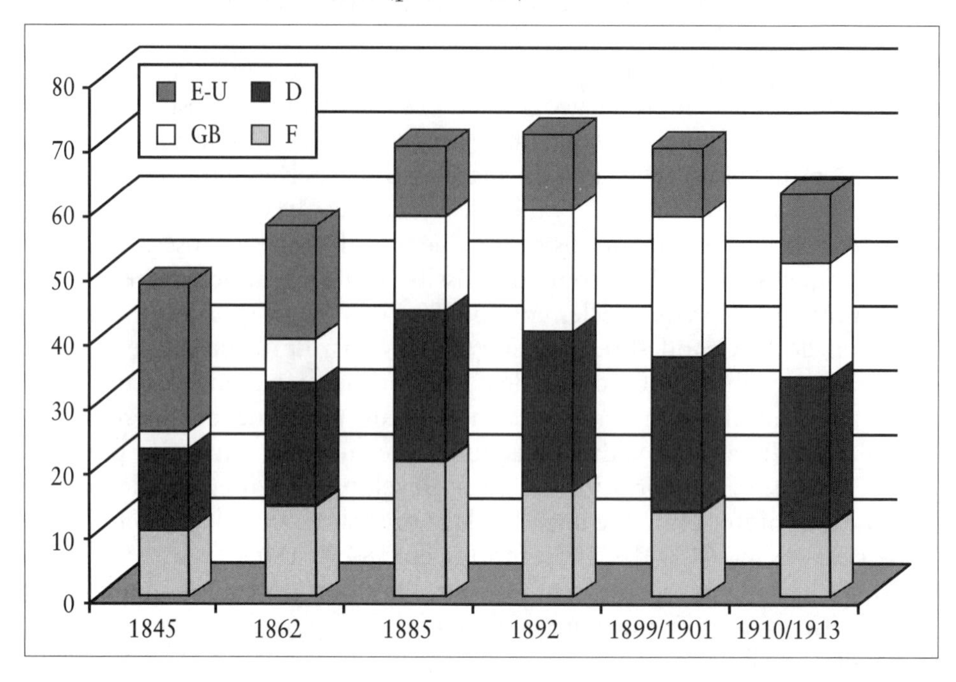

Graphique 11. Evolution de la structure géographique des exportations par continent (pourcents)[36]

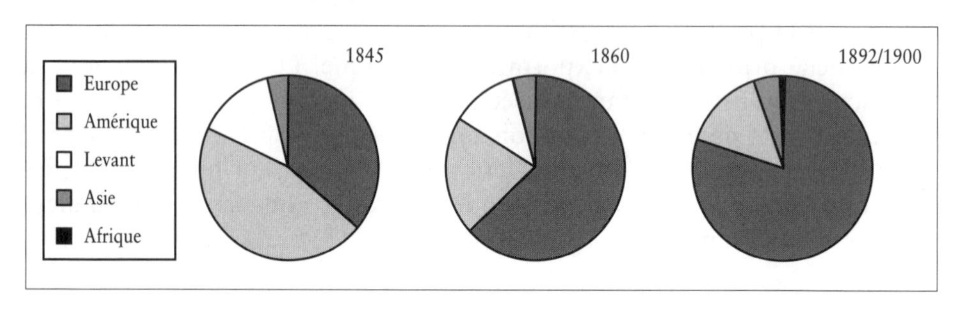

les broderies; DDS, vol. 3, nº 280, pp. 591-595; en 1887/88, 18,3% des soieries zurichoises y sont écoulées; Masnata, 1924, p. 154; en 1872, l'exportation d'horlogerie vers les Etats-Unis s'élève à 18 mios de frs; elle diminue durant la crise des années 1870 pour remonter à 11 mios de frs en 1884, soit 15,5% des exportations de montres de 1885; Pfleghart, 1907, pp. 77-85.

35 Les données sont tirées de l'annexe 2.

36 Veyrassat, 1990, p. 316; pour l'année 1860, ce sont les chiffres de la page 308, plus précis, qui sont utilisés; pour les années 1845 et 1860, les exportations en direction du Levant (Turquie, Syrie, Perse, Egypte) et de l'Asie orientale sont dissociées, mais ce n'est plus le cas pour les chiffres de la fin du siècle; il est probable qu'une partie de l'exporta-

bent encore 42% de l'exportation de broderies et 16% des soieries et rubans de soie[37].

Après le traité de commerce de 1860 entre la France et la Grande-Bretagne, les principaux pays d'Europe s'ouvrent à une ère de libre-échange, qui contraste avec une fermeture toujours plus marquée des Etats-Unis – la guerre de Sécession se termine par une victoire des industriels protectionnistes des Etats du Nord. En conséquence, la prépondérance des marchés européens s'accentue encore, pour atteindre 80% durant la période 1892/1900. Au glissement de l'outre-mer vers le Vieux Continent se superpose une prépondérance toujours plus grande des pays voisins, cela malgré une progression remarquable du marché anglais. Le traité à tarif conclu avec la France (1864) dope les échanges avec ce pays. Entre 1862 et 1885, la part française passe de 14 à 21%, tandis que celle de l'Allemagne progresse aussi, mais moins rapidement (19 à 23%). Avec 44%, les deux grands voisins absorbent alors leur plus grand quota des exportations suisses durant le XIXe siècle[38].

Le tournant protectionniste de l'Allemagne, en 1879, marque le début d'une nouvelle période de fermeture des marchés européens, qui est liée aux difficultés économiques engendrées par la Grande dépression. Durant les années 1885 à 1899/1901, la Grande-Bretagne, qui demeure fidèle au libre-échange, joue le rôle d'amortisseur pour les exportations suisses, puisque sa part progresse de 14 à 21%. Dans le même temps, la part de la France et de l'Allemagne, convertis au protectionnisme, baisse de 44 à 37%. En outre, l'équilibre établi à la fin des années 1870 entre les deux grands voisins s'écroule au profit du Reich. Si le protectionnisme instauré dès 1879 freine la progression de la part allemande, les traités de commerce conclus en 1891 et 1904 permettent de la stabiliser entre 23 et 25% des exportations jusqu'à la Première guerre mondiale. De surcroît, une complémentarité toujours plus étroite entre les deux économies se met en place, notamment grâce au commerce de perfectionnement et à l'exportation réciproque de capital. Au contraire, la politique protectionniste engagée par la France dès 1892 ne permet plus de conclure un traité de commerce satisfaisant. Les échanges en pâtissent, puisque la part française diminue de 21% en 1885 à 11% en 1910/1913.

Il faut encore signaler qu'au tournant du siècle, les marchés d'outre-mer gagnent de nouveau en importance[39]. Etats-Unis exclus, leur part passe de

---

tion de marchandises suisses vers ces pays soit alors prise en charge par le commerce intermédiaire des puissances coloniales.

37 SHS, 1996, p. 718.

38 Ce constat doit toutefois être relativisé en raison des inexactitudes de la statistique entre 1885 et 1891, qui tendent à gonfler la consommation de produits suisses dans les quatre pays limitrophes.

39 Sur cette question, cf. Hauser-Dora, 1986, pp. 81-103.

9,1% (moyenne des années 1896/1900) à 15% (1913)[40]. Dans le sillage de l'impérialisme des grandes puissances européennes, le commerce d'exportation helvétique parvient ainsi à tirer son épingle du jeu dans la course aux débouchés d'outre-mer, cela sans avoir à supporter les coûts militaires et administratifs d'une politique coloniale.

Tout au long du XIXe siècle, l'Allemagne, la France, la Grande-Bretagne et les Etats-Unis sont donc les principaux acheteurs de produits suisses. Dans quelle mesure était-il possible de conclure des traités de commerce avantageux avec ces partenaires? En tant que petit marché éclaté, dont la capacité de consommation est limitée, la Confédération du début du siècle ne possède que peu d'atouts pour obtenir des accords intéressants. D'autant plus que les denrées alimentaires et les matières premières, qui forment le gros de l'importation, sont indispensables au bon fonctionnement de l'économie suisse. Certes, la possibilité de changer de fournisseur existe, mais cette opération ne peut souvent s'effectuer qu'au prix d'un renchérissement important des coûts de transport.

Au cours du siècle, les armes suisses de négociation s'améliorent toutefois grâce à l'unification du marché intérieur, à l'augmentation de la consommation indigène, liée à un niveau de vie plus élevé, et au changement de la structure des importations (plus de fabriqués industriels). A la fin du siècle, le marché suisse n'est plus quantité négligeable pour certaines branches de production étrangères. Par ailleurs, la diminution des coûts de transport (chemins de fer et bateaux à vapeur) permet désormais de modifier plus aisément la structure géographique des importations, notamment en cas de guerre douanière contre un partenaire commercial récalcitrant.

En dépit de ces améliorations, la position helvétique face aux géants commerciaux que sont la Grande-Bretagne et les Etats-Unis demeure faible. En 1897, les importations suisses en provenance de la Grande-Bretagne représentent 54 mios de frs, soit 0,7% du total des exportations anglaises[41]. Avec 51,7 mios, l'importation des Etats-Unis est également peu importante. La position helvétique face à l'Allemagne et à la France est meilleure. En 1897, la Suisse importe pour 306,4 mios de frs de marchandises en provenance d'Allemagne, soit environ 7% des exportations totales de ce pays. Pour la métallurgie allemande (37,4 mios en 1900) ou l'industrie de la laine (15 mios en 1900), le marché suisse représente un débouché important, dont l'accès peut être négocié contre des concessions douanières en faveur des produits suisses. Quant à la France, son exportation sur le marché suisse

40 Behrendt, 1931, p. 38.

41 L'importation par pays dès 1892 figure in SHS, 1996, pp. 696-697; les chiffres de l'exportation des puissances commerciales européennes figurent in Hauser-Dora, 1986, p. 75.

représente 192,4 mios en 1897, soit 5% du total. Là aussi, certaines branches de production, comme la viticulture, sont très intéressées à la capacité de consommation helvétique.

L'évolution de la répartition géographique des exportations, toujours plus orientée vers les marchés européens, provoque une demande accrue d'intervention commerciale, d'autant plus qu'à partir des années 1880, la politique douanière des principaux partenaires commerciaux vire au protectionnisme. Simultanément, les armes commerciales permettant de négocier des traités de commerce s'améliorent. L'unification du marché intérieur et l'augmentation de sa capacité de consommation permettent d'envisager une défense crédible des intérêts suisses par la Confédération.

II.8. Du libre-échange à une politique de combat teintée de protectionnisme: accroissement de l'intervention commerciale de la Confédération

L'évolution des échanges extérieurs au cours du XIXe siècle génère plusieurs vecteurs agissant sur la politique douanière de la Confédération. En premier lieu, l'importance de l'exportation de marchandises dans l'équilibre de la balance des paiements tend à favoriser une politique de promotion de l'exportation au détriment de la protection du marché intérieur. Exagéré à dessein par les exportateurs, ce rôle macro-économique diminue toutefois dans la deuxième moitié du siècle. En second lieu, la composition de l'exportation et la répartition géographique des débouchés appellent une politique plus interventionniste de l'Etat. La conclusion de traités de commerce à tarif devient importante pour le développement de certaines branches productives. Dans quelle mesure la Confédération a-t-elle adapté sa politique aux impulsions données par l'évolution structurelle du commerce extérieur?

En effet, la politique douanière d'un Etat n'est pas calquée de manière automatique sur la logique dictée par le développement des structures économiques. En dernière analyse, les choix dépendent du rapport de force politique au sein de la Confédération. Or, les intérêts commerciaux des différents «mondes de production» de l'économie suisse sont aussi peu homogènes qu'en matière fiscale. Les marchands-entrepreneurs – exportateurs de produits industriels – et l'aristocratie terrienne de montagne – exportatrice de produits agricoles – sont favorables à une promotion de l'exportation. Il en est de même des marchands-banquiers de Suisse occidentale qui exportent des productions industrielles locales. Ces derniers sont par ailleurs opposés à toute protection du marché intérieur qui entraverait leur commerce d'importation au profit des classes moyennes industrielles et agricoles. L'aristocratie terrienne de plaine est plus partagée. Alors que les producteurs de lait veulent un encouragement de l'exportation de fromage, les céréaliers et les viticulteurs sont intéressés à la protection des marchés de proximité. Enfin, les grands industriels sont aussi partagés. Alors que les producteurs de semi-fabriqués – filés de coton, fer brut – sont plutôt intéressés à une protection du marché intérieur, les producteurs de produits finis sont généralement favorables à une ouverture des marchés extérieurs.

Quelque peu réductrice, cette première approche des intérêts commerciaux des élites en présence souligne une orientation majoritaire vers les marchés extérieurs. Des divergences existent toutefois sur la manière de promouvoir l'exportation. Peu touchés par la première vague européenne de protectionnisme, l'aristocratie terrienne de montagne et les marchands-banquiers de Suisse occidentale ne veulent pas d'une intervention de l'Etat central. Une politique libre-échangiste à l'échelle cantonale les satisfait. Par contre, en certaines occasions, marchands-entrepreneurs, grands industriels et agriculteurs de plaine ressentent le besoin d'une intervention de la Confédération permettant la conclusion de traités de commerce.

Avant la constitution de l'Etat fédéral, en 1848, les élites économiques délèguent bien peu de compétences douanières au pouvoir central. A l'exception de quelques cantons, comme Vaud qui protège sa production agricole, une politique douanière de type libre-échangiste est menée par les différentes autorités cantonales. En fonction des intérêts fiscaux, cette tendance est toutefois plus marquée dans les cantons industriels et commerçants que dans les cantons agricoles. En matière de politique commerciale, le pacte de 1815 donne à la Diète la compétence de conclure des traités de commerce avec les puissances étrangères. Mais, en l'absence d'un outil douanier centralisé, la Confédération n'est pas en mesure de mener une politique commerciale crédible. En 1822, la tentative faite par une série de cantons de mettre la France protectionniste sous pression, au moyen de mesures communes de rétorsion, débouche sur un échec retentissant. Il apparaît dès lors qu'une action de la Confédération à but commercial passe par une centralisation du système douanier. Durant les années 1830-1840, une unification douanière n'est donc pas uniquement défendue par les classes moyennes et les grands industriels intéressés au marché intérieur, mais aussi par certains exportateurs désireux de voir la Confédération s'engager dans une politique commerciale plus interventionniste.

Après la création de l'Etat fédéral, la politique commerciale suisse ne subit pas de révolution. Certes, les grands industriels actifs dans les branches du coton et de la métallurgie bénéficient d'un transport de la charge douanière aux frontières, où une légère protection est instaurée en leur faveur. Les élites exportatrices, qui demeurent majoritaires, font cependant barrage à une véritable politique protectionniste. Le tarif libre-échangiste de 1849/51 a pour principal but de subvenir aux besoins financiers du nouvel Etat fédéral; en vigueur jusqu'en 1884, il ne taxe que faiblement les matières premières et les denrées alimentaires. Quant à une intervention plus active en faveur de l'exportation, la Confédération fait des débuts très timides. Durant les années 1850, elle se contente de conclure des traités de commerce contenant la clause de la nation la plus favorisée, notamment avec la Sardaigne (1851), la Grande-Bretagne (1855) et les Etats-Unis (1855)[42]. Cette clause assure à l'exportation suisse de ne pas subir une taxation plus lourde que celle des concurrents. Elle ne diminue en rien la protection élevée dont bénéficie la concurrence indigène. Malgré les importantes barrières douanières européennes, la Confédération renonce à exercer des pressions pour obtenir des traités de commerce (politique de rétorsion ou de combat). Avec la libéralisation de la politique commerciale des voisins, dès 1860, la Confédération parvient à conclure un traité de commerce à tarif avec la France (1864) ainsi qu'un traité à clause de la nation la plus favorisée avec le Zollverein (1869). Les baisses tarifaires consenties accentuent encore la tendance libre-échangiste de la politique douanière helvétique.

A partir des années 1880, la politique douanière suisse amorce un important virage. Le renouveau protectionniste européen menace en effet d'étrangler l'exportation suisse. Les produits pondéreux et les produits standardisés fabriqués mécaniquement sont les plus touchés. Par ailleurs, l'insécurité douanière ambiante tend à paralyser les investissements nécessaires pour faire face à la concurrence internationale qui s'exacerbe en raison de la Grande dépression. En conséquence, la plupart des élites exportatrices considèrent que la politique commerciale consistant à conclure des traités limités à la clause de la nation la plus favorisée n'est plus adaptée. Les grands industriels, les élites agricoles et certains marchands-entrepreneurs exigent de la Confédération qu'elle conclue des traités de commerce à tarif avec les principaux partenaires commerciaux dans le but d'obtenir des conditions douanières stables et supportables. Afin de parvenir à cet objectif, une politique douanière de combat est progressivement instaurée avec les révisions tarifaires de 1884, 1887, 1891 et 1902. Les tarifs généraux successifs, qui servent de base de négociation pour la conclusion de traités de commerce, sont progressivement renforcés pour faire pression sur les partenaires commerciaux (annexe 3). Par ailleurs, la Confédération recourt à des mesures de rétorsion à l'égard de la France, ce qui débouche sur une guerre douanière entre 1893 et 1895.

Parallèlement à l'instauration d'une politique de promotion de l'exportation plus musclée, la Confédération prend en compte certaines revendications protectionnistes. La grande industrie mécanisée, qui s'étend désormais à de nombreuses branches de production, est de plus en plus intéressée à une protection de la capacité de consommation intérieure en

42 Le traité de commerce avec la Sardaigne modifie bien quelques positions du tarif suisse, mais celles-ci sont, pour la plupart, intégrées dans le nouveau tarif de 1851 pour éviter l'application d'une taxation différentielle à l'importation d'autres Etats.

pleine croissance[43]. En outre, toute une série de branches, qui éprouvent des difficultés à demeurer compétitives face à la concurrence étrangère – coton, laine, métallurgie, papier, matériaux de construction, etc. –, demandent à l'Etat central de leur accorder une protection. Les grands industriels, dont le poids numérique et politique n'a cessé d'augmenter au cours du siècle, ne sont pas seuls à exiger un infléchissement de la politique douanière helvétique. Les élites agricoles de plaine et de montagne, qui sont confrontées à une flambée de protectionnisme agricole en Europe, sont contraintes de travailler toujours plus pour le marché intérieur. C'est notamment le cas des éleveurs de bétail de Suisse intérieure, qui voient les marchés italiens se fermer à leur exportation. La coalition protectionniste formée par certaines élites industrielles et agricoles est encore renforcée par les classes moyennes travaillant pour le marché intérieur.

Entre 1880 et 1910, la charge fiscale prélevée aux frontières suisses passe de 17,1 à 84,1 mios de frs courants (+492%) (annexe 1). En termes réels, la progression est de 421%. Certes, celle-ci est en partie due à la croissance du volume des importations durant la même période (+150%), mais les révisions tarifaires (1884, 1887, 1891, 1902) y sont pour beaucoup. Les tarifs d'usages successifs – tarifs issus des négociations effectivement appliqués – augmentent la taxation dans de fortes proportions (annexe 6). Alors qu'en 1880, les revenus douaniers représentent 1,1% du PIB, ce même rapport passe à 2,1% en 1910. A cette date, la charge suisse dépasse celles de l'Allemagne, pourtant protectionniste (1,3%), de la Grande-Bretagne (1,6%), de la Suède (1,8%) et elle égale celle de l'Italie (graphique 6).

Si la charge douanière est mesurée non pas en fonction de l'activité économique globale du pays (PIB), mais par rapport à son commerce extérieur (valeur des importations), la Suisse se situe parmi les Etats qui ont l'imposition la plus faible (moyenne 1909/1913: 4,4%). Cette contradiction entre les deux mesures comparatives – explicitée par le graphique 12 – est due au fait qu'en tant que petit pays, la Suisse a un commerce extérieur plus développé que les grands Etats – le rapport entre valeur des importations et PIB est plus élevé. Le volume des importations étant important, la Confédération réussit à dégager des revenus considérables en appliquant des taxes relativement basses. Le taux d'imposition des importations n'est donc pas un instrument approprié pour mesurer la charge douanière imposée à la consommation. Il n'est pas non plus un indicateur valable pour déterminer si un pays pratique une politique protectionniste, car il ne dit rien au sujet de la répartition de la charge douanière. Sur l'échelle établie grâce à cette

43 Les principales causes de cette croissance sont l'augmentation du niveau de vie (produits alimentaires, habits, etc.) et du volume de la production (équipements, semi-fabriqués) ainsi que le boom dans la construction (matériaux en fer, bois, terre, etc.).

Graphique 12. Charge fiscale douanière en comparaison internationale échelle de gauche: revenus douaniers/valeur des importations (moyenne 1909/1913)[44]; échelle de droite: revenus douaniers/PIB[45]

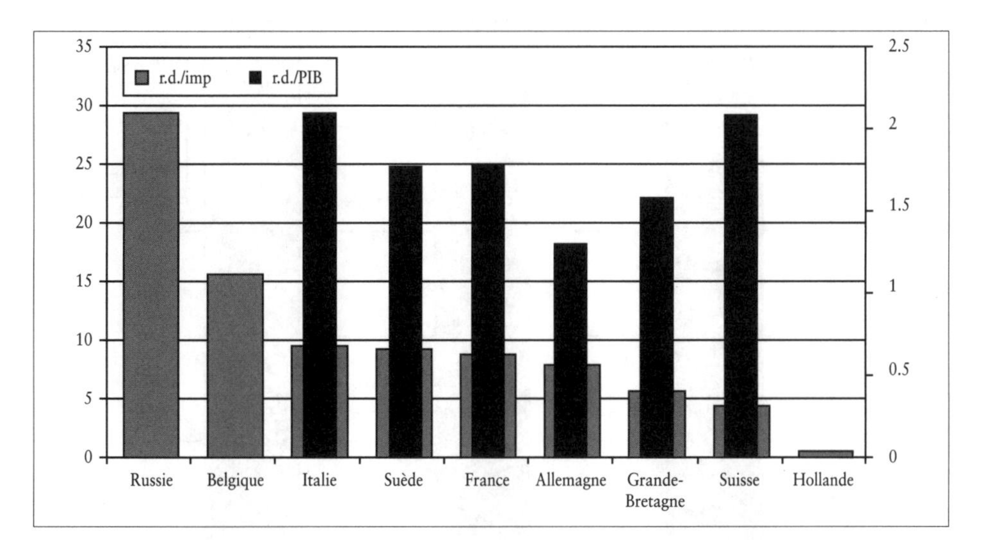

mesure, l'Angleterre, qui prélève une charge relativement importante sans protéger sa production – les revenus proviennent uniquement de taxes fiscales –, est plus protectionniste que la Suisse et juste un peu moins que l'Allemagne.

Le faible taux d'imposition des importations suisses (4,4%) ne signifie donc pas que la Confédération reste fidèle au libre-échange jusqu'à la Première guerre mondiale. Au contraire, dès 1884, l'Etat central helvétique cède peu à peu aux sirènes du protectionnisme. Cette évolution se matérialise par un déplacement de la charge douanière des taxes fiscales vers les taxes protégeant une production indigène. Entre 1887 et 1907, la part des principales taxes fiscales (sucre, pétrole, café, malt) au total des revenus douaniers passe de 17,6 à 10,9%, alors que les principales taxes protectionnistes (tissus de laine et de coton, vêtements, produits en fer, en bois et en verre, papier, etc.) progressent de 7,6 points (annexe 4). L'étude de Leuthold consacrée à l'évolution de la répartition de la charge douanière montre bien ce transfert vers les taxes protectionnistes (graphique 13). Leuthold montre par ailleurs que la part des matières premières dans les recettes douanières passe de 18,2% (1890) à 8,6% (1910). Dans le même temps, celle des fabriqués pro-

44 Bairoch, 1989, p. 77.
45 Données utilisées pour le graphique 6.

Graphique 13. Répartition de la charge douanière entre taxes fiscales, mixtes et protectionnistes en 1890, 1900 et 1910 (pourcents)[46]

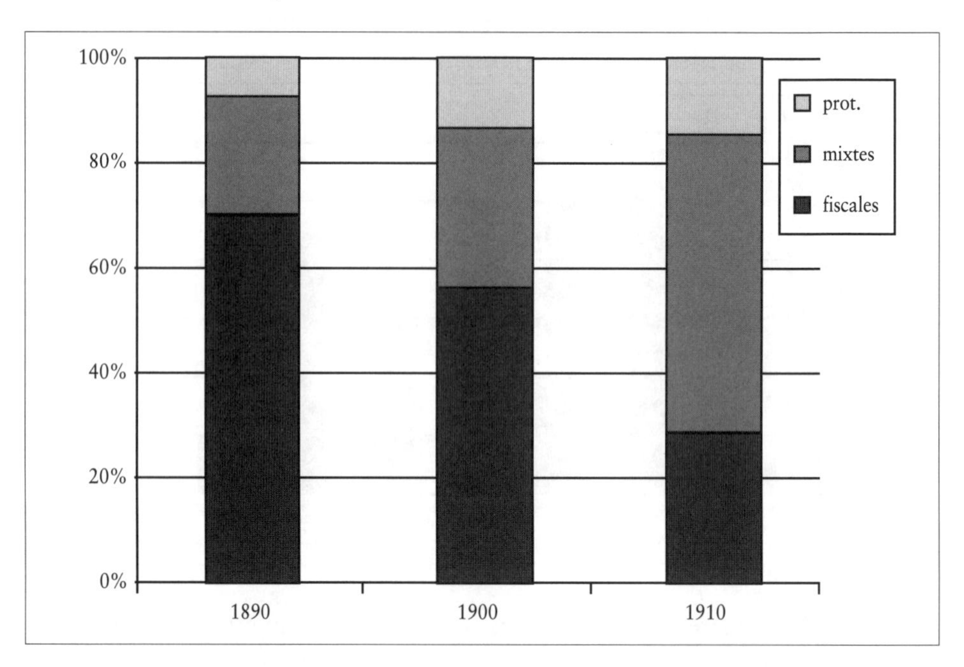

gresse de 32,2 à 45,5%[47]. Certaines catégories du tarif douanier bénéficient plus que d'autres de ce transfert de la charge (annexe 5). De toute évidence, ce sont les textiles qui sont le plus efficacement protégés. Alors que les quantités importées diminuent de 33% entre 1887 et 1907, les revenus progressent de 275%. Entre autres, les catégories bétail (+7%/+297%), papier (+200%/+494%) et objets mécaniques (+435%/+923%) bénéficient aussi largement du transfert de la charge.

Le protectionnisme helvétique instauré dès 1884 a pour principales caractéristiques d'être sélectif et modéré. Sélectif parce qu'il touche un nombre restreint de positions du tarif. En effet, une partie importante des branches de production industrielles et agricoles étant exportatrices, celles-ci ne revendiquent pas de protection. Au contraire, redoutant des mesures de rétorsion de la part de leurs partenaires commerciaux, les industries de la soie, de la broderie et de l'horlogerie demandent que la Confédération montre l'exemple en imposant peu leurs produits. Ainsi, en 1897, les soieries ne sont taxées qu'à 0,2% de leur valeur. Par contre, les branches de production travaillant dans une proportion importante pour le marché inté-

46 Leuthold, 1937, p. 115.
47 *Ibidem*, p. 121.

rieur sont mises au bénéfice d'une protection bien supérieure au taux global de 4,4% (annexe 6). Dans le domaine de l'agriculture, l'élevage et l'engraissement de bétail sont particulièrement protégés. Entre 1887 et 1907, le taux de protection des veaux (taxe/valeur) passe de 2,5% à 12,8%. Par ailleurs, l'imposition des vins en tonneaux augmente de manière impressionnante – de 4% en 1877 à 33,4% en 1907. Dans le secteur industriel, les cotonnades voient leur protection passer de 1 à 11,6% entre 1877 et 1907[48]. Le fil de fer, le papier à écrire, le verre à bouteille, le ciment (29,6% en 1907) et bien d'autres fabriqués encore bénéficient d'une protection importante.

Loin d'être négligeables, ces taux demeurent encore modérés en comparaison internationale. La philosophie du protectionnisme helvétique n'est en effet pas de maintenir des branches de production obsolètes en accordant des taux de protection prohibitifs. Au contraire, le maintien d'une concurrence étrangère est jugée nécessaire pour pousser les branches concernées à rationaliser leur production. Par conséquent, la protection instaurée ne provoque en général pas une diminution de l'importation, mais ne fait que freiner sa progression (annexe 7). Sa vocation première est en fait d'inciter les entreprises à investir pour se moderniser, ce qui soutient le «trend» de la mécanisation et de la capitalisation de l'industrie suisse. La marge de commercialisation accordée sur le marché intérieur permet en effet de rassurer les investisseurs quant à l'écoulement futur de leur production. Loin de constituer un oreiller de paresse entravant le développement industriel, le protectionnisme a probablement facilité une modernisation de l'industrie travaillant pour le marché intérieur: entre 1895 et 1911, la force motrice utilisée progresse de 123% (annexe 8). Dans le même temps, la progression de l'emploi est de 81%, alors que celle dans l'industrie d'exportation, freinée par une mécanisation encore plus forte (+297%), est de 52%. Au tournant du siècle, l'industrie travaillant pour le marché intérieur acquiert de ce point de vue une importance accrue dans l'économie suisse.

48 Il faut noter qu'une analyse pertinente des taux de protection des différentes productions se heurte à un certain nombre de problèmes méthodologiques; le premier a trait au système de dédouanement au poids brut prenant en compte le poids de l'emballage, qui peut varier de 5 à 20% du poids de la marchandise, ce qui augmente notablement la protection réelle procurée par la taxe: tous les taux sont donc à considérer comme des minima; à remarquer que ce système favorise les régions de frontière qui ont plus de facilité à présenter la marchandise sans emballage au dédouanement; le second problème de l'analyse réside dans le fait que la protection réelle accordée à un produit n'est en fait pas relative à sa valeur totale mais à sa valeur ajoutée; une taxe de 10% de la valeur protège plus un tissu de soie, dont la valeur ajoutée est d'environ 30%, qu'une broderie avoisinant les 80%; par conséquent, plus la part de la matière première aux coûts de production est importante, plus la protection est efficace; cela étant, la détermination de taux de protection réels en fonction de la valeur ajoutée représenterait une recherche de grande envergure; sur ces questions, cf. Reichlin, 1932, pp. 7-10; Lünenbürger, 1901, pp. 49-51.

En conclusion, l'intervention commerciale de la Confédération au moyen de la taxation douanière a changé en profondeur. Quasi inexistante au début du siècle, en raison d'une demande limitée et d'une capacité d'agir presque nulle, elle se développe progressivement à partir de la construction de l'Etat fédéral. Certes, la volonté de promouvoir l'exportation demeure la ligne de force de la stratégie douanière helvétique, mais les moyens utilisés changent sous la pression extérieure et en fonction des changements structurels du commerce extérieur suisse.

Au libre-échange, combiné avec la conclusion de traités de commerce à clause de la nation la plus favorisée, succède une politique de combat dont l'objectif est la conclusion de traités de commerce à tarif. Par ailleurs, le changement des rapports de force entre élites économiques pousse à une meilleure prise en compte des producteurs travaillant pour le marché intérieur. Une protection sélective et modérée de la capacité de consommation suisse est peu à peu introduite.

II.9. Taxation douanière et coûts de transport

La situation géographique de la Suisse, au centre du continent européen, n'est pas sans incidences sur le développement de son économie. Sans accès direct à la mer – à moins de prendre en compte les liaisons fluviales par le Rhin et le Rhône –, séparé du sud de l'Europe par les Alpes, le commerce extérieur helvétique est condamné à supporter des coûts de transport élevés en comparaison internationale. Le prix de vente des marchandises importées et exportées est donc grevé dans des proportions importantes. La charge imposée par les coûts de transport n'est toutefois pas la même pour tous les produits. En 1850, le transport de froment de Prusse orientale jusqu'en Suisse provoque un renchérissement de 75%. A distance égale, l'importation de fabriqués industriels anglais est moins grevée: 20% pour des ouvrages en fer, 10% pour des filés en coton et 5% pour des cotonnades. Plus le rapport poids/valeur est faible, moins la part des coûts de transport dans le prix de vente est importante. Pour un poids équivalent, une broderie à haute valeur ajoutée sera donc moins renchérie qu'un simple tissu de coton blanchi. Par contre, plus la valeur du produit est grande, plus les frais annexes (assurances, taxes de transit, roulage, pontonnage, etc.) sont importants. Bairoch estime que ceux-ci peuvent varier de 5 à 100% du prix de la marchandise[49].

Avec l'évolution technologique dans le secteur des transports, les coûts tendent à diminuer au cours du XIXe siècle. Le développement d'un réseau ferroviaire permet notamment de transférer une grande partie du fret de la route au rail, avec une économie d'environ 75% des frais de transport. Alors

49 Bairoch, 1989, pp. 55-56.

Tableau 1. Coûts de transport pour un voyage continental mixte de 800 km, exprimés en pourcents du prix de la marchandise (assurances, taxations et frais divers ne sont pas inclus dans les coûts de transport)[50]

	1830	1850	1880	1910
froment[51]	*76-82*	*73-79*	*39-43*	*25-30*
fer en barre	*89-94*	*68-74*	*31-35*	*18-20*
ouvrages en fer	*24-30*	*19-23*	*8-12*	*5-7*
fils de coton	*9-13*	*7-10*	*3-4*	*2-3*
tissus en coton	*6-9*	*5-7*	*2-3*	*1-2*

qu'en 1850 le chemin de fer ne prend que 5% du trafic en charge, il en assume 75% en 1910. Ainsi, entre 1850 et 1880, la diminution du prix des céréales provoquée par la réduction des coûts de transport entre la Prusse et la Suisse est d'environ 30%. Par ailleurs, il faut signaler que le remplacement du bateau à voile par le bateau à vapeur diminue aussi le coût du transport intercontinental. En dépit de cette tendance à la baisse, une évaluation globale faite en Grande-Bretagne, à la fin du siècle, estime que les coûts de transport et d'assurance représentent en moyenne 13% de la valeur des importations[52].

Les coûts de transport élevés supportés par le commerce extérieur suisse n'ont pas du tout le même effet selon que le producteur helvétique écoule sur le marché intérieur ou sur les marchés internationaux. Pour les industriels jurassiens, qui vendent leur fer sur le marché suisse, les coûts de transport fonctionnent comme une protection par la distance. Vers 1850, le fer anglais est renchéri de 70% par les coûts de transport, à quoi il faut ajouter quelque 5 à 10% pour les frais annexes de commercialisation et 3% pour la taxe d'importation en Suisse. Comme le fer et le charbon de bois utilisés dans les hauts fourneaux jurassiens sont de provenance locale, les 80% de protection dus à la distance et aux douanes sont tout bénéfice pour le producteur suisse. Dans le cas d'une fonderie fabriquant des tôles avec du fer étranger, la protection d'environ 35% sur le fabriqué (20% pour le transport, 10% pour les frais annexes et environ 5% pour la taxe d'importation) est rognée par les frais d'importation de la matière première.

50 Bairoch, 1989, pp. 55-58; à partir du milieu du siècle, le transport continental prend trois formes différentes qui sont la route, le cours d'eau et le rail; en 1850, Bairoch estime la proportion de chaque forme comme suit: 55%/40%/5%; en 1910, celle-ci a évolué au profit du chemin de fer: 5%/20%/75%.

51 Les pourcentages indiqués pour le froment sont à considérer comme des minima; alors que les coûts de transport utilisés pour le ratio des autres marchandises sont uniquement continentaux, ceux utilisés pour le froment sont calculés pour un voyage par terre et par mer.

52 Busino, 1990, note 17 p. 11.

Durant la seconde moitié du siècle, le mouvement à la baisse des coûts de transport diminue la protection par la distance de manière conséquente. Pour le fer en barre, cette protection passe de 70 à 35% du prix. En comparaison, la production de fabriqués (tôles) est moins touchée dans sa protection (-10% du prix). Dans certaines branches, cette perte de compétitivité ne peut être compensée par une diminution correspondante des coûts de production. Pour survivre, il est alors nécessaire d'obtenir une compensation par un accroissement de la protection douanière. Selon Bairoch, le mouvement protectionniste européen des années 1880-1914 peut en partie être interprété comme le remplacement d'une protection «naturelle» (distance) par une protection politique (douanes)[53].

Si les coûts de transport renchérissant l'importation font le bonheur des producteurs orientés vers le marché intérieur, il en va tout autrement pour les exportateurs helvétiques. Par rapport à leurs concurrents étrangers, les industriels suisses sont contraints d'assumer un différentiel négatif dans le prix des matières premières travaillées, qui sont pour la plupart importées. Ainsi, dans les années 1840, un filateur glaronnais estime que les coûts occasionnés par l'acheminement du coton (transport, assurances, taxations, etc.) l'obligent à travailler une matière première 25% plus cher que celle de ses concurrents de Manchester[54]. La matière première entrant alors pour environ 50% dans le prix du filé, celui-ci est renchéri de 10 à 15%. En 1877, l'industrie des machines helvétique se plaint de devoir payer 17% de la valeur de ses produits en transport et frais de taxes douanières sur le fer importé[55]. Outre la charge imposée aux coûts de production, les coûts de transport renchérissent aussi les coûts de commercialisation des exportateurs suisses. Une fois le produit fabriqué, il s'agit en effet de l'expédier sur un marché extérieur; plus celui-ci est lointain, plus le coût de l'expédition est élevé. Dans les années 1840, l'envoi d'un tissu de coton dans un port atlantique est estimée à 5% de la valeur du produit[56], ce qui corrobore les chiffres de Bairoch.

Afin d'améliorer leur compétitivité, les exportateurs suisses cherchent à réduire le différentiel des coûts de transport supporté; pour ce faire, la construction de voies de communication performantes en Suisse est le principal bras de levier. Dans leur démarche, ils obtiennent le soutien des milieux économiques intéressés au commerce de transit, qui cherchent à attirer les flux internationaux de marchandises sur territoire helvétique.

53 Bairoch, 1989, pp. 55-58.
54 *Neue Verhandlungen der schweizerischen gemeinnützigen Gesellschaft*, Bericht 1843, Glarus, 1844, p. 247.
55 FF, 1877, vol. 3, p. 377, «MCF concernant un nouveau tarif des péages suisses».
56 Commissional-Rapport der Zürcherischer..., 1843, p. 9.

Durant les premières décennies du XIXe siècle, un effort considérable est ainsi consenti dans la construction d'un réseau routier performant qui pénètre jusque dans les Alpes. Les coûts imposés aux cantons sont toutefois compensés par l'instauration d'une multitude de péages permettant d'amortir les investissements consentis. L'accumulation de ces petites charges fiscales finit par renchérir sensiblement les coûts de transport en Suisse. Au milieu du siècle, l'exploitation du réseau routier helvétique touche à l'absurde. Alors qu'il a été construit pour favoriser le commerce, la cherté de son utilisation et les complications administratives engagent les marchands à l'éviter en empruntant les routes étrangères. Pour les exportateurs, la taxation intérieure imposée au transit ne fait qu'accroître le différentiel des coûts de transport.

Jusqu'aux débuts de la construction du réseau ferroviaire européen, dans les années 1840, le différentiel des coûts de transport demeure dans des proportions ne mettant pas en danger la compétitivité helvétique. Mais avec la généralisation de ce moyen de transport révolutionnaire qui, rappelons-le, diminue les coûts de 75%, certains exportateurs suisses sont mis sous pression. Il s'agit des producteurs de marchandises à rapport poids/valeur élevé, d'autant plus s'ils ne se situent pas à proximité des lignes ferroviaires étrangères. Alors qu'un rubanier bâlois, dont la ville est reliée au réseau européen dès 1844, n'a que peu d'intérêt à la construction d'un réseau ferroviaire helvétique, les exportateurs de fromage de l'Emmental, les filateurs de Glaris ou les constructeurs de machines zurichois considèrent le chemin de fer comme une question de survie à moyen terme.

Toutefois, la construction de chemins de fer n'est pas imaginable sous le régime douanier décentralisé en vigueur. D'une part, la rapidité du transport ferroviaire serait entravée par des contrôles douaniers à chaque frontière cantonale. D'autre part, la mobilisation des énormes capitaux nécessaires poserait problème. Renchérie par les caractéristiques topographiques de la Suisse, la construction ferroviaire ne pourrait être rentabilisée que grâce à une forte intensité du trafic marchandise. Or, les barrières mises au commerce intérieur et au commerce de transit par les taxations douanières cantonales diminuent considérablement les flux commerciaux. L'unification douanière constitue donc un des préalables nécessaires pour inciter les investisseurs à se lancer dans la grande aventure du chemin de fer.

Après la constitution de l'Etat fédéral, le réseau ferroviaire helvétique est construit de manière très rapide[57]. Alors que les exportateurs en bénéficient sous la forme d'une réduction du différentiel des coûts de transport, les producteurs travaillant pour le marché intérieur voient leur protection par la distance diminuer. Confiée à l'initiative privée, l'exploitation des chemins de fer se fait toutefois de manière anarchique. La course au profit et les difficultés

57 Bairoch, 1991, pp. 215-230.

de gestion des compagnies ferroviaires ont tôt fait de poser problème aux milieux exportateurs, puisque les tarifs sont bien plus élevés en Suisse qu'à l'étranger. Avec la Grande dépression, le débat sur un rachat des chemins de fer par la Confédération s'intensifie. Le projet ne peut être réalisé qu'au prix d'un important endettement, dont le service et l'amortissement posent un problème financier d'envergure. L'éventualité d'un recours aux revenus douaniers est évoquée tout au long des discussions. Sous la pression de certains milieux économiques, la loi de 1897 sur le rachat des chemins de fer dissocie toutefois la dette des CFF de celle de la Confédération.

En conclusion, il est intéressant de constater que tout au long du XIXe siècle, le problème des coûts de transport est étroitement lié à celui de la taxation douanière. De manière constante, les exportateurs suisses tentent de diminuer leurs coûts de transport afin de demeurer compétitifs sur les marchés extérieurs. L'amélioration des voies de communication engendre toutefois une contradiction, puisqu'elle risque de grever les coûts de production et de commercialisation des exportateurs via un accroissement de la charge douanière. En fonction des caractéristiques de leurs produits, certains mettent la priorité sur l'amélioration des transports alors que d'autres privilégient le libre-échange. Quant aux producteurs suisses travaillant pour le marché intérieur, ils considèrent les coûts de transport comme une protection bienvenue contre la concurrence étrangère. Avec l'érosion de la protection par la distance, suite à la baisse des coûts de transport, l'obtention d'une protection douanière devient encore plus importante.

II.10. Politique douanière, conditions-cadre et compétitivité de la place économique helvétique

Après la mise en évidence de l'influence possible de la politique douanière d'un Etat central sur les coûts de production et de commercialisation de l'économie, il est nécessaire de souligner la valeur relative de ce constat et de discuter son utilisation en lien avec la problématique.

Dans la suite de l'analyse, il sera sans cesse question de compétitivité en relation avec les conditions douanières d'une branche de production. Il faut toutefois préciser que l'action de l'Etat ne peut se substituer à celle de l'entreprise privée qui reste le plus souvent prépondérante dans la lutte concurrentielle. En comparaison d'un renchérissement de 1% de la matière première provoqué par la taxation douanière, l'achat du produit au bon moment sur le marché mondial est bien plus décisif pour déterminer les coûts de production. De même, le renchérissement des salaires dû à une augmentation de la charge fiscale sur la consommation ne pèse pas lourd face aux économies salariales pouvant être réalisées par un investissement dans la modernisation de l'appareil de production.

Par ailleurs, il est évident que la politique douanière n'est qu'un des nombreux bras de levier que l'Etat peut utiliser pour influencer les conditions de production de l'économie. En ce qui concerne la main-d'œuvre, une politique d'éducation et de formation professionnelle adéquate améliore sa qualité, alors que les droits d'établissement et d'immigration/émigration sont des outils efficaces permettant de réguler la fluidité du marché du travail. Le développement d'un savoir scientifique de pointe et la découverte de nouvelles technologies peuvent être favorisés par la mise sur pied de hautes écoles performantes ainsi que par une législation de protection de la propriété intellectuelle (inventions, modèles, etc.). La qualité de la production peut aussi faire l'objet de mesures étatiques (label de qualité, contrôle de la production, etc.). Dans le domaine du crédit, l'Etat peut légiférer pour pallier aux insuffisances du système privé ou prendre à son compte une partie du système bancaire, le but étant de mettre à disposition du capital bon marché en suffisance. L'action de l'Etat en matière de main-d'œuvre, de technologie et de capital peut encore être complétée par une politique visant à diminuer les coûts de l'énergie.

Les conditions de commercialisation sont aussi susceptibles d'être influencées par une intervention de l'Etat. D'une part, le droit commercial fixe certaines règles permettant d'établir une confiance minimale nécessaire aux transactions (faillites, poursuites, etc.). D'autre part, l'Etat participe à l'instauration et à la gestion d'un système monétaire permettant les échanges. Enfin, il peut mettre à disposition certains services nécessaires au bon fonctionnement du commerce (transports, poste, téléphone, télégraphe, etc.). Cette dernière intervention s'explique soit par l'ampleur des capitaux nécessaires à la mise en place d'une infrastructure, soit par l'incapacité de l'économie privée de gérer efficacement un domaine d'activité crucial, ou encore par la diminution des coûts ainsi obtenue. Dans la suite de l'analyse, toutes les possibilités d'intervention de l'Etat sur les conditions de production et de commercialisation sont regroupées dans le concept de conditions-cadre.

Dans quelle mesure la politique douanière menée par la Confédération favorise-t-elle le développement des différentes activités économiques? La réponse à cette question se révèle délicate. Chaque branche de production possédant ses caractéristiques productives et commerciales propres, l'importance qualitative prise par les conditions douanières dans le maintien de la compétitivité face à la concurrence étrangère varie fortement. Pour une entreprise mécanisée fabriquant des produits standardisés, sur lesquels les marges bénéficiaires sont souvent restreintes, un excès de charge sur les salaires et les matières premières peut être décisif. Une protection douanière de quelques pourcents de la valeur peut aussi suffire pour maintenir ou développer une production. A l'inverse, les conditions douanières sont en général moins décisives pour les branches de production qui jouissent d'une compétitivité hors-prix liée au savoir-faire (technologie, goût artistique, habileté). Dans certains cas extrêmes, des taxes étrangères de plus de 50% de la valeur n'empêcheront pas l'exportation de la marchandise. Il faut toutefois souligner que la ponction fiscale diminue souvent la marge de profit, la totalité de la taxe ne pouvant pas toujours être reportée sur le prix de vente. Par ailleurs, une politique douanière agressive de la Confédération peut provoquer des mesures de rétorsion de la part des partenaires commerciaux. Dans tous les cas, l'intense activité politique développée par des industries du luxe telles que l'horlogerie et la broderie prouve que la question des conditions douanières est loin de leur être indifférente.

L'évaluation de l'importance de mesures douanières pour une branche donnée peut aussi être biaisée par les sources utilisées. Produites par les acteurs intéressés au débat, les brochures publiées ou les requêtes adressées aux autorités ont toujours tendance à exagérer le besoin de protection. Au-delà du discours des protagonistes de l'époque, la détermination de l'importance réelle des décisions douanières de la Confédération pour le développement de chaque branche nécessiterait à elle seule une volumineuse recherche. Il s'agirait en effet d'aller dans des archives d'entreprises pour déterminer leurs coûts de production et de commercialisation et estimer l'impact des conditions douanières sur ceux-ci. Il faudrait aussi aborder la question des conditions douanières d'une branche en relation avec l'obtention du capital bancaire nécessaire à son développement.

En dépit des bémols mis à l'importance de la taxation douanière, qui nous invitent à ne pas exagérer l'impact qu'elle a sur la compétitivité de l'économie suisse, il n'en demeure pas moins qu'au XIXe siècle, elle est l'outil le plus efficace à disposition de l'Etat central pour intervenir dans les conditions de production et de commercialisation. Pierre angulaire des politiques fiscale et commerciale de la Confédération, en lien étroit avec sa politique de transport, la politique douanière a de surcroît une influence indirecte plus ou moins grande sur l'ensemble des interventions de l'Etat central à travers leur financement. Aux yeux des milieux économiques qui rencontrent des problèmes de compétitivité, elle représente donc une sorte de bouée de sauvetage qu'il s'agit d'arracher au navire étatique, cela au prix d'une lutte politique difficile.

Sans tomber dans le piège de la surestimation de la problématique abordée, force est de constater que la politique douanière n'est pas sans influencer l'évolution du système politique suisse. De par leur importance, les enjeux économiques liés à ce domaine législatif entrent en ligne de compte lors de la formation de coalitions au niveau fédéral. Par ailleurs, cette importance économique pousse les différents milieux socio-économiques à s'organiser au sein d'associations pour mieux faire valoir leurs intérêts. Dans les années 1880, la formation d'associations dans les principales branches d'activités coïncide avec l'intensification du débat douanier. Enfin, la nécessité pour la Confédération de mener une politique douanière efficace contribue à modifier le système de collaboration entre les sphères économique et politique. Dans le dernier quart du siècle, un processus législatif basé sur la consultation des associations économiques est mis en place de manière officieuse, en attendant la confirmation officielle apportée par les articles économiques constitutionnels de 1947[58].

En politique extérieure, le cadre conceptuel de la neutralité contribue à mettre les objectifs commerciaux au centre de l'activité diplomatique helvétique. La Confédération poursuit en effet une politique dont l'objectif principal est d'assurer l'exportation des marchandises suisses[59]. A plusieurs reprises, les intérêts purement politiques de la Suisse sont ainsi sacrifiés sur l'autel de la «Realpolitik» commerciale. Même la politique de neutralité est mise au service de l'expansion économique sur les marchés internationaux. Supposée être le fil conducteur de la politique extérieure, la neutralité se transforme en un outil pratique permettant d'encadrer le primat de l'exportation.

58 A relever que cette collaboration précède l'introduction du référendum législatif; cet outil de démocratie directe tend par la suite à favoriser l'intégration des forces socio-économiques capables de bloquer le système législatif par une politique d'obstruction systématique.

59 Humair, 1998/1.

III. Réflexions méthodologiques

III.1. Déconstruction de l'objet historique

L'historiographie consacrée à la politique douanière suisse ne donne pas un point d'appui très fiable à notre analyse. Le peu d'études consacrées à cette problématique se caractérisent par le degré élevé d'implication des auteurs dans le débat douanier. Ce sont en effet des secrétaires d'associations économiques, des économistes, des juristes, des fonctionnaires et des politiques qui les ont écrites. A ce titre, il est intéressant de constater que la courbe des publications suit de près celle des grands débats douaniers[1]. Les exceptions à cette règle ne sont pas nombreuses.

Certes, quelques historiens – notamment Rupli (1949), Müller (1966), Lüdi (1985) – fournissent des analyses pertinentes, mais la majeure partie des ouvrages charrient des mythes construits afin de bricoler une version des faits susceptible de servir à la défense d'intérêts. La réalité historique est déformée et camouflée plutôt que dévoilée. Un exemple significatif de cette pratique est l'analyse développée, en 1945, par l'économiste genevois William Rappard:

> *En second lieu, il faut noter que la politique douanière d'un petit pays comme l'est la Suisse, ne peut pas être, et en fait n'a jamais été, une politique entièrement libre. Si respectueux que ses grands voisins puissent se montrer de son indépendance, ils en sont en même temps les clients et fournisseurs principaux. A ce titre, ils sont sinon les maîtres, du moins les véritables inspirateurs de sa politique commerciale*[2].

Rappard reprend le mythe qui est parmi les plus prégnants dans la conscience collective, celui de la petite Suisse téléguidée dans ses choix douaniers par les grandes puissances voisines. Il présente la Suisse comme un radeau dont la trajectoire douanière est à la merci des courants commerciaux provoqués par les «supertankers» de l'économie mondiale, ce qui lui permet de rejeter la responsabilité de la trajectoire suivie sur l'étranger. Cette représentation permet de camoufler que le radeau est en fait un bateau, que ce bateau a un gouvernail, et qu'à ce gouvernail, il y a des pilotes qui dirigent en fonction de certains intérêts économiques concrets.

1 *1890-1895:* Huber Albert (1890), Litschi (1892), Frey (1892); *1902:* Geering (1902); *1914:* Schmidt (1914), Signer (1914); *1926-1937:* Stupanus (1926), Brunner (1926), Dérobert (1926), Blösch (1928), Bleuler (1929), Kupper (1929), Zihlmann (1930), Schälchli (1931), Gürtler (1931), Reichlin (1932), Steiger (1933), Hahn Eduard (1934), Steiner (1934), Leuthold (1937); *1945-1949:* Bosshardt (1945), Rappard (1945), Lampenscherf (1948), Rupli (1949), Hahn André (1949); *1964-1966:* Schmid (1964), Bosshardt (1964), Vogel (1966), Müller (1966).

2 Rappard, 1945, pp. 64-65.

La fonction principale de ce mythe est d'habiller l'exercice du pouvoir. En niant la marge de manœuvre helvétique, il légitime la politique menée, cela autant à l'intérieur, vis-à-vis des groupes socio-économiques lésés, qu'à l'extérieur face aux différents partenaires commerciaux. Dans le cas précis, l'article de Rappard coïncide avec la tentative des autorités suisses de se faire pardonner quelques années de collaboration commerciale intense avec le IIIe Reich, afin de pouvoir réintégrer le nouvel ordre international dominé par les Etats-Unis. La contribution de l'économiste genevois fait partie d'un recueil publié sous le titre «Die Schweiz als Kleinstaat in der Weltwirtschaft»[3]. Même si la Suisse de 1945, sur le plan économique, n'a plus rien à voir avec un petit pays, il s'agit de faire profil bas pour pouvoir se mettre dans le sillage de la première puissance mondiale. La mission est partiellement accomplie, en 1946, avec la signature du traité de Washington, négocié, entre autres, par William Rappard.

Bien d'autres mythes encore sont véhiculés au sujet de la politique douanière suisse. En ce qui concerne ses orientations, le plus courant est celui de la Suisse championne du libre-échange. Il est si prégnant qu'il réussit presque à gommer l'abandon du libre-échange dans les années 1880. Par ailleurs, la plupart des analyses véhiculent les dogmes forgés par l'économie politique helvétique. L'idée que la croissance économique dépend de la capacité de la Suisse à exporter des marchandises est reprise sans aucune approche critique. De manière implicite, les auteurs légitiment donc la politique douanière des autorités, dont l'objectif principal est de promouvoir l'exportation, cela au bénéfice de certains groupes socio-économiques.

Pour passer du mythe à l'histoire de la politique douanière suisse, pour détruire le «préconstruit» qui empêche une véritable mise en question de l'objet, il est nécessaire d'instaurer ce que le sociologue français Pierre Bourdieu appelle le «doute radical»:

> *Mais construire un objet scientifique, c'est d'abord et avant tout rompre avec le sens commun, c'est-à-dire avec des représentations partagées par tous, qu'il s'agisse des simples lieux communs de l'existence ordinaire ou des représentations officielles, souvent inscrites dans des institutions, donc à la fois dans l'objectivité des organisations sociales et dans les cerveaux. Le préconstruit est partout*[4].

III.2. Reconstruction de l'objet historique et modèle d'analyse: le champ douanier comme outil méthodologique

Une fois les mythes cassés, il s'agit de reconstruire l'objet historique au moyen de sources, de bribes d'analyses pertinentes, de lectures secondaires

3 Die Schweiz..., 1945.
4 Bourdieu, 1992, p. 207.

plus larges et de données statistiques. Ce travail peut être comparé à celui de l'horloger qui doit assembler une multitude de pièces, appelées ébauches, pour en faire une montre. Il ne lui suffit pas de mettre les ébauches dans la boîte de la montre pour que le mécanisme fonctionne et indique l'heure. L'horloger doit au contraire placer chaque élément à une place bien précise en fonction d'un plan élaboré selon les lois de la mécanique. Pour utiliser de manière pertinente les matériaux de base à sa disposition, l'historien doit aussi se servir d'un modèle d'analyse tenant compte des «lois de fonctionnement» de son objet historique. Au cours de l'élaboration de cet outil, un effort constant d'analyse réflexive est nécessaire afin d'éviter de recréer du mythe. Selon la relation du chercheur à la problématique étudiée – variable selon l'origine sociale et le parcours professionnel, les contraintes institutionnelles de production, la relation au pouvoir, etc. –, celui-ci peut en effet déformer de manière inconsciente les «lois de fonctionnement» de l'objet en raison de certaines attentes. Au contraire de l'horloger, dont l'erreur sera sanctionnée par quelques minutes d'avance ou de retard, l'historien n'a pas de «feed-back» direct. Certes, a posteriori, la critique historique confirme ou infirme la pertinence d'un modèle d'analyse, mais cette critique demeure en partie fondée sur une approche subjective et sa validité reste de ce fait relative.

La politique douanière a pour particularité d'être à l'intersection entre le champ économique et le champ politique. De surcroît, le débat douanier est aussi investi par un certain nombre d'acteurs du champ culturel (milieux de la presse, du champ académique, etc.). Le modèle d'analyse utilisé doit par conséquent tenir compte des trois sphères d'activité et expliciter la manière dont elles s'articulent au cours du temps. Le fondement de l'analyse développée dans la suite de ce travail se situe au niveau du champ économique. En fonction du mode de production et de commercialisation de leurs produits ainsi que de la situation de concurrence internationale, les élites des cinq «mondes de production» définis précédemment possèdent des intérêts économiques particuliers, entre autres en matière de politique douanière. Ces intérêts douaniers sont formulés, notamment dans des traités d'économie politique, diffusés dans l'opinion publique par le biais d'articles de presse ou de brochures et défendus dans la sphère politique.

Pour optimiser la défense de leurs intérêts, les élites économiques s'organisent souvent en dehors du système politique traditionnel des partis. La manière la plus courante de le faire est la constitution d'associations économiques, mais aussi de sociétés à caractère scientifique ou culturel. Dans la première moitié du XIXe siècle, la majeure partie de ces associations ont un caractère cantonal ou régional qui se superpose à la forte segmentation géographique de l'économie. En tant que porte-parole des différentes élites économiques, les Chambres de commerce cantonales sont des acteurs importants de la politique douanière helvétique. Certes, leurs prises de position ne reflètent jamais la complexité des intérêts douaniers de leurs membres, mais elles expriment les desiderata des élites économiques régionales dominantes.

Durant la seconde moitié du XIXe siècle, l'évolution économique nécessite d'affiner la radiographie du champ économique suisse qui sert de point de départ à l'analyse. Le développement du «monde de production» industriel, qui se traduit par un essaimage spatial et une prépondérance économique toujours plus marquée, requiert une différenciation plus poussée des intérêts douaniers des diverses branches d'industrie. Tout en gardant de sa pertinence, la segmentation géographique horizontale de l'économie est désormais doublée d'une segmentation verticale. Les élites industrielles se regroupent en effet dans des associations de branche nationales pour mieux défendre leurs intérêts spécifiques. Par ailleurs, les grands groupes socio-économiques constituent des associations faîtières nationales qui entrent en concurrence. Alors que les patronats du commerce et de la grande industrie sont représentés par l'Union suisse du commerce et de l'industrie (USCI: 1870), les agriculteurs sont défendus par l'Union suisse des paysans (USP: 1897), les petits industriels et les artisans par l'Union suisse des arts et métiers (USAM: 1879) et le monde ouvrier par l'Union syndicale suisse (USS: 1880). A la lutte entre élites économiques se superpose une lutte des classes opposant élites, classes moyennes et classes salariées. A noter que les moyens politiques et financiers à disposition pour mener cette lutte sont loin d'être répartis de manière égale entre les différents acteurs.

Pour saisir la manière dont s'articulent les intérêts douaniers divergents au sein du champ politique, il est d'abord nécessaire de comprendre le fonctionnement du champ étatique central helvétique dans sa dimension évolutive. Pour ce faire, le recours à la conception de l'Etat développée par le sociologue Pierre Bourdieu est d'un apport décisif:

> *On fait comme si l'Etat était une réalité bien définie, bien délimitée et unitaire qui entrerait dans une relation d'extériorité avec des forces externes, elles-mêmes bien définies (comme, par exemple, dans le cas de l'Allemagne, qui a fait couler beaucoup d'encre, à cause du fameux «Sonderweg», la grande aristocratie terrienne des «Junkers» ou la grande bourgeoisie industrielle, ou, dans le cas de l'Angleterre, la bourgeoisie urbaine des grands entrepreneurs et l'aristocratie provinciale). En fait, ce que l'on rencontre concrètement, c'est un ensemble de champs bureaucratiques ou administratifs (ils prennent souvent la forme concrète de commissions) à l'intérieur desquels des agents et des groupes d'agents gouvernementaux ou non gouvernementaux luttent en personne ou par procuration pour cette forme particulière de pouvoir qu'est le pouvoir de régler une sphère particulière de pratiques (comme par exemple, la production de maisons individuelles ou d'habitations collectives) par des lois, des règlements, des mesures administratives (subventions, autorisations, etc.), bref, tout ce qu'on met sous le nom de politique (policy). L'Etat serait ainsi, si l'on veut garder à tout prix cette désignation, un ensemble de champs de forces où se déroulent des*

> *luttes ayant pour enjeu (en corrigeant la formule célèbre de Max Weber) le «monopole de la violence symbolique légitime»: le pouvoir de constituer et d'imposer comme «universel» et «universellement» applicable dans le ressort d'une nation, c'est-à-dire dans les limites des frontières d'un pays, un ensemble commun de normes coercitives*[5].

Dans la suite de l'analyse, la Confédération ne sera donc pas considérée comme un monolithe neutre. Elle ne sera pas non plus comprise comme une sorte de coffre-fort auquel n'ont pas accès les différents milieux socio-économiques, mais qu'ils poussent à agir en exerçant des pressions de l'extérieur. Au contraire, l'Etat fonctionnera comme un ensemble de lieux politiques et administratifs où se déroulera une lutte permanente entre agents gouvernementaux et/ou non gouvernementaux, tous ayant un ancrage socio-économique et des intérêts à défendre.

Au sein de ce champ étatique, un certain nombre de lieux de pouvoir administratifs et politiques seront sélectionnés et regroupés sous le nom de champ douanier. Cette sélection se fera en fonction de leur participation à la gestion du *«monopole de la violence symbolique légitime»* en matière douanière. En d'autres termes, le champ douanier, considéré comme un sous-champ du champ étatique central, réunira les lieux administratifs et politiques qui élaborent la législation douanière. Dans l'idéal, l'analyse aurait dû être élargie à l'ensemble des lieux de pouvoir qui débattent et gèrent les enjeux de la politique douanière. Ainsi, le champ douanier se serait étendu à l'ensemble des bureaux, sections, commissions d'experts et commissions parlementaires concernées par la politique financière, la politique commerciale et la politique des transports. En raison de l'ampleur de la tâche, il n'a toutefois pas été possible de procéder à cet élargissement.

Au cours du XIXe siècle, le champ douanier analysé subit de profondes restructurations. Jusqu'à la mise en place de l'Etat fédéral, il se limite à la Diète et à ses commissions. Par la suite, il est composé du Conseil fédéral (CF), de l'administration des départements concernés par la législation douanière, des commissions d'experts, du Conseil national (CN), du Conseil des Etats (CE) et de leurs commissions douanières. Entre ces différents lieux de pouvoir, une compétition s'engage pour acquérir une influence maximale sur la prise de décision. En fonction des situations historiques, le rapport de force évolue et le centre de gravité du champ douanier se déplace. Dans des périodes de transition, la lutte peut s'exacerber en raison de divergences au sujet de la stratégie douanière à adopter pour faire face aux divers problèmes économiques et politiques.

Au sein de chaque lieu de pouvoir du champ douanier, différentes sortes d'acteurs interviennent. Alors que certains appartiennent au champ étatique

5 *Ibidem*, pp. 86-87.

proprement dit – politiciens élus, fonctionnaires – d'autres sont issus des champs économique et culturel – entrepreneurs, experts techniques, représentants d'associations, professeurs d'économie politique, etc. Les uns comme les autres sont issus d'un certain groupe socio-économique et en représentent parfois un autre. Ils disposent de plusieurs sortes de capitaux – économique, politique, technique, symbolique – qu'ils utilisent afin d'acquérir une position de pouvoir leur permettant de défendre avec efficacité certains intérêts fiscaux et commerciaux ou de s'y opposer. Au cours du siècle, le rapport de force entre groupes socio-économiques change au sein des divers lieux de pouvoir. La valeur relative des différentes sortes de capital varie également. Ainsi, après l'instauration du référendum législatif en 1874, il est intéressant de constater que le capital politique référendaire devient souvent décisif pour la nomination des commissions d'experts extra-parlementaires.

La politique douanière de la Confédération est donc la résultante du double affrontement qui a lieu dans et entre les différents lieux de pouvoir du champ douanier. Il est peut-être utile de préciser d'emblée que la représentation des intérêts douaniers divergents du champ économique ne se fait pas de manière «démocratique» – par exemple en fonction du poids numérique relatif de chaque groupe socio-économique. Dans certains lieux de pouvoir, des associations influentes acquièrent une position déterminante malgré le nombre réduit de leur membres, alors que les syndicats ouvriers n'y sont pas même représentés. Par ailleurs, la particularité du système politique suisse, qui pousse très loin la collaboration entre administration et associations économiques, conduit à la délégation de certaines tâches de l'élaboration de la législation douanière. Ainsi, à partir des années 1880, certaines associations faîtières, en particulier l'USCI, jouent un rôle que l'on peut qualifier de para-étatique. Pour cette raison, la radiographie des intérêts douaniers du champ économique privilégiera ces acteurs de première importance.

Enfin, des acteurs des champs économique et culturel peuvent exercer une influence sur les décisions douanières sans être représentés dans les différents lieux de pouvoir. Par le biais de journaux, de revues, de requêtes adressées aux autorités, certains milieux économiques sont en mesures d'exercer des pressions dont devront tenir compte les acteurs du champ douanier. En conclusion, une analyse des décisions douanières prises au sein du champ douanier ne doit pas se limiter à l'étude du rapport des forces en présence – découlant de la représentation au sein de chaque lieu de pouvoir du champ douanier – mais prendre en compte aussi l'influence qualitative de chaque acteur ainsi que les pressions d'acteurs non représentés.

III.3. Choix méthodologiques

L'application du modèle d'analyse esquissé à la problématique douanière requiert certains présupposés. Une connaissance minimale doit en effet être acquise dans un certain nombre de domaines historiques: position économique et politique de la Suisse dans le monde, évolution des structures économiques de la Suisse, organisation des différents milieux socio-économiques, évolution des structures et du fonctionnement du système politique, modalités de communication entre sphères économique et étatique, évolution de l'intervention de la Confédération dans les domaines fiscal, commercial et des transports, analyse du discours en économie politique, etc. De surcroît, il est obligatoire de disposer d'informations biographiques suffisantes pour identifier l'appartenance socio-économique des différents acteurs importants qui agissent au sein du champ douanier. Ainsi, le recours à une abondante littérature secondaire se révèle indispensable afin de rassembler les informations nécessaires à la construction d'un cadre d'analyse.

En prenant en compte cette contrainte basique, plusieurs variantes de recherche sont possibles dans l'espace temporel imparti à un travail de doctorat. La période étudiée peut être limitée à quelques années, afin de permettre l'exploitation intensive et détaillée des sources existantes. L'extension du cadre temporel au moyen terme oblige de procéder à une approche plus sélective des sources. Enfin, un travail sur le long terme n'est imaginable que si le travail sur les sources est réduit à un minimum. La seconde alternative, bien que délicate d'un point de vue méthodologique, apparaît comme la plus stimulante. Elle permet en effet de vérifier la validité du modèle d'analyse et des thèses avancées à plusieurs moments-clefs de la politique douanière helvétique. Par ailleurs, elle permet d'esquisser une interprétation historique ouvrant de nombreuses perspectives de recherches. Elle pourrait notamment servir de socle à une étude comparable du XXe siècle. Toutefois, ce choix méthodologique a aussi ses faiblesses. L'interprétation historique doit fréquemment se faire sous la forme d'hypothèses, faute d'avoir pu analyser certains faits dans le détail. Le travail ultérieur de sources complémentaires pourrait donc nuancer, voire infirmer certaines interprétations. La pertinence du choix des sources est un autre problème. Certes, la sélection du matériel à disposition est inhérente à tout travail historique, mais le cas échéant, ce travail est compliqué par l'ampleur du corpus potentiel.

Les sources imprimées publiées par les différents acteurs du champ économique (privés ou associations) ainsi que les requêtes adressées aux autorités fédérales constituent la base des sources utilisées. Elles permettent d'appréhender les intérêts douaniers divergents et les solutions prônées. Pour compléter cette radiographie de base, la presse est utilisée de cas en cas. Dès les années 1870, les sources en provenance de l'USCI (1870), de l'USAM (1879) et de l'USP (1897), en particulier les procès-verbaux des différentes instances dirigeantes, sont privilégiées par l'analyse. Les représentants des associations faîtières deviennent en effet les acteurs les plus influents du champ douanier. Une fois la constellation des intérêts en présence dessinée, les sources produites par les différents lieux de pouvoir du champ douanier permettent de suivre le processus législatif et de mesurer l'influence des différents acteurs sur la prise de décision. Avant 1848, cette opération se limite à la consultation des procès-verbaux de la Diète *(Abschied der Tagsatzung)* et des rapports rédigés par les commissions d'experts. Après 1848, les sources les plus importantes sont les actes des principaux départements concernés par la politique douanière, les procès-verbaux du CF et des Chambres, ainsi que les imprimés publiés par la Confédération. Il faut noter que les sources du champ douanier demeurent très lacunaires durant les premières décennies de l'Etat fédéral. Les actes des départements fédéraux sont plutôt maigres et ne contiennent aucune trace de conférences et de commissions d'experts importantes. De plus, les procès-verbaux des Chambres ne sont publiés, et de manière incomplète, qu'à partir des années 1890, ce qui contraint le chercheur à se fier aux comptes rendus de la presse. Par ailleurs, les procès-verbaux des commissions douanières parlementaires ne semblent pas avoir été conservés. En ce qui concerne les négociations commerciales, la plupart des informations sont tirées des sources publiées dans les *Documents diplomatiques suisses.*

Toute une série de dossiers intéressants n'ont pas pu être consultés. Il s'agit notamment des archives et de la presse de certaines associations économiques régionales ou sectorielles qui jouent un rôle important dans la définition de la politique douanière fédérale. Par ailleurs, les archives et la presse des associations faîtières du mouvement ouvrier n'ont pas été dépouillées, vu leur influence limitée dans les délibérations douanières. En ce qui concerne les différents lieux de pouvoir du champ douanier, avant 1848, la consultation systématique des Archives fédérales ainsi que l'étude des débats douaniers cantonaux, qui déterminent alors les instructions données aux délégués à la Diète, permettraient d'affiner l'analyse. Après 1848, l'étude approfondie des relations commerciales bilatérales de la Suisse ainsi que la lecture des rapports diplomatiques de certaines légations pourraient apporter un éclairage intéressant. Par ailleurs, la correspondance privée des principaux acteurs du champ douanier permettrait de mieux évaluer les rapports de force au sein des différents lieux de pouvoir.

Encore un mot sur l'approche statistique de ce travail qui, il faut le préciser tout de suite, ne se définit pas comme une thèse d'histoire économique. L'objectif poursuivi dans ce domaine n'est pas de fournir une analyse chiffrée détaillée de l'ensemble de la période. Cette ambition pourrait être celle d'un autre travail de doctorat. Le recours à des informations quantitatives reste donc limité à la mise en perspective de quelques aspects de la problématique. La plupart des chiffres sont tirés d'études existantes, en particulier de la récente *Statistique historique de la Suisse*. Lorsque l'illustration d'une interprétation le nécessitait, certaines données ont été reconstruites, pour l'essentiel à l'aide des données de cet ouvrage et de la *Statistique suisse du commerce*. Il est évident qu'un complément d'informations statistiques serait d'une grande valeur, notamment pour mieux cerner l'évolution de la structure du tarif douanier suisse. Une étude comparative avec les tarifs douaniers d'autres Etats serait aussi très intéressante.

IV. Périodisation

Pour terminer cette introduction, il paraît opportun de faciliter la lecture en indiquant les grandes structures temporelles de l'analyse. Le siècle de politique douanière étudié est divisé en deux grandes périodes. La première, qui va de 1815 à 1869, se caractérise par le «leadership» économique et politique de l'Angleterre. Berceau de la Révolution industrielle, l'économie de ce pays bénéficie d'une avance technologique qui lui permet d'exercer une forte pression concurrentielle sur le reste de l'économie mondiale. De surcroît, l'Angleterre maîtrise le transport maritime, ce qui contribue à renforcer sa puissance commerciale et militaire. La bourgeoisie triomphante se fait la championne du libéralisme manchestérien. Les principales lignes directrices de cette pensée économique sont l'amaigrissement drastique de l'Etat et la suppression des entraves politiques et économiques au développement de l'industrie et du commerce.

En Suisse, cette période se caractérise par le démarrage, puis l'épanouissement de la Révolution industrielle, dont les principales conséquences sont la mécanisation progressive de la production et la construction de chemins de fer. Au niveau politique, la fin des guerres napoléoniennes marque un retour aux formes de pouvoir de l'Ancien Régime. Par ailleurs, un système ultra-fédéraliste, qui est adapté à la très forte segmentation évoquée plus haut, laisse les compétences de politique économique aux mains des cantons. Assez vite, les insuffisances du système en place, qui entrave le développement des secteurs de pointe, sont dénoncées par les élites industrielles. Après l'échec de la révision du pacte fédéral, entre 1831 et 1835, un Etat fédéral à dominante libérale est créé en 1848. Il instaure de nouvelles conditions-cadre qui stimulent les investissements et favorisent l'âge d'or du capitalisme libéral en Suisse.

Pourquoi débuter l'analyse douanière en 1815 et pas en 1798 (Helvétique) ou en 1803 (Médiation)? Les filatures mécaniques, premiers signes patents de la Révolution industrielle en Suisse, apparaissent en effet aux environs de 1800. Les années 1798-1815 n'offrent toutefois pas un terrain favorable à l'analyse du champ étatique helvétique. Au cours de cette période, la satellisation de la Confédération implique une forte influence française sur la politique douanière suisse. Durant l'Helvétique, le pouvoir imposé par le voisin révolutionnaire tente en vain de réformer le système douanier contre l'avis des élites économiques. Quant à la Médiation, elle se caractérise par une série de mesures imposées à la Confédération dans le cadre du Blocus continental. La politique douanière entre 1798 et 1815 n'est donc pas menée seulement en fonction des besoins des différentes élites économiques suisses et de leurs rapports de force. L'analyse des relations entre les sphères économique et politique est de ce fait biaisée et compliquée. En 1815, le retour à la normale s'effectue, à l'image de l'évolution politique, par un retour à un système douanier fédéraliste, dont la compétence est laissée aux cantons.

En politique douanière, la période 1815-1870 est marquée par la constitution de l'Etat fédéral. Elle se traduit par une refonte complète du système douanier et, par extension, du système fiscal suisse. La centralisation des douanes – et leur report aux frontières – répond aux besoins de certaines élites industrielles et commerçantes qui ne cessent de la réclamer, surtout à partir de la crise des années 1840. Elle favorise la construction de chemins de fer, la poursuite du processus de mécanisation de la production cotonnière ainsi que la conclusion de traités de commerce. La complète restructuration du champ douanier et le changement des rapports de force en son sein ne révolutionnent toutefois pas le contenu commercial de la politique douanière suisse. En conformité avec les intérêts des élites vivant du commerce extérieur, le cap libre-échangiste est maintenu. Jusqu'en 1864, date du premier traité à tarif avec la France, la conclusion d'accords commerciaux se limite à l'obtention de la clause de la nation la plus favorisée. Cette intervention feutrée de la Confédération suffit à un commerce d'exportation orienté, pour l'essentiel, vers les marchés d'outre-mer. Les douanes sont donc comprises comme un moyen de financer le fonctionnement de la Confédération et le débat se focalise sur la manière de répartir la charge fiscale entre les différents groupes socio-économiques.

La seconde période, qui court de 1870 à 1914, se caractérise par le naufrage du capitalisme sauvage dans les tourbillons économiques et sociaux de la Grande dépression, qui aboutit à l'émergence d'un capitalisme organisé. Durant cette phase de stagnation prolongée de l'économie mondiale (1875-1895), qui touche simultanément l'industrie et l'agriculture, la deuxième Révolution industrielle est engagée. De nouvelles technologies – chimie, électricité, moteur à explosion –, dont la production et l'acquisition nécessitent des capitaux toujours plus importants, se développent peu à peu. Sur le plan social, les abus du libéralisme manchestérien débouchent sur la révolte du prolétariat qui s'organise au sein du mouvement ouvrier. Par ailleurs, l'hégémonie du capitalisme britannique est désormais contestée par d'autres puissances (Etats-Unis, Japon, Allemagne, France), ce qui débouche sur une compétition économique et politique sans merci. Avec la naissance de l'Empire, en 1870, l'Allemagne devient la force la plus dynamique en Europe. Une nouvelle forme de relations entre les sphères économique et politique est instaurée, l'Etat prenant une part plus importante à la lutte concurrentielle internationale, notamment au moyen d'une politique commerciale interventionniste. L'impérialisme est étroitement lié à cette transformation économique et politique des sociétés industrialisées.

L'économie helvétique est ébranlée par les changements en cours, en particulier par la fermeture progressive de marchés extérieurs. L'industrie et l'agriculture vivent des heures pénibles dans les années 1880. Pourtant, les élites suisses se lancent dans la deuxième Révolution industrielle. Les branches de la chimie, des machines et de l'électricité amorcent un développement qui s'épanouira dans la conjoncture favorable des années 1895 à 1914. Fondée en 1870, l'USCI devient le moteur d'une intervention accrue de la Confédération dans la sphère économique. Dans cette perspective, la révision constitutionnelle de 1874 est un moment-charnière. Elle est à la fois l'accomplissement de l'Etat libéral de 1848 et le début de son déclin. Entre 1884 et 1914, l'Etat fédéral intervient dans une série de domaines sociaux et économiques. Un modèle suisse de capitalisme organisé est ainsi mis en place sous la conduite de l'USCI.

Durant la Grande dépression, la politique douanière est au centre de la redéfinition des conditions-cadres. Les taxes doivent financer l'intervention de la Confédération (soutien aux chemins de fer, assurance maladie-accident, politique de formation et de recherche, politique agricole, réorganisation militaire, etc.) sans qu'une pression fiscale directe soit instaurée. Toutefois, la fonction principale de la taxation douanière est désormais commerciale. Confrontées à la pression du protectionnisme européen, les élites industrielles et commerçantes poussent l'Etat central à abandonner le libre-échange pour se lancer dans une politique de combat panachée avec un protectionnisme modéré. L'objectif principal de cette réorientation est la conclusion de traités de commerce à tarif qui permettent d'assurer l'ouverture des marchés extérieurs sur le moyen terme. Un minimum de sécurité des débouchés favorise en effet les investissements nécessaires à une modernisation de l'appareil de production et au développement de nouvelles branches spécialisées dans les technologies de pointe.

Outre le fait que la Première guerre mondiale est une borne historique classique, la césure effectuée en 1914 peut être motivée par d'autres considérations. L'instauration d'une économie de guerre provoque une redéfinition complète des rapports entre l'Etat central et l'économie. L'intervention effectue un saut quantitatif qui ne peut être effacé à la fin des hostilités. Par ailleurs, la politique douanière perd quelque peu de sa pertinence pour aborder la problématique. La prépondérance des revenus douaniers dans l'assiette fiscale est atténuée par l'instauration d'un impôt fédéral direct provisoire et d'un droit de timbre. Par ailleurs, des outils beaucoup plus efficaces sont mis en place afin de diriger le commerce extérieur. Les importations sont d'abord contingentées, puis réglées dans des accords de «clearing».

Première partie
1815-1869

Révolution industrielle,
Etat fédéral
et unification du système douanier suisse
sur une base libre-échangiste

1. L'échec du Concordat de rétorsion contre la France ou les raisons du «Sonderfall» libre-échangiste helvétique (1815-1824)

A la sortie des guerres napoléoniennes, l'Europe continentale fait table rase des conquêtes politiques de la Révolution française. Bien que son succès soit temporaire, l'aristocratie réussit l'éradication du «poison libéral» distillé par la bourgeoisie française. Elle impose la Restauration, retour aux formes de pouvoir de l'Ancien Régime. Sur le plan commercial, la levée du Blocus continental est décrétée. Cette mesure de guerre économique, instaurée par Napoléon, avait pour effet de protéger la production industrielle européenne contre la concurrence anglaise, alors au bénéfice d'une avance technologique considérable. Bien engagée dans sa Révolution industrielle, dont une des caractéristiques est la mécanisation de la production textile, l'économie britannique menace désormais le tissu protoindustriel européen de destruction. Face à cette évolution, industriels et artisans continentaux réclament une protection commerciale leur permettant de survivre. Un parapluie douanier doit notamment favoriser les investissements nécessaires à la modernisation de l'appareil productif. L'accroissement de la pression concurrentielle dans le domaine industriel est doublé d'une violente crise agricole. La réduction de la rente foncière risque d'entraîner les prix de la terre à la baisse. Politiquement influente, l'aristocratie terrienne tente de maintenir son profit en revendiquant l'instauration d'un protectionnisme agricole. En France, la coalition constituée des industriels et des propriétaires terriens est assez forte pour convaincre le roi de substituer un système douanier ultra-protectionniste au défunt Blocus continental. Selon des modalités qui sont adaptées aux caractéristiques de leur économie, la quasi-totalité des Etats européens emboîtent le pas à l'Hexagone.

Toute l'Europe? Non! Un îlot de libre-échange demeure au milieu des murailles protectionnistes érigées contre l'Angleterre... la Confédération suisse. L'originalité du choix helvétique, maintes fois relevée par l'historiographie, n'est certes pas le fruit du hasard; mais comment expliquer ce «Sonderfall» libre-échangiste? L'option est d'autant plus étonnante que les producteurs suisses sont parmi les plus touchés par la fermeture des marchés européens. L'exportation, en particulier vers la France, joue alors un rôle important dans l'écoulement de leurs marchandises. Pour comprendre la politique douanière adoptée par la Confédération, le détour par une analyse de la structure économique helvétique est nécessaire. Elle révèle une très forte segmentation du tissu économique qui rend problématique une intervention commerciale de l'Etat central. A la tête de cinq «mondes de production» différents, à dominante agricole, industrielle ou encore commerciale, les élites économiques régionales ont d'énormes difficultés à concilier des intérêts douaniers très divergents. Tenant compte de cette spécificité, les concepteurs du pacte fédéral de 1815 ont attribué la souveraineté douanière aux cantons. Il en résulte une mosaïque de systèmes cantonaux indépendants qui ne permet pas à la Confédération de lutter efficacement contre les effets de la vague protectionniste européenne.

Pourtant, au début des années 1820, la pression commerciale est telle que des voix exigent une intervention douanière à l'échelle fédérale. Les élites économiques débattent alors de l'instauration d'un Concordat de rétorsion contre la France. Finalement, treize cantons et demi décident de s'associer pour appliquer un tarif douanier commun aux produits français. Mis en vigueur dès le 1er novembre 1822, cet embryon de politique douanière fédérale débouche sur un échec retentissant. En octobre 1824, le statu quo fédéraliste est restauré, à la grande satisfaction des marchands-banquiers libre-échangistes qui ont lutté farouchement contre toute dérive protectionniste. Sous leur impulsion, les autres élites économiques sont contraintes de chercher des solutions libérales à la crise. Chassés des marchés européens, les produits industriels s'orientent vers les débouchés d'outre-mer. Pour y être concurrentiels, les producteurs helvétiques se spécialisent dans la fabrication de marchandises de qualité, à haute valeur ajoutée. Dans le cadre de cette stratégie d'expansion commerciale sur les marchés internationaux, le libre-échange est élevé au rang de dogme douanier devant permettre une production bon marché. Plutôt que de se recroqueviller sur son marché intérieur pour amortir les effets de la crise, l'économie suisse accentue par conséquent son caractère extraverti.

1.1. La Confédération suisse face à la montée du protectionnisme douanier européen

A l'image de l'évolution politique européenne, le pacte fédéral de 1815 consacre la victoire de l'aristocratie. Certes, dans certains domaines, la caste triomphante adopte une attitude d'ouverture au progrès, mais en règle générale, elle s'efforce de gommer les acquis libéraux des périodes de l'Helvétique (1798-1803) et de la Médiation (1803-1814). En Suisse, cette chasse au libéralisme s'accompagne d'une réaction fédéraliste. L'aristocratie réussit à restreindre de manière drastique les compétences du pouvoir central qui, durant la période révolutionnaire, a attaqué ses privilèges politiques et économiques. Dans ce dernier domaine, le pacte réduit à tel point les possibilités d'intervention de la Confédération, qu'une réaction appropriée à la nouvelle donne commerciale européenne tient de la gageure.

1.1.1. Le pacte fédéral de 1815: retour à un système douanier fédéraliste

Le pacte fédéral de 1815 n'aurait certainement pas vu le jour sans la pression exercée par les puissances victorieuses de 1815, la Russie et l'Autriche[1]. Emmenés par Berne, certains Gouvernements suisses rêvent d'un retour à la Confédération des treize cantons antérieure à 1798. Cette prétention est catégoriquement refusée par les nouveaux cantons reconnus dans l'Acte de Médiation (VD, AG, TG, SG et TI), dont le droit à l'existence est soutenu par d'autres membres de la Confédération (ZH, BS, etc.). La divergence aurait probablement dégénéré en guerre civile si les puissances étrangères n'étaient pas intervenues, intéressées qu'elles étaient à la constitution d'une Confédération capable de garantir sa neutralité, gage d'équilibre politique en Europe. Sous leur pression, les cantons réactionnaires finissent par admettre une Confédération suisse constituée de vingt-deux cantons égaux en droits. Ils admettent aussi que les droits politiques ne soient pas le privilège exclusif d'une classe de citoyens. Contenues dans l'article VII, ces deux dispositions constituent l'héritage des périodes de l'Helvétique et de la Médiation. Il n'en demeure pas moins que l'esprit conservateur soufflant alors sur l'Europe influence en profondeur l'élaboration du nouveau pacte fédéral.

Lors des débats de la Diète constitutive, les cantons primitifs s'efforcent de réduire à un minimum les prérogatives du pouvoir central. Schwyz réclame même une indépendance complète des cantons qui équivaudrait à un retour à la situation d'avant 1798. Emmenés par Glaris, d'autres cantons estiment nécessaire de centraliser certaines compétences afin d'opposer une Confédération unie aux prétentions de l'étranger. Le domaine militaire est celui où les centralisateurs obtiennent le plus de concessions. Voulant éviter, à l'avenir, de se voir imposer des réformes libérales par la force des armes, la plupart des cantons consentent à renforcer les capacités de défense de la Confédération. A l'instigation du Vatican, les cantons catholiques demandent et obtiennent que l'Etat central garantisse l'existence de couvents et de chapitres. Cette ingérence fédérale en matière religieuse sera lourde de conséquences durant les années 1840, devenant l'objet de querelles politiques véhémentes entre conservateurs et libéraux.

Dans le domaine économique, les centralisateurs souhaitent aussi attribuer des compétences à la Confédération. La commission chargée d'analyser les conséquences d'un abandon partiel de la souveraineté cantonale avance une série d'arguments pour défendre cette option: la possibilité de

1 Sur l'instauration et le contenu du pacte fédéral de 1815, cf. Rappard, 1936, pp. 91-150; Rappard, 1948, pp. 28-40.

réaliser de grandes infrastructures d'intérêt national, les avantages d'un marché intérieur unifié, la possibilité de négocier avec l'étranger dans de meilleures conditions. Malgré la pertinence de l'argumentation, qui ne cessera de resurgir jusqu'à la création de l'Etat fédéral (1848), le pacte de 1815 prive la Confédération des moyens nécessaires à la conduite d'une politique économique efficace. Le veto des cantons fédéralistes s'explique par la crainte de se voir imposer une politique fédérale ne correspondant pas aux intérêts de leur «monde de production». Par ailleurs, les cantons dont les ressources fiscales sont limitées, en particulier les cantons agricoles, craignent de devoir supporter une partie du financement de l'intervention fédérale.

En matière douanière, le pacte fédéral de 1815 donne tout son sens au terme de Restauration. Après les tentatives avortées de centralisation durant l'Helvétique[2], la mise en place d'un tarif fédéral imposé par la France (1810-1813)[3] et l'application très éphémère d'un premier tarif suisse (1er décembre 1813-31 juillet 1814)[4], le nouveau pacte redonne un pouvoir discrétionnaire aux cantons. Un seul vestige de l'époque centralisatrice demeure, à savoir une taxe de frontière très modeste, dont le but, purement fiscal, est d'alimenter la caisse de guerre fédérale. Cette taxe est prélevée par les cantons frontaliers et ne nécessite donc pas d'appareil administratif centralisé[5]. L'article XI du pacte, qui donne à la Diète un pouvoir de contrôle sur le système douanier des cantons, reste lettre morte dans les faits[6]. Politiquement faible, la Confédération ne fait qu'entériner les demandes d'introduction de nouvelles taxes, souvent motivées par la nécessité de financer l'amélioration du réseau routier. Le système douanier suisse introduit en 1815 est donc un système fédéraliste manquant totalement de cohérence. Il est comparable à une mosaïque de systèmes cantonaux indépendants, dont les teintes divergent en fonction des intérêts fiscaux et commerciaux des élites économiques régionales.

Cet éclatement du système douanier helvétique a des répercussions sur la politique commerciale de la Confédération. Le mandat de l'article VIII du

2 Arlettaz, 1981, pp. 7-44.

3 Huber, 1890, pp. 8-25; Schmidt, 1914, pp. 5-13; Vogel, 1966, pp. 26-28; suite au renforcement du Blocus continental par la France – tarif du «Trianon» du 5 août 1810 – la Suisse subit de telles pressions politiques du grand voisin qu'elle se voit contrainte d'appliquer à toutes ses frontières un tarif élevé qui se superpose aux taxations cantonales – tarif du 9 novembre 1810.

4 Huber, 1890, pp. 26-27; Schmidt, 1914, pp. 14-15; suite à la suppression du tarif imposé par la France, la Diète décide de perpétuer un tarif commun plus libéral, portant sur un nombre réduit d'articles, cela afin de faire face aux exigences financières du moment.

5 Rupli, 1949, pp. 26-34; Huber, 1890, pp. 29-40.

6 Huber, 1890, pp. 40-41.

pacte, qui confie la conclusion de traités de commerce au pouvoir central, ne peut être honoré. A chaque négociation commerciale, les délégués fédéraux sont incapables de satisfaire les concessions douanières exigées par la partie adverse. Ils se heurtent à l'intransigeance des cantons qui se montrent frileux dans leurs prérogatives fiscales. De surcroît, les divergences d'intérêts commerciaux empêchent les Gouvernements cantonaux de s'accorder sur les objectifs à poursuivre lors de la négociation. De manière structurelle, l'anarchie douanière instaurée par le pacte de 1815 empêche donc la Confédération de défendre efficacement les intérêts économiques helvétiques face à l'étranger.

Le système politique fédéral mis en place en 1815 résume les principales caractéristiques du nouveau pacte fédéral: ultra-fédéraliste et antidémocratique. Les cantons de Zurich, Berne et Lucerne, appelés Vorort, assument à tour de rôle les fonctions exécutives de la Confédération. Principal lieu de pouvoir, la Diète n'est pas élue démocratiquement. Ses quarante-quatre sièges sont occupés par deux délégués de chaque canton, qui sont liés par les instructions de leur Gouvernement. Pour la plupart des questions débattues lors de la session annuelle, des commissions restreintes sont chargées de faire rapport au plénum. Dans les domaines de la compétence de la Confédération, la majorité simple des cantons permet de prendre une décision. Dans les domaines qui ne sont pas expressément de la compétence du pouvoir fédéral, la règle de l'unanimité donne à chaque canton un pouvoir de veto. En cas de refus d'un arrêté fédéral contraignant, il ne reste alors que la voie tortueuse du concordat intercantonal pour agir. Le domaine douanier étant à cheval entre la compétence cantonale (taxation douanière) et la compétence fédérale (conclusion de traités de commerce), la légitimité d'une intervention de la Confédération est souvent l'objet de jugements contradictoires.

Pour bien comprendre les décisions douanières votées sur le niveau fédéral, il serait opportun d'étudier en détail les motivations cantonales qui sous-tendent les prises de position à la Diète. Certes intéressante, la différenciation de toutes les politiques douanières cantonales exigerait cependant un travail de recherche énorme. Dans l'impossibilité de le réaliser, nous limiterons notre analyse aux rapports publiés par les commissions d'experts et aux débats menés par les délégués cantonaux au sein de la Diète qui constitue alors le centre de gravité du champ douanier.

1.1.2. Une économie suisse en pleine mutation

La Révolution industrielle anglaise, l'instauration du Blocus continental napoléonien, puis l'abrogation de cet embargo sont les principales causes d'une restructuration rapide de l'économie helvétique entre la fin du XVIIIe siècle et le début des années 1820.

Le secteur productif le moins touché par cette évolution semble être l'agriculture[7]. Epargnés par les campagnes napoléoniennes, les agriculteurs suisses profitent pleinement de la guerre pour exporter fromage, bétail de boucherie et bêtes de somme sur les marchés voisins. L'évolution structurelle qui caractérise le XVIIIe siècle, à savoir l'extension de l'élevage au détriment de la culture, s'en trouve renforcée. La bonne conjoncture, qui rend les gains de productivité moins nécessaires, ne contribue pas à accélérer le mouvement de modernisation impulsé par les adeptes suisses des «Physiocrates» – économistes français du XVIIIe siècle convaincus de la primauté économique de l'agriculture. Une évolution technique – sélection du bétail et des semences, suppression de l'assolement triennal et du libre parcours – et des réformes politiques – suppression de la dîme et des communaux – ont bien lieu, mais les progrès sont lents et géographiquement limités à quelques cantons progressistes[8]. En raison de son manque de productivité et de sa dépendance vis-à-vis des marchés extérieurs, l'agriculture suisse est touchée de plein fouet par la crise agricole qui secoue l'Europe dès 1815. Pratiquement inconnues durant le XVIIIe siècle mercantiliste, des mesures de protectionnisme agricole sont instaurées par l'Angleterre, la France ou l'Autriche, entravant l'exportation des productions animales suisses.

Le secteur industriel est confronté à des problèmes commerciaux plus précoces. Véritable eldorado de l'industrie cotonnière européenne, la Suisse ressent, dès 1780, les effets de l'exacerbation de la concurrence anglaise. Grâce à une productivité démultipliée par la mécanisation de sa filature, l'industrie britannique inonde le marché européen avec des cotonnades bon marché. Afin de soutenir leurs industries textiles en difficulté, plusieurs pays continentaux se lancent dans une politique protectionniste, dont pâtit aussi l'exportation suisse. La fermeture du marché français, principal débouché de l'industrie suisse au XVIIIe siècle, porte un coup difficile à encaisser. L'apogée des restrictions commerciales est atteinte dans les dernières années du Blocus continental (1810-1813). Mais même après la levée de l'embargo français, le protectionnisme industriel pratiqué par les principales puissances européennes (Angleterre, France, Autriche, etc.) entrave l'exportation de cotonnades.

Entre 1780 et 1820, les difficultés commerciales évoquées provoquent une importante restructuration de l'industrie cotonnière helvétique[9]. A l'ouest de la Suisse, l'importante industrie de l'indiennage est l'objet d'un redimensionnement spectaculaire. Les centres de Genève – 3000 ouvriers vers 1785 – et de Bâle sont rayés de la carte; celui de Neuchâtel, environ 2000 ouvriers en 1788, voit ses effectifs diminuer de moitié jus-

7 Cérenville, 1906, p. 323.
8 Bergier, 1984, pp. 89-93.
9 Menzel, 1979; Veyrassat, 1982; Dudzik, 1987; Cérenville, 1906, pp. 191-249.

qu'en 1815[10]. L'écroulement de l'indiennage ébranle l'industrie du tissage des toiles de coton servant à l'impression. En 1787, dans le seul canton d'Argovie, cette activité occupait environ 30 000 personnes qui fabriquaient 160 000 pièces; en 1814, la production n'est plus que de 27 000 pièces (-83%)[11]. A l'est de la Suisse, la violente crise de débouchés frappe de plein fouet les producteurs de cotonnades communes. Elle n'épargne même pas les spécialités de tissés fins. Alors que l'on s'arrachait les mousselines et broderies de St-Gall et d'Appenzell au XVIIIe siècle, leur écoulement est désormais problématique.

La principale restructuration a toutefois lieu dans la fabrication des fils de coton. Entre 1787 et 1820, pas moins de 60 000 emplois disparaissent dans la filature manuelle, principalement dans les cantons de St-Gall et Zurich, entraînant misère sociale, recyclage dans d'autres activités industrielles et émigration[12]. Malgré la violence de la crise, cette activité n'est pas abandonnée par l'industrie helvétique. Entre 1806 et 1813, grands marchands et «Fergger» de Suisse orientale profitent de l'embargo sur les filés anglais décrété par la France pour lancer une production mécanisée. En lien étroit avec ce processus de mécanisation, une industrie des machines voit aussi le jour et prend un premier essor. Comme l'affirme Menzel, la protection providentielle fournie par le Blocus continental constitue donc un élément important, voire décisif, du démarrage de la Révolution industrielle helvétique[13]. Le choc concurrentiel provoqué par la levée du Blocus frappe durement la filature mécanisée. Seules les entreprises capables d'améliorer leur productivité au prix de gros investissements réussissent à y faire face. L'écrémage de la branche provoque une forte concentration dans le canton de Zurich, où certaines élites économiques n'hésitent pas à engager d'importants capitaux pour développer la nouvelle forme de production.

Même si elles ont aussi souffert de la montée du protectionnisme en Europe, les autres industries suisses n'ont pas subi de restructurations décisives durant la période 1780-1820. Les branches les plus importantes restent la fabrication de tissus et de rubans de soie, respectivement à Zurich et à Bâle,

10 Cérenville, 1906, pp. 207-227; Favarger, 1913, pp. 203 et ss; sur l'évolution de la production neuchâteloise et ses causes, cf. Caspard, 1979, pp. 101-129/185.

11 Cérenville, 1906, pp. 228-231.

12 Dudzik, 1987, pp. 64-67.

13 Menzel, 1979, pp. 108-114; cet auteur va jusqu'à affirmer que sans ce coup de pouce protectionniste de la France, l'industrie cotonnière ne se serait jamais développée en Suisse; son sort aurait été le même que celui subi plus tard par l'industrie cotonnière des Indes, à savoir un rapide déclin: «*In dieser Situation muss die Antwort eindeutig sein, dass der schweizer Baumwollindustrie ohne die Hilfestellung der Kontinentalsperre und unter Beibehaltung des Freihandels in kürzester Zeit der Garaus gemacht worden wäre, wie das z.B. in Indien später der Fall war, und es zum Aufbau einer Maschinenbauindustrie erst gar nicht gekommen wäre.*»; *ibidem*, 1979, p. 113.

ainsi que l'horlogerie, concentrée à Genève et dans le canton de Neuchâtel. Les industries de la dentelle à Neuchâtel, du tressage de la paille en Argovie, du tissage du lin dans les cantons de Berne et de St-Gall et de la métallurgie dans les régions jurassiennes méritent aussi d'être mentionnées. Malgré l'important redimensionnement de son industrie du coton, la Suisse de 1820 demeure parmi les pays les plus industrialisés du continent européen.

Une esquisse de l'économie suisse vers 1820 ne serait pas complète sans quelques remarques sur le secteur du commerce, domaine d'activité important, bien que peu étudié par l'historiographie suisse. De manière générale, les entraves imposées aux échanges durant le Blocus continental n'ont pas favorisé le négoce. En 1811 et en 1813, deux vagues de faillites auraient déferlé sur les places commerciales suisses[14]. Entre 1800 et 1820, les commerces d'exportation de St-Gall et Glaris, qui exercent leur activité à l'échelle des foires européennes, sont frappés de plein fouet. La cause principale de leur affaiblissement est la fermeture du marché français[15]. Par contre, les places de Bâle, Genève, Neuchâtel et même Zurich résistent mieux; en dehors de l'exportation de leurs productions (indiennes, horlogerie, dentelles, rubans et tissus de soie), elles pratiquent le commerce intermédiaire – ou commerce d'entrepôt – et le commerce d'importation. Réalisés à l'échelle atlantique avec les denrées coloniales et certaines matières premières, ces commerces spéculatifs sont parfois favorisés par l'instabilité politique de l'époque. Par ailleurs, certaines places commerciales suisses, entre autres Bâle, réalisent probablement des profits considérables durant le Blocus continental, en tant que centres de contrebande[16].

A l'issue des guerres napoléoniennes, l'économie suisse est donc en pleine mutation structurelle. Dans cette situation de fragilité, elle doit faire face à une nouvelle flambée de protectionnisme douanier en Europe, qui menace de restreindre encore l'accès à d'importants débouchés commerciaux.

1.1.3. Politique protectionniste européenne et dégradation du commerce extérieur suisse

L'afflux de produits industriels anglais bon marché consécutif à la levée de l'embargo napoléonien place l'Europe continentale devant un choix politique crucial quant à son évolution économique future. Soit elle adopte une politique commerciale libre-échangiste et renonce de ce fait à s'industrialiser pour développer une économie agricole complémentaire à celle de l'Angleterre, soit elle choisit une politique protectionniste permettant à l'industrie

14 Cérenville, 1906, pp. 33-34.
15 Veyrassat, 1982, pp. 225-235.
16 Cérenville, 1906, pp. 33-34.

textile de survivre, voire de se mécaniser et de se développer à l'abri de la concurrence anglaise. La réponse des différents pays européens à cette situation commerciale n'est pas unanime, mais la grande majorité opte plus ou moins rapidement pour la solution protectionniste. Ce choix est d'autant plus compréhensible que l'Angleterre ne leur permet pas vraiment de jouer la carte de la complémentarité basée sur l'exportation agricole. Dès 1815, l'aristocratie terrienne anglaise réussit en effet à imposer une politique de protectionnisme agricole symbolisée par les fameuses «corn laws»[17]. En soutenant artificiellement le prix des céréales, ces lois permettent d'assurer une meilleure rente au capital foncier.

La France, principal partenaire commercial de la Suisse au XVIIIe siècle, choisit résolument l'alternative protectionniste. Dès leur retour au pouvoir, les Bourbons doivent composer avec la pression politique d'une coalition de grands industriels et de grands propriétaires terriens qui exigent d'être protégés. La royauté refuse par conséquent de restaurer les privilèges commerciaux accordés depuis plusieurs siècles aux marchands de la Confédération suisse en échange des services rendus par le mercenariat helvétique. Or, ces passe-droits commerciaux avaient largement contribué au développement des exportations agricoles et industrielles suisses vers la France, et ce jusqu'à leur suppression pendant la Révolution française[18]. Par ailleurs, entre 1814 et 1822, le grand voisin construit un système douanier protectionniste qui se substitue en quelque sorte au Blocus continental, mais qui est dirigé contre tous les partenaires commerciaux. Ainsi, les cotonnades suisses restent prohibées sur le marché français, alors que les toiles de lin, les articles en paille, les rubans de soie, le fromage et le bétail sont lourdement taxés à l'importation. Quant au transit à travers la France, qui revêt une grande importance pour le commerce atlantique pratiqué par les négociants suisses, il est réglementé de manière très restrictive[19].

La politique protectionniste française instaurée au tournant du siècle se traduit par une forte dégradation de la balance des échanges commerciaux au détriment de la Suisse. Cette évolution, qui a des effets négatifs sur l'ensemble du commerce extérieur helvétique, se lit dans le tableau 2. La comparaison de la moyenne des exportations suisses avant et après les réformes douanières révèle un fléchissement de 58%. En prenant l'an V (1796/1797) comme année de référence – sommet des exportations suisses durant la

17 Bairoch, 1989, pp. 7-10; Bairoch, 1976, p. 40; Graf, 1970, p. 134.

18 Un aperçu des divers traités conclus avec la France entre 1444 et 1840 se trouve in Gonzenbach, 1842, pp. 88-123.

19 Le transit des ports français vers la Suisse est accordé pour 16 denrées coloniales et 36 catégories de matières premières; en sens inverse, seuls les peaux, les fromages et les articles en laine sont acceptés en transit.

Tableau 2. Indice du volume des exportations suisses vers la France entre 1798 et 1821 (1798/1802 = 100)[20]

	(1798/1802)	Ans VII-X 1810/1813	1818/1821
Exportations agricoles	**100**	**166**	**116**
fromage	100	154	89
bétail	100	94	813
bêtes de somme	100	302	83
Exportations industrielles	**100**	**26**	**21**
toiles de coton	100	8	0
toiles de lin	100	71	15
Exportations totales	**100**	**54**	**42**

période –, la chute est encore plus impressionnante (-81%). En l'absence de chiffres fiables, il est impossible de mesurer précisément ce que représentent ces pertes par rapport à l'ensemble des exportations suisses de l'époque. Il est néanmoins possible de les estimer très approximativement entre 15 et 20% du total[21]. Une approche globale des exportations cache des évolutions

20 Tous les indices du tableau sont construits à partir des données in Gern, 1981, pp. 104-109, elles-mêmes tirées de la statistique commerciale française (commerce spécial); les exportations agricoles englobent les catégories I (subsistances) et III (bêtes de somme) de la statistique commerciale française; les exportations industrielles réunissent les catégories V (objets manufacturés) et VI (industrie étrangère); dans la source utilisée par Gern, les exportations sont exprimées en valeur (francs français courants), mais ces chiffres reflètent en fait l'évolution du volume des exportations: ils sont en effet le résultat de la multiplication du volume exporté par un prix officiel moyen fixe qui a été défini par les douanes françaises et qui n'a pas été modifié durant toute la période analysée; avant de commenter les indices, il est nécessaire de préciser qu'ils ne doivent être pris que pour des ordres de grandeur permettant de dégager les grandes lignes de l'évolution des échanges commerciaux entre la Suisse et la France; dans son introduction, Gern relève qu'il n'a pu tenir compte ni des importantes modifications géographiques subies par les deux pays entre 1796 et 1821, ni de la forte fluctuation du volume de marchandises pris en charge par le commerce de contrebande; par ailleurs, la part des exportations suisses constituée par des marchandises étrangères prises en charge par le commerce intermédiaire suisse, qui varie fortement, n'a pu être déduite pour obtenir l'exportation réelle de produits suisses; étant donné que les années V et VI (1796/1798) sont marquées, selon Gern, par un fort gonflement de ce commerce d'entrepôt, elles n'ont pas été prises en compte dans l'établissement des indices.

21 Un essai de reconstitution de l'exportation suisse en 1840 avance la somme de 208 mios de frs suisses nouveaux; Bosshardt, Nydegger, 1964, p. 302; pour l'année 1845, une étude plus récente donne le chiffre de 213 mios de frs; Veyrassat, 1990, p. 312; en appliquant le taux de progression des exportations en direction de la France (178% entre 1818/1821 et 1837/1846) – calculé à partir des données in Gern, 1992, p. 334 – à l'ensemble des exportations, le total pour 1820 peut-être évalué à un maximum de 80 mios de frs suisses nouveaux – en réalité, l'exportation totale progresse plus rapidement que

très différenciées selon les branches de production. Durant les guerres napoléoniennes, l'agriculture profite de la situation de pénurie pour accroître son exportation (+66%), avant d'être victime du rétablissement de la production française et des premières mesures protectionnistes. Il faut relever que la forte progression de l'exportation de bétail, qui compense en partie l'écroulement des expéditions de fromage et de bêtes de somme, est enrayée par les mesures douanières françaises d'avril 1822[22]. L'exportation industrielle pâtit de manière plus précoce et plus marquée du protectionnisme français (-79% sur l'ensemble de la période). La grande victime est l'industrie cotonnière, dont les produits sont prohibés sur le marché français. Pour cette seule branche de production, les pertes peuvent être grossièrement évaluées à 4 mios de francs français, soit environ 25% de l'exportation totale de cotonnades[23]. L'industrie linière est elle aussi touchée de plein fouet par la nouvelle politique douanière française (-85%).

La forte réduction des exportations suisses vers la France contraste avec une diminution que très modérée des exportations françaises vers la Suisse, qui demeure fidèle au libre-échange: l'indice passe de 100 à 87 entre 1798/1802 et 1818/1821. En ce qui concerne les produits de l'agriculture, les exportations sont réduites à un minimum durant les guerres napoléoniennes, avant de se redéployer entre 1815 et 1821, en pleine période de crise agricole. Ainsi, les expéditions de vin vers les cantons suisses font plus

---

celle vers la France en raison de la réorientation massive du commerce suisse vers l'outre-mer dans les années 1830; la perte enregistrée sur le marché français, fixée à 11 mios de francs français entre 1798/1802 et 1818/1821 (statistique française), représente donc 14% du total; la perte de 36 mios enregistrée entre l'an V (1796/1797) et 1818/1821 représente quant à elle 45% du total; une estimation fixée entre 15 et 20% semble par conséquent pertinente, même si le peu de fiabilité des chiffres exige la plus grande prudence; cette estimation signifierait que le marché français représentait 25 à 30% des exportations suisses avant la Révolution, ce qui paraît être un minimum; pour tous les calculs, 1 franc français = 1 franc suisse nouveau.

22 L'indice des exportations de bétail calculé pour la période 1827/1836 est de 588; chiffres tirés in Gern, 1992, p. 322; il faut toutefois signaler que la nouvelle série statistique française utilise des prix officiels différents, fixés en 1826; sur la question du frein mis aux exportations de bétail helvétique, cf. également Gern, 1981, p. 97.

23 En 1782, l'exportation de cotonnades se monte à 2,32 mios de francs français; en l'an V, ce chiffre explose à 21,9 mios; s'il est vrai que l'industrie cotonnière suisse profite de l'embargo sur les produits anglais pour développer sa production, une partie importante de la croissance des exportations est due à la prise en charge de cotonnades étrangères par le commerce intermédiaire helvétique; durant les années 1798/1802, les exportations redescendent à une moyenne de 6,46 mios; la prohibition d'importer décrétée par la France en 1806 provoque donc une perte qui peut être estimée à environ 4 mios pour l'industrie suisse; en évaluant les cotonnades à 20% du total des exportations – sur la base d'une estimation pour 1840 in Bergier, 1984, p. 240 –, la perte enregistrée représenterait 25% de l'exportation totale de cotonnades (environ 16 mios en 1820).

que doubler et les exportations de céréales prennent des proportions jamais connues durant l'époque révolutionnaire. L'exportation industrielle, qui a moins souffert de la période de guerre, dépasse le niveau de 1798/1802 dès le début des années 1820. L'industrie textile livre alors une concurrence non négligeable aux productions suisses, puisque les expéditions s'élèvent à 7,4 mios de francs français, dont 3,7 mios pour les draperies et les toiles de coton. A titre de comparaison, l'exportation suisse de cotonnades peut alors être estimée à 16 mios de francs français[24].

Tableau 3. Indice du volume des exportations françaises vers la Suisse entre 1798 et 1821 (1798/1802 = 100)[25]

	(1798/1802)	Ans VII-X 1810/1813	1818/1821
export. agricoles	**100**	**39**	**54**
vin	100	33	83
export. industrielles	**100**	**73**	**106**
draperies	100	114	315
toiles de coton	100	9	383
export. totales	**100**	**62**	**87**

En dehors de la fermeture du marché français, l'économie suisse doit faire face aux mesures protectionnistes de nombreux autres Etats européens[26]. L'Empire austro-hongrois poursuit la politique mercantiliste introduite en 1784 et 1788 par les lois douanières de Joseph II. Dès septembre 1817, cette politique est étendue aux territoires reconquis du Tyrol et du Vorarlberg, ainsi qu'aux possessions du nord de l'Italie, à savoir la Lombardie et la Vénétie. L'industrie cotonnière helvétique est fortement touchée par la fermeture de ces marchés. A partir de 1819, l'Autriche s'engage dans la voie du protectionnisme agricole en mettant en vigueur de lourdes taxes sur les vins suisses exportés vers le Vorarlberg, ainsi que sur les fromages vendus en Lombardie. Des démarches diplomatiques permettent toutefois d'obtenir la suppression de la nouvelle taxe sur le fromage. De 1815 à 1822, d'autres marchés assez importants pour l'exportation industrielle suisse se ferment, tout ou en partie: les Pays-Bas mettent en vigueur un nouveau tarif douanier en 1816, encore relevé en 1819 et 1822, la Russie adopte un nouveau tarif

24 Pour le calcul de cette estimation, cf. note 23.

25 Tous les indices du tableau sont construits à partir des données in Gern, 1981, pp. 109-115.

26 Bairoch, 1989, pp. 4-23; une description des systèmes douaniers des pays européens vers 1820 figure à la page 6; Graf, 1970, pp. 148-162; Schmidt, 1914, pp. 15-16; Menzel, 1979, p. 39.

très protectionniste en 1822 et l'Espagne édicte une prohibition des importations de cotonnades en 1817.

Ce bref tour d'horizon permet de constater qu'à part la Sardaigne – ce pays adopte un système protectionniste en 1824 – et quelques marchés d'Italie du sud et de Scandinavie, l'Allemagne, formée alors d'une mosaïque d'Etats politiquement indépendants, constitue le seul débouché européen encore largement ouvert aux produits suisses. Les échanges commerciaux sont particulièrement intenses entre les cantons de Suisse orientale et les Etats voisins de l'Allemagne du Sud – le Bade, le Wurtemberg et la Bavière –, dont les économies sont parfaitement complémentaires[27]. Alors que les cantons suisses, fortement industrialisés, exportent des cotonnades, des soieries, mais également du fromage, du bétail d'élevage et du vin, l'Allemagne du Sud, essentiellement agricole, fournit la Suisse en blé, en sel, en bétail de boucherie, en tabac ainsi qu'en tissus de laine et de lin. Plus au nord de l'Allemagne, les foires de Leipzig et Francfort sont deux débouchés de très grande importance pour l'horlogerie, les soieries et les cotonnades helvétiques. Enfin, conséquence des interdictions de transit décrétées par la France, en 1814, l'Allemagne revêt une fonction capitale en tant que couloir de transit vers les ports atlantiques allemands et hollandais, points de départ vers des marchés plus lointains[28].

L'importance commerciale des marchés allemands explique l'inquiétude que provoquent en Suisse les discussions au sujet d'une union douanière germanique. Après la levée du Blocus continental, les Etats allemands tentent en effet de s'organiser pour mieux résister à la vague de protectionnisme qui déferle sur l'Europe[29]. Certes, l'unification des systèmes douaniers se révèle difficile en raison de l'indépendance politique des différents Etats et de l'hétérogénéité de leurs intérêts commerciaux. Mais, dès 1815, plusieurs tentatives sont faites pour surmonter les clivages. Sollicités pour participer à l'élaboration de différents projets, les autorités et les milieux marchands de St-Gall, Zurich et Bâle refusent toujours leur adhésion. Leurs prises de position sont cependant empreintes d'une très grande retenue, car la crainte de voir leurs produits exclus des marchés allemands est vive. A la suite des échecs enregistrés lors des conférences de Karlsbad et Vienne (1819), où une union douanière englobant toute l'Allemagne est envisagée, les Etats du sud décident de poursuivre ensemble des négociations. Le 13 septembre 1820, ils se réunissent pour la première fois à Darmstadt. Se prolongeant jusqu'en 1823, cette conférence est comparable à une épée de Damoclès suspendue au-dessus de la Suisse orientale. Si elle devait déboucher sur un durcissement

27 Dietschi, 1930, pp. 6-18.
28 Rupli, 1949, p. 43.
29 Graf, 1970, pp. 140-146; Dietschi, 1930, pp. 31-53; Heussler, 1971, pp. 33-36; Hauser, 1958, pp. 368-370.

de la politique douanière des Etats allemands voisins, une asphyxie commerciale du poumon industriel suisse serait à craindre.

Indépendamment des tractations engagées pour parvenir à une union douanière, les Etats de l'Allemagne du Sud décident d'engager une politique de rétorsion contre la France. Dans le but de forcer une réouverture du marché français à leurs exportations agricoles, ceux-ci décident, en 1822, de fermer leurs frontières aux productions françaises. Pour que cette politique de rétorsion soit efficace, il est absolument nécessaire d'empêcher que le commerce suisse puisse servir d'intermédiaire en écoulant les produits français dans les Etats allemands. Les 10 et 12 juillet 1822, des notes diplomatiques adressées à la Confédération suisse par les Etats du Wurtemberg et du Bade posent un véritable ultimatum à la Confédération. Soit les cantons suisses adhèrent au mouvement de rétorsion contre la France, en prenant des mesures douanières appropriées, soit les produits en provenance de Suisse seront traités comme français à leur entrée en Allemagne[30]. Ce coup de semonce fait l'effet d'une bombe en Suisse orientale. Si la Confédération ne réagit pas, le commerce d'exportation suisse risque de perdre un nouveau débouché de première importance.

1.2. Segmentation économique et intérêts douaniers divergents: les cinq «mondes de production» suisses divisés face à une intervention fédérale

Confrontés, dès 1814, à une politique protectionniste française agressive, les cantons suisses sont incapables de s'unir pour lui opposer une attitude de fermeté[31]. Lors du renouvellement des capitulations militaires avec la France (1816), deux groupes de cantons aux intérêts économiques divergents sont constitués pour mener les négociations[32]. Alors que le groupe emmené par les cantons industriels de Zurich, Bâle et St-Gall exige avec fermeté que les capitulations soient liées, comme par le passé, à l'obtention de privilèges commerciaux, le groupe agricole, emmené par Berne et les cantons primitifs, a tôt fait de se désolidariser de cette revendication face au refus français. La

30 Rupli, 1949, p. 45.

31 Sur l'évolution de la politique douanière française et les réactions suisses, cf. Scheven, 1921, pp. 58-75; Huber, 1890, pp. 67-82; Rupli, 1849, pp. 34-45; Graf, 1970, pp. 138-140; Gern, 1992, pp. 12-18; Litschi, 1892, pp. 1-14; Jaquet, 1837.

32 Scheven, 1921, pp. 11-28; le groupe de Zurich est composé des cantons de Bâle, St-Gall, Schaffhouse, Thurgovie, Argovie, Grisons, Vaud et Tessin; le groupe de Berne des cantons de Lucerne, Uri, Schwyz, Unterwald, Fribourg, Soleure, Valais, Glaris, Zoug et Genève.

royauté tire profit de ces divisions en obtenant de nouvelles capitulations contre de vagues promesses relatives à un accord commercial qui ne verra jamais le jour.

Plutôt que d'accorder des facilités commerciales aux cantons suisses, la France poursuit l'élaboration de son système protecteur sans se soucier de leurs réclamations. Plusieurs lois imposant lourdement les exportations suisses sont successivement promulguées[33]. Bien que la fermeture progressive du marché français soit ressentie à l'époque comme une véritable catastrophe économique, la Confédération réagit de manière plutôt timide. Certes, à l'instigation du canton de Berne, la Diète débat à deux reprises des relations commerciales avec la France (1817/1820). Suivant l'avis des commissions d'experts, la Diète décide toutefois de ne pas intervenir au moyen de mesures douanières, mais de rechercher un assouplissement de la politique française en empruntant la voie diplomatique. Toutes les démarches entreprises dans ce sens se soldent par de retentissants échecs.

Le 23 avril 1822, une ordonnance royale instaure une forte taxation de l'exportation du bétail suisse. Principal canton exportateur de produits agricoles vers la France, Berne se décide alors à réagir plus fermement. En concertation avec Fribourg, Vaud, Soleure et Argovie, des mesures douanières contre la France sont prises dès le 15 juin 1822: une interdiction d'importer du blé français est notamment décrétée[34]. Lors de la Diète de 1822, ces cantons lancent un appel à la solidarité confédérale et réclament la mise en place d'une politique douanière commune. Parmi les cantons les plus réactionnaires et les plus fédéralistes lors de l'élaboration du pacte de 1815, Berne, Fribourg et Soleure se découvrent des aspirations centralisatrices afin de sauvegarder leurs intérêts commerciaux.

Lorsque la Diète se réunit, le 8 juillet 1822, tout le monde s'accorde à dire que la Confédération suisse se trouve à un tournant important de son histoire. Les autres cantons confédérés vont-ils suivre Berne? Vont-ils pour la première fois engager une politique douanière commune sans y être contraints par une menace politique étrangère? La Suisse va-t-elle abandonner le libre-échange pour mener une politique douanière interventionniste poursuivant des buts commerciaux (rétorsion, protection, etc.)? La réponse des différents cantons à ces questions dépend en grande partie de leurs intérêts économiques respectifs.

Pour les besoins de l'analyse, les vingt-deux économies cantonales sont regroupées en cinq ensembles plus ou moins homogènes quant à leurs structures économiques, appelés «mondes de production». Il faut d'emblée préciser que cette approche, qui privilégie le secteur d'activité dominant dans

33 Les lois du 28 avril 1816, du 27 mars 1817 et du 21 avril 1818 augmentent la taxation du fromage, des toiles de lin, des rubans de soie et des articles en paille.

34 Scheven, 1921, pp. 71-75; Rupli, 1949, pp. 45-46.

chaque canton, réduit la complexité des différentes économies. Cette manière de procéder permet toutefois de dégager les intérêts commerciaux et fiscaux des différentes élites économiques dominantes. Une brève description des conséquences de la politique protectionniste française sur les différents «mondes de production» servira de base à l'analyse des divergences qui opposent ces élites économiques au sujet d'une politique douanière fédérale.

1.2.1. Les cantons agricoles de plaine: promotion d'un protectionnisme agricole

Les principaux promoteurs d'un abandon du libre-échange sont les cantons agricoles de Suisse occidentale, à savoir Berne, Vaud, Fribourg, Soleure et Argovie[35]. A la sortie des guerres napoléoniennes, les agriculteurs sont confrontés à une violente crise européenne qui, dès 1818, se traduit par une brusque baisse des prix. Dans cette situation, l'instauration d'un protectionnisme agricole français, qui étrangle leur principal marché d'exportation, a de quoi les inquiéter. La taxe sur le fromage, qui a augmenté de 6 à 15 francs français/100 kg entre 1815 et 1820 (+150%), entrave sérieusement l'écoulement de la production des alpages bernois, fribourgeois et vaudois: elle représente environ 20% de la valeur du fromage[36]. Entre 1810/1813 et 1818/1821, le recul des exportations de fromage vers la France se chiffre à 42% (tableau 2). Cette évolution contribue à une diminution de plus de 30% de l'indice du prix du fromage sur les marchés suisses entre 1815 et 1821. A cette date, l'indice est à son niveau le plus bas de tout le XIXe siècle[37].

Outre le fromage, la principale exportation agricole vers la France est le bétail. Selon une statistique présentée par les délégués bernois à la Diète, le canton de Berne a exporté 8128 têtes de bétail en 1821, auxquelles il faut ajouter, selon leur estimation, environ 6000 têtes provenant des autres cantons suisses[38]. D'une importance capitale pour l'agriculture de Suisse occidentale, ce mouvement commercial est remis en question par la France.

35 Le canton d'Argovie possède une structure économique mi-agricole, mi-industrielle, qui en fait un canton à part dans ce groupe; ses intérêts commerciaux sont à mi-chemin entre ceux de la Suisse agricole de l'ouest et ceux de la Suisse industrielle de l'est.

36 L'estimation officielle de la statistique française, établie en 1826, fixe le prix du quintal de fromage à 70 francs français; Jaquet, 1837, p. 37; en 1821, le quintal de fromage coûte 70 frs suisses nouveaux sur les marchés helvétiques; SHS, 1996, p. 482; selon la délégation du canton de Vaud à la Diète, qui évalue par ailleurs l'exportation vaudoise à 15 000 quintaux suisses (un quintal «suisse» = 50 kg) de fromage par année, la taxe s'élève à 30% de la valeur; AdT, 1822, Beilage N, p. 7.

37 Steiger, 1982, p. 203; SHS,1996, p. 482.

38 AdT, 1822, Beilage N, pp. 2-3; le détail pour le canton de Berne est le suivant: 4821 pièces de jeune bétail à cornes, 2058 vaches, 689 chevaux et 560 bœufs gras.

L'ordonnance royale d'avril 1822 taxe le jeune bétail à cornes, les vaches et les bœufs gras à environ 25% de leur valeur[39]; ajoutée aux frais de transport, cette protection équivaut presque à une prohibition que seul le bétail d'élevage de qualité est encore susceptible de surmonter. Le frein mis à l'exportation suisse de bétail fait pression sur le prix de la viande qui a déjà chuté de 20% entre 1815 et 1822; il atteint alors son niveau le plus bas de tout le XIXe siècle[40].

Durant la même période, l'agriculture de Suisse occidentale est de surcroît confrontée à un afflux de vins français qui concurrencent les produits vaudois, argoviens et bernois[41]. Entre 1810/1813 et 1818/1821, les exportations françaises augmentent de 152% (tableau 3). Enfin, même si l'importation de grains français ne progresse pas de manière très importante (0,5 mios de francs français en 1820/1821), le prix de ce produit, qui est la principale source de revenu de la culture suisse de l'époque, chute de près de 35% entre 1815 et 1822[42].

La baisse générale et brutale des prix des denrées alimentaires affecte durement l'économie des cantons agricoles de Suisse occidentale. Elle touche en particulier les intérêts de l'aristocratie terrienne au pouvoir, qui s'en plaint[43]. La diminution de la rente foncière entraîne en effet une baisse de la valeur du sol[44]. Les paysans ne sont pas non plus épargnés. En pleine période de rachat des charges féodales, ils doivent désormais s'acquitter annuellement des intérêts fixes d'une créance en lieu et place d'une dîme en nature variant selon la récolte. Une trop forte baisse des prix équivaut par conséquent à une incapacité de paiement, bientôt suivie de la faillite. Enfin, les ouvriers agricoles sont victimes du chômage, les revenus des exploitants ne leur permettant plus d'engager du personnel.

39 Les taxes figurent in Scheven, 1921, p. 70; les prix utilisés pour calculer le taux de protection sont les prix officiels moyens de l'administration douanière française fixés en 1826, in Jacquet, 1837, p. 35; si l'on se réfère aux prix donnés in Kaufmann, 1988, p. 43, le taux de protection est encore plus élevé.

40 Steiger, 1982, p. 203; SHS, 1996, p. 482.

41 Au milieu du XIXe siècle, les principaux cantons viticoles sont dans l'ordre des surfaces cultivées (1840/55): Vaud, Zurich, Argovie, Thurgovie, Schaffhouse, Neuchâtel, Genève et Berne; SHS, 1996, pp. 528-529.

42 Steiger, 1982, p. 203; cette baisse est calculée sur l'indice du prix de l'épeautre qui est alors la principale céréale cultivée; entre 1815 et 1822, l'avoine perd 12%, le froment 25%, l'épeautre 36%, le seigle 39% et l'orge 50%; SHS, 1996, p. 480.

43 De Loys de Chandieu, 1822, p. 6; *Jean-Samuel de Loys de Chandieu* (1761-1825) (VD), aristocrate vaudois, chef du parti conservateur modéré, CdE (1815-1816), agronome et économiste de renom, publie un grand nombre d'études sur les questions agricoles.

44 La délégation du canton de Berne à la Diète de 1822 se plaint de la diminution de la valeur du sol, in AdT, 1822, Beilage S, p. 1; cf. également Ueber das Retorsionskonkordat, 1823, pp. 18-19; Das Retorsionsconcordat aus..., 1823, pp. 15-16/18-19.

La situation économique et sociale est d'autant plus grave que les quelques activités industrielles exercées dans ces cantons à dominante agricole sont aussi en pleine crise; elles ne peuvent donc pas absorber la main-d'œuvre libérée par le secteur primaire. Dans le canton d'Argovie, la fabrication de tissus en coton destinés à l'impression est décimée entre 1790 et 1820, consécutivement à la crise de l'indiennage[45]. Le tissage de rubans en soie et le tressage de la paille doivent faire face à de fortes augmentations des taxes françaises[46]. Produisant en partie des objets de luxe bénéficiant d'une compétitivité hors-prix, ces industries résistent toutefois mieux à la montée du protectionnisme européen. Dans le canton de Berne, le tissage de toiles en lin subit de plein fouet l'augmentation des taxes françaises qui deviennent quasiment prohibitives pour les toiles les moins fines (40% de la valeur), ne laissant pénétrer que les produits de qualité supérieure (3% de la valeur). Cette industrie, essentiellement tournée vers la France au XVIIIe siècle, voit fondre une exportation qui s'élevait à près de 15 000 pièces avant la Révolution française[47].

Qui dit crise, dit recherche du remède. La solution idéale serait une réouverture du marché français. Mais l'échec des multiples démarches entreprises auprès des autorités françaises a montré à quel point le système protectionniste français est désormais une réalité incontournable. Même parmi les adeptes d'une politique douanière interventionniste, des doutes sont émis quant à la possibilité d'infléchir la politique française par des mesures de rétorsion[48]. La seconde solution, qui pourrait être envisagée, serait la recherche de débouchés plus lointains. Elle se heurte cependant au problème des coûts de transport. A l'exception de certains fromages de première qualité, le déplacement de produits agricoles pondéreux sur des marchés lointains coûte trop cher pour qu'ils puissent y soutenir la concurrence[49]. La diversification des marchés de l'exportation agricole est de ce fait confrontée à des limites étroites, ce qui explique la rapidité et la violence avec lesquelles Berne et ses voisins ont réagi à l'introduction d'un protectionnisme agricole en France[50]. Il faut encore évoquer une troisième solution, plus radicale, qui serait le désengagement des capitaux investis dans l'agriculture et leur trans-

45 Cérenville, 1906, pp. 229-231.

46 Scheven, 1921, pp. 59/65.

47 AdT, 1822, Beilage S, p. 1; Cérenville, 1906, pp. 257-259; les taxes françaises se trouvent in Scheven, 1921, pp. 61/65; les pourcentages donnés correspondent à la protection française accordée par la loi du 21 avril 1818 aux toiles de lin non blanchies de moins de 8 fils/de plus de 20 fils; pour les toiles blanchies, la protection oscille entre 66% et 5%, pour les toiles teintes entre 40% et 20%, alors que les toiles imprimées doivent acquitter un droit d'environ 16%.

48 De Loys de Chandieu, 1822, p. 15; Das Retorsionsconcordat aus..., 1823, p. 26.

49 De Loys de Chandieu, 1822, p. 61.

50 Scheven, 1921, p. 61.

fert vers d'autres sphères d'activités. Elle n'est pas non plus possible, à court terme en tout cas, car ces capitaux sont peu mobiles. Alors que la rente foncière est en chute libre, il n'est pas possible au propriétaire terrien de se défaire d'un domaine sans subir de lourdes pertes. La position de l'aristocratie terrienne face à la crise est par conséquent différente de celle des élites bancaires, commerciales, voire industrielles («Verlagssystem») qui ont la possibilité de désengager assez rapidement leur capital, pour le replacer dans des activités plus lucratives[51].

L'aristocratie terrienne se trouve alors dans une situation commerciale délicate. Ne pouvant ni reconquérir les marchés extérieurs perdus, ni en ouvrir de nouveaux qui permettraient de les compenser, elle revendique une intervention douanière de l'Etat central afin de protéger le marché intérieur suisse[52]. En abandonnant sa passivité au profit d'une politique de réciprocité[53], la Confédération favoriserait le commerce intérieur. Les différents cantons échangeraient préférentiellement avec leurs voisins confédérés plutôt que de s'approvisionner à l'étranger:

> *Mais puisque universellement, le commerce intérieur est reconnu pour le plus productif de tous; il faut, avant tout, que l'Helvétie, formant de ses 22 Cantons, s'il est possible; un faisceau fraternel et un état compact, fasse valoir dans ses intérêts économiques tous leurs produits respectifs. Il faut qu'en les exposant et les comparant; chacun voye ce qu'il peut créer, vendre et acheter de l'autre*[54].

Concrètement, il s'agirait de renchérir l'importation française de blé, de vin, de graisses, etc. par des taxes douanières fédérales, afin de permettre aux agriculteurs helvétiques d'écouler ces productions à un prix rémunérateur sur le marché suisse. Cette protection douanière rendrait possible un transfert d'activité de l'élevage vers la culture céréalière, la viticulture ou encore la culture des oléagineux[55].

La politique de réciprocité réclamée par Berne consiste donc en un protectionnisme agricole qui permettrait à l'aristocratie terrienne de soutenir la

51 De Loys de Chandieu, 1822, p. 13.

52 Il faut noter que la solution d'une rationalisation de la production permettant de diminuer les coûts de production et d'augmenter ainsi la compétitivité sur les marchés protégés n'est envisagée nulle part dans les sources de l'époque consultées; nous pouvons légitimement nous interroger sur les raisons de ce silence: est-il dû au fait qu'une telle solution n'est pas réalisable à court terme, vu les augmentations massives des taxes françaises, ou éventuellement au fait que cette alternative n'est pas dans l'intérêt d'une aristocratie terrienne conservatrice?

53 Le terme de protectionnisme agricole n'est pas encore utilisé à l'époque; les députés à la Diète voulant une politique de protection du marché intérieur parlent de réciprocité douanière.

54 De Loys de Chandieu, 1822, p. 11; la ponctuation est reprise de l'original.

55 Das Retorsionsconcordat aus..., 1823, p. 20.

rente foncière. Cette politique n'a en soi rien de révolutionnaire, certains cantons l'ayant déjà appliquée sur leur territoire au XVIIIe siècle[56]. La nouveauté de la démarche réside dans l'appel qui est lancé pour son extension à l'échelle de la Confédération. Comme le fait remarquer un délégué vaudois à la Diète, des mesures de réciprocité ne peuvent être efficaces que si la capacité de consommation du marché protégé est étendue grâce à la solidarité des autres cantons:

> *Dans un tel état de choses des mesures de réciprocité sont de toute justice [...] Mais leur efficacité, leur possibilité même dépend de l'union qui régnera dans les délibérations de la Diète. Les Cantons désintéressés doivent aider et soutenir ceux dont les souffrances sont si manifestes, tous, dans le vrai sens du Pacte fédéral, doivent faire cause commune*[57].

La logique d'une politique douanière se proposant de développer les échanges au sein du marché intérieur suisse voudrait que les taxes douanières cantonales soient supprimées pour être remplacées par une taxation douanière centralisée s'effectuant aux frontières suisses[58]. Afin d'éviter des blocages fédéralistes, qui pourraient faire échouer sa démarche, le canton de Berne renonce toutefois à proposer une véritable centralisation. Il se défend d'ailleurs à plusieurs reprises, devant la Diète, de poursuivre cet objectif. La proposition bernoise consiste à maintenir les systèmes douaniers cantonaux et à leur superposer un tarif fédéral prélevé aux frontières suisses. Afin d'éviter la mise sur pied d'une administration douanière fédérale, Berne propose que la gestion du nouveau tarif se fasse moyennant quelques aménagements du système douanier fédéraliste en place[59]. Les cantons frontaliers seraient chargés d'appliquer la taxation commune dont les revenus seraient redistribués à l'ensemble des cantons. Certes, la politique proposée par Berne engagerait un processus de centralisation partielle des compétences douanières, une partie de la taxation étant désormais du ressort de la Diète. Cependant, elle laisserait aux cantons la pleine jouissance de leur appareil douanier cantonal.

56 C'est notamment le cas du canton de Berne qui a protégé la viticulture vaudoise et favorisé ainsi une montée du prix des terrains du vignoble; cf. Arlettaz, 1981, p. 67.

57 AdT, 1822, Beilage N, p. 8.

58 Ainsi, l'auteur anonyme de deux brochures favorables à une intervention douanière n'hésite pas à mettre en évidence les avantages d'un système de taxation douanière disposé aux frontières suisses; s'il est conscient de la difficulté de le réaliser dans les circonstances politiques du moment, il est persuadé que la pression exercée par les systèmes commerciaux voisins obligera tôt ou tard la Suisse à en arriver là; Das Retorsionsconcordat aus..., 1823, p. 31; Erster Nachtrag..., 1823, pp. 40-42.

59 AdT, 1822, Beilage N, p. 11.

1.2.2. Les cantons industriels: ouverture des marchés extérieurs par une politique de rétorsion

En 1822, la situation économique des cantons industriels de Suisse orientale – St-Gall, Appenzell, Glaris, Thurgovie et Schaffhouse[60] – n'est pas plus brillante que celle des cantons agricoles de Suisse occidentale. La crise traversée par la branche du coton durant les années 1780-1820 a déjà été évoquée. Il suffit ainsi de rappeler que cette région doit simultanément faire face à une disparition de la filature du coton à la main et à la fermeture du marché français aux cotonnades suisses. La filature mécanique, qui s'était développée grâce à la protection du Blocus continental, périclite avec l'arrivée massive de filés anglais. Face à la nécessité d'investir pour relever le défi technologique anglais, les marchands-entrepreneurs de la région renoncent à poursuivre leur engagement dans cette nouvelle forme de production. Le processus de mécanisation est donc temporairement suspendu[61].

Dans cette situation de crise, l'industrie cotonnière de la région se réoriente vers la fabrication de manufacturés de qualité, dont les coûts de production sont essentiellement déterminés par la composante salariale. Une main-d'œuvre abondante et bon marché, travaillant à domicile, permet alors de fabriquer des produits de luxe à haute valeur ajoutée de manière très avantageuse – tissus de coton fins, tissus en couleur («Buntweberei»), tissus imprimés à la main, broderies, etc. Même s'il est difficile de mesurer concrètement le phénomène, il est par ailleurs probable que cette spécialisation dans la production d'articles de qualité, souvent liés à la mode, procure une compétitivité hors-prix à certaines cotonnades de Suisse orientale. Leur écoulement en est facilité. Il faut souligner que l'organisation du travail en commandite, plus communément appelée «Verlagssystem», met les petits producteurs de cotonnades – tisseurs à domicile, petits fabricants – sous la domination du grand commerce d'exportation de ces régions[62]. Ce sont en

60 Le canton de Schaffhouse, qui est plutôt un canton commerçant et agricole, est inclu dans ce «monde de production» en raison du commerce intermédiaire qu'il pratique entre la Suisse orientale et l'Allemagne méridionale; ses intérêts économiques sont ainsi étroitement liés à la conjoncture des cantons industriels; bien que participant au processus d'industrialisation en collaboration avec les centres de Zurich et St-Gall, le canton de Thurgovie conserve un secteur agricole important.

61 La situation économique catastrophique du canton de St-Gall – en particulier celle de la filature mécanique – est exposée dans un rapport de la SGG, daté de 1819; *Verhandlungen der schweizerischen gemeinnützigen Gesellschaft*, Bericht 1819, St. Gallen, 1820, pp. 64-80; cf. également Wartmann, 1875, pp. 418-419; l'attitude frileuse adoptée par le capital marchand à l'égard de la filature mécanique est explicitée in Veyrassat, 1982, pp. 153-180.

62 Veyrassat, 1982, p. 210; Der schweizerische Grosshandel..., 1943, pp. 74-79; Bodmer, 1960, p. 241.

effet les grands marchands, parfois marchands-entrepreneurs, qui écoulent les cotonnades; l'emploi du petit producteur dépend de leur capacité à trouver des débouchés. Logiquement, le grand commerce d'exportation détient donc le pouvoir de décision en matière de politique commerciale; il propose les solutions susceptibles de sortir l'industrie régionale du marasme conjoncturel.

Après avoir vainement tenté de reconquérir le marché français lors du renouvellement des capitulations militaires, les cantons de Suisse orientale s'engagent dans la voie de la diversification. La production est peu à peu réorientée; un transfert massif de la main-d'œuvre occupée au filage du coton s'effectue vers le tissage, la broderie et l'impression[63]. A St-Gall et dans le canton d'Appenzell, un nouveau métier à tisser permet de fabriquer des mousselines brodées («Plattstichweberei») qui viennent s'ajouter aux productions traditionnelles que sont les gazes, les mousselines et les broderies à la main. Dans le Toggenbourg, l'introduction du métier Jaccard, dès le début des années 20, favorise une rapide extension du tissage en couleur. Dans le canton de Glaris, le tissage et l'impression de cotonnades se développent.

Parallèlement au processus de transformation de la production, les marchands-entrepreneurs entament une diversification de leurs débouchés. Les tissus imprimés glaronnais et les tissus en couleur du Toggenbourg prennent par exemple le chemin de l'Italie, où ils sont alors très recherchés. Mais pour l'essentiel, la production cotonnière de Suisse orientale se dirige désormais vers l'Allemagne du Sud, les foires de Francfort et Leipzig (plaques tournantes du commerce vers l'Europe du nord) et les ports allemands et hollandais de l'Atlantique. En 1822, le processus de réorientation des flux commerciaux est toutefois remis en question. L'ultimatum adressé par les Etats du Bade et du Wurtemberg à la Diète – participation au mouvement de rétorsion contre la France ou fermeture des marchés allemands aux produits suisses – met les élites économiques de Suisse orientale sous pression.

Pour éviter l'asphyxie commerciale que signifierait un blocus des Etats du sud de l'Allemagne, les cantons industriels de Suisse orientale se rallient à l'idée d'une politique douanière fédérale. Cependant, leurs objectifs sont très différents de ceux poursuivis par l'aristocratie terrienne de Suisse occidentale; ils les contredisent même sur certains points[64]. Les marchands-entrepre-

63 Wartmann, 1875, pp. 418-429; Cérenville, 1906, pp. 200-207.

64 La politique douanière de rétorsion proposée par les cantons industriels lors du débat de 1822 à la Diète (AdT, 1822, Beilage N) est bien résumée dans une brochure anonyme intitulée *Drey Briefe aus dem Uechtland, über die gegenwärtigen Handelsverhältnisse der Schweiz zu Frankreich im Juli 1822,* Zürich, 1822, dont la provenance est cependant difficile à déterminer; le terme «Uechtland» désignant à l'époque une partie des cantons de Fribourg et Berne, il est possible que cette source soit l'expression des intérêts des exportateurs de fromage ou de toiles de lin de ces régions, qui sont très sembla-

neurs ne prônent pas un repli commercial sur le marché intérieur moyennant un protectionnisme industriel; la capacité de consommation indigène serait de toute manière insuffisante pour écouler l'ensemble de la production cotonnière. Certes, une politique de réciprocité est parfois évoquée comme moyen de développer de nouvelles branches d'industrie rendant l'économie suisse moins dépendante des marchés extérieurs, mais cette préoccupation n'est de loin pas prioritaire[65]. En appuyant l'idée d'une politique douanière fédérale, les marchands-entrepreneurs entendent combattre la montée du protectionnisme européen avec une politique de rétorsion. Imposer lourdement les principales exportations françaises – alcools, vins, soieries, toiles, etc. –, afin d'obliger le puissant voisin à entrouvrir son marché, tel est le but que doit poursuivre une intervention douanière de la Confédération. Même si les chances de faire plier la France sont minimes, les mesures de rétorsion permettraient pour le moins de satisfaire les Etats allemands afin d'éviter qu'ils mettent leur menace de blocus commercial à exécution. Par ailleurs, un tarif fédéral permettrait d'envisager la conclusion de traités de commerce avec les Etats allemands et la Sardaigne. En pleine tourmente protectionniste, les relations commerciales avec les derniers voisins encore ouverts aux productions suisses seraient ainsi stabilisées sur le moyen terme:

> *Wenn wir mit Staaten, die unter Frankreichs neuern Verordnungen mit uns leiden, gemeinschaftliche Sache machen, so könnten sich für uns nach mittelbare Vorteile daraus ergeben. Unter diesen wäre einer der wichtigsten, dass durch Unterhandlungen und Uebereinkünfte sich leicht ein Mittel anbahnen liesse, mit ihnen Handelstraktate zu schliessen. Dadurch fänden unsere Erzeugnisse, theils neue, theils ergiebigere, und auf lange Zeit gesicherte Ausflüsse [...] Durch Traktate mit Sardinien wäre uns immer ein Ausweg an's Meer gesichert [...] Aus Traktaten mit den Süddeutschen Staaten wäre ebenfalls Nutzen zu ziehen*[66].

Une intensification des relations commerciales avec ces Etats voisins permettrait de compenser partiellement la débâcle française.

bles à ceux du commerce d'exportation de cotonnades de Suisse orientale; dans cette hypothèse, le lieu d'édition, qui est Zurich, pose cependant problème; une autre hypothèse consiste à relier directement la brochure aux intérêts de l'industrie cotonnière en se référant au DHBS qui affirme que le terme «Uechtland» se rencontre également dans d'autres régions de la Suisse avec comme signification «pays désert, inculte» ou «pays de pâturages»; dans tous les cas, cette source synthétise très bien la stratégie douanière du canton de St-Gall qui est formulée de manière plus disparate dans d'autres sources; cf. *NZZ*, Nrn. 34/38, 20./30. März 1822, où des extraits des prises de position du journal gouvernemental saint-gallois *Der Erzähler* sont cités; cf. également *Verhandlungen der schweizerischen gemeinnützigen Gesellschaft*, Bericht 1819, St. Gallen, 1820, pp. 77-80.

65 Drey Briefe..., 1822, pp. 27-30; dans la conclusion-résumé de cette brochure définissant le contenu d'une politique commerciale interventionniste de la Confédération, il est significatif de trouver le développement de nouvelles industries au huitième et dernier point.

66 Drey Briefe..., 1822, pp. 10-11.

Si, d'un point de vue commercial, les marchands-entrepreneurs sont favorables à une politique douanière fédérale de rétorsion, d'un point de vue fiscal, ils craignent comme la peste de voir augmenter la charge douanière imposée à la consommation de la main-d'œuvre industrielle. Les exigences de protection agricole émises par l'aristocratie risquent en effet d'augmenter le coût de la vie et de rendre nécessaire une adaptation des salaires industriels[67]. La compétitivité des productions exportées par les marchands-entrepreneurs serait ainsi entamée[68]. Il en résulterait une diminution du volume des ventes ou une compression de la marge bénéficiaire et dans tous les cas, une réduction du profit.

Déterminés à restreindre la charge fiscale provoquée par l'instauration d'une politique douanière fédérale, les marchands-entrepreneurs s'opposent à un système douanier centralisé comparable à ceux des pays voisins. Le nouvel appareil administratif et la surveillance des frontières provoqueraient des coûts qui seraient financés par un relèvement du tarif fédéral. L'application de la politique de rétorsion envisagée doit par conséquent se faire dans le cadre de l'administration douanière existante:

> *Der Abgang eines Mauthsystems ist einer der bedeutendsten Vorzüge, durch die sich unsere Eidgenossenschaft vor den meisten übrigen Ländern unsers Welttheils unterscheidet. Unsere Industrie die mit so vielen Hindernissen im Auslande zu kämpfen hat, ist dadurch allein noch im Stande, mit der auswärtigen zu concurriren [...]*[69].

Logiquement, ces milieux proposent d'éviter une forte taxation des objets de luxe se prêtant à la contrebande (soieries, liqueurs). Ils privilégient des taxes sur les productions françaises pondéreuses n'appartenant pas à la catégorie des denrées de première nécessité, notamment le vin et les draperies.

1.2.3. Les cantons agricoles de montagne: méfiance à l'égard d'une politique douanière fédérale

Les cantons agricoles de Suisse centrale et méridionale – Lucerne, Uri, Schwyz, Unterwald, Zoug, Tessin, Valais et Grisons – ne souffrent que peu de la montée du protectionnisme européen. L'élevage, qui est la principale

67 Les blés français n'étant autorisés à l'exportation que les années de bonnes récoltes, l'auteur de la brochure admet une taxation de cette importation, probablement afin de trouver un terrain d'entente avec l'aristocratie terrienne de Suisse occidentale; l'essentiel de l'approvisionnement de Suisse orientale en céréales s'effectuant en Allemagne du Sud, le risque d'un renchérissement du pain dans cette région n'est de toute façon pas important.

68 Drey Briefe..., 1822, p. 7; on rappellera ici l'importance des salaires et des matières premières dans les coûts de production d'une industrie encore peu mécanisée et organisée selon le «Verlagssystem».

69 Drey Briefe..., 1822, p. 31.

activité de leur agriculture de montagne, produit du bétail de reproduction et de rente. Dans les alpages essentiellement, du fromage est aussi fabriqué[70]. Le principal débouché de ces productions agricoles est l'exportation vers les Etats d'Italie. Le protectionnisme agricole français ne lèse donc pas les intérêts commerciaux vitaux de l'aristocratie terrienne qui domine la vie politique de ces cantons. Par contre, la mise en place d'une politique douanière fédérale, qu'elle soit de réciprocité ou de rétorsion, pourrait leur porter un certain préjudice.

L'application d'une politique de rétorsion dirigée contre tous les pays qui entravent l'entrée des produits suisses compromettrait l'exportation agricole de ces cantons en générant des tensions commerciales avec l'Autriche et les Etats d'Italie. De ce fait, les élites agricoles de Suisse centrale et méridionale exigent que d'éventuelles mesures de rétorsion ne soit prises que contre la France[71]. Par ailleurs, les cantons agricoles de montagne ne bénéficieraient pas d'un protectionnisme agricole visant à encourager la production de blé ou de vin, les conditions de production ne permettant pas ou peu ce genre de cultures[72]. Au contraire, les consommateurs des régions de montagne auraient à souffrir d'un renchérissement de ces denrées de première nécessité. A côté des revenus provenant de l'exportation agricole, les cantons alpestres possèdent à l'époque une deuxième source de profit importante qui est le commerce de transit entre le nord et le sud des Alpes: le transport de marchandises telles que la soie ou le riz vers les cantons confédérés, le bétail, le fromage ou les cotonnades vers l'Italie, occupe de nombreux voituriers, hôteliers ou autres artisans. Toute mesure qui limiterait le libre-échange aux frontières suisses comporterait le risque d'entraver ce mouvement commercial.

D'un point de vue financier, les cantons agricoles de montagne profiteraient par contre d'une politique douanière fédérale. Les revenus de la taxation pratiquée aux frontières, qui seraient redistribués, permettraient de garnir les caisses cantonales. L'opération serait d'autant plus avantageuse que la charge douanière serait supportée en grande partie par les cantons industriels et commerçants frontaliers, puisque c'est eux qui consommeraient l'essentiel des produits renchéris par les mesures douanières: dans les régions alpestres, l'économie d'autosubsistance est encore la règle. Si elle veut bien retirer les bénéfices d'un cordon douanier installé aux frontières

70 Dans le secteur industriel, la filature du coton à la main, qui s'était étendue dans certaines régions de Suisse centrale durant le XVIIIe siècle, a pratiquement disparu en 1822; la seule activité industrielle d'importance pratiquée à cette date est le filage de la bourre de soie pour le compte des centres soyeux de Zurich et Bâle.

71 Les informations contenues dans les paragraphes suivants sont tirées des débats à la Diète; AdT, 1822, Beilage N, S et T.

72 Il faut toutefois préciser que les cantons de Lucerne et Zoug possèdent des régions agricoles de plaine; Lucerne est notamment un important producteur de céréales.

suisses, l'aristocratie terrienne refuse toute centralisation des compétences douanières. Voulant éviter à tout prix l'instauration d'impôts cantonaux directs sur la fortune, qui frapperaient surtout la propriété foncière, cette élite économique doit, en tout temps, pouvoir accroître la charge fiscale cantonale imposée à la consommation et au trafic de transit, cela afin de faire face aux besoins budgétaires sans devoir mettre la main à la bourse. Tout accord sur une éventuelle politique douanière fédérale est de ce fait conditionné à un maintien de l'autonomie douanière cantonale. Dans ce sens, la proposition bernoise est susceptible de rallier une partie de l'aristocratie terrienne de Suisse centrale et méridionale.

La position des cantons agricoles de montagne vis-à-vis d'une politique douanière fédérale dépend non seulement de leurs intérêts commerciaux et fiscaux, mais également d'enjeux politiques importants. Certains hésitent à indisposer la France qui pourrait prendre des mesures de rétorsion dans le domaine du service mercenaire. Au début du XIXe siècle, l'envoi de soldats au service de la royauté française est encore une source de revenus importante pour les élites de Suisse centrale. De plus, cette activité joue toujours le rôle de soupape démographique pour des régions de montagne qui sont pauvres en sol cultivable. D'autres cantons, qui entretiennent des relations privilégiées avec Berne, craignent d'indisposer ce puissant allié en lui refusant leur soutien en matière de politique douanière[73].

Si l'on considère les enjeux commerciaux, fiscaux et politiques qui sous-tendent la prise de position des cantons agricoles de montagne, il n'est pas étonnant de constater que l'instauration d'une politique douanière fédérale provoque des divergences. Les Grisons, le Tessin, le Valais, Schwyz et Obwald s'opposent à la prise de mesures douanières sous l'égide de la Confédération, alors que Lucerne, Uri, Zoug et Nidwald se laissent convaincre; ces cantons ne donnent cependant leur accord qu'après avoir obtenu de larges concessions sur le contenu de la nouvelle politique. Les entraves à l'importation se limiteront aux marchandises en provenance de France. L'application des mesures douanières se fera dans le cadre du système douanier existant.

73 La délégation de Schwyz, qui refuse d'appliquer une politique douanière commune, s'excuse presque vis-à-vis de Berne lors des débats à la Diète; AdT, 1822, Beilage S, p. 3; cf. également Egloff, 1930, pp. 50 et ss; cet auteur affirme que Lucerne adhère à une politique douanière interventionniste sous l'influence de Berne; il faut toutefois remarquer que l'intérêt de ce canton à une protection de la céréaliculture a probablement aussi joué un rôle.

1.2.4. Les cantons commerçants: bastions du statu quo libre-échangiste

Les cantons commerçants de Suisse occidentale – Bâle, Genève et Neuchâtel – sont les plus farouches adversaires de la mise en place d'une politique douanière fédérale[74]. L'élite marchande suisse de l'époque, qui est composée de négociants en gros, d'armateurs et de banquiers, y est établie[75]. En collaboration avec la Haute Banque parisienne – ce qui favorise une certaine francophilie – les marchands-banquiers des cantons commerçants profitent du décloisonnement de l'espace atlantique consécutif à l'éclatement des verrous coloniaux sur le continent américain. Ils engagent d'importants capitaux dans un commerce très lucratif avec l'outre-mer. Présente dans les ports atlantiques importants (Nantes, Le Havre, Amsterdam, Londres, etc.) et même sur le Nouveau Monde, cette élite marchande réalise la majeure partie de ses revenus grâce au commerce de spéculation (commerce d'importation et commerce intermédiaire). Certes, l'exportation des productions industrielles régionales (commerce d'expédition) revêt une importance économique non négligeable, mais, contrairement aux marchands-entrepreneurs de Suisse orientale, les marchands-banquiers n'en font pas leur priorité commerciale.

L'activité principale de l'élite marchande est probablement le commerce d'importation des denrées coloniales (épices, café, sucre, etc.) et des matières premières nécessaires à l'industrie (coton, soie, colorants, etc.). A cette époque, déjà, Bâle en est le centre de gravité[76]. Ce commerce est souvent combiné à une activité bancaire. Une majorité de la clientèle industrielle ne peut en effet acheter des matières premières pour produire que si un crédit à long terme lui est accordé. Soumis à un intérêt, le règlement de la somme due ne se fait que lorsque l'écoulement de la production permet de dégager assez de liquidités. Les marchands-banquiers pratiquent aussi le commerce intermédiaire ou commerce d'entrepôt. Il consiste à importer des produits en provenance d'Angleterre, de Hollande et surtout de France, pour les réexporter vers les Etats d'Allemagne et d'Italie, cela au moment où les prix offrent un maximum de profit[77]. Pratiqué à grande échelle avec les mar-

74 Cette formule est un raccourci qui ne tient pas compte du fait que, comme le montre la suite de l'analyse, les activités bancaires et industrielles jouent également un rôle important dans les économies de ces cantons; par contre, elle souligne le caractère dominant du commerce de spéculation – commerce d'importation et commerce intermédiaire – dans l'activité des marchands-banquiers qui détiennent le pouvoir de décision en matière de politique douanière.

75 Veyrassat, 1982, pp. 225-249; Veyrassat, 1994, pp. 9-17/61-63/81-97.

76 Bosshardt, Nydegger, 1964, p. 307.

77 La délégation bâloise à la Diète de 1822 affirme que des 800 000 quintaux (50 kg) importés par Bâle en 1821, une faible part seulement est consommée en Suisse; AdT, 1822, Beilage N, p. 5.

chandises coloniales, mais également avec les vins, eaux-de-vie et soieries françaises, les articles de Paris, les textiles et le fer anglais, le vin et le riz italiens, etc., ce commerce nécessite trois atouts essentiels que Bâle et Genève possèdent: une position géographique à l'intersection de plusieurs pays ou de plusieurs routes importantes; une politique douanière libre-échangiste n'imposant qu'une charge fiscale négligeable à l'opération d'import-export; des capitaux abondants permettant, si nécessaire, une longue immobilisation des marchandises[78].

Le commerce d'expédition est la troisième source de revenu des cantons commerçants de Suisse occidentale. Certes, il est pratiqué avec des productions de toute la Suisse (fromages, cotonnades, soieries, etc.), mais l'exportation de fabriqués produits par les industries locales revêt une importance particulière. Elle permet en effet de procurer du travail à une population qui ne trouve que peu d'emplois dans le négoce. Comme nous l'avons déjà vu, l'indiennage de Suisse occidentale a fortement souffert depuis 1790. En 1822, cette activité a disparu de Bâle et de Genève. A Neuchâtel, elle emploie encore 800 ouvriers[79], mais son importance diminue par rapport à la dentellerie (6600 emplois en 1817[80]) et à l'horlogerie (4000 emplois en 1822[81]). Cette dernière industrie se développe également dans le canton de Genève, où elle demeure, avec la bijouterie, le principal pilier du secteur secondaire. Enfin, à Bâle, la tradition du ruban de soie se perpétue malgré certaines difficultés rencontrées durant le Blocus continental[82].

En dehors de ces trois branches de commerce – importation, intermédiaire (import-export) et expédition –, certains marchands diversifient encore leurs activités dans le domaine de la banque. Leurs placements s'effectuent le plus souvent à l'étranger, principalement en France, et prennent plusieurs formes: souscription à des emprunts d'Etats, participations à des entreprises commerciales, financement du développement industriel, etc.[83]

78 Bosshardt, Nydegger, 1964, p. 307.

79 Caspard, 1979, p. 185.

80 Cérenville, 1906, p. 220.

81 Pfleghart, 1908, p. 47.

82 Bodmer, 1960, p. 308; cette industrie, organisée selon le «Verlagssystem», est dominée par les négociants de la ville de Bâle, qui sont propriétaires des métiers disséminés à la campagne; vers 1800, on compte 3000 métiers, ce qui représente environ 12 000 travailleurs.

83 Les marchands-banquiers bâlois accordent d'importants crédits à l'industrie textile alsacienne; vers 1837, les capitaux bâlois placés dans cette région sont évalués à 18 mios de frs, somme énorme pour l'époque; Dudzik, 1987, pp. 180-181; Veyrassat, 1982, pp. 118-119/221; les banquiers genevois sont très présents à Paris; Lüthy, 1961, pp. 369-785; cet ouvrage donne un bon aperçu des activités bancaires genevoises à la fin du XVIIIe siècle.

Les marchands-banquiers de l'ouest ont mieux supporté l'épreuve du Blocus continental que les marchands-entrepreneurs de Suisse orientale. Moins dépendants de l'exportation des fabrications locales, ils ont pu faire circuler leurs capitaux entre l'industrie, le commerce et la banque en fonction du taux de profit retiré. Par ailleurs, la montée du protectionnisme en Europe ne touche pas les intérêts vitaux du commerce intermédiaire et du commerce d'importation. Achetant leurs marchandises outre-mer, en France et en Angleterre pour les écouler en Suisse, en Allemagne et en Italie, les marchands-banquiers sont surtout intéressés au maintien du libre-échange aux frontières suisses, allemandes et italiennes. Certes, la politique commerciale française affecte davantage l'exportation des industries de Neuchâtel, Bâle et Genève. Les indiennes et les montres sont prohibées, alors que les rubans sont fortement taxés[84]. Ces difficultés ne suffisent cependant pas à remettre en question la fidélité de l'élite marchande au principe du libre-échange. Toute politique douanière interventionniste de la Confédération est par conséquent refusée:

> *Mais en pensant à l'intérêt et à la dignité de la Suisse, il est permis de croire que le meilleur moyen de consulter l'un et l'autre seroit* (sic) *de nous maintenir dans la même attitude envers tous nos voisins; de donner un exemple, sans éclat mais respectable de la liberté de commerce en harmonie avec de sages institutions; d'éviter de nous plaindre inutilement, et plus encore de montrer une vaine irritation des mesures que nos voisins prennent chez eux, lors-même que ces mesures peuvent blesser nos intérêts; et enfin de ne pas nous lancer dans un système nouveau, inconnu à nos pères, difficile à établir, plus difficile à soutenir, dont cependant on ne sait comment sortir*[85].

Face aux propositions de politique fédérale de réciprocité ou de rétorsion, les marchands-banquiers prônent le statu quo douanier basé sur un système fédéraliste et libre-échangiste.

L'attitude conservatrice de l'élite marchande n'est pas seulement motivée par une situation économique plutôt bonne. Tout intervention douanière de la Confédération porterait en effet préjudice à ses intérêts commerciaux. La politique de réciprocité proposée par Berne serait particulièrement désastreuse. Selon les conceptions économiques de l'époque, le commerce d'importation en serait la principale victime[86]; le développement des échanges

84 Gern, 1981, pp. 97-98.

85 Prevost, 1822, p. 13; *Alexandre-Louis Prevost* (1788-1876) (GE), fils de Pierre Prevost (1751-1839) – grand spécialiste d'économie politique –, agent et consul général de la Confédération à Londres, député à la Diète.

86 Les économistes de l'époque réfléchissent selon la logique de l'école classique libre-échangiste: la protection douanière restreint la division internationale du travail et provoque de ce fait une diminution du volume des échanges extérieurs; dans les circonstances de l'époque, la pertinence de cette analyse est loin d'être évidente: en gonflant la capacité de consommation des couches paysannes de la population, une protection du marché intérieur peut en effet stimuler les importations.

intérieurs, l'accroissement du commerce de contrebande ainsi que l'augmentation des prix à la consommation cumuleraient leurs effets pour provoquer un rétrécissement du volume d'affaires des importateurs[87]. Le commerce intermédiaire aurait également à souffrir d'un protectionnisme instauré aux frontières suisses, car la nouvelle charge fiscale entamerait le profit dégagé par certaines opérations d'import-export.

La politique de rétorsion défendue par les cantons industriels de Suisse orientale freinerait quant à elle l'importation de produits français. De surcroît, elle comporterait le risque d'une escalade du conflit commercial pouvant dégénérer en guerre douanière. La France pourrait alors interdire le transit en provenance de ses ports atlantiques, ce qui renchérirait considérablement le transport des marchandises destinées au commerce spéculatif[88]. Dans le domaine bancaire, un conflit commercial avec la France pourrait provoquer une discrimination des capitaux helvétiques sur le marché financier parisien, où les marchands-banquiers font alors la majeure partie de leurs placements. Ceux-ci considèrent donc qu'une politique de rétorsion est à la fois dangereuse pour les relations d'affaires entre la Suisse et la France et inutile pour promouvoir l'exportation, car incapable d'infléchir la politique protectionniste française[89]. Quant aux relations commerciales avec l'Allemagne du Sud, les cantons commerçants prônent une politique attentiste[90]. L'ultimatum lancé par le Bade et le Wurtemberg ne semble pas être pris trop au sérieux par la délégation bâloise à la Diète: trop conscients de la valeur des marchés suisses pour leur exportation agricole, les deux Etats allemands ne prendront jamais le risque d'une guerre douanière avec la Confédération[91].

Le refus d'une politique douanière fédérale est aussi motivé par des enjeux fiscaux. A l'instar des marchands-entrepreneurs de Suisse orientale, les marchands-banquiers de Suisse occidentale luttent contre tout accroissement de l'imposition douanière qui frappe la consommation et les transactions com-

87 Sur le commerce de contrebande, cf. AdT, 1822, Beilage Q, p. 4; Beilage N, p. 9; Beilage S, pp. 15-16; sur le problème du renchérissement de la consommation, cf. AdT, 1822, Beilage S, p. 13; Beilage Q, p. 3; l'expérience du Concordat de rétorsion, appliqué fin 1822 juqu'en 1824, semble confirmer les appréhensions des marchands-banquiers; alors que l'importation de vins français par Bâle est de 155 000 quintaux en 1822, ce qui représente près de 20% du total de l'importation bâloise, ce volume diminue de 30% en 1823 et de 17% en 1824; Egloff, 1930, p. 28; Gern donne également des chiffres tirés de la statistique française concernant les tissus de coton: leur importation en Suisse passe de 60 800 kg en 1821 à 27 000 kg en 1823; Gern, 1992, p. 22.

88 AdT, 1822, Beilage N, p. 10; Beilage N, p. 8; rapport de la minorité de la commission d'experts de 1822, Beilage Q, pp. 2-3.

89 Prevost, 1822, p. 13; AdT, 1822, Beilage N, p. 8; Beilage Q, pp. 1-2; Beilage S, p. 14.

90 AdT, 1822, Beilage S, p. 6; Beilage Q, p. 7.

91 AdT, 1822, Beilage Q, pp. 6-8.

merciales. Dans cette perspective, Bâle sera le premier canton suisse à instaurer un impôt direct cantonal sur le revenu (1840). Cette opposition de principe à une fiscalité honnie par le commerce et l'industrie est encore renforcée par les inconvénients d'une taxation douanière fédérale prélevée aux frontières suisses: en tant que régions frontalières, Bâle, Genève et Neuchâtel supporteraient une part importante de la charge fiscale prélevée par la Confédération, sans en récupérer l'intégralité par le biais de la redistribution aux caisses cantonales.

Le commerce intermédiaire contribuerait largement aux revenus douaniers fédéraux sans que le consommateur suisse ne paye quoi que ce soit, les marchandises étant vendues en Allemagne ou en Italie[92]. Les produits importés et vendus en Suisse, qui seraient renchéris par la taxation fédérale, seraient consommés en grande partie dans les régions commerçantes et industrielles à fort pouvoir d'achat. Les cantons frontaliers, qui s'approvisionnent dans une large mesure à l'étranger, seraient les meilleurs payeurs. Si les mesures fédérales devaient être appliquées uniquement à la France, Bâle, Genève et Neuchâtel seraient d'autant plus sollicités de par leur position géographique. Quant à l'effet de renchérissement des taxes douanières fédérales sur les biens de consommation produits en Suisse, il serait avant tout supporté par les régions commerçantes et industrielles, car les habitants des régions agricoles vivent encore largement dans un régime économique d'autosuffisance. Par contre, les cantons commerçants ne bénéficieraient que faiblement de la répartition des revenus du tarif douanier fédéral. Basée sur l'échelle des contingents d'argent cantonaux[93], qui est en grande partie déterminée par le critère du nombre d'habitants, la ristourne financière aux

92 Prenons l'exemple d'un tissu de soie lyonnais importé en gros par un commerçant de Bâle et revendu six mois plus tard en Sardaigne; dans le cas de figure où Bâle participe à une politique douanière fédérale, le tissu doit payer la taxe du tarif cantonal bâlois et le droit du tarif douanier fédéral avant d'être entreposé à Bâle; lors de son acheminement en Sardaigne, il doit s'acquitter des taxes de transit des cantons de Soleure, Argovie, Lucerne, Unterwald, Uri et du Tessin et de la taxe d'importation en Sardaigne; le consommateur suisse ne débourse pas un centime et le renchérissement du produit est payé soit totalement par le consommateur sarde, soit en partie aussi par le commerçant s'il doit réduire sa marge bénéficiaire pour rester concurrentiel; par contre, les revenus fiscaux prélevés sur la vente du tissu profitent à la Sardaigne, aux cantons de transit, aux cantons participant à la politique douanière fédérale et que dans une faible mesure au canton de Bâle; dans le cas de figure où Bâle décide de ne pas participer aux mesures douanières fédérales, la charge fiscale pesant sur le tissu vendu en Sardaigne reste la même et ce canton ne bénéficie plus de la redistribution des revenus de la taxation fédérale; toutefois, la plus grande partie de son commerce intermédiaire, qui est pratiquée avec l'Allemagne, échappe à la taxation fédérale, de même que la consommation bâloise de produits importés.

93 Cette échelle des contingents d'argent cantonaux détermine quelle somme chaque canton doit payer en cas de besoins financiers de la Confédération.

petits cantons de Bâle, Genève et Neuchâtel serait loin d'être proportionnelle à la charge fiscale douanière assumée[94]. D'un point de vue fiscal, les cantons commerçants de Suisse occidentale seraient donc les grands perdants de l'instauration d'un tarif fédéral aux frontières: ils supporteraient la majeure partie d'une charge fiscale qui profiterait avant tout aux cantons agricoles.

Pour des raisons diamétralement opposées à l'aristocratie terrienne de Suisse centrale et méridionale, les marchands-banquiers développent aussi un fédéralisme douanier intransigeant. Alors que les élites agricoles veulent conserver toutes les compétences cantonales nécessaires à une exploitation optimale de cette imposition, les élites marchandes veulent éviter que la Confédération puisse imposer un cordon douanier fédéral à leurs frontières. Cette stratégie fédéraliste est notamment fondée sur l'observation des évolutions douanières à l'étranger. Dans la majorité des cas, la mise en place d'un système centralisé a débouché sur une politique protectionniste au service des secteurs productifs (Autriche, France). Après avoir triomphé des tendances centralisatrices durant l'Helvétique, les négociants de Bâle, Genève et Neuchâtel entendent ainsi poursuivre leur croisade fédéraliste[95]. A cet égard, la politique douanière fédérale proposée par l'aristocratie terrienne de plaine et les marchands-entrepreneurs est dérangeante. Certes, elle ne prétend pas centraliser le système douanier helvétique, mais l'instauration d'une taxation aux frontières suisses, dont la gestion reviendrait à la Confédération ou à un organe de coordination intercantonal, est ressentie comme un dangereux embryon de centralisation qu'il est nécessaire de faire avorter. Une fois engagée, une politique douanière fédérale pourrait dériver vers une centralisation accrue et des mesures toujours plus protectionnistes. Les cantons commerçants ne se contentent donc pas de refuser leur participation à une politique douanière fédérale. Tous les moyens à disposition sont engagés afin d'éviter qu'un concordat cantonal ne soit mis sur pied. Le succès d'une alliance entre cantons industriels et agricoles placerait en effet les places commerciales de Bâle et Genève dans une situation délicate.

94 Lors du débat de 1822 à la Diète, Bâle met en évidence le problème posé par la redistribution des revenus douaniers, qui pourrait entraîner des tensions politiques au sein de la Confédération; AdT, 1822, Beilage S, p. 5.

95 Le 1er mars 1799, le Grand Conseil décide, pour des raisons financières, la mise sur pied provisoire d'un tarif douanier fédéral: les taxes maximales sont fixées à 6% de la valeur de la marchandise; le 6 mai 1799, la décision est approuvée par le Sénat; un projet est alors préparé par le Directoire, dont les buts avoués dépassent de simples préoccupations fiscales pour s'étendre à un encouragement de la production indigène; il s'ensuit un long affrontement entre le Directoire et les Conseils législatifs, ceux-ci étant dominés par l'élite marchande libre-échangiste du pays; c'est finalement cette dernière qui l'emportera, puisqu'un système douanier centralisé ne verra pas le jour durant l'Helvétique; Arlettaz, 1981, pp. 24-44; cf. également Rupli, 1949, p. 12.

En cas de dérive protectionniste de la politique concordataire, elles se retrouveraient comme encastrées au milieu de deux barrières douanières. Cette situation mettrait en péril leur rôle de plaques tournantes du commerce international.

Face aux intérêts du commerce de spéculation, les industries d'exportation de Bâle, Genève et Neuchâtel ne semblent pas avoir pesé lourd dans la définition des options douanières à défendre sur le plan fédéral[96]. Trois éléments de réponse peuvent expliquer le peu de résistance des milieux industriels: la force politique des marchands-banquiers, leur domination du secteur industriel à travers le «Verlagssystem» et les alternatives commerciales offertes aux industries d'exportation. Pour lutter contre la montée du protectionnisme européen, les négociants proposent en effet de diversifier les débouchés en direction de l'outre-mer, où ils possèdent des réseaux commerciaux déjà solides[97]. Grâce à leurs caractéristiques – biens de consommation de qualité à faible rapport poids/valeur –, les productions locales se prêtent bien à cette stratégie. Ainsi, dès le début du XIXe siècle, l'horlogerie exporte vers les Etats-Unis qui deviennent rapidement un marché important[98]. A partir de 1820, cette production pénètre le marché latino-américain, en particulier le Brésil. A l'autre bout du globe, des montres suisses sont vendues dans la région du Levant, aux Indes, aux Philippines et même en Australie. Dès 1822, un important marché s'ouvre en Chine[99]. Dès 1806, la rubanerie bâloise est également présente à New York. Dans les années 1820, certaines maisons touchées par la fermeture des marchés français, russes et baltes décident d'intensifier leurs relations avec les Amériques[100].

Certes, tout comme les produits de luxe de Suisse orientale, les rubans, les montres et les dentelles des cantons occidentaux bénéficient probablement d'une certaine compétitivité hors-prix pour s'imposer sur les marchés d'outre-mer: la spécialisation dans la fabrication d'objets de luxe, pour lesquels le savoir-faire joue un rôle primordial, permet en effet d'investir

96 A Bâle, certains fabricants de rubans de soie, qui craignent de perdre leurs débouchés en Allemagne, font cependant de l'opposition; un mémoire issu de ces milieux industriels conteste les options prises par le «Handelskomitee»; en 1822 et 1823, des motions sont présentées devant le Grand Conseil, mais elles sont balayées par une forte majorité acquise aux intérêts du commerce de spéculation; Egloff, 1930, pp. 63-70.

97 Le rapport de la minorité de la commission d'experts de 1822 mentionne déjà ce phénomène de diversification des débouchés; AdT, 1822, Beilage Q, p. 7; sur cette question, cf. Veyrassat, 1994; Veyrassat, 1989.

98 Veyrassat, 1994, p. 84; en 1817-1818, il semblerait que la moitié de la production neuchâteloise prend le chemin de ce pays; d'autres chiffres n'attribuent que le cinquième rang au marché américain pour l'année 1822, derrière la France (contrebande), l'Allemagne, l'Italie et la Hollande; Scheurer, 1914, note 3 p. 29.

99 Pfleghart, 1908, p. 45; Scheurer, 1914, pp. 29-30.

100 Veyrassat, 1994, p. 85; il s'agit entre autres de la maison «Forcart-Weiss».

certaines niches de production, où la concurrence est limitée. Mais les fabricants étrangers restent présents et peuvent de surcroît bénéficier de coûts de transport plus faibles. Pour cette raison, il est important que les articles de luxe suisses puissent bénéficier d'un coût du travail avantageux. A travers sa réorientation commerciale, l'industrie d'exportation voit donc se renforcer une vieille communauté d'intérêts la liant au commerce d'importation, dans un refus commun d'une politique douanière protectionniste. Tout renchérissement des salaires par un accroissement de l'imposition de la consommation est vivement combattu.

Malgré la stratégie de diversification des débouchés qui est adoptée, les marchés européens ne sont pas pour autant abandonnés. Tant décriée lorsqu'elle menace le commerce d'importation helvétique, la contrebande est utilisée pour percer les murailles protectionnistes européennes. Montres, dentelles ou autres rubans de soie entrent illégalement sur les marchés voisins[101]. Par ailleurs, des solutions politiques sont parfois trouvées pour atténuer la rigueur des tarifications étrangères. Dès 1816, le canton de Neuchâtel obtient de son souverain, le roi de Prusse[102], une série de privilèges commerciaux qui ouvrent ce marché allemand aux produits neuchâtelois (indiennes, horlogerie)[103].

1.2.5. Le canton-clef: Zurich et ses contradictions douanières

La structure économique du canton de Zurich ne permet pas de le ranger dans un des quatre «mondes de production» analysés précédemment, car plusieurs domaines d'activité y cohabitent. Par ailleurs, Zurich se distingue en tant que berceau de la Révolution industrielle helvétique. Après le choc concurrentiel provoqué par la levée du Blocus continental, les industriels de ce canton sont pratiquement les seuls à poursuivre le développement d'une industrie mécanisée. Ainsi, marchands-banquiers, marchands-entrepreneurs et grands industriels s'affrontent sur la question de l'opportunité d'une politique douanière fédérale.

Or, le succès d'une telle politique dépend en grande partie du choix de Zurich. Indépendamment de son poids politique et économique, ce canton est géographiquement situé à la charnière des deux groupes favorables à une intervention douanière de la Confédération. En adhérant, il permettrait de

101 Sur l'importance de la contrebande pour l'horlogerie neuchâteloise de l'époque, cf. Scheurer, 1914, pp. 20-21/30.

102 En 1822, Neuchâtel possède le double statut de canton suisse et de Principauté prussienne.

103 Favarger, 1913, pp. 203-212; cf. également Veyrassat, 1994, note 15 pp. 85-86; Pfleghart, 1908, p. 45.

constituer un espace douanier unifié dont l'importante capacité de consommation serait la garantie d'une certaine efficacité. En refusant son concours, Zurich briserait l'unité géographique de l'alliance des cantons agricoles de Suisse occidentale et industriels de Suisse orientale et contribuerait ainsi à l'échec d'une politique douanière commune[104].

Le commerce et l'industrie de la soie occupent une place privilégiée au sein de l'économie zurichoise. Avec Lyon, Zurich est alors parmi les plus grands centres soyeux européens. Vu le coût de la matière première, cette activité nécessite d'énormes capitaux circulants. Elle est par conséquent l'apanage de quelques grands négociants de la ville. Le commerce de la soie est orienté selon un axe sud-nord. La soie brute (grège) est achetée dans le nord de l'Italie pour être transportée à Zurich. Elle est ensuite distribuée dans les campagnes pour y être filée et tissée («Verlagssystem»). Les fils et les étoffes ainsi produits sont exportés, surtout en direction des grandes foires allemandes qui jouent le rôle d'intermédiaires vers les marchés d'Europe du nord. Dès le début du XIXe siècle, l'industrie de la soie profite de la crise subie par la branche du coton pour se développer rapidement. En 1824, on compte quelque 5500 métiers à tisser[105]. L'ensemble de la branche emploie alors environ 11 000 personnes dans le canton de Zurich, soit 5,2% de la population résidante[106]. Peu affectés par la politique protectionniste française, le commerce et l'industrie de la soie bénéficient d'une conjoncture assez favorable. Un blocus commercial des Etats du sud de l'Allemagne pourrait cependant leur porter un fort préjudice.

Le deuxième pilier de l'économie zurichoise est le commerce et l'industrie du coton, qui occupent environ 17 000 personnes en 1821, soit 8% de la population résidante[107]. De grands négociants de Winterthour et Zurich importent du coton brut d'Amérique et du Proche-Orient, avec lequel ils fournissent l'industrie cotonnière de toute la Suisse orientale[108]. Contrairement aux marchands-entrepreneurs de cette région, l'élite marchande zurichoise mobilise les capitaux nécessaires pour se lancer résolument dans le développement de la filature mécanique. Les «Fergger» de la campagne, qui se sont enrichis en dirigeant la fabrication de cotonnades à domicile, se lancent aussi dans cette activité. En 1817, huit des dix plus grandes filatures

104 Rupli, 1949, pp. 55-57.

105 Cérenville, 1906, pp. 250-252; Weisz donne le chiffre de 6000 métiers pour 1824, ce qui représente, selon lui, le triple du maximum enregistré durant tout le XVIIIe siècle; Weisz, 1936, pp. 189-193.

106 Dudzik, 1987, p. 66; le chiffre de la population est tiré in SHS, 1996, p. 94.

107 *Ibidem.*

108 Veyrassat, 1882, pp. 228-229, 239-241; cf. également le témoignage d'un Saint-Gallois de l'époque qui se plaint de cet état de fait; *Verhandlungen der schweizerischen gemeinnützigen Gesellschaft*, Bericht 1819, St. Gallen, 1820, pp. 70-71.

mécaniques suisses sont en activité dans le canton de Zurich[109]. L'écoulement des filés zurichois, qui se fait alors exclusivement sur les marchés suisses, ne souffre pas de la montée du protectionnisme en Europe. Certes, entre 1815 et 1820, l'arrivée massive de filés anglais provoque une rapide chute des prix. Cependant, dès 1820, le mouvement à la baisse est enrayé et une bonne conjoncture s'installe. En raison d'une main-d'œuvre bon marché et d'une protection par la distance conséquente – coûts de transport et d'assurances supportés par la concurrence étrangère –, les industriels zurichois profitent d'une marge bénéficiaire confortable sur le marché intérieur[110]. La filature mécanique zurichoise n'a donc besoin d'aucune mesure douanière pour être rentable. Par contre, l'instauration d'une protection agricole remettrait en question l'avantage concurrentiel décisif que lui procurent des salaires bon marché.

Alors qu'une partie des filés produits est vendue dans les cantons de St-Gall, Appenzell, Glaris, etc., une autre reste dans le canton de Zurich pour y être travaillée à la campagne. Les tissés qui en reviennent sont blanchis, teints ou imprimés en ville avant d'être commercialisés en Allemagne principalement[111]. Les intérêts commerciaux des fabricants et des exportateurs de cotonnades divergent de ceux des filateurs. A l'instar des marchands-entrepreneurs de Suisse orientale, leur objectif est d'assurer une ouverture des marchés extérieurs. Cette communauté d'intérêts pousse une partie de l'élite économique zurichoise à soutenir une politique de rétorsion.

Un aperçu de l'économie zurichoise ne serait pas complet si l'on omettait de mentionner la naissance d'une industrie des machines. A l'époque, cette branche est encore étroitement liée à la filature mécanique: elle produit des machines à carder, filer, etc. ainsi que des installations fournissant l'énergie hydraulique nécessaire à la production mécanisée. En 1820, les principales entreprises (Escher Wyss, Rieter) sont encore des ateliers de réparation ou des sections de grandes filatures mécaniques. L'exportation de machines étant minime, la montée du protectionnisme européen n'affecte pas cette industrie.

Au même titre que les cantons de Suisse orientale, l'économie zurichoise a souffert, entre 1790 et 1820, de la disparition de la filature du coton à la

109 Dudzik, 1987, pp. 72-74/100; en 1836, 2/3 des broches qui filent le coton mécaniquement en Suisse sont en possession d'entrepreneurs zurichois; ceux-ci possèdent non seulement l'ensemble des broches en activité dans leur canton, mais aussi 61% des broches dans le canton d'Argovie (1836) et 44% des broches dans le canton de St-Gall (1836); Dudzik, 1987, p. 148.

110 En 1834, Dudzik évalue cette marge bénéficiaire à 25-40% du prix des filés; Dudzik, 1987, p. 35.

111 Cérenville, 1906, pp. 235-236/223/225; les deux maisons d'impression les plus importantes, David et Melchior Esslinger et Hans Jacob Hoffmeister, emploient à elles seules 1600 ouvriers; la date précise de cette donnée n'est malheureusement pas indiquée par l'auteur.

main et de la fermeture du marché français. Cependant, à la veille des débats douaniers de 1822 à la Diète, son état de santé est meilleur en raison de la percée de l'industrie cotonnière mécanisée et du développement de la branche de la soie. La nécessité d'un changement de politique douanière se fait ainsi moins sentir que dans d'autres cantons agricoles et industriels frappés de plein fouet par la crise. D'un point de vue commercial, les élites économiques zurichoises sont partagées entre le souci de ménager leur principal partenaire économique, l'Allemagne (exportation de soieries et de cotonnades), et la crainte de provoquer une guerre douanière avec la France (entraves au transit en provenance et à destination des ports français)[112]. Ce canton n'exclut donc pas catégoriquement le principe d'une politique de rétorsion modérée, qui se concentrerait sur la taxation du vin français. Par contre, l'introduction d'une politique de réciprocité est unanimement combattue. La pression à la hausse des salaires industriels, qui entraverait l'exportation, comporterait de sérieux inconvénients. A l'instar des marchands-banquiers de Suisse occidentale, les élites zurichoises craignent qu'une intervention de la Confédération ouvre la porte à un accroissement massif de la charge fiscale imposée à la consommation des régions industrielles[113]. En outre, les inconvénients d'un protectionnisme agricole ne seraient jamais compensés par une protection du marché intérieur des produits industriels[114]. Vu les limites de sa capacité de consommation, il ne pourrait en aucun cas absorber l'intégralité des soieries et des cotonnades zurichoises.

1.3. Luttes autour du Concordat de rétorsion contre la France: l'élite marchande impose le statu quo fédéraliste libre-échangiste

En raison de la forte segmentation de l'économie helvétique, les différentes élites régionales divergent alors sur la stratégie douanière à adopter pour répondre à la fermeture des marchés européens. L'aristocratie terrienne des cantons de plaine propose d'imiter la tendance commerciale européenne en se recroquevillant sur le marché intérieur. Elle prône une politique douanière fédérale orientée selon le principe de la réciprocité. Les marchands-entrepreneurs de Suisse orientale, qui produisent des quantités de soieries et de cotonnades trop abondantes pour la consommation intérieure, ne

112 *NZZ*, 12. Oktober 1822, «Schweizerische Eidgenossenschaft».

113 *NZZ*, 12. Oktober 1822, «Rapport adressé par le Petit Conseil au Grand Conseil»; cf. également les objections de la délégation de Zurich à la Diète concernant l'article 6 du Concordat réglant son exécution sur le plan financier; AdT, 1822, Beilage T, p. 2.

114 AdT, 1822, Beilage T, pp. 1-2.

peuvent se contenter d'une politique protectionniste. Ils proposent par conséquent de ne pas s'aligner sur la tendance commerciale européenne, mais de la combattre au moyen d'une politique douanière de rétorsion. Pour conserver la possibilité d'exporter sur les marchés étrangers de proximité, ils préconisent des mesures douanières fédérales destinées à empêcher l'importation en provenance de pays qui n'acceptent pas les produits suisses. Ces mesures n'ont pas pour but de protéger le marché intérieur, mais de forcer les Etats européens protectionnistes à des concessions mutuelles. Même s'ils divergent sur les objectifs à poursuivre, l'aristocratie terrienne de plaine et les marchands-entrepreneurs s'accordent sur la nécessité d'une intervention douanière de la Confédération.

Face à cette coalition interventionniste, les marchands-banquiers de Suisse occidentale proposent une autre stratégie commerciale. Plutôt que de se recroqueviller sur le marché intérieur ou de lutter pour un accès aux marchés européens de proximité, l'économie helvétique doit viser une expansion sur les marchés d'outre-mer. La réalisation de cette ambitieuse option passe par le statu quo libre-échangiste qui permet de produire bon marché. Les intérêts du commerce d'exportation seraient ainsi favorisés tout en ménageant ceux des commerces d'importation et d'entrepôt. Dans l'optique d'éviter une dérive protectionniste imposée par la Confédération, l'élite marchande s'efforce de maintenir un système douanier fédéraliste en refusant tout transfert de compétence vers le pouvoir central.

Mais la stratégie commerciale proposée par les marchands-banquiers n'est pas valable pour l'ensemble de la production helvétique. Seuls les produits agricoles et industriels dont le rapport poids/valeur est faible sont susceptibles de voyager outre-mer. Les produits pondéreux ou/et à faible valeur ajoutée sont renchéris de manière trop sensible par le transport pour y être compétitifs. Si l'option libre-échangiste l'emporte, certaines branches d'activité seraient dès lors appelées à être redimensionnées, ou même à disparaître.

1.3.1. Formes idéologiques du débat douanier: primat de l'échange ou de la production?

L'affrontement entre partisans d'une intervention douanière de la Confédération et adeptes du libre-échange produit un discours idéologique assez dense, dont la fonction est de légitimer les différentes stratégies concurrentes. L'essentiel du débat discursif à la Diète ne porte pas sur une confrontation d'intérêts matériels, mais sur une série d'arguments d'économie politique, de droit constitutionnel et de morale patriotique. Les intérêts commerciaux et fiscaux en jeu sont ainsi dilués dans une dimension plus théorique. Cette pratique, qui est un élément structurel fondamental du débat douanier, a pour but de voiler les motivations matérielles des acteurs du champ douanier.

Elle vise à convaincre l'opinion publique du bien-fondé d'une politique sans révéler quels intérêts économiques sont ainsi privilégiés.

Entre 1822 et 1824, le débat douanier idéologique qui fait rage se caractérise par un affrontement entre marchands-banquiers et aristocratie terrienne[115]. S'appuyant sur des conceptions d'économie politique radicalement différentes, diffusées à l'aide de brochures de vulgarisation, ces deux élites tentent de prouver le primat de leur activité. Pour les uns, la bonne marche de l'économie suisse et la richesse de la population dépendent de la prospérité du commerce, alors que les autres prétendent que la clef du bien-être matériel se trouve dans le développement et l'encouragement des secteurs productifs.

De l'avis des élites marchandes, les moteurs de l'économie sont la consommation et l'échange. Toute entrave mise à leur liberté augmente le prix des marchandises, diminue le pouvoir d'achat du consommateur et provoque ainsi une réduction de la richesse nationale. Selon cette vision de l'économie, importer des produits meilleur marché que ceux livrés par l'appareil productif intérieur est une opération économiquement positive, car elle enrichit le pays concerné en augmentant la capacité de consommation de ses citoyens. De plus, l'importation oblige les investissements à se diriger vers les branches de production les plus rentables, ce qui occasionne une augmentation du revenu national. La Confédération doit par conséquent mener une politique douanière libre-échangiste[116].

Au nom des producteurs, l'aristocratie terrienne réplique que le consommateur est une abstraction. Avant de pouvoir consommer, celui-ci doit produire pour avoir un revenu. Ce revenu, qui lui permettra de faire marcher le commerce, provient du travail, seul créateur de richesse[117]. A quoi bon pouvoir acheter bon marché si l'on est privé de salaire? Selon cette vision de l'économie, où le travail est le moteur de la croissance, l'importation est perçue de manière négative. Elle prive la production indigène de ses débouchés naturels les plus proches et contribue à exporter un pouvoir d'achat qui ne sera plus utilisé sur le marché intérieur. La Confédération doit donc protéger la production pour assurer le revenu, même au prix d'un léger renchérissement du coût de la vie[118].

115 L'industrie n'a pas encore engendré une classe de fabricants autonomes capables de prendre en charge la défense de leurs intérêts de producteurs; quant aux marchands-entrepreneurs, ils ne s'engagent que peu dans le débat théorique: tout en soutenant une politique douanière interventionniste, pour des raisons pragmatiques de politique commerciale, ils partagent les conceptions théoriques libérales des marchands-banquiers.
116 Ueber das Retorsionskonkordat..., 1823, pp. 14-16.
117 De Loys de Chandieu, 1822, pp. 7-8.
118 Erster Nachtrag..., 1823, pp. 41-42.

Les conceptions économiques divergentes de l'aristocratie terrienne et de l'élite marchande se cristallisent dans une polémique au sujet de la balance commerciale helvétique. Selon la doctrine mercantiliste en vogue au XVIIIe siècle, une balance commerciale déficitaire est le signe indubitable d'un appauvrissement de la population d'un pays. Les producteurs utilisent donc cet outil économique pour étayer leurs options douanières. Vu la forte dégradation des échanges avec la France, il est nécessaire de prendre des mesures douanières contre ce voisin[119]. Les commerçants réfutent l'idée d'un appauvrissement de la Suisse par l'échange[120]. Selon eux, toute transaction commerciale enrichit d'une certaine manière les deux parties, sinon elle ne s'effectuerait pas. Partant d'une conception individuelle de l'échange, les adeptes du laisser aller s'efforcent de nier toute validité au concept de balance commerciale[121].

Les deux parties en présence ont aussi des conceptions diamétralement opposées de l'Etat et de son rôle dans l'économie. L'élite marchande développe une théorie libérale de l'Etat qui est compris comme la somme des individus qui le composent[122]. Partant du présupposé que l'individu est le mieux à même de mener ses affaires de manière rentable, de juger ce qui lui est avantageux et désavantageux, l'Etat, s'il veut prospérer, ne doit pas intervenir dans la marche de l'économie[123]. «Laisser faire, laisser passer», l'action étatique doit se limiter à faire respecter cette maxime libérale. Dans cette perspective, la Confédération doit œuvrer à la disparition de toute entrave politique mise à la liberté du commerce et de l'industrie.

Selon les marchands-banquiers, une politique de libre-échange est au service de l'intérêt général du pays, car elle profite à la majorité de la population constituée par les consommateurs. Des mesures douanières destinées à soutenir la rente foncière ne profiteraient qu'à une minorité de propriétaires terriens. Socialement injuste, une politique de réciprocité imposerait un transfert de richesse des plus pauvres vers les plus riches en renchérissant la consommation[124]. Par ce raisonnement, l'aristocratie terrienne est discréditée comme une classe parasitaire qui paie peu d'impôts et voudrait de surcroît bénéficier de «privilèges douaniers»:

> *[...] aber eben weil «keine ständigen Grundauflagen bestehen», und die Grundsteuern in der Schweiz in der Regel so sehr klein sind, so verschwindet auch für die*

119 Lullin-de Chateauvieux, 1822, p. 8.
120 Ueber das Retorsionsconcordat, 1823, pp. 7-14.
121 Prevost, 1822, p. 5.
122 Nachträgliche Bemerkungen..., 1823, p. 6.
123 *Ibidem*, p. 45.
124 Ueber das Retorsionskonkordat..., 1823, pp. 14-24.

> *Grundeigenthümer das letzte Recht auf irgend ein Privilegium gegen die Abnehmer [...]*[125]

L'aristocratie terrienne développe au contraire une conception de l'Etat qui légitime une intervention économique, entre autres dans le domaine douanier. Favorisée par le «laisser faire, laisser passer», l'importation n'avantage pas l'ensemble de la population, mais bien une minorité de marchands[126]. A l'inverse, une politique de réciprocité favoriserait les intérêts de l'immense majorité de la population[127]. L'Etat se doit de défendre la majorité des citoyens contre l'égoïsme d'une minorité de marchands, qui favorisent les forces productives de l'étranger plutôt que celles de leur pays. Il doit pratiquer une politique économique dont la priorité est l'emploi et intervenir au moyen de mesures douanières afin de protéger le travail productif[128].

Dans le domaine du droit constitutionnel, les cantons commerçants sont à l'offensive. Ils reprochent à Berne, Vaud, Fribourg, Argovie et Soleure d'avoir appliqué des mesures cantonales de rétorsion sans l'approbation de la Diète. Cette attitude contrevient à l'article XI du pacte fédéral qui attribue un droit de veto à la Diète sur les nouvelles taxations douanières cantonales[129]. Sur la défensive, les cantons agricoles affirment la légalité de ces mesures en vertu de la souveraineté cantonale en matière de législation douanière. Après la mise en vigueur du Concordat de rétorsion contre la France, l'opposition libre-échangiste ne cessera de fustiger des mesures douanières qui restreignent la liberté du transit sur le territoire de la Confédération, en les déclarant incompatibles avec le pacte fédéral.

Finalement, les deux camps s'affrontent en développant une argumentation patriotique. Les représentants des cantons agricoles attaquent l'égoïsme des opposants à une politique douanière fédérale et font appel à leur sentiment national. Ils les engagent à faire preuve d'un peu de solidarité à l'égard de Confédérés victimes d'une grave crise économique. Le discours de la délégation vaudoise à la Diète tente ainsi de faire vibrer la fibre patriotique de ses adversaires:

> *La solution de cette grande affaire mettra en évidence si la Suisse est réellement un peuple, un corps politique, ou si exagérant les maximes fédéralistes, les Cantons s'envisagent comme des Etats isolés, dont chacun soigne son économie particulière, sans égard à la nécessité ou à la convenance de l'autre. Plein de confiance dans les sentiments de patriotisme et d'honneur de ses Co-états, dans leur affection fédérale et dans*

125 Nachträgliche Bemerkungen..., 1823, p. 33.
126 Das Retorsionsconcordat aus..., 1823, p. 8.
127 De Loys de Chandieu, 1822, p. 151; Erster Nachtrag..., 1823, p. 39.
128 Erster Nachtrag..., 1823, p. 44.
129 AdT, 1822, Beilage N, p. 4 (Lucerne et Schwyz); p. 5 (Bâle); p. 9 (Genève); p. 10 (Zurich); cf. également l'analyse de Litschi sur l'aspect constitutionnel du Concordat de rétorsion; Litschi, 1892, pp. 17-19.

> *leur sagesse, le Gouvernement de Vaud n'admet pas la pensée qu'une cause nationale aussi importante, puisse être rabaissée au rang d'un simple intérêt cantonal*[130].

Les délégués des cantons commerçants refusent toutefois de recevoir des leçons de patriotisme. Ils renvoient la balle dans le camp des cantons concordataires: ce sont eux qui, en proposant l'application de mesures douanières inacceptables pour certains cantons, divisent la Confédération suisse en deux camps hostiles, faisant ainsi preuve d'un manque d'esprit patriotique[131].

1.3.2. Mise en place et échec du Concordat de rétorsion contre la France (1822-1824)

Les 8 et 9 juillet 1822, la Diète débat pour la première fois d'une éventuelle politique douanière interventionniste de la Confédération[132]. A l'issue des prises de position des différentes délégations cantonales, il est décidé de nommer une commission[133]. Durant ses délibérations, les Etats du Wurtemberg et du Bade adressent chacun une note diplomatique aux autorités fédérales (10 et 12 juillet 1822). Ils posent un véritable ultimatum qui enjoint la Confédération de suivre le mouvement de rétorsion contre la France: soit la Suisse adhère au système de représailles adopté par les Etats de l'Allemagne du Sud, soit elle met sur pied un système semblable, soit tous les produits en provenance de Suisse seront aussi soumis aux mesures de rétorsion allemandes prises contre la France[134]. Le 16 juillet, une note de la diplomatie française exerce une «contre-pression». Elle évoque la possibilité de représailles si la Confédération met en place des mesures douanières contre la France; la note dénonce par ailleurs la prohibition d'importation du blé français décrétée par les cantons agricoles de Suisse occidentale[135].

Le 19 août, la commission présente deux rapports à la Diète. La majorité défend la nécessité d'abandonner le libre-échange au profit d'une politique de réciprocité applicable aux pays entravant les échanges commerciaux avec la Suisse. Elle propose un projet d'arrêté fédéral contenant une interdiction d'importer du blé, un tarif douanier incluant une vingtaine d'articles et des dispo-

130 AdT, 1822, Beilage S, p. 11.

131 Nachträgliche Bemerkungen..., 1823, pp. 60-61; le canton de Zurich rappelle notamment à Berne les conséquences de son manque de solidarité lors du renouvellement des capitulations militaires avec la France; AdT, 1822, Beilage N, p. 10.

132 AdT, 1822, Beilage N.

133 Celle-ci est composée de von Muralt (BE), Herzog (AG), Müller-Friedberg (SG), Tschudy (GL), Amrhyn (LU), Hirzel (ZH) et Braun (Bâle); il faut remarquer l'absence totale de représentants de la Suisse latine, qui est difficilement explicable; AdT, 1822, Beilage N, p. 12.

134 AdT, 1822, Beilage W et V.

135 *Ibidem*, Beilage O.

sitions d'application[136]. La France n'étant pas citée nommément, les mesures douanières sont susceptibles d'être appliquées à tous les pays défavorisant le commerce suisse. La minorité de la commission, composée du seul représentant bâlois, s'oppose à toute politique douanière interventionniste en vantant les vertus du statu quo[137]. Du 20 au 22 août 1822, la Diète reprend les débats sur la base des deux rapports contradictoires[138]. Plusieurs cantons refusent l'interdiction d'importer du blé et lui préfèrent une taxe aussi modérée que possible (SZ, GR, TG). D'autres cantons, qui entretiennent des relations commerciales étroites avec l'Autriche et ses possessions italiennes, exigent que les mesures soient dirigées explicitement contre la France (GR, TI, VS). Devant cette double opposition, le projet est renvoyé à la commission.

La seconde mouture tient compte des deux principales critiques émises, dans l'espoir d'arriver à un consensus le plus large possible. Du 26 au 28 août 1822, la Diète reprend ses travaux[139]. Le projet de la commission, qui revêtait la forme d'un arrêté fédéral contraignant, est alors transformé en concordat intercantonal de rétorsion: les mesures douanières votées ne devront être appliquées que par les cantons signataires. Pour contenter les cantons opposés à une centralisation douanière, l'application de la politique fédérale se fera dans le cadre du système fédéraliste en place. Les retouches centralisatrices devant permettre un contrôle minimal de l'application sont réduites au point d'hypothéquer l'efficacité des mesures[140]. Au vu de cette évolution, il n'est pas déplacé d'envisager que, du point de vue de certains marchands-entrepreneurs de Suisse orientale, le concordat ait pour unique fonction de jeter un peu de poudre aux yeux des Etats allemands, cela afin d'éviter qu'ils mettent leur menace de blocus à exécution.

Le tarif douanier du Concordat de rétorsion (annexe 9), base de la politique douanière intercantonale, est un consensus entre les intérêts divergents des deux blocs de cantons favorables à une intervention de la Confédération. Les demandes de réciprocité de l'aristocratie terrienne trouvent un écho dans la protection de la culture du blé, des oléagineux et du tabac, de la viticulture, de l'arboriculture (cidre, eaux-de-vie), de la fabrication de

136 *Ibidem*, Beilage P.
137 *Ibidem*, Beilage Q.
138 *Ibidem*, Beilage S.
139 *Ibidem*, Beilage T.
140 On renonce à un commissaire fédéral des douanes nommé par le Vorort, qui aurait supervisé l'application du Concordat de rétorsion: il n'y a donc plus d'instance de contrôle indépendante; on renonce aussi à uniformiser les mesures répressives en cas d'infraction aux dispositions contenues dans le concordat; celles-ci sont abandonnées à la juridiction cantonale, ce qui peut déboucher sur un laxisme des cantons opposés à la taxation de certains produits; enfin, le prélèvement des taxes sur le blé et le vin est abandonné aux cantons; seules les autres marchandises sont taxées à la frontière, le revenu étant redistribué aux cantons selon l'échelle des contingents d'argent.

fromage et de l'élevage de porcs. Berne doit cependant renoncer à une interdiction d'importer le blé français. Une protection est aussi accordée à certaines productions dont les matières premières sont des produits agricoles – industries du cuir, des chapeaux et du tabac. La politique de rétorsion prônée par les marchands-entrepreneurs de Suisse orientale est satisfaite par la taxation des principaux produits français d'exportation: soieries, eaux-de-vie, vins de luxe, liqueurs, esprit-de-vin. L'industrie de ces régions bénéficie aussi d'une protection visant l'exportation française de tissus en coton et en lin. Comparées au premier tarif fédéral de 1849/1851, la plupart des taxes mises en vigueur sont très élevées. Elles doivent ainsi être considérées comme de véritables taxes de rétorsion destinées à freiner ou à prohiber l'importation de produits français[141].

Aiguillonnés par la crise économique, pressés par l'ultimatum commercial allemand, une majorité de cantons suisses décident donc d'abandonner la politique de «laisser faire, laisser passer» poursuivie jusqu'alors par la Confédération. Malgré l'opposition des cantons commerçants, une politique interventionniste, dont le contenu est un alliage de réciprocité et de rétorsion, est définie dans un Concordat de rétorsion contre la France. Mais l'apparent succès du canton de Berne est en fait une «victoire à la Pyrrhus». Il a été obtenu au prix de larges concessions sur le contenu de la nouvelle politique douanière (suppression de l'interdiction d'importer le blé français, limitation de l'application des mesures de rétorsion à la France) et sur sa forme (le concordat a été préféré à l'arrêté fédéral contraignant). En l'absence d'un pouvoir central habilité à diriger et à surveiller l'application du concordat, son histoire équivaut à la chronique d'une mort annoncée[142].

Voté dans sa version finale, le 28 août 1822, le concordat entre alors dans une phase de délibérations cantonales. Elles durent jusqu'au 1er novembre 1822, date à laquelle les mesures douanières fédérales doivent entrer en vigueur. L'avenir du concordat se joue en grande partie les 8 et 9 octobre 1822, lorsqu'il est débattu de manière acharnée au Grand Conseil zurichois. Quinze heures durant, trente-trois orateurs défendent ou dénoncent la nouvelle politique douanière. Finalement, par 132 voix contre 42, le

141 Les taxes figurent à l'annexe 9; le rapport des taxes à la valeur des produits n'a pas pu être calculé, faute de prix de gros fiables; à l'exception des marchandises suivantes, dont les prix (moyenne 1820/1822) sont tirés in SHS, 1996, p. 482: blé (épeautre) 46%, vin en tonneaux 5%, fromage 15%, porc de 100 kg 12%; calculés à partir des prix indicatifs de la statistique française fixés en 1826, les pourcentages suivants sont à prendre comme des ordres de grandeur; blé (37%), farine de seigle (61%), vin en tonneaux (7,5%), vin en bouteilles (58%), cidre en tonneaux (10%), liqueurs en bouteille (29%), porcs (19%), huile d'olive (10%), tissus de coton écrus (8%), toiles de lin 8-12 fils (17%); le pourcentage de protection accordé au blé est corroboré par un calcul effectué à partir du prix sur la place de Berne en 1822 (35%); Scheven, 1921, note 3 p. 72.

142 Rupli, 1949, pp. 61-62.

Carte 2. Cantons participant au Concordat de rétorsion contre la France en 1822

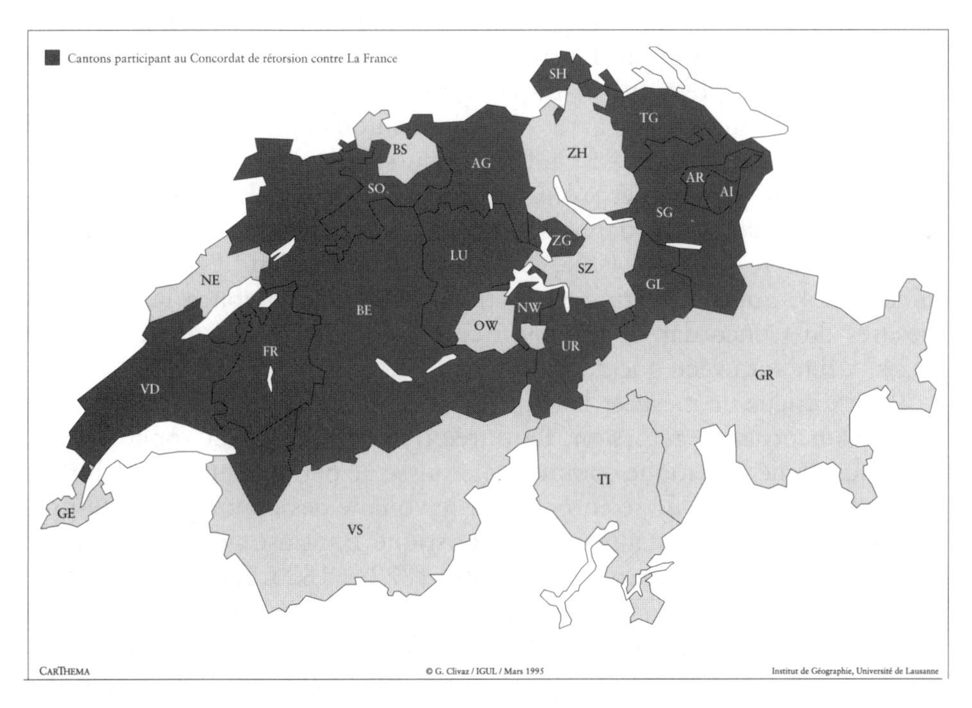

canton de Zurich décide de ne pas l'appliquer[143]. Le 1er novembre 1822, treize cantons et un demi-canton mettent en vigueur les mesures de rétorsion contre la France: Berne, Soleure, Vaud, Fribourg, Argovie (cantons agricoles de Suisse occidentale), St-Gall, Appenzell, Glaris, Thurgovie, Schaffhouse (cantons industriels de Suisse orientale), Zoug, Lucerne, Uri et Nidwald. Par contre, huit cantons et un demi-canton refusent de participer au concordat: Bâle, Genève, Neuchâtel (cantons commerçants de Suisse occidentale), Zurich, Valais, Grisons, Tessin, Schwyz et Obwald. Parmi eux, Genève et Bâle sont les fers de lance de l'opposition. Les 1er février et 15 mars 1823, ils adressent chacun une circulaire de protestation à la Diète dénonçant les entraves à la liberté du commerce induites par le concordat[144].

Suite à ce mouvement de protestation, une nouvelle commission est mise sur pied par la Diète[145]. Nommée le 18 juillet 1823, elle est mandatée pour examiner les modalités d'un rapprochement des deux camps. Son rapport, daté du 2 août 1823, conclut toutefois à l'impossibilité d'un consensus entre

143 *NZZ*, Nr. 122, 12. Oktober 1822.

144 Le mémoire de Bâle est imprimé in AdT, 1823, Beilage R.

145 On y trouve certains membres de la commission de 1822: von Muralt (BE), Tschudy (GL), Hirzel (ZH) et Braun (Bâle); et quelques nouveaux: Zollikofer (SG), von Schaller (LU) et Muret (VD).

les parties[146]. Cet échec est imputable à l'intransigeance de Bâle qui refuse toute participation à la politique douanière fédérale, quel qu'en soit le contenu. A partir de l'automne 1823, le Concordat de rétorsion entre dans sa phase de désintégration. Les retraits des cantons de Lucerne et Uri, qui auraient subi des pressions politiques de la France, lui portent un premier coup[147]. Les 17 mars et 10 avril 1824, les cantons de Genève et de Bâle se plaignent à nouveau auprès de la Diète, poursuivant leur travail de sape. Le 10 juillet 1824, Fribourg et Soleure annoncent leur retrait lors d'une conférence des cantons concordataires, sonnant ainsi le glas de la nouvelle politique douanière fédérale. Isolé, le canton de Berne jette l'éponge. Le 27 juillet 1824, une déclaration prononcée à la Diète annonce la levée des mesures du Concordat de rétorsion contre la France pour le 1er octobre 1824[148]. Il n'aura vécu que 23 mois!

Il est difficile de mesurer l'efficacité de la politique douanière instaurée par le Concordat de rétorsion. La durée très limitée de son application et l'absence d'une statistique commerciale suisse ne permettent pas de chiffrer l'effet de la politique de réciprocité sur le volume des importations en provenance de France. Par ailleurs, la statistique française ne fournit pas de données pertinentes pour la période entre 1822 et 1825. En ce qui concerne les mesures de rétorsion, elles ont apparemment atteint un de leurs buts, en évitant la fermeture du marché allemand. Vu le peu de cohésion politique des Etats de l'Allemagne du Sud, il n'est cependant pas certain que des mesures de représailles auraient été décrétées contre la Suisse si le concordat n'avait jamais vu le jour.

De leur côté, les partisans du système fédéraliste libre-échangiste ont souligné l'inefficacité d'une politique de rétorsion vis-à-vis de la France. Le grand voisin n'a certes pas engagé une guerre douanière, mais il n'a pas non plus assoupli sa politique protectionniste. Cette interprétation, qui prévaut dans l'historiographie suisse, juge ainsi la nouvelle politique douanière en fonction d'un objectif qui était secondaire aux yeux de ses promoteurs. A l'avenir, les marchands-banquiers de Suisse occidentale vont instrumentaliser cet échec pour discréditer toute tentative d'instaurer une politique commerciale fédérale. Dans l'optique d'une centralisation du système douanier suisse, l'épisode du Concordat de rétorsion contre la France doit par conséquent être interprété de la manière suivante: un pas en avant, dans la mesure où une majorité de cantons se sont ralliés à une politique douanière fédérale;

146 AdT, 1823, Beilage P.

147 Rupli, 1949, p. 58 note 99 p. 122; Scheven, 1921, p. 84.

148 AdT, 1824, pp. 446-448; il est intéressant de remarquer que certains cantons poursuivent une politique protectionniste; c'est le cas du canton de Vaud qui, par une loi votée en 1825, perpétue la politique engagée par le Concordat de rétorsion contre la France.

trois pas en arrière, puisque cette politique débouche sur un échec qui sera utilisé pour dénigrer les futures tentatives d'unification douanière.

1.3.3. Conséquences du choix libre-échangiste sur le développement de l'économie suisse: cap sur les marchés d'outre-mer

Confrontés à la montée du protectionnisme en Europe, les élites agricoles de plaine et les marchands-entrepreneurs n'ont donc pas réussi à imposer durablement une adaptation de la politique douanière suisse. En instrumentalisant la faiblesse politique de l'Etat central issu du pacte de 1815, l'élite marchande de Bâle, Genève, Neuchâtel et Zurich parvient, avec le soutien d'une partie de l'aristocratie terrienne de montagne, à maintenir une politique de libre-échange reposant sur un système douanier fédéraliste. Cette option douanière ne signifie cependant pas que les élites économiques suisses renoncent à une industrialisation. Bien au contraire, le libre-échange fait partie intégrante d'une alternative commerciale consistant à se spécialiser dans la production d'articles à haute valeur ajoutée destinés à être exportés outre-mer. La faiblesse de la charge fiscale imposée à la consommation devient un des atouts concurrentiels permettant à l'industrie suisse de relever ce défi.

Rapidement, la stratégie douanière libre-échangiste emporte l'adhésion des marchands-entrepreneurs de Suisse orientale[149]. Dès juillet 1823, la menace de la conférence de Darmstadt est levée. Temporairement, il n'y aura pas d'union douanière capable de fermer le marché allemand aux produits suisses. La nécessité de mener une politique douanière fédérale de rétorsion perd ainsi de son acuité. Par ailleurs, les premiers négociants saint-gallois et appenzellois qui se lancent à la conquête des marchés d'outre-mer, rencontrent de rapides succès avec leurs mousselines, broderies et autres tissus en couleur[150]. Dès 1815, les premières liaisons avec le Levant, l'Egypte et l'Afrique du Nord sont établies depuis Trieste. La disette consécutive aux mauvaises récoltes des années 1816/17 permet de lier des relations commerciales avec différentes régions de Russie; fournissant l'Europe centrale en blé, elles acquièrent un pouvoir d'achat intéressant pour l'industrie suisse. L'extension de la commercialisation à l'est passe par la Perse et se poursuit jusqu'aux portes de la Chine. A partir de 1819, New York acquiert un rôle de plaque tournante, d'où les manufacturés saint-gallois sont expédiés vers

149 Wartmann prétend que certains grands marchands-entrepreneurs de St-Gall se seraient déjà opposés à la décision des autorités politiques cantonales de participer au Concordat de rétorsion contre la France; cf. Rupli, 1949, note 64 p. 219.

150 Wartmann, 1875, pp. 418-429; Veyrassat, 1994, pp. 81-97; Leuenberger, 1966, pp. 7 et ss; Fischer, 1990, pp. 193-197; Heussler, 1971, pp. 64-65.

les marchés des deux Amériques. Le Nouveau Monde devient vite un débouché majeur que l'industrie cotonnière de Suisse orientale agrippe comme une bouée de sauvetage.

En 1810 encore, les marchands de Suisse orientale ne pouvaient imaginer leur survie économique sans le commerce réalisé avec la France:

> *Noch sind es keine 20 Jahre, das St. Gallen glaubte, ohne Handel mit Frankreich nicht bestehen zu können, während es nun seine eigenen bedeutenden Etablissements in fernsten Gegenden hat [...]*[151]

En 1825, déjà, un grand exportateur appenzellois, du nom de Johann Kaspar Zellweger[152], développe une tout autre perception du futur commercial de la région:

> *Depuis l'année 1820, où nous évoquions ici même l'Amérique comme une nouvelle issue pour nos manufacturés, de nombreux essais furent entrepris dans ces régions et voilà que les échanges directs avec les incommensurables territoires d'Amérique du Nord et du Sud sont déjà si importants, que nous ressentons à peine la diminution du commerce en Europe; tous les bras de ce pays-ci sont occupés*[153].

Au milieu des années 1820, les succès commerciaux rencontrés outre-mer sont déjà si probants que Zellweger considère la fermeture des marchés voisins comme une bénédiction. Elle a permis au commerce appenzellois de s'émanciper de la tutelle française pour s'implanter partout dans le monde[154].

A partir de 1820, les marchés extra-européens prennent ainsi toujours plus d'importance pour l'exportation suisse. Entre les secousses conjoncturelles de 1825/26 et 1831/32, on assiste à un véritable «take off» du commerce helvétique vers les deux Amériques. Ce brusque développement est favorisé par un assouplissement de la politique de transit de la France (1831/32) ainsi que par une diminution de la taxation douanière des Etats-Unis (1831/32)[155]. De 1832 à 1846, le volume du transit suisse en France (de et vers la Suisse) est multiplié par cinq[156]. En 1840, un des meilleurs connaisseurs du commerce suisse déclare:

151 Extrait des *St.Gallischer Jahrbücher* de 1830; cité in Fischer, 1990, p. 194.

152 *Johann Kaspar Zellweger* (1768-1855) (AR), propriétaire avec son père d'une des plus grandes maisons de commerce de Suisse avec succursales à Lyon, Gênes, etc., fondateur de l'école cantonale et de la caisse d'épargne de Trogen, président de la SGG et cofondateur de la section appenzelloise.

153 *Verhandlungen der schweizerischen gemeinnützigen Gesellschaft*, Bericht 1825, Zürich, 1826, pp. 273-274; la traduction est tirée in Veyrassat, 1994, p. 88.

154 *Verhandlungen der schweizerischen gemeinnützigen Gesellschaft*, Bericht 1825, Zürich, 1826, p. 276.

155 Veyrassat, 1994, pp. 89-97.

156 *Ibidem*, pp. 97-106.

> *Le commerce helvétique en raison des régimes douaniers encerclant la Suisse, est devenu récemment presque exclusivement un commerce d'outre-mer. Les Etats américains et le Levant sont présentement les principaux débouchés des manufacturés suisses*[157].

Les dires de ce contemporain sont corroborés par une estimation récente de la géographie du commerce extérieur suisse vers 1845: 36% de l'exportation (en valeur) sont alors dirigés vers l'Europe et 64% vers l'outre-mer (44-48% Amériques, 12-16% Levant, 4% Extrême-Orient)[158]. Pour réussir à écouler plus de la moitié de ses exportations en dehors des marchés européens, le commerce suisse tisse une véritable toile d'araignée autour du globe. Ces multiples relations d'affaires seront un formidable atout pour le développement futur de l'économie suisse[159].

Le triomphe d'une politique libre-échangiste a donc contribué à empêcher le commerce et l'industrie suisses de se recroqueviller sur leur marché intérieur en réaction à la montée du protectionnisme en Europe. Plutôt que de développer des productions qui auraient pu trouver acquéreur en Suisse, à la condition de bénéficier d'une protection douanière (lin, laine, cuir, etc.), l'industrie a dû se mettre au service du commerce d'exportation en se spécialisant dans la production de fabriqués de qualité à haute valeur ajoutée (rubans et étoffes de soie, horlogerie, mousselines, broderies, mouchoirs imprimés, etc.).

La politique douanière libre-échangiste a eu une deuxième conséquence heureuse pour le développement économique de la Suisse. Elle a aidé la Révolution industrielle, qui a démarré en Suisse à l'abri du Blocus conti-

157 Ces déclarations d'Auguste von Gonzenbach sont traduites et citées in Veyrassat, 1990, p. 297; *August von Gonzenbach-Schönauer* (1808-1887) (SG), fils de Karl-August von Gonzenbach – très grand négociant saint-gallois en broderies –, frère d'Emil von Gonzenbach – cf. note 271, chapitre 3 –, procureur général à St-Gall, second député à la Diète, vice-secrétaire d'Etat (1833) puis secrétaire d'Etat de la Confédération, domicilié dans le canton de Berne à la suite du refus de sa réélection par la majorité libérale-radicale (1847), se retire sur son domaine de Muri (1853), CA de la «Papierfabrik Biberist» (1862-1887), du «Jura-Bern-Luzern-Bahn» (1871-1884), directeur de la «Berner Handelsbank» (1864-1887), Cn bernois de tendance conservatrice (1854-1875), liens politiques avec les conservateurs catholiques et protestants, dont J. J. Burckardt, J. C. Bluntschli et Ph. A. von Segesser.

158 Veyrassat, 1990, p. 312.

159 Les différentes étapes de cette construction peuvent en partie se lire dans le développement du système consulaire suisse; en 1819, le premier consulat outre-mer est ouvert à Rio de Janeiro, suivi, en 1822, par celui de New York; en 1827, un consulat est ouvert à Mexico, en 1828 à Pernambouc, en 1829 à la Nouvelle-Orléans, en 1833 à Bahia et en 1834 à Buenos Aires; en partie seulement, car dans certains pays les Suisses préfèrent confier la représentation de leurs intérêts à une grande puissance; cf. Veyrassat, 1994, pp. 93-95; Witschi, 1986; NHS, 1982-83, pp. 518-519.

Tableau 4. Coûts de production d'une filature mécanique vers 1835 en comparaison internationale (en frs)[160]

	Mulhouse (Koechlin)	Manchester (Houldsworth)	Zurich (Escher Wyss)
Salaires	0,31	0,52	0,30
Force motrice, lumière, chauffage	0,11	0,03	0,03
Intérêts	0,17	0,11	0,15
Frais divers, réparations	0,13	0,10	0,15
Total	**0,72**	**0,76**	**0,63**

nental, à ne pas être étouffée dans l'œuf une fois la concurrence anglaise revenue sur le continent. Si la filature mécanique suisse trouve sa compétitivité grâce à de multiples facteurs – énergie hydraulique bon marché, faible fiscalité[161], etc. –, le maintien des salaires à un niveau inférieur à celui de la concurrence anglaise est sans conteste à la base de son succès. Dès le milieu des années 1830, la filature helvétique parvient même à exporter une petite partie de sa production vers l'Allemagne[162]. L'entreprise Escher Wyss de Zurich produit alors 17% moins cher que Houldsworth à Manchester.

Un fileur suisse reçoit un salaire brut de 12 frs/semaine, tandis que son collègue anglais touche 38 frs: son travail est donc 68% meilleur marché[163]. En raison du retard technologique pris dans l'équipement de l'entreprise, la productivité du travail est certes plus faible à Zurich. Il n'en demeure pas moins que le coût du travail pour la production d'un demi kg de fil y est 42% meilleur marché qu'à Manchester. Cette différence permet de compenser des coûts de capital et des frais divers supérieurs tout en demeurant 17% en dessous des coûts de production anglais.

Plusieurs raisons permettent au patronat suisse de verser des salaires aussi bas. La plus importante est un marché du travail très fluide, où de nombreux fileurs à la main désœuvrés sont prêts à travailler pour des salaires de misère. Les industriels helvétiques peuvent profiter pleinement de

160 Dudzik, 1987, note 8 p. 425; les coûts de production sont calculés pour ½ kg de filés nos 35-41.

161 Dans les années 1840, un Zurichois payerait 2,35 frs d'impôts directs et indirects par année, soit 14 fois moins qu'un Anglais et 6 fois moins qu'un Français; cf. Fueter, 1928, p. 20.

162 Menzel, 1979, p. 46.

163 Dudzik, 1987, note 7 p. 425; dans ces chiffres hebdomadaires, il n'est pas tenu compte d'éventuelles différences de la durée du travail qui augmenteraient l'écart entre les salaires suisses et anglais, l'ouvrier suisse travaillant plus longtemps que l'ouvrier anglais; sur la question des salaires payés dans la filature mécanique, cf. également Menzel, 1979, pp. 129-130/147.

cette situation, puisque contrairement à leurs concurrents anglais, ils ne doivent pas encore faire face à un mouvement ouvrier organisé qui revendique de meilleures conditions salariales. Le coût de la vie, qui est bien inférieur en Suisse, est un autre élément d'explication décisif. Même si le niveau de vie de l'ouvrier anglais est peut-être supérieur à cette époque, la différence entre les salaires réels des deux pays est dans tous les cas inférieure à 68%.

Or, deux principaux facteurs déterminent la modestie des dépenses de l'ouvrier suisse[164]. Le premier est la «ruralité» de la filature mécanique en Suisse. Si les entreprises anglaises se concentrent dans les villes proches des mines de charbon, les fabriques suisses sont dispersées à la campagne, le long des cours d'eau. Elles en tirent de l'énergie hydraulique à peu de frais. Cette décentralisation de la production à la campagne permet aux ouvriers de se ravitailler à meilleur compte qu'ils ne pourraient le faire en ville, notamment grâce à la suppression du profit des intermédiaires et des coûts de transport. De surcroît, la plupart des ouvriers possèdent encore du bétail ou un lopin de terre, dont ils tirent une partie de leur alimentation.

Le deuxième facteur, sans doute le plus important, est l'absence d'un protectionnisme agricole en Suisse. Alors que la «Gentry» anglaise réussit, dès 1815, à imposer des mesures douanières soutenant le prix de ses productions, l'aristocratie terrienne helvétique n'obtient pas cette faveur de l'Etat central. Les céréales consommées dans les régions industrielles suisses sont par conséquent achetées bon marché dans les greniers à blé européens, notamment en Allemagne du Sud. La concurrence anglaise doit par contre composer avec une importante charge fiscale qui grève la consommation de ses ouvriers. Si la Révolution industrielle n'a pu démarrer en Suisse que grâce à la protection que lui a accordée le Blocus continental, il est probable que la politique de libre-échange adoptée par la Confédération, suite à l'échec du Concordat de rétorsion, a contribué de manière importante à son épanouissement[165].

Les conséquences du choix libre-échangiste sur l'évolution du secteur agricole sont plus difficiles à analyser. Comme nous ne disposons pas de chiffres sur lesquels appuyer notre analyse, nous ne pouvons qu'avancer quelques hypothèses. L'échec du Concordat de rétorsion a probablement favorisé un

164 Les contemporains sont déjà tout à fait conscients de ces deux facteurs permettant à l'ouvrier suisse de subsister malgré des salaires nominaux bas; Bericht über einige Industrieverhältnisse..., 1833, p. 24; *Actes de la Société suisse d'utilité publique*, rapport 1835, Genève, 1836, p. 313.

165 Cette thèse est défendue par Menzel: «*Daraus liesse sich der Schluss ziehen, dass die unterschiedliche Handelspolitik beider Länder im Bereich der Landwirtschaft ein wichtiger Faktor der schweizer Konkurrenzfähigkeit war*», Menzel, 1979, pp. 130-131.

mouvement de modernisation du secteur primaire, qui n'en est pas moins demeuré très lent durant la première partie du XIXe siècle. Privée de l'oreiller de paresse offert par une protection douanière, l'agriculture est obligée d'améliorer sa productivité: suppression de l'assolement triennal, stabulation permanente du bétail permettant une meilleure fumure des terres, utilisation d'un outillage plus performant[166]. La tendance à une diminution de la rente foncière accélère peut-être une évolution dans la répartition sociale du sol et de ses charges. La terre rapportant moins, les propriétaires fonciers opposent une résistance moindre à l'accession de la paysannerie à la propriété. Ce mouvement s'effectue toutefois moyennant une forte parcellisation de la terre et un important endettement de la paysannerie suisse, traîné comme un boulet jusqu'à nos jours[167]. Enfin, le secteur agricole évolue dans ses choix de production. Contraints de renoncer à une partie de l'exportation des produits de leur élevage, les agriculteurs de plaine redonnent plus d'importance à la culture, en progression jusque vers le milieu du XIXe siècle. Cette tendance est accompagnée d'une diversification de la production; à côté des céréales, la pomme de terre, le colza et le tabac gagnent du terrain.

Les trois volets de l'évolution agricole suisse, réalisés lentement et de manière très différenciée selon les régions, n'ont pas été provoqués, mais seulement facilités par l'absence de protectionnisme agricole. Quoi qu'il en soit, ces adaptations n'ont pas, à elles seules, permis au secteur primaire de sortir de la violente crise agricole du début des années 1820. Dès la fin de cette décennie, le fort développement de la capacité de consommation du marché intérieur fait bénéficier l'agriculture suisse d'une longue phase de prospérité. La croissance démographique, l'industrialisation, l'urbanisation, l'amélioration du niveau de vie sont autant de facteurs qui stimulent la demande intérieure en produits agricoles. Longtemps protégés de la concurrence étrangère par des coûts de transport élevés (cf. tableau 1), les agriculteurs suisses peuvent profiter pleinement de cette évolution. La situation ne se dégrade qu'à partir des années 1870, avec l'arrimage de la Suisse au système ferroviaire international. Il n'est dès lors pas étonnant qu'entre 1824 et 1880, la question du protectionnisme agricole n'est pratiquement plus discutée en Suisse[168].

Résultat de l'échec du Concordat de rétorsion contre la France, la politique de libre-échange de la Confédération suisse s'est ainsi révélée payante pour le développement de l'économie suisse: renforcement de l'implantation du commerce d'exportation helvétique outre-mer, développement du «leading sector» de la filature mécanique du coton et impulsion à une modernisation

166 Bergier, 1984, pp. 93-98.
167 *Ibidem*, pp. 98-99.
168 Kupper, 1929, pp. 7-11.

de l'agriculture en sont les principales conséquences positives. Il faut cependant nuancer le propos en mentionnant le coût social de l'option libre-échangiste.

La nécessité de produire à très bas prix pour écouler des produits concurrentiels sur les marchés d'outre-mer a maintenu la grande majorité de la population – travailleurs à domicile, ouvriers des filatures, petits paysans endettés – dans une situation économique plus que précaire, cela jusqu'au milieu du siècle au moins[169]. Elle a également légitimé les pires abus dans l'utilisation d'une main-d'œuvre constituée d'hommes et de femmes, mais aussi d'enfants[170]. Par ailleurs, le «laisser faire, laisser passer» a sans doute contribué à ce que la Suisse du XIXe siècle soit un pays d'émigration. Même si les causes profondes du phénomène migratoire sont à chercher ailleurs – poussée démographique, sol cultivable restreint, crises économiques structurelles et conjoncturelles –, le fait de livrer les secteurs productifs suisses à une concurrence étrangère intégrale a participé à la fragilisation du tissu industriel et agricole. En période de crise, les petites et moyennes entreprises génératrices d'emplois ont particulièrement souffert de l'absence d'une protection douanière. La politique libre-échangiste de la Confédération a donc surtout profité aux élites marchandes spécialisées dans les échanges extérieurs ainsi qu'aux grands industriels.

169 Gruner, 1973.
170 Entre 1815 et 1840, la journée de travail est de 14 à 15 heures; Menzel, 1979, p. 125.

2. La longue marche vers l'unification douanière (1830-1848)

Le système douanier fédéraliste de 1815, qui sort renforcé de l'épreuve du Concordat de rétorsion contre la France, comporte une série de déficiences structurelles qui entravent le développement de la place économique suisse. L'incapacité de la Confédération à mener une politique commerciale interventionniste, les entraves mises au commerce intérieur par les taxations cantonales ainsi que le renchérissement des coûts de transport par une taxation du trafic anarchique sont autant de problèmes engendrés par l'organisation décentralisée des douanes. De surcroît, la construction d'un réseau ferroviaire en Suisse n'est pas envisageable sans l'unification douanière de l'espace qui doit être investi par le nouveau mode de transport. En fonction de leurs caractéristiques, les différents «mondes de production» s'accommodent plus ou moins bien de ces inconvénients. Certaines branches d'activité, dont la compétitivité n'est que peu péjorée, sont partisanes du statu quo, alors que d'autres, plus touchées, prônent une centralisation du système douanier à même de résoudre les dysfonctionnements évoqués.

Certes, les motivations économiques en faveur d'une unification douanière sont d'importance, mais les freins à sa réalisation sont puissants. Cette opération, qui implique un bouleversement des conditions-cadre de production, met en jeu des intérêts d'une ampleur et d'une complexité telles, que la réalisation d'un consensus entre toutes les élites économiques relève de la mission impossible. Ainsi, le déplacement de la taxation douanière aux frontières, qui provoque un transfert de la charge fiscale au détriment des régions frontalières, engendre des problèmes quasi insolubles. Une centralisation douanière se heurte aussi à de fortes résistances fédéralistes. Comme nous l'avons déjà constaté, certaines élites économiques ont la ferme volonté de maintenir l'intégralité de leur souveraineté cantonale en matière de fiscalité.

Au cours des années 1830 à 1848, la pression concurrentielle extérieure ne fait que s'accentuer. Plusieurs mesures commerciales entravant l'exportation suisse sont prises par des Etats étrangers. La construction de chemins de fer en Europe accentue le différentiel des coûts de transport supporté par les exportateurs suisses; elle entame aussi la protection dont bénéficient les producteurs suisses sur le marché intérieur. En lien étroit avec l'exacerbation de la compétition internationale, un débat douanier presque ininterrompu à la Diète marque les années 1830 et 1840. En situation de crise, plusieurs branches de production demandent tour à tour des mesures douanières fédérales. En fonction de leur situation économique du moment, les différentes élites constituent des constellations politiques à géométrie variable. Mais c'est toujours le statu quo qui l'emporte. Adapté à une société statique comme l'était celle de l'Ancien Régime, le système politique instauré en 1815 se révèle incapable de faire face aux besoins d'une société dynamique dont l'économie est en voie d'industrialisation. Le mouvement de mondialisation de l'économie, les progrès technologiques dans le domaine des transports, l'apparition de nouvelles formes de production et d'autres évolutions encore exigent de manière toujours plus pressante une adaptation des conditions-cadre de production.

L'inaptitude de la Confédération à répondre aux besoins d'encadrement de certaines élites économiques est sans conteste un facteur important de la radicalisation du débat politique entre cantons libéraux et cantons conservateurs. Cette impuissance se matérialise une première fois, en 1832, lors de la tentative avortée de révision du pacte fédéral. Du fait de la haute conjoncture qui caractérise les années 1830, l'échec n'est toutefois pas dramatisé. Mais avec la crise économique des années 1840, une frange toujours plus large du patronat industriel réclame la centralisation de compétences économiques pour permettre une intervention accrue de l'Etat central. Face à l'intransigeance de certains milieux conservateurs, qui refusent une adaptation du système en place, des élites libérales cherchent un appui auprès du radicalisme. Ce mouvement politique, qui plonge ses racines dans les classes moyennes politiquement assujetties de la campagne, prône un changement fondamental du système politique helvétique et notamment une forte centralisation des compétences au profit de la Confédération. Durant les années 1840, les contradictions économiques, mais aussi politiques et religieuses, s'exacerbent pour déboucher sur la guerre du «Sonderbund». Par la force des armes, libéraux et radicaux imposent la création d'un Etat fédéral aux conservateurs. Faisant suite à cette victoire du mouvement centralisateur, l'élaboration de la constitution de 1848 constitue un vaste «deal» politique entre les différentes élites économiques suisses. La formulation des articles douaniers constitue la clef de voûte d'une redéfinition complète des conditions-cadre de l'économie suisse.

2.1. Pressions économiques et freins fédéralistes à une unification douanière

Le maintien d'un système douanier fédéraliste, compris comme la garantie d'un statu quo libre-échangiste par l'élite marchande helvétique, n'est pas sans poser certains problèmes économiques. L'incapacité structurelle de la Confédération à mener une politique commerciale interventionniste est ressentie de manière toujours plus intense avec l'accentuation de la pression commerciale extérieure. La création du «Zollverein» allemand (1833-1835), la violente crise commerciale essuyée sur le marché américain, suite au gigantesque incendie de New York (1837), le traitement douanier différentiel des produits suisses en Belgique (1844) et les mesures prises par certains Etats allemands pour entraver l'exportation de blé en direction de la Suisse, en pleine période de disette (1847), sont autant d'événements qui révèlent le prix commercial du maintien d'un système douanier fédéraliste. N'ayant pas d'outil douanier propre, la Confédération est incapable de négocier des traités de commerce permettant de résoudre les problèmes douaniers qui péjorent la compétitivité des producteurs helvétiques. Certes, l'élite marchande, qui commerce essentiellement avec l'outre-mer, se soucie peu de cette impuissance. Mais les marchands de produits agricoles et les classes moyennes industrielles, qui exportent vers les marchés voisins, y sont plus sensibles. Avec la crise économique des années 1840, une politique commerciale interventionniste de la Confédération est aussi sollicitée par des grands industriels et des marchands-entrepreneurs.

En compartimentant l'espace économique helvétique, le système douanier fédéraliste pose également certains problèmes qui freinent le développement économique. Au début des années 1840, deux piliers de l'industrialisation suisse, l'industrie du coton mécanisée et l'industrie du fer, ressentent le besoin d'une unification douanière. A l'échelle helvétique, cette mesure est comparable à la récente mise en place du marché unique européen. En supprimant les barrières douanières intercantonales, elle serait susceptible de doper le commerce intérieur. En déplaçant la charge douanière aux frontières suisses, elle permettrait de procurer une protection modeste à ces deux industries très fortement capitalisées. L'opération apporterait ainsi une certaine sécurité à l'écoulement de la production, susceptible de favoriser les investissements nécessaires à la poursuite du développement de ces industries de pointe. En dehors des deux poids lourds économiques que sont les industries du coton et du fer, la constitution d'un marché national est appuyée par les classes moyennes agricoles et industrielles qui écoulent l'essentiel de leur production sur les marchés de proximité. Par contre, l'élite marchande exportatrice n'est que peu intéressée par la construction d'un marché intérieur unifié.

Le problème le plus sérieux posé par le système douanier fédéraliste touche le domaine des transports. Les barrières douanières cantonales ralentissent l'acheminement des marchandises par d'innombrables formalités et renchérissent les coûts de transport sur route. La charge fiscale imposée au trafic intérieur entrave non seulement le commerce de transit et le commerce intermédiaire mais aussi le commerce d'exportation – les coûts de production (acheminement des matières premières) et de commercialisation (expédition du fabriqué) sont renchéris. Cette situation aggrave encore le désavantage concurrentiel que représente la situation géographique continentale de la Suisse. Avec la construction accélérée d'un réseau ferroviaire européen, le différentiel des coûts de transport atteint des proportions décisives pour certains produits à faible valeur ajoutée. Or, l'établissement d'un réseau ferroviaire helvétique ne peut être envisagé sans une unification douanière qui donnerait les perspectives de profit nécessaires à la mobilisation de capitaux. Outre la stimulation du trafic intérieur de marchandises, la suppression des taxations cantonales permettrait en effet d'attirer une partie du transit international sur territoire suisse. La construction de chemins de fer étant comprise comme une condition sine qua non du développement futur de la place économique suisse, certaines élites marchandes deviennent des adeptes de la centralisation douanière.

Les freins fédéralistes demeurent toutefois efficaces. Jalouses de leur souveraineté fiscale, certaines élites économiques demeurent tout à fait opposées à une centralisation des compétences douanières dans les mains de la Confédération. En cas de dépassement des blocages de principe, le problème de l'indemnisation totale ou partielle des pertes fiscales encourues par les cantons constitue un enjeu politique d'une très grande complexité. Pour payer ces indemnités, le transfert de tout ou partie de la charge douanière aux frontières est en effet nécessaire. Nous verrons que ce déplacement géographique de la taxation engendre des problèmes quasi insolubles de transfert de la charge fiscale entre cantons.

2.1.1. Pressions extérieures à la conclusion de traités de commerce: «Zollverein», crise commerciale américaine et traitement douanier différentiel

Lorsqu'en 1833, l'Allemagne décide de protéger son marché intérieur au moyen d'une union douanière, communément appelée «Zollverein», la Confédération assiste impuissante aux adhésions successives de ses voisins du nord, le Wurtemberg (1833), la Bavière (1833) et le Duché de Bade (1835)[1]. Incapable de conclure les traités de commerce susceptibles de les retenir dans son orbite commerciale, la Confédération voit alors s'ériger une nouvelle barrière douanière à ses frontières[2]. Celle-ci remet en question l'osmose économique existant jusqu'alors entre les cantons industriels du nord-est de la Suisse et les Etats agricoles de l'Allemagne du Sud[3]. Après

1 Dietschi, 1930/1; Dietschi, 1930/2, pp. 287-384; Hauser, 1958/1, pp. 371-382; Hauser, 1958/2, pp. 487-489; Napolski, 1961, p. 25; Heussler, 1971, pp. 24-55.

2 Tableau in Dietschi, 1930/1, p. 153.

3 En 1840, le commerce général entre la Suisse et l'ensemble du «Zollverein» représente environ la même valeur que le commerce avec la France; la Suisse importe pour 91 mios de frs suisses nouveaux et exporte pour 70,7 mios – à l'importation comme à l'exportation, le commerce général englobe les marchandises qui ne font que transiter et qui ne sont donc pas consommées en Suisse ou dans le pays d'exportation; les importations suisses sont surtout composées de laine et fabriqués en laine (25,1 mios), de blé

l'adhésion du Duché de Bade, la Confédération tente bien de négocier un traité de commerce avec le «Zollverein», mais les tractations se soldent par un échec cuisant de la diplomatie helvétique (1837)[4]. Guidés par leur propre intérêt économique, les Etats de l'Allemagne du Sud – Bade, Wurtemberg et Bavière – diminuent cependant de manière autonome certaines taxes renchérissant trop les exportations agricoles suisses[5].

Ce nouveau revers de la politique commerciale suisse touche plus particulièrement les cantons du nord-est de la Suisse – Schaffhouse, Thurgovie, St-Gall, Appenzell, Glaris, Zurich et Argovie. La viticulture de cette région, qui exporte alors la plus grande partie de sa production en Allemagne voisine, doit désormais supporter une taxe qui représente jusqu'à 50 à 60% de la valeur lors des années de bonne récolte[6]. Bon marché et de qualité médiocre, le vin de Suisse orientale ne peut être écoulé sur des marchés plus lointains. Sur le marché intérieur, il est confronté à la double concurrence des vins de Suisse occidentale et de France. Pour la viticulture de Suisse orientale, fermeture des marchés allemands rime par conséquent avec crise de longue durée. Le rapport d'une commission d'experts, publié en 1844, constate que cette situation engendre un mouvement d'opposition au libre-échange similaire à celui de 1822:

> *Aussi, la population agricole d'une partie de la Suisse orientale est aujourd'hui, par l'effet du système des douanes allemandes, dans une position assez semblable à celle où se trouvaient, il y a une vingtaine d'années, à l'égard des douanes françaises, les propriétaires de bétail de la Suisse occidentale. Rien de plus naturel dès lors que de voir surgir au milieu de cette population les mêmes idées, quant à une protection de la part de l'Etat, que celles qui à l'époque dont nous venons de parler, ont donné naissance au concordat de rétorsion*[7].

(12 mios), de tabac (12 mios), de fabriqués en coton (7 mios) et en lin (3,8 mios); les exportations suisses sont avant tout des fabriqués en soie (31 mios), en coton (17 mios), de la soie brute (12 mios), du coton brut (5 mios), du bétail, du fromage, du vin et du cidre (2 mios); le Duché de Bade est de loin le principal partenaire commercial de la Suisse, suivi par le Wurtemberg et la Bavière; Napolski, 1961, pp. 37-38; cf. également Veyrassat, 1990, pp. 312-313.

4 Sur ces négociations, Huber, 1890, pp. 179-184; Gonzenbach, 1842, pp. 126-127; cf. également le rapport de la commission d'experts chargée des relations commerciales avec le «Zollverein» in AdT, 1837, Beilage JJ, pp. 1-6 et les débats à la Diète in AdT, 1837, pp. 365-374.

5 Ces concessions sont énumérées in Gonzenbach, 1842, note 2 p. 126; par ailleurs, il faut rappeler que le «Zollverein» accorde des privilèges douaniers spéciaux aux productions de la Principauté prussienne de Neuchâtel.

6 Geguf, 1837, pp. 23-24; cf. également les débats à la Diète in AdT, 1837, p. 367; la délégation de Schaffhouse estime que la taxe représente 10-80% de la valeur du vin; enfin, la commission d'experts de 1837 avance le chiffre de 40-50% de la valeur; AdT, 1837, Beilage JJ, p. 3.

7 Rapport de la commission fédérale d'experts..., 1844, p. 95.

Pour les vignerons de Suisse orientale, l'ouverture de nouveaux débouchés passe par un changement de politique douanière de la Confédération. La reconquête de marchés extérieurs voisins exige une politique de rétorsion, alors qu'un meilleur écoulement sur le marché intérieur nécessite une politique protectionniste[8].

Les arts et métiers de Suisse orientale sont aussi affectés par le frein mis au commerce de frontière avec l'Allemagne du Sud. Ces difficultés commerciales péjorent encore une situation déjà fragilisée par d'autres évolutions structurelles. Le libéralisme triomphant de la «Régénération» – mise en place de régimes cantonaux libéraux au début des années 1830 – s'attaque au système corporatif dans la plupart des cantons de Suisse orientale[9]. Cette libéralisation de la pratique des métiers, accompagnée d'une politique d'établissement moins restrictive, augmente les effectifs du corps artisanal et exacerbe la concurrence. Dans le canton de Zurich, entre 1831 et 1843, le nombre des artisans passe de 10 500 à 12 000, soit une progression de 14%[10]. Par ailleurs, l'artisanat suisse est confronté à une concurrence exogène accrue: l'arrivée du chemin de fer aux portes de la Suisse, dès le début des années 1840, réduit la protection que lui procuraient les coûts de transport (cf. tableau 1). La combinaison de ces divers éléments entraîne une baisse brutale du revenu des artisans. Les plus vulnérables font faillite et sont réduits soit à la prolétarisation, soit à l'émigration[11]. En plein processus de dévalorisation professionnelle, les classes moyennes industrielles seraient, aux dires de certains contemporains, de plus en plus réceptives au communisme, spectre politique dont la progression inquiète la bourgeoisie suisse des années 1840[12]. De l'avis des artisans, seules la centralisation du système douanier suisse et l'instauration d'un protectionnisme douanier de conservation («Erhaltungszölle») seraient à même de stopper la dégradation de leur situation économique[13]. Proposées par certains politiciens, d'autres solutions, telles que le développement de

8 Geguf, 1837, p. 24; toute la Suisse orientale est convaincue de la nécessité d'une protection de la viticulture; même le rapport libre-échangiste d'une commission d'experts saint-galloise estime que la viticulture est une branche de production d'exception méritant une protection; Kommissionalbericht..., 1846, pp. 48-52.

9 A Zurich, par exemple, la libéralisation des métiers se fait, dès 1832, en plusieurs étapes; elle est complète et effective le 1er janvier 1837; Salzmann, 1978, pp. 257-264; en Suisse romande, la plupart des cantons n'ont pas réintroduit le système corporatif à la «Restauration»; Gruner, 1956/2, p. 37.

10 Beyel, 1843, pp. 43-46.

11 Strähl, 1848, pp. 27-28; Rapport de la commission fédérale d'experts..., 1844, p. 104.

12 Danner, 1844, p. 3; cf. également, Roth, 1848, p. 37.

13 Strähl, 1848, pp. 27-28; cf. également Beyel, 1843, pp. 45-46; Hungerbühler, 1849, pp. 49-57; *Monatblatt*, März 1844; la rubrique «Nachrichten» nous apprend que l'artisanat zurichois a pétitionné, notamment pour obtenir une protection douanière.

la formation professionnelle et l'élaboration d'une législation cantonale sur les arts et métiers, sont considérées comme des emplâtres sur une jambe de bois. A court terme, ils ne résoudraient en rien le problème de rentabilité provoqué par une baisse des prix.

La création du «Zollverein» a de fâcheuses répercussions économiques sur une troisième classe de producteurs: les petits fabricants des industries du coton, du lin et du cuir. Ceux-ci sont tributaires des marchés voisins, soit parce qu'ils ne disposent pas des capitaux nécessaires à une exportation outre-mer, soit parce que les produits qu'ils fabriquent sont trop pondéreux pour être vendus sur des marchés lointains[14]. Encerclés par les murailles protectionnistes des Etats voisins, ils ne peuvent donc survivre que si la politique douanière suisse évolue. Selon eux, la Confédération doit engager une politique de rétorsion pour promouvoir l'exportation. Mais elle peut aussi centraliser le système douanier suisse et protéger le marché intérieur. Elle favoriserait ainsi la naissance de nouvelles industries dont les productions satisferaient les besoins de consommation jusqu'alors couverts par l'importation. De réelles possibilités existent en effet dans les domaines de la laine, du lin, de l'habillement, du cuir, de la métallurgie, etc. Le père de ce mouvement de protectionnisme éducatif («Erziehungszölle»), qui s'inspire probablement des théories de l'économiste allemand Friedrich List (1789-1846), est un fabricant actif dans la branche de la laine: J. C. Geguf père[15]. Selon lui, une protection douanière est nécessaire afin d'inciter les capitalistes helvétiques à ne plus exporter leurs capitaux, mais à les investir en Suisse dans des activités productives[16].

Suite à la constitution du «Zollverein» et à l'échec des négociations commerciales avec les Etats de l'Allemagne du Sud, la politique douanière de la Confédération est ainsi à nouveau remise en question. Même si l'impulsion est donnée, comme en 1822, par la perte de débouchés extérieurs importants, la base sociale du mouvement protestataire est toutefois différente: alors que l'opposition au libre-échange était jadis emmenée par les propriétaires terriens de Suisse occidentale, ce sont désormais les classes moyennes de Suisse orientale – vignerons, artisans et petits fabricants – qui exigent une intervention. Les attaques des classes moyennes contre le statu quo libre-

14 La commission d'experts de 1833 est déjà consciente que la constitution du «Zollverein» touche surtout la classe des petits fabricants; AdT, 1834, Beilage FF, p. 2.

15 Selon Menzel, 1979, p. 88, J. C. Geguf (ou Gäguf) est un fabricant thurgovien actif dans l'industrie de la laine; selon les indications contenues dans une brochure publiée par ses soins, Geguf serait cependant domicilié à Sursee (LU); Geguf, 1837, page de garde; selon Vogel, Geguf serait Argovien; Vogel, 1966, p. 55; ce personnage insolite ne figure pas dans le DHBS qui précise toutefois que la famille Geguf est originaire du canton de Thurgovie.

16 Geguf, 1837, p. 17; cf. également Geguf, 1837, pp. 20-21.

échangiste sont cependant loin d'être homogènes. Alors que certains préconisent une adhésion au «Zollverein», d'autres veulent une politique de rétorsion capable de reconquérir les marchés voisins, d'autres enfin veulent centraliser le système douanier suisse et protéger le marché intérieur.

Contrairement aux classes moyennes de Suisse orientale, l'élite marchande se soucie peu de la constitution du «Zollverein», même si celle-ci provoque l'interruption des exportations de cotonnades bon marché vers l'Allemagne[17]. Comme le constate rétrospectivement un rapport d'experts, rédigé en 1844, ce désintérêt provient de l'excellente conjoncture dont bénéficie alors le commerce d'exportation outre-mer, en particulier aux Etats-Unis:

> *Les premiers développements du système de douanes françaises causèrent, il y a un demi-siècle, un effroi général; tous les esprits étaient préoccupés de la crainte de voir le commerce suisse perdre son débouché le plus important. Il y a dix ans au contraire, nous sommes demeurés témoins indifférents, trop indifférents sans doute, de la création de l'Union douanière allemande. C'est que pendant cet intervalle, l'émancipation du commerce suisse avait eu lieu, il s'était mis en rapport avec le monde entier; il ne dépendait plus des caprices de la législation douanière des Etats voisins. Il est vrai que le riche débouché que l'industrie suisse avait trouvé de 1830 à 1835 dans les Etats-Unis de l'Amérique du Nord peut servir à expliquer aussi le fait dont nous parlons*[18].

Profitant du «boom» de l'exportation vers les Amériques, l'élite marchande suisse reste partisane du statu quo douanier. Pour pallier à la perte du marché allemand, un mouvement de délocalisation de la production dans les Etats du sud de l'Allemagne est engagé par certains grands industriels suisses. Entre 1834 et 1836, une série d'entrepreneurs bâlois fondent des filatures mécaniques dans le Wiesental (Duché de Bade), parfois combinées avec du tissage mécanique[19]. Durant la même période, des fabricants de

17 AdT, 1834, Beilage FF, p. 7; le rapport de la commission d'experts déplore la perte de cet important débouché.

18 Rapport de la commission fédérale d'experts..., 1844, p. 97; la prospérité de la branche horlogère est ainsi relatée par un chroniqueur de l'*Helvétie radicale*: «*Cette belle industrie, qui fait la gloire et l'opulence des Jurassiens, prospère malgré les impositions de l'étranger [...] malgré toutes les entraves qu'ils* (les despotes, C. H.) *préparent à son importation, jamais nous n'avons vu nos ateliers aussi occupés, et il semble qu'ils redoublent d'activité, à mesure que les souverains redoublent de rigueur.*»; cité in Scheurer, 1914, note 1 p. 37; cf. également Gonzenbach, 1842, pp. 135-136; Napolski, 1961, p. 25.

19 Dudzik, 1987, p. 187; les filatures Geigy à Steinen, Sarasin et Heusler à Haagen et Iselin à Schönau possèdent environ 30 000 broches par entreprise dans les années 1860; entre 1847 et 1855, des entrepreneurs des cantons de Zurich et Argovie fondent également six filatures; en 1860, sur 174 000 broches en activité dans le Duché de Bade, deux tiers appartiennent à des Suisses.

rubans de soie expatrient aussi une partie de leur production[20]. Certains contemporains dénoncent cette politique et les suppressions d'emplois qu'elle occasionne en Suisse[21].

Après le gigantesque incendie de New York, en 1837, les Etats-Unis sont le théâtre d'une violente crise financière qui a des effets non négligeables sur la vente de fabriqués helvétiques. La diminution du pouvoir d'achat est doublée d'une augmentation de l'offre intérieure qui bénéficie d'un taux de protection douanière relativement important[22]. Les cotonnades suisses bon marché sont frappées de taxes s'élevant jusqu'à 50% de leur valeur, alors que les soieries, qui entraient en franchise jusqu'en 1841, sont désormais soumises à une taxe de 20% de la valeur[23]. En même temps, les négociants helvétiques doivent faire face à un déclin des importants marchés d'Amérique centrale et d'Amérique latine[24]. A la fin des années 1830, une crise commerciale américaine affecte donc sérieusement l'exportation suisse. Le rêve américain est dès lors brisé. A un optimisme béat sur les capacités d'absorption du Nouveau Continent, que l'on croyait illimitées, succède une appréciation plutôt pessimiste quant à l'avenir de ce débouché[25].

La crise américaine provoque une prise de conscience chez les industriels de Suisse orientale au sujet des limites de la stratégie de diversification des débouchés outre-mer. Une trop forte dépendance vis-à-vis de ces marchés, qui sont relativement instables, comporte un sérieux danger:

> *[...] es heut zu Tage von einer Handelskrise in den amerikanischen Staaten, vom Ausbruch der Pest oder politischen Wirren im Orient abhängt, ob Tausende in den Kantonen Zürich, Glarus, Appenzell, St. Gallen und Aargau, die sich mit Industrie beschäftigen, ihr Auskommen finden oder bittere Noth leiden sollen*[26].

En 1843, l'industrie cotonnière zurichoise exporte 2/3 à 3/4 de sa production vers les marchés extra-européens; l'industrie de la soie expédie quant à elle plus de 50% de sa production uniquement vers les Amériques[27].

20 Hahn, 1934, p. 72; en 1835, la firme Bally de Schönenwerd (SO) s'installe à Säckingen; en 1837, la firme bâloise Burckhardt et Kern s'établit dans le Wiesental (Duché de Bade); sur le sujet de l'expatriation de la production suisse consécutive à la naissance du «Zollverein», cf. également Masnata, 1924, pp. 82-86; Heussler, 1971, p. 65.

21 Geguf, 1837, p. 8; cf. également Rapport de la commission fédérale d'experts..., 1844, p. 62; *Der Erzähler*, Nr. 55, 11. Juli 1843, «Schweizerische Zollvereinigung».

22 Beyel, 1843, pp. 131-132; Commissional-Rapport..., 1843, pp. 2/5-6.

23 Niggli, 1954, pp. 66-70.

24 A la fin des années 1820, le Brésil, Cuba et le Mexique sont des débouchés importants; à lui seul, le Mexique absorbe pour plusieurs millions de frs français de fabriqués suisses; Veyrassat, 1994, pp. 295-305.

25 Beyel, 1843, p. 132.

26 Gonzenbach, 1840, pp. 15-16.

27 Uebersicht..., 1843, pp. 13/16-17.

Par contre, la rubanerie bâloise et l'horlogerie romande bénéficient de débouchés plus diversifiés. Les marchés européens absorbent encore une part importante de leur production, en partie par le canal de la contrebande[28]. Il n'est dès lors pas étonnant que la nécessité de reconquérir des marchés de proximité, grâce à une politique douanière interventionniste de la Confédération, soit surtout ressentie en Suisse orientale. Des marchands-entrepreneurs et des grands industriels, la plupart issus du canton de Zurich, passent dans le camp des promoteurs d'un système douanier centralisé.

L'évolution de la politique commerciale internationale n'épargne pas non plus l'agriculture. Certes, après l'échec du Concordat de rétorsion contre la France, ce secteur de production s'est réorienté partiellement vers le marché intérieur. Mais dans de nombreuses régions, l'exportation demeure importante pour assurer le revenu agricole. Or, dès la fin des années 1830, un regain de protectionnisme agricole entrave l'exportation de fromage dans les pays voisins[29]. En 1836, la Sardaigne augmente sa taxation malgré de nombreuses protestations de la Confédération[30]. Le 1er janvier 1836, le Duché de Bade applique le tarif douanier du «Zollverein», auquel il vient d'adhérer; la taxe sur le fromage est de ce fait multipliée par six[31]. Malgré de nombreuses démarches diplomatiques suisses, la France refuse quant à elle de réduire sa taxation lors de la révision douanière de 1836[32]. A partir de 1837, l'écoulement de fromage dans les pays voisins est ainsi partout entravé par une protection conséquente. Au début des années 1840, les taxes représentent environ 37% de la valeur en France, 20% en Autriche et en Lombardie, 15% en Sardaigne et 10% en Allemagne du Sud[33]. Certes, les fromages de première qualité parviennent à percer de telles murailles, mais la tâche est beaucoup plus ardue pour le reste de la production.

28 Le rapport d'experts de 1844 affirme que les rubans de soie bâlois sont moins touchés par la montée du protectionnisme européen que les tissus de soie zurichois; les dispositions favorables de certains tarifs douaniers et la nature de ce fabriqué – très grande valeur contenue dans peu de poids – lui permettent de percer plus facilement les murs douaniers, que ce soit par la voie légale ou par le biais de la contrebande; Rapport de la commission fédérale d'experts..., 1844, p. 49.

29 Ruffieux, 1985, pp. 238-240.

30 Huber, 1890, p. 186.

31 Dietschi, 1830/2, p. 335; Huber, 1890, pp. 182-183; les taxes allemandes sur le fromage évoluent de la manière suivante: la taxe de base du tarif du «Zollverein» est de 6 florins 15 kreuzers; dès le 1er janvier 1836, elle est réduite de moitié pour le fromage suisse à 3 florins 7 1/2 kreuzers; dès le 1er juillet 1837, une nouvelle réduction est accordée par tous les Etats de l'Allemagne méridionale, la taxe définitive s'élevant à 2 florins 30 kreuzers; cela représente tout de même environ 10% de la valeur.

32 Gern, 1992, pp. 32-34; Jaquet, 1837, pp. 13-14.

33 Les taxes sont tirées in Uebersicht..., 1837, pp. 14-15; la valeur de 104 frs les 100 kg est la valeur moyenne des années 1840/1843 in SHS, 1996, p. 482.

Comme en 1822, certaines élites agricoles prônent une politique douanière plus interventionniste de la Confédération, à la fois pour ouvrir des débouchés extérieurs et pour dynamiser le commerce intérieur.

Outre les secousses douanières évoquées, une évolution plus structurelle de la politique commerciale mondiale pousse à une intervention de la Confédération: la conclusion de traités de commerce entre grandes puissances commerciales fait peser une menace existentielle sur le commerce d'exportation suisse. Ses produits risquent en effet d'être soumis à un traitement douanier différentiel – taxation plus élevée que celle imposée à la concurrence – sur certains marchés importants. En 1844, la rumeur d'un traité entre le «Zollverein» et les Etats-Unis provoque un vent de panique parmi les milieux exportateurs[34]. S'il devait se conclure, cet arrangement commercial obligerait les industriels suisses à compenser les faveurs douanières accordées aux produits allemands par une réduction équivalente de leurs prix; les coûts de production ne pouvant être compressés à volonté, les marges bénéficiaires seraient restreintes, voire réduites à néant[35]. Une généralisation du traitement douanier différentiel des exportations suisses remettrait donc en question la stratégie commerciale de l'élite marchande. Une production bon marché, réalisée notamment grâce à une politique douanière libre-échangiste, ne suffirait plus forcément à assurer la compétitivité des marchandises suisses sur les marchés étrangers.

Certes, faisant valoir sa politique libre-échangiste, la Confédération réussit longtemps à obtenir que les exportations suisses bénéficient partout du traitement de la nation la plus favorisée. En 1844, une taxation différentielle des produits helvétiques est toutefois instaurée par la Belgique. Suite à la conclusion d'un traité de commerce avec le «Zollverein», les cotonnades imprimées, les étoffes et les rubans de soie allemands sont taxés respectivement 246/464/464 francs français les 100 kg, alors que les mêmes fabriqués en provenance de Suisse sont taxés 377/1160/580 francs français les 100 kg[36]. Dans les milieux exportateurs, cet événement fait l'effet d'une bombe[37]. Même si ses répercussions commerciales ne sont pas catastrophiques, il crée un fâcheux précédent qui pourrait pousser d'autres Etats à procéder de la même manière. Pour forcer la Belgique à rétablir le traitement de la nation la plus favorisée, le Consul de commerce de Suisse à Anvers est favorable à une politique de rétorsion:

34 Rapport de la commission fédérale d'experts..., 1844, pp. 48-49.

35 *Monatblatt*, Februar 1844, p. 29; le traité n'est finalement pas ratifié par les Etats-Unis.

36 DDS, vol. 1, n° 5, p. 13, «Lettre du Consul de commerce de Suisse à Anvers et Bruxelles, F. Borel, au CF, 18 décembre 1848».

37 *Monatblatt*, Oktober 1844, pp. 144-149; le rédacteur du journal consacre un article de fond au problème belge; dans le même numéro, un compte rendu des délibérations du comité central du SGV montre à quel point l'événement est pris au sérieux par un représentant de l'industrie glaronnaise; *Monatblatt*, Oktober 1844, p. 152.

> *Enfin, un ancien ministre fort libéral, M. Lebeau, me dit un jour en parlant de ses successeurs catholiques: mon cher M. Borel, je suis tout à fait de votre avis, ainsi ne prêchez pas un converti, mais soyez bien sûr que ces gens-ci ne sont sensibles qu'à la peur, que la Suisse leur fasse peur d'un système de représailles, elle obtiendra tout ce qu'elle voudra; autrement jamais rien.*

Le Consul termine sa lettre ainsi: «*Mesures de représailles contre les nations qui nous molestent: voilà mon Delenda est Carthago.*»[38] Une autre voie consisterait à négocier un traité de commerce assurant la clause de la nation la plus favorisée aux productions suisses. Mais privée de moyens douaniers, la Confédération ne parvient à imposer ni l'une ni l'autre de ces solutions. La crise commerciale belge s'embourbe et la taxation différentielle se perpétue.

Un dernier événement commercial contribue à convaincre certaines élites marchandes et industrielles de la nécessité d'une centralisation douanière. Après les mauvaises récoltes de pommes de terre de 1845 et 1846, une crise de l'approvisionnement en denrées alimentaires sévit dans toute l'Europe. En 1846 et 1847, les prix des produits agricoles explosent. Les cantons industriels de Suisse orientale, dont le degré d'autosuffisance alimentaire est faible, sont particulièrement touchés par la hausse des prix. D'autant plus que des cantons et des Etats voisins prennent des mesures douanières pour entraver l'exportation de denrées alimentaires[39]. L'approvisionnement en blé, d'une importance primordiale à l'époque, est renchéri par une taxe de 25% de la valeur instaurée, dès le 24 octobre 1846, par les Etats de l'Allemagne du Sud. Bien que la compétitivité de l'industrie d'exportation soit mise à mal par la flambée des prix, la Confédération assiste impuissante aux événements. Certes, elle envoie des négociateurs en Allemagne du Sud pour quémander un peu de pain bon marché, mais ceux-ci n'obtiennent que des concessions ridicules. Cet échec provoque un mouvement de mécontentement dans le canton de St-Gall qui exige une politique commerciale interventionniste de la Confédération. La conclusion de traités de commerce devrait poursuivre deux objectifs: un ravitaillement en denrées alimentaires libre de toute charge fiscale étrangère et l'ouverture de nouveaux débouchés[40].

Durant les années 1840, les classes moyennes de Suisse orientale, principales victimes de la constitution du «Zollverein», ne sont plus seules à réclamer une intervention commerciale de la Confédération. Certaines élites économiques pratiquant le commerce d'exportation – grands industriels,

38 DDS, vol. 1, n° 5, p. 13, «Lettre du Consul de commerce de Suisse à Anvers et Bruxelles, F. Borel, au CF, 18 décembre 1848».

39 Salzmann, 1978, pp. 48-72; Rupli, 1949, pp. 144-146; dès le 24 septembre 1846, le canton de Vaud montre le mauvais exemple en prenant des mesures contraires à la solidarité confédérale; il est suivi par Lucerne (25 septembre 1846), les Grisons (26 septembre 1846), Thurgovie (30 septembre 1846), Fribourg (2 octobre 1846) et le Valais (10 octobre/2 novembre 1846); Berne et Argovie prennent des contre-mesures à l'égard de Lucerne.

40 Hungerbühler, 1847, p. 28.

marchands-entrepreneurs et exportateurs de produits agricoles – deviennent favorables à une centralisation douanière qui permettrait à la Confédération de se faire entendre et respecter à l'étranger.

2.1.2. Construire un véritable marché intérieur: protéger les investissements dans la grande industrie cotonnière et métallurgique

Outre la création d'un cordon douanier fédéral au service d'une politique commerciale d'ouverture des marchés extérieurs, une centralisation douanière permettrait de décloisonner le marché intérieur suisse. Par la suppression des barrières cantonales, un marché unique verrait le jour, dynamisant le commerce intérieur. Les classes moyennes industrielles et agricoles, surtout présentes sur les marchés de proximité, seraient les grandes gagnantes de ce volet de l'unification douanière. De surcroît, le déplacement de la charge douanière perçue à l'intérieur du territoire vers les frontières assurerait une légère protection du marché intérieur contre la concurrence étrangère. Les cantons de Genève, Neuchâtel, Bâle ou St-Gall, qui entretiennent des relations commerciales intenses avec les régions frontalières des pays voisins, seraient dès lors plus enclins à se tourner vers les producteurs suisses pour couvrir leur importante consommation. Ainsi, les viticulteurs vaudois bénéficieraient d'un double avantage sur le marché genevois. Leur vin n'aurait plus à supporter la charge fiscale imposée par le système douanier genevois, alors que les vins français importés devraient s'acquitter d'une taxe fédérale probablement plus élevée que l'ancienne taxe genevoise.

Certes, jusqu'au début des années 1840, seules des forces politiques marginales défendent l'idée d'une suppression des douanes cantonales et leur report aux frontières suisses dans le but d'instaurer une protection. Il s'agit des classes moyennes de Suisse orientale touchées par la fermeture des marchés allemands de proximité. Mais avec la crise économique des années 1840, deux alliées de poids soutiennent ce projet. L'industrie du coton mécanisée et l'industrie du fer, fleurons de la Révolution industrielle helvétique, y voient en effet la condition de leur développement futur. Fortement capitalisées, ces deux industries poussent la Confédération à offrir les garanties douanières permettant aux investisseurs de relever le défi d'une concurrence internationale toujours plus exigeante.

Au début des années 1840, l'industrie du coton est la branche reine de l'économie suisse. En 1850, elle emploie 80 000 personnes, ce qui représente 25,5% des emplois dans l'industrie et l'artisanat[41]. Elle produit une valeur

41 Kneschaurek, 1964, p. 155; Ritzmann reprend cette estimation in SHS, 1996, p. 396; Menzel, 1979, p. 62, propose le même chiffre pour la période 1827-1837; Rappard,

ajoutée de 35 mios de frs, soit 5,7% du PIB[42]. Dans le seul canton de Zurich, en 1843, elle occupe environ 30 000 personnes, procure 3,6 mios de salaires et réalise une production de 13 mios de frs par an[43]. Les 14 à 18 mios de frs qui y sont investis représentent 7 à 9 fois le budget de fonctionnement du canton de Zurich (1843). Au-delà des emplois procurés et des capitaux investis, l'industrie du coton est importante en raison du rôle de «leading sector» joué entre 1800 et 1850. La mécanisation de la production dans la filature du coton a des effets d'entraînement multiples, entre autres sur l'industrie des machines et la métallurgie[44]. Cette industrie est alors le moteur du développement technologique en Suisse.

Or, dès le début des années 1840, l'industrie cotonnière suisse entre dans une deuxième crise structurelle, dont l'ampleur est comparable à la première (disparition de la filature manuelle). Cette fois, ce sont les tisseurs de calicots – tissus de coton grossiers destinés à être imprimés ou teints – qui sont confrontés à l'importation de tissus fabriqués avec des métiers mécaniques[45]. Dès le début des années 1830, l'industrie de l'indiennage fait un usage toujours plus massif de ces tissus meilleur marché et mieux adaptés à l'impression[46]. Certes, la disparition du tissage manuel n'est pas aussi rapide que celle du filage. Les gains de productivité étant moindres dans la mécanisation du tissage, le travail manuel résiste durant la bonne conjoncture des années 1830. Le nombre des métiers à main augmente même jusqu'en 1842 dans le canton de Zurich[47]. Mais cette résistance ne peut se faire qu'au prix d'une forte diminution des salaires et du niveau de vie des tisserands. A partir de 1840, leur situation devient très précaire dans les cantons de Glaris et Zurich, qui sont les plus spécialisés dans la production de calicots[48]. Les

1914, pp. 203-205, évalue à 50 000 le nombre d'ouvriers actifs dans la branche du coton vers 1850, ce qui correspond aux estimations de la commission d'experts de 1844; Rapport de la commission fédérale d'experts..., 1844, p. 60.

42 SHS, 1996, pp. 866-867.

43 Uebersicht..., 1843, pp. 11-15; cf. également Beyel, 1843, pp. 15-23.

44 Menzel, 1979, pp. 53-83.

45 Menzel, 1979, pp. 48-49; Bodmer, 1960, p. 295.

46 Un rapport sur l'industrie zurichoise s'inquiète déjà de ce phénomène en 1833; Bericht über einige Industrieverhältnisse..., 1833, p. 9; cf. également *Actes de la Société suisse d'utilité publique*, rapport 1835, Genève, 1836, p. 290; Danner, 1844, pp. 14-15; l'enjeu de cette importation de tissus est d'importance pour l'impression; l'industrie de l'indiennage de Neuchâtel utilise environ 100 000 pièces vers 1843, d'une valeur d'un million de frs français; celle de Zurich imprime environ 130 000 pièces à la même date et celle de Glaris 380 000 pièces; Favarger, 1913, pp. 218-219; Rapport de la commission fédérale d'experts..., 1844, p. 60.

47 Salzmann, 1978, pp. 146-149.

48 Selon une commission d'experts, le salaire d'un tisserand, en 1844, atteint la somme dérisoire de 1,6 frsa par semaine; Rapport de la commission fédérale d'experts..., 1844, p. 58; selon un membre de la ZIV, en 1843, ce salaire ne serait que de 0,7 frsa dans le canton de Zurich; Dudzik, 1987, pp. 197-198.

cantons de St-Gall et d'Appenzell sont moins touchés. Ils produisent surtout des tissés fins qu'il n'est pas encore possible de fabriquer mécaniquement (mousselines, percales, jaconas, tissés en couleur).

Dès la fin des années 1830, une crise commerciale se superpose aux problèmes structurels. L'exportation de fabriqués lourds et bon marché est en effet la principale victime de la création du «Zollverein». A cela s'ajoute la compression des ventes aux Etats-Unis: entre 1836 et 1843, la valeur des tissés expédiés vers ce pays passe de 5 à 2,5 mios de Gulden (–50%). Cette baisse représente environ 1/6 de la production suisse de filés de l'époque[49]. En 1846, l'abolition des «corn laws» par l'Angleterre assène un nouveau coup de massue à ces secteurs en difficulté. Cette mesure douanière permet en effet à l'industrie cotonnière anglaise d'améliorer sa compétitivité en diminuant le différentiel sur les salaires:

> *[...] les Anglais, lorsqu'ils auront des denrées à meilleur marché, pourront probablement concourir avec nous, si même ils ne nous dépassent pas, et l'industrie suisse ne pourra dès-lors travailler dans ces branches que pour ses propres besoins et ceux des pays voisins les plus rapprochés*[50].

Dès le début des années 1840, l'importation massive de calicots anglais, alsaciens ou silésiens, encore aggravée par de nombreux freins à l'exportation, fait péricliter la production manuelle de tissus en coton grossiers. Cette crise a des répercussions fâcheuses sur la filature mécanique qui est ainsi privée d'importants débouchés sur le marché intérieur[51]. En Allemagne et en Autriche, qui sont ses principaux marchés extérieurs, la filature helvétique doit aussi faire face à une concurrence toujours plus dure des entreprises anglaises et des filiales installées par des groupes suisses. Dès 1838, les difficultés rencontrées dans l'écoulement de la production se traduisent par une baisse rapide des prix des filés entraînant une réduction de la marge bénéficiaire. Entre 1836, sommet conjoncturel, et 1843, la valeur brute de la production suisse de filés passe de 33 à 22,2 mios de frs. Le bénéfice brut par kg de filés passe de 139 à 71 cts[52].

De nombreuses petites filatures ne supportent pas le choc et font faillite, provoquant une profonde restructuration de la branche. Entre 1836 et 1843, le nombre d'entreprises passe de 89 à 69 dans le canton de Zurich. Entre 1836 et 1853, 49 filatures disparaissent en Suisse. Par ailleurs, les investissements consentis dans le «leading sector» de l'économie suisse diminuent, ce qui se répercute sur l'état de santé de l'industrie des machines[53]. A la fin des années

49 Commissional-Rapport, 1843, pp. 5-6.

50 *Ibidem*, p. 35; cette analyse est partagée par plusieurs contemporains; Hungerbühler, 1847, pp. 18-19; *Monatblatt*, Juni 1847, p. 91.

51 Menzel, 1979, p. 48.

52 SHS, 1996, p. 620; cf. également Dudzik, 1987, pp. 190-197.

53 Dudzik, 1987, p. 196; Uebersicht..., 1843, p. 20.

1840, le développement de la production cotonnière mécanisée est ainsi remis en question. Porteuse de la Révolution industrielle, la filature mécanique est menacée, si ce n'est de disparition, pour le moins d'un redimensionnement de l'appareil productif[54]. La violente crise conjoncturelle de 1847-1849, causée par la disette des années 1846-1847 et les troubles politiques de 1848, péjore encore la situation. Les firmes suisses les plus prestigieuses, notamment Escher Wyss et Rieter, sont alors très proches d'être contraintes à la faillite[55].

Face à la dégradation de la situation d'une partie de l'industrie cotonnière suisse, deux politiques commerciales sont envisagées. La première, défendue par les élites marchandes de Bâle, Genève, Neuchâtel, St-Gall et Appenzell, peu touchées par la crise, est de «laisser faire». Selon elles, la Suisse doit se résoudre à abandonner la production mécanisée à l'Angleterre pour se spécialiser dans des fabrications demandant du travail manuel qualifié:

> *Il ne nous sera pas moins difficile de concourir sur les marchés étrangers dans différents articles fabriqués qui peuvent être confectionnés en entier par des machines, avec les Anglais dont la position est plus favorable, qui ont le fer et les houilles à bon marché, disposent des inventions mécaniques les plus nouvelles et d'immenses ressources financières; or dans l'industrie exploitée par des machines, celui qui produit le plus produit dans la règle à meilleur marché [...] En revanche, la main-d'œuvre demeurant néanmoins toujours plus élevée en Angleterre qu'elle ne l'est chez nous, nous soutiendrons certainement la concurrence sur tous les marchés dans les articles de l'industrie qui, proportionnellement à leur prix, ne sont pas lourds et qui occasionnent dès-lors peu de frais de transport [...] nous pourrons de plus soutenir cette concurrence dans les articles qui ne peuvent pas être confectionnés par les machines seulement, mais qui exigent un travail manuel, un goût pur et du dessin ainsi que le concours d'habiles ouvriers*[56].

Selon les défenseurs du «laisser faire», la spécialisation proposée comporte l'avantage de maintenir une production à domicile («Verlagssystem»), de loin préférable à la fabrique, dont les coûts sociaux sont dénoncés[57]. Statu

54 Gonzenbach, 1844, p. 35; après l'abolition des «corn laws», l'organe du SGV se soucie aussi de l'avenir de l'industrie du coton en Suisse; *Monatblatt*, Juni 1847, p. 91.

55 Salzmann, 1978, pp. 130-160; Dudzik, 1987, pp. 195-196.

56 Gonzenbach, 1844, pp. 35-36.

57 *«Il semble au contraire que l'industrie une fois livrée aux machines, elle ne puisse plus prospérer que suivant des lois qui imposent à ceux qui s'y vouent des privations et des peines qu'ils ne connaissaient pas auparavant. Le bas prix est en raison directe du chiffre de la production. De là ces grands établissements que nous voyons surgir, de là ce travail de jour et de nuit, sans lequel il est des fabriques qui ne pourraient plus subsister; de là ces enfants que l'on emploie parce qu'on leur paie des moindres salaires [...] Le sort de l'ouvrier de fabrique est fort différent du sort de l'ouvrier qui travaille à domicile. La combinaison de l'agriculture avec l'industrie, qui faisait que jusqu'à ces derniers temps chaque fileur, chaque tisserand cultivait son coin de terre, est infiniment préférable pour la Suisse surtout, à l'entassement d'une population exclusivement*

quo douanier et restructuration de l'industrie cotonnière suisse sont donc les solutions proposées pour sortir de la crise:

> *Il est évident que ce n'est pas par des tarifs que l'on peut aider l'industrie cotonnière suisse [...] Il faut que l'industrie cotonnière sache renoncer à temps à la fabrication des étoffes unies pour laquelle elle ne peut lutter avec le travail des machines, afin de se vouer à celle des articles qui demandent plus de main d'œuvre: c'est là qu'aux yeux de la Commission dépend surtout son avenir*[58].

Les grands industriels des branches de la filature mécanique et de l'impression, installés surtout dans les cantons de Zurich, Argovie et Glaris[59], ne sont pas d'accord de souscrire à une telle politique commerciale. Ils ne peuvent en effet pas se résoudre à la destruction des importants capitaux fixes investis dans une production en fabrique – machines, installations d'énergie hydraulique, bâtiments. Par ailleurs, les industriels sont tenus d'assurer un certain rendement à ces capitaux, souvent mobilisés en dehors de l'entreprise (emprunts, participations, actions). Tandis qu'un marchand-entrepreneur qui travaille en commandite peut facilement adapter sa production aux fluctuations de la demande, l'industriel est menacé de faillite si le volume de sa production ne permet pas de rentabiliser les capitaux extérieurs. Pour lui, il est donc vital de bénéficier de débouchés stables et suffisants pour écouler sa production. Afin d'atteindre cet objectif, il préconise une politique commerciale interventionniste de la Confédération.

Plutôt que d'abandonner le tissage de calicots à l'Angleterre, les grands industriels proposent de mécaniser la production helvétique et de rattraper ainsi le retard technologique accumulé durant les années 1830[60]. Mais pour y parvenir, des investissements considérables doivent être consentis. Or, la mobilisation des capitaux nécessaires est conditionnée par un minimum de sécurité commerciale. Dans cette perspective, une centralisation douanière

---

industrielle dans le voisinage des fabriques.»; Rapport de la commission fédérale d'experts..., 1844, pp. 98-99; cf. également Gonzenbach, 1844, pp. 23/36-37.

58 Rapport de la commission fédérale d'experts..., 1844, p. 64.

59 Cette localisation se base sur les ouvrages suivants: Dudzik, 1987, pp. 478/485-489; Rappard, 1914, pp. 199-205; Rapport de la commission fédérale d'experts..., 1844, pp. 53-61.

60 Les premières tentatives de mécanisation du tissage se font dès 1830; toutefois, en 1832, des tisserands en colère incendient une fabrique à Uster; cette résistance sociale ralentit donc le mouvement de modernisation de l'appareil productif, en particulier dans le canton de Zurich; en 1844, l'industrie suisse ne compte que 18 fabriques avec environ 1000 métiers mécaniques – contre 50 000-60 000 métiers à main; à la même époque, l'Alsace a déjà introduit 6000 métiers mécaniques, laissant près de 9000 tisserands sans emploi; toutes les fabriques suisses, à l'exception d'une, sont établies par des entrepreneurs de la filature mécanique; Menzel, 1979, pp. 48-49/74-75; Bodmer, 1960, pp. 295-299; Dudzik, 1987, pp. 197/501-502.

permettrait d'offrir une modeste protection du marché intérieur garantissant les premiers débouchés à une production mécanisée:

> *[...] denn ihre Überlegenheit* (des Anglais, C. H.) *besteht zum Theil noch in der Mannigfaltigkeit und Vollkommenheit ihrer Instrumente, unser Nachtheil in der Unzulänglichkeit der Unsrigen. Diese werden sich jedoch erst dann auf den nöthigen Grad von Vollkommenheit heben, wenn unsern Producenten etwelcher Vorschub geleistet, und ihnen dadurch möglich gemacht wird, den inländischen Markt ganz für sich zu gewinnen. Erst wenn sie im eigenen Markt einen sichern Haltpunkt haben, mögen sie den Kostenaufwand für so mannigfache Maschinen und Instrumente wagen, und erst wenn sie sich von solchen neuen Kräften unterstützt finden, kann es ihnen gelingen, die Engländer zuerst auf benachbarten, dann auch auf entfernstern Märkten mehr und mehr auszustechen*[61].

Par ailleurs, les grands industriels de la branche du coton sont parmi les premiers à exiger une politique de traités de commerce qui leur assure des débouchés sur les marchés protégés des pays voisins[62]. Enfin, ils demandent une suppression de toutes les taxations intérieures qui grèvent les coûts de production et de commercialisation de leurs fabriqués. Les trois mesures commerciales proposées pour soutenir une production cotonnière mécanisée en difficulté ne peuvent être réalisées que si le système douanier suisse est centralisé. Pour les industriels de la branche du coton, cet objectif devient dès lors prioritaire.

Avec un poids économique plus modeste que celui de l'industrie du coton, la métallurgie constitue néanmoins un des piliers de l'économie helvétique de l'époque. Dans les régions jurassiennes des cantons de Vaud, Berne et Soleure, l'industrie du fer est alors ce que l'industrie du coton est à la Suisse orientale, un «leading sector». En 1843, elle emploie 4000 salariés et 2000 chevaux et mobilise environ 7 mios de frs d'investissements – 1,2% du PIB de 1851; elle produit chaque année 5000 tonnes de produits en fer d'une valeur de 3 mios de frs[63]. Cette industrie a surtout d'importants effets d'en-

61 Danner, 1844, p. 9.

62 Lors d'un débat douanier au sein de la SGG, en 1843, l'exportateur glaronnais Peter Jenny-Tschudi – cf. note 155, chapitre 2 – développe un programme commercial que la Confédération devrait prendre en charge; il propose l'abolition des taxes douanières intérieures et leur report aux frontières, la conclusion de traités de commerce ainsi qu'une meilleure représentation de la Suisse dans le monde – système consulaire plus développé, envoi de missions d'exploration vers de nouveaux marchés, soutien à l'émigration; *Neue Verhandlungen der schweizerischen gemeinnützigen Gesellschaft,* Bericht 1843, Glarus, 1844, pp. 246-250.

63 AF, E 11, vol. 2, «Requête adressée par l'industrie du fer à l'occasion de l'enquête fédérale de 1843»; en 1849, une brochure défendant les intérêts de l'industrie du fer donne les chiffres suivants: 6000 salariés, 8,5 mios de frs d'investissements, production de 12 000 tonnes d'une valeur d'environ 5,2 mios de frs; Herzog, 1949, pp. 21-23; les estimations les plus récentes, qui portent sur l'année 1851, fixent la production à 9400

traînement. Elle permet l'exploitation des mines de fer des cantons de Berne, Soleure, Schaffhouse, St-Gall, du Valais et des Grisons. Par ailleurs, la production de charbon de bois, qui est le combustible utilisé pour la fabrication du fer, valorise les forêts du Jura. Enfin, le transport du bois et du minerai favorise l'élevage de bétail de trait, en particulier celui du cheval.

Les entreprises de l'industrie du fer, qui mobilisent des capitaux considérables, sont en mains d'une élite industrielle qui marque le développement économique suisse. Ses représentants les plus célèbres sont Ludwig von Roll et Johann Konrad Neher-Stockar[64]. Cette branche d'industrie draine notamment des capitaux bâlois. Or, l'arrivée du réseau ferroviaire européen aux portes de la Suisse, au début des années 1840, met en question la compétitivité de l'industrie du fer sur ses marchés helvétiques traditionnels. Le salut de cette branche passe donc par la création d'un marché intérieur unifié et l'instauration d'une protection aux frontières. Grâce à ces mesures, l'industrie des machines serait notamment contrainte de lui acheter ses matières premières, plutôt que d'aller les chercher en Angleterre, en Allemagne ou en France. Les fonderies et les arts et métiers utilisant du fer devraient en faire de même.

A partir du début des années 1840, de grands industriels des cantons de Zurich, Glaris, Argovie, Berne et Soleure sont donc convaincus de la nécessité d'unifier le système douanier helvétique afin de protéger leurs investissements contre une concurrence internationale agressive. Loin d'être des branches d'activité marginales, l'industrie mécanisée du coton et la métallurgie sont les moteurs de la Révolution industrielle helvétique. Avec l'industrie des machines, elles dynamisent le progrès technologique en Suisse. A terme, le maintien du statu quo douanier pourrait constituer une entrave décisive au développement de ces branches de production. Le processus d'industrialisation serait alors hypothéqué.

---

tonnes de fer brut, pour une valeur d'un million de frs; la production de semi-fabriqués est estimée à 4600 tonnes pour une valeur de 1 mios de frs, soit une production totale annuelle d'environ 2 mios de frs; SHS, 1996, pp. 624-625.

64 *Ludwig von Roll* (1771-1839) (SO), membre du Gouvernement soleurois dont le père est actif dans le mercenariat, copropriétaire de l'entreprise Dürholz – plusieurs fonderies et forges vers 1800, hauts fourneaux à Gänsbrunnen (1805) et Klus (1812), fonderies à Gerlafingen (1813) –, fondateur des «Ludwig von Roll'schen Eisenwerke» (1823); *Johann-Konrad Neher-Stokar* (1818-1877) (SH), fils de Johann-Georg Neher – propriétaire des fonderies de Laufen et des mines de fer de Gonzen –, membre fondateur de la «Wagonfabrik S.A. Neuhausen» (1853), également actif dans le commerce de draps en collaboration avec son beau-frère, le Cn Johann-Friedrich Peyer im Hof-Neher – cf. note 129, chapitre 3.

2.1.3. Abaisser les coûts de transport en Suisse: douanes et construction d'un réseau ferroviaire

Aux pressions commerciales qui poussent à une centralisation douanière, s'ajoute la nécessité toujours plus urgente de diminuer le coût du transport en Suisse. De ce point de vue, le système douanier fédéraliste pose des problèmes. D'une part, il ralentit l'acheminement des marchandises par d'innombrables formalités[65]. D'autre part, il impose une charge fiscale au transport intérieur, ce qui renchérit les coûts de production et de commercialisation[66]. Certes, les sommes prélevées par les cantons sont modiques, mais leur accumulation devient une entrave pour le commerce helvétique. Ainsi, le transit international se détourne progressivement des routes suisses, privant négociants, voituriers, aubergistes et autres artisans de revenus intéressants. Le commerce d'exportation de Suisse orientale est aussi victime de la prolifération des charges, qui aggrave le différentiel des coûts de transport causé par une situation géographique continentale. Les marchands-entrepreneurs de Suisse orientale tentent bien de trouver des solutions politiques au problème. Par l'entremise de Johann Kaspar Zellweger[67], qui occupe le poste de réviseur des douanes de la Confédération entre 1822 et 1836[68], la conclusion de concordats intercantonaux destinés à simplifier le transit sur les trajets Rorschach-Genève et Rorschach-Les Verrières est entreprise. Mais toutes les tentatives échouent en raison des égoïsmes cantonaux[69].

Au début des années 1840, le différentiel des coûts de transport s'accentue encore. Les chemins de fer se développent rapidement en Europe et en Amérique, alors que la Suisse reste à la traîne. En 1849, elle ne possède que

65 Rupli, 1949, note 19 p. 212; en 1826, Zellweger estime que le transport entre St-Gall et Genève est ainsi retardé de 24 heures.

66 Blösch nous fournit l'exemple d'un quintal suisse de tissus de coton fabriqué, en 1843, dans le canton de Berne, blanchi à Lenzbourg et expédié à Genève; l'acheminement du coton brut à travers les frontières suisses, neuchâteloises et bernoises coûte 0,4 frsa, l'acheminement du tissu à Lenzburg et retour à travers les frontières bernoises, soleuroises et argoviennes coûte 0,6 frsa, l'acheminement du produit fini vers Genève à travers les frontières bernoises, neuchâteloises, vaudoises et genevoises coûte 0,9 frsa, au total 1,9 frsa; la charge totale est donc de 5,50 frs nouveaux pour 100 kg de tissus, soit environ 1% de la valeur du fabriqué; Blösch, 1928, p. 398; le renchérissement des cotonnades exportées par les industries saint-galloises et glaronnaises est beaucoup plus important; au sujet des coûts du transit sur les principaux axes routiers suisses cf. Frey, 1892, pp. 455-456.

67 *Johann Kaspar Zellweger* (1768-1855) (AR), cf. note 152, chapitre 1.

68 La Diète crée ce poste, avant 1820, dans le but d'inventorier les innombrables taxations douanières, de roulage, de pontonnage, etc. en vigueur sur le territoire de la Confédération suisse et de simplifier ce système.

69 Rupli, 1949, pp. 69-89.

0,14% du réseau européen – 19 kilomètres de lignes entre Zurich et Baden[70]. Ce retard est vigoureusement dénoncé par certains milieux économiques et politiques[71]. Selon eux, la construction d'un réseau ferroviaire international évitant la Suisse ferait d'elle une sorte d'îlot vivant au ralenti. A terme, cette évolution la condamnerait à une mort économique lente:

> *Que les Suisses y prennent garde! les autres nations marchent. Quand on va aussi rapidement de Marseille à Londres que de Bâle à Coire, de Vienne à Berlin plus vite que de Genève à Zurich, de Paris à Bâle que de Bâle à Berne; quand les idées des hommes et les choses voyageront à vol d'oiseau autour de la Suisse, je prédis que, si elle ne fait dès aujourd'hui acte de vie, l'existence future de la Suisse reste un problème. Il ne peut que lui rester le sort des Républiques de Venise et de Gênes après la découverte de l'Amérique*[72].

Si elle entend poursuivre son développement commercial et industriel, la Suisse doit impérativement s'adapter à la révolution des transports que représente le chemin de fer:

> *Mag man daher über Eisenbahnen denken wie man will (im Verkehrswesen verhalten sich solche zu den gewöhnlichen Landstrassen, etwa wie Spinnereien zu den Handspinnern), so kann doch Niemanden entgehen, dass solche nunmehr durch die* Nothwendigkeit (souligné dans l'original, C. H.) *geboten werden, wenn die Schweiz welche bisher eine nicht unbedeutende Stellung als Industrie- und Handelstaat eingenommen hat, nicht gänzlich zurückbleiben will*[73].

70 *Wochenblatt*, Nr. 23, 9. Juni 1849, p. 98; l'Amérique possède 15 747 kilomètres de voies ferrées, alors que l'Europe en a 13 766, répartis entre l'Allemagne (5656), la Grande-Bretagne (3760), la France (2273), la Belgique (777), la Pologne (285), l'Italie (246), la Hollande (223), la Hongrie (221), le Danemark (184), la Russie (67), l'Espagne (25) et la Suisse (19).

71 Dès 1841, un ingénieur zurichois du nom de Johannes Wild (1814-1894) déclare: «*Ueberall Thätigkeit, überall Leben; nur bei uns in der Schweiz scheint man die Zeit nicht begreifen zu wollen. Um nicht ein vom Handelsverkehr abgeschlossenes Volk zu geben, müssen wir Thätigkeit entwickeln und die Zeit nicht unbenutzt vorbeigehen lassen, indessen unsere Nachbarn sich des Verkehrs bemächtigen und uns davon gänzlich ausschliessen.*»; Wild, 1841, p. 3; en 1845, un ingénieur bâlois du nom d'Andreas Merian (1794-1880) lui fait écho en fustigeant la passivité suisse; cité in Volmar, 1925, pp. 5-6; en novembre 1849, le Zurichois Alfred Escher – cf. note 51, chapitre 3 – ouvre la session d'hiver du CN par un discours explicitant bien le danger que comporte le retard suisse en matière ferroviaire: «*Von allen Seiten nähern sich die Schienenwege immer mehr der Schweiz. Bereits wird die Frage, wie sie in Verbindung miteinander gebracht werden sollen, eifrig verhandelt; es tauchen Pläne auf, nach denen sie um die Schweiz herumgeführt werden solle, und dieser droht damit die neue Gefahr, gänzlich umgangen zu werden und in Zukunft das traurige Bild einer europäischen Einsiedelei darbieten zu müssen.*»; cité in Schmid, 1956, p. 19.

72 Le projet Berset, dont sont tirées ces lignes, est adressé à la Diète en 1844; cité in Volmar, 1925, p. 14; en 1845, la démarche de Berset provoque le premier débat sérieux de cette autorité politique au sujet de la question des chemins de fer; AdT, 1845, p. 235.

73 *Monatblatt*, Nr. 11, 1844, p. 162.

Le chemin de fer est au transport ce que la mécanisation est à la production: il permet de déplacer hommes et marchandises plus vite et meilleur marché. Priver la Suisse de ce moyen de transport révolutionnaire reviendrait à accorder un avantage concurrentiel décisif aux commerces étrangers. A moyen terme, certains exportateurs considèrent donc la construction d'un réseau ferroviaire comme une question de vie ou de mort[74].

Une réduction des coûts de transport revêt une importance toute particulière pour les industriels de la branche du coton en compétition avec l'Angleterre. Parmi eux, les producteurs de fabriqués à rapport poids/valeur élevé – filés, tissés grossiers blanchis, teints ou imprimés – sont les plus pénalisés par l'absence de chemins de fer. Les coûts de transport de la matière première et les coûts d'expédition constituent en effet une part importante du prix des marchandises exportées. En 1843, un industriel glaronnais estime qu'en raison du différentiel des coûts de transport, les filatures de son canton travaillent une matière première 25% plus chère que celle ouvrée à Manchester[75]. Comme la matière première représente plus de 50% du prix du filé[76], les frais d'acheminement depuis un port atlantique peuvent être évalués à un minimum de 12,5% du prix de vente. Quant à l'expédition dans un rayon d'environ 800 km (Rennes, Bordeaux, Naples, Hambourg), elle représente 7 à 10% du prix du filé, sans compter les frais d'assurance et les diverses taxations (tableau 1). Les coûts liés au transport s'élèvent par conséquent à plus de 20% du prix d'un filé glaronnais vendu à Rennes. La construction d'une liaison ferroviaire entre les Verrières et Glaris permettrait de réduire les frais de transport de 75% sur un quart du trajet. Un gain de près de 4% pourrait ainsi être réalisé. En cas de suppression des taxations cantonales sur le transit, dont la charge peut être évaluée très grossièrement à 2% du prix du filé[77], les effets cumulés d'une unification douanière se chiffreraient donc à 6% du prix de vente d'un filé exporté à Rennes.

74 Cette notion de vie ou de mort est développée dans une brochure anonyme bâloise, dont l'auteur est certainement le fabricant Hans-Georg Stehelin-Dobler (1806-1871), cofondateur du «Centralbahn»; Volmar, 1925, p. 9; elle est reprise par Alfred Escher, cofondateur du «Nordostbahn» et du «Crédit suisse», dans un discours prononcé en 1849: *«Ich hege die feste Überzeugung, meine Herren, dass Sie die ganze Bedeutung des gegenwärtigen Augenblicks mit Beziehung auf die Frage, welche ohne Übertreibung eine Lebensfrage der Schweiz genannt werden darf, wohl erwägen werden [...]»*; cité in Gagliardi, 1919, p. 145.

75 *Neue Verhandlungen der schweizerichen gemeinnützigen Gesellschaft*, Bericht 1843, Glarus, 1844, p. 247.

76 Dudzik, 1987, p. 190.

77 Le coût du transit pour un quintal de marchandises entre Genève et Zurich s'élève à 1,43 frsa, soit environ 2,1 frs nouveaux; Frey, 1892, p. 456; en admettant que le coût du transit entre Glaris et les Verrières est en tout cas équivalent, l'acheminement du coton à l'aller et des filés au retour s'élève à 4,2 frs, soit 1,8% du prix d'un quintal

L'industrie des machines est aussi très intéressée à être reliée à un réseau ferroviaire. Vu le caractère pondéreux des matières premières importées (fer, acier), de substantielles économies pourraient être faites sur leur acheminement. Cumulées à la réduction des coûts d'expédition des fabriqués (machines à papier, à vapeur, pièces de bateau), elles permettraient d'envisager une expansion commerciale sur des marchés plus lointains que ceux des pays limitrophes[78]. Par ailleurs, le service après vente de l'industrie des machines requiert l'envoi de spécialistes et de pièces de rechange dans les meilleurs délais. En attendant la construction de chemins de fer, les entreprises suisses sont condamnées à entretenir de coûteux ateliers de maintenance à l'étranger.

Bastion de la filature mécanique et de l'industrie des machines, le canton de Zurich assume logiquement un rôle de «leader» de la promotion du chemin de fer en Suisse. A titre privé, les grands industriels s'engagent pour la réalisation d'un réseau ferroviaire[79]. Ils considèrent en effet que pour assurer la continuité du développement d'une industrie mécanisée en Suisse, une diminution des coûts de transport représente le complément indispensable à une politique commerciale interventionniste de la Confédération. En 1836, déjà, la Chambre de commerce de Zurich obtient du Gouvernement un crédit d'étude de faisabilité de diverses lignes qui permettraient de désenclaver les industries du canton[80].

Très vite aussi, les marchands-entrepreneurs de St-Gall et d'Appenzell sont convaincus de l'utilité de chemins de fer[81]. Bien que moins concernés par la crise des années 1840, les exportateurs de cotonnades de luxe (mousselines, tissus en couleur, broderies) estiment pourtant avoir besoin d'un

---

de filés – en 1843, un quintal de filés est vendu 237 frs sur le marché suisse; Dudzik, 1987, p. 190.

78 Hofmann, 1962, pp. 97-100; Menzel, 1979, p. 50.

79 Heinrich Kunz, surnommé le «roi des fileurs», investit à lui seul près de 2 mios de frs dans diverses compagnies de chemins de fer, ce qui représente une somme colossale à l'époque; Dudzik, 1987, p. 288; en 1837, le président du CA d'Escher Wyss – «leader» suisse dans la construction de machines –, Hans Conrad von Muralt, prend la présidence de la «Basel-Zürich-Eisenbahngesellschaft» qui a pour but de relier les deux villes par un chemin de fer; Escher Wyss finance par ailleurs cette société à raison de 120 actions de 500 frs; sur la constitution du «Zürich-Basel», cf. Gubler, 1915, pp. 27-50.

80 Bärtschi, 1983, pp. 114-118; le maître à penser des promoteurs du chemin de fer serait Caspar Hirzel (1798-1866), commerçant zurichois établi à Leipzig, directeur de la ligne de chemin de fer Leipzig-Dresde, plénipotentiaire pour les affaires de douanes et de commerce auprès du «Zollverein»; par de nombreuses lettres adressées à des personnalités telles que Conrad von Muralt et Alfred Escher, il leur fait prendre conscience de la nécessité pour Zurich d'agir vite en matière ferroviaire; il serait également l'instigateur du Crédit Suisse; Peyer, 1968, pp. 203-206.

81 Johann Kaspar Zellweger est partisan d'une introduction rapide du chemin de fer; *Actes de la Société suisse d'utilité publique*, rapport 1841, Lausanne, 1842, pp. 189-191.

réseau ferroviaire pour rester concurrentiels sur les marchés d'outre-mer[82]. Dès le début des années 1840, les élites industrielles et commerciales de Suisse orientale sont ainsi majoritairement acquises à l'introduction rapide du nouveau moyen de transport.

Le rail n'avantage pas la seule industrie d'exportation; rapide et bon marché, il est en mesure de révolutionner la commercialisation de certains produits agricoles en élargissant leur rayon de vente. La vitesse permettrait à des denrées périssables (produits laitiers, légumes, etc.) d'atteindre de nouveaux consommateurs potentiels, en particulier dans les grandes villes jusqu'alors inaccessibles. Cette petite révolution commerciale serait susceptible d'augmenter les revenus de l'agriculture:

> *Viele Landstriche bleiben arm, weil das Produkt des Landmannes an Milch, Früchten, Geflügel u. keinen rechten Absatz findet [...] Durch die Eisenbahnen lassen sich die Produkte von 30, 40 Stunden weiter her den Städten zuführen ohne sehr vergrösserte Kosten. Der Preis der Lebensmittel muss daher in den Städten fallen, auf dem Lande steigen und beiden Theilen ist geholfen*[83].

Par ailleurs, la réduction des coûts de transport permettrait aux produits agricoles d'exportation (fromage, bétail) d'être vendus sur des marchés plus éloignés tout en restant concurrentiels. Toutefois, le même phénomène risque de mettre en difficulté la céréaliculture et la viticulture par une diminution du prix des produits agricoles importés. Malgré ce dernier inconvénient, les cantons agricoles de Suisse occidentale se montrent plutôt favorables à la construction de chemins de fer. A partir de 1845, le canton de Berne mène une politique ferroviaire active qui doit servir les intérêts du commerce de fromage et de bétail, mais aussi les industries du lin et de la métallurgie[84].

Durant la première moitié des années 1840, les cantons commerçants de Suisse occidentale sont plus réticents vis-à-vis d'un réseau ferroviaire helvétique. D'une part, leurs industries produisent des rubans de soie et de l'horlogerie, dont les prix de vente sont peu influencés par les coûts de transport:

> *[...] qu'elle* (la Suisse, C. H.) *puisse donc expédier ses produits de fabrique par les chemins de fer, ou faire venir les matières premières à quelques batzen par quintal meilleur marché, il est évident qu'en comparaison de l'importance de la main-d'œuvre, qui constitue la valeur principale de la fabrication, ceci est d'un intérêt minime*[85].

82 Kommissionalbericht an den Grossen Rath..., 1846, p. 19.

83 *Monatblatt*, April 1844, p. 50; ce passage est tiré d'un exposé présenté au sein de la section soleuroise du SGV par un ingénieur dénommé Daffner; le débat qui suit l'exposé met en évidence la nécessité pour l'agriculture suisse de disposer de chemins de fer pour rester concurrentielle; *Monatblatt*, März 1844, p. 47.

84 Volmar, 1924/1925.

85 Ce point de vue est défendu par l'éminence grise de Bâle en matière d'économie politique, Bernoulli-Bär, lors d'un débat au sein de la SGG (1841); *Actes de la Société suisse d'utilité publique*, rapport 1841, Lausanne, 1842, p. 179.

Leur compétitivité dépend avant tout de la masse salariale qui peut être réduite par l'introduction de nouvelles technologies. De ce point de vue, la construction de chemins de fer accaparerait une masse énorme de travail et de capital, entraînant un renchérissement des salaires et du crédit. D'autre part, la construction de chemins de fer n'intéresse pas encore le commerce spéculatif de ces cantons. Dès 1844, la ville de Bâle est connectée au réseau international grâce à sa liaison avec Strasbourg. Elle renforce ainsi son statut de plaque tournante du trafic commercial nord-sud. Une prolongation de la ligne vers Zurich donnerait à sa rivale les moyens de s'accaparer une partie du commerce d'importation et d'entrepôt[86]. Jusqu'en 1845, Bâle mène par conséquent une politique d'obstruction qui se concrétise par le fiasco du projet d'une ligne Zurich-Bâle[87]. A partir de cette date, deux projets ferroviaires menaçant le statut de la ville rhénane obligent les Bâlois à abandonner leur politique attentiste. A l'est de la Suisse, St-Gall s'intéresse à une ligne Bavière-St-Gall-Grisons-Lukmanier-Tessin-Italie du nord. Plus au centre, Zurich tente de mettre sur pied une ligne qui relierait le nord de l'Italie à Zurich par le Splügen et se prolongerait vers Bâle par la rive allemande du Rhin. Pour contrer ces projets, le commerce bâlois se voit obligé de promouvoir la réalisation d'une ligne Bâle-Olten-Gothard-Tessin-Italie du nord qui maintiendrait sa situation privilégiée. La même année, Genève sort de sa léthargie en projetant une ligne Genève-Lac de Constance.

Dès 1845, la nécessité de chemins de fer en Suisse fait donc presque l'unanimité au sein des différentes élites économiques helvétiques, même si des rivalités opposent les cantons sur les modalités de construction du réseau ferroviaire (tracés des lignes, priorités du réseau, mode de financement, etc.). Un dernier noyau de résistance subsiste cependant. Il est constitué des cantons qui profitent du commerce de transit routier. Ceux-ci craignent en effet que le chemin de fer fasse péricliter l'activité des rouliers, des artisans, des aubergistes et des petits commerçants qui vivent du passage. Pour cette raison, le canton de Bâle-Campagne oppose très longtemps son veto à une ligne Bâle-Olten[88].

Au-delà de la volonté d'introduire des chemins de fer, la réalisation de ce projet se heurte à de nombreux problèmes spécifiques à la Suisse. Pour intéresser et motiver les investisseurs potentiels à placer leurs capitaux dans la

86 Volmar, 1924, pp. 4-5.

87 Volmar, 1924, pp. 5-6; Gubler, 1915, pp. 27-99; lors du débat ferroviaire de 1841 au sein de la SGG, un membre zurichois fustige l'attitude égoïste de Bâle dans cette affaire; *Actes de la Société suisse d'utilité publique*, rapport 1841, Lausanne, 1842, p. 188.

88 Volmar, 1924, pp. 11-87; dans un article de la *Neue Basellandschaft Zeitung*, daté des 17 et 21 janvier 1846, le chemin de fer est associé à la mort économique du canton; Gubler, 1915, pp. 229-230.

construction d'un réseau ferroviaire, il est indispensable de leur assurer une rentabilité intéressante ainsi qu'une certaine sécurité. Comme ces exigences ne sont de toute évidence pas réunies durant les années 1840, les capitalistes helvétiques préfèrent investir à l'étranger, comme le constate Auguste von Gonzenbach[89]:

> *L'impossibilité où la Suisse paraît se trouver d'établir des chemins de fer [...] semble réfuter victorieusement cette manière de voir* (qu'il existe une abondance de capitaux en Suisse, C. H.), *mais il ne faut pas perdre de vue que la construction des chemins de fer en Suisse est plus coûteuse qu'ailleurs à cause des circonstances locales, et que la forme constitutionnelle de la Suisse n'est pas favorable à la stabilité nécessaire pour l'exécution d'un système de chemins de fer; les capitalistes préféreront placer leurs fonds sur les chemins de fer à l'étranger, qui leur offrent plus de sécurité que les entreprises de la Suisse, il serait facile de prouver que tel est le cas*[90].

Selon l'avis du Saint-Gallois, qui fait alors autorité en matière économique, le manque de capitaux ne constitue donc pas le principal obstacle à la construction de chemins de fer en Suisse. Bien qu'appartenant au parti conservateur, il évoque les inconvénients du système politique[91]. Le fédéralisme ne permet en effet pas de gérer les divergences d'intérêts entre régions. L'attribution de concessions, du ressort des autorités cantonales, est l'objet d'une lutte acharnée qui empêche toute construction rationnelle: le «Zürich-Baden», bloqué de tous les côtés dans ses projets d'extension, en est la parfaite illustration.

Deux autres problèmes liés au fédéralisme hypothèquent la rentabilité d'éventuelles lignes ferroviaires. Le premier concerne les modalités de l'expropriation qui doit s'opérer à des coûts compatibles avec une exploitation rentable. Différentes dans chaque canton, les lois d'expropriation désavantagent parfois les sociétés de chemins de fer. La construction d'une ligne peut ainsi être empêchée. Livrées à l'arbitraire des décisions de plusieurs pouvoirs cantonaux, les compagnies de chemins de fer hésitent à se lancer dans de gigantesques investissements. En uniformisant les conditions d'expropriation, la Confédération permettrait un calcul plus serein des coûts de construction et, par là, des possibilités de profit.

Par ailleurs, la construction de chemins de fer ne peut être rentable que si les entraves cantonales mises au transport de marchandises sont suppri-

89 *August von Gonzenbach* (1808-1887) (SG), cf. note 157, chapitre 1.

90 Gonzenbach, 1842, note 2 p. 129.

91 L'analyse de von Gonzenbach est corroborée par un discours d'Alfred Escher, leader du parti radical zurichois, prononcé en 1849: *«Es sei ein ziemlich allgemein verbreitetes Gefühl, dass in der Schweiz bisher hauptsächlich darum so wenig Befriedigendes darin geleistet worden sei, weil es nach dem Bundesvertrag von 1815 einzig den Kantonen, die dann sofort in einen unerquicklichen Kampf von wohl- oder übelverstandenen Sonderinteressen gerieten, und nicht dem Bunde zustand, den Eisenbahnbauten jene Unterstützung von Regierungs wegen angedeihen zu lassen, deren sie, wenn sie zustande kommen sollten, durchaus bedürften.»*; cité in Gagliardi, 1919, p. 145.

mées. Les spécialistes de l'époque ne conçoivent pas la réalisation d'un réseau sans l'introduction d'un système douanier unifié:

> *Erringen wir kein solches System, so werden wir auch die weitern Fragen homogener Gesetzgebung in Verkehrssachen, eine würdige Vertretung gegen Aussen, und die grösste von allen, deren befriedigende Lösung das Wohl des gesammten Landes früher oder später dringend erheischt, nämlich die Eisenbahnfrage, unerledigt bleiben [...]*[92]

Un transport ferroviaire sans cesse interrompu par des formalités douanières ne conviendrait pas. De plus, la taxation intérieure en vigueur limiterait sensiblement le volume de marchandises transportées, dont dépend en grande partie la rentabilité d'une ligne. La suppression de cette fiscalité permettrait d'intensifier le commerce intérieur et, surtout, le transit à travers la Suisse, en le rendant plus compétitif par rapport à celui des pays voisins. A défaut d'une centralisation complète du système douanier, une union douanière concordataire rassemblant les cantons intéressés au réseau ferroviaire est requise[93]. Il n'est dès lors pas étonnant que certains promoteurs du chemin de fer se retrouvent parmi les plus fervents défenseurs d'une centralisation douanière et d'une exonération fiscale maximale du transit.

2.1.4. Freins fédéralistes à une centralisation douanière: souveraineté fiscale et transfert de la charge douanière aux frontières

L'étude consacrée au Concordat de rétorsion contre la France nous a montré les résistances de certains cantons à l'établissement d'un cordon douanier fédéral aux frontières suisses. L'aristocratie terrienne des régions de montagne se méfie de toute centralisation qui pourrait la limiter dans l'exploitation cantonale de cette fiscalité. Afin d'éviter l'instauration d'un impôt direct cantonal sur la propriété foncière, les élites agricoles doivent en effet pouvoir adapter la taxation douanière aux besoins budgétaires cantonaux. Pour des raisons diamétralement opposées, les marchands-banquiers de Suisse occidentale refusent eux aussi toute centralisation. Ils craignent qu'une taxation fédérale impose la consommation et les transactions commerciales, ce qui gênerait les intérêts de leur commerce. Pour éviter une trop forte taxation douanière cantonale, les élites bâloises sont les premières à introduire un impôt direct sur le revenu (1840).

92 *Monatblatt*, März 1844, p. 33; cf. également *Monatblatt*, Nr. 12, 1844/45, p. 191; *Monatblatt*, Nr. 12, 1844/1845, p. 180; Wild, 1841, p. 12; Danner, 1844, p. 14.

93 De nombreux commentateurs traitent brièvement de cette problématique: Huber, 1890, pp. 190-193; Gubler, 1915, pp. 50-51; Fueter, 1928, pp. 22-23; Bosshardt, 1948, pp. 145-147; Rupli, 1949, pp. 154-155.

Les enjeux fiscaux liés au remplacement des systèmes douaniers cantonaux par un dispositif centralisé installé aux frontières sont encore beaucoup plus importants et complexes que ceux soulevés par le Concordat de rétorsion. L'opération consiste en une refonte complète du système fiscal helvétique, avec tous les enjeux politiques et économiques que cela suppose. Faut-il supprimer l'ensemble des barrières intérieures pour libérer la consommation et le transit de toute charge fiscale ou faut-il laisser aux cantons une partie de la taxation indirecte? Faut-il notamment centraliser les taxes sur l'alcool («Ohmgeld»)? Les cantons doivent-ils déléguer gratuitement leurs compétences à la Confédération ou bénéficier d'une indemnisation pour leurs pertes fiscales? Comme la première solution n'est pas envisageable pour des raisons politiques, la question du mode d'indemnisation et de ses proportions se pose. Doit-elle s'effectuer en fonction du revenu douanier de chaque canton avant la réforme ou en vertu d'autres critères plus égalitaires, tels que le nombre d'habitants, le kilométrage du réseau routier, etc.? La somme ristournée par la Confédération aux cantons étant définie, faut-il la prélever intégralement sur le cordon douanier installé aux frontières ou faut-il instaurer une autre source de revenus limitant la charge douanière ponctionnée? Enfin, quelle répartition de la charge fiscale veut-on imposer aux différentes marchandises importées, exportées et en transit (structure du tarif)?

Ainsi, l'unification douanière soulève un ensemble de questions complexes et difficiles à résoudre. Quelles que soient les réponses apportées, d'énormes transferts de la charge fiscale s'effectueront entre les différents «mondes de production», dont les intérêts sont contradictoires. La recherche d'une solution consensuelle se heurte aussi à la bigarrure des systèmes fiscaux cantonaux, basés sur une proportion très variable entre fiscalité directe et indirecte. L'élaboration d'un projet de centralisation à l'échelle nationale relève par conséquent de la mission impossible. Même limitée à quelques cantons concluant un concordat, l'unification d'un espace douanier rencontre de très grandes difficultés.

Le principal problème engendré par le déplacement – partiel ou complet – de la taxation douanière aux frontières est celui du transfert de la charge fiscale. La consommation des habitants des cantons frontaliers – Bâle-Ville, Genève, Neuchâtel, Tessin, St-Gall, – qui s'approvisionnent en grande partie à l'étranger, ne serait plus renchérie par des taxes cantonales très basses, mais par les taxes fédérales beaucoup plus élevées. La charge douanière supplémentaire ainsi prélevée sur la population ne reviendrait pas dans les caisses cantonales, puisque la redistribution des recettes fédérales se ferait sur la base maximale des revenus retirés avant la centralisation. L'accroissement de la fiscalité indirecte aurait par ailleurs des répercussions économiques fâcheuses. Les productions industrielles destinées à être commercialisées à l'étranger perdraient en compétitivité. Le volume d'affaires du commerce d'importation serait réduit – 60% des marchandises importées en Suisse en 1841 entrent par ces cinq cantons[94] –, notamment par l'accroissement de la contrebande.

L'instauration d'un tarif fédéral aux frontières désavantagerait plus encore le commerce intermédiaire. Véritables ports-francs au centre de l'Europe, les cantons frontaliers suisses importent et entreposent une grande quantité de marchandises, avant de les réexporter en contrebande vers les pays voisins[95]. Pour les clients étrangers, l'opération permet d'éluder l'imposition élevée qui frapperait une importation légale. Bien que le profit réalisé par le négociant suisse entame une partie de ce gain, l'approvisionnement s'effectue tout de même à des prix avantageux. Afin de conserver ce commerce juteux, les cantons frontaliers doivent éviter qu'un tarif fédéral entame trop les marges bénéficiaires par une ponction fiscale[96]. Par ailleurs, un système douanier fédéral pourrait instaurer un contrôle plus sévère aux frontières. Dans ce domaine, les administrations cantonales font souvent preuve d'un certain laxisme, favorisant ainsi la contrebande locale.

En raison du transfert de la charge fiscale et de ses inconvénients pour leurs activités commerciales, les cantons frontaliers adoptent une position très réticente vis-à-vis d'une centralisation du système douanier suisse. Alors que certains milieux marchands, surtout à Bâle, Genève et Neuchâtel, refusent le projet de manière catégorique, d'autres sont favorables à une centralisation douce. Ainsi, à Saint-Gall, des marchands-entrepreneurs prônent un rachat

94 En 1841, *Bâle* est le principal canton importateur avec 799 103 quintaux (50 kg), suivi par *Genève* (308 368 quintaux), *Neuchâtel* (182 725 quintaux), le *Tessin* (157 630 quintaux), Schaffhouse (136 506 quintaux), les Grisons (133 352 quintaux) et *St-Gall* (123 275 quintaux); d'autres cantons frontaliers, tels que Vaud (40 545 quintaux) ou Berne (30 693 quintaux) viennent loin derrière; Beyel, 1843, p. 138.

95 Bosshard, 1964, p. 307.

96 Comme le constate ouvertement la Chambre de commerce du Tessin, dans une requête adressée aux autorités fédérales, le système de l'entrepôt réel ne permettrait pas de sauver le commerce intermédiaire illégal en cas de forte taxation aux frontières; ce système, qui permet pourtant aux négociants de déposer des marchandises dans des locaux de l'Etat, sans avoir à payer de taxation douanière en cas de réexportation, ne permet pas toute la discrétion nécessaire aux opérations de contrebande: «*La grande masse des marchandises, c'est-à dire toutes celles qu'on peut faire entrer clandestinement dans les états voisins ne pourraient tirer aucun avantage des entrepôts, puisque devant toujours produire le certificat de sortie, lequel ne peut être délivré que par les employés des bureaux de frontière et par conséquent sous les yeux des douaniers de l'état voisin, cela éveillerait leur attention et rendrait la contrebande beaucoup plus difficile sinon impossible et tuerait ainsi peu-à-peu* (sic) *ce commerce*»; AF, E 11, vol. 1, «Observations sur le nouveau projet de tarif fédéral écrites par ordre de la Chambre de Commerce du canton du Tessin», Lugano, 1849, p. 5; cf. également Rapport de la commission fédérale d'experts…, 1844, p. 91; Eingabe an die Mitglieder der Bundesversammlung…, 1849, pp. 4-8.

partiel de la taxation indirecte (taxes de transit) par la Confédération, ce qui permettrait de réduire la charge douanière prélevée aux frontières suisses.

Les cantons situés à l'intérieur du territoire helvétique, moins en relations avec l'étranger, gagneraient par contre à un déplacement des taxes aux frontières. Leurs échanges avec les cantons voisins n'étant plus soumis à taxation, la charge fiscale imposée à la consommation de leurs citoyens serait réduite. Par contre, l'indemnisation de la Confédération couvrirait probablement l'entièreté des pertes financières provoquées par la centralisation. De surcroît, la production industrielle et agricole de ces cantons bénéficierait d'un meilleur accès au marché intérieur. Déplacée aux frontières, la charge douanière changerait en effet de statut. D'entrave à l'accès aux marchés cantonaux, elle deviendrait une protection du nouveau marché intérieur unifié. Les cantons frontaliers seraient ainsi poussés à consommer davantage de productions suisses.

Une centralisation totalement indemnisée de la taxation douanière impliquerait aussi un transfert de charge entre cantons à forte et à faible imposition indirecte. L'ampleur de ce transfert serait encore plus important en cas d'inclusion de l'«Ohmgeld». Or, durant les années 1840, une série de cantons (tableau 5) introduisent une imposition directe sur la fortune ou/et le revenu qui permet de réduire la charge prélevée sur la consommation. Comme le montre le graphique 14, Zurich retire 17% de ses revenus de l'impôt direct, alors que les douanes représentent 2% et que l'«Ohmgeld» n'existe pas.

En cas de centralisation douanière, l'imposition directe ne serait pas modifiée. Par contre, la population zurichoise devrait supporter un renchérissement de sa consommation dû à l'instauration d'un tarif douanier fédéral. La suppression des taxes intérieures de transit serait loin de compenser ce surcroît de charge. Par le biais de l'indemnisation fédérale, les Zurichois contribueraient ainsi à financer les cantons à forte imposition indirecte. Les citoyens des Grisons, qui ne sont pas soumis à une imposition directe, en profiteraient pleinement. Ils bénéficieraient d'une réduction de leur imposition indirecte – douanes et «Ohmgeld» représentent 38% du budget cantonal – sans pour autant devoir faire face à des problèmes budgétaires.

La mise sur pied d'un projet de centralisation susceptible de réaliser un consensus entre les cantons à forte et à faible fiscalité indirecte comporte donc certaines difficultés. Ce d'autant plus que les disparités entre les systèmes cantonaux sont énormes: alors que Glaris ne prélève que 0,04 frsa par habitant grâce à la taxation douanière (douanes, roulage, pontonnage), Uri retire 4 frsa par habitant, soit 100 fois plus[97]. En 1848, de nombreux

97 Kommissionalbericht..., 1846, p. 35.

Graphique 14. Hétérogénéité des principales recettes des cantons de Zurich, Lucerne et des Grisons dans les années 1830-1840 (en pourcents des revenus totaux du canton)[98]

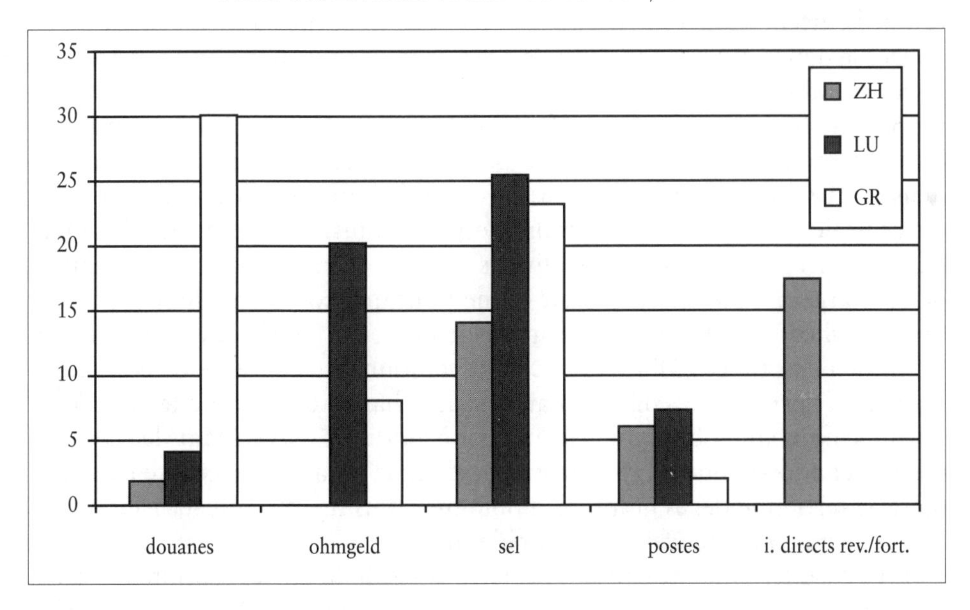

cantons n'ont pas encore introduit une fiscalité directe (LU, UR, SZ, OW, NW, ZG, TI, VS, GR, FR, AG et NE). Les cantons agricoles, dont l'aristocratie terrienne est réfractaire à une imposition foncière, forment le gros du peloton (tableau 5).

2.2. Les grandes étapes de l'unification douanière

La débâcle du Concordat de rétorsion a renforcé le système douanier fédéraliste libre-échangiste défendu par l'élite marchande. Certes, entre 1825 et 1840, de nombreux débats douaniers ont lieu à la Diète, au cours desquels ses limites sont mises en évidence et souvent dénoncées. Divers projets de réforme sont ainsi lancés pour atténuer les insuffisances structurelles constatées. Toutefois, la volonté politique de réaliser une véritable centralisation du système douanier demeure cantonnée dans les classes moyennes intéressées aux marchés de proximité. La bonne conjoncture économique et le

98 Les budgets de Zurich (1843), Lucerne (1845) et des Grisons (1832) sont tirés in Schanz, 1890, vol. 2, p. 397; vol. 3, p. 352; vol. 3, p. 220; les principaux revenus qui ne sont pas pris en compte dans le graphique sont le report de surplus budgétaires de l'année précédente (15% pour les Grisons), les revenus de la fortune et des biens (35% pour Zurich), les droits de patente (12% pour Zurich) et diverses taxations.

développement du commerce outre-mer satisfont les différentes élites économiques qui poursuivent leur développement sans rencontrer de difficulté insurmontable. Les exigences de changement de la politique douanière fédérale se heurtent alors systématiquement à des majorités d'opposition.

Dès le début des années 1840, la crise économique, qui frappe surtout les régions industrielles de Suisse orientale, modifie fondamentalement le rapport de force. La nécessité d'améliorer les conditions-cadre commerciales et communicationnelles pousse peu à peu certaines élites économiques dans le camp de la centralisation. Les grands industriels du coton et de la métallurgie, les grands agriculteurs de plaine ainsi qu'une partie des marchands-entrepreneurs, qui sont divisés entre la crainte d'une augmentation de la charge douanière et le désir d'une politique commerciale d'ouverture des marchés extérieurs, prônent désormais une unification douanière. Au milieu des années 1840, la nécessité toujours plus urgente de construire un réseau ferroviaire engage d'autres marchands-entrepreneurs et même certains marchands-banquiers à changer à leur tour d'avis. Mais la majorité des marchands-banquiers de Suisse occidentale et la quasi-totalité de l'aristocratie terrienne des régions de montagne continuent à refuser tout transfert de leurs compétences à la Confédération.

En 1843, les élites économiques partisanes de la centralisation s'organisent en fondant le «Schweizerischer Gewerbsverein» (SGV). Cette association, qui se caractérise par l'alliance des deux poids lourds politiques que sont Berne et Zurich, regroupe tous les partisans d'une unification douanière, qu'ils soient de tendance libre-échangiste (exportateurs de produits industriels ou agricoles, financiers intéressés au chemin de fer) ou protectionniste (grands industriels, viticulteurs, classes moyennes). Des élites économiques des cantons de Soleure, Argovie, Glaris, St-Gall, Thurgovie et Schaffhouse y sont également représentées. Au-delà de la question douanière, le SGV met sur pied un catalogue des compétences économiques qu'il estime nécessaire de centraliser pour assurer le développement futur de l'économie suisse. Il est significatif que le spectre politique des membres du SGV s'étend du libéralisme-conservateur au radicalisme le plus extrémiste. Tous sont convaincus que l'avenir économique de la Suisse dépend de la capacité du système politique de mener une réforme fondamentale des conditions-cadres. Mais le chemin politique devant y conduire est l'objet de divergences. Alors que certains veulent une réforme dans le cadre des institutions existantes, d'autres souhaitent un changement de système politique.

Malgré l'organisation des élites centralisatrices, les nouvelles tentatives faites à la Diète pour réformer le système douanier se soldent par des échecs. Un quart de siècle après le Concordat de rétorsion, les forces économiques de mouvement sont confrontées au même problème politique. Instrumentalisant le système fédéraliste, les élites économiques conservatrices opposent un veto à la centralisation de compétences économiques. Voulant imiter la

Prusse, Berne tente alors de prendre la tête d'une sorte de «Zollverein» helvétique. A la veille de la Guerre du «Sonderbund», en 1847, une série de cantons discutent d'un concordat visant à unifier leurs systèmes douaniers. La réforme est alors plus ambitieuse qu'en 1822, puisqu'elle vise à supprimer la taxation intérieure au profit d'un tarif intercantonal. Il est vrai que le contexte commercial et les termes de la concurrence internationale ont eux aussi changé. A moyenne échéance, le statu quo douanier pourrait constituer un obstacle insurmontable à la poursuite du développement des branches les plus dynamiques de l'industrie helvétique. D'importants capitaux sont en jeu. La possibilité de construire un réseau ferroviaire dépend aussi de l'issue des discussions. En raison de l'ampleur des enjeux commerciaux, fiscaux et communicationnels, la réalisation effective et efficace du concordat projeté par Berne reste toutefois hypothétique.

Le refus des cantons catholiques-conservateurs de collaborer à une réforme des conditions-cadre économiques est sans conteste un élément important du faisceau des causes économiques, sociales, politiques et culturelles qui mènent à une radicalisation de l'affrontement entre forces de mouvement et forces conservatrices. Les enjeux économiques ont-ils été décisifs dans le déclenchement de la Guerre du «Sonderbund»? Cette interrogation, qui risque de mener à un débat stérile sur l'importance du spirituel (religion) et du matériel (centralisation économique), est en fait une fausse question. Deux mondes s'affrontent au sein de la Confédération, dont les besoins économiques, sociaux, politiques et culturels diffèrent fondamentalement. Les élites conservatrices de la «Vieille Suisse» refusent de satisfaire aux besoins de changement engendrés par le dynamisme économique et social de la «Nouvelle Suisse». La Révolution industrielle et les réformes agraires ont en effet créé des besoins qu'il n'est plus possible de satisfaire à l'échelle cantonale. Pour poursuivre leur développement, les cantons libéraux et radicaux ont besoin que des changements interviennent au niveau fédéral. Le système politique mis en place en 1815 est ainsi devenu un nœud gordien qui sera tranché par la Guerre du «Sonderbund». Selon les intérêts et la subjectivité des acteurs de l'époque, les motivations économiques, politiques et religieuses ont joué un rôle plus ou moins important dans leur engagement contre ou en faveur du changement.

La victoire des forces libérales-radicales débouche sur la création de l'Etat fédéral. Un système politique adapté aux besoins d'une société en pleine mutation économique et sociale est ainsi mis en place. Par ailleurs, la constitution de 1848 contient de nouvelles conditions-cadre, dont les articles douaniers forment la clef de voûte. Leur élaboration fait l'objet d'un formidable affrontement politique entre les différentes élites économiques du pays. Un consensus global étant impossible, chaque disposition fait l'objet de coalitions de circonstance. Bien qu'ils fixent les grandes orientations du futur système douanier, les articles constitutionnels laissent bon nombre de décisions du ressort de la future législation. Il en est de même avec les autres domaines de compétence délégués à la Confédération. A quelques exceptions près, les revendications des élites économiques regroupées au sein du SGV sont prises en compte. Pour parvenir à un consensus politique susceptible d'être accepté en votation populaire, la centralisation est toutefois cantonnée dans des limites étroites.

2.2.1. Les années 1830: timides tentatives de réformes douanières

Après l'échec du Concordat de rétorsion (1824), l'élite marchande triomphante réussit à stabiliser le système douanier fédéraliste libre-échangiste qui sert ses intérêts. Durant la deuxième partie des années 1820, les marchands-entrepreneurs tentent cependant de libérer le transit d'une charge fiscale excessive. La voie du concordat intercantonal se révèle difficile et tortueuse. Les multiples tentatives faites pour dégrever les grandes lignes de transit échouent toutes à cause des égoïsmes cantonaux.

Après la Régénération – la plupart des cantons industrialisés et des cantons agricoles de plaine adoptent des régimes libéraux –, la question d'une révision du pacte fédéral de 1815 est soulevée à la Diète de 1831. La centralisation de compétences économiques est parmi les principales préoccupations des promoteurs de la révision[99]. Un appel au Vorort de Lucerne, adressé par le libéral lucernois Kasimir Pfyffer (1794-1875), en témoigne:

> *Aus der innersten Überzeugung wünschen jetzt alle Eidgenossen von Einsicht und Bildung ein vollkommeneres Bundesgesetz; sie sehen ein, dass die jetzige schwache Vereinigung der Kantone keine gemeinsame Schöpfung, keine Nationalunternehmung möglich macht; dass die Industrie in den engsten Spielraum eingeschlossen, der Handel überall gehemmt ist, und den geistigen Kräften der grösste und edelste Reiz, das Bewusstsein, für eine Nation zu arbeiten, fehlt*[100].

Au sein de la commission chargée d'élaborer un projet de pacte, les divergences sur l'ampleur de la centralisation sont telles que la montagne accouche d'une souris. Les articles 14 à 25 du «projet Rossi» n'apportent aucune modification sensible au système douanier[101]. Le respect des intérêts fiscaux des cantons l'emporte sur les nuisances d'une gestion fédéraliste, dont les élites économiques s'accommodent encore. En 1832, la révision du pacte échoue. La gauche le trouve insuffisamment progressiste, alors que la droite conservatrice refuse tout changement.

99 Rupli, 1949, pp. 97-118; Huber, 1890, pp. 113-118; Nabholz, 1944, pp. 580-585.
100 Cité in Nabholz, 1944, p. 581.
101 Rupli, 1949, pp. 113-115.

Le débat douanier suivant est provoqué par le «Zollverein» des Etats allemands, constitué entre 1833 et 1835. L'opinion publique s'empare de la question et la Diète en discute à plusieurs reprises[102]. A Schaffhouse, l'idée d'une adhésion de la Suisse au «Zollverein» fait son chemin: le 23 novembre 1835, une motion dans ce sens est déposée devant le Grand Conseil, mais elle est refusée au début de 1836. Dans le canton d'Argovie, l'idée d'un rapprochement commercial est également lancée, mais avec la France. Lors de l'assemblée annuelle de la «Schweizerische gemeinnützige Gesellschaft» (SGG), en 1835, un Conseiller d'Etat saint-gallois[103] propose d'unifier le système douanier afin de pouvoir conclure des traités de commerce:

> *Avant tout, nous devrions délivrer nos communications intérieures de toutes les entraves, et agir ensuite vers l'étranger avec prudence et fermeté, pour ne pas perdre tous les jours davantage notre nationalité et notre indépendance [...] C'est par des traités de commerce, basés sur des faveurs réciproques, que probablement nous pourrions atteindre le but que nous devons nous proposer [...]*[104]

Dès 1833, St-Gall interpelle les autorités fédérales à propos de cette question. Le 13 décembre 1833, une commission d'experts est nommée par le Vorort[105]. Son rapport, daté du 26 décembre 1833, adopte un point de vue ultra-libéral en refusant toute politique commerciale interventionniste de la Confédération[106]. L'ancrage dans un système douanier étranger est par ailleurs catégoriquement refusé. Jugé dangereux d'un point de vue économique – risque de renchérissement de la vie –, il est aussi déclaré incompatible avec le concept de neutralité, qui est déjà considéré comme la clef de voûte de la politique extérieure suisse[107]. Ce rapport affermit par conséquent le statu quo. Il est le reflet de l'adhésion quasi unanime des élites économiques au système en place.

En 1835, un débat au sein de la SGG met en évidence à quel point le libre-échange est alors incontesté. Même les représentants du canton de Berne, chefs de file, en 1822, de l'opposition agricole au «laisser faire, laisser passer», se prononcent en faveur d'un libre-échange doctrinaire:

102 Dietschi, 1930/2, pp. 322-326; Rupli, 1949, pp. 121-128; Hauser, 1958/2, p. 488; Heussler, 1971, pp. 43-46.

103 Il s'agit de *Daniel Steinmann* (1779-1839) (SG), d'une famille de fabricants de cotonnades, député à la Diète, CdE (Petit Conseil) de 1832 à 1839; le DHBS affirme qu'il occupe la présidence du KDSG en 1823, information qui est cependant infirmée par la liste des présidents établie in Leuenberger, 1966, p. 137.

104 *Actes de la Société suisse d'utilité publique*, rapport 1835, Genève, 1836, pp. 318-319.

105 Celle-ci est composée de Conrad von Muralt (ZH), Ganguillet (BE), Chr. Miescher (?), Johann Kaspar Zellweger (AR), Eduard His (BS) et Laué (AG).

106 AdT, 1834, Beilage FF, p. 4.

107 *Ibidem*, pp. 1-2; cf. également *Actes de la Société suisse d'utilité publique*, rapport 1835, Genève, 1836, p. 294.

C'est pourquoi nous aussi, vu notre position, nous devons adopter le principe de la liberté commerciale dans toute son étendue, et si l'on nous conseille de négocier des traités de commerce avec nos voisins, je crois qu'on a tort. Du moment où nous aurions contracté une alliance commerciale avec un Etat, nos autres voisins nous susciteraient des difficultés et entraveraient leurs relations avec nous[108].

Malgré la constitution du «Zollverein», deux ans plus tôt, la politique douanière fédéraliste libre-échangiste est alors à son apogée.

Dès 1837, le débat douanier est toutefois relancé dans l'opinion publique et à la Diète. En vigueur depuis le 1er janvier 1836, l'adhésion du Duché de Bade au «Zollverein» commence de produire ses effets. De plus, l'échec des négociations commerciales avec les Etats de l'Allemagne du Sud, entériné par la Diète de 1837, supprime toute perspective d'amélioration des échanges avec les voisins du nord. Cet échec coïncide avec le début de la crise commerciale américaine qui ébranle l'économie des cantons industriels de Suisse orientale. Baromètre économique certes imparfait, l'évolution des faillites témoigne cependant des difficultés du moment: entre 1835 et 1840, leur nombre double dans le canton de Zurich pour atteindre un record absolu depuis le début du XIXe siècle (559 cas)[109]. Cette crise économique provoque une remise en question plus sérieuse de la politique douanière fédérale: diverses solutions interventionnistes sont alors proposées.

En mai 1837, J.-C. Geguf père, fabricant thurgovien de la branche de la laine, adresse une requête au Vorort, installé alors à Lucerne. Sa démarche est complétée, en 1838, par l'édition d'une brochure intitulée «Entwurf eines Grenzzoll-Gesetzes für die schweizerische Eidgenossenschaft». Le projet prévoit l'abolition de toutes les taxes douanières intérieures et leur remplacement par un cordon douanier aux frontières. Si Geguf propose une protection de la viticulture et de la céréaliculture, reprenant par là les revendications agricoles de 1822, son tarif tend surtout à introduire une politique de réciprocité en faveur de l'industrie. Des taxes fort élevées sur les articles en laine, en lin, en coton, en cuir, sur les articles de mode, sur les chapeaux, sur les articles de quincaillerie, etc. devraient permettre de substituer une production suisse à l'importation massive de ces fabriqués. L'objectif prioritaire du système douanier centralisé de Geguf serait donc un repli de l'industrie suisse sur son marché intérieur, en réaction et à l'image de la politique protectionniste des voisins:

108 *Actes de la Société suisse d'utilité publique*, rapport 1835, Genève, 1836, pp. 309-310; ce point de vue est défendu par le Conseiller d'Etat Carl-Friedrich Tscharner (1772-1844).

109 Beyel, 1843, p. 58; Menzel, 1979, p. 35; Salzmann, 1978, p. 262; le nombre des faillites zurichoises évolue de la manière suivante: 1832: 253, 1840: 559, 1846: 442, 1848: 882.

> *[...] welches Mittel können wir anwenden, dass unsere Landwirtschaft, Künste, neue Gewerbe und Handwerke aller Art bei uns ihres Lebens froh werden und erblühen, auf welche Art und Weise können wir unserer ganzen, nicht nur theilweisen, Bevölkerung dauerhaften Verdienst, Wohlstand und Unterhalt verschaffen [...] allein durch Aufstellung eines eidgenössischen oder konkordatenmässiges Grenzzollgesetz, wodurch das Erzeugen und Consumiren, wenigstens für unsern eigenen Bedarf, kann gesichert werden*[110].

Conscient des difficultés politiques qu'implique une unification douanière, Geguf estime que le meilleur moyen de la réaliser serait un concordat réunissant les cantons les plus touchés par l'avènement du «Zollverein»[111]. Ses propositions trouvent un certain écho dans l'opinion publique. Elles sont débattues dans la presse des cantons du nord-est de la Suisse (Bâle, Argovie, Zurich, Schaffhouse, Thurgovie, St-Gall, Appenzell) et dans d'autres régions (Berne, Lucerne, Vaud et Genève)[112].

Une politique protectionniste visant un repli sur le marché intérieur suisse ne trouve pas grâce devant les autorités politiques des cantons de Suisse orientale, liées au grand commerce d'exportation. Lors du débat douanier de 1838 à la Diète, même les cantons les plus touchés par la crise économique – Argovie, St-Gall, Glaris, Thurgovie – ne souscrivent pas à un système douanier centralisé à vocation protectionniste[113]. Par contre, comme en 1822, ceux-ci proposent la mise en place d'une politique de rétorsion dont le but serait la conclusion de traités de commerce:

> *[...] die Schweiz durch Aufstellung gewisser, den innern Verkehr und die Industrie so wenig als möglich hemmender Zollansätze, vorzüglich auf entbehrlichen Gegenständen, gegenüber allen benachbarten Staaten sich in die Lage versetze, als Gegenleistung für allfällige Erleichterungen des Verkehrs, welche der eine oder der andere Staat zu gewähren sich entschliessen könnte, Ausnahmen von solchen allgemeinen Zollansätzen zu gewähren. Sie glaubten, es könnten solche Zollansätze eingeführt werden, ohne dass desswegen ein förmliches Mauthsystem aufgestellt werden müsste, und ohne dass zu besorgen wäre, dass die Schweiz die Nachtheile zu ertragen hätte, welche mit Mauthsystemen verbunden sind, die sich auf hohe Zollansätze gründen*[114].

La politique de rétorsion proposée par les cantons de St-Gall, Glaris, Thurgovie et Argovie soutiendrait ainsi les producteurs des classes moyennes sans pour autant imposer une charge fiscale importante à la consommation. Elle permettrait aussi de diversifier les débouchés du commerce d'exportation, trop dépendant des marchés instables d'outre-mer, en regagnant des parts de marché en Europe. A l'issue du débat douanier de 1838, la Diète confie à une commission d'experts de politique commerciale, déjà existante,

110 Geguf, 1838, p. 20.
111 Geguf, 1837, pp. 28-29.
112 Ce débat dans la presse est rapporté in Geguf, 1837, pp. 34-52.
113 AdT, 1838, p. 381.
114 *Ibidem.*

le soin de faire des propositions quant à une éventuelle adaptation de la politique douanière fédérale[115].

Le rapport de la commission d'experts est publié le 25 mai 1839[116]. Composée de deux représentants de l'élite marchande (ZH et BS), la majorité est favorable au statu quo douanier. Par contre, le grand industriel argovien de la branche du coton, Johann Herzog[117], propose un projet de réforme du système douanier. Près d'un demi-siècle avant son application par la Confédération, Herzog définit le concept de politique de combat. Par une centralisation du système douanier suisse et l'introduction d'un tarif modérément protectionniste, Herzog veut poursuivre simultanément plusieurs buts. Son objectif principal est de permettre l'ouverture des marchés européens à l'exportation suisse, grâce à la conclusion de traités de commerce avantageux. Contrairement à Geguf, Herzog considère que le tarif protectionniste ne doit pas être un but, mais le moyen d'obtenir des conditions d'exportation plus favorables:

> *Diese Ansicht stützt sich auf die Voraussetzung, dass allerdings von dem bisher befolgten Systeme der Handelsfreiheit nicht abgewichen werden und nichts geschehen könne, wenn sich nicht eine starke Ueberzeugung in der Schweiz ausspreche, es seyen Massregeln und temporäre Opfer nothwendig, um zu Resultaten zu gelangen. Würde sich aber eine solche aussprechen und zu einem Mauthsysteme geschritten werden, so wäre gleich ein moralischer Effekt bei den Nachbarstaaten zu erwarten; auf dasselbe gegründet, könnten mit den einzelnen Staaten günstige Verträge abgeschlossen werden, wie solche zwischen vielen andern europäischen Staaten bestehen*[118].

Accessoirement, la modeste protection qui découlerait de cette politique permettrait de freiner l'importation de fabriqués au profit des industriels suisses, en particulier de l'industrie cotonnière mécanisée[119].

Selon Herzog, l'instauration d'un tel système permettrait de libérer le trafic intérieur de ses entraves fiscales, tout en indemnisant les cantons pour leurs pertes financières. La charge douanière devrait surtout reposer sur les importations en concurrence avec une production intérieure, sur les produits susceptibles d'être fabriqués en Suisse, sur les marchandises de luxe et les denrées coloniales. Par contre, les matières premières et les denrées de première néces-

115 La commission est composée de Conrad von Muralt (ZH), von der Mühll (BS) et Johann Herzog (AG).

116 AdT, 1839, Beilage SS.

117 *Johann Herzog* (1773-1840) (AG), membre d'une très importante famille argovienne active dans la filature et le tissage du coton – filature mécanique de 8440 broches (1836) et entreprise de tissage mécanique de 70 métiers (1830) – ainsi que dans la banque; un ambassadeur prussien évalue sa fortune à 2 mios de frsa, somme colossale pour l'époque (1824).

118 AdT, 1839, Beilage SS, p. 2.

119 *Ibidem.*

sité ne seraient pas ou peu taxées. Même s'il porte quelques traces d'un protectionnisme de substitution prôné par les classes moyennes, le projet Herzog défend surtout les intérêts des grands industriels de la branche du coton qui éprouvent de plus en plus de difficultés à écouler leur production.

Ainsi, quatre alternatives de politique douanière s'affrontent lors du débat douanier du 26 juillet 1839 à la Diète[120]. Ebranlés par une crise économique, les cantons de St-Gall, Glaris, Thurgovie, Appenzell et Argovie sont favorables au changement[121]. Mais au sein même de cette faible minorité de cantons réformateurs, les avis divergent quant aux moyens et aux objectifs d'une politique commerciale interventionniste. Les classes moyennes demandent une centralisation douanière et l'instauration d'une politique protectionniste. Les industriels de la branche du coton exigent une centralisation douanière et l'application d'une politique de combat. Quant aux marchands-entrepreneurs, ils veulent une politique de rétorsion semblable à celle engagée en 1822. Tous les autres cantons sont favorables au statu quo, qui s'impose sans problème.

2.2.2. Fondation du «Schweizerischer Gewerbsverein»: union sacrée des élites économiques favorables à une centralisation douanière (1843)

L'année 1841 marque un tournant important dans la longue marche vers l'unification douanière. Jusqu'alors farouche défenseur du statu quo fédéraliste libre-échangiste, le canton de Zurich emmène désormais le camp des adeptes d'une centralisation. Lors de la Diète, le délégué zurichois demande l'ouverture d'une grande enquête économique. Il relativise les bienfaits du libre-échange et affirme que la poursuite du développement économique helvétique nécessitera de moduler ce principe commercial:

> *Auf der andern Seite bleibt es aber in menschlichen Dingen nur zu gewiss: Prinzipien, welche ihrer Natur nach wie diese bloss eine* relative (souligné dans l'original, C. H.) *Wahrheit haben, können unter den einen Verhältnissen wohlthätig wirken, unter veränderten Verhältnissen verderblich werden. Und an sich ist es gewiss nicht unmö-*

120 AdT, 1839, pp. 321-324.

121 AdT, 1839, p. 324; lors du débat, les cantons de St-Gall, Thurgovie et Argovie demandent la constitution d'une commission d'experts qui devrait faire des propositions au sujet d'une centralisation douanière; Glaris et Appenzell proposent un nouvel examen plus global et plus fouillé de la question; seul le canton de St-Gall défend le système modérément protectionniste proposé par Herzog; selon Wartmann, la politique menée par St-Gall à la Diète serait essentiellement le fait du CdE Gallus Jakob Baumgartner (1797-1869); elle ne correspondrait pas aux positions du KDSG; Wartmann, 1875, p. 430.

> *glich, dass, wie England, welches durch sein Schutzsystem als Industriemacht gross geworden, vielleicht seine Grösse nur behaupten kann, indem es sich dem System des freien Handels annähert: so die Schweiz vielleicht zur Erhaltung ihrer industriellen Kraft genöthigt werden wird, ihr bisheriges System des freien Handels für einige Zeit zu modifiziren*[122].

A l'issue d'un bref débat, une majorité de cantons décide de reporter d'une année la décision concernant le lancement d'une enquête économique.

Pourquoi le canton de Zurich change-t-il de cap en matière de politique douanière? Dès 1837, les deux piliers de l'économie cantonale sont la proie d'une profonde crise. Les difficultés structurelles rencontrées par l'industrie du coton ont déjà été évoquées plus haut. Quant à l'industrie de la soie, elle est victime d'une crise de surproduction consécutive à la contraction de ses marchés américains[123]. Certes, la production à domicile permet à la majorité des entrepreneurs d'adapter sans trop de problèmes le volume de fabrication à une demande restreinte. Cependant, une nouvelle classe de gros industriels, qui ont investi dans une production en fabrique au moyen de métiers Jacquard, est davantage affectée[124]. La crise conjoncturelle les inquiète, d'autant plus que les perspectives commerciales de la branche ne sont pas réjouissantes. Dès 1841, l'exportation vers le marché des Etats-Unis – environ 50% des débouchés –, qui s'effectuait jusqu'alors en franchise, est soumise à une taxe de 20% de la valeur. En Europe, la constitution du «Zollverein» a rétréci le marché allemand, principal débouché sur le continent. En outre, la politique de traités de commerce des grandes puissances commerciales risque d'étendre la taxation différentielle des soieries suisses, déjà subie en Belgique, à des marchés plus importants.

Dans une situation commerciale délicate, certains industriels de la branche estiment que la Confédération doit désormais disposer de moyens d'intervention plus efficaces. N'écoulant qu'environ 10% de la production sur le marché intérieur, l'industrie de la soie est peu intéressée à une poli-

122 AdT, 1841, p. 209.

123 Lors d'un débat douanier au Grand Conseil zurichois, qui a lieu le 15 février 1843, l'industriel Hans-Jakob Hürlimann-Landis déclare: «*Der Grund* (de la crise de la branche de la soie, C. H.) *liegt vielmehr in der Ausdehnung der Produktion, d.h. in der Ueberproduktion. Sie ist es, die diesen Zustand veranlasst und bewirkt hat, dass man in England, Frankreich und Deutschland nicht mehr weiss, wo man mit den Produkten hin soll. Diese Lage datiert sich übrigens erst seit der grossen Katastrophe von Newyork [...] So kann man behaupten, dass wenn in Seide um ein Drittheil weniger gearbeitet würde, die Schweiz gegenwärtig eine ganz gute Zeit hätte.*»; lors de ce même débat, un intervenant affirme que la crise subie par la branche est d'une telle ampleur que seulement un tiers des ouvriers ont de l'emploi; *Verhandlungen des Grossen Rathes des Kantons Zürich vom Jahre 1843*, Zürich, 1843, pp. 25-28.

124 En 1843, il existe huit fabriques de ce genre, dont la principale, située à Horgen, emploie 300 à 400 travailleurs; Übersicht der industriellen Verhältnisse..., 1843, p. 15.

tique protectionniste[125]. Si elle souscrit à une centralisation douanière, c'est pour permettre une politique efficace d'ouverture des marchés extérieurs. L'exemple de l'Allemagne, qui a enregistré des résultats commerciaux étonnants grâce à la mise en place de son union douanière, influence les industriels zurichois, comme en témoigne les propos de Conrad Pestalozzi-Hirzel[126]:

> *[...] wir sehen auch an einem glänzenden Beispiel in der Nähe, was es heisst:* seine materiellen Interessen vereinigen (souligné dans l'original, C. H.) *und welch' grosse segensreiche Folgen diess hat. Dies wirkt elektrisch auf die Schweiz zurück*[127].

Pestalozzi-Hirzel est la tête pensante de l'économie zurichoise des années 1830-1840. Ancien soyeux reconverti dans la banque, il est parmi les plus farouches défenseurs du statu quo fédéraliste durant les années 1830. Défenseur non moins zélé d'une centralisation douanière, à partir de 1841, il personnifie par conséquent le changement d'orientation du canton de Zurich[128]. Sous sa présidence, une association d'industriels est créée, le 25 janvier 1842, afin de promouvoir le nouvel idéal[129]. L'analyse du comité du

125 En 1843, le marché intérieur représente un débouché d'un million de frsa, alors que la production totale atteint 10 mios de frsa; *ibidem*, pp. 16-17; certains représentants de la branche de la soie défendent toutefois le protectionnisme de substitution comme une solution à la surproduction qui les menace; ils sont particulièrement favorables à un encouragement de l'industrie de la laine, qui permettrait de désengorger la production de soieries; cf. le discours de Hans-Jakob Hürlimann-Landis in *Verhandlungen des Grossen Rathes des Kantons Zürich vom Jahre 1843*, Zürich, 1843, p. 27; cf. également le discours de Conrad von Muralt devant la Diète in AdT, 1841, p. 211; cf. enfin le mémoire de Hans Conrad Pestalozzi-Hirzel adressé en 1843 à la SGG; Commissional-Rapport, 1843, p. 15.

126 *Hans Conrad Pestalozzi-Hirzel* (1793-1860) (ZH), à la tête d'un grand commerce de soie, fonde la «Bank in Zürich» (1837) en compagnie d'Hans Conrad von Muralt, dernier président du Directoire commercial zurichois (aboli en 1831), membre de la commission des chemins de fer créée par la Chambre de commerce de Zurich (1836), président du ZIV, membre du comité élargi du SGV, CdE (1844-1846).

127 Propos tenus lors du débat douanier du 15 février 1843 au Grand Conseil zurichois; *Verhandlungen des Grossen Rathes des Kantons Zürich vom Jahre 1843,* Zürich, 1843, p. 26.

128 En 1835, Pestalozzi-Hirzel rédige un mémoire favorable au statu quo libre-échangiste, qu'il adresse à la SGG; *Actes de la Société suisse d'utilité publique*, rapport 1835, Genève, 1836, pp. 295-308; en 1843, un nouveau débat douanier au sein de la SGG lui permet de rédiger le rapport de la section zurichoise, dont il est le président; il y affirme que l'incapacité de la Confédération à conclure des traités de commerce est la raison principale qui l'a poussé à changer sa position douanière entre 1835 et 1843; Commissional-Rapport, 1843, p. 3; outre son activité au sein de la SGG, Pestalozzi-Hirzel fait partie, dès 1842, de la commission d'experts nommée par la Diète pour étudier la situation commerciale de la Suisse; il inspire fortement le rapport et les propositions de la première minorité favorable à une centralisation; Rapport de la commission fédérale d'experts..., 1844, pp. 154-177.

129 Sur la fondation du ZIV, cf. Weisz, 1942; les statuts de l'association se trouvent in Rupli, 1949, note 38 p. 244.

«Zürcher Industrieverein» (ZIV) révèle une très forte présence d'entrepreneurs actifs dans l'industrie cotonnière mécanisée[130]. De grands industriels de la branche de la soie sont aussi présents, ainsi que certains promoteurs de la construction d'un réseau ferroviaire. Les objectifs de l'association sont définis dans un discours introductif de Pestalozzi-Hirzel. La centralisation douanière doit promouvoir une politique commerciale plus interventionniste et répondre à l'urgence de relier Zurich au réseau ferroviaire international:

> *Und hat nicht neulich die Schweiz das Geständnis abgelegt, in ihrer Zerrissenheit wenigstens die Eisenbahn nicht zu Stande bringen zu können. Es ist dies ein Anfang des Zurückbleibens hinter andern Nationen. Daher das Bedürfnis, sich aufzusuchen, sich zu besprechen, zu vereinigen*[131].

130 *Hans-Jakob Hürlimann-Landis* (1796-1853) (ZH), fabricant de soieries à Richterswil, à la tête du deuxième groupe suisse de filature mécanique de coton – quatre entreprises en 1836 (39 840 broches) – en association avec ses frères, Johannes (1767-1854) et Hans-Heinrich (1806-1875) ainsi que les frères Brändlin de Jona; la famille Hürlimann possède aussi une entreprise de tissage mécanique, une teinturerie et une fabrique d'impression; *Johann Jakob Wieland-Rellstab* (1783-1848), vice-président du ZIV, possède une filature mécanique à Langnau a. A. (11 088 broches en 1836); *Heinrich Strickler* (?-?) dirige une filature de 9600 broches à Höngg; *Johann-Heinrich Büeler* (1804-1866), deux filatures à Kollbrunn (6160 broches) et Hutzikon (2400 broches); *Johannes Stapfer-Hüni* (?-?), une filature à Horgen (4320 broches); *Heinrich Guyer* (1801-1868), une filature de 1860 broches à Bauma; Dudzik, 1987, pp. 485-489; l'industrie du coton est encore représentée par *Melchior Esslinger* (1803-1855), descendant d'une dynastie d'industriels de la ville de Zurich active dans l'impression.
L'industrie de la soie est représentée par trois gros industriels de la branche: *Johannes Schwarzenbach* (1804-1861), possède et dirige une fabrique de tissage à Thalwil (dès 1829) que ses descendants développeront pour en faire une entreprise parmi les plus importantes du monde; *Jean-Henri Abegg-Glogg* (1805-1874), cofondateur d'une grande entreprise de tissage à Horgen; *Johann Jakob Zeller* (1806-1879), descendant d'une dynastie spécialisée dans la teinturerie de la soie.
Il est intéressant de constater la présence de deux grands promoteurs du chemin de fer à Zurich: l'ingénieur *Johannes Wild* (1814-1894) et l'éditeur *Johann Kaspar Ulrich* (1796-1883); enfin, le successeur de Johann Kaspar Zellweger au poste de réviseur fédéral des douanes, le Zougois *Georg Joseph Sidler-Landtwing* (1782-1861), est aussi présent.

131 Cité in Weisz, 1942; en 1841, à l'occasion d'un débat sur les chemins de fer au sein de la SGG, Pestalozzi-Hirzel déclare: *«Chaque localité désire sans doute avoir des chemins de fer dans son voisinage. L'heureuse position de Bâle est digne d'envie sous ce rapport; mais cette ville devrait montrer plus d'empressement pour le chemin de fer tendant à Zurich […] L'espérance que nourrit la Suisse à l'égard de chemins de fer, est qu'ils feront tomber les douanes à nos frontières; ce résultat est évidemment en harmonie avec nos intérêts les plus intimes, la question des chemins de fer peut bien être appelée pour la Suisse une question vitale»*; *Actes de la Société suisse d'utilité publique*, rapport 1841, Lausanne, 1842, p. 188.

Comme le suggère Pestalozzi-Hirzel, la constitution du ZIV est aussi une réponse des industriels zurichois à l'échec du chemin de fer projeté entre Zurich et Bâle.

Dès sa fondation, le ZIV s'investit dans le débat douanier lancé à la Diète par le canton de Zurich[132]. Lors de la session de 1842, la question d'une enquête économique provoque une discussion de trois jours (10, 12 et 23 août 1842). Finalement, une majorité de douze cantons demande au Vorort de nommer une commission d'experts chargée d'étudier la situation commerciale de la Suisse[133]. Suite à ce vote, le ZIV décide d'influencer le débat sur une centralisation économique en proposant un vaste programme de réformes. En septembre 1843, le secrétaire du ZIV, l'éditeur Christian Beyel[134], publie un rapport détaillé sur la question[135]. Les 187 pages du travail contiennent une analyse de l'économie suisse et de son commerce extérieur ainsi qu'un ambitieux projet de réforme des conditions-cadre touchant les domaines suivants: système douanier, autres impositions indirectes, système postal, système monétaire et unification du droit commercial. La centralisation du système douanier, pierre angulaire du projet, poursuit les mêmes visées que le projet Herzog de 1839. La suppression de toutes les taxations indirectes intérieures et la mise sur pied d'un tarif modérément protectionniste doivent permettre de conclure des traités de commerce et de dynamiser le commerce intérieur. Un autre objectif de la réforme, qui apparaît comme un «leitmotiv» tout au long du rapport Beyel, est de permettre la construction d'un réseau ferroviaire helvétique[136].

Selon l'analyse du projet Beyel faite par certains commentateurs, il serait l'expression des classes moyennes industrielles. En fait, sa priorité est la

132 Dans l'optique du débat qui doit avoir lieu en été 1842 à la Diète, le ZIV appuie la démarche des autorités zurichoises par une lettre datée du 18 juillet 1842; Rupli, 1949, note 38, p. 244.

133 AdT, 1842, pp. 290-301; il est significatif de constater que les onze cantons qui soutiennent la démarche de Zurich ont tous participé au Concordat de rétorsion de 1822 (SG, GL, TG, SH, AG, SO, FR, VD, LU, UR et ZG); seuls Berne, Appenzell et Obwald manquent à l'appel, car ils décident de s'abstenir; les cantons de Schwyz, Nidwald, des Grisons, du Valais et du Tessin en font de même; quant à Bâle, Genève et Neuchâtel, ils refusent toute enquête économique.

134 *Christian Beyel-Mörikofer* (1807-1858) (TG/ZH), issu d'une vieille famille bourgeoise de Zurich, lié par son mariage à une très importante famille de marchands thurgoviens, propriétaire de l'imprimerie «Fehrsche Buchdruckerei» à Frauenfeld (dès le début des années 1830), propriétaire de la *Thurgauer Zeitung* – journal libéral-conservateur diffusé aussi à Zurich –, secrétaire du ZIV (dès 1842), membre du comité restreint du SGV, rédacteur de l'organe de presse de cette association intitulé *Monatblatt*, membre de la direction provisoire de la ligne «Zurich-Bodensee» (1846), grand promoteur du chemin de fer en Suisse.

135 Beyel, 1843; en 1840, le même auteur publie déjà une brochure contenant la colonne vertébrale du rapport de 1843; Beyel, 1840.

136 Beyel, 1843, pp. 153/158/165/166/186.

défense des intérêts des grandes industries zurichoises du coton et de la soie. Avec les réformes proposées, elles bénéficieraient d'un accès meilleur marché aux matières premières et d'un coût d'expédition réduit (suppression des taxes intérieures et chemins de fer), de nouveaux débouchés sur le marché intérieur (protection favorisant la mécanisation du tissage du coton) et de nouveaux débouchés extérieurs (traités de commerce). Toutefois, le projet Beyel est susceptible de réaliser un large consensus, car il assure des avantages économiques à tous les secteurs productifs. Même s'il exclut le protectionnisme agricole, l'agriculture de plaine bénéficierait de l'intensification du commerce intérieur (suppression des taxes intérieures et chemins de fer), celle de montagne d'une exportation facilitée pour le fromage et le bétail (traités de commerce et chemins de fer). La viticulture profiterait d'une augmentation de la consommation intérieure (suppression des impôts de consommation sur le vin), d'un frein à l'importation (taxe modérément protectionniste) et peut-être même d'un renouveau de l'exportation (traités de commerce). Enfin, Beyel propose que la répartition de la charge douanière déplacée aux frontières procure une modeste protection aux arts et métiers. Certes, le niveau des taxes, 5 à 10% de la valeur des fabriqués, n'a rien de comparable avec le tarif projeté en 1837 par Geguf[137]. Mais cette concession devrait suffire à mobiliser les classes moyennes derrière le projet.

La capacité consensuelle du projet Beyel est renforcée par son approche détaillée de la problématique fiscale[138]. Afin de désamorcer les blocages fédéralistes, il propose une indemnisation intégrale des pertes financières dues à la centralisation des taxes douanières, des taxes de roulage et de pontonnage, des impôts de consommation («Ohmgeld») et des taxes postales. Cette solution, qui avantagerait les cantons agricoles à forte fiscalité indirecte, est susceptible d'intéresser les bastions conservateurs de Suisse centrale et méridionale. Par ailleurs, Beyel accorde un statut spécial aux cantons commerçants de Bâle et Genève. Comme ils supporteraient une bonne partie de la charge déplacée aux frontières, ils profiteraient d'un traitement de faveur dans la clef de redistribution des revenus douaniers fédéraux.

Quant à la répartition de la charge fiscale, Beyel propose un tarif favorable aux intérêts de l'industrie. La taxation à l'importation ferait l'objet d'une forte différenciation: les matières premières et les denrées de première nécessité seraient peu taxées (au profit de l'industrie d'exportation), le vin moyennement (viticulture) et les fabriqués beaucoup (artisanat et petite industrie); la taxation des denrées coloniales servirait de tampon financier permettant d'adapter les revenus aux besoins. L'exportation serait soumise

137 Beyel justifie la nécessité de protéger les classes moyennes en affirmant qu'elles constituent le pilier social des républiques suisses; Beyel, 1843, p. 163.

138 *Ibidem*, pp. 167-183.

à une simple taxe de contrôle (agriculture d'exportation), de même que le transit (chemins de fer, commerce de transit). En résumé, la centralisation douanière proposée par les élites industrielles zurichoises a les caractéristiques suivantes: suppression complète des entraves fiscales qui grèvent le commerce intérieur, indemnisation totale des cantons et tarif douanier différencié.

Alors que le canton de Zurich procède à un changement radical de stratégie douanière, certains cantons agricoles de Suisse occidentale ressentent eux aussi le besoin de promouvoir une unification douanière. Lors du débat de 1839 à la Diète, les cantons agricoles de plaine s'étaient encore opposés en bloc à un abandon du statu quo fédéraliste libre-échangiste. Leur changement d'attitude est probablement lié au marasme dans lequel est plongé le commerce du fromage à la fin des années 1830, notamment à cause de mesures protectionnistes des Etats voisins.

Dès 1841, l'idée de stimuler la consommation intérieure par la suppression des douanes est défendue à la Diète par Fribourg. La centralisation du système douanier doit également permettre de promouvoir l'exportation agricole par la conclusion de traités de commerce:

> *La députation de Fribourg doit faire observer qu'au lieu de s'attacher exclusivement à l'un ou à l'autre des systèmes qui ont été produits antérieurement [...] il serait plus convenable de les combiner de manière à assurer au commerce la plus grande liberté dans l'intérieur en faisant disparaître les entraves nombreuses qu'il éprouve à chaque frontière cantonale, et à transporter à la frontière suisse la perception de droits de péages modérés, dont le produit serait pour le compte des cantons d'après une répartition sur laquelle ils auraient à s'entendre. En simplifiant par ce moyen le système suisse des péages qui se trouve si compliqué et pèse d'une manière si inégale de canton à canton sur le commerce et en donnant à cette branche de l'administration un caractère d'unité dont elle est dépourvue aujourd'hui, la Suisse pourrait à son tour prendre vis-à-vis de l'étranger une attitude qui lui permettrait d'entrer en d'utiles négociations avec les Etats voisins afin d'obtenir des allégements en compensation des avantages qu'elle pourrait alors leur offrir pour l'exportation de leurs produits agricoles, industriels et manufacturés*[139].

Le 20 juillet 1842, le banquier fribourgeois D. Schmuts adresse un mémoire aux autorités fédérales, dans lequel il développe un projet de centralisation du système douanier suisse. Il y insiste sur les effets qu'une telle mesure aurait sur le développement du marché intérieur qui est jusque-là demeuré atrophié, en raison des nombreuses entraves fiscales et du désordre monétaire. Selon ses calculs, le commerce intérieur serait 7 fois plus important que le commerce extérieur en France, 4 fois plus important en Angleterre et 1,3 fois seulement en Suisse[140]. Pour corriger le tir, Schmuts

139 AdT, 1840, p. 302.
140 Schmuts, 1843, p. 16.

propose donc une suppression des taxes intérieures au profit d'un tarif de frontière modéré[141].

Le canton de Berne ne tarde pas à emboîter le pas à Fribourg. Entre 1841 et 1843, le «poids lourd» agricole de Suisse occidentale réforme de fond en comble sa politique douanière. Au plan cantonal, il instaure un système douanier de frontière qui supprime toutes les taxations intérieures. Après avoir reçu l'aval de la Diète, ce système entre en vigueur le 1er janvier 1844. Au plan fédéral, Berne rejoint les cantons favorables à une centralisation douanière. En 1843, le Conseiller d'Etat Rudolf Schneider[142] publie un article qui est le pendant du projet zurichois de Beyel. Les fins et les moyens de la politique douanière bernoise y sont clairement développés. Selon Schneider, la procédure engagée depuis 1841 par le canton de Zurich est vouée à l'échec[143]. Il ne croit pas à la possibilité d'une centralisation globale du système douanier suisse par le canal des instances politiques de la Confédération. Inspiré par la démarche des Etats allemands, Schneider propose quant à lui de construire une union douanière concordataire n'incluant que les cantons intéressés à une suppression des douanes intérieures[144]. A l'image de la Prusse, le canton de Berne tente donc de prendre la tête d'un «Zollverein» suisse[145]. Dès 1841, Schneider contacte les cantons qui ont des intérêts commerciaux et fiscaux semblables au grand canton agricole[146]. L'année suivante, des négociations sont entamées avec Soleure, Argovie et Bâle-Campagne. Le 10 août 1842, une conférence réunissant Berne, Soleure et Argovie parvient à élaborer un projet de concordat. Pour diverses raisons,

141 Le système douanier proposé par Schmuts a les caractéristiques suivantes: 1) centralisation complète des entraves fiscales au commerce intérieur; 2) indemnisation des cantons selon le revenu net antérieur pendant une période transitoire de 10 ans, puis selon la population et la surface du canton (entretien des routes); 3) tarif douanier moyennement différencié; Schmuts prévoit un tarif à cinq classes, qui frapperait lourdement les vins et boissons en futailles (3 frsa/50 kg = 10%) ainsi que les vins fins, eaux-de-vie et liqueurs (6 frsa/50 kg = 15%) et plus modérément les fabriqués industriels (5 frsa/50 kg = environ 5% de la valeur); Schmuts, 1843, pp. 16-18.

142 *Johann Rudolf Schneider-Dunand* (1804-1880) (BE), beau-fils d'un fabricant d'horlogerie de La Chaux-de-Fonds, médecin et pharmacien à la Neuveville (Jura bernois), CdE (1837-1850), vice-président du SGV, président de la commission bernoise pour la promotion des chemins de fer (dès 1846), cofondateur et président de l'«Ost-West Bahn» jusqu'à sa faillite (1858-1861), sa grande œuvre est la correction des eaux du Jura, Cn radical (1848-1866).

143 Schneider, 1843, pp. 82-84.

144 *Ibidem*, p. 84.

145 Rupli, 1949, pp. 147-154; Schneider, 1843, pp. 87-104.

146 Il s'agit de Soleure, Argovie, Bâle-Campagne, qui acceptent, et de Lucerne qui refuse; Rupli, 1949, pp. 150-151; Vaud n'est pas contacté par Berne en raison du différend qui oppose les deux cantons au sujet de l'impôt de consommation bernois sur les boissons alcoolisées («Ohmgeld»); contre l'avis de la Diète, Berne s'obstine à maintenir cette fiscalité qui entrave l'importation des vins vaudois; Rupli, 1949, pp. 90-97.

celui-ci reste toutefois dans les tiroirs des administrations jusqu'au 21 juillet 1843. A cette date, le Grand Conseil bernois demande au Gouvernement, par 105 voix contre 6, de le réactualiser.

La centralisation douanière envisagée par Berne ne diffère pas du projet Beyel par sa seule procédure; les objectifs qu'elle poursuit sont eux aussi différents. Il est vrai, Schneider s'accorde avec Beyel pour souligner qu'une unification douanière devrait permettre à la Confédération de mieux promouvoir l'exportation suisse et en particulier bernoise (fromage, bétail, toiles de lin de l'Emmental, horlogerie du Jura bernois)[147]. Par contre, le Bernois s'oppose à une politique douanière de combat dont l'outil serait une protection industrielle. Cette stratégie risquerait d'imposer une charge fiscale importante aux différents piliers de l'économie bernoise. La population agricole devrait en effet supporter un renchérissement de ses moyens de production (outils de travail en fer, en bois, etc.) et de sa consommation (habits, draps, ustensiles ménagers, etc.), alors que ses productions ne bénéficieraient d'aucune protection. Par ailleurs, les industries exportatrices du lin (Emmental) et de l'horlogerie (Jura bernois), dont les masses salariales sont importantes, pourraient pâtir d'un renchérissement de la vie. Seule l'industrie du fer du Jura Bernois, qui écoule une grande partie de ses produits sur le marché intérieur, profiterait d'un protectionnisme industriel. Alors qu'en 1822, les régions industrielles étaient très réticentes à l'idée d'un protectionnisme agricole, les régions agricoles refusent désormais d'accorder une protection aux productions industrielles.

Sur le plan de l'indemnisation des cantons, Schneider propose aussi un remboursement total des pertes fiscales consécutives à la centralisation. Pour réaliser cet objectif financier, tout en menant une politique de libre-échange, la centralisation doit être limitée aux taxes douanières et aux taxes de roulage et de pontonnage. Elle n'inclut par contre pas les impôts de consommation, dont l'«Ohmgeld». Ainsi, les grands perdants du projet bernois seraient les cantons viticoles. Pour couvrir une charge douanière moins importante que celle du projet Beyel, Schneider propose un tarif douanier à caractère fiscal: les taxes qui frappent l'importation sont très basses et peu différenciées[148]. S'ils s'accordent sur la nécessité d'unifier le système douanier suisse, les cantons de Zurich et de Berne divergent pourtant sur la manière de le faire et sur les objectifs à atteindre. Alors que Beyel défend un tarif modérément protectionniste, Schneider propose un tarif fiscal libre-échangiste, dont le but est de financer une centralisation plus limitée de l'imposition indirecte:

147 Schneider, 1843, p. 86.

148 *Ibidem*, pp. 92-95; à l'importation, la taxe maximale est de 0,4 frsa/50 kg; certaines denrées de première nécessité et certaines matières premières bénéficient de taxes de 0,1 à 0,3 frsa; cette légère différenciation est une concession faite aux milieux industriels argoviens; Rupli, 1949, p. 170.

> *Wir wollen daher keine Mauthen, keine Schutzzölle, sondern nur Finanzzölle und zwar diese nicht höher, als sie nöthig werden, um das durch Aufhebung der innern Zölle entstandene Defizit in den Staatseinnahmen zu decken*[149].

Comme dans le canton de Zurich, les efforts déployés par les autorités politiques bernoises sont soutenus par des milieux économiques favorables à une centralisation douanière. En janvier 1842, un mouvement naît à Berthoud, poumon industriel et commercial du canton de Berne[150]. A l'occasion de l'assemblée des actionnaires de la plus grande filature mécanique de lin helvétique[151], le landamann Eduard Blösch-Schnell[152] lance l'idée d'une union douanière suisse. Vu l'intérêt rencontré, Blösch constitue une association économique à laquelle il donne le nom assez pompeux de «Schweizerischer Gewerbsverein» (SGV)[153].

Au cours de l'année 1843, le SGV subit une mue considérable et devient effectivement une association économique d'envergure nationale[154]. Le

149 Schneider, 1843, p. 130.

150 L'industrie du lin, la rubanerie, les industries du tabac, du chocolat et de la bière y sont implantées, alors que le commerce s'occupe principalement de l'exportation de fromage et de bétail; Rappard, 1936, pp. 198-220; Berthoud est aussi le foyer libéral du canton, d'où sont données les principales impulsions à la Révolution bernoise de 1830-1831.

151 La filature mécanique de Berthoud livre 1600 quintaux suisses (50 kg) de fil par an; son activité exige des capitaux encore plus importants que ceux engagés dans une filature mécanique de coton; cette entreprise lutte avec une forte importation de filés étrangers – 10 000 quintaux suisses par an; Rapport de la commission fédérale d'experts..., 1844, pp. 51-53; une centralisation douanière permettrait d'acheminer la matière première à meilleure compte, tout en dopant la compétitivité de la fabrique en Suisse orientale, où une industrie linière subsiste encore; la conclusion de traités de commerce pourrait relancer l'exportation de toiles de lin suisses, fortement freinée par la montée du protectionnisme européen.

152 *Eduard Eugen Blösch-Schnell (-Lichtenhahn)* (1807-1866) (BE), cousin du Cn Karl Neuhaus-Verdan – fabrique d'indiennes à Bienne, tréfilerie à Bözingen, filature mécanique de coton à Bienne (1825) –, peut-être de parenté avec Fritz Bloesch (1810-1887) – filature mécanique (14 000 broches en 1863) et entreprise de tissage mécanique à Bienne (150 métiers en 1853) –, avocat de Bienne, actif à Berthoud dans l'étude de son beau-père Johann Ludwig Schnell – liens avec la grande maison de commerce Schnell de Berthoud –, CdE (1850-1856), CA de la filature mécanique de lin à Berthoud, promoteur et président du SGV (1843), membre d'un comité pour une ligne «Genève-Berthoud-Bodensee» (dès 1846), CA du «Centralbahn» (1860-1864), de tendance libérale puis conservatrice (dès 1846), Cn (1851-1866).

153 Le comité provisoire de l'association de Berthoud est composé d'Eduard Blösch, d'un certain F. L. Haas, président de tribunal, de Max Schneckenburger, commerçant et fondateur d'une fonderie à Berthoud, de Ant. Krafft et de K. Kupferschmid-Ray, tous deux commerçants; Blösch, 1928, p. 403.

154 Blösch, 1928, pp. 400-403; Rupli, 1949, pp. 162-168; *Monatblatt*, 1844, pp. 12/46/150; en octobre 1844, l'organe du SGV estime que le nombre de membres atteint déjà les 2000, chiffre important pour une association de l'époque.

Carte 3. Cantons participant à la création du Gewerbsverein en 1843

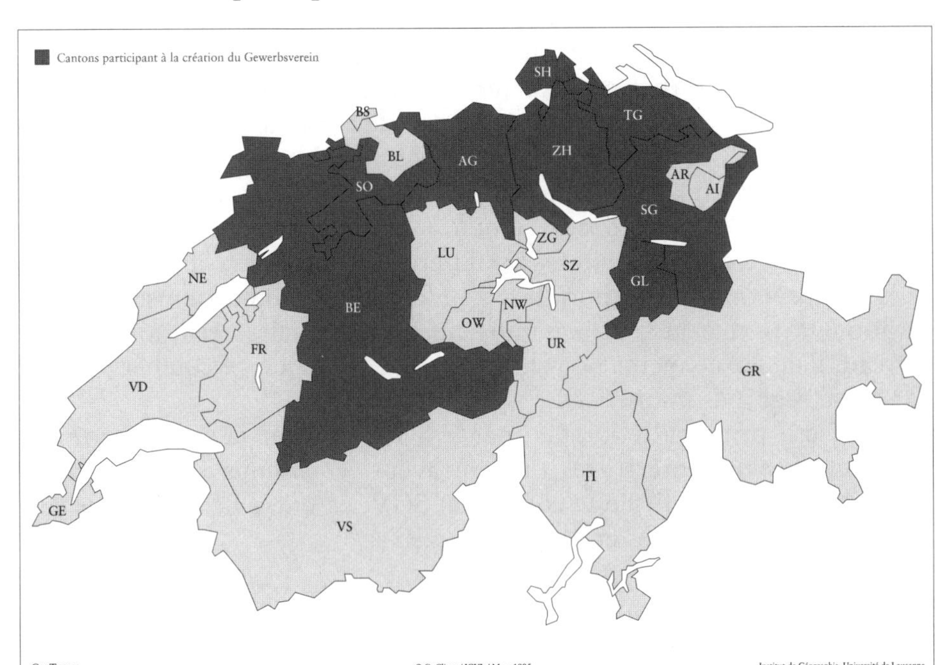

11 septembre 1843, des élites économiques des cantons de Berne, Zurich, Argovie, Soleure, Glaris et St-Gall se retrouvent à Zofingue pour l'assemblée constitutive de la version nationale du SGV[155]. Les statuts votés

155 Blösch, Haas et Kupferschmid représentent Berthoud, Pestalozzi-Hirzel et Beyel le ZIV; le canton d'*Argovie* est représenté par: *Friedrich Feer* (1790-1865) (AG), père de Carl Feer-Herzog – cf. note 259, chapitre 3 –, parmi les plus grands fabricants de rubans de soie en Suisse; *Peter Bruggisser-Isler* (1806-1870) (AG), important producteur d'articles en paille; *Friedrich Hünerwadel* (1779-1849) (AG), sa famille possède des entreprises de blanchisserie, de teinturerie en rouge et d'impression ainsi qu'une filature mécanique à Niederlenz (5900 broches en 1836); *Johann-Rudolf Suter* (1815-1878) (AG), fabricant de rubans de soie; le canton de *Glaris* est représenté par: *Heinrich Trümpy-Oertli* (1798-1849) (GL), propriétaire d'une grande maison de commerce et d'une filature mécanique, président du «Handels- und Gewerbeverein Glarus», futur président de la «Bank in Glarus» (1852-1862); *Peter Jenny-Tschudi* (1800-1874) (GL), à la tête de la grande maison de commerce et d'impression «Blumer et Jenny» (dès 1824), en fait une entreprise d'envergure mondiale, CA de la fabrique de tissage en couleur à Engi (1848-1851), fondateur de la «Bank in Glarus» (1851), membre de la commission du «Sudostbahn» (1853) et membre du CA des «Vereinigte Schweizerbahnen» (1857-1874), Cn de tendance libérale-conservatrice (1859-1866); le canton de *St-Gall* est représenté par un des deux présidents du KDSG, *Edmund Fehr-Klauser* (1809-1889) (SG), directeur de banque; enfin, le canton de *Soleure* est représenté par *Josef Munzinger-Brunner* (1791-1855) (SO), cf. note 38, chapitre 3; Blösch, 1928, p. 400.

forment une charte douanière qui scelle un compromis entre les positions de Zurich (protectionnisme modéré) et de Berne (fiscalisme libre-échangiste)[156]. D'emblée, le SGV affiche la volonté de supprimer les taxes douanières intérieures et de les transférer aux frontières suisses. Sans que soit définie la portée exacte de la centralisation, le remboursement intégral des pertes financières cantonales est garanti. La manière de prélever la charge douanière nécessaire à l'indemnisation des cantons fait aussi l'objet d'un compromis. Alors que Zurich renonce à un protectionnisme modéré, Berne souscrit à une taxation fiscale différenciée tenant compte des intérêts de la grande industrie d'exportation[157]. L'idée d'un protectionnisme de substitution favorable aux classes moyennes industrielles reste ainsi sur le carreau. Il en est de même pour le concept de politique de combat défendu par certains grands industriels.

L'objectif principal poursuivi par le SGV est donc la suppression des taxations fiscales intérieures qui entravent le commerce et les transports[158]. Comme l'affirme le comité du SGV, ce but a l'avantage de rassembler protectionnistes et libre-échangistes:

> *Allein bleibt die Aufgabe auf Befreiung des innern Verkehrs beschränkt, und nichts anders wünscht der Gewerbsverein – so fällt jeder Grund zu Konflikten zwischen den Anhängern der Handelsfreiheit und derjenigen der Schutzzölle weg; dann so sehr sie später auseinander gehen, die Beseitigung der Binnenzölle müssen beide wollen, die einen als Konsequenz ihres Prinzips, die andern als nothwendige Vorbedingung des ihrigen*[159].

Mais la suppression des taxes intérieures est en fait le moyen de parvenir à d'autres objectifs plus fondamentaux. Président du SGV, Blösch la définit comme une impulsion décisive à l'introduction de nouvelles conditions-cadre économiques:

> *Bereits ist erinnert worden, welchen Einfluss ein schweizerischer Zollverein auf andere Gebiete der öffentlichen Verwaltung ausüben müsste. In der That kann*

156 Le détail des statuts se trouve in Blösch, 1928, pp. 401-402.

157 Un tarif purement fiscal se caractérise par une taxation uniforme des importations selon le poids; un tarif fiscal différencié comporte plusieurs classes de taxation, qui sont déterminées selon des critères économiques (valeur du produit, valeur ajoutée, etc.); cela permet de taxer faiblement les matières premières et plus fortement les produits fabriqués.

158 Cette analyse est partagée par plusieurs commentateurs; Wartmann, 1875, p. 443; Rupli, 1949, p. 165.

159 *Monatblatt*, Nr. 12, 1844/1845, p. 189; cet extrait est tiré d'une pétition rédigée lors d'une séance du comité élargi du SGV (13 juin 1845), qui est destinée à être envoyée au Grand Conseil bernois.

> *Niemand verkennen, dass ähnliche Umgestaltungen im Post- und Münzwesen, in der Schifffahrt, den Eisenbahnen u., die nothwendige Folge davon wären*[160].

L'unification du système douanier est donc présentée comme la pierre angulaire des réformes indispensables à la poursuite du développement économique.

Au centre des préoccupations de l'association se trouve la réalisation d'une nouvelle politique de transport. Le *Monatblatt*, organe de presse du SGV, affirme de manière itérative que la construction d'un réseau ferroviaire est urgente et qu'elle ne peut s'effectuer sans une réforme douanière[161]. Une analyse de la composition du SGV permet de confirmer le rôle joué par la problématique ferroviaire dans la constitution de l'association[162]. Le poids des financiers (Pestalozzi-Hirzel, Fehr, Herzog, Brunner et éventuellement Stettler) et des représentants de la grande industrie (Herzog, Jenny, Blösch, Brunner et Debrunner) est prépondérant au sein du comité élargi. Par ailleurs, la quasi-totalité des membres sont directement impliqués dans la construction du réseau ferroviaire (Blösch, Schneider, Beyel, Pestalozzi-Hirzel, Herzog et Jenny).

160 *Ibidem*, September 1847, p. 133; Blösch prononce ces paroles à l'occasion d'un discours tenu le 26 septembre 1847 devant l'assemblée générale du SGV à Aarau.

161 *Ibidem*, März 1844, p. 33; *Ibidem*, Nr. 12, 1844/45, p. 191; dans ce numéro, Beyel consacre un article de fond à la problématique ferroviaire.

162 *Eduard Eugen Blösch-Schnell* (1807-1866) (BE), président du SGV, cf. note 152, chapitre 2; *Johann Rudolf Schneider-Dunand* (1804-1880) (BE), vice-président du SGV, cf. note 142, chapitre 2; *Albrecht Friedrich Stettler* (1796-1849) (BE), membre du comité restreint du SGV, issu d'une famille patricienne de Berne, petit fils du financier Rudolf Stettler, professeur de droit public à Berne, président de la section bernoise de la SGG; *Christian Beyel-Mörikofer* (1807-1858) (ZH/TG), membre du comité restreint du SGV et rédacteur du *Monatblatt*, cf. note 134, chapitre 2; *Hans Conrad Pestalozzi-Hirzel* (1793-1860) (ZH), membre du comité élargi du SGV, cf. note 126, chapitre 2; *Hans Herzog* (1790-1870) (AG), membre du comité restreint du SGV, petit-fils de Johann Herzog – premier défenseur d'un système douanier centralisé modérément protectionniste devant la Diète (1839), cf. note 117, chapitre 2 – les entreprises familiales comptent une filature mécanique (8440 broches en 1836), une fabrique de tissage mécanique (70 métiers en 1853) et une banque qui participe à la souscription d'actions du chemin de fer «Zürich-Basel», carrière militaire couronnée par une nomination en tant que général durant la guerre franco-allemande de 1870; *Peter Jenny-Tschudi* (1800-1874) (GL), membre du comité restreint du SGV, cf. note 155, chapitre 2; *Ernst Edmund Fehr-Klauser* (1809-1889) (SG), membre du comité élargi du SGV, cf. note 155, chapitre 2; *Ferdinand von Waldkirch* (1798-1863) (SH), membre du comité élargi du SGV, commerçant, CdE (dès 1843), bourgmestre (1844-1850); *Johann Heinrich Debrunner* (1798-1889) (TG), membre du comité élargi du SGV, invente et construit le premier moulin à cylindres en collaboration avec l'ingénieur Jakob Sulzberger, frère du commerçant Johannes Debrunner; *Franz Brunner* (?-?) (SO), membre du comité restreint du SGV, banquier à Soleure, représente l'industrie métallurgique de ce canton («Von Roll»), beau-père du Cn Wilhelm Vigier-Brunner – CA «Vigier Portland-Zementfabrik», «Papierfabrik Biberist», «Baumwollspinnerei Emmenhof Derendingen», etc.

Le SGV se constitue par conséquent autour d'un noyau dur, l'axe Zurich-Berne, et d'une idée forte: unifier les douanes pour construire des chemins de fer. Les autres sections cantonales adhèrent à ce consensus tout en défendant leurs propres intérêts. Les associations de Glaris, Thurgovie et Schaffhouse gravitent dans la zone d'influence de Zurich; elles défendent des positions proches du projet Beyel[163]. Soleure est par contre le plus sûr allié de Berne. Dès 1841, ce canton est favorable à la conclusion d'un concordat douanier avec son voisin[164]. Le cas d'Argovie est plus complexe. Son économie étant à la fois agricole et industrielle, ce canton est déchiré entre Berne et Zurich[165]. Certes, lors de l'élaboration du projet de concordat entre Berne, Soleure et Argovie, les autorités se contentent d'un tarif fiscal très peu différencié, mais la grande industrie mécanisée est plutôt favorable au projet Beyel.

Contrairement aux autres sections, qui se définissent par rapport aux deux poids lourds de l'association, les marchands-entrepreneurs de St-Gall proposent leur propre version de l'unification du système douanier suisse. Traditionnellement opposé à une centralisation douanière, qui renchérirait les salaires industriels, le commerce d'exportation saint-gallois est cependant intéressé à la conclusion de traités de commerce. Par ailleurs, l'économie cantonale éprouve le besoin de se relier au réseau ferroviaire international. Les élites économiques saint-galloises sont de ce fait partagées sur l'opportunité d'unifier le système douanier[166]. Les partisans ne sont toutefois prêts à y souscrire que si la charge fiscale reportée aux frontières est

163 Peter Jenny propose un tarif modérément protectionniste – taxation maximale de 10% de la valeur –, dont le but est une politique d'ouverture des marchés extérieurs; *Neue Verhandlungen der schweizerischen gemeinnützigen Gesellschaft*, Bericht 1843, Glarus, 1844, pp. 240-250; Christoph Danner, secrétaire de la section thurgovienne, demande des taxes protectionnistes éducatives allant jusqu'à 20% de la valeur, notamment en faveur de l'industrie cotonnière mécanisée; Danner, 1844, pp. 13-19; la section de Schaffhouse est plus discrète, mais sa position doit correspondre à celle adoptée par les autorités du canton; lors de la conférence d'Aarau (1847), celles-ci défendent le projet de Zurich, en raison de la suppression des taxes de consommation et de la légère protection de la viticulture qui y sont proposées; Protokoll der Conferenz (Aarau), 1847, p. 5.

164 *Ibidem*, pp. 5/7-8; Rupli, 1949, pp. 168-169.

165 Rupli, 1949, pp. 169-171; Protokoll der Conferenz (Aarau), 1847, p. 5; les autorités argoviennes sont favorables à une suppression complète des entraves fiscales intérieures et à une taxation différenciée favorable à l'industrie.

166 Les positions des différentes associations économiques saint-galloises sont contenues dans le rapport d'une enquête lancée en juin 1845 par le Gouvernement; Kommissionalbericht, 1846; par ailleurs, la frange centralisatrice s'exprime par l'intermédiaire d'un anonyme favorable à la politique du SGV; Votum über die Verkehrs- und Gewerbs-Verhältnisse..., 1843; Zweites Votum..., 1843; Drittes Votum..., 1844; cf. également *Der Erzähler*, Nrn. 55/59/61/64, 11./25. Juli, 1./11. August 1843, «Schweizerische Zollvereinigung»; l'opposition à une centralisation douanière est emmenée par August von Gonzenbach; Gonzenbach, 1840/1844.

drastiquement réduite; ils proposent par conséquent de limiter la centralisation aux taxes douanières proprement dites et de renoncer à une indemnisation complète des pertes financières cantonales[167]. Le tarif proposé refuse tout protectionnisme, même en faveur de l'industrie. La faible capacité de consommation du marché intérieur n'intéresse que peu les producteurs de cotonnades de luxe. Par ailleurs, les taxes éducatives favoriseraient l'éclosion de nouvelles branches industrielles, ce qui aurait pour effet de renchérir la main-d'œuvre et le capital. Le tarif douanier idéal serait par conséquent libre-échangiste, mais différencié. Matières premières et denrées alimentaires seraient peu taxées, alors que l'essentiel de la charge devrait reposer sur les objets de luxe ne renchérissant pas les salaires. La politique douanière définie par les statuts du SGV correspond plutôt bien aux attentes du commerce d'exportation saint-gallois. L'indemnisation totale des cantons comporte toutefois le risque d'une charge excessive aux frontières. Les élites économiques de St-Gall restent donc prudentes face à une éventuelle centralisation. L'acceptation d'une charge douanière accrue est conditionnée à la diminution des coûts de transport liée au chemin de fer[168].

Les élites économiques de trois «mondes de production» cohabitent ainsi au sein du SGV. Certes, chacun s'accorde sur la nécessité de réformer le système douanier fédéraliste, mais les divergences sur les buts à poursuivre et les moyens à utiliser sont profondes. Contrairement à l'unification douanière allemande, qui est emmenée par la Prusse, le processus suisse ne peut de ce fait pas être réalisé sous l'impulsion d'une locomotive puissante et dominante. Berne, Zurich et St-Gall, qui sont trois pôles économiques et politiques d'importance, éprouvent de grandes difficultés à réaliser un consensus. Les statuts du SGV ne sont qu'une timide amorce de compromis. Par ailleurs, deux «mondes de production» déclinent l'invitation qui leur est faite d'adhérer au SGV. Dès le mois de juillet 1843, les leaders bernois et zurichois de l'association tentent de convaincre les milieux économiques lucernois et uranais de créer une section[169]. Les principaux arguments avancés pour les convaincre sont d'ordre fiscal et politique. L'indemnisation de l'intégralité

167 Certains veulent maintenir les taxes de roulage et de pontonnage, d'autres y ajoutent les impôts de consommation.

168 Ainsi, de l'avis d'experts saint-gallois, les autorités cantonales doivent adopter une attitude réservée face au projet d'union douanière lancé par Berne; l'engagement de St-Gall dépend avant tout de l'évolution du dossier ferroviaire; Kommissionalbericht..., 1846, p. 46.

169 Par l'entremise d'Eduard von Wattenwyl (1820-1874), qui est un collaborateur du président Blösch, le Lucernois Philipp Anton von Segesser-Göldlin von Tiefenau (1817-1888) (LU) – cf. note 194, chapitre 2 – est approché pour créer une section; certes, ce dernier effectue quelques démarches auprès des milieux économiques, mais peu convaincu, il refuse de prendre la tête du mouvement en raison des risques politiques encourus; parallèlement, Beyel fait plusieurs voyages à Lucerne et à Altorf afin de pro-

des pertes financières est vendue comme une aubaine pour la Suisse centrale. D'autant plus que la construction du réseau ferroviaire européen menace de diminuer les revenus douaniers provenant du transit. Une collaboration économique est aussi présentée comme la seule issue aux tensions politiques croissantes qui minent la Confédération. Mais du côté des élites économiques de Suisse centrale, la méfiance est de mise[170]. Après une période d'hésitation, la Chambre de commerce de Lucerne renonce, en avril 1844, à créer une section. La pression du Gouvernement lucernois conservateur n'y est pas étrangère. Quant aux marchands-banquiers de Bâle, Genève et Neuchâtel, ils ne sont toujours pas décidés à abandonner leur souveraineté douanière. Les contacts pris par le SGV échouent également.

2.2.3. L'axe Zurich-Berne impuissant face aux résistances fédéralistes

L'avènement du SGV n'influence pas de manière décisive l'enquête commerciale fédérale lancée en 1842 à la demande du canton de Zurich. Il ressort du rapport de la commission d'experts que les adeptes du système fédéraliste libre-échangiste sont encore majoritaires. Six membres de la commission prônent en effet un statu quo douanier[171]. Ils représentent les cantons commerçants de Suisse occidentale (BS, NE), les cantons agricoles de Suisse centrale et méridionale (LU, TI), le canton de St-Gall et le canton de Vaud[172].

Une minorité de quatre membres propose par contre une centralisation du système douanier suisse; celle-ci engloberait les taxes douanières, les

---

mouvoir la cause du SGV, mais sans succès; Briefwechsel..., Band I, 1983, lettres 56/62/64/78/84/85/89/90/91/92/93/97/98/104/113/148, pp. 140/151/156-157/179/185-186/187-189/195-196/198-200/202/203/207/208/219/222-223/233-234/247-248/315.

170 En février 1844, une lettre de von Segesser à son ami von Wattenwyl mentionne une tentative faite pour convaincre les élites uranaises d'adhérer à l'idée d'une unification douanière par voie concordataire; malgré l'argument des gains fiscaux, qu'il leur fait miroiter, les Uranais refusent en exprimant toute leur méfiance: «*Das projektirte Concordat fusse sich in letzter Linie auch auf Treue und Glauben man werde die gemachten Zusagen halten. Haben die grössern und mächtigern Kantone einen klaren und beschwornen Bundesartikel nicht gehalten, wie würden sie denn auf die Dauer ein Concordat halten, dessen theilweiser Bruch ihnen von grossem materiellem Vortheil wäre.*»; *ibidem*, lettre 92, p. 207.

171 Rapport de la commission fédérale d'experts..., 1844, pp. 108-153; cette majorité est composée des experts suivants: von der Mühll-Burckhardt (BS), Calame (NE), Et. Franscini (TI), C. Crivelli (LU), A. von Gonzenbach (SG) et A. Noblet (VD).

172 Contrairement aux autres cantons agricoles de plaine, le canton de Vaud reste un bastion fédéraliste au début des années 1840; AdT, 1842, pp. 293-295; cf. également le débat du 21 décembre 1843 au Grand Conseil vaudois; *Monatblatt*, Januar 1844, pp. 4-12; plusieurs hypothèses peuvent être avancées pour expliquer cette attitude; l'agriculture vaudoise, productrice de céréales et de vins écoulés sur le marché intérieur, n'a que peu intérêt à une politique commerciale d'ouverture des marchés extérieurs; une

taxes de roulage et de pontonnage, mais pas les impôts de consommation[173]. Durant une période de dix ans, les cantons recevraient l'intégralité des pertes fiscales encourues. Ensuite, un mode de répartition des revenus douaniers serait calculé en fonction du nombre d'habitants, des routes de montagne et de la situation spéciale des cantons frontaliers. Afin d'atténuer le transfert de charge au détriment des cantons à faible fiscalité indirecte, le projet de la minorité prévoit de redistribuer un minimum de 4 batz par habitant à tous les cantons. Les revenus nécessaires à l'indemnisation seraient couverts par un tarif modérément protectionniste: la taxe maximale s'élèverait à 5 frsa/50 kg. Des quatre membres de la minorité, deux siègent au comité élargi du SGV, un au comité du ZIV et un a participé à la création du SGV.

Afin de contrer le projet de la fraction industrielle du SGV, le représentant du commerce d'exportation saint-gallois, August von Gonzenbach, propose une seconde version de centralisation[174]. Son projet réduit la charge reportée aux frontières en laissant la compétence des taxes de roulage, de pontonnage et des impôts de consommation aux cantons. Il refuse aussi une indemnisation des cantons selon leurs anciens revenus. Ayant réduit la redistribution des recettes douanières à 5 ½ batz par habitant, il propose de couvrir cette somme grâce à un tarif libre-échangiste différencié, dont la taxe maximale serait de 2 frsa/50 kg. Le projet von Gonzenbach, qui défend les intérêts des marchands-entrepreneurs saint-gallois, est compatible avec les intérêts douaniers de l'agriculture de Suisse occidentale. Venant d'un adversaire résolu de la centralisation, il a peut-être pour objectif tactique de diviser le camp des centralisateurs pour mieux faire régner le système fédéraliste libre-échangiste[175]. Mais ce projet peut aussi être l'expression des milieux saint-gallois favorables à une centralisation douce permettant la construction de chemins de fer.

---

centralisation du système douanier risquerait par contre d'aggraver la charge fiscale douanière du paysan vaudois (protectionnisme industriel) et de supprimer la protection agricole cantonale (refus du protectionnisme agricole sur le plan fédéral); la seule motivation qui pourrait pousser les agriculteurs vaudois à soutenir une centralisation serait l'abolition des impôts de consommation sur le vin, à laquelle s'oppose le canton de Berne; le poids politique des milieux commerçants et bancaires libéraux, au pouvoir jusqu'en 1845, a certainement aussi son importance; à l'image de l'élite marchande de Suisse occidentale, ces milieux s'opposent à toute centralisation douanière; *Le Courrier suisse*, n°s 47-50, 13/16/20/23 juin 1843, «L'industrie, le commerce et le fédéralisme».

173 Rapport de la commission fédérale d'experts..., 1844, pp. 154-177; ce sont Georg-Joseph Sidler (ZG/ZH), Hans Conrad Pestalozzi-Hirzel (ZH), Ferdinand von Waldkirch (SH) et Friedrich Hünerwadel (AG).

174 *Ibidem*, pp. 178-218.

175 Ce soupçon est émis par le secrétaire de la section thurgovienne du SGV; Danner, 1844, pp. 18-19.

Le débat douanier qui a lieu à la Diète, le 31 juillet 1845, est le reflet du rapport de force constaté au sein de la commission d'experts. Cependant, les événements politiques de l'hiver 1844-1845 contribuent à l'escamoter: les 8 décembre 1844 et 31 mars 1845, deux expéditions de corps francs ont été lancées contre Lucerne. Une collaboration des cantons catholiques, peu probable d'un point de vue économique, est désormais inconcevable. Se sentant menacés dans leur indépendance, ils ne peuvent souscrire à la perte d'une partie de leur souveraineté fiscale. Confronté à un contexte politique désastreux pour sa cause, le canton de Zurich propose, sans succès, de reporter le débat à une prochaine Diète. Lors des votations, quinze cantons se déclarent favorables à un maintien du libre-échange: les cantons commerçants de Suisse occidentale (BS, GE, NE), les cantons agricoles de Suisse centrale et méridionale (LU, UR, SZ, UW, ZG, VS, TI, GR), les cantons agricoles de Suisse occidentale (BE, SO, AG) et le canton d'Appenzell. Deux d'entre eux, Berne et Soleure, sont pourtant favorables à une centralisation douanière selon le projet von Gonzenbach. Celui-ci reçoit aussi le soutien de Glaris et Thurgovie, alors que Glaris est seul à voter en faveur d'une centralisation instaurant un tarif modérément protectionniste[176].

Le camp des partisans d'une centralisation douanière est ainsi battu à plate couture. Son seul espoir est désormais placé dans l'union douanière que le délégué de Berne promet de réaliser:

> *Sollte sich aus der Berathung im Schosse der Tagsatzung die Unmöglichkeit ergeben, einen Bundesbeschluss in diesem Sinne zu bewirken, so ist die Gesandtschaft angewiesen, mit den Gesandtschaften einer möglichst grossen Anzahl von Ständen in Unterhandlung zu treten, um ein Konkordat zum Zweck der Zollvereinigung zu Stande zu bringen, wobei jedoch mit Bestimmtheit die Aufstellung eines allfälligen Schutzzollsystems zum Voraus von der Hand gewiesen werden soll*[177].

Victime du contexte politique défavorable à son action réformatrice, le SGV interrompt son activité le 13 juin 1845 à Soleure, après avoir apporté son soutien à la démarche du canton de Berne.

Entre l'été 1845 et la fin de l'année 1846, la question d'une centralisation douanière disparaît pour ainsi dire des préoccupations de l'opinion publique. Les trois raisons politiques de cette éclipse sont l'échec subi par les centralisateurs devant la Diète, les ratés du moteur que représente le SGV et, surtout, le climat politique tendu qui accapare l'attention. A cela s'ajoutent des raisons économiques: une embellie de la conjoncture et les réformes libre-échangistes de l'Angleterre (1844) font souffler un vent d'optimisme sur la

176 AdT, 1845, pp. 220-228; l'attitude adoptée par les autorités politiques du canton d'Argovie est difficilement explicable.
177 AdT, 1845, p. 223.

vie économique suisse[178]. A tel point qu'en 1846, le secrétaire d'Etat de la Confédération, August von Gonzenbach, se croit débarrassé du mouvement protectionniste:

> *Si dans l'intervalle, la prédilection manifestée par des droits protecteurs s'est sensiblement refroidie à la suite du concours de circonstances à la faveur desquelles presque toutes les branches de l'industrie suisse ont pris un nouvel essor, les réformes financières effectuées par Sir Robert Peel devraient engager à abandonner entièrement ce projet*[179].

C'est compter sans l'opiniâtreté de Berne et les caprices de la conjoncture économique.

En janvier et en août 1846, les cantons de Berne, Soleure, Argovie et Bâle-Campagne organisent des conférences douanières pour concrétiser l'idée d'un «Zollverein» suisse[180]. En même temps, l'instigateur de ces négociations, le Conseiller d'Etat Schneider, entretient des contacts étroits avec le «Verein für die schweizerische Centralbahn» qui a été créé à Bâle, en juillet 1845. Schneider est alors président de la commission ferroviaire nommée, au cours de ce même mois de juillet 1845, par le Conseil d'Etat bernois. Pour relier la ville rhénane au Gothard, le «Central» veut construire une ligne Bâle-Olten-Zofingue à travers les cantons de Bâle-Campagne, Soleure et Argovie. La compagnie prévoit aussi un embranchement Olten-Soleure-Bienne, alors que le Conseil d'Etat bernois préférerait une ligne Olten-Berthoud-Berne. L'engagement simultané de Schneider dans les domaines douanier et ferroviaire poursuit donc l'objectif d'un désenclavement rapide du canton. D'une part, Schneider doit se battre pour que le canton de Bâle-Campagne accorde une concession au «Central»[181]. D'autre part, le concordat douanier doit assurer le libre transit à travers les cantons que les deux lignes projetées doivent emprunter. Le 10 janvier 1847, les représentants d'Argovie, Soleure, Berne et Bâle-Campagne signent un accord. Les trois premiers cantons ratifient l'union douanière (19, 23, et 26 mars 1847). Un veto des communes – 63 sur 72 s'y opposent – empêche par

178 Si l'abolition des «corn laws» diminue la compétitivité de l'industrie cotonnière, des réductions de taxes ouvrent le marché anglais, donc les colonies britanniques, à certaines productions suisses.

179 Gonzenbach, 1844, p. 17.

180 Rupli, 1949, pp. 168-175; *Monatblatt*, März/Mai 1847.

181 Le 28 juillet 1846, à l'instigation de l'ingénieur Mérian du «Centralbahn», les Conseillers d'Etat Schneider et Aubry font leur apparition devant le Grand Conseil du canton de Bâle-Campagne pour y défendre l'octroi d'une concession avantageuse; à cette occasion, ils posent un véritable ultimatum ferroviaire: soit Bâle-Campagne dit oui à une concession, soit Berne renonce au «Centralbahn» pour favoriser une liaison Bern-Aarau-Zurich; Volmar, 1924, pp. 13-59; à remarquer que l'intervention de Conseillers d'Etat en fonction dans les débats du Grand Conseil d'un autre canton est un fait rare, voire unique.

contre une ratification du canton de Bâle-Campagne. Une fois de plus, la voie politique du concordat se révèle très difficile.

La collaboration douanière intercantonale engagée par Berne agit comme un électrochoc en Suisse orientale. La dégradation de la situation économique, consécutive aux mauvaises récoltes de 1846, profite à la mobilisation des partisans de l'unification. La mauvaise conjoncture industrielle exacerbe les revendications protectionnistes[182]. Par ailleurs, le renchérissement provoqué par les mesures commerciales des Etats de l'Allemagne du Sud – taxation des exportations de blé vers la Suisse à 25% de leur valeur – pousse certains représentants du commerce d'exportation dans le camp des centralisateurs. Le président de la section saint-galloise de la SGG, le Conseiller d'Etat Johann Matthias Hungerbühler[183], soutient notamment la constitution d'un «Zollverein» suisse qui permettrait de dynamiser la politique commerciale de la Confédération[184].

Dès janvier 1847, le débat douanier est ainsi relancé[185]. Le 17 février, le canton de Zurich lui donne une impulsion politique importante. Une motion déposée devant le Grand Conseil demande au Conseil d'Etat d'étudier la possibilité de participer au concordat conclu par Berne, Soleure, Argovie et Bâle-Campagne. Le 15 juin 1847, Johann Jakob Wieland, vice-président du ZIV et Conseiller d'Etat depuis 1845, reçoit une délégation argovienne en compagnie d'Eduard Sulzer[186]. La négociation d'un «Zollve-

182 Dès janvier 1847, le *Monatblatt* de Beyel paraît à nouveau; les éditions Beyel publient par ailleurs une brochure de Jakob Sulzberger, ingénieur thurgovien lié de près à la construction des chemins de fer, qui défend la thèse du protectionnisme éducatif («Erziehungszölle»); *Johann Jakob Sulzberger* (1802-1855) (TG), issu d'une vieille famille originaire de Thurgovie, ingénieur spécialisé dans les domaines de la construction et des machines, participe à l'invention du premier moulin à cylindres (1832), intéressé de près à la construction d'un réseau ferroviaire, étudie la ligne «Zurich-Bodensee» sur mandat de la Chambre de commerce de Zurich (1836), membre du comité fondé pour faire passer le «Zurich-Bodensee» par la Thurgovie plutôt que par St-Gall (1852).

183 *Johann Matthias Hungerbühler-Staub* (1805-1884) (SG), avocat saint-gallois, CdE (1838-1859), président du «St. gallischer Eisenbahnverein» (créé en 1846), CA de la «Sanktgallisch-Appenzellische Eisenbahngesellschaft» (1853-1856), président du «Aktienverein der Kreditanstalt St. Gallen» (1854-1871), CA de l'assurance vie «La Suisse» (1863-1884), Cn de tendance libérale-radicale (1848-1875).

184 Hungerbühler, 1847; en mai 1847, Hungerbühler intervient dans le même sens au sein du Conseil d'Etat; le 15 juin 1847, le Grand Conseil saint-gallois donne les pleins pouvoirs au Gouvernement pour négocier l'adhésion à une éventuelle union douanière; Wartmann, 1875, pp. 445-446.

185 Wartmann, 1875, pp. 445-446; Rupli, 1949, p. 175; *Monatblatt*, Juli 1847, pp. 97-100; *ibidem*, September 1847, p. 132.

186 *Eduard Sulzer* (1789-1857) (ZH), fils d'un important commerçant de Winterthour, joue un rôle en vue dans le mouvement de la Régénération, CdE (1831-1849), écrit plusieurs ouvrages d'économie politique, instigateur de la commission des chemins de fer fondée en 1836 par la Chambre de commerce zurichoise, membre du CA du «Nordbahn».

rein» avec les cantons agricoles de Suisse occidentale est fixée au 27 septembre 1847, à Aarau. Dans cette optique, Zurich s'efforce de constituer un bloc industriel compact à opposer aux cantons signataires du concordat bernois[187]. Une conférence douanière a lieu le 13 août à Zurich, où un projet de concordat est discuté avec Glaris, Thurgovie, Schaffhouse, St-Gall et Appenzell. Ces deux derniers cantons refusent toutefois de se solidariser avec un projet trop protectionniste à leur goût.

Stimulé par l'avancée politique de l'idée d'une union douanière, le SGV reprend du service[188]. En juillet, le comité restreint fixe une assemblée générale pour le 26 septembre 1847 à Aarau, c'est-à-dire la veille de la conférence douanière intercantonale. Ce jour-là, une centaine de personnalités en provenance des cantons membres (ZH, BE, SG, GL, SH, TG, SO et AG) sont présentes, parmi lesquelles figurent les Conseillers d'Etats chargés de négocier le futur concordat douanier[189]. Lors de son discours d'introduction, le président Blösch définit les rôles respectifs que doivent jouer représentants de l'Etat et milieux économiques dans la procédure de constitution de l'union douanière. Le SGV doit définir les buts à atteindre, en agrégeant les intérêts divergents, et préparer l'opinion publique, permettant ainsi aux Gouvernements d'aboutir à la conclusion et à l'application d'un accord[190]. Afin de réaliser un consensus le plus large possible, le comité du SGV décide d'éviter le débat libre-échange/protectionnisme. Il renonce à discuter les projets bernois, zurichois et saint-gallois de tarification, pour se contenter de définir les grands principes que la centralisation douanière doit respecter[191]:

1) La suppression de toutes les taxations intérieures, y compris les impôts de consommation, est souhaitée, bien que sa réalisation reste peu probable dans l'immédiat.
2) La taxation aux frontières de l'union sera différenciée: matières premières et denrées de première nécessité faiblement taxées, fabriqués et produits de luxe plus fortement.
3) Les cantons délégueront leurs compétences commerciales à l'union qui cherchera à ouvrir des marchés extérieurs.
4) La petite industrie et l'artisanat seront soutenus par des mesures cantonales de contrôle de la concurrence établies sur la base d'une concertation.

187 Rupli, 1949, pp. 181-183.
188 Blösch, 1928, pp. 406-409; Rupli, 1949, pp. 183-184; *Monatblatt*, Juli/August/September 1847.
189 *Monatblatt*, September 1847, pp. 129-144.
190 *Ibidem*, pp. 132-133.
191 *Ibidem*, pp. 134-138.

Ce programme n'apporte rien de nouveau. Il confirme l'abandon d'une politique protectionniste en faveur des classes moyennes, qui est remplacée par une législation de soutien. Le programme ne résout en rien les contradictions qui existent entre les trois pôles économiques favorables à une unification douanière (ZH, BE, SG).

Les 27 et 28 septembre 1847 a lieu la conférence tant attendue[192]. Elle rassemble des délégués de Berne, Soleure, Argovie, Zurich, Glaris, Thurgovie, Schaffhouse et St-Gall, cantons membres du SGV, auxquels se joignent les représentants des Grisons, de Bâle-Ville, de Bâle-Campagne et d'Appenzell. Les trois derniers cantons ne participent pas aux délibérations, mais ont envoyé des observateurs. Les cantons catholiques du «Sonderbund» ainsi que les cantons latins ne sont donc pas représentés. Durant les débats, trois projets de centralisation s'affrontent (annexe 10): ceux de Berne (soutenu par Soleure et Argovie), de Zurich (Glaris, Thurgovie, Schaffhouse) et de St-Gall. A l'issue de deux jours de négociations, les divergences sont encore importantes. L'élaboration d'un projet consensuel est alors confié à une commission[193]. Le 2 octobre 1847, la nouvelle mouture est débattue et reçoit sa forme définitive (annexe 10). Berne et St-Gall ont réussi à imposer que la charge fiscale transportée aux frontières ne dépasse pas 1,6 mios de frsa (ZH: 4 mios de frsa). Par contre, Berne a dû accepter une tarification plus différenciée que dans le concordat conclu avec ses voisins. La taxe maximale de 6 frsa, bien que trois fois plus basse que les 18 frsa exigés par Zurich, est quinze fois plus élevée que les 0,4 frsa du concordat bernois.

En dépit de ce projet, le «Zollverein» suisse n'est pas encore une réalité. Il doit passer la rampe des opinions publiques et des autorités législatives qui sont réticentes à l'idée d'abandonner une partie de la souveraineté cantonale et plus encore à celle de devoir consentir des sacrifices fiscaux et commerciaux. Les échecs à répétition des concordats conclus depuis 1815 en matière douanière, mais aussi dans d'autres domaines économiques tels que l'unification monétaire, ne permettent pas d'affirmer qu'un système douanier intercantonal est sur le point d'aboutir. Comme le relève Philipp Anton von Segesser[194], en 1842, la situation politique suisse est beaucoup moins favorable qu'en Allemagne pour la conclusion d'accords économiques par voie concordataire:

192 Protokoll der Conferenz... (Aarau), 1847.

193 Elle est composée des Conseillers d'Etat suivants: Jakob Stämpfli (BE), Eduard Sulzer (ZH), Kaspar Jenni (GL), Ferdinand von Waldkirch (SH), Matthias Hungerbühler (SG), Benjamin Brunner (SO) et Friedrich Siegfried (AG).

194 *Philipp Anton von Segesser-Göldlin von Tiefenau* (1817-1888) (LU), propriétaire du domaine du «Holzhof», chef de Chancellerie à l'état major du «Sonderbund», leader spirituel du parti conservateur après la défaite du «Sonderbund», Cn catholique-conservateur (1848-1888).

> *Auch ich bin überzeugt, dass die Centralisation der materiellen Interessen auf dem Wege des Vertrags das Erste und Grösste ist, was in unserer Schweiz erreicht werden könnte. Allein welch' trübe Erfahrungen zeigt uns da die neuere Geschichte, der ältern nicht zu gedenken. Lesen Sie in dem schönen Berichte des Regierungsraths von Bern an den Grossen Rath über die Regierungsperiode von 1815-1830 die Bemühungen um das Münzconcordat, die Geschichte des Retorsions-Concordats gegen Frankreich, verfolgen Sie nur das neueste Beispiel des Mass und Gewicht Concordats alle diese Centralisationsversuche auf dem Weg der Concordate und Sie werden die unendlichen Schwierigkeiten finden, die sich all diesen Versuchen entgegenstellen. Die monarchischen Staaten Deutschlands sind da in einer andern Lage, die Regierungsgewalt gebietet da den Stimmen von unten, die theilweise immer bei Verfügungen die ins materielle greifen betheiligt sind, Schweigen vor höhern Staatsrücksichten*[195].

La partie est dès lors bien engagée, mais loin d'être gagnée.

Entre 1822 et 1847, l'environnement économique de la Confédération suisse a donc évolué avec une grande rapidité. Les effets combinés de la mécanisation de la production et de la révolution des transports (chemin de fer, bateau à vapeur) ont renforcé la compétitivité des concurrents étrangers sur les marchés intérieurs et extérieurs. De plus, le nationalisme économique s'est encore exacerbé; après l'Autriche-Hongrie et la France, la Sardaigne et l'Allemagne se sont murées derrière des barrières protectionnistes difficiles à franchir. Les traités de commerce conclus entre différents pays ont engendré un nouveau danger commercial pour la Suisse: le traitement douanier différentiel[196]. Ces problèmes structurels, auxquels se superpose, dès 1837, une période de dépression de l'économie mondiale, provoquent une profonde crise économique en Suisse, qui touche principalement les cantons industriels de Suisse orientale. Ses symptômes les plus significatifs sont une stagnation des investissements[197], une forte exportation de capital – délocalisation de certaines productions dans les pays voisins –, une augmentation du déficit de la balance commerciale, un développement du paupérisme et une augmentation de l'émigration[198]. A la fin des années 1840, la Confédé-

195 Briefwechsel..., Band I, 1983, lettre 31, p. 93.

196 Certains contemporains sont tout à fait conscients de ces évolutions et les analysent; Beyel, 1840, pp. 11-13; Schmuts, 1843, pp. 16-18; *Neue Verhandlungen der schweizerischen gemeinnützigen Gesellschaft*, Bericht 1843, Glarus, 1844, pp. 272-273.

197 Dudzik observe que dans le canton de Zurich, les investissements dans les bâtiments ou autres superstructures, baromètre du climat général de l'investissement, évoluent selon deux grandes phases: de 1823 à 1838, les investissements augmentent de manière régulière, alors que de 1839 à 1853, ils sont en baisse, à l'exception des années 1842, 1846, 1851 et 1853; Dudzik, 1987, pp. 190-193.

198 Une analyse du développement du paupérisme et de l'émigration dans le canton de Zurich, durant la crise des années 1845-1848, est proposée in Salzmann, 1978, pp. 285-311.

ration suisse se trouve de ce fait à un moment-clé de son évolution économique. Les contemporains les plus pessimistes affirment que, sans réaction politique, l'activité productive risque de s'étioler, provoquant une décadence économique semblable à celle vécue par l'Espagne:

> *Will indessen die Schweiz nicht an langsamer Auszehrung sterben, und nicht zum Theil wie Spanien ins Joch der finstern Mächte sich beugen, so muss sie ohne anders und ganz besonders im Hinblick auf die künftige Generation die produktive Kraft des Volkes zu steigern suchen [...]*[199]

Face à cette situation délicate, des voix s'élèvent contre le libéralisme pur et dur pratiqué par la Confédération suisse; elles affirment qu'il n'est plus adapté aux circonstances économiques du moment. Aux côtés de l'artisanat, traditionnellement interventionniste, de grands industriels et des financiers remettent en question le bien-fondé d'une politique de «laisser faire, laisser passer». L'aile interventionniste des élites économiques suisses est d'avis que de nouvelles conditions-cadre ne peuvent plus être définies à l'échelle cantonale. Après avoir réalisé une union militaire, la Confédération suisse doit procéder à une union économique pour combattre le nationalisme étranger qui menace son économie d'asphyxie commerciale. Cette défense économique nécessite la centralisation de certaines compétences dans les mains de l'Etat central[200].

Un des représentants les plus en vue de la nouvelle vague interventionniste est le banquier zurichois Conrad Pestalozzi-Hirzel. Conscient des évolutions économiques, il affirme la nécessité de réagir:

> *[...] denn die industrielle Fortbildung aller civilisirten Nationen, die Wirkungen des Friedens, die ungeheuren Fortschritte der Mechanik, die Maschinenproduction, die Eisenbahnen, die Dampfschiffe, kurz, der ganze neuere Entwicklungsgang der Menschheit hat, wie mir scheint, die Stellung der Nationen zu einander so verändert und in ihre Verkehrsverhältnisse solch' neue Factoren gebracht, dass frühere Zustände durchaus nicht mehr zur Norm dienen, und auch die bisherige Blüthe unserer Industrie nicht als Grund aufgestellt werden kann, um die Hände ruhig in den Schooss zu legen und das bisherige Gehenlassen zu rechtfertigen*[201].

199 Danner, 1844, p. 8.

200 Beyel, 1843, p. 156; Commissional-Rapport..., 1843, pp. 3-4.

201 Pestalozzi-Hirzel remet ainsi en question le «laisser faire» lors d'un débat douanier qui a lieu, en 1843, au sein de la SGG; *Neue Verhandlungen der schweizerischen gemeinnützigen Gesellschaft*, Bericht 1843, Glarus, 1844, p. 273; au cours du même débat, deux représentants de l'économie glaronnaise partagent son avis; Kaspar Jenny – cf. note 129, chapitre 3 –: «*[...] kommt mit ihm zu dem Schlusse, dass das ‹laisser faire› in unserer Zeit keine Anwendung mehr finden könne.*»; *ibidem*, p. 243; Peter Jenny-Tschudi – cf. note 155, chapitre 2 –: «*Vom national-ökonomischen Standpunkte ausgehend, bedarf die Schweiz vor Allem aus eines nationalen Handelssystems, da die Zeit des ‹Gehenlassens› vorüber ist [...]*»; *ibidem*, p. 246.

Pestalozzi estime que, même avec toute l'énergie et l'ingéniosité du monde, l'individu qui entreprend de produire en Suisse ne peut pas être compétitif face à la concurrence étrangère. Pour surmonter la crise, la seule initiative personnelle ne suffit plus. La Confédération doit dès lors renforcer son intervention pour permettre la poursuite du développement économique. De nouvelles conditions-cadre aideraient les secteurs productifs à sortir de l'impasse dans laquelle ils se trouvent. Bras droit de Pestalozzi-Hirzel, le publiciste Beyel tire le même constat en insistant sur l'urgence des réformes:

> *So viel aber scheint uns gewiss, dass ein schnelles, entschlossenes und durchgreifendes Handeln, ein Handeln mit vereinter Kraft* dringende Forderung der Zeit ist (souligné dans l'original, C. H.). *Denn sicher bleibt für die Schweiz nur die Wahl zwischen grossen, umfassenden von der Gesammtheit ausgehenden Massregeln, oder allmäligem Hinwelken. Ob sie indess Kraft genug in sich habe, ein nationales System zu ergreifen und durchzuführen, darüber werden die nächsten Jahre entscheiden*[202].

Si de nombreuses voix s'expriment en faveur d'un engagement accru de la Confédération, elles ne sont de loin pas unanimes quant à la définition des domaines et de l'intensité de l'intervention. Une série de revendications sont cependant récurrentes[203]. De toute évidence, la pierre angulaire d'une unification économique est une réforme du système douanier[204]. De sa réalisation dépend une série de revendications déjà évoquées dans ce chapitre:

1) l'abolition des entraves douanières intérieures diminuerait les coûts de transport sur territoire suisse par une suppression de la charge fiscale et l'établissement de chemins de fer; en créant un véritable marché national, elle intensifierait le commerce intérieur;

2) la centralisation des compétences douanières et l'établissement d'un tarif fédéral permettraient à la Confédération de mener une politique commerciale interventionniste; des traités de commerce pourraient être conclus dans le but d'ouvrir des débouchés extérieurs; un tarif fédéral ouvrirait la possibilité d'une protection de l'industrie suisse dans le but

202 Beyel, 1843, p. 187; sur le besoin de nouvelles conditions-cadre, cf. Danner, 1844, pp. 4-14; Schmuts, 1843, pp. 16-18.

203 Plusieurs historiens suisses abordent brièvement les réformes économiques exigées par certains milieux de l'époque; Nabholz, 1944, pp. 574-591; Huber, 1890, pp. 237-239; Bosshardt, 1948, pp. 145-147; Rupli, 1949, pp. 197-207; Düblin, 1978, p. 158; Menzel, 1979, p. 52.

204 L'organe du SGV relève à plusieurs reprises les implications de l'unification sur la réalisation d'autres mesures économiques favorables au développement industriel; cf. par exemple *Monatblatt*, März 1844, pp. 33-34.

de promouvoir une mécanisation du tissage du coton et le développement de nouvelles branches d'activités.

Une unification du territoire commercial suisse favoriserait d'autres réformes jugées nécessaires[205]:

3) une simplification, voire une centralisation du système postal suisse;
4) une unification de la monnaie, des poids et des mesures;
5) une unification du droit commercial.

Trois autres réformes, sans rapport direct avec une centralisation douanière, sont également jugées nécessaires par certaines élites économiques[206]:

6) la laïcisation de l'école servirait à adapter le système scolaire aux exigences du développement industriel, l'objectif étant de former une main-d'œuvre qualifiée;
7) la mise sur pied d'écoles supérieures fédérales assurerait une formation de pointe aux cadres de l'économie suisse; elle favoriserait le développement technologique;
8) une politique d'établissement intercantonale libérale répondrait aux exigences de mobilité de la main-d'œuvre industrielle.

Sur le plan politique, les élites économiques favorables à une redéfinition des rapports entre économie et Etat central sont divisées en deux fractions[207]. Les libéraux centralisateurs et même certains conservateurs des cantons régénérés, conscients de la nécessité absolue de nouvelles conditions-cadre, veulent résoudre le problème dans le respect des institutions existantes. Selon eux, il faut réformer pour éviter une révolution qui menacerait l'existence de la Confédération suisse. En 1845, le leader de l'aile réformiste, le libéral bernois Eduard Blösch, résume bien la situation d'urgence:

> *Nach meiner festen Überzeugung sind die schweizerischen Zustände auf die Dauer nicht mehr haltbar; gehöre man den demokratischen oder den aristokratischen Kantonen an, so muss sich jedem die Überzeugung aufdringen, dass wenn wir nicht dazu gelangen können, ein neues Gebäude aufzuführen, uns eine Krise bevorsteht, aus welcher die Schweiz kaum ihre Selbstständigkeit retten dürfte [...] Es bleibt – man*

205 *Monatblatt*, September 1847, p. 133.

206 Sur ces trois dernières revendications, cf. Nabholz, 1944, p. 59; en 1843, le marchand glaronnais Peter Jenny-Tschudi propose que la Confédération intervienne dans l'établissement d'écoles techniques; *Neue Verhandlungen der schweizerischen gemeinnützigen Gesellschaft*, Bericht 1843, Glarus, 1844, p. 248.

207 Rupli, 1949, pp. 197-207.

> *mag es einsehen wollen oder nicht – nur die Wahl zwischen Revolution und Reform*[208].

La situation politique empêche toutefois une réforme consensuelle du pacte fédéral. L'aile réformiste estime donc que le concordat intercantonal offre la seule voie réaliste conduisant à l'introduction des mesures économiques les plus urgentes.

Les radicaux des cantons régénérés sont quant à eux favorables à une résolution plus globale et plus rapide du problème de la centralisation économique. Grands promoteurs de l'idée nationale et de la souveraineté populaire, ils prônent aussi une refonte complète des institutions fédérales permettant l'instauration d'un Etat national régi par le suffrage universel. Pour réaliser leurs objectifs, les radicaux veulent imposer une révision du pacte fédéral aux conservateurs, par les armes si nécessaire, et au risque d'un conflit avec les puissances étrangères. Cette révolution instaurerait un système politique adapté aux besoins d'une société en pleine mutation. Il faut souligner que le lien étroit entre centralisation douanière, radicalisme et renouveau de la Confédération est déjà formulé par les élites économiques de l'époque. Ainsi, en 1851, un banquier bâlois affirme:

> *Der Gedanke der Aufhebung aller Verkehrschranken im Innern der Schweiz, dessen Verwirklichung durch die Bundesverfassung von 1848 in der vorstehenden Weise stattgefunden hat, war nahe verwandt mit den leitenden Grundsätzen der politischen Bewegungen, welche in jener Bundesverfassung ihr Ziel erreichten [...]*[209]

La volonté de réformer/révolutionner la Confédération exprimée par les libéraux centralisateurs et les radicaux se heurte au veto des élites conservatrices. Située surtout dans les cantons de Bâle, Genève, Vaud, Neuchâtel, St-Gall et Appenzell, une élite marchande refuse d'abandonner le «laisser faire, laisser passer». Un représentant en vue de cette aile libérale-conservatrice, Johann Kaspar Zellweger, affirme que la résolution de la crise ne viendra pas de l'Etat, mais du génie marchand:

> *Wo Freiheit des Handels ist, da geht Jeder mit seinem Kopfe zu Rathe, und findet er hier nichts, so geht er an einen andern Ort. Ist der Handel gehemmt, und vertraut der gute Mann auf die Obrigkeit, so vertraut er auf Sand. Die Obrigkeit wird und kann ihm nicht helfen; sie sieht die Sache immer später, als der Kaufmann*[210].

208 Cité in Rupli, 1949, pp. 204-205; Christian Beyel, un autre «leader» de cette aile réformiste, analyse la crise politique des années 1840 et ses fondements économiques de manière extrêmement lucide; il met en évidence que les cantons régénérés ne peuvent pas subir plus longtemps les entraves mises à leur développement économique par les cantons conservateurs; les disputes politiques et religieuses autour de la suppression des couvents ne sont pour lui qu'un exutoire à une opposition économique structurelle entre la «Vieille Suisse» et la «Nouvelle Suisse»; *Monatblatt*, Juni 1847, pp. 83-89.

209 Cette analyse est le fait de Johann Jakob Speiser – cf. note 29, chapitre 3 – in *NZZ*, Nr. 201, 20. Juli 1851, «Die Zoll-Entschädigungen an die Kantone».

210 *Neue Verhandlungen der schweizerischen gemeinnützigen Gesellschaft*, Bericht 1843, Glarus, 1844, pp. 269-270; cf. également Rapport de la commission fédérale d'experts..., 1844, p. 117.

Avec un certain cynisme, l'ex-réviseur des douanes refuse tout protectionnisme industriel. Selon lui, cette politique aurait pour résultat d'entretenir une surpopulation industrielle, jugée socialement dangereuse, au détriment de la partie saine du corps économique suisse.

Si la crise devait durer, les tenants du libéralisme pur et dur proposent des solutions diverses pour gérer la misère sociale. Ils envisagent, entre autres, le remplacement des artisans étrangers par des Suisses et l'émigration du surplus de main-d'œuvre. A l'exemple de la Belgique, cette dernière solution pourrait, le cas échéant, être facilitée par une aventure coloniale[211]. Opposés à une intervention accrue de la Confédération, les libéraux-conservateurs défendent le statu quo fédéraliste en matière de politique économique:

> *Le fédéralisme est loin d'avoir arrêté le développement de notre commerce et de notre industrie; ces deux branches du travail national ont à supporter, à tout prendre, moins de charges et d'entraves en Suisse que dans aucun autre pays [...] Les anomalies de nos institutions économiques et administratives ne se corrigeront pas au moyen d'emprunts maladroits à nos grands voisins, mais bien par des amendements poursuivis avec patience dans le point de vue fédératif*[212].

A la Diète, ils se servent de la force d'inertie du pacte fédéral pour bloquer les réformes proposées par les cantons progressistes. Dans le domaine douanier, le système politique en place est le garant du statu quo fédéraliste et libre-échangiste qui correspond aux intérêts fiscaux et commerciaux de l'élite marchande[213].

Emmenée par l'élite marchande libérale-conservatrice, l'obstruction à une centralisation économique est soutenue par l'aristocratie terrienne conservatrice des cantons agricoles de montagne, réfractaire à toute évolution dans ce domaine. L'économie et la société de ces régions, qui n'ont pratiquement pas évolué depuis l'Ancien Régime, ne ressentent pas le besoin d'une intervention accrue de la Confédération. Au contraire, l'aristocratie craint que l'abandon de certaines compétences débouche sur une politique fédérale contraire à ses intérêts. De plus, elle devrait participer au financement du surcroît d'activité économique de la Confédération. D'autres intérêts suscitent l'opposition conservatrice à une réforme du pacte fédéral. Les liens étroits entretenus avec l'Eglise catholique impliquent un refus de la société libérale, démocratique et laïque que représentent les cantons régénérés. Dans cette perspective, la laïcisation de l'école exigée par les cantons

211 *Neue Verhandlungen der schweizerischen gemeinnützigen Gesellschaft*, Bericht 1843, Glarus, 1844, pp. 250-271.

212 *Le Courrier suisse*, n° 50, 23 juin 1843, «L'industrie, le commerce et le fédéralisme».

213 L'incompatibilité entre le système politique en place et une centralisation du système douanier suisse est discutée par Rupli, 1949, pp. 22-25; cf. également *Actes de la Société suisse d'utilité publique*, rapport 1835, Genève, 1836, pp. 297/312.

radicaux est une atteinte à un pilier fondamental de l'organisation sociale des cantons conservateurs. Dans le contexte de conflit politique qui caractérise les années 1840, l'abandon de toute parcelle de souveraineté cantonale à la Confédération est comprise comme une facilité offerte au démantèlement de la forteresse catholique-conservatrice par la partie adverse.

Deux Suisses s'affrontent donc durant les années 1840: une Suisse régénérée, dont l'économie a un besoin urgent de nouvelles conditions-cadre, et une Suisse conservatrice, qui s'oppose à toute centralisation économique. Leurs besoins sociaux, politiques et culturels sont aussi incompatibles. Par son refus de collaborer, soit à une révision du pacte fédéral, soit à des mesures de centralisation par voie concordataire, la «Vieille Suisse» crée une situation de blocage. Début 1845, Blösch prévient déjà le Lucernois Segesser du danger politique que comporte cette attitude:

> *[...] ich sprach im Rathe sogar die feste Ueberzeugung aus, dass wenn es den schweizerischen Regierungen nicht bald gelinge, den Bund durch Reform umzugestalten, eine Revolution unvermeidlich sei [...] In dieser Hinsicht bedaure ich unendlich, dass die innere Schweiz sich den Bestrebungen zur Befreiung des innern Verkehrs durch Errichtung eines allgemein schweizerischen Zollverbandes so ganz entzieht. Man besorgt daraus Nachtheile für die kantonale Existenz während nach meiner Ueberzeugung diese in die Länge nur dadurch erhalten werden wird, dass man rechtzeitig etwas von seinen Rechten abgiebt, um den Rest desto sicherer zu bewahren. Es scheint mir unmöglich, dass man in Luzern und in den kleinen Kantonen nicht einsehen sollte, dass starres Widerstreben gegen jede Centralisation nichts anderes heisst, als Alles auf's Spiel zu setzen*[214].

En dépit de cet avertissement, la situation continue de dégénérer. En juin 1847, peu avant le déclenchement des hostilités, von Segesser constate que la Confédération est devenue un nœud gordien qui ne peut être tranché que par les armes:

> *Die Ereignisse gehen ihren nothwendigen Gang. Die Verwicklungen mehren sich, die Natur des Schweizerischen Staatskörpers wird mehr und mehr verkannt, die naturgemässen Grundlagen werden beiderseits verlassen, die Leidenschaften durchdringen ganze Völkerschaften: es giebt kein Mittel aus diesem Zustand herauszukommen als das Schwert, das den alten Bund der Eidgenossen, der ein Gordischer Knoten geworden ist, zerschneidet. Aus den Trümmern werden nach den allgemeinen Gesetzen der Weltgeschichte neue Bildungen entstehen, oder auch durch einen neuen Landfrieden der alte Bau neu aufgebaut werden. Alles andere ist nur Aufschub*[215].

Cette situation de blocage ne peut que déboucher sur une radicalisation du conflit politique. D'autant que la pression au changement ne fait que s'accentuer. L'aggravation de la crise économique pousse certaines élites écono-

214 Briefwechsel..., Band I, 1983, lettre 148, p. 315, «Eduard Blösch an Segesser», 3. Februar 1845.

215 Briefwechsel..., Band I, 1983, lettre 229, p. 446, «Segesser an Andreas Heusler-Ryhiner», 5. Juni 1847.

miques libérales à adopter les solutions plus expéditives du radicalisme. Par ailleurs, ce mouvement renforce son influence politique au sein de la Confédération. Porté par le mécontentement des classes moyennes, en particulier la paysannerie et l'artisanat des régions rurales, le radicalisme s'empare du pouvoir dans plusieurs cantons jusqu'alors opposés à la centralisation (Vaud: 1845, Genève: 1846). En 1847, les libéraux prennent par ailleurs le pouvoir à St-Gall. Cette évolution provoque une rupture de l'équilibre politique. Désormais, une majorité de cantons est décidée à trancher le nœud gordien par l'épée. Le 4 novembre 1847, la Guerre du «Sonderbund» éclate. La victoire libérale-radicale décapite le conservatisme et l'oblige à participer à l'élaboration d'un Etat fédéral. Les modalités d'une centralisation du système douanier helvétique devront être définies dans la nouvelle constitution fédérale.

2.2.4. Les articles douaniers de la constitution fédérale de 1848: pierre angulaire de nouvelles conditions-cadre pour l'économie suisse

La nouvelle constitution fédérale, votée le 12 septembre 1848[216], sanctionne la création d'un Etat fédéral. Le chapitre qui suit ne s'attache pas à exposer les différentes étapes de l'élaboration de la nouvelle charte fondamentale de la Confédération suisse. Il tente d'évaluer dans quelle mesure celle-ci répond aux exigences de réforme des conditions-cadre formulées par les élites économiques interventionnistes. Les problèmes engendrés par la refonte du système fiscal suisse, conséquence nécessaire de la naissance d'un Etat fédéral, seront aussi abordés.

Les questions économiques, ou questions matérielles comme on les appelle à l'époque, sont traitées dans les articles 21 à 40 de la nouvelle constitution. L'enjeu global de ces dispositions est de définir les rapports de pouvoir entre les cantons et la Confédération dans le domaine économique. Une première série d'articles définissent les compétences attribuées à l'Etat fédéral pour intervenir plus activement[217]. *L'article 21* octroie à la Confédé-

216 Pour une analyse complète de la constitution de 1848, cf. Kölz, 1992; Rappard, 1948, pp. 107-270.

217 *Art. 21.* La Confédération peut ordonner à ses frais ou encourager par des subsides les travaux publics qui intéressent la Suisse ou une partie considérable du pays. Dans ce but, elle peut ordonner l'expropriation moyennant une juste indemnité. La législation fédérale peut interdire les constructions qui porteraient atteinte aux intérêts militaires de la Confédération. *Art. 22.* La Confédération a le droit d'établir une Université suisse et une Ecole polytechnique. *Art. 23.* Ce qui concerne les péages (douanes) relève de la Confédération. *Art. 33.* La Confédération se charge de l'administration des postes dans toute la Suisse, conformément aux prescriptions suivantes: 1) Le service des postes ne doit, dans son ensemble, pas descendre au-dessous de son état actuel, sans le consente-

ration la possibilité d'entreprendre à ses frais ou de subventionner des travaux publics d'envergure nationale. Il permet aussi d'exproprier des privés dans ce but. Une éventuelle intervention dans la construction d'un réseau ferroviaire devient possible, mais le soin d'en décider est laissé à la future législation. *L'article 22* autorise la mise sur pied d'une Université et d'une Ecole polytechnique fédérales. La future législation définira les contours d'une intervention de la Confédération en matière d'instruction supérieure. *L'article 23* fait des douanes un domaine de compétence de la Confédération; ce monopole lui donne la possibilité de mener une politique commerciale plus interventionniste. *L'article 33* transmet l'administration des postes à la Confédération et définit les modalités d'indemnisation des cantons. *L'article 35* donne à la Confédération un droit de surveillance sur les routes et les ponts d'intérêt national. *L'article 36* centralise la régale des monnaies, mais ne définit pas en détail le nouveau système monétaire. *L'article 37* permet au pouvoir fédéral d'uniformiser les poids et mesures sur la

---

ment des cantons intéressés. 2) Les tarifs seront fixés d'après les mêmes principes et aussi équitablement que possible dans toute la Suisse. 3) L'inviolabilité du secret des lettres est garanti. 4) La Confédération indemnisera comme suit les Cantons pour la cession qu'ils lui font du droit régalien des postes: a) Les cantons reçoivent chaque année la moyenne du produit net des postes sur leur territoire pendant les trois années 1844, 1845 et 1846. Toutefois, si le produit net que la Confédération retire des postes ne suffit pas à payer cette indemnité, il est fait aux Cantons une diminution proportionnelle. b) Lorsqu'un canton n'a rien reçu directement pour l'exercice du droit de poste, ou lorsque, par suite d'un traité de ferme conclu avec un autre Etat confédéré, un Canton a beaucoup moins reçu pour ses postes que le produit net et constaté de l'exercice de droit régalien sur son territoire, cette circonstance est équitablement prise en considération lors de la fixation de l'indemnité. c) Lorsque l'exercice du droit régalien des postes a été laissé à des particuliers, la Confédération se charge de les indemniser, s'il y a lieu. d) La Confédération a le droit et l'obligation d'acquérir, moyennant une indemnité équitable, le matériel appartenant à l'administration des postes, pour autant qu'il est propre à l'usage auquel il est destiné et que l'administration en a besoin. e) L'administration fédérale a le droit d'utiliser les bâtiments actuellement destinés aux postes, moyennant une indemnité, en les acquérant ou les prenant en location. *Art. 35.* La Confédération exerce la haute surveillance sur les routes et les ponts dont le maintien l'intéresse. Les sommes à payer en vertu des articles 26 et 33 sont retenues par l'autorité fédérale, lorsque ces routes et ces ponts ne sont pas convenablement entretenus par les cantons, les corporations ou les particuliers que cela concerne. *Art. 36.* La Confédération exerce tous les droits compris dans la régale des monnaies. Les cantons cessent de battre monnaie; le numéraire est frappé par la Confédération seule. Une loi fédérale fixera le pied monétaire ainsi que le tarif des espèces en circulation; elle statuera aussi les dispositions ultérieures sur l'obligation où sont les cantons de refondre ou de refrapper une partie des monnaies qu'ils ont émises. *Art. 37.* La Confédération introduira l'uniformité des poids et mesures dans toute l'étendue de son territoire, en prenant pour base le concordat fédéral touchant cette matière. *Art. 38.* La fabrication et la vente de la poudre à canon appartiennent exclusivement à la Confédération dans toute la Suisse.

base d'un concordat déjà existant. *L'article 38* transfère la régale de la poudre à canon à la Confédération.

La majeure partie des revendications du SGV sont ainsi prises en compte. Toutefois, l'établissement d'un droit commercial unifié et la réforme de la scolarité obligatoire ne sont pas réalisés. Il faut aussi mentionner que dans plusieurs domaines, la constitution de 1848 n'est pas contraignante dans ses directives. La portée réelle de l'activité économique de la Confédération ainsi que ses modalités seront en grande partie définies par la législation. L'importante marge de manœuvre laissée à la future Assemblée fédérale (AsF) est sans doute le résultat d'une stratégie politique délibérée des forces centralisatrices. Elu par le peuple, le nouvel organe législatif sera caractérisé par un rapport de force politique plus favorable aux promoteurs d'une intervention économique. La latitude des grands industriels sera de ce fait plus grande qu'au sein de la Diète, même s'ils devront compter avec l'opposition des autres élites économiques moins interventionnistes. En dernière analyse, l'activité de la Confédération dépendra des moyens financiers à disposition.

Une seconde série d'articles définissent le nouveau mode de financement de la Confédération et des cantons: la création de l'Etat fédéral nécessite en effet une refonte globale du système fiscal suisse. Faut-il accorder une indépendance financière, synonyme d'autonomie politique, à la Confédération? Faut-il au contraire la maintenir sous la dépendance de contributions cantonales? Dans le premier cas de figure, quelles ressources fiscales doivent être transférées à l'Etat fédéral: plutôt l'imposition directe ou l'imposition indirecte? Enfin, les cantons doivent-ils céder leurs outils fiscaux à perte ou doivent-ils être indemnisés? L'ampleur de la charge fiscale que devra prélever la Confédération dépendra en grande partie de la réponse donnée à cette question, l'autre facteur-clef étant la portée de l'intervention de l'Etat central dans la vie économique. L'enjeu qui sous-tend les solutions adoptées est de taille: qui supportera les coûts engendrés par la création de l'Etat fédéral?

L'article 39 de la constitution détermine les revenus de la Confédération[218]. Le transfert d'une partie de l'imposition indirecte dans son champ de compétence lui procure une indépendance financière. Les douanes forme-

218 *Art. 39.* Les dépenses de la Confédération sont couvertes: a) Par les intérêts des fonds de guerre fédéraux; b) Par le produit des péages fédéraux perçus à la frontière suisse; c) Par le produit des postes; d) Par le produit des poudres; e) Par les contributions des cantons qui ne peuvent être levées qu'en vertu d'arrêtés de l'AsF. Ces contributions sont payées par les Cantons d'après l'échelle des contingents d'argent, qui sera soumise à une révision tous les vingt ans. Dans cette révision on prendra pour base tant la population des cantons que la fortune et les moyens de gagner qu'ils renferment.

Tableau 5. Aperçu des différentes fiscalités cantonales en 1848[219]

	Impôt direct	Impôt sur le revenu	Impôt sur la fortune	Impôt de consommation («Ohmgeld»)	Revenus douaniers indemnisés batz/habitant
BS	×	×		×	42.8
GE	×	×	×	×	5.1
NE	(1849)				4.0
ZH	×	×	×		4.0
GL	×	×	×	×	4.0
AR	×		×		4.0
AI	×		×		4.0
SG	×	×	×		7.4
TG	×	×	×		5.3
SH	×	×	×		14.1
BE	×	×	×	×	4.3
SO	×		×	×	5.1
VD	×		×	×	8.3
BL	×	×		×	11.1
FR	(1849)			×	4.1
AG				×	5.9
GR	(1856)			×	24.9
TI	(1855)			×	16.7
VS	(1850)			×	9.2
UR				×	39.9
LU				×	4.0
SZ	(1849)			×	4.0
OW				×	4.0
NW	(1849)			×	4.0
ZG	(1849)			×	4.0

ront la pierre angulaire du système fiscal du nouvel Etat central. Les autres sources de revenu sont en effet peu à même de couvrir une part importante du budget. Les intérêts des fonds de guerre et le produit des poudres sont négligeables, alors qu'un revenu postal d'envergure est peu probable, vu le mode d'indemnisation des cantons défini par l'article 33. En raison de l'opposition des cantons agricoles, l'instauration d'un impôt fédéral direct sur la fortune et/ou le revenu est vite écartée (tableau 5). Politiquement, cette solution ne paraît pas adaptée, car elle hypothéquerait le résultat de la votation

219 Construit à partir des informations tirées in Schanz, 1890; la première colonne indique la date d'introduction d'un impôt direct, si celle-ci s'effectue dans les dix ans après la création de l'Etat fédéral; la dernière colonne donne le montant des indemnisations douanières accordées aux cantons par la Confédération après négociation; FF, 1850, vol. 1, annexe p. 305; les cantons qui reçoivent 4 batz/habitant sont ceux dont les revenus ne dépassaient pas cette somme avant 1848.

populaire[220]. L'alinéa e) de l'article 39 laisse cependant la porte ouverte à un financement de la Confédération par le biais de contingents cantonaux votés par arrêtés de l'AsF. Un recours systématique à cette forme de financement, pour subvenir aux dépenses courantes, aurait plusieurs conséquences. La position politique de la Confédération vis-à-vis des cantons serait affaiblie. Les cantons agricoles fiscalement pauvres seraient contraints d'introduire un impôt cantonal direct. Les cantons libre-échangistes pourraient par contre se féliciter d'une limitation de la charge douanière prélevée aux frontières.

Les articles 23-32 définissent l'ampleur et les modalités de la centralisation de l'imposition indirecte. Comparativement à la tentative d'union douanière faite à Aarau (1847), les concepteurs de la constitution de 1848 sont confrontés à des difficultés accrues. La centralisation douanière concerne désormais l'ensemble des vingt-deux cantons, ce qui pose d'énormes problèmes pour parvenir à un consensus.

La première pierre d'achoppement est un déplacement plus massif de la charge fiscale aux frontières. Alors que le tarif projeté à Aarau devait rapporter 1,65 mios de frsa, afin d'indemniser les cantons, cette somme est désormais insuffisante. Le seul rachat des taxes douanières, de roulage et de pontonnage est estimé à 2,13 mios de frsa – uniquement les taxes entérinées par la Confédération –, à quoi il faut ajouter plus d'un million si les impôts de consommation sont inclus[221]. Les cantons à intégrer au nouveau projet de centralisation prélèvent en effet d'importants revenus grâce à l'imposition indirecte. A lui seul, en 1845, le Tessin encaisse environ 0,4 mios de frsa grâce aux taxes indirectes[222]. Les cantons commerçants de Suisse occidentale, bien que libre-échangistes, retirent aussi des sommes importantes de leurs systèmes douaniers cantonaux, à l'exception de Neuchâtel. Grâce à un important volume des transactions commerciales, une taxation douanière dérisoire permet de couvrir une partie non négligeable du budget cantonal. Les nouveaux cantons à intégrer grèvent donc la somme de rachat, d'autant plus qu'ils exigent une indemnisation complète de leurs pertes financières. Toute autre solution est refusée, car elle les contraindrait à instaurer une imposition directe ou à l'accroître. La charge douanière à ponctionner est encore gonflée par le financement de la quasi-totalité du budget de la Confé-

220 Wartmann, 1875, p. 453; Segesser, 1965, p. 57; une proposition du Zurichois Dubs est notamment écartée par les autorités zurichoises qui ne la jugent pas réalisable; cf. également Du Pasquier, 1849, pp. 6-7; Hofmann-Merian, 1852, p. 21; Fazy-Pasteur, 1849, p. 6; Ein Beitrag zur Lösung..., 1849, p. 34.

221 Rapport de la commission..., 1848, p. 25; FF, 1850, vol. 1, p. 274, «Rapport de la commission nommée par le Conseil national pour examiner les conventions passées avec les cantons pour le rachat des péages (avril 1850)»; un état de la taxation des alcools figure in Beyel, 1843, p. 95.

222 Rapport de la commission..., 1848, pp. 33-35.

dération qui, selon les estimations les plus basses, est fixé à un million de frsa. Dans le cas de figure du rachat total de la taxation indirecte, il serait alors nécessaire de prélever au moins 4 mios de frsa pour faire face aux obligations de la Confédération. Cette somme équivaut à 1% du PIB suisse de 1851. Son prélèvement aux frontières implique d'importants transferts fiscaux qui donnent lieu à des affrontements sans fin et sans merci durant la révision[223].

Principales victimes de l'opération, les cantons frontaliers tentent de restreindre la future charge douanière fédérale. Ils proposent de ne pas inclure d'emblée l'ensemble des cantons suisses dans le nouveau système centralisé. Les importants revenus indirects des cantons agricoles de montagne ne seraient ainsi pas rachetés par la Confédération[224]. Ils veulent par ailleurs limiter la centralisation aux taxes qui grèvent le transit (taxes douanières et de roulage). Les impôts sur la consommation, en particulier sur les alcools («Ohmgeld»), demeureraient du ressort des cantons. En ce qui concerne l'indemnisation des taxes centralisées, les cantons frontaliers sont partagés entre le désir de limiter la charge douanière et celui de recouvrer les revenus des taxations supprimées. Alors que Bâle est partisan d'une indemnisation intégrale, Neuchâtel refuse ce principe. Enfin, les cantons les plus libre-échangistes proposent de couvrir une partie des dépenses fédérales grâce à des contingents d'argent cantonaux.

Le rachat de l'imposition indirecte par la Confédération implique aussi un transfert de charge au détriment des cantons à faible fiscalité indirecte. Le rapport de la commission chargée d'élaborer la constitution relève la difficulté de résoudre ce problème:

> *Il y avait donc deux intérêts en présence; d'un côté, celui des cantons retirant beaucoup de leurs péages ou autres droits, et qui ne peuvent y renoncer sans une complète indemnité; de l'autre, celui des cantons retirant peu ou presque rien de leurs péages et qui ne veulent pas que leurs habitants soient à l'avenir frappés de droits dont le produit servirait à indemniser les autres cantons*[225].

Pour limiter le transfert de charge, Zurich et Berne sont d'avis que la Confédération ne doit pas indemniser les taxations supprimées, mais compenser les pertes fiscales des cantons en diminuant leurs dépenses. Berne propose de centraliser l'intégralité des affaires militaires ainsi que la gestion des routes[226]. Si cette option était votée, les cantons à forts revenus douaniers et

223 Concernant le transfert de charge qu'implique une centralisation douanière; Beyel, 1843, pp. 169-176; Rapport de la commission fédérale d'experts..., 1844, pp. 139-142/184-195; Monatblatt, März 1844, pp. 41-42; Kommissionalbericht..., 1846, pp. 34-46; Favarger, 1913, pp. 182-183/199-202.

224 Rapport de la commission..., 1848, pp. 33-36; le premier projet constitutionnel de la commission consacre ce principe.

225 *Ibidem*, p. 51.

226 AdT, 1847, IV Teil, pp. 196-201.

postaux seraient contraints d'assumer de lourds déficits budgétaires. Le Tessin, par exemple, dépense alors 137 800 frsa pour l'entretien de ses routes et le militaire, tandis que ses revenus douaniers et postaux s'élèvent à 427 000 frsa: le déficit à couvrir serait donc de 289 200 frsa[227]. Zurich et Berne développent parallèlement une seconde stratégie visant à pondérer le transfert de charge. Ils exigent que tous les cantons soient indemnisés à un minimum de 5 batz/habitant, indépendamment de leurs anciens revenus douaniers. Cette exigence, qui tend à gonfler la charge douanière, est combattue par la plupart des cantons frontaliers[228].

Le sort réservé aux impôts de consommation sur le vin et les boissons alcoolisées («Ohmgeld») pose un troisième problème de transfert de la charge fiscale. La plupart des cantons viticoles, en particulier Vaud et Schaffhouse, exigent que cette taxation soit inclue dans le processus de centralisation[229]. Par son report aux frontières suisses, la taxation du vin verrait ses effets inversés. D'entrave à la production viticole suisse, elle se transformerait en une protection permettant de gagner des débouchés sur le marché intérieur. Les cantons victimes des transferts de charge provoqués par la centralisation s'opposent cependant à un rachat. La plupart des cantons à «Ohmgeld» y sont aussi opposés – en grande majorité des cantons agricoles (tableau 5). A l'image de Lucerne et Soleure, qui couvrent respectivement un quart et un cinquième de leur budget grâce à l'imposition des boissons alcoolisées, ils désirent conserver une taxation indirecte permettant d'équilibrer en tout temps le budget cantonal sans avoir recours à l'imposition directe.

La refonte du système fiscal suisse est donc très complexe. La commission chargée d'élaborer un projet de constitution éprouve mille peines à trouver des solutions consensuelles:

> *Au nombre des questions de l'ordre matériel, celle de la centralisation des péages était la plus difficile; elle a occupé à plusieurs reprises la commission, qui n'a pu s'entendre qu'après quelques essais*[230].

Les articles 23-32 subissent ainsi d'innombrables refontes tout au long des débats[231]. Nous nous contenterons d'en analyser la mouture définitive pour en dégager les principales caractéristiques.

227 *Ibidem*, p. 202.
228 En tant que canton frontalier à très faible taxation douanière, le canton de Neuchâtel est victime des deux phénomènes de transfert de la charge fiscale; il soutient donc la stratégie de Berne et Zurich afin de bénéficier d'une part de la manne douanière fédérale redistribuée; *ibidem*, p. 211.
229 Blumer, 1877, vol. 1, pp. 519-522.
230 Rapport de la commission..., 1848, p. 24.
231 Au sein de la commission chargée d'élaborer la nouvelle constitution, de nombreux projets de centralisation sont présentés par différents membres; la commission en rédige elle-même plusieurs avant de parvenir au projet du 8 avril 1848 présenté à la Diète;

Article 23.[232] Cet article transfère les compétences douanières à la Confédération. Il attribue le monopole de la politique commerciale suisse à l'Etat fédéral et lui assure une indépendance financière. Lors des débats à la Diète, seuls les cantons de Bâle-Ville et d'Uri s'obstinent à le refuser. Bâle craint l'instauration d'un système fédéral protectionniste, alors qu'Uri voudrait conserver sa compétence douanière afin de faire face aux importants engagements financiers liés à la construction de la route du Gothard[233].

Article 24.[234] Cet article définit l'étendue de la centralisation de la taxation indirecte. La Confédération est obligée de racheter tous les droits qui grèvent le transit, cela sur l'ensemble du territoire suisse. Elle a le droit, mais pas l'obligation, de racheter tout ou partie des taxes douanières, de roulage, de pontonnage et les impôts de consommation autres que l'«Ohmgeld». Les impôts cantonaux sur le vin et les boissons alcoolisées («Ohmgeld») restent de la compétence des cantons (article 32). Par ailleurs, cet article consacre le principe d'une indemnisation pour les taxes centralisées. Les cantons frontaliers échouent ainsi dans leur tentative de limiter la centralisation à quelques cantons. Par contre, ils obtiennent que les impôts de consommation sur les boissons alcoolisées ne soient pas rachetés. Autre succès, l'acquisition des taxes ne grevant pas le transit demeure facultative. Les choix législatifs détermineront donc la portée définitive de la charge douanière. Lors du débat à la Diète, cet article est refusé par les cantons de Bâle et Neuchâtel (charge douanière trop élevée), le canton de Berne (principe d'indemnisation trop défavorable) et les cantons du Tessin, du Valais et d'Uri. En cas de rachat partiel de leur imposition indirecte, ces cantons devraient en effet supporter un cumul de la charge douanière fédérale et des

---

après un premier débat, la Diète renvoie la rédaction de ces articles à une commission chargée des questions matérielles, qui les modifie à son tour; enfin, la Diète y apporte les dernières retouches lors d'un deuxième débat; Rapport des délibérations de la commission…, 1848; Rapport de la commission…, 1848; AdT, 1847, IV Teil, pp. 190-212; pour plus de détails sur le déroulement de la révision, cf. Rupli, 1949, pp. 188-197; Huber, 1890, pp. 195-205.

232 *Art. 23.* Ce qui concerne les péages (douanes) relève de la Confédération.

233 AdT, 1847, IV Teil, pp. 190-194.

234 *Art. 24.* La Confédération a le droit, moyennant une indemnité, de supprimer en tout ou en partie les péages sur terre ou sur eau, les droits de transit, de chaussée et de pontonnage, les droits de douane et les autres finances de ce genre accordées ou reconnues par la Diète, soit que ces péages et autres droits appartiennent aux Cantons, ou qu'ils soient perçus par des communes, des corporations ou des particuliers. Toutefois, les droits de chaussée et les péages qui grèvent le transit seront rachetés dans toute la Suisse. La Confédération pourra percevoir à la frontière suisse, des droits d'importation, d'exportation et de transit. Elle a le droit d'utiliser, moyennant indemnité, en les acquérant ou en les reprenant en location, les bâtiments actuellement destinés à l'administration des péages à la frontière suisse.

taxations cantonales maintenues. De grands gagnants de la centralisation, ils en deviendraient les grands perdants[235].

Article 25.[236] Il définit les principes généraux de répartition de la charge douanière à observer lors de l'élaboration du futur tarif douanier fédéral. Toutes les élites économiques sont ménagées par ce «patchwork», afin de parvenir à un consensus minimal. La grande industrie obtient que le principe d'une taxation différenciée soit entériné par la constitution: faible taxation des matières premières et des objets nécessaires à la vie, forte taxation des objets de luxe. Dans la pratique, cette garantie ne sera d'aucune utilité. L'expression «aussi bas que possible» lui empêchera d'avoir une incidence réelle sur la politique douanière future de la Confédération. L'agriculture est la principale bénéficiaire de taxes d'exportation aussi basses que possible. En vertu de la théorie mercantiliste – assurer un ravitaillement le meilleur marché possible – les produits agricoles sont alors les plus sujets à cette imposition. Le commerce des cantons frontaliers bénéficie de la promesse de dispositions facilitant le trafic de frontière. Enfin, le secteur financier reçoit la garantie d'une faible taxation du transit. Dans l'optique de la rentabilisation de futurs investissements ferroviaires, cette disposition représente un atout non négligeable. Il faut souligner que les principes directeurs de la taxation sont uniquement fiscaux. Des critères commerciaux – taxation en fonction de la valeur ajoutée, de la concurrence étrangère (protectionnisme), de la possibilité d'utiliser certaines taxes pour négocier des traités de commerce (politique de combat) – ne sont pas introduits dans la constitution[237]. Toutefois, lors de l'ultime débat à la Diète, une disposition permettant à la Confédération de prendre des mesures de rétorsion dans certains cas de force majeure est votée de justesse[238].

235 AdT, 1847, IV Teil, pp. 194-205.

236 *Art. 25.* La perception des péages fédéraux sera réglée conformément aux principes suivants: 1) Droit sur l'importation: a) Les matières premières nécessaires à l'industrie du pays seront taxées aussi bas que possible. b) Il en sera de même des objets nécessaires à la vie. c) Les objets de luxe seront soumis au tarif le plus élevé. 2) Les droits de transit et, en général, les droits sur l'exportation seront aussi modérés que possible. 3) La législation des péages contiendra des dispositions propres à assurer le commerce frontière et sur les marchés. Les dispositions ci-dessus n'empêchent point la Confédération de prendre temporairement des mesures exceptionnelles dans des circonstances extraordinaires.

237 Une disposition proposée par le canton de Schaffhouse, qui vise à faire de la protection de l'artisanat et de la petite industrie un but de la taxation douanière fédérale, est balayée.

238 AdT, 1847, IV Teil, pp. 205-208; il est étonnant que cette disposition soit proposée par le canton de Vaud; l'hypothèse d'un «deal» conclu entre les cantons intéressés à une politique de rétorsion – essentiellement les cantons industriels de Suisse orientale – et les cantons viticoles, qui obtiennent un blocage des taxations cantonales sur le vin suisse, n'est pas à exclure.

Article 26.[239] Il règle les modalités de l'indemnisation des cantons. En assurant la couverture de l'intégralité des pertes fiscales, il avantage les cantons à forte taxation indirecte. Toutefois, la redistribution d'un minimum de 4 batz/habitant réduit quelque peu le transfert de charge dont sont victimes les cantons à faible taxation douanière, sans pour autant les satisfaire. Après avoir en vain exigé 5 batz, les cantons d'Appenzell, Zurich, Neuchâtel, Lucerne et Unterwald acceptent l'article 26. Berne et Schwyz, par contre, le refusent. Le nouveau gonflement de la charge douanière induit par cette disposition ne convient pas aux cantons frontaliers. Avec le soutien de Bâle-Ville, Vaud et des Grisons, Schaffhouse propose, sans succès, de ramener l'indemnité à 3 batz. Lors du vote final, Vaud est le seul de ces cantons à refuser l'article[240].

Article 32.[241] Cet article, qui est un ensemble de dispositions hétéroclites, parvient de justesse à rassembler une majorité de douze cantons (BS, BL, AG, SO, FR, LU, UW, ZG, TI, VS, GL, TG, SG), dont deux ne possèdent pas d'«Ohmgeld» (TG et SG)[242]. Les impôts de consommation sur le vin et les boissons alcoolisées sont exclus de la centralisation de l'imposition indirecte. Les cantons désirant limiter la charge douanière prélevée aux frontières sont ainsi satisfaits. L'article ne représente toutefois qu'une demi-défaite pour les cantons viticoles, qui obtiennent une série de concessions. La consommation de vin suisse bénéficie d'un régime fiscal de faveur par

239 *Art. 26.* Le produit des péages fédéraux sur l'importation, l'exportation et le transit sera employé comme suit: a) Chaque Canton recevra quatre batz par tête de sa population totale, d'après le recensement de 1838. b) Les Cantons qui, au moyen de cette répartition, ne seront pas suffisamment couverts de la perte résultant pour eux de la suppression des droits mentionnés à l'article 24, recevront, de plus, la somme nécessaire pour les indemniser de ces droits d'après la moyenne du produit net des cinq années 1842 à 1846 inclusivement. c) L'excédant de la recette des péages sera versé dans la caisse fédérale.

240 AdT, 1847, IV Teil, pp. 208-212.

241 *Articles 27-31.* Leur importance étant moindre, une analyse détaillée n'est pas indispensable; *Art. 32.* Outre les droits réservés à l'article 29, lettre e, les Cantons sont autorisés à percevoir des droits de consommation sur les vins et les autres boissons spiritueuses, toutefois moyennant les restrictions suivantes: a) La perception de ces droits de consommation ne doit nullement grever le transit; elle doit gêner le moins possible le commerce qui ne peut être frappé d'aucune autre taxe. b) Si les objets importés pour la consommation sont réexportés du Canton, les droits payés pour l'entrée sont restitués sans qu'il en résulte d'autres charges. c) Les produits d'origine suisse seront moins imposés que ceux de l'étranger. d) Les droits actuels de consommation sur les vins et les autres boissons spiritueuses d'origine suisse ne pourront être haussés par les Cantons où il en existe. Il ne pourra point en être établi sur ces produits par les cantons qui n'en perçoivent pas actuellement. e) Les lois et les arrêtés des Cantons sur la perception des droits de consommation sont, avant leur mise à exécution, soumises à l'approbation de l'autorité fédérale, afin qu'elle fasse, au besoin, observer les dispositions qui précèdent.

242 AdT, 1847, IV Teil, pp. 227-228.

rapport à la concurrence étrangère. La taxation cantonale des boissons alcoolisées d'origine suisse est par ailleurs bloquée au niveau maximal de 1848. Les cantons à «Ohmgeld» n'enregistrent donc qu'une demi-victoire. Leur marge de manœuvre pour faire face à de nouvelles dépenses cantonales est rognée de manière significative. Il ne leur reste que l'augmentation des taux sur les boissons étrangères, qui est de surcroît soumise à l'approbation de l'autorité fédérale. Dans les années suivant l'instauration de l'Etat fédéral, de nombreux cantons agricoles seront contraints de couvrir leurs déficits budgétaires en introduisant une fiscalité directe (tableau 5)[243].

L'analyse du nouveau système fiscal suisse tel qu'il est esquissé dans la constitution du 12 septembre 1848, nous livre les enseignements suivants. En contrepartie de l'obtention de nouvelles conditions-cadre économiques, Zurich et Berne assument une part importante des coûts fiscaux liés à l'instauration de l'Etat fédéral. Durant les années 1840, ces deux cantons ont instauré un système fiscal reposant en grande partie sur l'imposition directe. De ce fait, l'indemnité douanière reçue de la Confédération sera faible (ZH: 4 batz/habitant, BE: 4,3 batz/habitant). Même s'il n'est pas possible de calculer la charge douanière exacte supportée par leur économie après l'instauration du tarif fédéral, il est bien évident qu'elle sera largement supérieure au dédommagement financier.

Représentant 10,5% de la population helvétique en 1850, les consommateurs zurichois supporteront une part en tout cas équivalente de la charge douanière. En tenant compte de la forte consommation de matières premières par l'industrie (fer, coton, soie), de l'importation massive de denrées alimentaires (blé, viande, produits laitiers) et du fort pouvoir d'achat des régions industrielles, la participation de l'économie zurichoise aux revenus douaniers peut être évaluée aux environs de 15%. Or, cela représente une somme d'environ 0,86 mios de nouveaux frs en 1852[244]. Si l'on déduit les quelques 40 000 frs que représentait l'imposition douanière cantonale, et les 150 000 frs de l'indemnité fédérale, le surplus de charge s'élève à 670 000 frs. Certes, la suppression des taxations intérieures permettra à l'économie

243 En relation avec les nécessités créées par le remboursement de la dette du «Sonderbund», les cantons de Zoug (impôt sur la fortune), Schwyz (impôt sur la fortune), Nidwald (impôt sur la fortune), Fribourg (impôt sur la fortune et le revenu) introduisent une imposition directe l'année même de la révision de la constitution; en 1850, c'est au tour du Valais (impôt sur la fortune et le revenu); d'autres cantons introduisent aussi une imposition directe dans les années qui suivent le remaniement du système fiscal suisse: Neuchâtel (1849: impôt sur la fortune et le revenu), le Tessin (1855: impôt sur la fortune et le revenu qui est délégué aux communes), les Grisons (1856: impôt sur la fortune et le profit); Schanz, 1890, vol. 2-4.

244 L'année 1852 est choisie comme date de référence, car la mise en place définitive du système douanier suisse s'achève dans le courant de 1851.

zurichoise de vendre ses marchandises en franchise dans les autres cantons et de faire transiter ses exportations plus avantageusement. Mais cet allégement, évalué à environ 150 000 frs par la Chambre de commerce de Zurich (1849), ne doit pas dépasser 170 000 frs en 1852[245]. L'effort financier consécutif à la réforme du système fiscal helvétique se chiffre ainsi à environ 500 000 frs. Si l'on admet qu'il est normal que le citoyen zurichois apporte sa contribution au budget fédéral, il faut encore retrancher 330 000 frs de cette somme – part du budget de 3,1 mios de frs (1852) proportionnelle à la population zurichoise. Résultat des courses, les citoyens zurichois financent le budget des autres cantons à raison de 170 000 frs par le biais du système d'indemnisation fédéral. Ce montant représente 6% des dépenses totales du canton de Zurich en 1852[246]. Bien que les milieux politiques zurichois dénoncent les injustices du système fiscal instauré, ils estiment que les avantages des autres réformes économiques font plus que de les compenser[247].

Même si les pertes fiscales encourues sont probablement moindre dans le canton de Berne, elles donnent lieu à une empoignade qui remet en question le soutien à la constitution. Les estimations des pertes financières articulées par l'opposition au projet sont exorbitantes: la *Berner Zeitung* avance le montant de 540 000 nouveaux frs.[248] Le directeur des finances, plus modeste, propose un chiffre de 35 000 frs. Sensible à ce problème financier, le Gouvernement bernois propose au Grand Conseil de refuser la nouvelle constitution:

> *Der Regierungsrat beschliesst, in Erwägung der materiellen, dem Kantone durch Annahme des Entwurfes drohenden Nachteile, in Erwägung, dass die politischen in demselben enthaltenen Fortschritte nicht so durchgreifend und den Beschlüssen des Grossen Rates entsprechend seien, um die materiellen Verluste abzuwägen, es sei der Entwurf der Bundesverfassung der schweizerischen Eidgenossenschaft mit dem Antrage auf Nichtannahme vor den Grossen Rat zu bringen*[249].

Il sera cependant désavoué par le législatif et le peuple qui accepteront la nouvelle charte fédérale.

Outre Zurich et Berne, les autres grands perdants de la réforme fiscale sont les cantons commerçants et industriels frontaliers. En raison du dépla-

245 Gutachten der Handelskammer des Kantons Zurich..., 1849, p. 22.

246 Le budget zurichois est tiré in Halbeisen, 1990, p. 98.

247 Lors d'un discours prononcé au Grand Conseil zurichois, le 11 mai 1848, le nouvel homme fort du canton, Alfred Escher, pourfend la réforme du système fiscal suisse; le 21 juillet 1848, durant le débat concernant l'acceptation de la nouvelle constitution, Escher dénonce une nouvelle fois les injustices fiscales, tout en tirant un bilan globalement positif des réformes économiques; il estime que le canton de Zurich recevra 4 batz/habitant alors qu'il en payera 20; Gagliardi, 1919, pp. 104-105/110-113/133 note 3.

248 Sur le débat bernois autour de la constitution, cf. Segesser, 1965, pp. 32-48.

249 Cité in Segesser, 1965, p. 43.

cement de la charge douanière aux frontières, Bâle, Genève, Neuchâtel et St-Gall devront aussi payer plus qu'ils ne recevront. Les gagnants de la centralisation sont par contre les cantons agricoles à forte taxation douanière, tels que le Tessin, les Grisons, le Valais, Uri, ou encore Bâle-Campagne, Vaud, Argovie et Soleure (tableau 5). En s'alliant aux autres cantons à forte taxation douanière, ils réussissent à imposer le principe de l'indemnisation totale du rachat. En 1852, Uri contribuera pour moins de 35 000 frs à la charge douanière fédérale – les Uranais constituent 0,6% de la population –, alors que l'indemnité fédérale s'élèvera à 87 000 frs (40 batz/habitant). Non seulement sa population ne contribue pas aux dépenses du ménage fédéral, mais une partie du budget cantonal est encore pris en charge par certains citoyens suisses. La victoire des cantons agricoles a pourtant un prix: leur marge de manœuvre financière dans le domaine de la fiscalité indirecte est restreinte. La seule taxation encore en leur possession, l'«Ohmgeld», voit sa fonctionnalité fortement réduite par les dispositions de l'article 32.

Si, grâce à leur nombre, les cantons agricoles ont gagné une bataille, ils n'ont toutefois pas encore gagné la guerre. La future législation doit en effet dessiner les contours définitifs du nouveau système fiscal suisse qui n'est qu'esquissé par les articles constitutionnels. La charge douanière fédérale peut encore être réduite par le recours aux contingents d'argent cantonaux et le rachat des seules taxes entravant le transit. Par ailleurs, l'élaboration du tarif douanier fédéral doit décider de la répartition de la charge entre les différents secteurs de l'économie suisse. Une nouvelle bataille, à l'issue incertaine, s'engage dès lors pour l'obtention de privilèges fiscaux.

3. Les débuts de la politique douanière de l'Etat fédéral: le changement dans la continuité libre-échangiste (1849-1869)

La création d'un Etat fédéral modifie de fond en comble les données de la politique douanière de la Confédération helvétique. Entre 1815 et 1848, le centre de gravité du champ douanier se trouvait du côté des Gouvernements cantonaux, la Diète servant de lieu d'expression et de coordination de leurs politiques. Désormais, les compétences douanières sont monopolisées par l'Etat central. A ce déplacement géographique du pouvoir se superpose une restructuration complète du processus législatif, qui est la conséquence de la réorganisation du système politique de la Confédération. Le champ douanier est maintenant composé de plusieurs lieux de pouvoir qui s'affrontent parfois sur la stratégie douanière à adopter. Le Conseil fédéral (CF), qui assume les charges exécutives, est composé de sept responsables de départements, dont deux sont concernés par la politique douanière: le Département du commerce et des douanes et le Département des finances. Ne disposant pas d'une administration performante, le CF sollicite souvent l'avis de commissions d'experts qui l'aident aussi à préparer les projets de loi. Ceux-ci sont ensuite discutés par les deux Chambres, le Conseil national (CN) et le Conseil des Etats (CE), qui confient le soin d'étudier les dossiers à deux commissions douanières parlementaires. La conclusion de traités de commerce est de la compétence du CF, les Chambres ne pouvant que les refuser ou les accepter en bloc.

Au sein de chaque lieu de pouvoir, les différentes classes socio-économiques se livrent à une lutte d'influence. L'élection du CN au suffrage universel masculin – les droits civiques sont cependant limités par de nombreux critères d'exclusion –, affaiblit le poids politique des élites conservatrices au bénéfice des élites économiques des grands cantons libéraux et radicaux. Le poids politique de la grande industrie et du commerce d'exportation s'accroît. Par contre, les classes moyennes n'obtiennent qu'une faible représentation politique au sein des instances fédérales. Le nouveau rapport de force politique engendré par la création de l'Etat fédéral infléchit la stratégie douanière helvétique.

Le monopole douanier instauré par la constitution de 1848 oblige le nouvel Etat central à faire des choix. Protectionnisme ou libre-échange? La question commerciale fondamentale est vite tranchée en faveur de la seconde solution. Le rapport de force politique est en effet à l'avantage des élites économiques qui vivent des échanges extérieurs – commerce intermédiaire, d'importation et d'exportation. Bien que leur représentation aux Chambres soit considérable, les grands industriels du coton et du fer ne parviennent pas à imposer le système modérément protectionniste qu'ils prônent. Ils ne peuvent s'appuyer sur les traditionnels béliers du protectionnisme, les classes moyennes industrielles et artisanales, qui ne sont presque pas représentées au sein des différents lieux de pouvoir de l'Etat fédéral.

Le principe du libre-échange adopté, la problématique liée à l'instauration d'une législation douanière se restreint aux choix concernant le futur système fiscal helvétique. La première étape consiste à déterminer la masse fiscale qui devra être prélevée aux frontières grâce au tarif douanier fédéral. Contre l'avis des milieux les plus libre-échangistes, la Confédération décide de racheter l'ensemble de la taxation indirecte qui lui est attribuée par la constitution de 1848. En porte-à-faux avec les dispositions constitutionnelles, il est toutefois décidé de ne pas indemniser l'entièreté des pertes fiscales, mais de négocier des contrats de rachat avec chaque canton, afin de limiter la charge douanière. L'élaboration du budget de fonctionnement restreint aussi de manière drastique les dépenses de la Confédération. A la satisfaction des élites économiques libérales, la marge de manœuvre financière permettant à l'Etat central d'intervenir dans la vie économique du pays est ainsi réduite à peu de chose. Les besoins financiers de la Confédération déterminés, la décision de les couvrir uniquement avec les revenus douaniers est adoptée. Ce choix, qui entérine une politique douanière fiscaliste, est combattu par les milieux ultra-libre-échangistes, qui échouent dans leur tentative d'imposer le recours à des contingents d'argent cantonaux.

La seconde étape du processus législatif consiste à déterminer la répartition de la charge douanière. Selon la composition du tarif douanier, les différents «mondes de production» seront plus ou moins privilégiés dans leurs intérêts fiscaux et commerciaux. La forte différentiation de la taxation permet aux milieux industriels – marchands-entrepreneurs et grands industriels – de limiter la charge imposée à leurs coûts de production. Le tarif taxe peu les matières premières et les denrées alimentaires. Bien que modérée, la protection accordée à l'industrie du coton mécanisée et à l'industrie du fer est loin d'être négligeable. Les élites agricoles obtiennent quelques petites concessions, mais elles font figure de parents pauvres du consensus douanier. Enfin, les grands perdants demeurent les marchands-banquiers pratiquant le commerce de spéculation. Leurs efforts pour abaisser la taxe maximale du tarif – restreindre la charge imposée au commerce intermédiaire et limiter la contrebande – demeurent vains. Alors qu'ils ont demandé une taxe de 2 frsa/50 kg, la limite supérieure du tarif est fixée à 10 frsa.

Les nouveaux outils douaniers de la Confédération lui donnent les moyens de mener une politique commerciale plus active. Certes, le choix libre-échangiste limite l'efficacité du nouveau tarif en tant qu'arme de négociation. Toutefois, la législation douanière fournit les compétences nécessaires à une politique de rétorsion visant l'ouverture des marchés extérieurs. Dans un premier temps, la Confédération renonce à pratiquer une politique commerciale interventionniste musclée. Elle se contente de conclure quelques traités de commerce sur la base minimale de la clause de la nation la plus favorisée, préservant ainsi une autonomie complète pour adapter le tarif en fonction des besoins financiers. Les causes de cette «timidité» commerciale sont à rechercher dans le rapport de force politique défavorable aux partisans d'une politique de rétorsion, mais également dans une rapide amélioration de la conjoncture économique, dès le début des années 1850.

Avec la construction d'un réseau de traités de commerce par la France, à partir de 1860, la Confédération est contrainte d'abandonner sa politique douanière autonome pour préserver les intérêts de l'économie helvétique. En 1864, un traité de commerce à tarif est conclu avec la France, qui permet de renouer une collaboration commerciale intense. Déjà amorcé dans les années 1850, le mouvement de recentrage des exportations sur les marchés européens est ainsi favorisé. Poursuivant jusqu'alors des buts essentiellement fiscaux, le tarif suisse est désormais mis au service de la conclusion de traités de commerce.

3.1. Luttes autour de l'élaboration du système fiscal suisse (1849-1851)

Le système politique du pacte de 1815 permettait d'analyser le rapport de force entre les différents acteurs socio-économiques du champ douanier en termes de majorité de cantons. Les élites économiques s'affrontaient sur le plan fédéral par l'intermédiaire de délégués des Gouvernements cantonaux chargés de transmettre leurs vues à la Diète. Avec la création de l'Etat fédéral, le relais cantonal est court-circuité. L'élection des membres de l'AsF par le peuple et le droit de pétition donnent un accès direct au pouvoir fédéral. Contrairement à l'idéal démocratique, les divers acteurs socio-économiques sont loin de bénéficier d'une influence égale au sein d'un champ douanier en pleine recomposition.

Désormais, l'analyse du champ douanier doit par conséquent être appréhendée d'une autre manière. Différents éléments y déterminent le rapport de force politique. Le poids économique des acteurs – nombre d'emplois, capital investi – est une première approche permettant de peser la prise de position. La force organisationnelle des groupes socio-économiques joue aussi un rôle. Certes, l'élaboration de la législation fédérale économique – systèmes douanier, postal et monétaire, écoles supérieures, chemins de fer, etc. –, qui a lieu de 1849 à 1854, stimule la création d'associations à portée nationale. Traversées par des contradictions d'intérêts, manquant de moyens, ces associations restent cependant des apparitions éphémères, dont le poids politique est sans commune mesure avec celui des associations faîtières de la fin du siècle. Elles font surtout œuvre de propagande dans l'opinion publique. L'échelle organisationnelle de l'époque demeure le canton, la région ou même la ville. Une multitude d'associations tentent ainsi de faire pression sur les autorités fédérales par le biais de pétitions ou de la publication de brochures.

En dernière analyse, les choix de la Confédération de 1848 sont avant tout fonction de la représentation acquise par les divers groupes socio-économiques au sein des lieux de pouvoir du champ douanier. Force est de constater que les élites économiques y monopolisent le pouvoir, ne laissant que quelques miettes aux classes moyennes. Alors que l'aristocratie terrienne des régions catholiques défaites est pratiquement exclue du débat, les élites commerçantes, industrielles et agricoles des cantons libéraux-radicaux s'affrontent afin d'obtenir des conditions douanières optimales pour leur «monde de production». En fonction des questions à résoudre, des constellations différentes se mettent en place, formant des majorités de circonstance. En règle générale, les représentants du commerce d'exportation jouent un rôle-clef dans les choix douaniers adoptés. En s'appuyant tantôt sur les marchands-banquiers ultra-libre-échangistes, tantôt sur les grands industriels plus interventionnistes, ils parviennent à modeler la législation douanière à leur convenance.

3.1.1. Protectionnisme ou libre-échange? Un débat écrasé par la domination politique des élites intéressées au commerce extérieur

Bénéficiant désormais d'un monopole douanier, l'Etat central devient l'unique dépositaire de la politique commerciale helvétique. A ce titre, ses autorités sont tenues d'effectuer un choix douanier fondamental. La Confédération doit-elle poursuivre la politique libre-échangiste menée jusque-là au profit de l'élite marchande intéressée au commerce extérieur ou doit-elle engager une politique protectionniste axée sur le développement du marché intérieur? Cette question fait l'objet d'un débat musclé dans l'opinion publique et au sein du champ douanier, opposant protectionnistes et adeptes du libre-échange.

Principales victimes de la crise économique des années 1840, les classes moyennes industrielles et artisanales réclament à grands cris un protectionnisme industriel. Afin de mieux pouvoir faire pression dans ce sens, les représentants des arts et métiers décident de créer une association nationale. Le 29 février 1849, à Zurich, les délégués de 19 sociétés locales fondent le «Schweizerischer Handwerks- und Gewerbeverein» (SHGV)[1]. Edité par le

1 Tschumi, 1929, pp. 25-29.

protectionniste thurgovien Jakob Sulzberger, le journal intitulé *Zeitung für die Schweizerischen Handwerker- und Gewerbevereine* sert d'organe de presse à la nouvelle association. En mai 1850, l'interruption de sa parution contraint le SHGV à publier un mensuel, le *Handwerks- und Gewerbezeitung*[2].

Le SHGV, qui prend la tête du bloc protectionniste, exige que l'objectif prioritaire de la politique douanière helvétique soit la défense du travail national. Des principes économiques, et non fiscaux, doivent diriger l'élaboration du tarif douanier. Celui-ci ne doit pas prioritairement remplir les caisses fédérales, mais encourager les petits producteurs qui travaillent pour le marché intérieur. Le programme douanier du SHGV est publié dans une brochure écrite par Sulzberger[3]:

1) l'importation des denrées de première nécessité et des matières premières doit être libérée de toute taxation;
2) l'importation de produits fabriqués doit être freinée par des taxes élevées; il faut ainsi protéger les branches de production existantes (Erhaltungszölle) et en promouvoir de nouvelles (Erziehungszölle); le SHGV ne prône pas un protectionnisme prohibitif, puisque les taxes proposées sur les fabriqués en laine représentent 8% de la valeur[4];
3) l'importation de vin doit être entravée au profit de la viticulture suisse;
4) l'exportation de certaines matières premières doit être entravée par une forte taxation afin d'empêcher leur renchérissement;
5) la Confédération doit mener une politique commerciale plus agressive en appliquant des taxes différentielles aux pays refusant de conclure un traité de commerce;
6) un système de primes à l'exportation doit être introduit, à l'image de ce qui se fait à l'étranger.

La propagande du SHGV fustige les adversaires d'une politique protectionniste. Elle discrédite le commerce d'importation bâlois qui ruine les producteurs suisses au profit des fournisseurs étrangers:

2 Dès 1850, cette association est confrontée à un manque d'engouement toujours plus marqué; en 1853, elle ne compte plus que 15 sections qui comptabilisent 1015 membres; elle survit toutefois jusqu'en 1864, date de sa dissolution; la section Vorort est assumée successivement par Zurich (1849-1850), Schaffhouse (1851-1853), Berne (1853-1857), Aarau (1858-1859), Bâle (1859-1861) et Berne (1862-1864).

3 Sulzberger, 1848, pp. 6-12.

4 La brochure d'un protectionniste soleurois propose de taxer les fabriqués de 16 à 50 frsa/50kg; on est loin de la taxe maximale de 300 frsa proposée en 1837 par Geguf; Strähl, 1848, pp. 29-30.

> *Diese Auslandspartei besteht naturgemäss aus den Agenten und Freunden fremder Staaten [...] Es bildet geographisch genommen besonders Basel mit seinen Eisenbahnen und Wasserstrassen den Hauptstapelplatz, die* Hauptagentur (souligné dans l'original, C. H.) *des Auslandes und wir besorgen demnach von daher den grössten Widerstand*[5].

Afin de donner un poids politique à ses revendications protectionnistes, le SHGV pétitionne et rassemble 44 343 signatures en provenance de treize cantons[6]. La Suisse orientale fournit la plus grande partie des signatures. La Société du Grütli (SdG), qui est alors en majorité composée d'artisans, y apporte une modeste contribution (179 signatures)[7]. Le soutien populaire obtenu par le SHGV est considérable. Si l'on tient compte de l'évolution démographique et de l'absence de droits civiques pour les femmes, l'électorat de l'époque représente le sixième de celui d'aujourd'hui. La récolte équivaut grosso modo à 270 000 signatures actuelles, soit près de trois fois le nombre exigé pour faire aboutir une initiative populaire.

Certaines industries travaillant pour le marché intérieur défendent aussi un système protectionniste. Pilier de l'économie jurassienne de l'époque, l'industrie du fer – 6000 salariés[8] – mène une intense campagne de propagande[9]. Les industriels de la branche prônent une protection du travail national:

> *Créer du travail, voilà le grand problème de notre temps, et aucun gouvernement ne peut se dispenser de le résoudre; or, ce problème ne peut être résolu, qu'en provoquant à ses nationaux la plus grande somme de travail possible, c'est-à-dire, en fabriquant chez soi tout ce qu'on peut y fabriquer, et en recevant de l'étranger le moins possible*[10].

Un mémoire est par ailleurs adressé à la commission d'experts chargée de l'élaboration du tarif. Il réclame une protection douanière allant jusqu'à 30% de la valeur des produits[11]. Les revendications protectionnistes de la branche du fer froissent les intérêts d'une série de secteurs de l'économie suisse. L'industrie des machines refuse que sa principale matière première soit renchérie[12]. Les compagnies de chemins de fer craignent que l'imposi-

5 Sulzberger, 1848, p. 12.

6 Le détail du compte des signatures se trouve in Das Komité des schweizerichen..., 1849, p. 8; le canton de ZH comptabilise 18 243 signatures, TG 9077, SG et AP 3897, AG 3126, BE 3122, SH 2278, GE 1646, BL 884, GR 633, LU 499, BS 491, FR 268; Société du Grütli 179.

7 La démarche de la SdG est la seule trace laissée par le mouvement ouvrier lors du débat douanier de 1849.

8 Herzog, 1849, pp. 21-23.

9 Reverchon-Vallotton, 1849; Un dernier mot..., 1849; Herzog, 1849.

10 Reverchon-Vallotton, 1849, p. 7.

11 AF, E 11, vol. 2, «Les Fabricants de fer en Suisse. A la haute Assemblée fédérale».

12 Selon un calcul effectué par la Chambre de commerce de Zurich, la fabrique de machines «Escher Wyss» aurait à payer 16 000 frsa de taxation douanière supplémentaires

tion des rails et autres objets en fer augmente leurs coûts de construction[13]. L'agriculture veut éviter le renchérissement de ses outils de production en fer. Quant au commerce d'importation du fer et de ses dérivés, il craint de voir fondre ses débouchés et son profit[14]. Les marchands de Bâle et Genève fournissent plus de 200 000 quintaux d'une valeur d'environ 3,2 mios de frsa[15].

D'autres branches d'industrie s'adressent aux autorités fédérales pour réclamer une protection douanière[16]. L'industrie du verre – 3000 salariés[17] – réclame une protection avoisinant les 30% de la valeur de ses produits. L'industrie du cuir – 500 tanneries en Suisse – se montre moins gourmande (15% de la valeur), de même que l'industrie chimique (5-10% de la valeur). Les producteurs de papier, de savon, de chandelles, de tabac, de clous, de tuiles, de manufacturés en porcelaine et en marbre, de vinaigre, d'amidon, de chicorée et de sel demandent aussi une protection douanière.

Si les 45 000 signatures du SHGV sont ajoutées aux quelque 10 000 salariés (minimum) des industries revendiquant une protection, la mobilisation des milieux favorables à l'instauration d'un système protectionniste représente environ 20% de la population active dans l'industrie, l'artisanat et la construction[18]. D'importance non négligeable, ce mouvement est encore renforcé par les élites agricoles protectionnistes des cantons de Vaud et Argovie. Deux pétitions sont notamment adressées aux autorités fédérales par des viticulteurs (3185 signatures) et des cultivateurs de tabac (586 signatures) vaudois[19].

Quant à l'industrie cotonnière mécanisée – 13 000 salariés[20] –, elle reste en marge du mouvement. Christian Beyel, son porte-parole, ne réclame pas un système protectionniste proprement dit. Selon lui, l'objectif prioritaire de la politique douanière fédérale ne doit pas être d'exclure la production étrangère du marché suisse, mais de procurer les revenus nécessaires à la

---

chaque année, si le projet de taxation du CF était appliqué tel quel; les propositions du CF sont par ailleurs largement inférieures à celles de l'industrie du fer (1 frsa/50 kg au lieu de 3,50 frsa pour le fer laminé); Gutachten der Handelskammer..., 1849, p. 21.

13 *Ibidem*, Beilage IV; selon la Chambre de commerce de Zurich, le «Nordostbahn» aurait à débourser 279 000 frsa supplémentaires pour la réalisation des tronçons Baden-Bâle et Baden-Aarau.

14 Du commerce des fers en Suisse, 1849.

15 Chiffres tirés de Herzog, 1849, pp. 23-24; une autre brochure évalue l'importation à 1,5 mios de frsa seulement; Un dernier mot..., 1849, p. 3; une estimation récente donne la quantité de 180 000 quintaux; SHS, 1996, p. 624.

16 L'ensemble de ces requêtes et pétitions se trouvent in AF, E 11, vol. 2.

17 Herzog, 1849, pp. 34-36.

18 Selon Kneschaurek, ces secteurs de production emploient 350 000 personnes en 1850; Kneschaurek, 1964, p. 139.

19 AF, E 11, vol. 4, «Aperçu synoptique des pétitions relatives aux péages».

20 Dudzik, 1987, p. 558.

Confédération tout en ménageant une modeste protection à la production indigène. Avocat du juste-milieu, il propose que la répartition de la charge douanière avantage le développement industriel et agricole en limitant la concurrence étrangère:

> *Dem Freihandels- und Schutzsystem soll innert den Schranken des Möglichen Rechnung getragen und die Hauptlast, so viel es immer angeht, nach* Massgabe des Werthes (souligné dans l'original, C. H.) *auf edlere landwirthschaftliche Erzeugnisse und Fabrikate, die den unsrigen Konkurrenz machen, gleichmässig verlegt werden. Hieraus resultirt für diese ein natürlicher, wenn auch allerdings nicht sehr bedeutender Schutz und für Rohtsoffe ohne innere Konkurrenz wäre soviel als völlige Handelsfreiheit in Anspruch zu nehmen*[21].

La force économique du camp libre-échangiste est bien supérieure à celle du camp protectionniste. Selon les estimations de Kneschaurek, les principales branches de l'industrie d'exportation emploient près de 200 000 salariés vers 1850, ce qui représente environ 55% de la population active dans l'industrie, l'artisanat et la construction[22]. Le coton arrive en tête avec 80 000 emplois, dont 13 000 environ dans la filature mécanique modérément protectionniste[23]. L'industrie de la soie suit avec 45 000 emplois répartis entre les deux centres de Zurich (étoffes) et Bâle (rubans). Puis viennent la broderie de St-Gall et Appenzell avec 35 000 emplois, l'horlogerie romande avec 32 000 et l'industrie des machines avec 3500 seulement. Les positions libre-échangistes les plus radicales sont défendues par les producteurs d'horlogerie, de broderies et de soieries, dont les coûts de production sont fortement conditionnés par la masse salariale. Certes, les commerces d'importation et d'entrepôt génèrent peu d'emplois, mais leur importance économique ne doit pas être sous-estimée, eu égard aux capitaux qu'ils mobilisent.

Au moment de la création de l'Etat fédéral, les différentes industries d'exportation ne sont pas encore organisées dans des associations de branche d'envergure nationale. Leurs intérêts sont défendus par des organes cantonaux ou régionaux, dont la forme varie: associations, chambres de commerce, commissions ad hoc. Ces organisations élitaires ne regroupent que peu de membres. Face aux 45 000 signatures du SHGV, les élites marchandes peinent à en rassembler 25 000 en faveur du libre-échange. Les pétitions proviennent toutes des cantons frontaliers: SG (17 280), NE (5891), GE (3797) et TI (864)[24]. En outre, la population agricole des Grisons pétitionne en faveur d'une faible taxation du vin (3995)[25]. Le camp libre-échangiste compense la faiblesse de sa base organisationnelle par d'importants moyens

21 Beyel, 1849, p. 14.
22 Kneschaurek, 1964, p. 155.
23 Dudzik, 1987, p. 558.
24 AF, E 11, vol. 4, «Aperçu synoptique des pétitions relatives aux péages».
25 Une brochure intitulée «Ein Beitrag zur Lösung der materiellen Fragen in der Schweiz» est attribuée par la Bibliothèque nationale au propriétaire terrien grison Andreas von

de propagande permettant d'influencer l'opinion publique. Les principaux titres de la presse quotidienne sont en effet dans les mains des élites marchandes libre-échangistes. Leur capacité financière leur permet aussi de publier de nombreuses brochures[26].

Sur le plan national, la frange libre-échangiste des élites économiques décide de réorganiser le SGV[27]. Le 7 décembre 1848, à Zurich, Conrad Pestalozzi-Hirzel préside une séance du comité, qui adopte de nouveaux statuts et rebaptise l'association: «Schweizerischer Industrieverein» (SIV). Comme l'unification douanière est réalisée, l'élite marchande se déleste des dernières concessions protectionnistes destinées à contenter les classes moyennes. Désormais, le SIV défend résolument les intérêts de l'industrie et du commerce d'exportation. La stratégie douanière définie dans ses statuts en témoigne:

1) la production des industries d'exportation suisses ne doit pas être renchérie par la nouvelle législation douanière;
2) les taxes douanières ne doivent pas atteindre une hauteur telle qu'une surveillance étroite des frontières, fiscalement coûteuse, devienne nécessaire;
3) la Suisse doit bénéficier du statut de la nation la plus favorisée sur tous les marchés extérieurs (éviter l'application de taxes différentielles)[28].

Le nouveau programme douanier du SIV permet aux élites économiques intéressées au commerce extérieur – commerce d'exportation, d'importation et d'entrepôt – de former un front uni. Divisés sur la question d'une unification douanière, marchands-banquiers de Suisse occidentale d'une part, marchands-entrepreneurs et grands industriels de Suisse orientale d'autre part, retrouvent une communauté d'intérêt dans la défense d'une politique

---

Planta – cf. note 464, chapitre 4; il y défend une politique douanière fiscaliste – couverture des besoins financiers par les douanes tout en menant une politique libre-échangiste; il faut rappeler que les propriétaires terriens sont généralement opposés à une imposition directe; Ein Beitrag zur Lösung..., 1849.

26 Le KDSG et la section saint-galloise de la SGG en publient trois: Ernste Bedenken..., 1849; Denkschrift der Industriekommission..., 1849; Eingabe an die Mitglieder..., 1849; la Chambre de commerce zurichoise une: Gutachten der Handelskammer, 1849; l'élite marchande de Genève, regroupée au sein d'une commission de commerçants, créée en 1849, en publie quatre: Fazy-Pasteur, 1849; Odier-Cazenove et Bonneton, 1849; Odier-Cazenove, 1849; A Monsieur le Président..., 1849; l'élite industrielle de Neuchâtel en publie deux: Du Pasquier, s.d.; Du Pasquier, 1849.

27 Lampenscherf, 1948, pp. 14-17; Henrici, 1927, pp. 9-11; *Wochenblatt*, Nr. 1, 6. Januar 1849.

28 Ces trois points figurent dans le deuxième article des statuts du SIV; Huber, 1890, note 5 pp. 210-211.

libre-échangiste propice au développement des échanges extérieurs. Fondé le 8 octobre 1848 par l'élite marchande bâloise, un «Basler Handels- und Industrieverein» décide de s'affilier au SIV. Son maître à penser, le directeur de banque Johann Jakob Speiser[29], collabore activement à la rédaction de l'organe de presse de la nouvelle association, le *Wochenblatt des schweizerischen Industrievereins*. Dès janvier 1849, l'hebdomadaire diffuse la position ultra-libre-échangiste de l'élite marchande bâloise dans l'opinion publique. Il faut noter que le rapprochement des élites économiques libre-échangistes ne signifie pourtant pas que les contradictions d'intérêt entre marchands-banquiers d'un côté et marchands-entrepreneurs et grands industriels de l'autre disparaissent. Au cours du débat douanier, l'aile industrielle de Zurich et l'aile marchande de Bâle ne peuvent s'accorder sur les contours à donner à une politique de libre-échange[30].

Le camp libre-échangiste est en effet divisé en deux fractions. Les modérés, ou fiscalistes, admettent que les revenus douaniers couvrent l'ensemble des besoins financiers de la Confédération. Selon eux, le principe directeur de l'élaboration de la législation douanière doit être l'obtention de la somme nécessaire au fonctionnement de l'Etat fédéral. Certains d'entre eux demandent de surcroît que la différenciation de la taxation soit forte, afin de réduire la charge sur les matières premières et les denrées de première nécessité. Les principaux défenseurs d'une politique fiscaliste se recrutent dans les milieux du commerce d'exportation et de la grande industrie de Suisse orientale. Par contre, l'aile ultra-libre-échangiste refuse de couvrir l'entièreté de la charge fiscale au moyen de la taxation douanière. Elle propose de recourir à d'autres ressources fiscales. Elle s'oppose aussi à une taxation fortement différenciée qui aurait pour effet d'augmenter la taxe

29 *Johann Jakob Speiser* (1813-1856) (BS), issu d'une famille de marchands bâlois, fondateur de la «Bank in Basel» en collaboration avec Achilles Bischoff – cf. note 105, chapitre 3 –, futur directeur du «Centralbahn», expert du CF pour les questions monétaires; il est l'auteur d'une série d'articles dans le *Wochenblatt*, signés – r., où il définit la position ultra-libre-échangiste de l'élite marchande de Bâle; pour de plus amples renseignements biographiques, cf. Mangold, 1904; His, 1929, pp. 101-115.

30 Dès le 27 janvier 1849, le *Wochenblatt* signale que des membres du comité du SIV s'opposent à la position ultra-libre-échangiste défendue par l'organe de l'association; ce sont les Zurichois Beyel, Briam zur Linde et Kündig-Buchstab ainsi que le Glaronnais Peter Jenny; ils exigent une discussion de la question douanière au sein de l'association; *Wochenblatt*, Nr. 4, 27. Januar 1849; les frictions dans le domaine douanier, auxquelles succèdent une lutte ouverte concernant la législation monétaire et ferroviaire, provoquent une disparition prématurée du SIV; fin juin 1850, le *Wochenblatt* cesse d'être publié; Christian Beyel décide alors de reprendre le flambeau de la discussion autour de la législation économique en transformant le *Schweizerisches Gewerbeblatt*, jusqu'alors exclusivement consacré à des questions techniques; il y crée une partie de politique économique et ajoute le sous-titre *Mittheilungen über Volkswirthschaft, Handel und Industrie*; le 30 novembre 1850, le SIV est dissout.

maximale du tarif, au détriment du commerce intermédiaire et du commerce d'importation. Les bastions ultra-libre-échangistes sont les cantons frontaliers de Bâle, Genève, Neuchâtel, St-Gall et du Tessin.

Le débat sur le choix entre libre-échange et protectionnisme est donc structuré par l'opposition entre le SIV libre-échangiste et le SHGV protectionniste. Il ne faut cependant pas exagérer l'importance de ces deux associations nationales éphémères. En raison de la forte segmentation du tissu économique helvétique, les principaux acteurs de l'affrontement douanier restent les associations économiques cantonales, voire régionales. Elles défendent les intérêts commerciaux et fiscaux de l'économie locale en adressant des requêtes et des pétitions aux autorités fédérales[31]. Les élites économiques intéressées au commerce extérieur sont représentées par le «Kaufmännische Directorium St. Gallen» (KDSG), la «Handelskammer des Kantons Zürich», le «Basler Handels- und Industrieverein», ainsi qu'une série de commissions mises sur pied par les commerçants de Genève, Vevey, Winterthour, etc. Les différentes branches d'industrie ne sont pas encore organisées verticalement en forme d'associations nationales regroupant le patronat. Certains entrepreneurs tentent tout de même de défendre leurs intérêts en s'unissant pour l'envoi d'une requête ou d'une pétition. De même, de nombreuses sociétés artisanales et industrielles locales s'adressent aux autorités pour défendre les arts et métiers. L'organisation politique des milieux économiques de l'époque reste faible, lacunaire et très éclatée.

Si les élites marchandes libre-échangistes (SIV) et les classes moyennes protectionnistes (SHGV) abordent tout de même le débat douanier avec une certaine unité, les élites agricoles se présentent en ordre dispersé. Les raisons de cette carence organisationnelle sont difficiles à cerner. Les contradictions d'intérêts entre les exportateurs libre-échangistes des régions de montagne (élevage, production de fromage) et les cultivateurs de plaine protectionnistes (céréaliculture, viticulture, culture du tabac) sont sans doute un obstacle à l'agrégation des différents intérêts agricoles sur le plan fédéral. L'hypothèse émise par Kupper, qui prétend qu'une situation conjoncturelle favorable ne motive pas l'agriculture à s'organiser, est un autre élément d'explication[32]. Sa pertinence doit pourtant être nuancée à la lumière de l'évolution des prix agricoles. Certes, les produits d'exportation bénéficient d'une conjoncture favorable, mais le prix du blé est à la baisse durant les années 1848-1852, ce qui provoque des revendications protectionnistes de la céréaliculture[33]. Les représentants de la viticulture et de la culture du tabac exigent aussi une protection.

31 Un aperçu synoptique des requêtes adressées aux autorités fédérales peut être consulté aux AF, E 11, vol. 4.

32 Kupper, 1929, pp. 7-9.

33 Steiger, 1982, tableau de l'indice des prix agricoles p. 203; SHS, 1996, p. 482.

L'analyse de la force économique et organisationnelle des camps protectionniste et libre-échangiste pourrait laisser augurer d'une lutte plus ou moins équilibrée au sein du champ douanier. Or, les thèses défendant le travail national sont d'emblée rejetées par les différents lieux de pouvoir du nouvel Etat fédéral, en dépit du soutien populaire important qu'elles ont reçu. Le 7 avril 1849, le CF soumet un projet de tarif à l'AsF en l'accompagnant d'un message. Le refus d'une politique protectionniste est catégorique:

> *On ne peut accorder par exception à quelques branches d'industrie une protection plus grande qu'à d'autres, par la raison que la constitution fédérale, dans son esprit et dans sa lettre, proclame l'égalité de tous les citoyens et abolit les privilèges*[34].

Le SHGV réagit avec célérité au message du CF. Le 15 avril 1849, il adresse une requête aux autorités fédérales, dans laquelle il s'insurge contre cette interprétation du protectionnisme[35]. Le point de vue des classes moyennes est toutefois superbement ignoré par l'AsF. L'élaboration de la législation douanière est conduite selon le principe fiscaliste, l'objectif principal étant de subvenir aux besoins financiers de la Confédération. Un système protectionniste est massivement refusé.

Comment expliquer cet échec cuisant des classes moyennes protectionnistes? Leur représentation et leur influence au sein de l'Etat fédéral est faible. Construit par des élites économiques pour des élites économiques, le nouvel Etat central est sous l'emprise politique de ses concepteurs. La mainmise exercée sur le processus législatif, en particulier dans le domaine douanier, est d'ailleurs dénoncée par de nombreux témoignages contemporains[36]. Ils sont corroborés par des analyses historiques et politologiques contemporaines qui mettent en évidence l'influence décisive des élites économiques tournées vers les marchés extérieurs[37].

Cette domination repose, en premier lieu, sur la position de force que les élites économiques se forgent au sein du CF. En imposant son élection par l'AsF, et non par le peuple, les élites réussissent à conserver une influence déterminante sur l'exécutif. Elles y placent soit des politiciens directement issus de leurs rangs, soit des représentants de leurs intérêts. Ainsi, les premiers conseillers fédéraux en charge des départements-clés en matière de législation économique proviennent de familles actives dans le commerce et la grande industrie: le Saint-Gallois Näff dirige le Département des postes et des constructions (chemins de fer), le Soleurois Mün-

34 FF, 1849, vol. 1, second supplément au n° 15, p. 4, «MCF accompagnant le projet d'une loi fédérale sur les péages».

35 Das Komité des schweizerischen..., 1849, p. 2.

36 *Ibidem*; Sulzberger, 1848, pp. 10-13; Handwerks- und Gewerbezeitung, 1850, Nr. 1; Meyer von Schauensee, 1851, pp. 3-5.

37 Neidhart, 1975; Jost, 1976/2; Siegenthaler, 1982.

zinger le Département des finances (monnaie, budget) et l'Argovien Frey-Herosé le Département des douanes (système fiscal) et du commerce (politique commerciale)[38].

De surcroît, le CF fédéral élabore les nouvelles conditions-cadre en collaboration étroite avec les milieux économiques qui lui conviennent. Il a toute latitude de nommer les experts chargés d'encadrer l'élaboration des projets de loi. Il peut ainsi évincer les représentants de certains milieux socio-économiques indésirables. La commission d'experts élue en 1848 pour discuter des problèmes de législation douanière est composée d'un représentant de la grande industrie mécanisée zurichoise (Christian Beyel), d'un représentant du commerce d'exportation saint-gallois (Johann Georg Anderegg-Schiess), d'un représentant du commerce spéculatif bâlois (Achilles Bischoff-Sopransi-(Balabio)) et d'un représentant de l'agriculture vaudoise (Sigismond de La Harpe)[39]. Si toutes les fractions de l'élite économique suisse obtiennent un siège dans la commission d'experts, à l'exception de l'aristocratie terrienne de Suisse centrale vaincue, les classes moyennes en sont évincées.

Centre de gravité du système politique de l'Etat fédéral de 1848, le CF bénéficie aussi de la remarquable stabilité de sa composition. Du fait que

38 *Friedrich Frey-Herosé* (1801-1873) (AG), issu d'une famille de commerçants de Lindau venue s'installer à Aarau, dirige la fabrique de chimie familiale (1821-1837), puis une filature mécanique (dès 1836); lié par son mariage à la puissante famille Herosé (indiennage, puis filature mécanique), elle-même liée aux Herzog (filature mécanique et banque), CdE (Petit conseil) argovien (1837-1848), développe une importante activité dans le domaine des chemins de fer, CA du «Nordbahn» zurichois, délégué argovien à la négociation intercantonale liée au projet de ligne entre Zurich et Bâle (1843); colonel et chef de l'Etat major du camp libéral lors de la guerre du «Sonderbund», Cféd de tendance libérale (1848-1866); *Josef Munzinger-Brunner* (1791-1855) (SO), issu d'une vielle famille d'Olten qui possède d'importants domaines agricoles, fils de Konrad Munzinger-Schmid – commerce d'importation en gros (fer et épices), tréfilerie, propriétaire du funiculaire Olten-Hammer – apprentissage de commerce, administration des terres familiales, greffier communal à Olten, CdE (Petit conseil) soleurois (1831-1848), domine d'une main de fer la politique du canton, s'intéresse à la construction de chemins de fer, CA de la première version du «Centralbahn» bâlois, Cféd libéral-radical (1848-1855), mène à bien l'unification de la monnaie, favorable à la remise de la dette de guerre aux cantons du «Sonderbund»; *Wilhelm Matthias Näff* (1802-1881) (SG), issu d'une vieille famille d'Alstätten, fils de Matthias Näff-Dalp – important commerce de toiles de lin –, études de droit, CdE (Petit Conseil) saint-gallois (1830-1848), améliore le réseau routier et pousse à la correction du Rhin, développe une importante activité dans les domaines des chemins de fer et des postes, président du «Eisenbahnverein St. Gallen» qui projette une ligne Rorschach-St-Gall-Wyl (1846-1848), Cféd de tendance libérale-radicale (1848-1875), ami politique de Mathias Hungerbühler, donne la voix décisive pour le vote de la dissolution du «Sonderbund», favorable à une attitude modérée face aux forces conservatrices vaincues.

39 Pour les biographies des membres de la commission d'experts, cf. note 105, chapitre 3.

l'AsF ne reçoit pas le pouvoir de sanctionner l'exécutif en exigeant sa démission, celui-ci peut mener une politique sur le long terme, sans devoir se soumettre constamment aux desiderata du législatif.

Certes, l'AsF est plus ouverte aux autres milieux socio-économiques, mais elle est néanmoins dominée par les élites. En imposant le système du Parlement de milice, avec le prétexte de réaliser des économies, celles-ci empêchent une présence trop importante de représentants des classes moyennes et salariées. La possibilité d'assumer les contraintes matérielles liées à un mandat à Berne – absences professionnelles répétées, frais d'entretien – opère une sélection sociale. De ce fait, les élites économiques disposent d'une représentation importante aux Chambres, en dépit de leur faiblesse numérique. Ce lieu de pouvoir assume comme principale fonction de légitimer la politique proposée par le CF. Les grandes options stratégiques ne font l'objet d'un véritable débat que si les divergences d'intérêts n'ont pu être résolues au sein de la collégialité de l'exécutif.

Si l'on se réfère aux estimations de Gruner, la composition socioprofessionnelle du CN de 1849 est la suivante: 21,6% de grands industriels, commerçants et banquiers, 5,4% de propriétaires fonciers et agriculteurs, 3,6% de petits industriels, artisans et petits commerçants, à quoi il faut ajouter 30,6% de députés exerçant des professions libérales (23,4% d'avocats) et 32,5% de politiciens professionnels[40]. Ces deux dernières catégories ne constituent pas de véritables groupes socioprofessionnels indépendants. La majeure partie des politiciens et des avocats représentent en fait l'élite économique dominante de leur «monde de production». Le camp protectionniste, dont les potentialités se limitent à un petit industriel, deux petits commerçants, un artisan, six propriétaires terriens/agriculteurs et peut-être quelques avocats et politiciens professionnels, n'est donc pas en mesure d'imposer ses conceptions au sein du CN.

La commission élue pour examiner le projet du CF reflète ce rapport de force. Sur les onze membres qui la constituent, seul un agriculteur vaudois est éventuellement représentatif du camp protectionniste[41]. Lors du débat douanier au CN, la majorité fiscaliste de la commission propose de voter en bloc le projet issu de ses délibérations; cette démarche permet d'éviter que certains producteurs profitent de la discussion de détail pour obtenir une protection plus importante. Par ailleurs, la version allemande du projet n'est disponible que trois jours avant les délibérations, la version française étant distribuée au dernier moment. Les méthodes «terroristes» du camp fiscaliste, selon les termes mêmes utilisés par certains parlementaires, sont dénoncées avec force:

40 Les 6,3% restants sont catalogués dans les divers; Gruner, 1966, vol. 2, p. 214.
41 Pour la composition de la commission, cf. note 129, chapitre 3.

> *Jusqu'à présent on n'a pas discuté et maintenant que nous touchons à la question, on nous propose de voter le projet en masse. Sommes-nous des mannequins? Que diront alors nos commettants? Ce serait inouï dans les fastes parlementaires*[42].

Prononcée par un propriétaire terrien vaudois, cette tirade de protestation reste sans effet. Le tarif est voté en bloc, au grand dam des milieux protectionnistes.

3.1.2. Quelle surface financière pour l'Etat fédéral et quel système fiscal pour y faire face? Affrontement des élites économiques autour du débat douanier de 1849

Le choix entre libre-échange et protectionnisme ayant été rapidement réglé à la satisfaction des élites économiques intéressées au commerce extérieur, la mise sur pied de la législation douanière de 1849 devient avant tout une problématique fiscale. Pas moins de trois débats laissés ouverts par la constitution de 1848 s'interpénètrent, compliquant à souhait l'analyse: 1) quels moyens financiers veut-on accorder à la Confédération? 2) quelles sont les ressources fiscales les mieux appropriées pour les couvrir? 3) qui doit supporter la charge douanière prélevée aux frontières? Les représentants du commerce d'importation et d'entrepôt, du commerce d'exportation, de la grande industrie mécanisée, de l'agriculture de plaine et de l'agriculture de montagne tentent tous d'imposer les solutions les plus favorables à leur «monde de production». De surcroît, les intérêts financiers des pouvoirs cantonaux viennent compliquer une problématique déjà assez alambiquée.

La première étape du processus législatif consiste à fixer le montant approximatif nécessaire au fonctionnement du nouvel Etat fédéral. Si tout le monde s'accorde sur l'ampleur des frais administratifs et des dépenses militaires, environ un million de frsa, deux autres postes du budget font l'objet de fortes controverses: l'indemnisation des cantons pour le rachat des taxations indirectes et les réserves financières en vue d'une intervention de la Confédération (écoles supérieures, travaux d'utilité publique, etc.). Ces divergences font varier les propositions de budget du simple au double (2,35 à 5 mios de frsa).

La somme consacrée au rachat des taxations cantonales est la question qui influence le plus la future masse fiscale à prélever. Au cours de l'élaboration de

42 *Gazette de Lausanne*, 26 juin 1849; les propos sont tenus par *Louis Blanchenay* (1801-1881) (VD), propriétaire foncier à Vevey, Bioley-Magnoux, Aubonne, Corsier, St-Légier, La Tour-de-Peilz et surtout à Blonay, CdE (1839-1861), directeur du 5e arrondissement des douanes suisses à Lausanne, nombreuses charges au sein de la «Banque cantonale vaudoise», président des «Mines et salines de Bex», Cn radical (1848-1860), bras droit de Druey durant la révolution radicale de 1845; sur la question de la distribution tardive du projet, cf. Düblin, 1978, p. 77.

Tableau 6. Propositions de budget des différentes élites économiques suisses (mios de frsa)[43]

		Indemnités aux cantons	Dépenses militaires	Dépenses administ.	Divers (frais de perception)	TOTAL
BS	Speiser 1	1,25	0,50	0,50	0,10	**2,35**
	Speiser 2	1,50	0,60	0,30	0,30	**2,70**
	Bischoff	2,00	0,50	0,50	–	**3,00**
GE	Odier-Cazenove	1,70	0,25	0,25	0,30	**2,50**
NE	Du Pasquier	1,50	0,50	0,50	0,50	**3,00**
SG	Anderegg	1,50	0,50	0,50	0,50	**3,00**
TI	Chambre de commerce	2,00	0,50	0,50	–	**3,00**
ZH	Chambre de commerce	1,50	0,60	0,30	1,80 (1,40)	**4,20**
BE	Stockmar	3,75	(0,50?)	(0,50?)	(0,25?)	**5,00**
CF	projet de budget 26.01.1849	2,00	0,50	0,50	0,50-1,00	**3,50-4,00**
CN	majorité CCN	1,70	0,50	0,50	0,50	**3,20**

la constitution de 1848, l'estimation d'un rachat total de la taxation indirecte s'élevait à environ 3 mios de frsa. Après enquête auprès des cantons, le CF fixe désormais le coût à 3,75 mios de frsa: 2,25 mios pour les taxations mentionnées dans l'article 24 de la constitution et 1,5 mios pour un éventuel rachat des «Ohmgeld»[44]. En excluant l'«Ohmgeld» et en prévoyant le rachat de certaines taxations à la baisse, le CF budgétise le rachat total à 2 mios de frsa.

Bien que l'article 32 exclue la centralisation des impôts sur l'alcool, des députés bernois relancent la question au CN. Ils proposent d'augmenter les revenus douaniers à 5 mios de frsa, afin de subvenir à un rachat intégral de la taxation indirecte (3,75 mios)[45]. Ce faisant, les Bernois tentent d'atténuer

43 Les propositions Bischoff, Anderegg et CF sont tirées in AF, E 11, vol. 1, «PV de la commission d'experts en matière douanière»; celle de la Chambre du commerce du Tessin in AF, E 11, vol. 1, «Observations sur le nouveau projet de tarif fédéral...»; les propositions Speiser sont tirées in *Wochenblatt*, Nrn. 16/19, 21. April 1849/12. Mai 1849, pp. 67-69/79-80; le budget de Stockmar, qui n'est pas complet, est tiré du PV des délibérations du CN in *Gazette de Lausanne*, 25 juin 1849; les autres propositions sont tirées in Odier-Cazenove, 1849, pp. 2-3; Du Pasquier, 1849, pp. 10-12; Gutachten der Handelskammer des Kantons Zurich..., 1849, pp. 15-17; enfin, la proposition de la majorité de la commission du CN est contenue in FF, 1849, vol. 2, p. 185, «Rapport de la commission nommée par le CN pour examiner le projet de loi sur les péages (s.d.)».

44 AF, E 11, vol. 1, «PV de la commission d'experts en matière douanière», 6e séance, 22 janvier 1849.

45 Lors de la séance du CN du 14 juin 1849, le député jurassien Xavier Stockmar-Marquis (1797-1864) dépose la proposition additionnelle suivante: *«Le Conseil fédéral cherchera à traiter pour le rachat des droits de consommation sur les boissons etc. à des*

le transfert de charge que leur fait subir la constitution de 1848. Les revenus de l'«Ohmgeld» bernois continueraient à tomber dans les caisses cantonales, alors que la charge fiscale serait supportée par l'ensemble des consommateurs suisses, sous la forme d'une taxation douanière aux frontières. Logiquement, la viticulture vaudoise appuie cette démarche. La suppression des «Ohmgeld» favoriserait en effet l'écoulement de ses vins sur le marché intérieur[46].

Un deuxième groupe de cantons, emmené par les députés du Tessin et des Grisons, exige le rachat total des impositions indirectes mentionnées par l'article 24 (environ 2,25 mios de frsa). Ils cherchent à éviter le maintien de certaines taxations cantonales, autorisé par cet article, qui aurait pour eux un effet fiscal désastreux. La superposition des impôts de consommation cantonaux et de la taxation douanière fédérale pourrait aggraver la charge imposée à la consommation de ces cantons, au lieu de la diminuer. Selon le Conseiller national tessinois Giovanni Baptista Pioda-Sozzi[47], cette ponction fiscale serait d'autant plus injustifiée que l'économie agricole des cantons de montagne ne retire aucun avantage commercial du nouveau système douanier:

> *Notre tâche est de concilier, ce n'est ni un Vaudois, ni un Zurichois, ni un Tessinois qui doivent décider à leur point de vue, il faut comme deux amis, faire chacun la moitié du chemin [...] Superposer aux tarifs fédéraux le tarif cantonal en refusant le rachat qui a été promis, ce serait vouloir la ruine de ce canton [...]*[48].

La Chambre de commerce du Tessin propose par conséquent d'affecter la somme de 2 mios de frsa au rachat des taxations cantonales. Le rachat total est également défendu par la plupart des cantons agricoles.

Intéressés à une réduction drastique de la charge douanière, certains cantons commerçants et industriels proposent d'interpréter l'article 24 dans son sens le plus restrictif: limiter le rachat aux taxations qui grèvent le transit. Ils refusent d'accorder une rente perpétuelle aux cantons à forte fiscalité indirecte et de faire payer ce privilège aux habitants des autres cantons[49]. Les élites marchandes et industrielles proposent des sommes de

---

conditions équitables et fera rapport à l'Assemblée fédérale.»; *Gazette de Lausanne*, 25 juin 1849; Stockmar esquisse déjà son système lors de la discussion du 26 avril 1849; *NZZ*, Nr. 118, 28. April 1849.

46 D'autres députés encore soutiennent la proposition Stockmar parce qu'ils sont intéressés aux augmentations de taxes proposées pour financer le rachat; elles portent sur les céréales, le vin, les alcools, le fer, la quincaillerie, certains articles en cuir, certaines matières premières et le sucre; Stockmar cherche donc le soutien des secteurs travaillant pour le marché intérieur.

47 *Giovanni Baptista Pioda-Sozzi* (1808-1882) (TI), cf. note 129, chapitre 3.

48 Débats du CN, séance du 27 avril 1849, in *Gazette de Lausanne*, 1er mai 1849.

49 Durant les débats au CN, des représentants des cantons de ZH (Escher, Benz), SG (Erpf), AR (Sutter), GE (Castoldi) et NE (Matthey, Lambelet) défendent le point de vue

rachat revues à la baisse: BS 1,25-1,5 mios; NE 1,5 mios; ZH 1,5 mios; SG 1,5 mios; GE 1,7 mios.

Les réserves financières consacrées à une intervention économique de la Confédération sont un second facteur important pour la fixation des besoins budgétaires. La constitution de 1848 permet en effet à l'Etat fédéral de légiférer dans les domaines de la formation supérieure (Université fédérale, Ecole polytechnique) et de la réalisation de grands travaux d'utilité publique (chemins de fer, correction de cours d'eaux, canaux, etc.). Pour éviter un gonflement de la charge douanière, les élites libre-échangistes cherchent à restreindre l'intervention fédérale. De leur côté, les élites conservatrices fédéralistes veulent appauvrir l'Etat central pour limiter son ingérence. A l'opposé de l'échiquier, les élites interventionnistes recourent à toutes sortes de subterfuges pour augmenter les capacités budgétaires de la Confédération.

L'axe libéral-radical Zurich-Berne, encadré de ses cantons satellites, Glaris, Thurgovie, Argovie, Soleure, constitue le principal pilier interventionniste du nouvel Etat fédéral. En 1849, il est encore symbolisé par le «duumvirat»[50] formé d'Alfred Escher[51] et de Jakob Stämpfli[52]. Le premier,

---

d'un rachat partiel; cf. également les brochures éditées par les milieux économiques de ces cantons; lors de la révision du tarif, en 1851, cette question est relancée par le banquier bâlois Johann Jakob Speiser dans un article publié par la *NZZ*; Speiser propose de capitaliser ces indemnisations afin qu'elles ne grèvent pas le budget fédéral sur le long terme; *NZZ*, Nr. 201, 20. Juli 1851.

50 Wehrli, 1983, p. 14.

51 *Alfred Escher-von Übel* (1819-1882) (ZH), issu d'une vieille famille zurichoise très influente – 45 membres du Petit conseil –, fils d'Heinrich Escher – banquier chez Hottinger à Paris, fait fortune en Amérique (spéculation foncière) avant de revenir s'établir à Zurich en 1815 –, mariage avec Lydia Zollikofer – riche famille noble –, président du CA du «Nordostbahn» (1852-1882), cofondateur et président du CA du «Crédit suisse» (1856-1877/1880-1882), CA du «Gotthardbahn» (1870-1878), Conseil de surveillance de la «Rentenanstalt» (1858-1873), tête pensante des milieux économiques zurichois à partir de 1848, CdE (1848-1855), Cn de tendance libérale-radicale (1848-1882), «leader» des libéraux-radicaux centralisateurs zurichois, domine la vie politique zurichoise et fédérale durant les années 1850 et 1860.

52 *Jakob Stämpfli-Snell* (1820-1879) (BE), fils d'agriculteur, avocat à Berne (dès 1844), fonde et dirige le journal radical *Berner Zeitung*, CdE (1846-1850), concepteur de la constitution radicale du canton de Berne (1846), introduit un système fiscal moderne basé sur l'imposition directe, met une somme de 2 mios de frs à disposition pour financer la guerre du «Sonderbund» (caisse cantonale), «leader» des radicaux bernois favorables à une centralisation musclée, refuse la constitution de 1848, défenseur d'une solution étatique pour la construction des chemins de fer, Cn de tendance radicale de gauche (1848-1854/1863-1879), Cféd (1854-1863), se brouille avec les milieux libéraux de l'économie liés à Escher du fait de sa tendance interventionniste, se retire pour fonder et diriger la «Eidgenössische Bank» (1863-1874), CA du «Jura-Bern-Bahn» (1871-1878), CA de la «Papierfabrik Perlen»(1873-1879).

qui représente la grande industrie mécanisée zurichoise, est le principal promoteur d'une prise en charge de la formation supérieure par l'Etat fédéral[53]. La mise sur pied d'une Ecole polytechnique et d'une Université fédérale permettrait de former le «know how» scientifique et technologique nécessaire au développement de l'industrie mécanisée et du chemin de fer. Pour stimuler ce dernier secteur, Escher propose que l'intérêt des capitaux investis dans la construction d'un réseau ferroviaire soit garanti par la Confédération[54]. Pour arriver à ces fins, la Chambre de commerce de Zurich gonfle donc son projet de budget fédéral, jusqu'à concurrence de 1,3 mios de frsa[55].

Le radical Jakob Stämpfli, représentant de l'économie agricole bernoise, est aussi favorable à une formation de pointe financée par l'Etat fédéral[56]. Il

53 *Discours tenu par M. le Bourgmestre Dr. Escher, président du Conseil national à la réouverture de la session de ce Conseil, le 12 novembre 1849*, s.l., s.d., pp. 13-14.

54 *Ibidem* p. 13; «*La Constitution fédérale renferme des dispositions en vertu desquelles les autorités fédérales ont le droit de prêter le secours le plus efficace à l'établissement de chemins de fer. Puissent ces autorités faire usage maintenant de ce droit important qui leur est accordé.*»; le 14 décembre 1849, les élites économiques présentes au CN – Escher est en tête de liste – demandent au CF de mener à bien les études nécessaires à la construction d'un réseau ferroviaire en Suisse; si les études arrivaient à la conclusion d'une construction par le privé, cette requête demande que l'intérêt du capital investi soit garanti par une ponction sur les revenus de l'Etat fédéral: «*Ueber das erste Mittel* (construction par le privé, C. H.) *glauben wir aber schon jetzt bemerken zu müssen, dass wir neben einer billigen Konzession die Garantie des Zinses von etwa 3½% als eine unerlässliche Bedingung für die Herbeischaffung des Baukapitals ansehen. Aus den Prüfungen und Berechnungen dürfte sich jedoch mit ziemlicher Sicherheit ergeben, dass durch diese Zinsgarantie das Budget der Schweiz wenig Gefahr läuft, belastet zu werden. Dagegen ist unverkennbar, dass dadurch die Kapitalien des In- und Auslandes dem Unternehmen um so schneller und sicherer zufliessen würden, als die Schweiz durch ihre Ruhe, durch ihre geordneten Zustände und hauptsächlich wegen ihren geringen Staatsschulden mehr Vertrauen einflösst als manche andere Staaten.*»; cité in Volmar, 1904, pp. 3-4; dans un deuxième temps, Escher refuse toute intervention financière de l'Etat fédéral; l'historiographie explique cette volte-face par la nécessité de choisir, vu la situation financière fragile de la Confédération, entre la mise sur pied d'une formation de pointe et le soutien financier à la construction ferroviaire; Gubler, 1915, p. 309; Wehrli, 1983, p. 22; il est probable que le choix du tracé fait par les experts fédéraux y est aussi pour beaucoup: les milieux économiques zurichois refusent de contribuer financièrement, à travers l'Etat fédéral, à la construction d'un réseau ferroviaire qui ne correspond pas à leurs intérêts commerciaux (axe du Gotthard préféré au Splügen).

55 Pour camoufler le but de ce surcroît de dépenses, les divers proprement dits ne sont budgétisés qu'à 0,4 mios de frsa, alors que les frais administratifs de perception le sont à 1,4 mios, ce qui est nettement supérieur aux 10-12% du revenu douanier communément admis (12% de 4,2 mios = max 0,5 mios); le budget proposé par les milieux économiques zurichois dégage donc au moins 1,3 mios pour une future intervention de l'Etat fédéral; le stratagème de la Chambre de commerce de Zurich ne reste d'ailleurs pas inaperçu, car il est dénoncé par Speiser; *Wochenblatt*, 12. Mai 1849, pp. 79-80.

56 Wehrli, 1983, pp. 15-18; cet auteur mentionne que l'attitude des radicaux bernois dans l'affaire des Hautes écoles est due à un «deal» entre les cantons de Berne et Zurich: l'administration fédérale au premier et l'Université au second.

estime par ailleurs que l'Etat doit prendre en charge la construction du réseau ferroviaire[57]. Le financement de cette entreprise, qui se ferait au moyen de l'emprunt, grèverait le budget fédéral par le biais du service de la dette. Enfin, le canton de Berne souhaite que la Confédération subventionne la correction des eaux du Jura. La ligne interventionniste du «leader» radical bernois ne fait cependant pas l'unanimité dans le canton. Les libéraux et les conservateurs sont plus réservés quant aux moyens financiers qu'il faut allouer à l'Etat fédéral[58]. Ainsi, l'esquisse de budget proposée par le Conseiller national libéral Xavier Stockmar-Marquis ne réserve que 0,25 mios de frsa à une intervention de la Confédération. La frange interventionniste bernoise est plutôt représentée par le radical Rudolf Schneider. Lors du débat douanier de 1849, il propose un tarif permettant de dégager 0,6 mios de frsa pour une intervention de la Confédération[59].

Les cantons commerçants de Bâle, Genève et Neuchâtel sont les plus farouches opposants à l'interventionnisme de l'axe Zurich-Berne:

> *Lorsque viendra la discussion du projet de loi sur les péages, le budget fédéral soulèvera, sans doute, plus d'une critique, soit au sujet de l'extension des dépenses, soit à l'égard des prévisions de recettes; il suffit, en effet, de jeter les yeux sur le dernier budget, pour se convaincre, que l'arc-boutant du revenu étant le produit des douanes, toute diminution dans les dépenses aurait pour résultat d'alléger d'autant le tarif*[60].

Ainsi, le banquier bâlois Johann Jakob Speiser critique le budget élaboré par le CF, où des sommes considérables sont réservées à des projets d'intervention pas même étudiés:

57 Stämpfli signe la requête du 14 décembre 1849 demandant au CF de prendre en main l'étude de faisabilité d'un réseau ferroviaire; au sein de la commission du CN, il s'oppose à Escher en prônant la solution d'une construction par l'Etat; il faut remarquer que le projet de réseau des experts convient au canton de Berne qui est un adepte de la ligne du Gothard; Volmar, 1904.

58 Lors de la révision tarifaire de 1851, l'augmentation des revenus douaniers (0,5 mios de frsa) destinée à financer l'Université fédérale et les chemins de fer divise la délégation bernoise; *NZZ*, 27. Juli 1851.

59 A ma connaissance, Schneider ne fait pas de proposition de budget; par contre, il est l'auteur d'un projet de tarif qui doit rapporter 3,3 mios de frsa; tarif Bischoff-Schneider in AF, E 11, vol. 4, «Zusammenstellung sämtlicher Zoll-Tarif-Entwürfe des Nationalrathes 1849»; si l'on déduit 1,7 mios pour le rachat des douanes, un million pour les dépenses courantes, il reste 0,6 mios pour le poste des divers; cette somme est vraisemblablement destinée à soutenir la construction de chemins de fer – Bischoff et Schneider sont deux défenseurs du «Centralbahn» – ainsi que la correction des eaux du Jura, dont Schneider est le principal promoteur; lors de la révision douanière de 1851, Schneider est partisan d'une augmentation des revenus douaniers; *NZZ*, 27. Juli 1851.

60 Odier-Cazenove et Bonneton, 1849, p. 9; cf. également *Wochenblatt*, Nr. 22, 2. Juni 1849, p. 91; dans cet article, Speiser évoque la nécessité de diminuer les besoins de l'Etat fédéral – indemnités et budget – afin d'obtenir une taxe maximale de 2 frsa; il envisage même de contribuer au budget fédéral par des contingents d'argent cantonaux.

> *Die Summe von Fr. 250 000.– für ausserordentliche Bundes-Ausgaben halten wir nicht für hinreichend begründet. Der § 40 der Bundes-Verfassung setzt fest, dass für unvorhergesehene Fälle stets der Betrag eines doppelten Geld-Kontingents d.h. Fr. 1 400 000.– baar in der Bundes-Kasse liegen solle. Wozu ein Weiteres dienen könne, als zu unnöthigen Ausgaben zu verleiten, ist uns nicht klar. Wäre es nicht zweckmässiger, unsern Umständen angemessener, die Bedürfnisse abzuwarten, ehe man für die Mittel sorgen will*[61].

Décidés à maintenir un «Etat pauvre»[62], qui sert leurs intérêts, les milieux libéraux légitiment leur option en évoquant la nécessité d'un Etat économe:

> *Eine lange Erfahrung lehrt eben, dass republikanische Regierungen, wie monarchische, viel brauchen, wenn sie viel haben, und viel verlangen, wenn sie viel brauchen, oder dass Verschwendung und Habsucht Hand in Hand gehen*[63].

Ainsi, les projets de budget avancés par les élites économiques de Bâle, Genève et Neuchâtel ne prévoient respectivement que 0,1-0,3/0,3/0,5 mios de frsa pour le poste des divers, où sont inclus les frais de perception des revenus douaniers.

Le refus d'allouer des moyens d'intervention à l'Etat central n'est pas uniquement motivé par des réticences fiscales. Le développement du négoce ne nécessite pas la création d'écoles fédérales supérieures[64]. D'autant plus que Bâle possède alors une Université renommée et Genève une Académie qui seraient concurrencées par des établissements fédéraux. Par ailleurs, les cantons romands éprouvent une certaine retenue d'ordre culturel face à une Université fédérale qui tendrait à «noyer» les minorités linguistiques. En ce qui concerne une intervention ferroviaire, les avis sont plus partagés. Alors que les milieux économiques neuchâtelois ne ressentent pas l'urgence d'établir des chemins de fer[65], les Genevois, plus intéressés, privilégient une construction privée qui n'endetterait pas la Confédération. Contre toute attente, le bastion libéral bâlois se prononce en faveur d'une construction dirigée et financée en partie par l'Etat fédéral. Le plan dessiné par les experts du CF prévoit en effet une ligne Bâle-Olten-Gothard qui privilégie les intérêts économiques de Bâle au détriment de Zurich ou St-Gall. Cette ligne étatisée consoliderait la position commerciale de la cité rhénane, en lui assurant le transit nord-sud à travers les Alpes. Dans le cas d'une construction privée, la puissance économique de la rivale zurichoise pourrait inverser le verdict. La solution étatique comporterait aussi de nombreux avantages financiers. La

61 *Wochenblatt*, Nr. 16, 21. April 1849, p. 68.

62 Sur le concept d'«Etat pauvre», cf. Guex, 1993, pp. 136-139.

63 *Wochenblatt*, Nr. 7, 17. Februar 1849, p. 26.

64 Le banquier bâlois Johann Jakob Speiser déclare par exemple: «*Zu den Bedürfnissen wird man aber kaum das noch so unreife Projekt einer eidgenössischen Hochschule rechnen wollen.*»; *Wochenblatt*, Nr. 16, 21. April 1849, p. 68; Louis de Pury refuse les Hautes écoles fédérales au nom de la section neuchâteloise de la SIV; AF, E 11, vol. 5.

65 *Ibidem.*

garantie de l'Etat permettrait aux banquiers privés bâlois d'investir en toute sécurité dans les emprunts de la Confédération et de réaliser ainsi des profits juteux. Certes, la solution privée offrirait des possibilités de profits encore supérieurs, notamment liés à la spéculation en bourse, mais en raison des coûts élevés de la construction de chemins de fer en Suisse, la réalisation de tels gains reste hypothétique et risquée. Par ailleurs, la solution privée nécessiterait le recours massif à des capitaux étrangers qui pourraient poursuivre le profit en faisant abstraction des besoins du commerce et de l'industrie helvétiques. Quant au service de la dette, il serait assuré par les caisses de l'Etat: l'ensemble des citoyens suisses contribuerait de cette manière à la construction d'une infrastructure indispensable au commerce bâlois. Tant de bienfaits matériels valent bien un petit reniement de la doctrine libérale.

Même si elles sont intéressées à une intervention ferroviaire, les élites économiques bâloises ne se départissent pas de leur stratégie financière de l'«Etat pauvre». Politiquement faible, l'élite marchande refuse de se risquer à allouer des moyens avant qu'une décision politique ait été prise; si l'option étatique venait à échouer, la majorité politique radicale aurait alors tout loisir d'intervenir dans d'autres domaines économiques, le cas échéant contre les intérêts de Bâle. Lors du débat ferroviaire de 1852, le champion de la centralisation économique, le Zurichois Alfred Escher, invoque les bienfaits du fédéralisme et du libéralisme pour motiver le refus d'une construction étatique. Bâlois comme Zurichois se servent ainsi d'un fédéralisme et d'un libéralisme «à deux vitesses». Les élites instrumentalisent ces valeurs, l'une politique, l'autre économique, pour défendre leurs intérêts au sein du nouvel Etat fédéral[66]. Ce dernier n'est reconnu comme partenaire économique que lorsqu'il sert les intérêts du «monde de production» de l'intervenant. Dans le cas contraire, la compétence et la légitimité de la Confédération à intervenir lui sont déniées en tant qu'apostat des sacro-saintes valeurs du fédéralisme et du libéralisme. Grâce à ces deux concepts, les représentants de l'économie disposent donc de moyens discursifs efficaces pour éviter l'application d'une violence légitime qui leur serait dommageable[67].

66 Sur la question de l'utilisation du fédéralisme pour défendre des intérêts économiques, cf. Jost, 1976, p. 207.

67 Je tiens à préciser qu'il ne s'agit pas ici de réduire le fédéralisme et le libéralisme à de simples instruments d'une stratégie discursive des élites économiques suisses, mais de montrer comment celles-ci se servent de ces deux concepts pour défendre leur intérêts matériels; il est bien clair qu'en Suisse, le fédéralisme est une réalité politique complexe qui recouvre d'autres fonctions, notamment d'assurer la stabilité politique: en stratifiant la vie politique sur trois niveaux (commune, canton, Confédération) et en la morcelant dans de nombreux espaces cantonaux, le système fédéraliste évite l'exacerbation des importantes tensions qui sont la conséquence d'une structure économique, sociale et culturelle très éclatée; il permet de créer, au niveau fédéral, une sorte de havre politique

Les marchands-entrepreneurs saint-gallois et appenzellois soutiennent la lutte menée par les marchands-banquiers contre des réserves budgétaires. Aux Chambres, ils ressassent la nécessité d'économies budgétaires afin de ne pas dépasser 3 mios de frsa de dépenses. Ils s'opposent à la réalisation d'écoles supérieures ou en repoussent l'exécution[68]. Le budget proposé par le Conseiller national Johann Georg Anderegg-Schiess respecte la limite fatidique des 3 mios. Il ne prévoit que 0,5 million de frais divers, dans lesquels sont inclus les frais de perception. Les cantons agricoles de Suisse centrale et méridionale s'opposent aussi à une intervention, qui n'est d'aucun intérêt pour leur économie. L'arrivée du chemin de fer pénaliserait au contraire le commerce de transit routier. Ainsi, le projet de budget de la Chambre de commerce du canton du Tessin ne prévoit pas de réserves financières. L'aristocratie terrienne des cantons du «Sonderbund» reste muette durant ce premier débat douanier. Elle a toutefois de bonnes raisons de s'opposer à un renforcement de l'Etat fédéral. La création d'une Université fédérale constituerait notamment la première étape vers une uniformisation laïque de l'enseignement en Suisse, à laquelle s'opposent farouchement les cantons catholiques.

L'ampleur des moyens financiers alloués à l'Etat fédéral n'est pas la seule pomme de discorde des élites économiques suisses. Elles débattent aussi de son mode de prélèvement. Fiscalistes et ultra-libre-échangistes s'affrontent pour définir les contours définitifs du système fiscal fédéral[69].

L'axe Zurich-Berne[70] défend une politique fiscaliste qui consiste à couvrir la quasi-totalité du budget fédéral avec les revenus douaniers[71]:

---

consensuel investi par les élites économiques, car les problèmes quotidiens vécus par les couches inférieures de la population sont pour la plupart du ressort des cantons qui amortissent ainsi le mécontentement; Jost, 1976; Neidhart, 1975; Siegenthaler, 1982.

68 Voir entre autres les interventions des Conseillers nationaux Weder, Hungerbühler et Bernold lors des séances du 24 au 28 avril 1849; *NZZ*, Nrn. 116-119, 26.-29. April 1849.

69 Pour rappel, il faut mentionner que cette question est déjà en partie déterminée par l'article 39 de la constitution de 1848: «*Les dépenses de la Confédération sont couvertes: a) Par les intérêts des fonds de guerre fédéraux; b) Par le produit des péages fédéraux perçus à la frontière suisse; c) Par le produit des postes; d) Par le produit des poudres; e) Par les contributions des cantons qui ne peuvent être levées qu'en vertu d'arrêtés de l'Assemblée fédérale. Ces contributions sont payées par les Cantons d'après l'échelle des contingents d'argent, qui sera soumise à une révision tous les vingt ans. Dans cette révision on prendra pour base tant la population des cantons que la fortune et les moyens de gagner qu'ils renferment.*»

70 Les milieux bernois ne sont toutefois pas unanimes; le Conseiller national Schneider propose en effet de couvrir le seul rachat des taxes douanières cantonales avec les revenus douaniers, le reste des dépenses de la Confédération devant être couvert par des contingents d'argent cantonaux; Fischer, 1963, pp. 458-460.

71 Les recettes postales ne sont pas programmées pour renflouer les caisses fédérales, mais pour équilibrer les dépenses liées à l'indemnisation des cantons et à l'administration de

Wir anerkennen die Nothwendigkeit und die Pflicht, dem Bunde die Mittel an die Hand zu geben, diejenigen Auslagen zu bestreiten, welche die Förderung der Wohlfahrt, die Erhaltung der Unabhängigkeit und Sicherheit der Eidgenossenschaft erheischen; wir müssen zugeben, dass unter den gegenwärtigen Verhältnissen diese Mittel am leichtesten in der Erhebung einer indirekten Steuer, in den Zöllen, gefunden werden können [...][72]

Certes, nous avons vu que les cantons de Zurich et Berne sont parmi les principales victimes du transfert de la charge douanière aux frontières et de son indemnisation totale. En préférant la taxation douanière aux contingents d'argents cantonaux, ces cantons choisissent toutefois le moindre mal. Comme la base de calcul des contingents est le nombre d'habitants, la fortune ainsi que le capital investi dans les moyens de production, leur contribution à la caisse fédérale serait encore plus importante selon ce mode de financement qui est fustigé par Alfred Escher:

Das System der indirekten Geldbeiträge sei mit grossen Ungerechtigkeiten verbunden, was mit der Thatsache, dass die Gemeinde Wädenschweil so viel bezahlen müsse, als der Kanton Uri [...][73]

Pour légitimer le choix d'un système fiscaliste, les milieux économiques zurichois avancent toute une série d'arguments: maintien d'un équilibre cantonal entre taxation directe et indirecte, mise en réserve des contingents d'argent cantonaux pour les cas d'urgence, contrainte fiscale imposée par les contingents à certains cantons, possibilité de faire payer une partie de la charge douanière à l'étranger[74].

Dans leur majorité, les représentants des cantons agricoles de montagne soutiennent le point de vue fiscaliste. Contraints d'honorer la dette de la guerre du «Sonderbund» – 6 mios de frsa –, les cantons catholiques de Suisse centrale ne peuvent encore contribuer aux dépenses de l'Etat fédéral par des contingents d'argent[75]. Cette nouvelle charge les contraindrait à introduire ou à accentuer une fiscalité directe contraire aux intérêts de l'aristocratie terrienne[76]. Les cantons alpestres doivent aussi faire face à l'endettement qu'ils ont contracté pour construire des routes de montagne. Le camp «fiscaliste» regroupe donc les cantons agricoles de montagne, à faible

---

ce service; par ailleurs, les revenus des intérêts et ceux de la régale des poudres sont négligeables.

72 Gutachten der Handelskammer des Kantons Zurich..., 1849, p. 5.

73 Séance du CN du 26 avril 1849; *NZZ*, Nr. 118, 28. April 1849.

74 Sulzer, 1852, p. 44; Beyel, 1849, p. 13; intervention Escher au CN le 15 juin 1849 in *NZZ*, Nr. 169, 18. Juni 1849 et in *JdG*, 22 juin 1849.

75 Odier-Cazenove, 1851/1, pp. 12-14.

76 Pour rappel, une série de cantons du «Sonderbund» (Zoug, Schwyz, Nidwald et Fribourg) sont contraints d'introduire une imposition directe, dès 1848, pour faire face à la dette de guerre; Schanz, 1890, vol. 2-4.

capacité financière, et les cantons de l'axe Zurich-Berne, à forte capacité financière.

Les élites marchandes des cantons frontaliers de Bâle, Genève, Neuchâtel et St-Gall refusent de souscrire au principe fiscaliste, car il subordonne les intérêts du commerce aux besoins de la caisse fédérale:

> *Si l'établissement d'un régime de douanes en Suisse est une première faute, on en commet, suivant nous, une toute aussi grande dans son mode d'application; ayant adopté le principe, il eut été rationnel de procéder avant tout à la fixation des limites au-delà desquelles il y aurait à craindre d'atteindre par le tarif les intérêts du commerce et de l'industrie, jusqu'aux éléments même de leur prospérité. Il paraît qu'ici on a agi en sens inverse; c'est le fisc qui le premier a fait connaître ses prétentions et qui, sans s'inquiéter des résultats, les a portées à 3 700 000 francs*[77].

Par ailleurs, ces élites considèrent qu'il est dangereux de lier les revenus de la Confédération à la seule taxation douanière, sujette à de fortes fluctuations:

> *On ne paraît tenir aucun compte des crises commerciales, des années de disette, et de tant d'autres événements imprévus qui peuvent pourtant apporter une si grande perturbation dans le mouvement commercial de la Suisse, et par conséquent dans les recettes des douanes [...] Qui peut douter que les événements qui se succèdent en Europe, n'apportent un trouble immense dans les affaires commerciales et par conséquent, une atteinte incalculable au produit des douanes*[78].

Le manque de flexibilité de ce système fiscal comporte le risque d'une vis sans fin. A chaque dégradation de la situation financière, la Confédération sera contrainte de réviser le tarif douanier à la hausse. Au gonflement de la charge douanière, s'ajouteraient les désagréments d'une instabilité chronique des conditions douanières, peu propice à l'exercice du commerce.

L'introduction d'une imposition directe fédérale représenterait l'alternative idéale à un système fiscaliste. L'élite marchande peut se référer à l'exemple de la Grande-Bretagne qui, au cours des années 1840, a introduit une fiscalité directe afin de diminuer l'imposition de la consommation. Certes, l'article 39 de la constitution de 1848 ne donne pas les compétences nécessaires à la Confédération. Cette solution est tout de même envisagée par les libre-échangistes les plus extrémistes lors du débat douanier de 1849. Plusieurs représentants des milieux économiques neuchâtelois et saint-gallois proposent qu'une imposition directe sur la fortune soit introduite, parmi lesquels figure le propriétaire d'un commerce d'importation de denrées coloniales aux Verrières (NE), le Conseiller national Frédéric Lambelet-Rosselet[79]:

> *M. Lambelet comprend la nécessité de ressources financières pour la Confédération; mais il propose pour cela en première ligne l'impôt direct demi pour mille qui suffi-*

77 Odier-Cazenove et Bonneton, 1849, p. 7; les 3,7 mios de frsa sont les revenus douaniers prévus par le projet de tarif du CF; cf. également Odier-Cazenove, 1849, p. 1.
78 Odier-Cazenove et Bonneton, 1849, pp. 9-10.
79 *Frédéric Lambelet-Rosselet* (1817-1876) (NE), cf. note 129, chapitre 3.

> *rait; les cantons le percevraient sans frais en même temps que le leur; en seconde ligne il admet des droits de péages modérés [...] La liberté du commerce c'est la vie à bon marché, la vie du pauvre; la protection c'est une injure à la Providence qui a distribué ses biens aux divers pays pour que tous en jouissent. La protection c'est la mort*[80].

Certains milieux bâlois semblent eux aussi disposés à introduire une imposition directe, mais préféreraient un impôt progressif sur le revenu[81].

Les difficultés politiques rencontrées sur le chemin de l'imposition directe ne tardent pas à convaincre l'élite marchande libre-échangiste de poursuivre un objectif fiscal plus conforme à la constitution. Elle propose que des contingents d'argent cantonaux couvrent une partie des dépenses de la Confédération:

> *[...] la Constitution fédérale n'a pas dit le moins du monde que tout ou presque tout le revenu de la Confédération dût se prendre sur les péages, et ceux qui le prétendent interprètent mal l'article 39; [...] c'est à l'Assemblée fédérale à interpréter la Constitution et le texte de la Constitution qui met les contingents d'argent sur la même ligne que les produits des péages et des postes est contraire à l'interprétation qui a été soutenue par plusieurs orateurs et par des membres du Conseil fédéral*[82].

Cette solution est soutenue par les organes représentatifs des élites marchandes de Bâle, Genève et Neuchâtel[83]. Dans le canton de St-Gall, les avis semblent plus partagés. L'aile ultra-libre-échangiste, emmenée par le Conseiller national Johann Georg Anderegg, propose de limiter la charge douanière à 2,2 mios de frsa et de couvrir le reste des dépenses avec des contingents d'argent cantonaux[84]. Par contre, le KDSG et la commission économique de la section saint-galloise de la SGG se taisent sur ce point[85].

80 Discours tenu le 24 avril 1849 devant le CN; *Gazette de Lausanne*, 28 avril 1849; cf. également Du Pasquier, 1849, pp. 6-7; FF, 1849, vol. 2, pp. 220-221, «Rapport de la minorité (Erpf-Lambelet) de la commission nommée par le CN pour examiner le projet de loi sur les péages (9 juin 1849)».

81 Hoffmann-Merian, 1852, p. 21; au début des années 1840, Bâle a d'ailleurs introduit un impôt semblable sur le plan cantonal; cette solution est certainement préférée à l'impôt sur la fortune, parce qu'elle ménage mieux le capital bancaire de la ville rhénane.

82 Discours du Saint-Gallois *Franz Eduard Erpf-Gradmann* (1807-1851) (SG), cf. note 129, chapitre 3, lors de la séance du CN du 25 avril 1849; *Gazette de Lausanne*, 28 avril 1849.

83 *Wochenblatt*, 21. April 1849, p. 68; *Wochenblatt*, 12. Mai 1849, p. 80; Odier-Cazenove, 1849, p. 10; Du Pasquier, 1849, pp. 11-12.

84 *Wochenblatt*, 16. Juni 1849, p. 100.

85 Eingabe an die Mitglieder der Bundesversammlung..., 1849; Denkschrift der Industriekommission..., 1849; par ailleurs, un certain nombre de Conseillers nationaux saint-gallois (Hoffmann-Huber, Weder) prennent position contre une imposition directe; séances du 24 au 28 avril 1849 in *NZZ*, Nrn. 116-119, 26.-29. April 1849.

Le dernier sujet de conflit entre les élites économiques concerne la répartition de la charge douanière. Certes, le tarif douanier est déjà déterminé en partie par les principes de taxation définis dans l'article 25 de la constitution de 1848[86]. Cependant, l'élaboration définitive de sa structure, qui fixe la part supportée par les différents groupes socio-économiques, dépend avant tout du rapport de force politique dans les lieux de pouvoir du champ douanier. Faut-il plutôt taxer les objets de luxe (soieries, horlogerie, vins en bouteille, cigares, etc.), les fabriqués industriels courants (produits de la métallurgie, de la tannerie, de l'industrie du verre, de l'artisanat, etc.), les semi-fabriqués (filés et tissus de coton, fer en barres ou en tôles, etc.), les matières premières nécessaires à l'industrie (coton, soie, colorants, etc.), les denrées alimentaires produites en Suisse (vin, blé, fromage, etc.) ou enfin les denrées alimentaires coloniales (sucre, café, thé, etc.)? A cet égard, les différents «mondes de production» défendent des positions correspondant à leurs intérêts commerciaux et fiscaux. En développant une argumentation parfois spécieuse, il s'agit de payer le moins possible tout en bénéficiant au mieux du renchérissement provoqué par l'imposition douanière.

Dans l'impossibilité de passer en revue les revendications de tous les milieux économiques suisses, l'analyse se focalisera sur la position des différents «mondes de production» concernant les points les plus importants de la structure du tarif. Le premier choix à effectuer est de déterminer l'intensité de la différenciation de la taxation, à savoir le nombre de classes du tarif. Certaines élites économiques sont d'avis que le tarif doit être subdivisé en de nombreuses classes de marchandises. Cela permettrait d'affiner la taxation et de l'adapter au plus juste à la valeur des produits, en fonction de leur usage. Répondant aux besoins de l'industrie, la multiplication des classes tend à compliquer les formalités douanières au détriment du commerce, qui préférerait un tarif fiscal très peu différencié. Un second choix doit fixer l'ampleur de la différenciation, autrement dit l'envergure de l'échelle de taxation. La principale pomme de discorde concerne la fixation de la taxe maximale. Alors que le commerce de spéculation cherche à l'abaisser pour préserver ses marges de profit, les milieux producteurs tendent à l'élever pour mieux pouvoir décharger leurs matières premières. Durant le débat douanier, de nombreuses propositions de tarif sont faites,

86 *Article 25:* «La perception des péages fédéraux sera réglée conformément aux principes suivants: 1) Droit sur l'importation: a) Les matières premières nécessaires à l'industrie du pays seront taxées aussi bas que possible. b) Il en sera de même pour les objets nécessaires à la vie. c) Les objets de luxe seront soumis au tarif le plus élevé. 2) Les droits de transit et, en général, les droits sur l'exportation seront aussi modérés que possible. 3) La législation des péages contiendra des dispositions propres à assurer le commerce frontière et sur les marchés. Les dispositions ci-dessus n'empêchent point la Confédération de prendre temporairement des mesures exceptionnelles dans des circonstances extraordinaires.»

dont la structure et le résultat financier varient de manière conséquente (tableau 7; annexe 11: structure détaillée des tarifs proposés).

Les représentants du commerce d'importation poursuivent deux buts: éviter un système douanier entravant la fluidité du trafic par des contrôles vexatoires et réduire la taxe maximale pour lutter contre la contrebande et le développement de la production intérieure. Leur idéal serait de subvenir aux besoins financiers de la Confédération par une taxation au poids unique et très basse, selon le modèle de la taxe de frontière en vigueur jusqu'en 1848 (1 ou 2 batz/50 kg). Vu l'ampleur de la charge douanière à couvrir, cette solution n'est toutefois pas réalisable. Une taxe uniforme s'élèverait à environ 1 frsa/50 kg; rapportée à la valeur des marchandises, elle imposerait une charge démesurée aux matières premières et aux denrées de première nécessité, tout en épargnant les produits de luxe. Obligés de souscrire à un tarif douanier différencié selon les prescriptions de l'article 25, les marchands-banquiers luttent afin de limiter le nombre de classes et le niveau de la taxe maximale: l'élite marchande de Bâle exige 2,5 frsa, celles de Genève et Neuchâtel 4 frsa.

Le commerce intermédiaire a pour objectif principal d'abaisser la taxe maximale du tarif; en cas d'échec, sa compétitivité sur les marchés étrangers serait remise en question:

> *Un entrepôt à Genève ne préviendrait pas la ruine qui nous menace [...] Un tarif modéré est notre seule chance de salut*[87].

Afin de limiter leur contribution à la caisse fédérale, les négociants cherchent à réduire la taxation des principaux objets de leur commerce de spéculation, dont font partie certains objets de luxe. Selon Speiser, une taxe de

87 AF, E 11, vol. 2, «Mémoire pour la commission des péages nommée par le CN adressé le 4 mai 1849 par les représentants du commerce genevois Odier-Cazenove et Bonneton»; pour le commerce intermédiaire, l'idéal serait d'éluder la future taxation fédérale; dans ce but, le système le plus performant serait celui de l'entrepôt fictif: il permettrait au commerçant d'entreposer ses marchandises et d'effectuer des manutentions dans ses propres locaux avant de les réexporter, le tout sans avoir à payer de taxes; ce système est toutefois très compliqué d'un point de vue administratif et donne de grandes possibilités pour frauder le fisc; il ne sera donc pas réalisé par la loi douanière de 1849; un autre système, qui est surtout réclamé par le commerce genevois, serait celui du remboursement de la taxe lors de la réexportation; il sera aussi écarté; par contre, le système de l'entrepôt réel, qui permet d'entreposer des marchandises dans des locaux de la douane et de les réexporter en ne payant qu'une taxe administrative, est incorporé dans la loi de 1849; il ne convient cependant que fort mal aux exigences d'un commerce intermédiaire basé sur la contrebande, car il impose un contrôle administratif peu compatible avec cette dernière; de plus, il ne peut convenir qu'au commerce de gros et pas au demi-gros et au détail; la meilleure solution pour le commerce intermédiaire reste donc l'obtention d'un tarif douanier très peu différencié qui impose faiblement les marchandises réexportées et qui exige un minimum de formalités administratives; Odier-Cazenove, 1851/1; Roth, 1851.

Tableau 7. Propositions des différentes élites économiques concernant la structure du tarif de 1849 (en frsa)[88]

		Nb de classes	Taxe minimale	Taxe maximale	Revenus (mios)
	Projet d'Aarau	6	0,05	6,00	1,7
	Elites économiques				
BS	Speiser 1	4	0,05	2,50	2,35 + contingents
	Speiser 2	3	0,10	2,00	3,1
GE	Odier-Cazenove	3-6	–	4,00	2,5 max + contingents
NE	Du Pasquier	–	–	4,00	3,0 max + contingents
BE	Schneider	3	0,05	6,00-8,00	env. 2,0 + contingents
VD	Commission com. Vevey	6	0,10	6,00	–
TI	Chambre de commerce	–	–	5,00	3,0 max
ZH	Chambre de commerce	6	0,10	16,00	4,2
	Experts				
BS	Bischoff	7	0,10	5,00	–
SG	Anderegg-Bischoff	10	0,05	15,00	3,6
ZH	Beyel	12	0,05	16,00	3,9
	Conseil fédéral	10	0,10	16,00	3,8
	Conseil national				
SG	Anderegg	9	0,05	4,00	2,3 + contingents
GR	Bavier	10	0,05	4,00	2,6
SG/NE	Erpf-Lambelet	7	0,10	6,00	3,1
BS/BE	Bischoff-Schneider	6	0,10	6,00	3,3
	Majorité = tarif 1849	9	0,10	10,00	3,2

16 frsa/50 kg sur les cigares imposerait une charge douanière de 120 000 frsa au commerce intermédiaire[89]. Les représentants de ce secteur tentent aussi d'obtenir des taxes de transit basses et une suppression des taxes à l'ex-

88 Les propositions Speiser, Odier et Du Pasquier sont tirées in *Wochenblatt*, Nrn. 16/24, pp. 67-69/99-101, 21. April 1849/16. Juni 1849; AF, E 11, vol. 2, «Mémoire pour la commission des péages nommée par le CN» adressé le 4 mai 1849 par les représentants du commerce genevois Odier-Cazenove et Bonneton; Du Pasquier, 1849; les propositions des chambres de commerce de Zurich et du Tessin in Gutachten der Handelskammer des Kantons Zurich..., 1849; AF, E 11, vol. 1, «Observations sur le nouveau projet de tarif fédéral...»; celle de la commission de Vevey in AF, E 11, vol. 2, «La commission commerciale et industrielle de Vevey à Monsieur le Président et Messieurs les Membres de l'Assemblée fédérale à Berne»; la proposition Schneider est tirée in Fischer, 1963, p. 459; les propositions des experts sont tirées in AF, E 11, vol. 1, «PV de la commission d'experts en matière douanière»; les propositions défendues devant le CN sont regroupées in AF, E 11, vol. 4, «Zusammenstellung sämtlicher Zoll-Tarif-Entwürfe des Nationarathes 1849»; enfin, la proposition de la majorité de la commission du CN est contenue in FF, 1849, vol. 2, pp. 175-248, «Rapport de la commission nommée par le CN pour examiner le projet de loi sur les péages (s.d.)».

89 *Wochenblatt*, 12. Mai 1849, pp. 79-80.

portation. Plus qu'à limiter la charge fiscale imposée à l'opération d'import-export, cette dernière revendication vise à restreindre le contrôle administratif du mouvement des marchandises. Celui-ci pourrait en effet entraver la réexportation d'une grande quantité de marchandises en contrebande, opération que le commerce saint-gallois n'hésite pas à déclarer légitime en raison de l'attitude protectionniste des pays voisins[90]. Or, une taxation même symbolique de l'exportation permettrait l'élaboration d'une statistique précise qui pourrait servir aux pays voisins pour combattre le commerce de contrebande suisse:

> *[...] glauben wir, Tit., uns mit Bestimmtheit dahin aussprechen zu dürfen [...] dass vollends die vom Ausgangszoll zu gewärtigende magere Einnahmen gar keine Beachtung verdient im Vergleich mit der dadurch verursachten Beeinträchtigung, wenn nicht Vernichtung – eines an allen Gränzen betriebenen wichtigen Handelszweiges, ja dass von dieser Art Zoll umsomehr ganz abgestanden werden sollte, als jede Controle der Ausfuhr, welche die geheimen Ausführer und die Punkte, wo dieser Verkehr am thätigsten betrieben wird, schnell zur Kenntnis des Auslandes bringen würde, dem wohlverstandenen Interesse der Schweiz zuwiderhandelte [...]*[91]

La commission du commerce de Genève prône aussi une libération complète de l'exportation[92]. Elle est sensible aux besoins du commerce intermédiaire pratiqué par les négociants genevois avec les Zones franches qui bordent le canton. En dehors de St-Gall et Genève, le commerce intermédiaire est important dans les cantons de Bâle, du Tessin et de Schaffhouse ainsi que dans la région du Jura bernois[93].

90 Ainsi, dans une requête adressée à l'AsF, le KDSG n'hésite pas à déclarer: «*Bei Berührung des bisherigen Schleichhandels aus der Schweiz nach dem Auslande, müssen wir uns vor Allem gegen den Verdacht verwahren, als ob wir hier der Immoralität oder Ungesetzlichkeit das Wort zu reden gedächten. Das Contrebandegeschäft, das wir meinen, ist ein legitimes, durch die Nothwehr gerechtfertigtes. Während wir nämlich von jeher dem Auslande freie Einfuhr gestatteten, schloss dasselbe systematisch unsere Waaren aus, und dieses Ausschliessungssystem stützte sich nicht etwa auf Verträge mit uns, so dass wir ein Aequivalent für die uns daraus erwachsenden Nachtheile genössen, sondern schlechterdings nur auf einseitige Gewaltmassregeln gegen uns, wesshalb wir offenbar zu Ergreifung jedes wirksamen Gegenmittels, das nicht die Gränzen der Moral überschreitet, vollkommen berechtigt sind.*»; Eingabe an die Mitglieder der Bundesversammlung..., 1849, p. 7.

91 *Ibidem*, pp. 20-21.

92 AF, E 11, vol. 2, «Mémoire pour la commission des péages nommée par le CN adressé le 4 mai 1849 par les représentants du commerce genevois Odier-Cazenove et Bonneton»; l'idée de limiter le contrôle administratif de l'exportation est reprise de manière édulcorée par la minorité libre-échangiste (Erpf-Lambelet) de la commission du CN, qui propose de supprimer toute formalité pour les exportations ne dépassant pas une charge de 80 livres; FF, 1849, vol. 2, p. 201.

93 *Wochenblatt*, 12. Mai 1849, pp. 79-80; AF, E 11, vol. 1, «Observations sur le nouveau projet de tarif fédéral écrites par ordre de la Chambre du commerce du Canton du Tessin»; les députés de ces régions au CN sont favorables à une taxation douanière simple et peu différenciée.

Pour d'autres raisons, le commerce d'exportation milite aussi en faveur d'une taxe maximale la plus basse possible. Une trop forte protection industrielle permettrait l'éclosion de nouvelles branches de production et pousserait les salaires à la hausse:

> *Die zweiten, nämlich die Exporteurs, wollen nicht nur wohlfeile Rohstoffe, Lebensmittel und Materialien aller Art, sondern hauptsächlich sehr wohlfeile Arbeitslöhne haben, weil sie sonst auf den fernen Weltmärkten nicht mehr mit lohnendem Gewinn Preis halten (konkurriren) können. Je weniger unsere vaterländische Arbeit gegen den Andrang fremdländischer Fabrikate geschützt ist, desto mehr müssige Hände müssen im Lande vorhanden sein, desto wohlfeiler sind daher auch die Arbeitslöhne*[94].

Ainsi, les marchands-entrepreneurs saint-gallois proposent une taxe maximale de 4 à 6 frsa. Ceux-ci ne peuvent toutefois pas souscrire à un tarif trop faiblement différencié, qui ferait porter l'essentiel de la charge aux matières premières (coton, colorants, etc.), aux semi-fabriqués (filés et tissés de coton) et aux denrées alimentaires (blé, café, sucre, etc.). Les coûts de production des fabriqués destinés à l'exportation seraient ainsi poussés à la hausse. Pris entre les exigences contradictoires d'une taxe maximale basse et d'une faible imposition de leur production, les marchands-entrepreneurs sont favorables à une limitation de la charge douanière.

Les intérêts douaniers de l'agriculture de plaine sont semblables à ceux du commerce d'importation. Une taxe maximale basse permettrait de limiter la charge douanière sur les fabriqués industriels (instruments en fer, habillement, verrerie, etc.) et les denrées coloniales, principaux objets de consommation de la paysannerie de plaine[95]. Une faible différenciation du tarif permettrait de transférer un maximum de la charge sur le dos de l'industrie (matières premières, semi-fabriqués) et de provoquer un renchérissement des denrées alimentaires produites en Suisse (blé, vin, fromage, etc.). Bénéficiant d'un protectionnisme agricole cantonal, les agriculteurs vaudois sont les grands défenseurs d'une charge douanière conséquente sur le vin et le blé:

> *[...] le laisser-faire nous livrerait à la concurrence redoutable de la France et de l'Allemagne; non-seulement l'industrie mais plusieurs branches de l'agriculture en souffriraient, le canton de Vaud devrait renoncer à cultiver la vigne et le blé*[96].

94 AF, E 11, vol. 3, «Petition des schweizerischen Handwerks- und Gewerbevereins und Freunde vaterländischen Gewerbefleisses an den hohen Bundesrath zu Hande der hohen Bundesversammlung in Bern».

95 Les principaux postes de l'importation du canton de Vaud entre 1838 et 1847 sont les suivants: blé 25 589 quintaux (50 kg), fer 24 971, sucre 17 837, café et chicorée 11 278, verrerie 5367, étoffes en coton 5326, tabacs 5308; Arlettaz, 1980, pp. 49-50.

96 *Benjamin Pittet-Magnenat* (1808-1864) (VD), fils d'agriculteur, avocat, CdE (1848-1862), Cn radical (1848-1851).

Ainsi, la Chambre commerciale et industrielle du canton de Vaud propose un tarif à six classes, dont la taxe maximale serait de 6 frsa[97].

Si l'agriculture de montagne partage le souci d'une taxation modérée des productions industrielles, elle refuse de souscrire à un renchérissement du blé et du vin. Producteurs de fromage et éleveurs de bétail n'ont aucun intérêt à voir renchérir ces denrées alimentaires peu produites en montagne[98]. Le principal objectif poursuivi par l'aristocratie terrienne est toutefois de réduire à un minimum la taxation de l'exportation agricole. La forte charge que lui imposait l'ancien système ne doit pas être remplacée par des taxes élevées à la frontière. Cette mesure favoriserait les régions industrielles en faisant pression sur les prix agricoles.

Enfin, la grande industrie mécanisée tente d'obtenir une forte différenciation de la taxation. Certes, une taxe maximale élevée est en mesure d'assurer une certaine protection aux fabriqués et semi-fabriqués produits par l'industrie suisse, mais le principal objectif poursuivi est de libérer les matières premières et les denrées alimentaires de toute charge douanière, afin d'abaisser les coûts de production. Ainsi, au nom de la grande industrie mécanisée zurichoise, Alfred Escher s'oppose à une réduction du nombre de classes du tarif, car elle provoquerait une augmentation de l'imposition des matières premières au détriment des industries du coton et des machines:

> *Auf Rohstoffe, welche in der Schweiz veredelt werden, möchte er geringere Zölle legen. Er will die grossen Fabriken gerade im Interesse des Proletariates nicht der Gefahr des Ruins aussetzen, namentlich möchte er nicht auf rohe Baumwolle, deren Fabrikation gerade jetzt so sehr darniederliege, nach höhere Zölle legen und diese Industrie noch mehr gefährden. Fast das gleiche sei auch der Fall bei dem Industriezweige des Eisens, wobei der Redner nämlich behauptet, dass das schweizerische Eisen nicht für alle Zweige dieser Industrie brauchbar sei. Zudem sei das englische Eisen bedeutend wohlfeiler. Er will bei diesem Punkt wenigstens den Status quo festhalten und nicht durch Begünstigung der schweizerischen Hüttenwerke die andern industriellen Etablissements zu Grunde richten um den erstern zu helfen*[99].

La Chambre de commerce de Zurich propose par conséquent un tarif dont la taxe maximale atteint 16 frsa, soit 10 frsa de plus que la proposition la plus élevées des autres «mondes de production»[100]. Les taxes maximales doivent être appliquées aux produits de luxe ainsi qu'aux fabriqués produits en Suisse.

97 AF, E 11, vol. 2, «La commission commerciale et industrielle du Canton de Vaud. A Messieurs les Présidents des Conseils fédéraux».

98 Discours prononcés le 27 avril 1849 par les Conseillers nationaux *Andreas von Planta* (1819-1889) (GR) – cf. note 464, chapitre 4 – et *Giovanni Pioda-Sozzi* (1808-1882) (TI) – cf. note 129, chapitre 3; *Gazette de Lausanne*, 1er mai 1849.

99 Discours prononcé le 26 avril 1849 devant le CN; *NZZ*, Nr. 118, 28. April 1849.

100 Gutachten der Handelskammer des Kantons Zurich..., 1849; ce projet de tarif est un consensus entre les intérêts de l'industrie cotonnière mécanisée et ceux du commerce de la soie; la réduction du nombre de classes à 6 limite fortement les possibilités de diffé-

3.1.3. Entorses au libre-échange: politique douanière fiscaliste et tarif différencié

Le bref tour d'horizon effectué au chapitre précédent a souligné les divergences d'intérêts des différents secteurs de l'économie suisse quant à l'ampleur et à la répartition de la charge douanière. L'élaboration du premier tarif douanier de l'Etat fédéral relève de la quadrature du cercle[101]. L'analyse des étapes successives du processus législatif permettra de comprendre sur quelles bases certains acteurs du champ douanier parviennent à se réunir pour imposer leurs vues.

Le moteur de la première législation douanière est sans conteste le CF[102]. Dominé par l'axe Zurich-Berne (ZH, AG, BE, SO), l'exécutif opte pour un système fiscaliste qui est aussi approuvé par les représentants des cantons

---

rencier la taxation en fonction des besoins de l'industrie; au sein de la commission d'experts, le représentant de l'industrie mécanisée, qui n'est autre que Christian Beyel, propose d'adopter un système de taxation selon la valeur des marchandises, qui permettrait de différencier de manière optimale la taxation; en outre, il propose de monter le maximum de la taxation de 16 à 32 frsa et de diminuer la taxe minimale de 0,1 à 0,05 frsa; contrairement à la Chambre de commerce de Zurich, il est favorable à une forte taxation des semi-fabriqués; les deux projets de l'économie zurichoise s'accordent sur une faible taxation des matières premières et des denrées alimentaires; Beyel, 1849, pp. 8-10.

101 Je donne ici en bloc les principales références bibliographiques traitant de l'élaboration de ce premier tarif douanier; Huber, 1890, pp. 205-221; Signer, 1914, pp. 12-29; Lampenscherf, 1948, pp. 8-20; Schmidt, 1914, pp. 66-75; Dérobert, 1926, pp. 22-27; Vogel, 1966, pp. 71-77; Kupper, 1929, pp. 4-9; Leuthold, 1937, pp. 46-51.

102 *Friedrich Frey-Herosé* (1801-1873) (AG), cf. note 38, chapitre 3; *Josef Munzinger-Brunner* (1791-1855) (SO), cf. note 38, chapitre 3; *Wilhelm Matthias Näff* (1802-1881) (SG), cf. note 38, chapitre 3; *Jonas Furrer-Sulzer* (1805-1861) (ZH), issu d'une famille d'artisans de Winterthour, beau-fils de Johann Heinrich Sulzer – branche des Sulzer active dans l'impression et la teinturerie de cotonnades, commerce de livres –, avocat à Winterthour, collaborateur de la *NZZ*, CdE (1838-1845), Cféd de tendance libérale-radicale modérée (1848-1861), ami d'Alfred Escher, joue un rôle prépondérant lors de l'élaboration de la constitution fédérale de 1848, favorable à un compromis avec les conservateurs; *Ulrich Ochsenbein-Sury* (1811-1890) (BE), fils de C. Ochsenbein – agriculteur, marchand de chevaux et aubergiste –, dirige une étude d'avocat à Nidau, à la tête de la seconde expédition de corps francs au printemps 1845, CdE (1846-1848), accepte le projet de constitution de 1848 contre l'avis de Stämpfli, Cféd radical de tendance modérée (1848-1854), dès 1850 se distancie du «socialisme rouge» de Stämpfli et refuse un interventionnisme trop musclé de l'Etat dans l'économie, non-réélection du fait des tensions avec l'aile plus radicale de Stämpfli (1854), service armé pour Napoléon III (1855-1857/1870), propriétaire terrien à Nidau (dès 1857); *Henri Druey-Burnand* (1799-1855) (VD), issu d'une famille d'aubergistes, beau-fils de Charles-Henri Burnand – ancien syndic de Moudon, propriétaire du château de Rochefort –, avocat à Moudon, CdE (1831-1848), Cféd (1848-1855), ancien libéral qui fonde le parti radical vaudois, parmi les principaux instigateurs du renversement du pouvoir libéral en 1845,

agricoles (VD, TI). Très peu représentés au sein du CF, les cantons frontaliers (SG) ne parviennent pas à imposer l'idée d'un recours aux contingents d'argent cantonaux. La charge douanière nécessaire à la couverture des dépenses de l'Etat fédéral est évaluée entre 3,5 et 4 mios de frsa[103]. Outre le million destiné aux frais militaires et administratifs de la Confédération, 2 mios sont prévus pour un rachat total des taxes intérieures, excepté l'«Ohmgeld», et 0,5 à 1 mios pour le poste des divers qui englobe les frais de perception douaniers et l'intervention économique de la Confédération.

Les principales dépenses sont prévues pour soutenir la formation supérieure (Université: 0,15 mios; Ecole polytechnique: 0,1 mios; Séminaire fédéral: 0,15 mios). Le CF prévoit aussi d'accorder une aide financière à des constructions d'utilité publique (correction de la Thur dans le canton de St-Gall, assèchement du Seeland, canal entre les lacs de Neuchâtel et de Genève), sans en budgétiser le coût. Le calcul des besoins financiers ne prévoit pas encore de dépenses dans le domaine ferroviaire. Chef du Département des douanes et du commerce, Frey-Hérosé estime que les revenus douaniers doivent couvrir les dépenses de la Confédération sur le long terme; il s'oppose ainsi à la politique financière de l'«Etat pauvre» prônée par les milieux ultra-libre-échangistes:

> *Der neue Bund dürfe hierbei* (travaux d'intérêt national, C. H.) *nicht tatlos bleiben wie der alte. Aber woher er die Mittel dazu nehmen solle, ausser von den Zöllen. Direkte skalamässige Steuern auf die Kantone auszuschreiben sei nicht rätlich. Wenn sich der Zollertrag zu gross zeige, so werde es leicht sein ihn herabzusetzen. Aber die Zölle zu erhöhen, werde unmöglich sein. Die erste Pflicht der Regierung sei, ihren Verpflichtungen zu genügen und die Zukunft zu sichern*[104].

La plate-forme douanière élaborée par le CF comporte donc les caractéristiques suivantes: système fiscaliste, rachat total des taxes intérieures et réserve financière en vue d'une intervention économique. Une commission d'experts est alors mandatée pour élaborer, sur cette base, un projet d'organisation de l'administration douanière (loi douanière) et un projet de tarif

participe activement à la préparation de la guerre du «Sonderbund» et à l'élaboration de la constitution fédérale de 1848, en tant que Cféd combat ses amis radicaux dans le domaine des réfugiés afin de ménager les Gouvernements voisins; *Stefano Franscini-Massari* (1796-1857) (TI), issu d'une famille de petits paysans, études diverses à Milan (statistique), enseignant, ouvre à Lugano une école privée, publie sa «Statistica della Svizzera» (1827), secrétaire d'Etat (1830-1837/1845-1847), CdE (1837-1845/1847-1848), représente le Tessin aux conférences intercantonales sur les questions douanières, commerciales et postales, Cféd de tendance libérale modérée (1848-1857), ami de Giovanni Pioda-Sozzi – cf. note 129, chapitre 3 – mène à bien l'introduction de l'EPFZ, grand promoteur d'un institut fédéral de la statistique.

103 Beyel, 1849, pp. 6-7; AF, E 11, vol. 1, «PV de la commission d'experts», 6e/12e séance, 22/31 janvier 1849.

104 AF, E 11, vol. 1, «PV de la commission d'experts», 12e séance, 31 janvier 1849.

douanier. Nommée le 6 décembre 1848, elle est composée d'un représentant de la grande industrie mécanisée zurichoise (Christian Beyel-Mörikofer), d'un représentant du commerce d'exportation saint-gallois (Johann Georg Anderegg-Schiess), d'un représentant de l'élite marchande bâloise (Achilles Bischoff-Sopransi (-Balabio)) et d'un représentant de l'agriculture vaudoise (Sigismond de La Harpe)[105]. Les délibérations concernant le tarif douanier ont lieu en janvier et février 1849. A plusieurs reprises, Bischoff et Anderegg tentent d'imposer une réduction de la charge douanière à 3,5 puis à 3 mios de frsa. Ils se heurtent cependant au veto de Frey-Hérosé qui ne reconnaît pas aux experts la compétence de définir les besoins financiers de la Confédération, ni celle de discuter les moyens à utiliser pour les couvrir[106].

Les débats de la commission portent avant tout sur la structure du tarif douanier, qui doit déterminer la répartition de la charge fiscale. A ce sujet, une première discussion de principe oppose Beyel aux trois autres experts. Le Zurichois propose en effet de déterminer les taxes de manière systématique en se référant à la valeur des marchandises. Alors que les matières premières seraient taxées à moins de 0,5%, les fabriqués le seraient à 4-5%[107]. Pour appliquer sa méthode de manière efficace, Beyel prévoit un

105 FF, 1848-1849, vol. 1, pp. 257-258; *Johann Georg Anderegg-Schiess* (1792-1856) (SG), fils de Tobias Anderegg et neveu de Johann Friedrich Anderegg-Hartmann – fabricants qui introduisent l'industrie du coton dans la région de Wattwil (Toggenbourg) – possède une blanchisserie et une entreprise dans la branche du tricotage (travail à domicile), commerce d'exportation de cotonnades à St-Gall, CA de la «St. Gallisch-Appenzellische Eisenbahngesellschaft» (1853-1856), Cn libéral (1848-1856); *Achilles Bischoff-Sopransi (-Balabio)* (1795-1867) (BS), issu d'une vielle famille de marchands bâlois, actif dans les antennes italiennes de la maison familiale (Côme, Milan, Bergame) ainsi que dans la fabrique de tissus «San Marino» à Côme (500 ouvriers), deuxième mariage avec la fille d'un riche banquier qui fut général sous Napoléon, retour à Bâle au début des années 1840 en tant que banquier, cofondateur de la «Bank in Basel» et vice-président de l'institut (1845-1848), promoteur des chemins de fer alsaciens et badois qui relient Bâle, cofondateur du «Centralbahn», CdE (1847-1850), représentant bâlois à la conférence douanière d'Aarau (1847), favorable à une centralisation économique modérée, bailleur de fonds du nouvel Etat fédéral – prêt de 400 000 frsa sur sa fortune personnelle en 1849 –, expert douanier du CF – élaboration du tarif de 1849, négociation des contrats de rachat avec les cantons, négociateur du traité de commerce de 1851 avec la Sardaigne –, Cn libéral (1848-1853), membre des commissions du CN pour les postes et les chemins de fer; *Sigismond de La Harpe* (1779-1858) (VD), issu d'une vieille famille vaudoise – plusieurs membres s'illustrent durant la période révolutionnaire en prenant fait et cause pour le changement –, officier en France, CdE (1816-1818), directeur du 5e arrondissement des douanes suisses (siège à Lausanne).

106 AF, E 11, vol. 1, «PV de la commission d'experts», 6e séance du 22 janvier 1849 et 10e séance du 26 janvier 1849.

107 Beyel, 1849, p. 17; le débat de la commission d'experts au sujet de la répartition de la charge douanière est abordé dans cette brochure; bien que les chiffres de Beyel n'offrent pas toutes les garanties d'objectivité, du fait que l'auteur est impliqué dans le débat, ils illustrent bien l'importance de cette question.

minimum de 12 classes et une taxe maximale de 16 frsa. Les représentants du commerce et de l'agriculture refusent d'entrer en matière. A l'unanimité moins une voix, les experts décident de classer les différentes marchandises sans recourir à un principe directeur rigide. Au risque d'entamer la cohérence du tarif, cette méthode pragmatique est susceptible de favoriser un consensus entre les élites[108].

Un vaste marchandage s'engage. Les points les plus controversés sont le nombre de classes et la hauteur de la taxe maximale. Les taxes sur le blé, le café, le sucre, les matières premières et les fabriqués en laine sont aussi débattues avec passion. Le Bâlois Bischoff estime que l'essentiel de la charge douanière doit être porté sur le vin (1,5 frsa), le café (2 frsa) et le sucre (2,5 frsa), car une forte taxation des produits de luxe serait un erreur:

> *Er bitte aber, nie zu vergessen, dass man die Zölle besonders auf diejenigen Artikel legen müsse, von denen sie erhoben werden können, und nicht auf diejenigen, die sich der Erhebung leichter entziehen werden*[109].

Il propose un tarif à 8 classes ne dépassant pas 8 frsa. Le Vaudois La Harpe approuve les options de Bischoff, mais il trouve la taxe sur le sucre trop élevée. Il insiste sur la nécessité d'une taxe minimale de 1,5 frsa sur le vin.

Le Saint-Gallois Anderegg cherche à abaisser les matières premières à 0,2 frsa, le café à 1 frsa et le sucre à 1,5 frsa. Mais sa principale revendication est une taxe sur le blé à 0,05 frsa au lieu de 0,1 frsa:

> *Es sei ihm peinlich stets das gleiche hierüber wiederholen zu müssen, aber er könne nicht umhin zu äussern, dies* (une taxe de 0,1 frsa sur le blé, C. H.) *sei ein Messer im Fleische der ganzen östlichen Bevölkerung*[110].

Très différencié, son tarif comporte 12 classes, dont la plus élevée, 16 frsa, frappe surtout les produits de luxe. Par contre, Anderegg refuse d'accorder une protection aux fabriqués d'usage courant:

> *Von einer künstlichen Hebung unserer Industrie, habe er ganz abgesehen, solche sei bei uns durchaus unausführbar und habe sich auch nirgends praktisch bewährt. Wenn man daherigen Anforderungen nur den kleinen Finger biete, so sei auch der Arm und der ganze Leib nicht mehr sicher*[111].

Le Zurichois Beyel soutient Anderegg dans sa tentative de diminuer la charge reposant sur le blé et les denrées coloniales. Mais son principal objectif est d'éviter une répartition de la charge douanière qui avantage le commerce d'importation au détriment de l'industrie suisse:

108 AF, E 11, vol. 1, «PV de la commission d'experts», 6e séance, 22 janvier 1849.

109 *Ibidem*, 13e séance, 1er février 1849.

110 *Ibidem*, 14e séance, 6 février 1849; Anderegg relève que la Suisse orientale importe 1,2 mios de quintaux de blé (50 kg); une taxe de 0,1 frsa au lieu de 0,05 frsa représente donc un surcroît de charge de 60 000 frsa.

111 *Ibidem*.

> *Die Frage sei einzig, ob man eine umweiche Besteuerung beschliessen wolle. Diese letztere habe nur zum Zweck die Kaufleute, welche mit fremden Fabrikate handeln, auf Kosten der inländischen Gewerbe zu begünstigen*[112].

Beyel propose un tarif à 12 classes, une taxe maximale de 16 frsa – un second projet la fixe à 32 frsa – et une taxe minimale de 0,05 frsa sur le blé. Les principales matières premières ne sont taxées qu'à 0,1 frsa au lieu de 0,2 ou 0,25 frsa dans les autres projets de tarif. Une modeste protection est accordée aux semi-fabriqués (filés et tissus en coton) et aux fabriqués en coton, en lin et surtout en laine, au profit de la grande industrie mécanisée[113].

La commission éprouve d'énormes difficultés à élaborer un tarif consensuel. Néanmoins, un premier projet est mis sur pied: 8 classes, max 10 frsa, min 0,1 frsa. Mais Beyel et Anderegg, appuyés par Frey-Hérosé et La Harpe, obtiennent que l'on augmente la différenciation de la taxation. Une 9e classe (16 frsa) est créée, malgré l'opposition de Bischoff qui voudrait au contraire diminuer la taxe maximale à 8 frsa. Une 10e classe naît de la subdivision de la classe à 2 frsa (1,5 et 2,5 frsa). Une 11e classe permet de taxer le blé à 0,05 frsa. Un deuxième projet de tarif, qui doit rapporter environ 3,7 mios de frsa, est ainsi achevé: 11 classes, max 16 frsa, min 0,05 frsa. Seuls La Harpe et Frey-Hérosé semblent s'en satisfaire.

Les représentants du commerce d'importation et du commerce d'exportation s'unissent alors pour proposer un contre-projet Bischoff-Anderegg: 10 classes, max 15 frsa, min 0,05 frsa. Il doit rapporter 3,6 mios de frsa tout en imposant le blé à 0,05 frsa[114]. Anderegg prétend qu'il réalise un consensus acceptable pour les économies de Suisse orientale et occidentale. Les autres experts ne sont pas de son avis. Frey-Hérosé s'oppose à une taxe de 0,05 frs sur le blé, La Harpe refuse le projet en bloc, alors que Bischoff se désolidarise pour proposer son propre contre-projet, qui correspond mieux aux intérêts du commerce d'importation et d'entrepôt: 7 classes, max 5 frsa, min 0,1 frsa. Beyel lance à son tour un contre-projet qui doit rapporter 3,9 mios: 12 classes, max 16 frsa, min 0,05 frsa.

112 *Ibidem*, 10e séance, 26 janvier 1849.

113 Beyel, 1849, pp. 17-18; dans cette étude, Beyel analyse la structure des différents tarifs et leur influence sur la répartition de la charge douanière: une taxe uniforme à 1 frsa/ 50 kg imposerait l'ensemble des denrées de première nécessité à $9^{1}/_{6}$% de la valeur, les matières premières et semi-fabriqués à 1% et les fabriqués à $^{1}/_{2}$%; le premier projet Bischoff (8 classes, max 8 frsa) à $6^{1}/_{2}$%, $^{5}/_{8}$% et 2%; le projet Beyel (12 classes, max 16 frsa) à 4%, $^{3}/_{8}$% et 4%.

114 La version du projet Anderegg-Bischoff exposée dans le PV de la commission d'experts ne correspond pas exactement au projet Anderegg-Bischoff décrit in Beyel, 1849, pp. 18-20; ce dernier comporte également 10 classes mais celle de 0,25 frsa est diminuée à 0,20 frsa et celle de 10 frsa à 8 frsa; le revenu à l'importation calculé par Beyel s'élève à seulement 3,1 mios.

Devant l'incapacité des experts à parvenir à un consensus, le CF se voit contraint d'élaborer lui-même un projet de tarif définitif. Le 7 avril 1849, un message succinct est publié. L'ensemble du concept douanier du CF – système fiscaliste, rachat total des taxations indirectes, taxation différenciée – y est présenté[115]. La structure du tarif douanier, qui doit rapporter 3,7 mios de frsa, est définie comme un juste-milieu. Les principales caractéristiques de la taxation de l'importation peuvent être résumées ainsi: refus d'une taxation protectionniste, taxation différenciée selon l'article 25 de la constitution (10 classes, max 16 frsa, min 0,1 frsa), refus d'une libération totale des matières premières et des denrées alimentaires afin de ne pas imposer trop le reste de l'importation. La taxation de l'exportation et du transit sont très modestes.

Certes consensuel, le projet de tarif publié par le CF privilégie néanmoins certains secteurs de l'économie suisse (annexe 12). La Chambre de commerce du Tessin le constate avec lucidité:

> *[...] le projet de tarif est un travail qui ne correspond nullement à un système quelconque, soit de libre concurrence, soit de protection. C'est un amalgame d'éléments hétérogènes; on voit qu'on a voulu protéger une coterie de producteurs de cotonnerie et de ferraille; que pour chercher un appui, ou plutôt des partisans on a fait aussi une petite part aux marchands de bétail et aux fabricants de fromage; qu'après cela on a achevé le projet sans avoir égard à la condition des consommateurs, des petits négociants et des autres industries [...] En outre, pour satisfaire aux exigences immodérées des fabriques de coton et autres industries semblables on n'a pas craint de sacrifier une branche de commerce qui pourtant intéresse de très près la prospérité des cantons-frontières et surtout le nôtre. Nous voulons parler du commerce intermédiaire, de revente, de retour (di rigurgito), à l'étranger [...] C'est bien le cas de crier avec la Revue de Genève: «C'est bien là une criante injustice.»*[116]

Le tarif du CF s'articule en effet autour d'un consensus entre les cantons producteurs industriels et agricoles de l'axe Zurich-Berne, tout en ménageant les intérêts des cantons agricoles de montagne.

Sans que l'on puisse parler de protectionnisme industriel, la forte différenciation de la taxation améliore les conditions de production de la grande industrie, en particulier de la branche du coton en difficulté. La charge fiscale imposée à la matière première est tout d'abord réduite: une modeste

115 FF, 1848-1849, vol. 1, 1er supplément, pp. 1-35, «Projet de loi»; *ibidem*, 2e supplément, pp. 1-19, «MCF accompagnant le projet d'une loi fédérale sur les péages (7 avril 1849)».

116 AF, E 11, vol. 1, «Observations sur le nouveau projet de tarif fédéral écrites par ordre de la Chambre de commerce du Canton du Tessin».

taxe de 0,25 frsa/50 kg remplace les nombreuses taxations intérieures[117]. Les filés de coton et les tissus écrus (semi-fabriqués) sont certes protégés, mais faiblement, car les fabricants de cotonnades – broderie, impression, tissage en couleur, etc. – s'opposent à une charge fiscale plus lourde sur leurs

Tableau 8. Différenciation de la taxation des marchandises en coton selon le projet du CF et taux d'imposition[118]

	frsa	**% de la valeur**
Coton en laine	0,25	*0,5%*
Coton filé écru	2,50	*2,9%*
Toiles de coton écrues	2,50	*4,5 %*
Fil à coudre de coton (mouliné)	4,00	–
Cotonnades blanchies, apprêtées, tissus en couleur ou imprimés	10,00	*3%*

matières premières. Néanmoins, le cumul de la protection commerciale et de la réduction des coûts de production, ajouté à la perspective d'une baisse des coûts de transport, est susceptible de favoriser le démarrage d'une production mécanisée de calicots. Bien que les industries de finition exportent la majeure partie de leurs productions, une modeste protection leur est accordée. Susceptible de procurer quelques débouchés sur le marché intérieur, cette taxation vaut surtout par la charge qu'elle impose au commerce intermédiaire. Elle pourrait contraindre les négociants à restreindre leur approvisionnement en cotonnades étrangères au profit des industriels suisses de la branche. Enfin, les nombreuses taxes grevant l'expédition des productions à l'étranger sont remplacées par une taxe unique extrêmement basse de

Tableau 9. Différenciation de la taxation des principales marchandises en fer selon le projet du CF et taux d'imposition[119]

	frsa	**% de la valeur**
Fer brut en gueuse	0,25	*4%*
Fonte de fer en masse	0,50	*3%*
Fer forgé et laminé en barre	1,00 (3,50)	*6%*
Fer laminé en tôles et en fils	1,50 (5,00)	*8%*

117 En 1843, l'acheminement d'un quintal suisse de coton de la frontière française jusque dans le canton de Berne coûte déjà 0,4 frsa; Blösch, 1928, p. 398.

118 Les deux premiers pourcentages sont calculés à partir des prix du coton en laine et des filés n° 38 tirés in Dudzik, 1987, p. 190; les autres sont tirés in *Schweizerische Handwerker- und Gewerbe-Zeitung*, Nr. 13, 20. April 1849.

119 Les pourcentages sont tirés in *Schweizerische Handwerker- und Gewerbe-Zeitung*,

0,1 frsa/50 kg. L'industrie du fer et de la métallurgie bénéficie d'avantages analogues ou même supérieurs.

Il est vrai, les autres industries tournées vers le marché intérieur doivent renoncer au degré de protection auquel elles aspiraient. Cependant, certaines obtiennent un avantage concurrentiel non négligeable. Les principales bénéficiaires du projet sont les industries du verre (8% de la valeur pour le verre à bouteille), du papier (8% pour le papier à écrire) et du tabac (10% pour le tabac à fumer et à priser). L'industrie bernoise du lin semble aussi se satisfaire de la modeste protection obtenue[120].

Tableau 10. Principales concessions faites à l'agriculture de plaine par le projet du CF[121]

	frsa/50 kg	**% de la valeur**
Vins en tonneaux	1,00	*7% (8%)*
Vins en bouteille	10,00	*6%*
Esprit de vin non dénaturé	10,00	*15%*
Bière	1,00	*12%*
Cidre	1,00	*30%*
Fruits fins étrangers	2,50	*(53%)*
Eaux-de-vie	4,00	–
Tabac en feuilles	2,50	*6%*
Tabac à fumer et à priser	6,00	*10%*
Céréales	0,10	*1% (1,5%-2%)*
Farine	0,50	*6%*

Sans prêter la main à un protectionnisme agricole, le CF fait aussi quelques concessions à l'agriculture de plaine. Leur ampleur demeure limitée en raison de l'opposition unanime des autres élites économiques. La

Nr. 13, 20. April 1849; ils sont à considérer comme des ordres de grandeur, mais sont corroborés par un calcul effectué à partir des prix contenus dans une requête de l'industrie du fer adressée en 1843 aux autorités fédérales; AF, E 11, vol. 2; les taxes indiquées entre parenthèses sont les exigences formulées dans la requête de l'industrie du fer adressée à la commission d'experts de 1849; AF, E 11, vol. 2, «Les fabricants de fer en Suisse. A la haute Assemblée fédérale».

120 Dans une brochure écrite par le député au Grand Conseil bernois Karl Herzog, défenseur des industries produisant pour le marché intérieur, la protection accordée au tissage du lin est déclarée suffisante (taxe de 6 frsa/50 kg sur les toiles = env. 2% de la valeur); il en est de même pour la production mécanique de filés en lin (1,5 frsa/50 kg = env. 1,5%); Herzog, 1849, pp. 48-57.

121 Les pourcentages sont tirés in *Schweizerische Handwerker- und Gewerbe-Zeitung*, 20. April 1849, Nr. 13; pour le vin, les 7% sont à considérer comme un minimum; au sein de la commission d'experts, Bischoff articule le chiffre de 20%; AF, E 11, vol. 1, «PV de la commission d'experts», 14e séance, 6 février 1849; les chiffres entre parenthèses sont calculés à partir des prix donnés in SHS, 1996, pp. 480-483 (moyenne 1848/1850).

culture du tabac, la viticulture et l'arboriculture sont les mieux protégées. Par contre, la céréaliculture ne reçoit qu'une protection symbolique, pourtant contestée par les autres secteurs d'activité. Vu les relations étroites entretenues avec la meunerie, les producteurs de céréales profitent toutefois de la taxation sur la farine.

Le projet du CF ménage mieux les intérêts de l'agriculture de montagne. L'exportation agricole bénéficie de la suppression des taxes intérieures. La taxe d'exportation de 0,1 frsa par pièce de gros bétail correspond à 1/20 des frais d'exportation antérieurs[122]. L'unification douanière permet aux produits laitiers de trouver de nouveaux débouchés sur un marché intérieur décloisonné et légèrement protégé: le fromage étranger est taxé à 5% de sa valeur[123].

Sans souscrire à un système protectionniste, le CF élabore un tarif douanier différencié qui satisfait la majeure partie des producteurs helvétiques. Pour parvenir à couvrir le budget de la Confédération, fixé à 3,7 mios de frsa, il exploite largement les taxes dites fiscales qui frappent les marchandises non produites en Suisse: sucres (2,5 frsa/1,5 frsa), café (1 frsa) et thé (16 frsa). Les objets de luxe sont aussi soumis à une taxation que le commerce juge exagérée (16 frsa)[124].

Le commerce d'exportation n'est qu'en partie satisfait par le projet du CF. Bien qu'il profite de la faible taxation des matières premières, il doit par contre supporter une charge sur les produits semi-fabriqués (filés, tissus écrus, matières chimiques, etc.). Par ailleurs, la protection accordée à certaines branches d'industrie risque de favoriser leur développement et de pousser ainsi le coût de la main-d'œuvre à la hausse en asséchant le marché du travail. Enfin, la charge douanière grevant les denrées alimentaires lui

122 AF, E 11, vol. 1, «Observations sur le nouveau projet de tarif fédéral écrites par ordre de la Chambre de commerce du Canton du Tessin»; certains coûts d'exportation du bétail avant 1849 sont indiqués in FF, 1851, vol. 3, pp. 81-82; l'exportation d'une tête de gros bétail d'Appenzell vers l'Italie, en passant par Lugano, coûte par exemple 3,45 frsa, du Tessin vers la Lombardie 1,50 frsa.

123 Les prix (moyenne 1848/1850) sont tirés in SHS, 1996, p. 482; le pourcentage pour le beurre est évalué à 5% in *Schweizerische Handwerker- und Gewerbe-Zeitung*, Nr. 13, 20. April 1849.

124 En fait, une taxe de 16 frsa sur les objets de luxe ne représente qu'une imposition relativement faible si on la rapporte à leur valeur très élevée; par exemple, les soieries, qui sont taxées à 16 frsa, ne sont imposées qu'à 1/2% de leur valeur, ce qui est inférieur à l'imposition des céréales (1%); selon certains commentateurs, la tarification du CF entre donc en contradiction avec les dispositions constitutionnelles qui spécifient que les objets de luxe doivent être frappés le plus fortement; cette taxe de 16 frsa est cependant considérée comme élevée à l'époque en fonction du risque important de contrebande; lors des débats autour du tarif de 1849, rares sont les propositions qui dépassent ce maximum.

paraît exagérée. Les taxations du blé (0,1 frsa), de la farine (0,5 frsa), des sucres (2,5/1,5 frsa) et du café (1 frsa) risquent de renchérir les salaires industriels.

Le tarif du CF ménage encore moins les artisans et petits industriels. Les plus mal lotis doivent supporter un renchérissement de leur matière première (fer, bois, cuir) tout en subissant une réduction de la protection qui leur était accordée par l'ancienne taxation cantonale. Les petits métiers du cuir (tanneurs 4%, cordonniers 4%, selliers 3%) et de la métallurgie (coutellerie 4%, serrurerie 4%) sont parmi les grands perdants de la taxation douanière proposée par le CF[125]. Quant à l'industrie de la laine, elle se plaint de ne pas recevoir une protection suffisante pour stimuler les investissements nécessaires à la mécanisation de la production. Alors que Beyel exigeait 12 frsa pour les draps en laine, le projet n'en accorde que 4 frsa (env. 1% de la valeur).

Les secteurs de l'économie suisse les plus désavantagés par le projet sont le commerce d'importation et le commerce intermédiaire. La taxe maximale de 16 frsa dépasse de loin les 6 frsa exigés. En compliquant les formalités administratives à la douane, un tarif à 10 classes risque de provoquer des retards et des vexations. De surcroît, toutes les requêtes spéciales du commerce intermédiaire sont refusées. Le projet de loi sur l'organisation douanière ne prévoit ni l'entrepôt fictif, ni les drawbacks, mais un système limité d'entrepôt réel. Toutes les exportations sont soumises à une taxe et par conséquent à un contrôle administratif.

Pour terminer l'analyse du projet de tarif du CF, il est intéressant de comparer l'ampleur et la répartition de la charge douanière à celles d'autres tarifs proposés par les élites marchandes et industrielles – tarif Beyel (grande industrie mécanisée) et tarif Anderegg-Bischoff (commerces d'exportation et d'importation). Au premier abord, les caractéristiques des tarifs paraissent assez semblables: revenus = 3,6/3,9/3,1 mios de frsa; taxe maximale = 16/16/15 frsa; nombre de classes = 10/12/10. Mais la répartition de la charge douanière se révèle fort différente. Le tarif du CF est celui qui frappe le plus les denrées alimentaires et particulièrement les produits coloniaux/sans concurrence intérieure (+40% par rapport à Beyel). Dans tous les projets, la charge sur les matières premières est équivalente, mais Beyel propose une répartition qui avantage la grande industrie: faible taxation des matières premières sans concurrence intérieure et légère protection de celles avec concurrence intérieure (semi-fabriqués). La divergence la plus importante concerne la charge sur les fabriqués. La protection accordée par Beyel à l'industrie s'élève à 2 mios de frsa, soit 54% de plus que celle proposée par Bischoff et Anderegg (1,3 mios). Certes, un surcroît de protection de 0,7 mios de frsa peut nous paraître aujourd'hui ridicule. Mais en 1851,

125 *Schweizerische Handwerker- und Gewerbe-Zeitung*, Nr. 13, 20. April 1849.

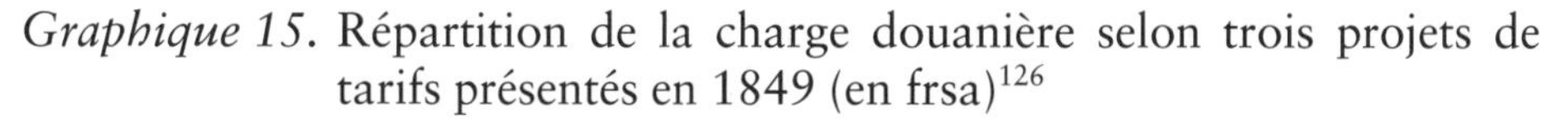

Graphique 15. Répartition de la charge douanière selon trois projets de tarifs présentés en 1849 (en frsa)[126]

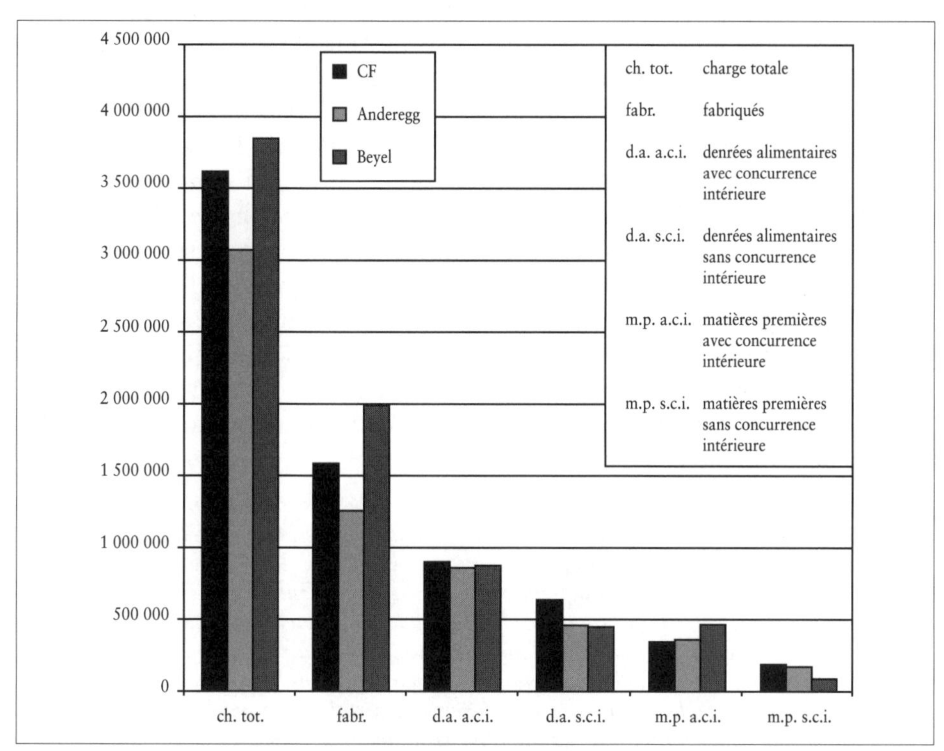

après la réforme monétaire, cette somme s'élève à 1 million de nouveaux frs, soit 16% des dépenses totales de la Confédération et 0,17% du PIB. En 1990, la même part du PIB représente 530 mios de frs[127]. Il ne s'agit donc pas d'enjeux dérisoires...

Paru le 7 avril 1849, le projet de tarif du CF déclenche un grand débat dans l'opinion publique. De très nombreuses requêtes sont adressées à l'AsF en vue d'influencer ses décisions. Du 24 au 27 avril 1849, un premier débat a lieu au CN. Durant une très longue discussion générale, les représentants des différents secteurs économiques expriment leur principaux desiderata. Rauch (TG), qui défend la pétition du SHGV, relève que le projet de tarif

126 Les chiffres sont tirés d'une étude effectuée par Beyel, membre de la commission d'experts, au moyen de données confidentielles non-vérifiables; le peu de crédit qui peut être accordé à une analyse effectuée par un acteur de l'époque nous oblige à considérer ces chiffres comme des ordres de grandeur permettant de dégager certaines tendances; Beyel, 1849, pp. 11/19.

127 SHS, 1996, pp. 958/874.

avantage la grande industrie au détriment de la petite. Escher (ZH), qui défend la grande industrie mécanisée, désire un rachat partiel des taxations cantonales ainsi qu'une diminution de la taxation sur les matières premières et sur les marchandises en fer. Stockmar (BE) et Pittet (VD), qui représentent l'agriculture de plaine, demandent un rachat de l'«Ohmgeld», une simplification du tarif et une augmentation des taxes sur le blé et le vin. Au nom de l'agriculture de montagne, Von Planta (GR) et Pioda (TI) se félicitent du rachat total des taxes et demandent une diminution de l'imposition du vin et du blé. Erpf (SG) et Anderegg (SG) s'opposent à une charge douanière de 3,7 mios de frsa; ils proposent de la diminuer à 2 mios et de subvenir à une partie des besoins de la Confédération par des contingents d'argent cantonaux. Ces représentants du commerce d'exportation insistent par ailleurs sur la nécessité de diminuer la taxation des denrées alimentaires. Ils sont soutenus par Lambelet (NE) qui défend le commerce d'importation et d'entrepôt. Castoldi (GE) relève la nécessité d'une meilleure prise en compte des intérêts du commerce:

> *On est en présence de deux intérêts divergents, celui des cantons producteurs et celui des cantons commerçants; personne ne demande un système protecteur absolu, mais on demande de la protection pour certaines branches; d'un autre côté les cantons commerçants réclament uniquement la liberté; il ne faut sacrifier ni les uns ni les autres, il faut gérer la fusion de ces intérêts, il faut s'arrêter au point où en allant plus loin on causerait la ruine d'un Confédéré; que les cantons commerçants acceptent donc, puisqu'il le faut, des taxes modérées, mais que dans l'établissement de ces taxes on fasse en sorte de ne pas tuer le commerce de certains cantons; l'assemblée fédérale est là pour sauvegarder tous les intérêts orientaux et occidentaux, agricoles, commerçants et industriels*[128].

A l'issue de ce premier débat, qui dure quatre jours, une commission de onze membres est nommée pour examiner la législation douanière proposée par le CF[129]. Elle est composée d'élites économiques libérales et radicales,

128 *Gazette de Lausanne*, 28 avril 1849.

129 *Johann Friedrich Peyer im Hof-Neher* (1817-1900) (SH), président de la commission, issu d'une vieille famille de négociants de Schaffhouse, beau-frère de Johann-Konrad Neher-Stokar – fonderies de Laufen, cf. note 64, chapitre 2 –, tient un commerce de draps avec celui-ci, cofondateur et directeur de la «Wagonfabrik Neuhausen» (1853-1872), cofondateur du «Rheinfallbahn» (Winterthour-Schaffhouse), directeur du «Nordostbahn» (1857-1877), CA du «Crédit suisse» (1856-1868) et de la «Rentenanstalt», etc., Cn libéral faisant partie des «Bundesbarone» proches d'Escher (1848-1854/1857-1875), capitaine et quartier-maître durant la guerre du «Sonderbund»; *Peter Bruggisser-Isler* (1806-1870) (AG), cf. note 155, chapitre 2; au cours des délibérations, Bruggisser est remplacé par *Adolf Fischer-Stäbli* (1807-1893) (AG), fils de Samuel Fischer-Strauss – commerçant et industriel de la branche du coton, possesseur d'un important moulin –, dirige les entreprises familiales (dès 1828) dont une filature de 3000 broches à Reinach (1863), CA de la banque cantonale d'Argovie (1855-1887), CA du «Centralbahn» (1869-1885) et du «Gotthardbahn» (1880-1887), CdE

tandis que les conservateurs sont exclus. Une fois de plus, l'axe producteur Zurich-Berne est majoritaire: alors que l'industrie du coton est représentée par Escher (ZH), Jenny (GL) et Fischer (AG), l'industrie du fer l'est par Peyer (SH), et l'agriculture par Schneider (BE), Brunner (SO) et Veillon (VD). L'industrie et le commerce d'exportation de Suisse orientale sont représentés par Erpf (SG) et Sutter (AR). Le commerce d'importation est défendu par Lambelet (NE). Bâle et Genève, bastions traditionnels du libre-échange, n'ont pas voix au chapitre. Enfin, les cantons alpestres sont défendus par Pioda (TI), qui n'est cependant pas un agriculteur, mais un commerçant. Les cantons du «Sonderbund» sont par conséquent exclus de cette importante commission parlementaire.

(1867-1887), Cn libéral-radical (1848-1854/1855-1857 pour Frey-Herosé/1861-1869 pour Frey-Herosé), chef de l'Etat-major de l'artillerie durant la guerre du «Sonderbund»; *Benjamin Brunner-Champion* (1798-1882) (SO), fils de Jakob Brunner – agriculteur, aubergiste et négociant en vins – lui-même agriculteur et hôtelier, CdE (1831-1856), cofondateur et président (1846-1853) du «Landwirtschaftlicher Verein Solothurn», Cn libéral-radical proche du Cféd Munzinger (1848-1857), commissaire fédéral à Lucerne durant la guerre du «Sonderbund»; *Franz Eduard Erpf-Gradmann* (1807-1851) (SG), industriel actif dans la branche de l'apprêtage – l'entreprise familiale possède une succursale en Allemagne du Sud (Weissenau) –, directeur des postes (1836), CdE (1848-1851), expert du CF en matière d'organisation postale, Cn libéral-radical (1848-1851), officier supérieur dans l'artillerie; *Alfred Escher-von Übel* (1819-1882) (ZH), cf. note 51, chapitre 3; *Daniel-Salomon Grivaz* (1806-1881) (VD), issu d'une vieille famille d'agriculteurs de Payerne, parrain du futur Cféd Ernest Chuard, préfet du district de Payerne, Cn radical proche de Druey (1848-1851), commissaire fédéral envoyé à Fribourg lors de la guerre du «Sonderbund»; au cours des délibérations, Grivaz est remplacé par *François Veillon-Veillon* (1793-1859) (VD), issu d'une importante famille de Bex, propriétaire terrien (vignes, forêts, «montagne»), avocat à Roche puis Bex, préfet du district d'Aigle (Bex), Cn radical (1848-1851), lieutenant-colonel; *Kaspar Jenny-Jenny* (1812-1860) (GL), fils de Bartholomäus Jenny – commerce de cotonnades, filature (23 000 broches en 1864), tissage mécanique (534 métiers), impression (300 planches), 1ère entreprise du canton avec 919 employés –, actif dans les entreprises familiales, membre de la commission de l'Etat glaronnais (1839-1848), Landamann (1848-1857), Cn radical (1848-1859); *Frédéric Lambelet-Rosselet* (1817-1876) (NE), issu d'une famille de négociants des Verrières, chef de la maison de commerce d'importation de denrées coloniales «L. F. Lambelet» (les Verrières et Neuchâtel), promoteur des chemins de fer dans le canton de Neuchâtel (défenseur du «Franco-Suisse»), Cn libéral-radical (1848-1854); *Giovanni Battista Pioda-Sozzi* (1808-1882) (TI), fils de Giovanni Pioda-Ghiringhelli – commerce d'expédition à Locarno –, avocat à Locarno, Secrétaire d'Etat (1839-1842), CdE (1842-1847/1855-1857), Cn libéral-radical (1848-1857), Cféd (1857-1864), colonel placé à la tête d'une brigade durant la guerre du «Sonderbund»; *Johann Rudolf Schneider-Dunand* (1804-1880) (BE), cf. note 142, chapitre 2; *Johann Jakob Sutter-Peisig (-Ziegler)* (1812-1865) (AR), issu d'une famille de petits paysans de Bühler, travaille dans l'entreprise de son frère, fonde une maison de renommée internationale dans le secteur de la broderie, Cn radical (1848-1853), CaE (1859-1865), major.

Les délibérations de la Commission douanière du Conseil national (CCN) n'apportent aucune modification fondamentale à la plate-forme consensuelle élaborée par le CF[130]. Une majorité de membres en adopte les grands principes. Toutefois, d'importantes adaptations sont réalisées, principalement dans le sens des intérêts du commerce d'exportation. La plus importante est une forte réduction de la charge douanière prélevée aux frontières. De 3,7 mios de frsa, elle passe à 3,2 mios, en raison d'une révision du budget fédéral à la baisse[131]. Si le principe du rachat total des taxations indirectes – excepté l'«Ohmgeld» – est maintenu, la CCN décide que les taxes dites de consommation seront négociées avec les cantons: au lieu des 2 mios prévus, il n'en coûtera que 1,7 mios[132]. Le poste des divers est quant à lui ramené de 0,7 à 0,5 million de frsa, dont 0,35 million sont prévus pour les frais de perception. Autant dire que, sous la pression conjuguée des représentants du commerce d'exportation, du commerce d'importation et de l'agriculture de montagne, la marge financière laissée à l'Etat fédéral pour intervenir dans la vie économique est réduite à peu de chose (0,15 million de frsa).

Tableau 11. Principales modifications de la taxation agricole dans le projet de tarif de la CCN[133]

	CF frsa	CCN frsa
Esprit de vin non dénaturé	10,00	2,50
Cidre	1,00	0,50
Eaux-de-vie	4,00	2,50
Tabac en feuilles	2,50	1,50
Tabac à fumer et à priser	6,00	5,00
Farine	0,50	0,20

Le tarif douanier proposé par la majorité de la CCN réduit quelque peu les acquis de la grande industrie et de l'agriculture, au profit des commerces d'exportation, d'importation et d'entrepôt. Par souci de réduire la contre-

130 FF, 1849, vol. 2, pp. 175-248, «Rapport de la commission nommée par le CN pour examiner le projet de loi sur les péages (s.d.)».

131 *Ibidem*, p. 185.

132 L'article 56 de la loi contient la disposition suivante: «*Le Conseil fédéral entrera en négociations avec les cantons au sujet de la somme de l'indemnité, et il fixera cette somme en ayant égard au principe que, pour les cantons où les péages sont perçus cumulativement avec des droits de consommation, il y a lieu à faire des déductions proportionnelles pour ces droits en tant qu'ils portent sur la consommation des dits cantons.*»; RO, 1849-1850, vol. I.1, p. 194; cette disposition, difficilement compatible avec l'article 26 de la constitution de 1848 qui consacre le principe de l'indemnisation totale, posera des problèmes lors des négociations avec certains cantons qui refuseront le principe des déductions.

133 Tableau construit à partir de l'annexe 12.

bande et de simplifier la perception, la taxe maximale est diminuée de 16 à 10 frsa et le nombre de classes de 10 à 9[134]. Pour satisfaire le commerce intermédiaire de contrebande, l'exportation est libérée de toute taxation et de tout contrôle administratif jusqu'à 80 livres, même si cela doit empêcher l'élaboration d'une statistique commerciale fiable:

> *Il serait très-désirable* (sic) *d'avoir les données les plus exactes sur l'entrée, la sortie, la quantité et la qualité des marchandises. Les dispositions de l'autorité auraient une base plus sûre et elles pourraient mieux atteindre leur but. Mais ce but ne peut être que de favoriser le commerce. Or, si ce but est compromis par le fait même de la déclaration que l'on exigerait, il n'y a plus à hésiter: il faut y renoncer*[135].

Enfin, sur de nombreuses positions du tarif, des concessions sont faites au commerce d'exportation (annexe 12). La taxe sur les principales matières premières passe de 0,25 à 0,20 frsa/50 kg. L'imposition des semi-fabriqués est aussi allégée: les filés et les tissus de coton écrus passent de 2,5 à 1,5 frsa. La protection accordée aux fabriqués industriels est diminuée, à l'exception des tissus en laine (5 frsa au lieu de 4). La charge douanière sur les produits agricoles du pays et le sucre est réduite. Quant à l'agriculture de montagne, elle doit supporter une augmentation de la taxe frappant l'exportation de bétail (0,5 au lieu de 0,1 frsa). En contrepartie, elle bénéficie d'une augmentation de la taxe sur le fromage (2,5 au lieu de 1,5 frsa) et d'une diminution de la taxe sur la farine.

La CCN tient aussi compte des doléances de l'industrie des machines, au détriment de l'industrie métallurgique. Elle introduit une différenciation de la taxation du fer forgé laminé en fonction de sa provenance. La charge pesant sur le fer anglais, qui est le plus utilisé dans la construction de machines, est notablement réduite. Par ailleurs, l'imposition des rails, matière première de la construction ferroviaire, est également allégée.

Tableau 12. Principales modifications de la taxation des productions en fer dans le projet de tarif de la CCN[136]

	CF frsa	CCN frsa
Fer brut en gueuses	0,25	0,20
Fer forgé laminé en barres	1,00	0,20 / 1,00
Rails de chemin de fer	1,00	0,20
Fer laminé en tôles	1,50	0,50 / 1,00

134 Les classes de 16 frsa et 10 frsa sont réunies en une seule classe de 10 frsa; les classes de 6 frsa et 4 frsa sont réunies dans une classe à 5 frsa; enfin, une classe à 2 frsa est créée uniquement pour la soie et la bourre de soie filée, taxée à 2,5 frsa dans le projet du CF.

135 FF, 1849, vol. 2, p. 201 «Rapport de la commission nommée par le CN pour examiner le projet de loi sur les péages (s.d.)».

136 Tableau construit à partir de l'annexe 12.

Les marchands-entrepreneurs sont donc les principaux bénéficiaires du projet de la CCN. En s'appuyant tantôt sur les élites agricoles, tantôt sur les élites industrielles, ils parviennent à atténuer les tendances protectionnistes données au tarif par le CF. Le rapport de la majorité célèbre cette victoire:

> *[...] cependant nous prierons la population qui exploite les métiers aussi bien que la population agricole de réfléchir qu'elles ne trouveront de garanties sûres pour leur prospérité et pour la réalisation avantageuse de leurs produits que dans l'état florissant du commerce et de l'industrie, et que d'un autre côté le commerce et l'industrie ne peuvent prospérer que sous l'empire d'un système raisonnable, mais nullement par l'application de principes protecteurs*[137].

Réunissant 8 des 11 cantons présents lors de la conférence d'Aarau (ZH, AG, GL, SH, BE, SO, SG et AR), la CCN présente un projet de tarif douanier (9 classes, max 10 frsa) assez proche de celui élaboré en 1847 (7 classes, max 6 frsa). Le niveau plus élevé de la taxe maximale (+4 frsa) est dû à la nécessité de couvrir une charge douanière qui a gonflé de 1,65 à 3,2 mios de frsa.

Au sein de la CCN, une minorité ultra-libre-échangiste ne se satisfait pas des nombreuses concessions obtenues par le commerce. Ses représentants, Erpf (SG) et Lambelet (NE), exigent que la taxe maximale du tarif ne dépasse pas 6 frsa. Au-delà, ils estiment que le commerce suisse serait en danger. Pour parvenir à cet objectif, ils proposent de réduire la charge douanière en rachetant les seules taxes intérieures qui entravent le transit. Sur ce dernier point, ils sont appuyés par des représentants de l'industrie, Sutter (AR) et Escher (ZH), qui cherchent à atténuer le transfert de la charge fiscale vers leur canton. Par ailleurs, Erpf et Lambelet prônent la couverture d'une partie du budget de la Confédération au moyen de contingents d'argent cantonaux. Le tarif Anderegg, proposé par la minorité, ne rapporterait que 2,3 mios de frsa (9 classes, max 4 frsa, min 0,05 frsa) (tableau 7). Si la charge douanière ne devait pas être réduite, la minorité de la commission propose un tarif Erpf-Lambelet (7 classes, max 6 frsa, min 0,1 frsa) qui rapporterait 3,1 mios. Enfin, au cas où le CN fixerait la charge douanière à plus de 3,2 mios de frsa, elle propose un tarif Bischoff devant rapporter 3,35 mios (6 classes, max 6 frsa, min 0,1 frsa).

Avant le débat aux Chambres, le Conseiller national grison Johann Baptist Bavier[138], qui n'appartient pas à la CCN, propose aussi un projet de tarif: 10 classes, max 4 frsa, min 0,05 frsa. Il ne rapporterait qu'environ

137 FF, 1849, vol. 2, p. 192 «Rapport de la commission nommée par le CN pour examiner le projet de loi sur les péages (s.d.)».

138 *Johann Baptist Bavier-Roffler* (1795-1856) (GR), issu d'une importante famille de commerçants de Coire, à la tête de la banque privée «Siméon et Johann-Baptist Bavier» (dès 1825), président de la direction cantonale des postes (1843-1850), membre du comité élargi du «Südostbahn» (1853), Cn libéral (1848-1856), membre de la commission du CN pour les chemins de fer.

2,6 mios de frsa et prendrait mieux en compte les intérêts de l'agriculture de montagne[139].

Du 13 au 16 juin 1849, la législation douanière est discutée au CN[140]. Les rapports de force n'y sont pas tout à fait les mêmes qu'au sein de la CCN. Composée de 111 députés, la Chambre du peuple est dominée par les grands cantons. L'axe Zurich-Berne y dispose de 51 représentants (ZH: 12; AG: 9; TG: 4; SH: 2; GL: 1; BE: 20; SO: 3) qui peuvent s'appuyer sur les 16 députés des cantons agricoles de Suisse occidentale (VD: 9; FR: 5; BL: 2). Les cantons agricoles de montagne totalisent 26 sièges (LU: 6; TI: 6; GR: 4; VS: 4; SZ: 2; UR: 1; OW: 1; NW: 1; ZG: 1) auxquels il faut ajouter celui d'AI. La délégation de Suisse orientale, dominée par les représentants du commerce d'exportation, compte 10 membres (SG: 8; AR: 2). Enfin, les cantons commerçants de Suisse occidentale ne disposent que de 7 voix (GE: 3; NE: 3; BS: 1). Certes, l'hétérogénéité des économies cantonales empêche que les députations cantonales votent en bloc sur les différentes problématiques douanières abordées, mais les rapports de force indiqués peuvent être précieux pour comprendre les différentes options prises par le CN.

La première question abordée par le CN touche au rachat des taxations intérieures. Trois propositions sont en présence. Celle de la majorité de la CCN propose un rachat total et une indemnisation négociée à la baisse (1,7 mios de frsa); elle est défendue par des représentants de l'industrie (AG, SG, TG)[141] et de l'agriculture de montagne (GR, TI, LU). La proposition de la minorité de la commission exige le seul rachat des taxes de transit (moins de 1,7 mios); elle est soutenue par des représentants du commerce (GE, NE, SG, AR) et quelques représentants de l'industrie (ZH). Enfin, une proposition Stockmar demande que le rachat des «Ohmgeld» soit également négocié et que son financement soit couvert par une augmentation de la charge douanière – la somme de rachat passerait à 3,75 mios de frsa. Pour y subvenir, les taxes suivantes seraient relevées: vin (1/3 frsa), alcools (2,5/4 frsa), céréales (0,1/0,2 frsa) et certaines matières premières (0,2/0,5 frsa); la proposition Stockmar est défendue par des représentants de la viticulture (VD) et de l'agriculture de plaine (BE). Lors des votations, la proposition de majorité l'emporte par 68 voix contre 19, alors que Stockmar obtient 29 voix.

139 Les différents tarifs proposés devant le CN sont présentés aux annexes 11 et 12.

140 Les PV de ces séances sont tirés in *NZZ*, 16./17./18. Juni 1849; *Gazette de Lausanne*, 21/25/26 juin 1849; *JdG*, 19/22/26 juin 1849; cf. également AF, E 11, vol. 4, où des PV synthétiques de ces séances du CN sont déposés.

141 La provenance des Conseillers nationaux qui défendent une proposition est indiquée entre parenthèses.

La deuxième question abordée par le CN est l'ampleur de la charge douanière à prélever grâce au tarif douanier. Une première votation détermine s'il y a lieu de couvrir une partie du budget de l'Etat fédéral par des contingents d'argent cantonaux. Elle est balayée par 77 voix contre 15. Les représentants du commerce sont seuls à défendre cette option (NE, GE, SG, AR). Les propositions de tarif sont ensuite votées par ordre croissant des revenus. Le tarif Bavier (2,5 mios) ne récolte que 16 voix. Le tarif Erpf-Lambelet de la minorité (3,1 mios) ne récolte que 17 voix. Puis la proposition de la majorité (3,2 mios) l'emporte de justesse, par 49 voix contre 45. Une seconde votation ayant été exigée, le score est cette fois de 49 voix contre 44. Cette option tarifaire limite donc les revenus de la Confédération au minimum nécessaire pour assurer l'indemnisation du rachat et la couverture des dépenses courantes. Elle est probablement soutenue par une coalition rassemblant les représentants du commerce d'exportation, du commerce de spéculation et de l'agriculture de montagne. Les opposants à ce tarif sont les représentants de l'axe producteur Zurich-Berne qui auraient préféré un tarif permettant à la Confédération d'intervenir plus massivement dans la vie économique (Bischoff-Schneider: 3,35 mios ou CF: 3,7 mios). En outre, les représentants de l'agriculture de plaine préféreraient l'un de ces deux tarifs, dont la répartition de la charge douanière leur serait plus favorable.

La troisième question débattue par le CN concerne la répartition de la charge douanière. Une fois celle-ci fixée à 3,2 mios de frsa, trois tarifs peuvent en effet servir de base à la discussion de détail. Lors de la votation, le tarif Erpf-Lambelet (3,1 mios) récolte 11 voix, qui correspondent à peu près au potentiel des cantons commerçants. Le tarif Bischoff-Schneider (3,35 mios) récolte 30 voix, probablement issues des cantons agricoles de Suisse occidentale (40 voix). Enfin, 55 voix se prononcent en faveur du tarif de la majorité de la CCN; celui-ci est probablement soutenu par les représentants des cantons industriels et des cantons agricoles de montagne ainsi que par certains industriels de St-Gall et des producteurs de fromage de Fribourg et Berne. Le tarif de la majorité étant adopté comme base de discussion, l'Argovien Gottlieb Jäger[142] propose de le voter en bloc. Des propriétaires terriens et des viticulteurs en provenance des cantons de Vaud, Berne, Valais, Thurgovie et St-Gall refusent de souscrire à cette procédure autoritaire. Par 50 voix contre 30, elle est toutefois adoptée, ce qui clôt abruptement le débat.

Le 25 juin 1849, le CE entérine les décisions du CN avec des majorités confortables[143]. La solution du rachat total des taxations indirectes négocié à la baisse l'emporte par 31 voix contre 3. Le tarif de la majorité de la commission

142 *Gottlieb Jäger-Siebenmann* (1805-1891) (AG), beau-fils de Georg Siebenmann – négociant à Aarau –, avocat à Brugg, défend les intérêts du «Nordostbahn», Cn de tendance libérale proche d'Alfred Escher (1848-1851/1854-1866).

143 *JdG*, 29 juin 1849.

est adopté par 28 voix contre 7. Les rapports de force entre élites économiques ne semblent donc pas être fondamentalement différents au sein de la Chambre des cantons. D'éventuelles divergences de point de vue sur la répartition de la charge à adopter sont évitées par une adoption en bloc du tarif voté par le CN.

La législation douanière mise en place en 1849 consacre la victoire politique des promoteurs de l'Etat fédéral. Grands industriels et marchands-entrepreneurs, autrefois regroupés au sein du SGV, réussissent à imposer leur stratégie douanière. En s'appuyant tantôt sur les propriétaires terriens, tantôt sur les marchands-banquiers, ils obtiennent des compromis compatibles avec leurs intérêts. Avec le soutien des propriétaires terriens, un système fiscaliste est instauré contre l'avis des négociants ultra-libre-échangistes qui avaient jusqu'alors dominé la politique douanière fédérale. Le rachat des taxations intérieures, qui demeure un acquis des cantons agricoles, ne sera pas indemnisé de manière intégrale; les taxes de consommation subissent des déductions permettant de limiter le transfert de charge vers les cantons industriels et commerçants. Quant à la répartition de la charge douanière, qui s'effectue selon le tarif de la majorité de la commission, elle ménage les intérêts du commerce d'exportation et de la grande industrie. Une forte différentiation de la taxation (taxe maximale de 10 frsa), à laquelle s'opposait l'élite marchande, assure une faible imposition des matières premières et une légère protection des produits de la grande industrie. Par ailleurs, la charge douanière reposant sur les produits agricoles est contenue dans des limites qui ne satisfont pas les propriétaires terriens du plateau.

La seule défaite enregistrée par les élites économiques centralisatrices concerne la marge de manœuvre financière laissée à l'Etat fédéral pour intervenir dans la vie économique du pays. Selon le budget de la CCN, cette somme ne devrait pas s'élever à plus de 0,2 mios de frsa, ce qui est de loin inférieur aux 1,3 mios projetés par la Chambre de commerce de Zurich. Contrairement aux grands industriels, certains marchands-entrepreneurs ne sont pas favorables à une intervention trop musclée de l'Etat fédéral. En faisant alliance avec les marchands-banquiers de Suisse occidentale et l'aristocratie terrienne de montagne, ceux-ci parviennent à limiter l'appétit financier des élites industrielles et agricoles de l'axe Zurich-Berne.

3.1.4. Révision tarifaire de 1851: polarisation au sein du champ douanier et affrontement entre «fédéralistes» et «centralisateurs»

Entre mars et août 1851, la politique douanière de la Confédération défraye une nouvelle fois la chronique. La réforme monétaire de 1850 appelle une révision du tarif. La *NZZ* relève avec lucidité que l'industrie, l'agriculture et le commerce s'affrontent pour obtenir la plus grosse part possible du gâteau douanier:

> *Man müsste blind sein, wollte man den Einfluss verkennen, den die verschiedenen Interessen nicht nur einzelner Theile der Schweiz, nicht nur des Ackerbaus und der Industrie, sondern selbst einzelner Zweige des Verkehrs auf die Debatten üben. Es wird ein System siegen und in diesem Siege wird unmittelbar die Benachtheiligung der einen Interessen durch die anderen liegen. Das ist leider die natürliche Konsequenz der Zölle [...]*[144]

Les lignes de force du débat douanier de 1851 ne sont pas tout à fait les mêmes qu'en 1849. La problématique du rachat et de l'indemnisation des taxes intérieures est désormais évacuée[145]. Des conventions ont été conclues avec les cantons et elles ont reçu la sanction des Chambres au cours de l'année 1850. La somme de 1,7 mios de frsa allouée au budget a pu être respectée[146]. Par ailleurs, le système fiscal fédéral, basé sur les seuls revenus douaniers, n'est plus remis en question[147]. Le lien entre financement de l'Etat

144 *NZZ*, Nr. 208, 27. Juli 1851.

145 Dans une série d'articles qu'il publie dans la *NZZ*, le banquier bâlois Speiser tente de remettre cette question sur le tapis; il affirme qu'en 1849, l'indemnisation des cantons pour l'abandon de leur taxation douanière était un acte politique nécessaire afin de ne pas mettre en danger le nouvel Etat fédéral; selon lui, il est toutefois inadmissible que certains cantons supportent «ad aeternam» ces indemnisations qu'il compare à des charges féodales au profit des cantons économiquement attardés: «*Es ist nicht denkbar, dass die zurückgesetzten Kantone auf alle Zukunft einem so ungleichen Massstab sich unterziehen werden.*»; en conséquence, il propose de capitaliser les indemnités qui dépassent 4 batz/habitant, ce qui ferait une somme d'environ 9 mios à rembourser aux cantons sur une durée de 20 ans; *NZZ*, Nr. 201, 20. Juli 1851.

146 Les négociations ont été menées par l'expert bâlois Bischoff et par le Chef du DFDC Frey-Hérosé; le 21 décembre 1849, une commission de cinq membres – Sidler (ZH), Sutter (AR), Kopp (LU), Wirz (OW) et Girard (NE) – est nommée par le CN pour examiner les conventions qui ont été conclues; il faut remarquer que la présence de deux représentants des cantons du «Sonderbund» contraste avec leur absence au sein de la commission de 1849 chargée d'examiner l'ensemble de la législation douanière; dans son rapport du 16 avril 1850, cette commission préavise favorablement et en bloc les conventions négociées; FF, 1850, vol. 1, pp. 273-305, «Rapport de la Commission nommée par le CN pour examiner les conventions passées avec les cantons pour le rachat des péages (avril 1850)»; les 17 et 30 avril 1850, elles sont respectivement entérinées par le CN et le CE; sur cette question, cf. Huber, 1890, pp. 222-236; Walliser, 1997.

147 La seule allusion à une remise en question du système fiscaliste est le fait du maître à penser de l'élite marchande genevoise, l'ultra-libre-échangise Odier-Cazenove: «*Néanmoins ne nous décourageons pas; si le revenu des douanes est encore nécessaire pour subvenir aux dépenses fédérales, le temps n'est pas très éloigné où l'on pourra demander qu'il y soit pourvu d'une autre manière. La liquidation de la dette du Sonderbund avance; elle doit, si je ne me trompe, être entièrement soldée dans trois ou quatre ans au plus. Lorsque les cantons sur lesquels pèse encore cette lourde charge en seront allégés, alors il n'y aura plus de motifs pour refuser de se conformer aux prescriptions de l'arti-*

central et augmentation de la charge douanière est ainsi scellé à long terme. Le débat de 1851 se focalise de ce fait sur les moyens financiers à accorder à la Confédération pour intervenir ainsi que sur la répartition de la charge douanière. Les différentes forces du champ douanier suisse se polarisent et forment deux camps antagonistes, les «fédéralistes» et les «centralisateurs».

Dans son message du 12 mai 1851, le CF déclare que la révision de la loi sur les péages répond à une volonté d'augmenter les revenus douaniers afin de financer une intervention dans les domaines de l'enseignement supérieur et des chemins de fer:

> *Les résultats financiers devraient être un peu meilleurs avec le nouveau tarif qu'avec l'ancien. Les sacrifices que l'on demande à la Confédération deviennent plus grands d'année en année; l'établissement de l'université, les chemins de fer à la création desquels nous ne saurions nous soustraire longtemps sans nous exposer à des regrets tardifs, exigent des sommes considérables; on ne peut guère recourir aux contingents d'argent des cantons pour la réalisation de pareilles entreprises, un modeste surcroît de recettes sur les péages serait dès lors fort à désirer, et on pourrait d'autant moins le voir d'un mauvais œil, qu'étant affecté à la création d'écoles supérieures et de chemins de fer il en résulte un bien pour le commerce et le progrès en général, et qu'elle ne forme qu'une fort petite partie des sacrifices nécessaires d'ailleurs à la réalisation de ces buts*[148].

En mai 1851, le CF prépare le message consacré aux écoles supérieures. Daté du 5 août 1851, il prévoit la création d'une Université fédérale et d'une Ecole polytechnique[149]. Par ailleurs, la Confédération envisage alors d'offrir la garantie d'un intérêt minimal au capital investi dans la construction ferroviaire. En avril 1851, le Chef du Département des postes et des constructions, le Saint-Gallois Näff, demande à Frey-Hérosé d'évaluer les réserves financières pouvant être affectées à ce but[150]. Le responsable du Département des douanes lui révèle l'objectif financier de la révision douanière de 1851. Il espère un surcroît de revenus de 0,5 mios de nouveaux frs pour parvenir à une recette totale de 5 mios[151]. Dans son message, le CF atténue délibérément le gain escompté à 0,3 million de frs.

---

cle 39 de la Constitution; le moment sera venu d'insister avec force pour qu'on ait recours aux contributions cantonales, et pour abandonner l'impôt des douanes que la nécessité seule a fait subir à la Suisse, les circonstances à la suite desquelles la loi de 1849 fut adoptée, ne permettant pas d'assigner d'autres revenus aux exigences de la nouvelle organisation fédérale.»; Odier-Cazenove, 1851/2, p. 21.

148 FF, 1851, vol. 2, p. 4, «MCF suisse concernant la révision de la loi sur les péages (12 mai 1851)».

149 Wehrli, 1983, pp. 15-18.

150 AF, E 11, vol. 5, «Das Handels- und Zolldepartement der schweizerischen Eidgenossenschaft an das schweizerische Post- und Baudepartement (5. April 1851)».

151 Des données chiffrées plus exactes se trouvent dans un document intitulé «Statistique comparative du produit des Péages» in AF, E 11, vol. 5; le tarif douanier de 1849, mis

Avant d'aborder le débat douanier qui va se déchaîner autour du tarif proposé par le CF, il est nécessaire de présenter les principales caractéristiques de ce projet[152]. Le 9 mars 1851, le Gouvernement nomme une commission d'experts qui, par rapport à la version de 1849, est remaniée au profit des milieux libre-échangistes[153]. Alors que le Bâlois Bischoff et le Saint-Gallois Anderegg sont reconduits, le Vaudois La Harpe est remplacé par le fabricant de dentelles neuchâtelois Charles Louis Jeanrenaud-Besson[154]. Le Zurichois Beyel disparaît aussi de la commission au profit du Conseiller national glaronnais Kaspar Jenny-Jenny[155], grand industriel de la branche du coton. En raison de l'absence du procès-verbal de la commission, il n'est pas possible d'analyser le processus d'élaboration qui mène au projet de tarif présenté par le CF.

Au profit du commerce de spéculation, la différenciation de la taxation est atténuée par la réduction du nombre de classes de 9 à 7, ce qui permet de diminuer l'imposition qui grève l'importation de certains produits industriels et agricoles (annexe 12). Selon les vœux des milieux libre-échangistes, l'essentiel du surcroît de la charge douanière est couverte au moyen de l'augmentation des taxes fiscales; le sucre brut passe ainsi de 2,25 à 3,00 frs. L'agriculture de plaine obtient cependant de maigres concessions. La pression des agriculteurs vaudois, argoviens et jurassiens bernois, confrontés à une chute du prix du blé entre 1849 et 1851, porte en partie ses fruits[156].

---

en vigueur le 1er février 1850, rapporte 2,85 mios de frsa; une extrapolation sur une année complète de perception évalue les revenus à 3,2 mios de frsa, ce qui correspond assez exactement aux prévisions émises en 1849 lors de son élaboration; en utilisant le taux de change de 7 batz = 1 frs nouveau, les revenus exprimés en nouveaux frs s'élèvent à 4,57 mios; après déduction de l'indemnité aux cantons (2,43 mios) et des frais administratifs de perception (0,7 mios), les revenus douaniers nets s'élèvent à 1,44 mios de frs; le projet de tarif du CF prévoit 5,07 mios de recettes qui doivent laisser un revenu net de 1,99 mios de frs; ce document évalue donc l'accroissement du revenu net à 0,55 mios de frs nouveaux.

152 Toutes les taxes sont données en nouveaux frs; lorsqu'une taxe du tarif de 1849 apparaît, elle a été convertie au taux approximatif de 1 frs ancien = 1,50 frs nouveau.

153 AF, E 11, vol. 5.

154 *Charles Louis Jeanrenaud-Besson* (1811-1885) (NE), dirige la manufacture de dentelles «Jeanrenaud-Besson» à Môtiers, CdE (1848-1859), CaE de tendance radicale (1848-1854).

155 *Kaspar Jenny-Jenny* (1812-1860) (GL), cf. note 129, chapitre 3; Jenny est préféré à Heinrich Hürlimann-Zürcher (1806-1875), grand industriel zurichois actif dans la filature de coton.

156 Un certain nombre de requêtes et pétitions sont adressées aux autorités fédérales pour exiger une protection des productions agricoles suisses; ce sont les agriculteurs vaudois, privés depuis 1849 de la protection que leur accordait la législation douanière cantonale, qui revendiquent le plus fortement; en mai 1851, le Conseil d'Etat vaudois adresse lui-même une requête au CF, qu'il accompagne des nombreuses demandes de protection; les taxes suivantes sont revendiquées: 5 à 10 batz pour le blé au lieu de 1 batz, 10 à

Certes, les taxes sur le blé et le vin ne sont pas modifiées, mais la farine et le tabac sont mieux protégés[157]. Quant aux grands industriels des secteurs du coton et du fer, ils consolident leur protection. La taxe sur les semi-fabriqués en coton passe de 2,25 à 3,00 frs au détriment des industries de finition. La taxation différentielle du fer anglais, introduite au profit de l'industrie des machines, est supprimée dans le projet[158].

Le projet de tarif du CF est publié le 12 mai 1851. Il provoque un vaste débat dans l'opinion publique et aux Chambres. Un bloc oppositionnel se constitue pour lutter contre une augmentation de la charge douanière. Les élites marchandes de Bâle, Genève et Neuchâtel en prennent la tête[159]. Dans

---

15 batz pour la farine au lieu de 2 batz, 2 à 3 frs pour le vin en tonneaux au lieu de 1 frs; AF, E 11, vol. 5; cf. également le commentaire que Speiser fait d'une pétition de la «Kulturgesellschaft» de Rheinfelden (AG) qui exige une protection de la céréaliculture, in *NZZ*, Nrn. 155/156, 4./5. Juni 1851.

157 A première vue, une taxe sur la farine encourage principalement la meunerie suisse contre la concurrence étrangère; une augmentation de son volume de production profiterait toutefois à la céréaliculture locale, en raison de la forte protection par la distance dont bénéficie le blé local et des relations de proximité entretenues avec les meuniers.

158 La question de la taxe sur le fer est intimement liée aux problèmes commerciaux avec le «Zollverein», car l'union douanière allemande exige la levée de la taxation différentielle sur le fer anglais; FF, 1851, vol. 2, pp. 28-33, «MCF concernant la révision de la loi sur les péages (12 mai 1851)».

159 L'opposition libre-échangiste trouve une fois de plus son expression la plus pure sous la plume du banquier bâlois Johann Jakob Speiser, qui fait paraître une importante série d'articles dans la *NZZ*; il y refuse un accroissement de la charge douanière de 0,5 mios pour financer une intervention de l'Etat fédéral: «*Selbst die Absicht können wir zwar achten, aber nicht billigen, für Bedürfnisse zum Voraus Hülfsquellen zu eröffnen, welche erst am Horizont auftauchen und noch keine feste Gestalt gewonnen haben. In den Händen eines betriebsamen Volks würde jene halbe Million, die ihm mehr entzogen werden will, vorläufig noch besser wuchern, als in den Staatskassen, wo bekanntlich jeder Überschuss zum Übermuth und unnützer Ausgabe führt. Der Gedanke einer schweizerischen Hochschule, der die Zollerhöhung zur Dotation bestimmt scheint, hat gewiss viel Schönes und Aussprechendes; allein die äussern und innern Schwierigkeiten der Verwirklichung jenes Gedankes dürften kaum in nächsten Zeit zu überwinden sein. Und was die Eisenbahnen anbetrifft, so erkennen auch wir in ihrer baldigen Ausführung eine Zeitnothwendigkeit, glauben aber nicht, dass mit Zollerhöhungen dieselben erkauft werden sollen.*»; Speiser propose ainsi un tarif à 4 classes (max 5 frs), qui rapporterait 4,56 mios de frs; cette charge douanière correspond à un statu quo par rapport au tarif de 1849, mais l'essentiel des revenus proviendrait de la taxation des denrées coloniales; *NZZ*, Nrn. 187/189/191/193/195, 6./8./10./12./14. Juli 1851; l'élite marchande de Neuchâtel exige quant à elle un renvoi du projet et un plafonnement des revenus douaniers au niveau du tarif de 1849; ces exigences sont adressées à l'AsF dans une requête de la section neuchâteloise de la SIV, qui est signée par son illustre président, Louis de Pury; un projet de tarif est par ailleurs adressé à la commission des douanes par le Conseiller national Lambelet, qui vise à une stricte couverture du budget de 1851 (0,57 mios de moins que le projet du CF); AF, E 11, vol. 5.

ces cantons, le lien structurel entre intervention de la Confédération et accroissement de la charge douanière renforce un fédéralisme économico-politique qui déborde désormais du creuset conservateur opposé à toute centralisation. Chaque développement de l'administration fédérale étant lié à l'accroissement d'une fiscalité qui pèse sur l'économie cantonale, le réflexe fédéraliste est maintenant ancré dans des intérêts matériels concrets[160]. Genève permet d'illustrer au mieux le phénomène. Au moment de la création de l'Etat fédéral, le radicalisme de gauche est au pouvoir. Il est partisan d'une centralisation musclée. Une fois le nouveau système fiscal introduit, les radicaux genevois changent d'attitude vis-à-vis de l'activité législative de la Confédération. Comme le relève un économiste bâlois de l'époque, l'enthousiasme initial se mue en une attitude anticentralisatrice systématique:

> *Nichts destoweniger hat die Abgeneigtheit gegen diese erste Schöpfung* (mise sur pied de la législation douanière, C. H.), *welche aus dem Schoosse des neuen Bundes hervorgegangen, sich so weit fühlbar gemacht, dass das früher für eidgenössische Interessen so entflammte Genf plötzlich von einem ganz andern Geiste sich beseelen liess, und sich über alle Neuerungen, die nach und nach die schweiz. Centralisation schuf, nur auf eine hämische, durchweg verwerfende Weise äusserte*[161].

Au cours de la polémique provoquée par la création d'écoles supérieures fédérales, un débat a lieu à ce sujet entre deux journaux radicaux. Le *Bund* accuse les Genevois, représentés par la *Revue de Genève*, de refuser l'Université pour des raisons bassement matérielles, au lieu de privilégier le renforcement de la nation suisse[162].

Le souci de ne pas gonfler le budget de l'Etat fédéral est aussi présent dans le domaine de la politique extérieure. Ainsi, en 1849, un représentant de l'élite marchande genevoise craint que la centralisation militaire pousse certains milieux politiques à orienter la Confédération vers une politique extérieure de prestige:

> *S'il y a des fabricants qui n'ont jamais perdu de vue leurs intérêts [...] il y a des hommes politiques qui n'ont jamais perdu de vue l'idée de* centraliser la Suisse, *c'est-à-dire d'en faire un Etat unitaire, ou du moins un Etat assez centralisé pour devenir une puissance en Europe; mais il n'y a pas de moyen d'y parvenir sans avoir de l'argent qui soit à disposition du pouvoir central; or, demander de gros contingents d'argent aux cantons, est chose, si ce n'est impossible, du moins chose qui aurait probablement fait échouer le nouveau Pacte; alors on s'est rejeté sur les douanes en leur donnant le nom de péages, et l'on s'est dit qu'une fois ces douanes établies sous une apparence inoffensive, on saurait bien les faire valoir au moyen d'une simple majorité dans les Conseils,*

160 Quelques auteurs suisses mentionnent le lien existant entre libre-échange et fédéralisme, sans pour autant l'expliquer ou même l'expliciter clairement; cf. par exemple Rappard, 1936, p. 324.
161 Hoffmann-Merian, 1852, p. 8.
162 Düblin, 1978, pp. 80-90.

> *de manière à en tirer, non pas 750 000 francs de Suisse, mais quelques millions par le moyen des tarifs*[163].

Les cantons commerçants ne partent pas seuls au combat comme en 1849. Les cantons catholiques-conservateurs renforcent le camp des «fédéralistes» en constituant son aile «politico-économique». Les facteurs politiques dominent en effet le fédéralisme de Suisse centrale, bien qu'il soit aussi conditionné par des motivations économiques. Dans la perspective des cantons du «Sonderbund», donner des moyens financiers supplémentaires au pouvoir central équivaut à renforcer la domination politique exercée par les libéraux-radicaux à travers le nouvel Etat fédéral. En particulier, la prise en charge de l'enseignement supérieur représente une menace existentielle aux yeux des représentants du conservatisme. Elle permettrait d'imposer les valeurs du radicalisme laïque à l'ensemble des élites suisses. Au plan économique, nous avons vu que les cantons alpestres refusent une intervention de la Confédération dont ils ne profiteraient pas, mais qu'ils contribueraient à financer par le biais de l'imposition fédérale.

En 1849, les représentants du «Sonderbund» ne s'étaient pas opposés à la politique douanière instaurée. Pour eux, il s'agissait d'assurer assez de revenus douaniers à la Confédération afin d'obtenir une indemnisation complète des taxations cantonales. Il fallait aussi éviter les contingents d'argent cantonaux[164]. Sur le plan politique, les conservateurs étaient encore sous le coup de la défaite militaire sans appel de 1848. Or, dès 1850, Alfred Escher constate que l'opposition conservatrice reprend du poil de la bête en remportant un succès dans le canton de Zoug:

> *Ces élections ont donné un démenti formel à ceux qui croyaient encore, qu'avec la dissolution du Sonderbund l'esprit de cette ligue avait disparu de la Confédération suisse. Elles fournissent malheureusement une nouvelle preuve de fait [...] que la Confédération telle qu'elle est constituée [...] n'a pas seulement des ennemis à l'extérieur, mais aussi des adversaires à l'intérieur*[165].

Lors du débat douanier de 1851, l'opposition catholique-conservatrice marque cette fois son refus de renforcer l'Etat fédéral.

Les deux ailes fédéralistes concrétisent leur rapprochement en collaborant à la publication d'une brochure intitulée «Denkschrift über das neue eidgenössische Zollgesetz». Elle est l'aboutissement d'un concours[166] qui est lancé, en novembre 1850, par des négociants genevois en pleine agitation contre le nouveau système douanier[167]. Le fait que le travail du Lucernois Bernard

163 Fazy-Pasteur, 1849, p. 6.
164 Odier-Cazenove, 1851/1, pp. 12-14.
165 *Discours tenu à l'ouverture du Conseil national par son président Mr. le docteur Alfred Escher, le 5 avril 1850*, s.l., s.d.
166 Odier-Cazenove, 1851/1, pp. 3-5.
167 Les élites marchandes genevoises publient plusieurs brochures en 1850 et 1851, dont le but est de faire pression en faveur d'une meilleure prise en considération de leurs inté-

Meyer von Schauensee soit primé n'est sans doute pas le fruit du hasard. Ancien Secrétaire d'Etat du canton de Lucerne, émigré à Munich suite à la défaite du «Sonderbund», puis revenu dans son canton d'origine pour y participer à la gestion des finances, cet aristocrate attaque crûment la politique douanière de la Confédération. Il la qualifie de protectionnisme industriel au service d'une classe de fabricants toute puissante. Pour cimenter une opposition commune du commerce et de l'agriculture, Meyer propose un projet de tarif douanier qui conjugue leurs intérêts: diminution de la charge douanière[168], réduction à 6 classes de taxation, abaissement de la taxe maximale à 5 frs et répartition de la charge protégeant mieux l'agriculture[169].

Le projet de tarif du CF, qui est attaqué par les deux branches du camp fédéraliste, n'est pas non plus épargné par la CCN[170]. Le 11 juillet 1851, celle-ci publie un rapport plutôt critique à l'égard du projet jugé trop favorable au commerce de spéculation[171]. Certes, la CCN approuve l'augmentation des revenus douaniers proposée par le CF, mais elle refuse la nouvelle répartition de la charge douanière, en particulier la diminution du nombre de classes[172]. Sous la pression de l'industrie des machines et de l'industrie

---

rêts; La commission du commerce..., 1850; Roth, 1851; Odier-Cazenove, 1851/1; par ailleurs, selon plusieurs auteurs, Genève devient rapidement le principal centre de contrebande de Suisse, développant ainsi une rebellion ouverte contre l'autorité de la Confédération; Hoffmann-Merian, 1852, pp. 45-47; Huber, 1890, p. 227; ce dernier fustige ainsi l'attitude de Genève: *«So gab sich der mit Eigensinn und Krämergeist verbundene widerspenstige Geist Genfs gegen das schweizerische Zollsystem in allen möglichen Äusserungen kund; durch gemeinen Schmuggel von seite einer grossen Anzahl Kaufleute, durch Freisprechung ertappter Schmuggler seitens der Jury, durch Taxe, Ordonnanzen an diejenigen, welche den Zoll zu schützen hatten, durch ein höhnendes entstellendes Urteil der Genferpresse über die Zolleinrichtungen.»*

168 Selon une calculation contenue dans la réponse de l'économiste bâlois Hoffmann-Merian aux attaques de Meyer von Schauensee, le tarif proposé rapporterait environ 3 mios de frs, soit 2 mios de moins que le projet du CF; Hoffmann-Merian, 1852, p. 55.

169 Meyer von Schauensee, 1851, pp. 105-113.

170 La composition de la CCN subit passablement de modifications par rapport à 1849; le nombre de sièges passe de 11 à 9, dont 5 sont occupés par des anciens: Escher (ZH), Schneider (BE), Bruggisser (AG), Sutter (AR) et Pioda (TI); certains cantons conservent leur siège mais changent de représentant: Hungerbühler (SG) remplace Erpf, Blanchenay (VD) remplace Veillon; deux cantons non représentés en 1849 font leur entrée, Bavier (GR) et Castoldi (GE), alors que Peyer (SH), Brunner (SO), Jenny (GL) et Lambelet (NE) disparaissent; malgré ces modifications, l'équilibre entre les divers secteurs de l'économie suisse n'est que peu modifié; FF, 1851, vol. 3, p. 86, «Rapport de la commission nommée par le CN pour revoir la législation en matière de péages (11 juillet 1851)».

171 FF, 1851, vol. 3, pp. 45-86, «Rapport de la commission nommée par le CN pour revoir la législation en matière de péages (11 juillet 1851)».

172 En raison de taux de conversion différents de ceux utilisés par le CF, les chiffres du rapport de la commission ne correspondent pas à ceux du message: selon les calculs de

cotonnière de transformation, la protection des semi-fabriqués est par ailleurs atténuée[173]. Grande gagnante du mouvement de révision, l'agriculture de plaine confirme la majoration des taxes sur la farine et le tabac en feuilles. En outre, différents produits sont mieux protégés que dans le projet du CF. Cette mansuétude à l'égard des revendications agricoles s'explique par le passage d'une partie de l'aristocratie terrienne des cantons catholiques dans le camp des opposants à la politique douanière de l'axe producteur Zurich-Berne. L'intégration de la députation vaudoise est désormais indispensable pour obtenir une augmentation des revenus de la Confédération.

Tableau 13. Principales concessions faites à l'agriculture par la CCN lors de la révision tarifaire de 1851 (taxes en frs)[174]

	Tarif 1849	Projet CF 1851	Projet CCN 1851
Tabac en feuilles	2,25	3,00	3,50
Farine	0,30	0,80	0,75
Esprit de vin non dénaturé	3,75	3,00	3,50
Eaux-de-vie	3,75	3,00	3,50
Fromage	3,75	3,00	3,50

Les 24, 25 et 26 juillet 1851, un débat fleuve – 34 intervenants – a lieu au CN[175]. Une opposition multiforme se réunit afin d'obtenir le renvoi du dossier à la commission. La première aile de cette coalition, emmenée par le Saint-Gallois Anderegg, refuse un accroissement de la charge douanière. Ses adeptes ont des motivations soit libre-échangistes, soit fédéralistes, ou les deux à la fois. Il s'agit de représentants du commerce spéculatif, du commerce d'exportation et de l'agriculture de montagne. Une deuxième aile de

la commission, le projet du CF rapporterait 4,76 mios de frs alors que le projet de la commission rapporterait 4,81 mios; les charges douanières respectives sont par conséquent très proches.

173 L'industrie de l'impression réagit violemment à l'augmentation de la taxation des calicots projetée par le CF (2,25 à 3,00 frs); deux requêtes en provenance de Neuchâtel et Glaris, adressées aux autorités fédérales les 30 et 31 mai 1851, réclament au contraire une diminution de l'imposition de leur principale matière première; AF, E 11, vol. 5; selon Veyrassat, les tissus qui servent de support à l'impression constituent 50% des coûts de production de l'impression glaronnaise dans les années 1840 (drogues, combustibles, matières tinctorales: 16%; main-d'œuvre: 25%; frais généraux: 9%); Veyrassat, 1982, note 103 p. 43.

174 Les taxes sont en frs nouveaux; le taux de conversion utilisé pour les taxes de 1849 est de 1 frs ancien = 1,5 frs nouveaux.

175 *NZZ*, Nrn. 206-208, 25./26./27. Juli 1851; cf. également *Gewerbeblatt*, Nr. 15, 1. August 1851; un résumé des débats est présenté par un partisan du projet de la commission.

l'opposition, divisée elle-même en deux groupes, accepte d'accroître les moyens financiers de la Confédération, mais refuse la répartition de la charge proposée par la CCN. Soutenant le projet de tarif du Bâlois Bischoff, une série de négociants demandent que la répartition de la charge soit plus conforme aux intérêts du commerce[176]. Certains commerçants des cantons de Berne et Schaffhouse en font partie[177]. A l'opposé de l'échiquier douanier, certains propriétaires terriens de plaine veulent porter le surcroît de charge sur leurs productions. Une échelle de taxation mobile sur le blé, qui devrait améliorer la rentabilité de la céréaliculture, est notamment proposée. Suite à la baisse des prix des céréales, dès 1850, certaines régions enregistrent une vague d'émigration que leurs députés tentent ainsi de freiner. Lors de la votation finale, l'ensemble de l'opposition rassemble 31 voix, ce qui se révèle insuffisant pour l'emporter contre les 55 voix qui soutiennent le projet de la CCN.

Le vote nominal confirme la polarisation des acteurs du champ douanier en deux blocs «centralisateur» et «fédéraliste»[178]. L'aile économico-politique du camp fédéraliste est constituée de tous les députés des cantons commerçants de Suisse occidentale (GE: 4; NE: 3; BS: 1) ainsi que de certains députés du Tessin (2 voix) et de St-Gall (5 voix). L'aile politico-économique rassemble les représentants de certains cantons catholiques de Suisse centrale (SZ: 2; UR: 1; OW: 1; NW: 1; ZG: 1). En raison du contexte politique encore fortement marqué par les conséquences de la guerre du «Sonderbund», le résultat ne reflète pas le potentiel réel du camp fédéraliste – la députation lucernoise semble s'abstenir, alors que celles de Fribourg et du Valais soutiennent le mouvement de centralisation[179]. Le reste de l'opposition, constitué avant tout de commerçants et d'agriculteurs bernois ne s'opposant pas au gonflement

176 Le tarif proposé par Bischoff a les caractéristiques suivantes: les revenus sont sensiblement équivalents à ceux du projet de la commission et le nombre de classes s'élève également à 8; par contre, les deux classes supérieures de 15 et 8 frs sont diminuées à 12 et 7 frs, ce qui entraîne une perte fiscale qui doit être compensée par une augmentation de la taxation sur les objets de moindre valeur (les objets taxés à 0,75, 1,50 et 2,00 frs le sont à 1,00, 2,00 et 3,00 frs; l'ensemble de la classe à 0,30 frs, excepté le coton, les colorants et le riz, est taxée à 0,50 frs); les deux points forts du projet Bischoff sont une taxation de la farine à 0,50 frs au lieu de 0,75 frs et une taxation uniforme du fer à 1,00 frs au lieu de la double taxation proposée par la commission (0,75 frs jusqu'à 14 frs par quintal suisse/1,50 frs en dessus de 14 frs).

177 Le projet Bischoff, qui propose une taxe unique sur le fer, selon les désirs du «Zollverein», est intéressant pour les commerçants qui veulent éviter une dégradation des relations commerciales avec l'Allemagne.

178 Liste nominative in *NZZ*, Nr. 208, 27. Juli 1851.

179 Suite à la défaite du «Sonderbund», des régimes libéraux sont imposés à Fribourg et en Valais, contre la volonté de la majorité de la population et avec la bénédiction de l'Etat fédéral radical; il est donc assez logique que les représentants de tels pouvoirs soutiennent un renforcement financier de la Confédération.

des revenus (7 voix), ne peut être intégré dans le bloc fédéraliste. Un soutien au bloc centralisateur est toutefois refusé pour des raisons de répartition de la charge douanière. Le centre de gravité du bloc centralisateur, qui comptabilise 55 voix lors de la votation, demeure situé dans les cantons industriels et agricoles de plaine à majorité libérale ou radicale. Tous les députés présents venant de Zurich (12), Glaris (1), Thurgovie (4), Argovie (6), Soleure (3), Bâle-Campagne (1) et Vaud (6 sur 7) accordent leur soutien au projet de la CCN, auxquels se joignent trois députés de Berne.

Contrairement à ce qui s'était passé lors du débat de 1849, le CE ne se contente pas d'entériner les décisions prises par le CN. Du 13 au 16 août 1851, la Chambre des cantons discute le tarif classe par classe[180]. Elle introduit de nombreuses modifications à la baisse, qui représentent une perte de 0,15 million de frs pour la Confédération[181]. L'opposition affiche sa volonté de combattre un renforcement de la capacité financière de l'Etat fédéral:

> *Als Spitzeführer in dieser Richtung trat wiederum Hr. Tourte von Genf auf, der nebenbei der Universität erwähnte, um der sogenannte Plusmacherei entgegenzutreten*[182].

Les principales divergences entre les deux conseils reposent sur les taxes à l'importation du fer (taxe unique à 0,75 frs au lieu de taxes différenciées selon le prix à 0,75 et 1,50 frs), de la farine (0,50 frs/0,75 frs) et du riz (0,15 frs/0,30 frs), ainsi que sur les taxes à l'exportation du gros bétail (0,50 frs/0,75 frs). Le 23 août 1851, le CN décide par 33 voix contre 32 de maintenir la taxe différenciée sur le fer, alors qu'il lâche du lest en ce qui concerne la farine, le riz et le bétail. Les 25 et 27 août 1851, le CE et le CN éliminent les dernières divergences. Sans parvenir à effacer le surplus de moyens financiers accordés à la Confédération, le bloc fédéraliste, bien représenté au sein du CE, réussit à limiter l'accroissement de la charge douanière.

L'adoption du tarif de 1851 marque la fin du processus de transformation du système douanier suisse. Cette réforme fondamentale, qui s'inscrit dans une refonte plus globale des conditions-cadre économiques, aura des conséquences considérables sur l'évolution de l'économie et de l'Etat. La fin de ce chapitre tente de mettre en exergue quelques aspects de cette problématique en s'appuyant sur la littérature existante. La tâche n'est toutefois pas aisée, car il n'est pas toujours possible de mesurer la part qui doit être attribuée à la centralisation économique dans certaines évolutions. Ce d'autant plus que la mise en place d'une législation économique, entre 1848 et 1854, coïncide avec une brusque amélioration de la conjoncture internationale.

180 *NZZ*, Nrn. 226/228-230, 14./16./17./18. August 1851.
181 *NZZ*, Nr. 236, 24. August 1851.
182 *NZZ*, Nr. 230, 18. August 1851.

En l'état, la recherche historique ne permet pas de mesurer avec précision les effets de l'abolition des taxations cantonales sur le développement du marché intérieur. A plus forte raison, il serait utopique de vouloir déterminer quels secteurs ont profité ou pâti des réformes. En l'absence d'une statistique économique fiable, une telle évaluation serait abandonnée à la subjectivité des contemporains[183]. Par ailleurs, un calcul du gain de compétitivité des branches de l'industrie d'exportation se heurterait aussi à d'importantes difficultés. Il faudrait notamment tenir compte des disparités régionales et posséder une connaissance approfondie de la charge fiscale imposée par l'ancien système douanier. Ceci dit, quelques chiffres permettent d'illustrer l'essor des secteurs économiques dont le sort était le plus lié à une centralisation économique.

Après la mise en place d'une loi sur l'expropriation (1850) et surtout de la loi sur les chemins de fer de 1852, la construction du réseau ferroviaire helvétique peut enfin démarrer. Certes, la tâche est laissée aux cantons et à l'entreprise privée, mais les deux lois fédérales offrent les conditions-cadre minimales nécessaires au développement des lignes. Par ailleurs, l'abolition des taxes intérieures offre des perspectives de profit à la hausse grâce au développement du trafic de transit. Suite à l'allégement de la charge fiscale[184], le coût du transport d'un quintal de marchandises entre Bâle et Bellinzone diminue de 1,28 frs. En moyenne, le coût du transit par heure et par quintal passe de 0,14 frs à 0,05 frs. Il est désormais inférieur au coût français (0,07 frs). Dès 1851, le commerce de transit en direction de l'Italie se développe dans de fortes proportions[185].

Entre 1855 et 1860, plus de 1000 kilomètres de rails sont mis en service. L'indice du développement du réseau ferroviaire helvétique passe de 1 en 1850 à 63 en 1860. Il est alors plus élevé que ceux de l'Allemagne (55), de la France (49) et de l'Italie (24). Seules la Grande-Bretagne (65) et la Belgique (64) précèdent encore la Suisse[186]. Cet impressionnant rattrapage génère des investissements colossaux. Entre 1855 et 1860, leur moyenne annuelle s'élève à environ 55 mios de frs, soit 9% du PIB de 1851[187]. Ils ont d'importants effets d'entraînement sur les industries des machines et de la métallurgie. Les commandes de matériel roulant représentent une somme

183 Lors du débat douanier de 1851, les effets de la taxation du fer sur le développement des forges en Suisse sont jugés de manière très contradictoire; *NZZ*, Nr. 237, 25. August 1851.

184 Entre 1851 et 1868, date à laquelle les taxes de transit sont supprimées, la charge douanière maximale imposée au transit est celle de l'année 1856, qui correspond à 107 000 frs; Signer, 1914, p. 26.

185 Huber, 1890, pp. 218-220; Hoffmann-Merian, 1852, pp. 39-44.

186 Bairoch, 1991, pp. 219/221.

187 SHS, 1996, pp. 886-887; sur le développement des investissements entre 1850 et 1914, cf. Schwarz, 1981.

annuelle de 5,5 mios, dont une partie profite aux entreprises suisses. La production de fer explose. Celle du Jura bernois passe de 37 000 quintaux en 1845 à 144 000 quintaux en 1858, sommet de la conjoncture des années 1850[188].

Dans la branche du coton, les industriels suisses se lancent dans une mécanisation massive du tissage de calicots. Pour un filateur glaronnais désireux d'étendre sa production à ce domaine d'activité, les effets de la centralisation économique sont une aubaine. Les gains cumulés réalisés sur la vente d'un calicot à une entreprise d'impression neuchâteloise, en incluant ceux liés à la construction à venir d'une liaison ferroviaire entre Glaris et Neuchâtel, sont loin d'être négligeables. L'économie sur l'acheminement du coton – transport et fiscalité – permet de réduire les coûts de production et de diminuer le prix du tissu de plus de 1%. La diminution des coûts de commercialisation permet de réaliser un gain de plus de 2%. Enfin, l'importation de calicots anglais est renchérie de plus de 2% par la nouvelle taxe fédérale. Le différentiel de prix entre le calicot glaronnais et le calicot anglais sur le marché neuchâtelois évolue d'au moins 5% en faveur du producteur suisse[189]. Le coût salarial représentant au grand maximum 25% du prix d'un calicot fabriqué mécaniquement (12% en 1883), un gain similaire exigerait une diminution de la masse salariale de 20%.

Entre 1843 et 1857, le nombre de métiers mécaniques passe de 2072 à 7753. Jusqu'en 1853, 190 métiers sont installés en moyenne annuelle. Entre 1853 et 1857, le rythme des investissements s'accélère de manière impressionnante, pour passer à 950 métiers par année[190]. Dans le seul canton de

188 SHS, 1996, p. 612.

189 En 1843, les coûts de transport du coton d'un port jusqu'à Glaris représentent environ 12% du prix du filé; en admettant que le coût en Suisse équivaut au quart du total et que le chemin de fer permet d'en économiser 75%, la baisse du prix du filé est de 2,25%; en admettant que les filés représentent environ 50% du prix du tissu, l'économie réalisée grâce à l'établissement de chemins de fer est d'environ 1%; après déduction de la taxe fédérale sur le coton (0,6 frs/q), l'économie sur les taxes de transit entre les Verrières et Glaris peut être estimée à 1,5 frs/q, soit 0,5% du prix du filé, donc 0,25% du prix du calicot; l'économie de 2,1 frs sur les taxes qui grevaient l'expédition jusqu'à Neuchâtel représentent 1,2% du prix du calicot; les coûts de transport d'un calicot sur 800 km étant estimés à 6% du prix, le gain sur le trajet Glaris-Neuchâtel représente environ 1% du prix; enfin, la taxe de 4 frs/q instaurée par le nouveau tarif fédéral impose une charge de 2,2% de la valeur aux calicots anglais importés à Neuchâtel; en déduisant la tare, ce rapport avoisine en fait les 2,5%; le prix de 180 frs/q utilisé pour les calicots est calculé à partir des prix du filé in Dudzik, 1987, p. 190; un journal économique de l'époque estime qu'une taxe de 7,5 frs/q représente une protection de 4,5% de la valeur qui est donc fixée à 167 frs; en adoptant ce prix, tous les taux calculés seraient légèrement majorés; *Schweizerische Handwerker- und Gewerbe-Zeitung*, Nrn 12/13, 20. April 1849.

190 Dudzik, 1987, p. 501.

Zurich, 1738 métiers sont installés en quatre ans, soit presque autant qu'entre 1830 et 1843 dans toute la Suisse. Les effets sur le volume de la production, qui progresse de 23% entre 1853 et 1857, sont considérables[191]. Cette évolution a des conséquences heureuses sur le développement de la filature mécanique, dont la production s'accroît de 19%. En comparaison du bénéfice moyen de la période 1847-1849 (56 cts/kg), celui enregistré entre 1853 et 1857 (100 cts/kg) progresse de 79%[192]. L'ampleur des efforts consentis dans la mécanisation du tissage se lit aussi dans l'évolution des investissements en équipements de machines: les capitaux qui y sont consacrés en Suisse passent de 2,5 mios de frs en 1853 à 9,3 mios en 1857, soit une progression de 0,3 à 1% du PIB. La valeur de la production de l'industrie des machines bondit de 3,1 à 9,3 mios de frs[193].

Les principales caractéristiques du système fiscal instauré avec la naissance de l'Etat fédéral sont discutées dans le chapitre introductif. Certaines auront des conséquences importantes sur le développement de l'économie et de l'Etat. L'analyse qui suit se concentre sur le fonctionnement de ce système jusqu'à la révision constitutionnelle de 1874.

Entre 1850 et 1874, les revenus douaniers constituent la clef de voûte des finances fédérales (annexe 1). Ils représentent entre 67% (min) et 85% (max) de l'ensemble des revenus de la Confédération (moyenne de 75%)[194]. Les postes sont l'autre source importante de revenus, dont l'essentiel est toutefois redistribué aux cantons. Durant les années 1850 et 1860, la forte progression des échanges commerciaux accroît sensiblement les revenus douaniers du tarif instauré en 1851. De 5,72 mios de frs en 1852, ils passent à 14 mios en 1872/1874 (+145%)[195]. En termes réels, la progression des recettes est cependant beaucoup moins importante (+ 65%). Entre 1850 et 1864, celle-ci suffit à faire face aux augmentations de dépenses, mais à partir de cette date, la forte dépendance de la caisse fédérale vis-à-vis des douanes engendre certains problèmes d'équilibre budgétaire. Entre 1865 et 1873, la Confédération est dans les chiffres rouges. En termes réels, les déficits accumulés représentent 15,4 mios de frs, soit 15% des dépenses totales de la période. Comme nous le verrons dans la suite de l'analyse, cette situation est

191 SHS, 1996, p. 622.

192 *Ibidem*, p. 620.

193 *Ibidem*, pp. 887/625.

194 Les chiffres construits dans l'annexe sont tirés in Halbeisen, 1990 pp. 18-81; de nombreux auteurs, qui excluent les revenus postaux, arrivent à des chiffres de 90%; Leuthold, 1937, pp. 28-30; Oechslin, 1967, pp. 21-24.

195 Entre 1851 et 1880, la quantité des importations augmente de 398%, alors même que la population n'augmente que de 18% dans le même temps; quant aux revenus douaniers, ils augmentent de 252%, en raison des baisses de taxes consécutives aux traités de commerce conclus durant la période; Leuthold, 1937, pp. 20-21.

en grande partie causée par la conclusion de traités de commerce à tarif, à partir de 1862, qui diminuent la taxation et freinent la progression des recettes douanières. Entre 1865 et 1870, les revenus diminuent de 2%, alors que le nombre de quintaux importés augmente de 19%. Les engagements pris par voie contractuelle réduisent encore la flexibilité du système fiscal suisse, ce qui retarde la résolution du problème financier. La Confédération ne sort des déficits budgétaires qu'en 1878. D'une part, la suppression des indemnités douanières aux cantons, entérinée par la constitution de 1874, permet de consacrer l'ensemble des revenus au ménage fédéral. D'autre part, l'échéance de traités conclus dans les années 1860 permet de réviser quelques taxes à la hausse.

Le système fiscal en vigueur entre 1850 et 1874 se caractérise aussi par le transfert financier important qu'il effectue de l'Etat fédéral vers les cantons. Les indemnités douanières et postales absorbent plus de 50% de l'ensemble des revenus de la Confédération entre 1850 et 1854. Certes, cette proportion diminue par la suite – augmentation des revenus douaniers et stagnation des indemnités –, mais entre 1850 et 1874, la Confédération cède tout de même 37% de ses recettes aux cantons. Cette manne fiscale profite surtout aux cantons agricoles. Alors que certains conservateurs voulaient maintenir le nouveau pouvoir central sous la tutelle financière des cantons, par le biais des contingents d'argent, ce sont au contraire les pouvoirs cantonaux qui deviennent tributaires de la Confédération.

Il n'existe pas d'analyse des répercussions fiscales de la réforme douanière de 1849-1851. L'accroissement de la charge, l'ampleur des transferts occasionnés par le déplacement de la taxation aux frontières et la répartition de la charge douanière introduite par le tarif n'ont pas été étudiées, pas plus que leurs conséquences sur le développement économique[196]. Comme nous l'avons constaté dans l'introduction, la création de l'Etat fédéral accroît la charge douanière globale de 3,3 mios en 1849, à 5,7 mios en 1852, soit une somme 2,4 mios qui représente 0,3% du PIB de 1852. Malgré ce surcroît de charge, l'économie suisse reste parmi celles dont la consommation est la moins imposée. Cet avantage concurrentiel, qui se traduit par une pression fiscale faible sur les salaires, favorise le développement industriel de la Suisse. Afin de le préserver, les milieux industriels et commerçants seront motivés à limiter à un minimum les dépenses de l'Etat fédéral. Le lien établi entre intervention de la Confédération et accroissement de la ponction douanière favorise donc le développement d'un Etat fédéraliste et libéral. Par ailleurs, la réforme douanière permet aussi à l'industrie de diminuer la charge qui reposait sur les matières premières. Certes, leur importa-

196 L'étude consacrée par Leuthold à la question de l'évolution de la répartition de la charge douanière renonce à analyser le tarif de 1851 en invoquant le manque de données statistiques; Leuthold, 1937, p. 53.

tion est légèrement imposée, mais toute une série de taxes qui frappaient leur acheminement sont supprimées.

3.2. Définition de la stratégie commerciale du nouvel Etat fédéral: intervention modérée en faveur de l'ouverture des marchés extérieurs

Nous avons vu qu'après la décision fondamentale de préférer le libre-échange au protectionnisme, la problématique fiscale joue un rôle déterminant dans le processus législatif qui mène aux lois de 1849 et 1851. Toutefois, la question de l'utilisation du nouveau système douanier comme outil commercial n'est pas totalement absente des débats. La Confédération doit-elle poursuivre sa politique de laisser faire, abandonnant ainsi la recherche de débouchés à la seule entreprise privée, ou utiliser ses nouveaux atouts douaniers pour participer à l'ouverture des marchés extérieurs?

Dans cette perspective, la pratique d'une politique de combat est d'emblée exclue par les choix douaniers des Chambres. La conclusion de traités de commerce à tarif, basés sur des concessions douanières mutuelles, exige en effet une certaine marge de manœuvre financière. Or, le tarif étant construit au plus juste pour subvenir aux besoins de l'Etat fédéral, la diminution des taxes intéressant le partenaire commercial remettrait en question l'équilibre budgétaire. De plus, en raison de la modicité des taxes adoptées sur les principales marchandises importées, la capacité de consommation du marché suisse, qui est encore limitée à cette époque[197], demeure accessible aux producteurs étrangers. Dans ces circonstances, la conclusion d'un traité de commerce avec la Suisse ne motive pas beaucoup les Etats européens qui pratiquent une politique protectionniste: pourquoi concéder une partie de leur marché à l'exportation helvétique sans bénéficier d'une contrepartie intéressante?

Le renoncement à une politique de combat hypothèque la reconquête des marchés de proximité, alors fortement protégés. Pour parvenir à cet objectif, la Confédération dispose toutefois d'une solution alternative, la politique de rétorsion. L'application d'une taxation différentielle aux pays fermés à l'exportation suisse pourrait permettre de conclure des traités de commerce. Du point de vue des élites libre-échangistes, une politique de

197 La question de l'importance du marché suisse en tant que débouché pour l'étranger fait l'objet d'une controverse lors de la discussion qui a lieu, en 1851, autour des relations commerciales avec le «Zollverein»; alors que les rétorsionnistes ont tendance à la surestimer, les libre-échangistes tentent de la minimiser, comme ils l'ont déjà fait lors de l'affaire du Concordat de rétorsion contre la France.

rétorsion comporterait cependant deux inconvénients: le risque d'une guerre douanière avec les partenaires commerciaux visés et l'accroissement de la charge douanière consécutif à l'application de taxes différentielles. En outre, de telles mesures demanderaient un renforcement coûteux de l'appareil administratif chargé de contrôler l'exécution de la législation douanière.

L'article 25 de la constitution de 1848 légitime une politique de rétorsion:

> *Les dispositions ci-dessus n'empêchent point la Confédération de prendre temporairement des mesures exceptionnelles dans des circonstances extraordinaires.*

Durant les débats douaniers de 1849 et 1851, la définition des modalités d'application de cet article est l'objet d'une controverse opposant les différentes élites économiques suisses. Publié le 7 avril 1849, le projet de loi du CF fait la proposition suivante:

> *Dans des circonstances extraordinaires, notamment lorsque le commerce de la Suisse deviendrait l'objet de restrictions considérables de la part de l'étranger, le Conseil fédéral est tout spécialement autorisé à prendre des mesures particulières ou exceptionnelles et à apporter au tarif les changements qu'il jugera convenables. Toutefois il aura à porter ces dispositions à la connaissance de l'Assemblée fédérale lors de sa première session, et elles ne pourront être maintenues qu'autant que l'Assemblée les aura approuvées*[198].

Malgré l'opposition de l'élite marchande, qui craint une dérive protectionniste sous le couvert de mesures de rétorsion[199], l'article 33 de la loi douanière de 1849 – article 34 de la loi de 1851 – reprend la proposition du CF. Pour satisfaire les régions industrielles, les circonstances extraordinaires permettant une intervention de l'exécutif sont élargies aux cas de disettes qui légitimeraient une baisse de la taxation sur les denrées alimentaires. Le nouvel Etat fédéral possède désormais les outils douaniers et les compétences nécessaires à la pratique d'une politique de rétorsion efficace.

En 1851, un conflit douanier avec le «Zollverein» allemand oblige les élites économiques suisses à se prononcer sur l'opportunité d'une politique de rétorsion. A cette occasion, les contours de la future stratégie commerciale de la Confédération sont esquissés. Malgré la pression de certains milieux exportateurs – surtout des grands industriels, des marchands de produits agricoles et des représentants des classes moyennes –, une forte majorité des Chambres décide de ne pas engager le nouvel Etat central dans une politique musclée d'ouverture des marchés extérieurs. L'élite marchande libérale remporte là un succès important. Certes, la réforme du système douanier suisse lui impose un sacrifice fiscal non négligeable, mais la stratégie d'expansion commerciale mise en place après le Concordat de rétorsion contre la France

198 FF, 1848-1849, vol. 1, 1er supplément, p. 10.
199 *Wochenblatt*, Nr. 20, 19. Mai 1849, p. 84; Eingabe an die Mitglieder…, 1849, pp. 10-12.

n'est pas remise en question. Le grand négoce continuera d'avoir la mainmise sur une grande partie de l'exportation suisse à destination des marchés d'outre-mer, tout en bénéficiant d'une taxation relativement libre-échangiste n'entravant pas trop le commerce d'importation et d'entrepôt.

Dans ce cadre libéral, la tâche commerciale de la Confédération se limite à conclure des traités contenant la clause de la nation la plus favorisée. Il s'agit d'éviter que l'exportation suisse doive subir une taxation différentielle sur ses marchés les plus importants. La diplomatie helvétique rencontre toutefois des problèmes dans l'accomplissement de ce mandat. Outre le tarif douanier qui ne motive pas les autres Etats à négocier, le nouveau droit d'établissement fédéral entrave la conclusion d'accords commerciaux. L'article 41 de la constitution de 1848, qui limite la liberté d'établissement aux personnes de confession chrétienne, permet aux cantons d'exercer une politique restrictive, notamment à l'égard des juifs[200]. Par extension, la liberté d'établissement garantie aux ressortissants d'un pays par voie contractuelle est limitée aux seuls chrétiens. Certains Etats refusent dès lors de conclure un traité de commerce qui discrimine une partie de leurs citoyens. Enfin, la tâche de la Confédération n'est pas facilitée par le contexte politique explosif des années 1850. Ilot républicain au milieu d'une Europe en réaction contre les mouvements révolutionnaires de 1848, la Suisse est considérée comme l'ennemi à abattre par les régimes monarchiques voisins. La présence de nombreux réfugiés politiques sur son sol ne cesse d'envenimer la situation diplomatique, hypothéquant la conclusion d'accords commerciaux.

Dès 1860, le traité de commerce conclu entre la France et la Grande-Bretagne modifie la donne commerciale européenne qui prend un cours libre-échangiste. La France parvient à tisser un réseau de traités de commerce très dense, dont les participants s'accordent mutuellement des faveurs douanières. Si la Confédération ne parvient pas à s'insérer dans le système en construction, en signant un traité avec la France, le commerce d'exportation helvétique court le risque d'être exclu des marchés européens encore accessibles et peut-être même de certaines colonies d'outre-mer. Le danger est d'autant plus grave que la guerre de Sécession entrave simultanément les exportations vers les Etats-Unis. Malgré les tensions politiques liées à l'affaire de Savoie, les élites exportatrices parviennent à imposer la conclusion du traité de commerce de 1864 avec la France. Obtenu grâce à quelques improvisations constitutionnelles, cet accord marque un tournant de la stratégie douanière fédérale. Dorénavant, le tarif ne sera plus un simple instrument fiscal, mais il sera

200 Le début de l'article 41 dit ceci: «*La Confédération garantit à tous les Suisses de l'une des confessions chrétiennes, le droit de s'établir librement dans toute l'étendue du territoire suisse, conformément aux dispositions suivantes...*»; FF, 1848-1849, vol. 1, p. 16; l'adoption de cette disposition, à caractère antisémite, est imposée par certains cantons désireux de combattre un hypothétique afflux de commerçants juifs.

mis au service de la conclusion de traités de commerce à tarif. Durant la durée de validité de l'accord, de nombreuses taxes ne pourront pas être modifiées à la hausse. Une partie de l'autonomie douanière est par conséquent sacrifiée à l'ouverture de débouchés extérieurs, ce qui ne sera pas sans poser certains problèmes dans la gestion des finances fédérales.

3.2.1. Le conflit douanier de 1851 avec le «Zollverein»: le nouvel Etat fédéral renonce à une politique de rétorsion

La victoire obtenue par le camp libéral-radical lors de la guerre civile du «Sonderbund» ne fait pas que des heureux en Europe. A tel point que les grandes monarchies envisagent sérieusement d'intervenir militairement pour rétablir un pouvoir conservateur plus conforme à leurs souhaits. Toutefois, les dissensions qui opposent l'Autriche, la Prusse, la France et l'Angleterre ainsi que les mouvements révolutionnaires qui éclatent au cours de l'année 1848 empêchent finalement une mise au pas de la nouvelle Suisse. Une fois les insurrections libérales mâtées, la Confédération helvétique demeure comme une épine dans le pied des régimes conservateurs. En tant que refuge des révolutionnaires européens, elle s'attire les foudres de la plupart des Etats voisins. Par ailleurs, le roi de Prusse menace d'affirmer ses droits sur le canton de Neuchâtel par la force. En effet, suite à la révolution radicale de 1848, l'ancienne Principauté est transformée en une République et canton de Neuchâtel qui ne le reconnaît plus comme souverain. Dans ce contexte, l'affirmation d'une politique commerciale d'ouverture des marchés extérieurs n'est pas aisée. Certes, la Confédération possède désormais l'outillage douanier nécessaire pour mener une politique plus offensive, mais l'exacerbation des contradictions commerciales comporte le risque de péjorer encore des relations internationales déjà très houleuses. Quant aux grandes puissances européennes, elles sont peu disposées à accorder des faveurs douanières susceptibles de renforcer le pouvoir libéral-radical en place.

Ce n'est pas un hasard si le premier partenaire intéressé à négocier avec la Suisse n'est pas un pays voisin, mais la République-sœur des Etats-Unis[201]. En juin 1850, le Gouvernement américain propose de conclure un traité de commerce. Eu égard à l'isolement politique de la Confédération, cette démarche, qui a une haute valeur symbolique, doit contribuer à maintenir un îlot libéral en Europe. Par l'obtention de la clause de la nation la plus favorisée, les exportateurs américains de coton et de tabac veulent aussi éviter que leurs produits puissent être imposés différentiellement à l'avenir.

201 Sur le premier traité de commerce avec les Etats-Unis, cf. Moltmann, 1976, pp. 100-133; Meier, 1963, pp. 15-40.

De son côté, la Suisse a tout intérêt à parvenir à un accord, car le marché américain demeure parmi les débouchés les plus importants de l'exportation helvétique. Signé le 25 novembre 1850, la première version du traité est ratifiée le 16 décembre déjà par l'AsF. Mais en raison de quelques divergences, notamment sur la question de l'établissement des ressortissants américains juifs, la ratification est refusée par le Sénat en mars 1851. Une nouvelle version du traité ne sera finalement ratifiée qu'en 1855.

Entre-temps, le CF a ouvert des négociations avec la Sardaigne. Au début des années 1850, cet Etat voisin libéralise ses échanges en concluant des traités de commerce avec la Belgique, l'Angleterre, le «Zollverein» et la France[202]. Le Gouvernement helvétique cherche par conséquent à faire bénéficier l'économie suisse de cette ouverture. Il s'agit également de renouveler le règlement des relations commerciales entre Genève et les Zones franches sardes (Genevois, Chablais et Faucigny), qui doit être renégocié suite à l'instauration du nouveau système douanier suisse[203]. L'élaboration de l'accord n'est pas menée par le chef du Département du commerce, ni même par un fonctionnaire de ce dernier, mais par un délégué du CF, Achilles Bischoff[204], qui est assisté par le Consul de Suisse à Turin. Les deux négociateurs sont donc issus des milieux de l'économie privée[205]. Un seul garde-fou étatique limite leur marge de manœuvre, ce sont des instructions écrites du CF. Ce mode de fonctionnement, caractéristique de la politique commerciale suisse, dénote l'osmose qui existe, dès la naissance de l'Etat fédéral, entre les instances politiques et certaines élites économiques. Par la suite, cette pratique deviendra la règle, la désignation des délégués étant laissée au bon vouloir du CF.

Le contenu du premier traité de commerce conclu et ratifié par la nouvelle Confédération est très intéressant[206]. Grâce à la clause de la nation la plus favorisée, l'industrie suisse bénéficie des importantes réductions de

202 FF, 1851, vol. 3, pp. 145-149, «MCF concernant le traité de commerce conclu le 8 juin a.c. entre la Suisse et la Sardaigne (14 juillet 1851)».

203 Gern, 1992, pp. 45-46.

204 Le choix d'*Achilles Bischoff* (1795-1867) – cf. note 105, chapitre 3 – est probablement motivé par les relations privilégiées entretenues par le commerce bâlois avec le nord de l'Italie; Bischoff connaît parfaitement cette région pour y avoir exercé une activité commerciale et industrielle pendant de nombreuses années et s'y être marié à deux reprises; en outre, le traité contient des dispositions ayant trait à la future construction d'une ligne ferroviaire reliant la Sardaigne à l'Allemagne par la Suisse, ce qui intéresse au premier chef la ligne du «Centralbahn» projetée par les Bâlois; enfin, lors du rachat des douanes cantonales, Bischoff a fait ses preuves en tant que principal négociateur de la Confédération.

205 Les consuls de l'époque sont désignés parmi les représentants de l'élite marchande suisse présents dans les différentes villes accueillant un consulat suisse.

206 RO, 1850-1851, vol. I, 1, pp. 403-416.

taxation déjà accordées par la Sardaigne à d'autres pays[207]. De surcroît, l'agriculture obtient une réduction de la taxe sur le fromage suisse de 20 à 15 frs, ce qui représente une diminution de charge de 75 000 frs. En contrepartie, la Suisse accorde l'entrée en franchise d'un contingent de 5000 hl de vin – portée financière d'environ 15 000 frs – ainsi que de légères diminutions des taxes sur la soie moulinée à coudre, l'huile d'olive, les fruits du midi, certaines spécialités de poissons et de viandes séchées, les eaux minérales, les châtaignes, les œufs et les pâtes. Certes, les concessions tarifaires mutuelles sont limitées, mais l'autonomie douanière est quelque peu restreinte pour une durée de dix ans. Le principe d'une intervention commerciale au moyen de la tarification douanière est amorcé. D'autant plus que dans son message, le CF propose d'accorder ces concessions uniquement à la Sardaigne. Pour éviter d'être taxés différentiellement, les autres Etats seraient ainsi contraints de conclure un traité avec la Suisse:

> *Des différences pour le riz et quelques denrées alimentaires telles que la viande et les pâtes ne devraient, selon nous, pas être généralisées, mais déterminées seulement à l'égard de la Sardaigne. Car si nous n'admettons, quelques temps au moins, des droits différentiels, nous ne parviendrons pas à retirer de notre système des péages tous les avantages qu'il peut nous valoir et qui se trouvent essentiellement dans les traités de commerce conclus à des conditions favorables avec d'autres Etats*[208].

Enfin, le CF décide de se servir de l'article 33 de la loi douanière pour mettre en vigueur le nouveau traité dès le 1er juillet, sans avoir attendu sa ratification par l'AsF. Pour légitimer cette procédure quelque peu cavalière, quoique correcte d'un point de vue juridique, le CF argue que s'il ne l'avait pas adoptée, le commerce suisse aurait perdu d'importantes commandes[209]. Dans la perspective du CF, le traité de commerce conclu avec la Sardaigne représente donc l'amorce d'une politique commerciale interventionniste d'ouverture des marchés extérieurs:

> *Le traité en question avec la Sardaigne est à cet égard le premier fruit satisfaisant de notre nouveau système: espérons que ce ne sera pas le dernier*[210].

Aux Chambres, le contenu du traité satisfait presque la totalité des milieux économiques suisses. Il est ratifié les 21 et 29 juillet 1851 au CN et au CE[211]. La délégation vaudoise l'attaque toutefois en invoquant les intérêts de la viti-

207 Lors du débat au CN, Bischoff affirme n'avoir pas osé chiffrer ces concessions dans le message, tant la disproportion avec les concessions suisses est importante; lors de ce même débat douanier, Jenny évalue les pertes fiscales de la Sardaigne à près d'un million de frs; *NZZ*, 22. Juli 1851.

208 FF, 1851, vol. 3, p. 147, «MCF concernant le traité de commerce conclu le 8 juin a.c. entre la Suisse et la Sardaigne (14 juillet 1851)».

209 *Ibidem*, p. 148.

210 *Ibidem*, p. 147.

211 Le débat sur la ratification du traité a lieu le 21 juillet 1851 au CN; celle-ci est acceptée par 78 voix contre 9; l'opposition est composée de sept Vaudois et deux Saint-Gallois;

culture et la libéralisation du droit d'établissement contenu dans l'accord. Quant à certains représentants de l'élite marchande, ils s'opposent au principe même de la conclusion de traités de commerce par la Confédération:

> *Comment l'autorité centrale, prenant l'initiative, pourra-t-elle, dans un traité avec l'étranger, ou dans toute autre grande mesure générale, concilier les intérêts divers de tant d'économies différentes, agricoles, forestières, vinicoles, manufacturières ou commerciales; économies spéciales, permanentes, résultant toutes de conditions particulières à chaque canton [...] C'est ce que les confédérés de l'ancienne Suisse avaient bien compris, lorsque, se réunissant pour leur défense contre l'ennemi commun, ils laissèrent à chaque canton le soin de régler ses rapports commerciaux avec l'étranger, dans le sens qu'il jugeait le plus convenable*[212].

Ces milieux estiment que pour éviter de privilégier certains intérêts au détriment d'autres, la Confédération doit s'abstenir de toute intervention commerciale.

A peine les relations commerciales avec la Sardaigne réglées, un conflit douanier avec le «Zollverein» allemand soulève la question de l'opportunité d'une politique de rétorsion. L'affaire débute en 1850, avec la mise en application du nouveau système douanier suisse[213]. Les relations diplomatiques avec les Etats allemands sont alors des plus tendues, car la Suisse sert de refuge à de nombreux révolutionnaires qui se sont illustrés dans la lutte contre les Gouvernements en place. Dans ce contexte politique crispé, les Etats de l'Allemagne du Sud adressent un mémoire aux autorités fédérales pour se plaindre des entraves que le nouveau système douanier fédéral met à leur commerce. Ils demandent notamment que la double taxation du fer, qui privilégie l'industrie anglaise, soit supprimée. Publié au début de l'année 1851, un mémoire du CF refuse les prétentions allemandes[214]. En juillet, les deux parties entament des négociations pour établir un traité qui règlerait l'ensemble des relations commerciales. L'échec des pourparlers engage les Etats de l'Allemagne du Sud (Bade, Wurtemberg et Bavière) à supprimer les faveurs douanières accordées unilatéralement depuis 1835/1838 à certains produits suisses[215]. Appliquée à partir du 1er août 1851, cette mesure frappe

---

NZZ, 22. Juli 1851; le CE le ratifie le 29 juillet par 34 voix contre 2; *Gazette de Lausanne*, 2 août 1851.

212 Odier-Cazenove, 1851/2, p. 23.

213 Quelques éléments d'information figurent in Gern, 1992, pp. 42-48; Napolski, 1961, pp. 41 et ss.; les autres informations proviennent du dépouillement de la presse de l'époque et du dossier des AF.

214 Beleuchtung der Denkschrift..., 1851.

215 Les produits qui bénéficiaient de réductions étaient les suivants: fromages, vins blancs du Bodensee, cidre, vinaigre, kirsch, extraits d'absinthe, racines, plantes colorantes, fruits secs, miel, bois, blé, tresses de paille, parties d'horlogerie, cire non blanchie, poterie; selon une liste publiée in *Gewerbeblatt*, Nr. 17, 15. August 1851, p. 258.

surtout l'agriculture helvétique. L'exportation du vin de la région du lac de Constance est presque prohibée. Quant à celle de fromage, elle est notablement renchérie, sans pour autant être menacée par la nouvelle taxation[216]. L'opportunité de répondre aux mesures du «Zollverein» par une politique de rétorsion est alors débattue dans l'opinion publique et aux Chambres. Une épreuve de force, opposant les élites économiques suisses, est engagée au sujet du contenu et des modalités de la future politique commerciale de la Confédération[217].

Pour les milieux économiques favorables à une intervention commerciale musclée, l'occasion est rêvée de montrer à l'opinion internationale que le nouvel Etat fédéral se démarquera de la politique de laisser faire pratiquée jusqu'alors par la Confédération helvétique. De leur point de vue, l'Etat central doit participer à la reconquête des marchés de proximité en forçant les Etats voisins à conclure des traités de commerce. L'objectif de ces accords dépasse l'obtention de la clause de la nation la plus favorisée. Ils doivent permettre d'abaisser la taxation étrangère et d'assurer une stabilité des échanges favorisant les investissements. Ils doivent aussi empêcher que les Etats voisins n'entravent le ravitaillement de la Suisse en temps de disette. Les régions industrielles demandent qu'une clause des traités empêche des mesures douanières freinant l'exportation de denrées alimentaires vers la Suisse[218]. Afin de contraindre le «Zollverein» à souscrire à cette nouvelle

216 L'imposition des 37 784 quintaux (50 kg) de vin passe de 50 kreuzers à 14 florins par quintal, ce qui fait une différence de charge douanière de près de 500 000 florins; les 40 633 quintaux de fromage voient leur taxation passer de 2 florins 30 kreuzers à 6 florins 25 kreuzers pour une différence de charge de 150 000 florins environ; Gern, 1992, p. 47; Meyer von Schauensee, 1851, p. 64; dans un rapport daté du 26 juillet 1852, adressé à l'AsF, le CF dit ceci: «*On ne saurait nier que le retrait de la première concession n'ait atteint d'une manière sensible mais non ruineuse le commerce des fromages, le droit plus élevé a pu du moins être reporté en partie sur le prix de la vente et le fromage a trouvé néanmoins du débit.*»; AF, E 13(B), vol. 148.

217 L'analyse des différentes forces en présence et de leurs motivations est rendue difficile par le manque d'information à disposition; en raison de la soudaineté du débat aux Chambres, les différents groupes socio-économiques n'ont pas le loisir de publier leur point de vue dans des brochures; par ailleurs, les délibérations aux Chambres ont lieu sous le sceau du secret; l'information est limitée aux seules indiscrétions publiées dans la presse écrite de l'époque; les commentaires et prises de position de cette dernière – *NZZ, JdG, Gazette de Lausanne* et *Gewerbeblatt* – constituent le matériel de base permettant d'évaluer les rapports de force politiques; un autre problème est lié à la complexité et à la diversité des intérêts commerciaux des acteurs; il en résulte un éclatement des prises de position au sein même des différentes élites économiques cantonales; pour prendre un exemple, la *NZZ* de Zurich, bastion des milieux économiques de cette ville, est opposée à des mesures de rétorsion, quand bien même Alfred Escher est le principal instigateur du mouvement rétorsionniste.

218 *Gewerbeblatt*, Nr. 17, 15. August 1851, p. 264; FF, 1849, vol. 2, pp. 241-242, «Rapport de la minorité de la commission des péages au CN (9 juin 1849)»; le traité

stratégie commerciale, les milieux interventionnistes sont d'avis que la Confédération doit engager une épreuve de force, au risque de déclencher une guerre douanière. D'autant plus que la structure des échanges commerciaux avec le «Zollverein» donne d'intéressantes possibilités de faire pression sur les autorités allemandes[219]. L'adoption de mesures de rétorsion requiert toutefois la mobilisation d'une majorité des élites économiques au sein des différents lieux de pouvoir du champ douanier.

Les grands industriels des secteurs du coton et des machines sont le porte-drapeau d'une politique commerciale interventionniste. Certes, leurs intérêts ne sont pas directement lésés par les mesures du «Zollverein», mais ils montent aux barricades afin d'exiger des taxes de rétorsion. Le *Schweizerisches Gewerbeblatt,* publié par Beyel, est décidé à utiliser la dégradation des relations avec le «Zollverein» pour affirmer la force commerciale de la nouvelle Confédération:

> *So sehr wir die Folgen für die dadurch momentan ziemlich hart betroffenen Interessen vieler Schweizerbürger bedauern, können wir das rückhaltlose Aufdecken dieser grössten Blösse der schweizerischen Verhältnisse zum Auslande nur* als ein Glück für erstere (souligné dans l'original, C. H.), *als das Heraustreten aus einem für jeden selbständigen Staat unwürdigen Verhältnisse betrachten. Es konnte, es durfte für die Dauer nicht bestehen; denn zwischen souveränen Staaten ist der* Weg des Vertrages die einzig mögliche Basis, *die gegenseitigen Beziehungen sowohl der eigentlichen Politik, als der Handelspolitik zu ordnen [...] Die erste Gelegenheit und Nothwendigkeit, als geschlossene handelspolitische Macht aufzutreten, ist gegeben. Die höchsten Bundesbehörden werden sie wacker benutzen*[220].

---

avec la Sardaigne contient une telle clause; le «Zollverein» refuse par contre de se soumettre à une disposition de ce genre, ce qui constitue une des principales causes de la rupture des négociations (juillet 1851); *JdG*, n° 199, 23 août 1851; Meyer von Schauensee, 1851, note p. 76.

219 Selon les chiffres avancés par le CF, la Suisse importe alors pour 60 mios de frsa de marchandises en provenance d'Allemagne, imposées à 1,3% de leur valeur; la Suisse exporte par contre pour 36 mios de frsa seulement, imposées à 11% de leur valeur; le marché du voisin est plus indispensable à l'Allemagne qu'à la Suisse et les réserves de taxation douanière de la Suisse sont importantes; de surcroît, la Suisse n'est plus, comme au début du siècle, fortement dépendante de l'Allemagne du Sud quant à son ravitaillement en blé et en sel, car elle a la possibilité d'acheter ces marchandises ailleurs sans trop les renchérir; par contre, l'Allemagne aurait certainement beaucoup plus de peine à trouver de nouveaux débouchés; enfin, en 1851, le marché allemand est moins indispensable à l'exportation industrielle suisse qu'à l'époque du Concordat de rétorsion contre la France et sa fermeture provisoire n'équivaudrait plus à une catastrophe commerciale débouchant sur une asphyxie du commerce d'exportation suisse; les chiffres sont tirés d'une brochure explicative éditée par le CF; Beleuchtung der Denkschrift..., 1851, pp. 45-46; cf. également *Gewerbeblatt*, Nrn. 17/18, 15./29. August 1851.

220 *Gewerbeblatt*, Nr. 17, 15. August 1851, pp. 258/265.

Une partie des élites agricoles sont aussi favorables à une politique commerciale musclée. Les plus farouches partisans de la rétorsion sont les viticulteurs: ceux de Suisse orientale veulent récupérer leurs débouchés allemands, alors que ceux de Suisse occidentale craignent une augmentation de la concurrence des vins orientaux sur le marché intérieur. En lançant des pétitions, les classes moyennes industrielles et artisanales tentent également de faire pression[221]. Enfin, le mouvement rétorsionniste reçoit le soutien du *Bund* (BE) et de l'*Erzähler* (SG), journaux de tendance radicale.

Face à cette coalition de producteurs décidés à l'épreuve de force, l'opposition à des mesures de rétorsion est emmenée par les marchands-banquiers de Suisse occidentale qui peuvent s'appuyer sur la grande presse quotidienne libérale-conservatrice. Afin de défendre une politique de laisser faire, ces milieux agitent le spectre d'une guerre douanière. Avec une certaine démagogie, ils assimilent par ailleurs mesures de rétorsion et augmentation des revenus douaniers, afin de faire vibrer la corde fédéraliste à leur avantage:

> *C'est un mal, sans doute, que l'Allemagne élève ses tarifs, mais ce mal, à quoi bon l'aggraver d'un second, qui est de renchérir les produits allemands et la vie en Suisse? L'économie politique, accessible ici au plus simple bon sens, nous crie de ne point donner dans cette duperie, dont M. A. Escher, à Zurich, et les thésaurisateurs, à Berne, riront seuls: car ce qu'ils veulent, c'est de prélever sur la vie du peuple, au moyen des douanes, des excédents de recettes, pour les répandre ensuite sur l'Université future et sur des professeurs étrangers et venus d'Allemagne (lesquels encore?), dont la Suisse a tout à gagner de se passer*[222].

L'opposition des négociants pratiquant le commerce de spéculation est soutenue par une partie des élites exportatrices – marchands-entrepreneurs, industriels et marchands de produits agricoles – qui refusent l'épreuve de force. Certains producteurs et expéditeurs de fabriqués industriels, dont la taxation n'est pas majorée par le «Zollverein», craignent qu'une guerre douanière leur ferme ce débouché. Par ailleurs, les taxes de rétorsion décrétées sur les produits allemands pourraient renchérir les salaires. Les élites agricoles de Suisse centrale et méridionale, peu intéressées aux marchés allemands, considèrent ces mesures comme une source de renchérissement. La majoration de la taxe sur le fer allemand, moyen principal de rétorsion,

221 Au début de l'année 1852, le SHGV envoie au CF une pétition munie de 8267 signatures rassemblées surtout dans les cantons de Suisse orientale (TG: 3836; AG: 1415; SG: 1023; SH: 958); celle-ci demande que les négociations avec le «Zollverein» soient interrompues et que des mesures de rétorsion protégeant le travail national soient prises; AF, E 11, vol. 3, «Petition des schweizerischen Handwerks- und Gewerbevereins und Freunde vaterländischen Gewerbefleisses an den hohen Bundesrath zu Handen der hohen Bundesversammlung in Bern»; cf. également AF, E 13(B), vol. 148.

222 *JdG*, n° 187, 9 août 1851.

risque de léser leurs intérêts[223]. Certains marchands de produits agricoles craignent aussi qu'une guerre douanière détériore encore les conditions d'exportation sur le marché allemand. A cet égard, il est probable qu'une partie des exportateurs de fromage préfèrent supporter les nouvelles taxes allemandes plutôt que d'endurer la fermeture totale de ce marché[224].

Le 11 août 1851, deux motions issues du CN invitent le CF à faire rapport sur l'opportunité de mesures de rétorsion contre le «Zollverein»[225]. Le 14 août, le Gouvernement s'exécute devant un CN réuni à huis clos. Il se déclare opposé à une taxation différentielle susceptible de déclencher une guerre douanière, mais il propose tout de même des mesures douanières destinées à faire pression sur les Etats allemands. Il s'agit d'augmenter légèrement, et de manière provisoire, une série de positions du tarif douanier, en ciblant certains intérêts commerciaux allemands – tabac en feuilles et tabac à priser, orge, bière, vin blanc, chicorée, cumin, ouvrages en bois, horloges en bois, articles en cuir[226]. Pour éviter d'attaquer frontalement les Etats allemands, les hausses de taxes seraient appliquées à l'ensemble de l'importation suisse. Les mesures de rétorsion seraient ainsi déguisées en une révision partielle et provisoire du tarif douanier suisse. Il faut remarquer que pour éviter le renchérissement de produits de grande consommation, les augmentations ne frappent pas les principales importations allemandes (fer, blé, sel, etc.). La proposition du CF est donc une demi-mesure, dont l'efficacité sur le «Zollverein» serait fort douteuse.

Après avoir débattu une première fois de ce rapport, le CN nomme une commission pour l'examiner[227]. Les 18 et 19 août 1851, un débat-fleuve sur

223 Il est significatif de constater qu'un représentant de l'aristocratie terrienne lucernoise s'oppose aux mesures de rétorsion proposées; il y voit un surcroît de charge qui viendrait s'ajouter aux désagréments de la fermeture du marché allemand; il se déclare toutefois favorable à des taxes de rétorsion qui frapperaient le blé, le vin, le bétail et le tabac afin de protéger la production agricole suisse; Meyer von Schauensee, 1851, pp. 73-76.

224 Le Gouvernement bernois intervient d'abord auprès du CF pour l'engager à réagir aux mesures prises par le «Zollverein», mais se déclare dans un deuxième temps opposé à des mesures de rétorsion; *JdG*, 27 août 1851.

225 En raison de la difficulté de déchiffrer les signatures apposées à ces motions, une analyse pertinente n'est pas possible; la première, qui est emmenée par le Bernois Schneider, reçoit le soutien d'un certain nombre de Conseillers nationaux bernois (Imobersteg, Revel, Lohner, Péquignot, Weingart); la seconde est soutenue par des proches du Zurichois Escher (Kern (TG), Siegfried (AG), Jenny (GL)); AF, E 13(B), vol. 148.

226 AF, E 13(B), vol. 148; la bière et le vin blanc passeraient de 10 à 15 et 20 batz, la chicorée de 25 à 35, le tabac de 50 à 80, les articles en cuir de 10 à 15 frsa; le CF estime la hausse des revenus douaniers à 21 823 frsa.

227 La commission du CN est composée de sept représentants des élites économiques suisses: Escher (ZH), Schneider (BE), Blanchenay (VD), Bischoff (BS), Peyer im Hof (SH), Hungerbühler (SG) et Trog (SO).

les propositions de la commission se déroule à huis clos. Emmenée par le Bâlois Bischoff, la majorité propose de ne pas entrer en matière sur des mesures douanières extraordinaires, mais de renouer les négociations avec le «Zollverein»[228]. Chantre de l'industrie mécanisée zurichoise, Alfred Escher défend une proposition de minorité en compagnie de Schneider (BE) et Blanchenay (VD). L'axe producteur Zurich-Berne-Vaud demande la mise en vigueur immédiate de mesures de rétorsion et l'attribution de pleins pouvoirs au CF pour gérer la crise commerciale. Lors de la votation, la majorité l'emporte par 47 voix contre 35.

Le 23 août 1851, le CE se montre encore plus libre-échangiste. Par 24 voix contre 12, il décide de ne pas entrer en matière sur la proposition du CF. Fin août, les deux Chambres s'accordent sur le texte suivant:

> *1) Le Conseil fédéral est autorisé à reprendre opportunément les négociations avec les Etats allemands du Sud. 2) Dans le cas où elles n'aboutiraient à aucun résultat satisfaisant et où la situation actuelle ne serait pas changée, le Conseil fédéral est chargé de faire usage de l'art. 33 de la loi sur les péages du 30 juin 1849*[229].

Cet arrêté équivaut à l'enterrement d'une politique de rétorsion contre le «Zollverein». L'initiative est en effet laissée au CF, qui n'est pas décidé à engager une guerre douanière. Certes, en 1852, plusieurs pétitions de communes zurichoises et de milieux de l'artisanat demandent la reprise des négociations, mais le rapport du Gouvernement confirme sa volonté de temporiser:

> *[...] se rappelant les discussions qui avaient été soulevées au sein des deux Conseils et en présence de la teneur de la décision précitée, il était de toute évidence pour lui* (le CF, C. H.) *que l'Assemblée dans sa grande majorité était animée du désir que l'on évitât autant que possible des mesures de rétorsion, opinion que le Conseil fédéral partage pleinement. Or si telles étaient les intentions arrêtées, on ne pouvait renouer les négociations qu'autant qu'il existait des chances de réussite assez assurées, puisqu'en cas de non-succès, le Conseil fédéral avait pour mandat de prendre des mesures de rétorsion*[230].

L'échec de 1851 marque un coup d'arrêt décisif et durable à une intervention commerciale musclée du nouvel Etat fédéral. Lors de la révision douanière de 1851, certaines concessions faites à la Sardaigne sont intégrées dans le nouveau tarif. Dès lors, la Confédération renonce à une taxation différentielle systématisée de l'importation étrangère. Elle renonce aussi à la conclusion de traités à tarif qui réduiraient l'autonomie douanière. A l'ex-

228 Elle est constituée de Bischoff (BS), Peyer im Hof (SH), Hungerbühler (SG) et Trog (SO); il faut toutefois noter que Trog et Hungerbühler, qui ont signé la motion Escher, ne sont pas opposés au principe même d'une intervention commerciale, mais qu'ils préfèrent probablement éviter l'épreuve de force en épuisant la voie des négociations.

229 *JdG*, 29 août 1851.

230 AF, E 13(B), vol. 148, «Rapport du 26 juillet 1852 au CN».

ception des quelques positions liées par l'accord avec la Sardaigne, l'ensemble du tarif est susceptible d'être révisé en tout temps. L'intervention de l'Etat fédéral se limite par conséquent à la seule conclusion de traités de commerce avec clause de la nation la plus favorisée.

Malgré des ambitions revues à la baisse, la politique commerciale de la Confédération ne rencontre que peu de succès durant les années 1850. A part les traités avec les Etats-Unis (1850) – ratifié en 1855 – et la Sardaigne (1851), deux autres accords contenant la clause de la nation la plus favorisée sont conclus avec la Grande-Bretagne (1855) et le Royaume des deux Siciles (1860). Certes, l'importance de ces quatre traités ne doit pas être banalisée – les marchés américain, anglais et certains marchés italiens sont ainsi protégés d'une taxation différentielle –, mais force est de constater que les fruits récoltés sont loin de correspondre aux espoirs émis, durant les années 1840, par les grands industriels favorables à une centralisation douanière. Plusieurs causes peuvent être évoquées pour expliquer cet échec relatif. Le renoncement à une taxation différentielle, qui demanderait un renforcement de l'appareil administratif, démotive les partenaires commerciaux à conclure des accords. Aucune différence de taxation ne sanctionne les Etats qui ne sont pas au bénéfice d'un traité avec clause de la nation la plus favorisée. Outre ce manque d'attractivité d'un point de vue douanier, nous avons vu que la politique commerciale helvétique est entravée par des problèmes juridiques – droit d'établissement – et politiques – problème des réfugiés.

Durant les années 1850, l'exportation suisse continue ainsi à subir les nombreuses barrières douanières érigées en Europe. Le symbole de l'impuissance commerciale de la Confédération demeure le traitement différentiel instauré par la Belgique (1844), qui ne peut être aboli au cours de la décennie. Ce manque d'efficacité n'est toutefois pas ressenti de manière trop aiguë. L'économie suisse traverse alors une période de croissance euphorique, conditionnée par une conjoncture internationale favorable et une forte croissance des investissements ferroviaires. De plus, le commerce d'exportation bénéficie d'un renouveau du libre-échange en Europe. Amorcé avec les réformes anglaises des années 1840, il s'étend timidement à d'autres régions d'Europe[231]. Ainsi, en dépit de l'intervention commerciale très limitée de la Confédération, le commerce extérieur suisse amorce un mouvement de réorientation vers les marchés européens. Alors qu'en 1845, 36%

231 Nous avons vu qu'au début des années 1850, la Sardaigne amorce un désarmement douanier grâce à la conclusion de traités de commerce; la Belgique suit la même voie en concluant des traités avec la Grande-Bretagne (1851), le «Zollverein» (1852) et la France (1854); l'Espagne révise son tarif douanier à la baisse (1849), de même que les Pays-Bas (1847/1850/1854), l'Autriche-Hongrie (1851), la Norvège (1851/1857), la Suède (1857) et la Russie (1857); Bairoch, 1989, pp. 23-36; Cherbuliez, 1857, pp. 20-60.

de l'exportation suisse (en valeur) sont expédiés vers ces marchés, ils en absorbent près de 64% en 1862[232]. La part des marchés allemands progresse de 13 à 19%, celle du marché français de 10 à 14%, alors que le marché anglais passe de 2 à 6% (annexe 2). Cette forte progression s'effectue au détriment des marchés d'Amérique, dont la part évolue de 44-48 à 18%. Certes, au début des années 1860, l'économie suisse continue à exporter des produits de luxe outre-mer, mais une grande partie de son commerce extérieur dépend désormais des relations commerciales entretenues avec les Etats européens. Les élites économiques exportatrices ne pourront de ce fait pas rester indifférentes à la révolution libre-échangiste qui secouera l'Europe à partir de 1860. Paradoxalement, le mouvement de libération des échanges exigera une intervention accrue de la Confédération en matière de politique commerciale.

3.2.2. Le traité de commerce Cobden-Chevalier de 1860: mise en péril du commerce extérieur helvétique

Arrivé au pouvoir en 1848, Napoléon III n'a jamais caché ses sympathies pour un libre-échange modéré. En accentuant la pression exercée par la concurrence étrangère, cette politique pousserait à un accroissement de la compétitivité de l'économie française[233]. En outre, le «lobby» français du commerce et des transports (ports, chemins de fer) profiterait de cette réforme pour accaparer une partie plus importante du trafic international. Au Parlement, une majorité de producteurs protectionnistes s'opposent cependant à toute révision du tarif dans un sens libre-échangiste. Napoléon III est donc contraint d'atteindre ses objectifs par des voies détournées. Seul compétent en matière de traités de commerce, il abaisse les barrières douanières françaises en concluant des accords avec les principales puissances économiques d'Europe. Toutefois, les réductions douanières consécutives aux traités ne sont appliquées qu'aux pays bénéficiant de la clause de la nation la plus favorisée. Pour ne pas être traités différentiellement, les autres Etats sont alors contraints de négocier. Des concessions douanières en faveur de l'exportation française sont ainsi arrachées aux principaux partenaires commerciaux qui ne peuvent se permettre d'être exclus de l'important marché français.

En 1860, Napoléon inaugure sa nouvelle politique commerciale en concluant le fameux traité Cobden-Chevalier avec la Grande-Bretagne. La France renonce à la plupart de ses interdictions d'importation et leur substitue des taxes douanières relativement élevées (max 30% de la valeur). L'An-

232 Estimations in Veyrassat, 1990, p. 312.
233 Gern, 1992, pp. 50-53; Graf, 1970, pp. 178-179.

gleterre instaure un tarif ultra-libre-échangiste ne frappant que quelques positions fiscales (thé, tabac, bière, vins, etc.); contrairement au tarif conventionnel français, la nouvelle taxation est appliquée à toutes les marchandises importées. Inattendu, le traité Cobden-Chevalier fait l'effet d'une petite bombe qui révolutionne les politiques douanières européennes. Entre 1860 et 1870, quelque 120 traités de commerce vont être conclus sur son modèle, provoquant une forte libéralisation des échanges commerciaux[234]. Du fait que ces traités contiennent la clause de la nation la plus favorisée, la conclusion d'un accord avec un Etat permet de bénéficier de toutes les réductions concédées par celui-ci à des Etats tiers. Accéder au tarif conventionnel français, qui est le centre du système commercial mis en place, revêt une importance toute particulière.

Comme tout progrès du libre-échange, le traité Cobden-Chevalier est accueilli avec satisfaction en Suisse. Il ouvre le marché anglais et les colonies britanniques à certaines productions suisses. Dès 1861, l'horlogerie et l'industrie de la soie bénéficient à plein de la réforme tarifaire, ainsi qu'en témoigne le Consul général de Suisse à Londres:

> *En ce qui concerne l'horlogerie, l'année a été tout à fait exceptionnelle pour cette branche d'industrie, ce qu'il faut attribuer principalement au traité de commerce entre l'Angleterre et la France. L'abolition du droit d'entrée sur les montres a au moins doublé et triplé l'importation des qualités inférieures [...] La suppression du droit anglais sur toutes les étoffes de soie est à proprement parler l'origine du commerce des étoffes. Auparavant, Zurich et Bâle négligeaient complètement d'envoyer des étoffes sur les marchés britanniques*[235].

La satisfaction ne tarde toutefois pas à être mêlée d'un sentiment d'inquiétude. Avec le traité Cobden-Chevalier, les productions suisses risquent un traitement douanier différentiel généralisé sur les marchés européens continentaux[236]. Sans la conclusion rapide d'accords lui assurant le traitement de la nation la plus favorisée, l'exportation suisse ne pourra pas bénéficier des tarifs conventionnels instaurés par la plupart des Etats européens suite à la conclusion de traités de commerce.

En 1862, une commission parlementaire tire la sonnette d'alarme. Suite aux traités conclus par la France avec l'Angleterre, la Belgique et la Prusse, elle constate que l'exportation suisse est déjà fortement discriminée sur le marché français: alors que les tissus de soie helvétiques paient une taxe prohibitive de 17,60 à 34,10 frs/kg, les soieries de ces trois pays bénéficient de la franchise; tandis que les cotonnades suisses restent interdites d'importa-

234 Bairoch, 1989, pp. 36-51; Brand, 1968, p. 25.

235 Cité in Gern, 1992, p. 54.

236 Ce risque existait déjà durant les années 1840 et constituait un des aiguillons poussant à une unification douanière; mais jusqu'en 1860, seuls la Belgique et le Royaume de Naples traitent la Suisse différentiellement.

tion, la concurrence peut écouler ses produits en France moyennant des taxes de 15% de la valeur sur les étoffes imprimées, 15% sur les mousselines et 10% sur les broderies à la main. La prochaine application du traité de commerce franco-prussien, conclu en 1862, doit créer des disparités similaires sur les marchés allemands[237].

A terme, le maintien d'une telle situation commerciale aurait des conséquences catastrophiques pour l'économie suisse. Certaines industries d'exportation pourraient être contraintes de s'expatrier, d'autres de réorienter leur expédition vers les marchés peu stables d'outre-mer:

> *Si la Suisse, comptant sur ses propres forces, voulait se tenir à l'écart du mouvement de transformation qui se prépare dans la politique commerciale de l'Europe, il est très vraisemblable, d'abord, que mainte branche d'industrie serait forcée ou du moins engagée à émigrer de la Suisse dans les contrées limitrophes des pays faisant partie de l'Union douanière* (ensemble des pays liés par traités de commerce, C. H.)*; que la production suisse se verrait plus encore que ce n'est le cas aujourd'hui écartée des marchés plus rapprochés et avantageux à tous égards, et cela pour être réduite à n'avoir plus d'autres débouchés que les pays d'outre-mer n'offrant que peu de sécurité [...]*[238]

En outre, une expulsion des marchés de proximité européens, qui absorbent près de 64% des exportations en 1862, serait beaucoup plus difficile à compenser que ce ne fut le cas après 1822. En effet, véritable eldorado durant les années 1830, le marché américain ne peut plus jouer le rôle de soupape de sécurité. Le développement industriel des Etats-Unis et la pratique d'une politique commerciale plus restrictive empêchent désormais une expansion massive de l'exportation suisse vers les deux continents américains. De plus, dès 1861, la guerre de Sécession provoque une crise commerciale de longue durée, dont les effets sont ressentis par l'industrie textile suisse[239]. En 1864, un représentant de la grande industrie considère donc que le statu quo en politique commerciale n'est plus possible. Selon lui, la survie de l'industrie suisse dépend de la conclusion d'un accord avec la France, clef de l'accès au système européen de traités de commerce:

> *Hier wäre Warten Untergang unserer Industrie; wir müssen möglichst schnell in diesen Kreis eintreten*[240].

L'industrie d'exportation ne serait pas le seul secteur économique touché par une fermeture encore plus hermétique des marchés voisins. De plus en

237 FF, 1862, vol. 2, pp. 762-765, «Rapport spécial de la Commission nommée par le CN pour l'examen du budget, au sujet du budget du Département du commerce et des péages pour 1863 (27 juin 1862)».
238 FF, 1864, vol. 2, p. 549, «Rapport de la Commission du CN concernant les traités avec la France (26 août 1864)».
239 Schaffner, 1982, pp. 109-133.
240 Il s'agit de l'industriel argovien *Carl Feer-Herzog* (1820-1880) (AG), cf. note 259, chapitre 3; Verhandlungen..., 1864, p. 57.

plus concurrencée sur le marché intérieur, en raison de l'arrivée des chemins de fer sur territoire suisse, l'agriculture de plaine doit faire face à un fléchissement du prix des céréales, encore aggravé par une hausse des taux hypothécaires et des prix du sol[241]. Pour contrecarrer cette évolution, les agriculteurs de plaine engagent une reconversion dans la production de bétail et de produits laitiers[242]. Des fromageries de plaine se multiplient, dont la fabrication est en grande partie écoulée à l'étranger. Dans ce contexte, le traitement différentiel de l'exportation agricole sur les marchés voisins serait un frein commercial qui remettrait en question la poursuite du processus de spécialisation dans des productions animales. La conclusion de traités permettrait au contraire de le favoriser en atténuant le protectionnisme agricole. A cet égard, l'accès au marché français revêt alors une importance toute particulière – 14% du fromage exporté, 21% du bétail, 43% des peaux et 99% du bois[243]. Or, dès 1860, l'exportation de fromage est remise en question par une taxation différentielle de la France (16,50 frs/100 kg au lieu de 10). Elle ne fait qu'aggraver une situation concurrentielle déjà compromise face aux fromages hollandais. Cette évolution est d'autant plus inquiétante que l'exportation du fromage détermine dans une large mesure le prix du lait, clef de voûte du revenu agricole en Suisse. En 1860, la production laitière représente 21% de la valeur ajoutée dans le secteur primaire. Ainsi, en 1863, un représentant des milieux de l'exportation agricole estime lui aussi qu'un traité avec la France est indispensable:

> *Und in der That, nach unserer Ansicht wird die Käseeinfuhr nach Frankreich abnehmen oder ganz verschwinden, wenn nicht durch einen rationellen Vertrag einige Aenderungen herbeigeführt werden können*[244].

Peu après la conclusion du traité Cobden-Chevalier, les élites exportatrices suisses – marchands-entrepreneurs, grands industriels, propriétaires terriens et marchands de produits agricoles – réclament donc instamment la signature d'un traité de commerce avec la France. Mais, entre janvier 1860 et juillet 1865, date d'entrée en vigueur du traité franco-suisse, de nombreuses difficultés viennent entraver cette volonté[245]. Tour à tour, des considérations de politique extérieure, de politique commerciale et de politique intérieure compliquent la tâche des autorités politiques chargées de négocier un accord[246].

241 Schaffner, 1982, pp. 85-109.
242 Hallauer, 1866.
243 Weber, 1863, p. 11.
244 *Ibidem*, p. 23.
245 Les principaux ouvrages et articles concernant le traité de commerce de 1864 avec la France sont les suivants; Brand, 1968; Gern, 1992, pp. 49-79; Schoop, 1968, pp. 261-281; Brunn, 1982, pp. 49-58; Schmidt, 1914, pp. 86-91.
246 Entre-temps, la Suisse conclut un traité de commerce avec la Belgique (1862); cet accord marque la fin effective de la politique douanière autonome menée par la Confédération;

Sitôt la nouvelle du traité Cobden-Chevalier officialisée (23 janvier 1860), le CF se préoccupe de l'événement. Le 24 janvier 1860, il écrit au Ministre de Suisse à Paris, Johann-Konrad Kern[247], pour qu'il suive de près l'évolution de la politique commerciale française. Le 30 janvier 1860, le Gouvernement adresse une circulaire aux cantons et à certains organes économiques régionaux[248], afin de les consulter sur l'opportunité de la conclusion d'un traité de commerce avec la France. A l'exception de Berne (raisons politiques) et Bâle (peur d'une réglementation concernant les modèles industriels), les réponses sont favorables et réclament le traitement de la nation la plus favorisée. Dans un rapport daté du 1er février 1860, Kern défend aussi l'ouverture immédiate de pourparlers. Le 12, le CF décide toutefois de temporiser, estimant que l'affaire n'est pas encore assez claire pour que l'on entame des démarches officielles à Paris. Le 24 mars 1860, Napoléon III décide d'annexer la Savoie. Ce faisant, il bafoue le droit accordé à la Confédération suisse, en 1815, d'occuper militairement cette région pour en assurer la neutralité. Cet événement, qui déclenche une violente réaction francophobe dans l'opinion publique suisse, obscurcit les relations diplomatiques avec la France. Comment, dans ce contexte, légitimer l'ouverture de négociations commerciales avec le grand voisin? Tous les préparatifs à la conclusion d'un traité sont mis en veilleuse par le CF.

L'affaire de Savoie s'étant quelque peu calmée, les milieux économiques de Suisse orientale prennent l'initiative de réactiver la question. Entre novembre 1860 et avril 1861, un bras de fer s'engage entre les grands industriels et les marchands-entrepreneurs d'une part et le CF d'autre part. Ceux-

---

en effet, certaines positions du tarif sont abaissées au profit de la Belgique: armes, couvertures en coton, poterie, papier à écrire, bougies stéariques; par ailleurs, la Suisse s'engage à ne pas augmenter son tarif pendant la durée du traité qui est fixée à dix ans; RO, 1860-63, vol. I, 7, pp. 465-498; FF, 1863, vol. 1, pp. 1-9, «MCF concernant le traité d'amitié, d'établissement et de commerce entre la Confédération suisse et S. M. le Roi des Belges (24 décembre 1862)»; *ibidem*, pp. 417-427, «Rapport de la commission du CN touchant le traité de commerce, conclu avec la Belgique (21 janvier 1863)»; *ibidem*, pp. 428-435, «Rapport de la commission du CE, concernant le traité d'amitié, d'établissement et de commerce, entre la Confédération suisse et la Belgique (26 janvier 1863)».

247 *Johann Conrad Kern-Freyenmuth* (1808-1888) (TG), fils de Christian Kern – agriculteur et commerçant en vins –, avocat à Berlingen et Frauenfeld (dès 1831), leader du mouvement libéral thurgovien entre 1837 et 1853, président de la section thurgovienne de la SGG (1837-1840), juge fédéral (1848-1854), promoteur de la ligne «Zurich-Bodensee» (1852), directeur du «Nordostbahn» (dès 1853), cofondateur de la «Thurgauische Hypothekenbank» et premier président du CA (1850-1858), Ministre suisse en France (1857-1883), Cn libéral-radical proche des «Bundesbarone» d'Escher (1848-1854).

248 Il s'agit du «Handelskollegium» de Bâle-Ville, de la «Handelskammer» de Zurich, de la «Handelskommission» de Glaris et du KDSG; Brand, 1968, p. 46.

ci exigent une sortie rapide du ghetto commercial dans lequel se trouve la Suisse, tandis que le Gouvernement veut ménager une opinion publique très mal disposée à l'égard de la France[249]. Le 23 novembre 1860, un émissaire du KDSG ouvre les «hostilités» en remettant une requête au CF. Cette démarche réclame qu'une demande officielle de négociation soit adressée à la France. Sans parvenir à ses fins, l'association saint-galloise obtient tout de même la reprise des préparatifs.

En décembre 1860, le Département fédéral des douanes et du commerce (DFDC) convoque une première conférence d'experts, choisis parmi les membres de l'AsF. Elle est chargée d'analyser les conséquences du traité Cobden-Chevalier sur l'économie suisse[250]. Par ailleurs, le CF consulte à nouveau Kern au sujet des possibilités politiques d'ouvrir des négociations commerciales avec la France. Le Ministre de Suisse à Paris envoie, le 9 janvier 1861, un rapport très optimiste quant aux intentions françaises vis-à-vis de la Suisse. Il ne convainc cependant pas le CF d'entamer des démarches officielles.

Le 29 janvier 1861, le KDSG augmente la pression sur le CF en décidant de coordonner une action avec les milieux industriels des cantons de Zurich, Glaris, Argovie et Appenzell. La démarche est soutenue par la très influente *NZZ*[251]. Le 18 février, un comité composé de représentants de ces différents milieux économiques rencontre une délégation du CF. Suite à cet entretien, le DFDC demande au CF d'ouvrir des négociations. La majorité du Gouvernement s'y oppose en invoquant des considérations de politique extérieure. Les milieux économiques orientaux ne s'avouent cependant pas vaincus. Le 6 mars 1861, une pétition récoltée par plusieurs organisations économiques de St-Gall, Winterthour, Zurich, Glaris et Schaffhouse est remise au chef du DFDC.

249 Hauser, 1985, pp. 46-49; Gern, 1992, pp. 56-58; Brand, 1968, pp. 49-56; le 22 décembre 1860, l'Ambassadeur de France en Suisse écrit une lettre où il traite de cette contradiction: «*[...] il se manifeste dans les cantons de St-Gall et de Zurich comme sur d'autres points industriels de la Suisse une réaction contre les tendances de Staempfli et de ses partisans. Les pays se plaignent de ce qu'on leur demande des fusils et du service militaire, tandis qu'on ne fait rien pour les intérêts commerciaux. Notre traité de commerce avec l'Angleterre les préoccupe, un commissaire spécial vient d'être envoyé au Conseil fédéral pour lui demander de faire cesser le froid qui existe entre la France et la Suisse, depuis l'affaire de Savoie, de ne pas se laisser entraîner dans la grande politique et de songer aux intérêts matériels de la Suisse.*»; cité in Gern, 1992, p. 57.

250 FF, 1862, vol. 1, pp. 274-275, «MCF concernant des Conventions à conclure avec le Gouvernement royal des Pays-Bas en matière d'établissement, de commerce, de douane et de consulats (29 janvier 1862)».

251 Le 17 février 1861, soit la veille de l'entretien du 18 entre le CF et les milieux de l'économie, le rédacteur en chef de ce journal prend position en faveur d'un traité de commerce avec la France; il s'ensuit une polémique avec le *Bund* de Berne et le *Volksfreund* de Bâle, qui exigent que la résolution des problèmes franco-suisses de politique extérieure précède l'engagement de négociations commerciales; Weisz, 1962, p. 106.

Trois semaines plus tard, le CF finit par céder. Après un entretien Kern-Napoléon III, durant lequel le Ministre suisse obtient que les relations commerciales soient dissociées de l'affaire de Savoie, le Gouvernement suisse dépose officiellement, le 24 mars 1861, une demande de négociations. Les radicaux de gauche de Suisse occidentale attaquent alors le CF, qu'ils accusent d'être sous la coupe de *«réunions de négociants ou de manufacturiers, qui ne sont pas tenus d'avoir des vues d'ensemble sur l'économie politique du pays et qui ne songent qu'à leurs intérêts particuliers.»*[252] Le 1er avril 1861 déjà, la France accepte de négocier, mais seulement après la conclusion de son traité avec le «Zollverein». Il faudra attendre le 26 janvier 1863 pour que les pourparlers s'engagent.

Dès avril 1861, l'obstacle politique à la conclusion d'un traité est ainsi levé. Toutefois, les faiblesses congénitales de la politique commerciale helvétique rendent difficile l'aboutissement à un accord[253]. L'espoir de conclure un simple traité avec clause de la nation la plus favorisée, qui permettrait à la Confédération de poursuivre sa politique douanière autonome, se révèle vite illusoire. En effet, la France exige qu'un certain nombre de positions du tarif suisse soient revues à la baisse et liées pour la durée du traité. De surcroît, elle demande que la Confédération compense l'accès au marché français par une série de concessions politiques sur des questions jusqu'alors restées conflictuelles entre les deux pays. Le 19 mai 1862, la diplomatie française communique ses conditions:

1) *Nivellement des deux tarifs d'entrée par voie de réduction des taxes fédérales qui dépassent le taux des droits français afférents aux articles similaires.*
2) *Suppression à titre de réciprocité, de tout droit de transit sur les marchandises françaises qui traversent le territoire helvétique, ainsi que des droits de sortie.*
3) *Remaniement des taxes cantonales sur les vins et eaux-de-vie de France.*
4) *Garantie réciproque des œuvres d'art et d'esprit, ainsi que des marques et dessins de fabrique, et reconnaissance des brevets d'invention.*
5) *Autorisation à titre de réciprocité, pour tous les Français indistinctement, quelles que soient leurs croyances religieuses, de faire le commerce et de s'établir dans toute l'étendue de la Confédération.*

252 Extrait de la *Nation suisse* du 29 mars 1861; cité in Gern, 1992, p. 59.

253 Pour rappel, ces principales faiblesses sont: 1) un tarif fiscal libre-échangiste entravant peu l'importation étrangère; 2) l'absence de toute taxation différentielle en faveur des pays ayant conclu un traité avec la Suisse; 3) le fait que le budget de la Confédération dépend étroitement des revenus douaniers et que son équilibre ne permet donc pas de fortes réductions de la taxation 4) le droit d'établissement restrictif de certains cantons vis-à-vis des personnes de religion non-chrétienne.

6) *Révision du traité du 18 juillet 1818, qui règle les rapports de voisinage, de police et de justice.*

7) *Mise à exécution de l'art. 8 qui prescrit la conclusion d'un arrangement spécial pour l'exploitation des forêts voisines de la frontière.*

8) *Exemption, à l'entrée sur territoire suisse, de tous les produits du pays de Gex, du Chablais et du Faucigny*[254].

Il faut d'emblée remarquer que les points 3, 4 et 5 de ce catalogue de revendications posent problème. Ils touchent en effet des domaines de compétence qui ne sont pas attribués à la Confédération par la constitution de 1848.

Sans doute informée des revendications françaises par le CF, la commission du CN chargée de l'examen du budget de 1863 décide de réagir afin de renforcer la position suisse lors des futures négociations. Dans un rapport spécial, daté du 27 juin 1862, elle fustige les faiblesses du système douanier helvétique:

> *Mais nous pouvons cependant faire ressortir que l'uniformité du tarif de notre système douanier place à l'avance pour des négociations la Suisse devant une position désavantageuse et même dans certains cas rend à l'avance les négociations infructueuses, ou bien les porte sur un autre terrain que le terrain commercial. L'invariabilité et la modération de ces tarifs sont en effet assez généralement envisagés à l'étranger comme un fait acquis, comme une concession immuable. Là où il n'y a ni abaissement des tarifs à espérer, ni élévation à craindre, le négociateur étranger se montrera d'autant moins traitable, et exigera d'autant plus de concessions, qui seront étrangères au domaine des rapports commerciaux*[255].

Pour devenir un partenaire commercial crédible, la Suisse devrait adopter le principe des taxes différentielles. Seuls les Etats mettant les produits suisses au bénéfice de la clause de la nation la plus favorisée bénéficieraient des taxes les plus basses du tarif conventionnel[256].

L'objectif de la réforme proposée serait d'éviter un traitement différentiel de l'exportation suisse:

254 FF, 1864, vol. 2, pp. 258-259, «MCF concernant un traité de commerce et d'établissement avec la France (15 juillet 1864)».

255 FF, 1862, vol. 2, p. 766, «Rapport spécial de la Commission nommée par le CN pour l'examen du budget, au sujet du budget du Département du commerce et des péages pour 1863 (27 juin 1862)».

256 Le terme de «politique de réciprocité» utilisé dans le rapport pourrait prêter à confusion; il ne s'agit pas d'une politique de réciprocité à teneur protectionniste comme celle réclamée par les milieux agricoles, en 1822, et par les classes moyennes artisanales et industrielles, dès les années 1830 – taxation égale à celle des pays voisins permettant de se réserver le marché intérieur; il ne s'agit ici que de s'accorder le traitement de la nation la plus favorisée de manière réciproque ou de ne pas le faire réciproquement.

En appelant ainsi la discussion sur la possibilité d'apporter certaines modifications à notre système douanier, nous avons à peine besoin d'ajouter que le grand principe du libre-échange n'en serait point ébranlé, et que nous ne réclamons rien qui ressemble de près ou de loin à une protection pour les produits suisses [...] Mais ce que notre industrie est en droit de réclamer, c'est une protection à l'étranger de la part de la patrie, non pas une protection qui lui procure quelque part des faveurs exceptionnelles, mais une protection qui lui assure partout les mêmes droits et les mêmes privilèges et non des droits inférieurs à ceux dont d'autres nations rivales jouissent à l'étranger sous nos yeux[257].

En conclusion de son rapport spécial, la commission du budget propose donc l'adoption d'un postulat invitant le Gouvernement à envisager l'introduction d'une taxation différentielle:

Le Conseil fédéral est invité à examiner s'il n'y a pas lieu à poser le principe que certaines cotes du tarif fédéral des péages pourront être abaissées en faveur des Etats qui traitent la Suisse sur le pied des nations les plus favorisées, et également que certaines cotes pourront être élevées vis-à-vis des Etats qui refuseront d'admettre la Suisse au nombre des nations les plus favorisées[258].

Au sein de la commission, les grands industriels des branches du coton (Henggeler, Jenny) et de la soie (Feer-Herzog) sont les plus chauds partisans d'un durcissement de la politique commerciale[259]. Le rapporteur, Carl Feer-Herzog, symbolise à lui seul cette volonté. A la tête de la plus grande entre-

257 FF, 1862, vol. 2, p. 767, «Rapport spécial de la Commission nommée par le CN pour l'examen du budget, au sujet du budget du Département du commerce et des péages pour 1863 (27 juin 1862)».

258 *Ibidem.*

259 *Carl Feer-Herzog* (1820-1880) (AG), fils de Friedrich Feer – grand fabricant de rubans de soie à Aarau –, sa mère est issue de la riche famille bâloise des Heusler, beau-fils de Johann Jakob Herzog – industriel de la branche du coton faisant partie de la dynastie industrielle et bancaire des Herzog – à la tête de l'entreprise familiale (1841-1865), en fait la plus grande fabrique de rubans de soie de Suisse, membre de nombreux CA dont le «Centralbahn» (1860-1880), le «Gotthardbahn» (1871-1880), la banque cantonale d'Argovie (1855-1880) et le «Basler Bankverein», membre du comité central de l'USCI (1870-1873), Cn libéral faisant partie des «Bundesbarone» proches d'Escher (1857-1880), expert du CF en matières de politique douanière, commerciale, monétaire et ferroviaire; *Peter Jenny-Tschudi* (1800-1874) (GL), cf. note 155, chapitre 2; *Wolfgang Henggeler-Schmid* (1814-1877) (ZG), beau-fils de Jakob Schmid – industriel zurichois de la branche du coton –, mécanicien de formation, à la tête de l'entreprise «Schmid-Henggeler Co» qui est le plus grand groupe suisse de filature mécanique de coton (8 entreprises, 123 368 broches en 1862), Cn libéral faisant partie des «Bundesbarone» proches d'Escher (1860-1867); *Alexander Muheim-Epp* (1809-1867) (UR), issu d'une famille de l'aristocratie uranaise, fils de Franz Anton Muheim-Good – maison de commerce d'expédition et de banque, propriétaire terrien –, actif dans l'entreprise familiale, CdE (1842-1867), Cn catholique-conservateur de tendance modérée (1860-1865); *Johann Rudolf von Toggenburg-von Mont* (1818-1893) (GR), issu d'une vieille famille de propriétaires terriens, activité de juge, défenseur des intérêts de l'agriculture, prés dent du «Landwirtschaftlicher Verein Glenner», Cn catholique-conservateur

prise suisse de rubans de soie, cet Argovien réclame, dès 1859, que la France libéralise ses échanges avec la Suisse[260]. Considéré comme un des pères du traité franco-suisse de 1864, Feer-Herzog sera aussi le premier à défendre l'instauration d'une politique de combat à la fin des années 1870[261]. Intéressés au maintien des débouchés de l'exportation agricole, les propriétaires terriens (Delarageaz, Muheim, de Toggenburg) soutiennent la démarche des grands industriels.

Lors du débat au CN, qui a lieu le 9 juillet 1862, l'axe producteur Zurich-Berne se reconstitue pour défendre une politique commerciale plus interventionniste. Par 45 voix contre 25, une version légèrement modifiée de la proposition de la commission est votée sous la forme d'un postulat Schneider (BE)[262]. Le 23 juillet 1862, les libre-échangistes purs et durs remportent cependant une victoire éclatante au sein du CE. Par 22 voix contre 13, la Chambre des cantons refuse d'entrer en matière. Par la suite, le CN est contraint d'adhérer à la décision du CE, ce qui réjouit l'Ambassadeur de France à Berne:

> *[...] dans l'intérêt de nos négociations avec la Suisse, nous avons lieu de nous féliciter que ce pays ait renoncé à la pression qu'un certain parti voulait exercer sur la France par l'adoption du principe des tarifs différentiels*[263].

En vue des négociations avec la France, la Confédération demeure sans armes douanières valables. L'obtention de la clause de la nation la plus favorisée est par conséquent étroitement liée à des concessions politiques difficilement conciliables avec la constitution de 1848.

(1861-1881); *Louis-Henri Delarageaz-Bron* (1807-1891) (VD), propriétaire terrien à Préverenges (champs, bois, vigne), commissaire-arpenteur (1831-1845), leader du renversement du Gouvernement libéral par les radicaux (1845), CdE (1845-1861/1866-1878), Cn radical évoluant vers le conservatisme (1857-1881), refuse la constitution de 1874 et entre en opposition avec le radicalisme de Ruchonnet (refus d'un impôt direct progressif); *Jakob Scherz-Zürcher* (1818-1889) (BE), avocat, CdE (1858-1869), administrateur de l'«Inselspital» de Berne, CA de la «Banque cantonale de Berne» (1858-1886), Cn radical de gauche proche de Stämpfli (1860-1889).

260 A cette occasion, Feer-Herzog n'hésite pas à évoquer la menace de représailles au cas où la France augmenterait la taxe sur les rubans de soie: «*La Suisse possède aujourd'hui un système douanier complet [...] ce système douanier est organisé de manière à pouvoir frapper immédiatement un article quelconque soit de la prohibition, soit d'un droit excessif. Je conviens qu'en matière de commerce les représailles sont le plus souvent un mauvais parti à prendre. Mais quelque sage que cette règle puisse être, il y a des cas, où l'opportunité de l'exception se présente avec une telle netteté de l'esprit, qu'il serait impossible de ne pas l'approuver. Le cas qui nous occupe me paraît être de cette catégorie.*»; Feer-Herzog, 1859, pp. 9-10.

261 Lardy, 1880, pp. 12-16.

262 Brand, 1968, pp. 36-40.

263 Cité in Brand, 1968, p. 39.

Confronté à la perspective d'un traité de commerce anticonstitutionnel, le CF manœuvre de manière très habile pour constituer une majorité acceptant de légitimer son action. Pour éviter une opposition de principe, l'exécutif suisse applique une double stratégie. D'une part, il associe les élites économiques à la préparation du traité et à sa négociation. D'autre part, il s'efforce de soulager d'éventuels maux de conscience constitutionnels en obtenant des avantages douaniers conséquents pour les principales branches d'exportation.

Les grandes options de la stratégie de négociation suisse sont par conséquent définies en étroite collaboration avec les représentants de l'économie privée. La conférence des délégués cantonaux, qui a lieu du 6 au 9 janvier 1863, vise à construire une plate-forme acceptable par les élites des différents «mondes de production»[264]. Durant quatre jours, les exigences politiques et commerciales françaises y sont débattues. Sur cette base, le CF élabore ensuite des instructions écrites qui constituent un cadre contraignant imposé aux négociateurs. Les questions les plus controversées lors des débats sont le droit d'établissement des juifs français, la protection de la propriété industrielle, la réforme des «Ohmgeld» cantonaux et la diminution de la taxe suisse sur les vins en tonneaux.

Au cours des discussions, le CF estime avoir la compétence d'imposer l'établissement de non-chrétiens étrangers aux cantons par voie de traité. Selon lui, l'article 41 de la constitution ne leur réserve que le droit de refuser l'établissement de non-chrétiens suisses. Cette interprétation de la constitution, juridiquement défendable, est toutefois contraire à la pratique poursuivie par la Confédération depuis 1848. Lors de la conclusion de traités de commerce, la restriction du droit d'établissement pour les non-chrétiens étrangers a toujours été spécifiée. De surcroît, l'interprétation du Gouvernement mettrait les citoyens suisses non-chrétiens dans un état d'infériorité de traitement par rapport à des étrangers. Une bonne partie des délégués cantonaux soutient néanmoins la position du CF. C'est notamment le cas des représentants des cantons industriels de Suisse orientale, les plus intéressés à la conclusion d'un traité. Par contre, certains participants développent une argumentation à relents antisémites. Ils invoquent en effet le danger d'un envahissement de juifs alsaciens venant faire concurrence au commerce local. D'autres milieux s'opposent à l'interprétation du Gouvernement en invoquant des arguments fédéralistes. Ils refusent ce qu'ils estiment être un coup de force centralisateur.

Les compétences attribuées par la constitution de 1848 à l'Etat central ne lui permettent pas d'intervenir en matière de protection de la propriété industrielle. Dans ce domaine, certaines industries, telles que les rubans de

264 *Ibidem*, pp. 75-92.

soie (BS), la broderie (SG, AR) ou encore l'impression, s'opposent à une réglementation par voie de traité. Ces branches de production, en grande partie dépendantes de la mode parisienne, craignent en effet que l'interdiction de reproduire des modèles industriels diminue leur compétitivité sur les marchés extérieurs. En outre, l'ensemble des milieux économiques suisses refusent une réglementation sur la protection des brevets d'invention. Dans le domaine de l'imposition des alcools, les représentants cantonaux s'opposent de manière catégorique aux prétentions françaises concernant les «Ohmgeld». L'article 32 de la constitution stipule expressément que cette fiscalité est de la compétence des cantons.

Une fois les grandes questions politiques discutées, la conférence aborde encore les revendications tarifaires de la France. Les participants à la conférence admettent, en général, que la Suisse devra faire quelques concessions sur les taxes de transit, d'exportation et d'importation, mais ils estiment que les exigences françaises, qui diminueraient les revenus douaniers d'environ un mios de frs – 12% des revenus douaniers de 1862[265] – menacent la santé financière de la Confédération. Entre autres, une levée de boucliers des cantons viticoles (VD, NE, TG) rend une baisse de la taxe sur les vins français en tonneaux très délicate. Un traité entérinant une telle concession aurait toutes les peines à trouver une majorité pour l'approuver au sein des Chambres[266]. Une baisse de la taxe sur les vins en bouteille est la seule concession admise par la conférence.

L'intense collaboration développée entre les instances politiques fédérales et les élites économiques se concrétise aussi par de nombreuses requêtes adressées par les principales branches de l'exportation[267]. En l'absence de grandes associations faîtières, ces revendications émanent soit de réunions de producteurs, soit de Gouvernements cantonaux, ou encore de politiciens siégeant aux Chambres. Les industriels de la branche du coton sont les premiers à s'organiser de manière plus formelle. Le 29 janvier 1863, 44 filatures et 29 fabriques de tissage mécanique, implantées dans les cantons de Zurich, Glaris, Thurgovie et Schaffhouse, remettent un mémorial au CF, par l'intermédiaire de trois entrepreneurs parmi les plus importants de

265 Ceux-ci s'élèvent à 8,1 mios en 1862; annexe 1.

266 Dès l'annonce de négociations commerciales avec la France, la viticulture, et particulièrement celle du canton de Vaud, lutte pour empêcher que sa protection soit sacrifiée; en avril 1861, 13 communes vaudoises écrivent dans ce sens au CF; le 28 décembre 1862, une grande réunion de la viticulture, à Vevey, décide de lancer une récolte de signatures pour faire pression sur les autorités; en janvier 1863, soit au moment de la conférence de consultation organisée par le CF, 90 pétitions munies d'environ 5000 signatures exigent que les taxes sur le vin et les spiritueux ne soient pas touchées; Brand, 1968, p. 96; cf. également Kupper, 1929, pp. 10-11.

267 Brand, 1968, pp. 92-97.

Suisse: Peter Jenny (GL), Heinrich Rieter (ZH) et Johann Lüthi (TG)[268]. Les industriels de la branche créent un comité permanent qui obtient de rester en contact étroit avec le CF tout au long des négociations du traité avec la France. Les élites agricoles expriment elles aussi leurs revendications. Ainsi, fin janvier 1863, 50 membres de l'AsF adressent une requête au CF. Le 14 février, une assemblée d'agriculteurs et de marchands de fromage et de bétail se réunit à Olten[269]. Elle réclame une diminution de la taxe sur le fromage de 16,5 à 5 frs par quintal (100 kg)[270].

268 *Ibidem*, note 304 pp. 285-286; *Peter Jenny-Tschudi* (1800-1874) (GL), cf. note 155, chapitre 2; *Heinrich Rieter-Ziegler* (1814-1889) (ZH) issu d'une vieille famille de Winterthour, fils d'Heinrich Rieter père – filature mécanique (3 entreprises en 1862, 31 380 broches = 8e rang en Suisse), construction de machines –, à la tête des entreprises familiales, CA de la «Bank in Winterthur» (1862-1884), du «Nordostbahn» (1871-1889), du «Gotthardbahn» (1879-1889), de la «Schweizer. Lloyd-Transportversicherungsgesellschaft Winterthur» (dès 1871), de la «Mobilière Suisse» (1874-1889), de la «Unfall-Versicherungsgesellschaft Winterthur» (1875-1884), etc., membre du comité de la KGZ, membre du comité central de l'USCI (1876-1880), CaE libéral proche des «Bundesbarone» d'Escher (1878-1889), président de la commission des douanes du CE, délégué du CF aux négociations commerciales avec l'Italie (1876), commissaire général aux expositions universelles de Vienne (1873), Philadelphie (1876) et Paris (1878); *Johann Joachim Lüthi-Trümpi* (1819-1899) (TG), industriel de la branche du tissage mécanique de cotonnades, en difficulté dans les années 1860, évite une faillite en abandonnant la direction de ses entreprises au «Crédit suisse», Cn libéral (1863-1865).

269 Le comité d'organisation est composé de trois membres de l'AsF: *Jost Weber-Banz* (1823-1889) (LU), fils d'agriculteur, beau-fils de J. Banz – important commerce de fromage, promoteur de l'«Ost-West-Bahn» –, avocat à Sursee et dans l'Entlebuch, défend les intérêts de la maison Banz, CA de l'«Ost-West-Bahn» (1858-1860), du «Gotthardbahn», directeur du «Bern-Luzern-Bahn» (1872-1873) et du «Rigibahn», CA du «Kreditanstalt Luzern», de la société d'assurance «La Suisse», CdE (1867-1874), CaE (1860-1870), catholique-conservateur favorable à une intégration à l'Etat fédéral, adversaire du leader catholique von Segesser (dès 1860), rejoint le parti libéral en 1866; *Bendicht von Arx-Kulli* (1817-1875) (SO), agriculteur et notaire à Olten, dirige une entreprise possédant plusieurs carrières, avocat de l'entreprise du Hauenstein, CA de la «Solothurnerbank» (1857-1875), membre dirigeant du «Oltener Gewerbeverein» et de la SdG, grand défenseur de la cause agricole, cofondateur du «Bauernverein Olten-Gösgen», membre du comité du SLV (1863-1865), fondateur du «Konsumverein Olten», Cn radical (1857-1875); *Samuel Lehmann-Mani* (1808-1896) (BE), fils de Johannes Lehmann – commerce de fromage à Langnau –, médecin à Langnau, Muri et Berne, CdE (1846-1850/1854-1862), Cn radical (1857-1872) ou *Johann Ulrich Lehmann-Buchmüller* (1817-1876) (BE), commerçant de Langnau («Bucher und Lehmann»), fondateur d'une entreprise de blanchiment à Lotzwil, CA de la Banque cantonale de Berne (1858-1876), membre du comité de la «Oberaargauische Gesellschaft für Viehzucht», CdE (1849-1850), Cn radical (1850-1854), CaE (1862-1865); Brand, 1968, note 322 p. 286.

270 Le discours prononcé par Jost Weber et les revendications de l'assemblée d'Olten sont publiés; alors que Weber demande 7 frs par quintal, l'assemblée vote finalement une revendication à 5 frs; Weber, 1863.

Dans l'optique d'une légitimation politique du traité par les Chambres, le coup de génie du CF a sans doute été de faire participer les élites économiques suisses à sa négociation. Après avoir nommé Johann Konrad Kern en tant que délégué du CF chargé de mener les négociations, l'exécutif décide en effet de lui adjoindre des experts issus de l'économie privée[271]. Aux yeux du Gouvernement, les représentants des principales branches d'exportation n'ont pas pour seule tâche d'aider Kern à résoudre les problèmes techniques. Ils

271 Les experts du CF sont: *COTON: Heinrich Fierz-Locher* (1813-1877) (ZH), fils d'agriculteur, beau-fils de Bartolomäus Locher – entreprise de broderie à Teufen –, apprentissage chez un parent de sa femme Heinrich Hürlimann-Zürcher – 4e groupe de filature mécanique du pays (4 entreprises et environ 80 000 broches en 1862), impression, teinturerie – fonde un commerce d'importation et d'exportation de cotonnades à Zurich (1842) en collaboration avec Heinrich Hüni-Stettler – grand industriel dans la branche de la soie –, cofondateur du «Crédit suisse» et directeur de cette banque entre 1857 et 1859, CA du «Nordostbahn» (1853-1873), cofondateur et membre du comité de la KGZ (1873-1877), Cn libéral faisant partie des «Bundesbarone» proches d'Escher (1855-1874); *Karl Emil Viktor von Gonzenbach-Touchon (-Wetter)* (1816-1886) (SG), fils de Karl August von Gonzenbach-Vonwiller – grand négociant de St-Gall, président du KDSG, promoteur de la broderie –, frère d'August von Gonzenbach – cf. note 157, chapitre 1 –, apprentissage dans les commerces de ses cousins (Messine et Smyrne) et de son frère Karl (Le Caire et Alexandrie), reprise du négoce de son père, cofondateur et membre du CA de la société d'assurance «Helvetia» (1862-1886), CA de la «Bank in St.Gallen» (1860-1886), des «Vereinigte Schweizerbahnen» (1858-1886), de la filature mécanique «St. Georgen» (1858-1886), membre (1851-1886) puis président (1864-1886) du KDSG, membre du comité central de l'USCI (1870-1882) puis de la Chambre suisse de commerce (1882-1886), Cn de tendance conservatrice (1878-1884); *Johann Jakob Sutter-Peisig (-Ziegler)* (1812-1865) (AR), cf. note 129, chapitre 3; *SOIE: Alphons Koechlin-Geigy* (1821-1893) (BS), fils de Samuel Koechlin-Burckhardt – fabricant de rubans de soie –, beau-fils de Karl Geigy-Preiswerk – commerce de denrées coloniales, «Centralbahn», etc. –, oncle de Rudolph Geigy-Merian – cf. note 184, chapitre 4 –, fabricant de rubans de soie jusqu'en 1863, cofondateur de la «Basler Handelsbank», direction de cette banque (1863-1893) en collaboration avec Adolf Burckardt-Bischoff – cf. note 36, chapitre 4 –, CA de la filature de bourre de soie «Angenstein» (1875-1893), du «Centralbahn» (1861-1862/1872-1891), du «Gotthardbahn» (1871-1877), du «Jura-Bern-Bahn» (1873-1878) et de nombreuses sociétés d'assurances, cofondateur et président du BHIV (1876-1891), membre du comité central du «Handwerker- und Gewerbeverein Basel» (1875-1892), membre du comité central de l'USCI (1876-1882) et président (1876-1878), CdE (Petit conseil) (1859-1875), CaE libéral-conservateur proche des «Bundesbarone» d'Escher (1866-1875); *HORLOGERIE: Ami Lecoultre* (1814-1893) (VD), d'une famille de la vallée de Joux active dans la fabrication de boîtes à musique; C. *Vacheron* (?-?) (GE); *J. Jeannot* (?-?) (NE); *MÉTALLURGIE: Fritz Blösch* (1810-1887) (BE), industriel de Bienne.
AGRICULTURE: Anton Hunkeler (1799-1879) (LU), fils d'agriculteur, actif dans le secteur du commerce, CdE (1837-1841), carrière dans la magistrature, fondateur de la «Luzerner Einzinserkasse», CA de la «Bank in Zofingen» (1863-1866), de la «Luzerner Kantonalbank», du «Centralbahn», CaE libéral (1853-1855), Cn (1863-1869), finit sa vie comme rentier et spéculateur immobilier; *Johann Ulrich Lehmann* (1817-1876) (BE), cf. note 269, chapitre 3.

doivent aussi servir de témoins des difficultés rencontrées au cours des négociations. Si certains milieux économiques venaient à se déclarer mécontents de n'avoir pas obtenu les concessions douanières escomptées, les experts sont alors susceptibles de se transformer en modérateurs politiques. Ce rôle de paratonnerre est bien mis en évidence au moment de la nomination d'experts agricoles. Alors que le Ministre Kern affirme pouvoir mener seul les négociations relatives au secteur primaire, le CF lui impose des représentants de l'agriculture en invoquant des raisons d'ordre politique[272].

L'intégration des élites économiques ne peut porter ses fruits que si la Suisse obtient des concessions suffisantes à l'exportation. Le Gouvernement doit par ailleurs imposer le statu quo sur la protection du vin en Suisse. Dans un discours prononcé à Olten, Jost Weber affirme que le dégrèvement fiscal de l'exportation de fromage serait à même d'arracher le soutien des régions agricoles, les plus opposées au libre établissement de juifs français:

> *Endlich dürfte die französische Regierung nicht übersehen, dass die begehrte freie Niederlassung aller Franzosen gerade in jenen Gegenden der Schweiz, welche sich vorzugsweise mit Viehzucht und Käsefabrikation beschäftigen, am meisten Widerstand finden möchte, und dass, wenn es ihr wirklich Ernst ist, den Franzosen jenes Recht zu erwerben, diesen Theilen der Schweiz Konzessionen gemacht werden müssen, welche geeignet sind, die gegenseitigen Interessen auszugleichen, und dieses namentlich in einem Lande, in welchem Volksherrschaft als oberstes Prinzip gilt*[273].

De même, le rubanier bâlois Alphons Koechlin-Geigy écrit à Kern que les milieux économiques de son canton ne sont prêts à lever leur opposition que si la France souscrit à une baisse de 50% de la taxe sur les rubans de soie:

> *Wenn der Zoll auf unsere Seidenbandfabrikation auf die Hälfte reduziert wird, so werden wir weder gegen die Judenemanzipation noch gegen den Musterschutz länger opponieren*[274].

En contrepartie de cette diminution de taxe, le Gouvernement bâlois serait prêt à suivre Zurich et St-Gall et affirmerait sans attendre la constitutionnalité de l'affaire.

3.2.3. Paris vaut bien quelques improvisations constitutionnelles: le traité de commerce franco-suisse de 1864

Dans quelle mesure les négociateurs suisses sont-ils parvenus à satisfaire les différentes branches du commerce d'exportation? Négocié depuis le 26 janvier 1863 et signé le 30 juin 1864, le traité de commerce conclu ouvre

272 Brand, 1968, pp. 106-108/125; sur la nomination des experts, cf. également Schoop, 1968, pp. 271-272.
273 Weber, 1863, p. 28.
274 Cité in Schoop, 1968, p. 274.

le marché français aux principales productions suisses[275]. La clause de la nation la plus favorisée permet de lever les différentes prohibitions. L'industrie suisse du coton peut désormais exporter des filés et des tissus moyennant des taxes qui demeurent toutefois élevées – jusqu'à 25% de la valeur pour certains filés et 15% de la valeur pour les tissus imprimés. En plus de ces facilités, la France accorde quelques réductions de taxes supplémentaires sur les gazes et les mousselines – 10% au lieu de 15% de la valeur à partir du 1er janvier 1868 – ainsi que sur les broderies à la machine – 10% au lieu de 15% de la valeur. Les fabriqués de St-Gall et d'Appenzell profitent donc le plus de la conclusion du traité.

L'exportation de soieries est aussi facilitée. Les tissus, jusqu'alors prohibés, rentrent désormais en franchise. De surcroît, la réduction de 50% exigée par les Bâlois sur les rubans est accordée – 4 frs/kg au lieu de 8. Les principales revendications de l'horlogerie sont prises en compte. Le tarif conventionnel taxe les montres à 5% de la valeur et l'exportation de montres de luxe est encore allégée par l'introduction d'une taxation à la pièce. L'exportation de fournitures d'horlogerie bénéficie en outre d'une forte réduction de son imposition – 50 frs les 100 kg au lieu de 550. Enfin, l'agriculture obtient un abaissement de la taxe sur le fromage dépassant ses propres revendications – 4 frs/100 kg au lieu de 10 dans le tarif conventionnel et 16,5 jusqu'alors; l'assemblée d'Olten exigeait 5 frs. D'un point de vue commercial, le traité satisfait en grande partie les intérêts des différentes branches exportatrices de l'économie suisse. En dépit de son prix politique élevé, les élites exportatrices soutiennent donc sa ratification.

Quelles ont finalement été les concessions commerciales et politiques accordées à la France en contrepartie de l'ouverture de son marché? Les exigences françaises de réduction du tarif ont pu être ramenées d'un mios de frs à une somme de 402 000 frs[276]. Les principales diminutions de taxes portent sur la menuiserie, les tissus de soie, le savon, les huiles ainsi que le vin, la bière et les eaux-de-vie en bouteilles. Les négociateurs suisses ont obtenu le statu quo en matière d'importation de vins en fûts, ce qui satisfait les cantons viticoles. La revendication française concernant une suppression des droits de transit et d'exportation n'est pas non plus concédée. Seules quelques positions du tarif à l'exportation sont un peu diminuées, dont la plus importante est celle sur le bois (2% au lieu de 3% de la valeur). Enfin, la Suisse obtient gain de cause au sujet du règlement des échanges entre

275 FF, 1864, vol. 2, pp. 269-282, «MCF concernant un traité de commerce et d'établissement avec la France (15 juillet 1864)»; les diminutions de taxes dont l'économie suisse bénéficie, font l'objet d'un tableau détaillé; cf. également Gern, 1992, pp. 73-74, où figure un tableau des concessions douanières les plus significatives.

276 FF, 1864, vol. 2, pp. 282-295, «MCF concernant un traité de commerce et d'établissement avec la France (15 juillet 1864)».

Genève et les Zones franches. Si de nouvelles facilités sont accordées au pays de Gex, la Suisse réussit à éviter une extension des privilèges douaniers au Chablais et au Faucigny, récemment annexés par la France. La Suisse paie de ce fait un prix commercial modéré en regard de l'importance économique que revêt l'ouverture du marché français. Ces concessions ne seront que peu contestées lors du débat aux Chambres[277].

La facture politique est par contre beaucoup plus salée. La concession helvétique la plus combattue concerne le droit d'établissement accordé à l'ensemble des citoyens français, y compris les juifs, sur l'ensemble du territoire suisse. Cette mesure, dont la constitutionnalité peut être contestée, n'est toutefois que la pointe de l'iceberg. D'autres concessions accordées à la France sont en effet reconnues anticonstitutionnelles, même par les défenseurs du traité[278]. Il en est ainsi des dispositions sur les «Ohmgeld». Alors que l'article 32 de la constitution réserve aux seuls cantons le droit de légiférer sur l'imposition des boissons alcoolisées étrangères, l'article 10 du traité de commerce leur impose certaines restrictions[279]. Aussi longtemps que le traité sera en vigueur, les cantons ne seront plus autorisés à relever les taux d'imposition sur les produits français. Plus grave encore, une disposition de l'accord, qui diminue la taxation du vin importé en double fût, réduit les revenus fiscaux de certains cantons[280].

La constitutionnalité de la convention sur la protection de la propriété littéraire, artistique et industrielle pose aussi des problèmes. Si la Suisse réussit à éviter une réglementation sur les brevets d'invention, elle doit céder en partie sur la protection intellectuelle et sur celle des dessins et modèles industriels. Or, en l'absence d'une loi fédérale sur la question – la compétence dans ce domaine est du ressort des cantons –, le CF est en quelque sorte contraint de légiférer par le biais de la convention qui contient notamment des dispositions de droit pénal. Une sorte de droit parallèle est ainsi imposé à l'ensemble de la Confédération sur la seule base d'un traité de commerce.

Suite au message du CF, paru le 15 juillet 1864, la ratification de l'ensemble du paquet issu des négociations avec la France partage l'AsF en trois fractions. Comme on pouvait s'y attendre, une majorité de représentants du

277 Un seul CN, le Grison *Andreas Rudolf von Planta-von Planta* (1819-1889) (GR) – cf. note 464, chapitre 4 –, s'oppose au traité de commerce pour des raisons économiques; selon lui, la Suisse doit poursuivre la politique douanière autonome qui a fait sa richesse et renoncer à la conclusion de traités de commerce qui sont néfastes à la petite industrie; Verhandlungen..., 1864, p. 52.

278 FF, 1864, vol. 2, pp. 660-661, «Rapport de la Commission du CE touchant les traités convenus avec la France (2 septembre 1864)».

279 RO, 1863-1866, vol. I, 8, pp. 206-207.

280 FF, 1864, vol. 2, pp. 298-300, «MCF concernant un traité de commerce et d'établissement avec la France (15 juillet 1864)».

peuple – ou plus exactement des élites économiques intéressées à une promotion de l'exportation suisse – est d'avis que l'importance commerciale du traité permet de fermer les yeux sur les quelques problèmes constitutionnels qu'il engendre. Paru le 26 août 1864, le rapport de la majorité de la CCN défend cette position:

> *Le traité de commerce, là-dessus il n'y a pas de contestation, est pour les produits suisses de l'industrie, aussi bien que de l'agriculture, une acquisition précieuse donnant beaucoup et promettant encore davantage. Les concessions que la Suisse fait en échange sont très-importantes* (sic) *et à bien des égards d'une nature telle qu'on ne peut s'y prêter qu'avec quelque répugnance. Néanmoins elles ne renferment rien qu'on ne puisse honorablement donner ou qui dans la pratique menace sérieusement les intérêts de la Suisse ou de ses ressortissants. C'est un échange de concessions que la Commission considère comme acceptable*[281].

Dix membres de la commission sur onze approuvent le traité[282]. Pour tenter de désarmer l'opposition, ce rapport de majorité propose le vote d'un postulat invitant le CF à régler le problème de la discrimination des juifs suisses contenue dans l'article 41 de la constitution de 1848.

Les opposants à une ratification sont divisés en deux ailes. A gauche, certains radicaux, futurs animateurs du mouvement démocratique des années 1860, refusent de cautionner les improvisations constitutionnelles des

281 FF, 1864, vol. 2, p. 577, «Rapport de la Commission du CN concernant les traités avec la France (26 août 1864)».

282 La majorité de la commission est composée de Fierz (ZH), Feer-Herzog (AG), Schneider (BE), Peyer im Hof (SH); *Joachim Heer-Iselin* (1825-1879) (GL), beau-frère du CaE Johann Jakob Blumer-Heer – commerce, impression, «Bank in Glarus» –, propriétaire terrien, cofondateur de l'hôtel «Glarnerhof» et du chemin de fer «Rapperswil-Glaris», Landamann (1857-1875), Cn libéral proche des «Bundesbarone» d'Escher (1857-1875), Cféd (1875-1878); *Victor Ruffy-Chevalley* (1823-1869) (VD), fils de J. S. Ruffy-Chevalley – propriétaire, viticulteur et tanneur à Lutry –, avocat à Lausanne, CdE (1863-1867), Cn radical (1858-1867), Cféd (1867-1869); *Michele Pedrazzini-Molo* (1819-1873) (TI), fils de Pietro Pedrazzini-Camalo – propriétaire terrien – avocat et notaire à Bellinzone (1844-1873), Cn libéral-conservateur (1860-1873); *Josef Karl Benziger-von Reding* (1821-1890) (SZ), fils de Karl Benziger – commerce de livre, édition, propriétaire terrien – actif dans l'entreprise familiale (1840-1880), Cn libéral-conservateur (1863-1866), son soutien à la révision constitutionnelle de 1866 l'oblige à démissionner; *Moïse Vautier-Sauvan* (1831-1899) (GE), fils de Jean-Samuel Vautier-Cugnet – serrurier, fabricant de limes –, apprentissage de forgeron, reprise de l'entreprise à la mort de son père (1866), CA de la «Caisse Hypothécaire du canton de Genève» (1864-1866), membre du comité de l'ACIG (1866-1897), CdE (1861-1865/1870-1879/1880-1891/1893-1899), Cn radical proche de Fazy (1863-1866/ 1869-1878/1881-1884); *Joseph Marzell (von) Hoffmann-Huber* (1809-1888) (SG), fils de Karl Hoffmann-de Albertis – commerce de produits en lin à Rorschach –, avocat, membre du Petit conseil (1851-1859), puis du CdE (1863-1870), CA de la «Sanktgallisch-Appenzellische Eisenbahngesellschaft», Cn libéral-radical proche du centre libéral (1848-1866).

«Bundesbarone», bien qu'ils approuvent le contenu du traité[283]. Emmenés par l'avocat neuchâtelois Philippin[284], rapporteur de la minorité de la commission, ils exigent qu'une révision partielle de la constitution précède la ratification du traité:

> *Le peuple n'a délégué à personne son droit de révision; ses députés ont juré d'observer la constitution et ils n'ont reçu nulle part le mandat de la modifier*[285].

Au déficit démocratique dénoncé vient se superposer la volonté de préserver la souveraineté cantonale contre les abus de pouvoir de l'Etat fédéral:

> *[...] nous défendons un principe, qui ne peut être méconnu sans porter une atteinte évidente à des droits constitutionnellement garantis, sans marcher à grands pas vers un état où le mot canton ne rappellerait plus qu'une circonscription géographique*[286].

A droite, le noyau dur de l'opposition au traité recrute ses troupes parmi les conservateurs catholiques et protestants[287]. Regroupés derrière Anton von Segesser, ils refusent la ratification du traité. Celui-ci est dénoncé comme un véritable coup d'Etat mené par les barons de l'économie suisse:

> *Als einen Staatsreich betrachte ich es, wenn die Bundesversammlung ohne Einwilligung der Kantone die Ratifikation ausspricht, eben weil ich ihre Befugnis dazu in der Verfassung nicht begründet finde. Nun sind zwar auch schon Staatsreiche vorgekommen, welche ihre Begründung oder Rechtfertigung in grossen Krisen fanden, in denen ein Land schwebte. Wir haben im Jahre 1847 unsern Staatsreich gehabt und wir haben uns mit dessen Folgen ausgesöhnt. Frankreich hatte seinen Staatsreich im Jahre 1851 und die grosse Mehrheit der Franzosen hat sich damit einverstanden erklärt. Aber dass zu Gunsten der Seidenbandverkäufer, der Uhrenfabrikanten, der Käsehändler in irgend einem Lande ein Staatsreich als nothwendig erachtet wurde ist mir noch nicht vorgekommen*[288].

283 Il s'agit, entre autres, des Conseillers nationaux Scherz (BE), Engemann (BE), von Känel (BE), Curti (SG), Bernet (SG), Adam (BL), Graf (BL), Klein (BS), Joos (SH), Girard (NE), Eytel (VD), Cretton (VS), etc.; une liste nominative des Conseillers nationaux ayant refusé une ratification immédiate figure in Verhandlungen..., 1864, pp. 93-94.

284 *Jules Philippin-Spring* (1818-1882) (NE), fils de cordonnier, avocat et notaire à Neuchâtel, avocat-conseil et membre du CA du «Franco-Suisse», directeur du «Suisse-Occidentale» (1865-1873), CA de la compagnie du «Simplon», de la «Caisse d'Epargne de Neuchâtel», professeur de droit public et commercial à l'académie de Neuchâtel, CdE (1875-1882), CaE radical de gauche (1856-1860), Cn (1860-1882), membre dirigeant de la SdG neuchâteloise.

285 FF, 1864, vol. 2, p. 602, «Rapport de la minorité de la Commission du CN, concernant les traités entre la Suisse et la France (26 août 1864)».

286 *Ibidem*, p. 597.

287 Pour les catholiques, il s'agit des Conseillers nationaux Acklin (AG), Baldinger (AG), de Rivaz (VS), de Courten (VS), Fischer (LU), Dähler (AI), Wirz (OW), Ramsperger (TG), etc.; pour les protestants de von Büren (BE) ou encore Bavier (GR); Verhandlungen..., 1864, pp. 93-94.

288 Rede des Herrn Nationalrat v. Segesser..., 1864, p. 13.

Contrairement aux radicaux de gauche, l'opposition conservatrice ne refuse pas la seule forme du traité en invoquant le respect du fédéralisme. Elle s'attaque à son contenu en refusant le droit d'établissement accordé aux juifs.

Segesser légitime ce refus en développant une argumentation socio-économique ouvertement antisémite, dont les racines plongent dans le terreau de l'intolérance religieuse:

> *Ihr Hass gegen die christliche Gesellschaft ist ebenderselbe geblieben, aber ihre Macht ist unendlich gewachsen. Sie sitzen an den Stufen der Throne, die ihnen verpfändet sind; sie beherrschen die Eisenbahnen und die grossen Geldinstitute, die auf ihrem Reichthum ruhen, sie geben den Ton an in der Tagespresse und in der Literatur, sie dringen in die höchsten wie in die tiefsten Schichten des sozialen Lebens ein und der Zweck, den sie selbstbewusst verfolgen, ist Zerstörung der christlichen Gesellschaft, Zerstörung der christlichen Civilisation; es ist ihre Bestimmung, ihr Lebenszweck, der Grundgedanke der Religion, der ihnen alles vertritt, was andern Völkern Vaterland, Staat, Recht ist*[289].

Certes, il est difficile de déterminer si certains Conseillers nationaux conservateurs refusent le traité pour des motivations plutôt fédéralistes ou plutôt antisémites, cela malgré les avantages économiques qu'il leur procurerait. Il est toutefois évident qu'une frange de l'élite économique du pays, très étroite il est vrai, s'oppose à la politique du CF.

Du 21 au 24 septembre 1864, le traité de commerce conclu avec la France est débattu au CN. La proposition Philippin est refusée par 85 voix contre 30. La proposition Segesser ne recueille que 20 voix, une série de radicaux de gauche ayant rejoint la majorité acceptante[290]. Le 28 septembre 1864, le CE ratifie à son tour le traité par 30 voix contre 11, malgré une opposition compacte des députés catholiques-conservateurs. Le 30 septembre, l'accord franco-suisse est définitivement ratifié.

Quelles ont été les principales conséquences économiques, financières et politiques de l'accord franco-suisse de 1864? Au niveau de la politique commerciale, ce traité à tarif représente un tournant essentiel dans l'intervention de la Confédération. Il instaure une politique de traités de commerce plus active qui permet de supprimer le traitement différentiel des productions suisses sur les principaux marchés européens. L'exportation helvétique peut enfin bénéficier pleinement de la libéralisation des échanges en Europe. Dès le 1er juillet 1865, date de la mise en vigueur du traité franco-suisse, les produits helvétiques disposent d'un accès facilité au marché français, mais aussi au marché italien – l'Italie se constitue en 1859 – et aux marchés allemands. Après avoir conclu des accords provisoires avec ces Etats, sur la base du traitement de la nation la plus favorisée, le CF décide

289 *Ibidem*, p. 17; cité in Brand, 1968, p. 239.
290 Verhandlungen..., 1864, pp. 93-94.

de les mettre en vigueur sans attendre la ratification de l'AsF. Pour ce faire, le Gouvernement s'appuie sur l'article 34 de la loi douanière de 1851[291]. Le 18 juillet 1865, il reçoit l'aval de l'AsF. Par la suite, le Gouvernement régularise les relations commerciales avec l'Italie et le «Zollverein». Des traités de commerce sont ainsi signés en 1868[292] et en 1869[293]. Un accord est aussi conclu avec l'Autriche-Hongrie (1868)[294]. Au début des années 1870, l'économie suisse bénéficie de ce fait de perspectives commerciales réjouissantes. Des traités de commerce avec les quatre grands voisins améliorent notablement les conditions d'exportation en Europe. La clef de voûte du système commercial suisse, qui est le traité avec la France, doit rester en vigueur jusqu'en 1877 au moins. Il ne sera finalement renégocié qu'en 1882[295]. Cette stabilité sur la moyenne durée ne peut que favoriser les investissements.

291 FF, 1865, vol. 1, pp. 112-117, «MCF concernant la mise en vigueur provisoire, dès le 1er juillet 1865, vis-à-vis de l'Union douanière allemande et de l'Italie, du tarif conventionnel suisse convenu avec la France par le traité (30 juin 1864)»; FF, 1865, vol. 3, pp. 465-474, «Rapport de la commission du CN sur la mise en vigueur provisoire, dès le 1er juillet 1865, du tarif conventionnel franco-suisse du 30 juin 1864, vis-à-vis du Zollverein et de l'Italie (13 juillet 1865)»; RO, 1863-1866, vol. I, 8, pp. 436-437; cette mise en vigueur du tarif conventionnel nécessite quelques adaptations du tarif douanier suisse; FF, 1865, vol. 3, pp. 709-711, «MCF concernant l'égalisation du tarif des péages de 1851 avec le tarif conventionnel pour l'huile, les graisses et la fonte de fer (11 octobre 1865)»; RO, 1863-1866, vol. I, 8, p. 561.

292 FF, 1868, vol. 3, pp. 408-447, «MCF... (9 octobre 1968)»; *ibidem*, pp. 847-970, «Rapport de la commission du CE... (23 novembre 1868)»; RO, 1866-1869, vol. I, 9, pp. 592-609, «Ratification du 18 décembre 1868 et traité de commerce».

293 FF, 1869, vol. 2, pp. 294-314, «MCF... (11 juin 1869)»; FF, 1869, vol. 2, pp. 875-884/884-892, «Rapports de la Commission du CE... (13 et 14 juillet 1869)»; RO, 1866-1869, vol. I, 9, pp. 765-797, «Ratification du 21 juillet 1869 et traité de commerce»; FF, 1869, vol. 2, pp. 758-780, «Publication concernant la mise à exécution du Traité de commerce et de douane conclu le 13 mai 1869 entre la Confédération suisse et l'Union douanière et commerciale allemande (11 juin 1869)».

294 FF, 1868, vol. 3, pp. 243-256, «MCF... (21 août 1868)»; FF, 1869, vol. 1, pp. 131-150, «Rapport de la commission du CN... (7 décembre 1868)»; RO, 1866-1869, vol. I, 9, pp. 521-540, «Ratification du 11 décembre et traité de commerce»; ce traité de commerce a la particularité de supprimer les taxes de transit suisses.

295 D'autres traités de commerce, qui viennent s'ajouter aux traités déjà conclus avec les Etats-Unis (1855), la Grande-Bretagne (1855) et la Belgique (1862), sont ratifiés par l'AsF: en 1864 avec le Japon (RO, 1863-1866, vol. I, 8, pp. 618-645) et les Iles hawaiiennes (RO, 1863-1866, vol. I, 9, pp. 464-471), en 1868 avec les Etats de l'Eglise (RO, 1966-1869, vol. I, 9, pp. 377-379), en 1869 avec l'Espagne (RO, 1869-1872, vol. I, 10, pp. 252-256), en 1873 avec la Russie (RO, 1872-1874, vol. I, 11, pp. 378-389), en 1874 avec la Perse (RO, 1874-1875, vol. II, 1, pp. 162-171) et le Portugal (RO, 1875-1876, vol. II, 2, pp. 276-283), en 1875 avec le Danemark (RO, 1874-1875, vol. II, 1, pp. 611-621), en 1876/1878 avec la Roumanie (RO, 1875-1876, vol. II, 2, pp. 510-511 et RO, 1877-1878, vol. II, 3, pp. 609-615) et en 1878 avec les Pays-Bas (RO, 1877-1878, vol. II, 3, pp. 493-501).

Tableau 14. Evolution des principales exportations suisses vers la France (commerce spécial) avant et après le traité de commerce de 1864[296]

	1862/64 (en frs)	**1869** (en frs)	**Augmentation** (en mios frs)
Tissus de soie	5 421	12 248 040	12,2
Soie brute et bourre de soie	17 454 214	31 126 387	13,6
Rubans de soie	796 237	761 054	-
Filés de toutes sortes	58 828	4 507 936	4,4
Tissus de coton: mousselines	–	1 880 937	1,9
Tissus de coton: gazes	–	756 384	0,8
Broderies	–	1 721 621	1,7
Horlogerie – bijouterie	4 209 648	2 416 088	– 1,8
Fromage	955 975	8 878 809	7,9
Bétail (animaux vivants)	6 611 095	14 308 760	7,7
Total	30 091 418	78 606 016	**48,5**

Les résultats de ces succès en politique commerciale ne se font pas attendre. Entre 1864 et 1870, la valeur nominale des exportations en direction de la France double, pour se stabiliser entre 100 et 120 mios de frs durant les années 1870-1880[297]. Le marché français passe du troisième au second rang des débouchés extérieurs, juste derrière le «Zollverein», mais devant les Etats-Unis (annexe 2). Alors que le déficit commercial avec la France n'avait cessé d'augmenter depuis le début du XIXe siècle, les traités de 1864 et 1882 permettent de le stabiliser aux environs de 120 mios de frs jusqu'au tournant du siècle. De plus, la structure des échanges évolue en faveur de l'économie suisse. En 1865, les exportations se composent de 67% de matières premières (valeur), 21% de produits alimentaires et 12% de fabriqués. En 1885, la proportion des fabriqués est de 44%, contre 21% de matières premières et 35% de denrées alimentaires. La France exporte quant à elle 43% d'objets manufacturés en 1860 et 33% seulement en 1881[298]. En termes de

296 Brand, 1968, pp. 253-254; les chiffres de Gern, qui comparent les exportations vers la France des principaux produits suisses pour les périodes 1857/1866 et 1867/1876, corroborent les grandes lignes de l'évolution des exportations suisses dégagées du tableau de Brand; le fait que ce dernier n'utilise que 1869 comme année de comparaison ne fausse donc pas l'analyse; au contraire, c'est l'inclusion des années 1870 et 1871 dans la comparaison qui aurait posé problème, car la guerre franco-prussienne de 1870 trouble le commerce extérieur; Brunn utilise quant à lui les années 1864 et 1869 pour commenter l'évolution du commerce extérieur franco-suisse après le traité.

297 Gern, 1992, pp. 281-340; construits sur la base de la statistique française, les chiffres de Gern sont plus bas que les premiers chiffres donnés par la statistique suisse qui surévalue les exportations en direction des pays limitrophes; pour 1885, celle-ci donne le montant de 145 mios de frs (annexe 2); pour une analyse du commerce entre la Suisse et la France, cf. également Brunn, 1982, pp. 49-58; Brand, 1968, pp. 252-254.

298 Gern, 1992, p. 303.

travail incorporé dans les marchandises, le traité de 1864 est par conséquent une réussite pour le commerce extérieur suisse.

Comme le met en évidence le tableau 14, le commerce et l'industrie de la soie zurichois sont les grands bénéficiaires du traité de 1864. Alors que l'exportation de soie et de bourre de soie progresse de 13,6 mios (+78%), les étoffes entrent en force sur le marché français (12,2 mios). Même si c'est de manière moins spectaculaire, l'industrie du coton parvient aussi à y prendre pied. Sans obtenir de concessions spéciales, la filature suisse s'ouvre un débouché conséquent (+4,4 mios)[299]. Au contraire, les produits de luxe saint-gallois (broderies, mousselines et gazes) ne profitent que peu des réductions de taxe obtenues (+1,9 mios). En 1882, l'ensemble de l'exportation de tissus de coton atteint tout de même 14 mios de frs. Quant aux exportations agricoles vers la France, elle explosent littéralement. L'exportation de fromage, qui progresse de 7,9 mios (+832%), réussit une percée décisive et durable. Par contre, l'expédition de bétail, qui augmente de 7,7 mios (+117%), ne se confirmera pas sur le long terme. A son sommet en 1869, elle déclinera ensuite, pour disparaître à la fin du siècle.

La rubanerie de soie et l'horlogerie-bijouterie n'enregistrent pas de progression significative. Certes, ces deux branches obtiennent des avantages douaniers conséquents, mais les conditions précédentes permettaient déjà une exportation importante. Le traité de commerce joue de ce fait un rôle de stabilisation du débouché français, alors que le ralentissement conjoncturel de la fin des années 1860 freine la consommation de produits de luxe. La stagnation constatée peut aussi s'expliquer par la réorientation de ces industries vers l'Angleterre et ses colonies, suite aux possibilités offertes par le traité Cobden-Chevalier.

Le traité de commerce de 1864 avec la France, qui facilite la conclusion d'accords avec plusieurs autres Etats européens, offre dès lors des débouchés de proximité plus importants à l'économie suisse. Amorcée dans les années 1850, puis renforcée par l'ouverture de la Grande-Bretagne, dès 1860, la tendance à un retour sur les marchés européens s'accentue. Alors qu'ils représentaient environ 64% de la valeur des exportations en 1845, puis 36% en 1862, les marchés d'outre-mer n'absorbent plus que 20% des expéditions durant les années 1892/1900, et ce, malgré une renaissance du protectionnisme européen à partir de 1879. Ce n'est qu'au tournant du siècle que la tendance s'inverse[300]. Il faut toutefois noter que ces chiffres sous-estiment

299 Les chiffres donnés par Brand incluent l'ensemble des filés; l'exportation de filés de lin et de laine étant négligeable, la filature mécanique de coton est bien la principale bénéficiaire du gonflement de cette position.

300 Veyrassat, 1990, pp. 297-311; cf. également Hauser-Dora, 1986, pp. 93-95; cet auteur n'inclut pas l'Amérique du Nord dans les marchés d'outre-mer, ce qui provoque certai-

quelque peu les exportations outre-mer, du fait qu'une partie des produits suisses vendus en Grande-Bretagne ou en France sont réexpédiés dans des colonies par le commerce intermédiaire de ces pays.

L'ouverture des marchés européens facilite sans doute une diversification de l'industrie d'exportation suisse dans des productions plus pondéreuses, telles que les machines, les couleurs, les chaussures, le lait condensé, le chocolat, etc. Renfermant moins de valeur ajoutée que l'horlogerie ou les textiles de luxe, ces fabrications auraient rencontré certaines difficultés à se développer en s'appuyant sur les seuls marchés d'outre-mer[301]. La libéralisation des échanges avec les Etats européens permet aussi à certaines élites industrielles de s'émanciper de la tutelle commerciale que leur imposait l'élite marchande. L'exportation vers des marchés de proximité exigeant moins d'organisation et de capitaux que celle outre-mer, les entreprises industrielles ont la possibilité de prendre en main la commercialisation de leur production. Au sein des élites pratiquant l'exportation de produits industriels, marchands-banquiers et marchands-entrepreneurs perdent donc en importance au profit des grands industriels favorables à une politique commerciale interventionniste. Toutefois, dans certaines branches comme la broderie ou l'horlogerie, l'élite marchande continue de jouer un rôle prépondérant.

Enfin, l'action commerciale de la Confédération soutient le processus de spécialisation de l'agriculture dans des productions animales. La fabrication de fromage et l'élevage de bétail continuent de se développer tandis que la culture céréalière recule[302]. De 1861/1865 à 1881/1885, l'exportation de fromage passe de 83 000 à 233 000 quintaux (+181%), alors que le nombre de têtes de bétail à cornes exportées passe de 62 000 à 82 000 (+32%)[303]. Conséquence de la spécialisation du secteur primaire suisse, le cheptel bovin s'accroît d'environ 22% entre 1866 et 1886[304]. Axées sur l'exportation vers les marchés de proximité, qui assure une rentabilité intéressante au capital foncier, les élites agricoles soutiennent la politique douanière libre-échangiste de la Confédération ainsi que la conclusion de traités de commerce à tarif.

Sur le plan financier, la conclusion du traité de commerce de 1864 pose par contre certains problèmes. L'application du tarif conventionnel à la France, à l'Italie et au «Zollverein», à partir du 1er juillet 1865, entraîne un sacrifice

nes distorsions avec les chiffres de Veyrassat; son analyse montre la reprise des expéditions outre-mer à partir de 1900.

301 Napolski, 1961, p. 64.

302 Kupper, 1929, pp. 12-19.

303 SHS, 1996, p. 666.

304 Brugger, 1968, p. 201.

financier supérieur aux 400 000 frs projetés par le CF[305]. Suite aux traités conclus avec l'Autriche-Hongrie (1868) et l'Italie (1868), qui abaissent quelques positions du tarif, de nouvelles pertes sont enregistrées. Ainsi, les rentrées douanières stagnent entre 1865 et 1870 (-2%), malgré une augmentation du volume des importations (+19%)[306]. Dans le même temps, la montée des tensions internationales – guerres austro-prussienne (1866) et franco-allemande (1870) – pousse la Confédération à consentir des efforts financiers importants dans le domaine militaire. Entre 1865 et 1877, la Confédération se retrouve dans les chiffres rouges. Certes, les déficits ne sont pas catastrophiques, mais ils représentent tout de même 15% des dépenses totales entre 1865 et 1873.

Au-delà des pertes financières enregistrées, la conséquence la plus désagréable du traité de 1864 est la perte d'autonomie douanière qu'il implique. En liant l'ensemble des positions du tarif douanier suisse, le traité avec la France empêche une révision à la hausse aussi longtemps qu'il reste en vigueur, soit jusqu'en 1877. Au moment où la nécessité d'élargir les compétences de la Confédération se fait de plus en plus sentir, en particulier dans le domaine militaire, la question du financement d'une centralisation accrue est de fait rendue problématique. Nous verrons que le problème financier sera résolu en trois temps. Avec la constitution de 1874, les indemnités douanières aux cantons seront supprimées, ce qui représente un gain de 2,4 mios de frs pour les caisses fédérales. La même constitution attribue la moitié des revenus de l'imposition des personnes n'effectuant pas de service militaire à la Confédération. Prélevé dès 1875, cet impôt rapporte en moyenne 1,3 mios de frs durant les années 1880. Enfin, en 1879, l'augmentation des taxes sur le tabac et ses dérivés permettra de sortir de la période des déficits budgétaires.

Dans le domaine politique, le traité de 1864 avec la France a également des conséquences importantes. Après avoir tenté en vain de résoudre le problème de la discrimination des juifs suisses grâce à une collaboration des cantons, le CF est obligé d'emprunter la voie de la révision constitutionnelle[307]. Avec l'assentiment de l'AsF, le Gouvernement en profite pour élargir le débat à une série de problèmes structurels: renforcement de la liberté de culte, égalité complète de tous les Confédérés face aux lois et aux justices cantonales, institution d'une liberté de commerce sans restriction, droit pour l'Etat fédéral de légiférer en matière de protection de la propriété intellectuelle et industrielle, de simplifier le système des poids et mesures et d'introduire un droit commercial fédéral. Le 14 janvier 1866, une révision

305 FF, 1864, vol. 2, pp. 282-295, «MCF concernant un traité de commerce et d'établissement avec la France (15 juillet 1864)».

306 Une analyse du système fiscal suisse durant les années 50 et 60 figure au chapitre 3.1.4.

307 Brand, 1968, pp. 255-256; von Greyerz, 1980, pp. 1060-1063.

de la constitution de 1848 en neuf points est soumise au peuple. Celui-ci n'accepte toutefois que la modification des articles 41 (droit d'établissement) et 48 (égalité devant la loi et la justice). La clause réservant ces droits aux chrétiens est ainsi supprimée.

Le traité de commerce de 1864 avec la France marque peut-être l'apogée de la domination de l'Etat fédéral par les élites industrielles et marchandes qui l'ont créé. Au cours de la préparation et de la négociation du traité, l'osmose entre les instances politiques fédérales et les milieux économiques dominants apparaît de manière évidente. Entre novembre 1860 et mars 1861, lorsque les intérêts commerciaux entrent en contradiction avec d'autres obligations de politique extérieure, la marge d'autonomie du CF se révèle vite restreinte face à la pression conjuguée des élites exportatrices. Quatre mois et une série de démarches leur suffisent à convaincre/contraindre le CF à entamer des négociations, malgré une opinion publique largement opposée à une politique de conciliation vis-à-vis de la France. Afin de réaliser une intégration commerciale aux marchés européens, qu'elles considèrent indispensable à la poursuite de leur expansion, ces élites n'ont aucun scrupule à contourner la constitution. Par ailleurs, elles se courbent en quatre devant Napoléon III et entament ainsi la crédibilité de la politique extérieure suisse. Le droit à l'occupation de la Savoie, partie intégrante de la neutralité helvétique, est implicitement sacrifié sur l'autel des privilèges commerciaux.

Deuxième partie
1870-1914

Capitalisme organisé, lutte des classes et abandon du libre-échange

4. L'économie suisse face à l'impérialisme des grandes puissances commerciales: le libéralisme manchestérien en question

Les années 1870 et 1880 sont marquées par un changement rapide et en profondeur de l'environnement politique et économique de la Confédération helvétique. Après la création du Royaume d'Italie, en 1859, c'est au tour des Etats allemands de réaliser leur unification. Suite à la victoire prussienne sur la France, en 1870, l'Empire allemand voit en effet le jour. Quatre Etats de poids entourent désormais la Confédération. La pression exercée sur la Suisse est d'autant plus grande que l'idée nationale s'exacerbe en se référant souvent à l'axiome une nation, un Etat, une langue. L'existence d'un petit pays multiculturel, dont le lien national est uniquement politique, est ressentie comme un anachronisme en cette fin de XIXe siècle.

Certes, dans un premier temps, le nationalisme est surtout instrumentalisé en tant que ciment idéologique utile pour colmater les fractures sociales des Etats-nations. En construisant des lieux communs – langue, histoire, folklore, etc. – et en définissant un objectif – la grandeur de la nation –, il doit contribuer à réunir des individus désorientés par les bouleversements socio-économiques liés à l'industrialisation. L'idée nationale permet en effet d'atténuer les particularismes régionaux encore vivaces, de circonscrire l'influence de l'Eglise catholique – «Kulturkampf» – et de lutter contre l'émergence d'un mouvement ouvrier internationaliste pratiquant la lutte des classes. Créée en 1864, la Première Internationale acquiert vite une ampleur organisationnelle qui inquiète les classes dirigeantes, qu'elles soient aristocratiques ou bourgeoises. En 1870, la Commune de Paris révèle la nécessité de ne pas sous-estimer le potentiel de déstabilisation socio-politique que représente le prolétariat industriel.

Toutefois, à partir de la fin des années 1870, le nationalisme est de plus en plus relié à une politique extérieure agressive communément appelée impérialisme. En lien avec des besoins économiques et sociaux nés de l'extension de l'industrialisation, les grandes puissances européennes se lancent dans des conquêtes territoriales et un expansionnisme commercial agressif. Cette tendance à l'affrontement, qui contraste avec l'idéologie pacifiste qui caractérisait le capitalisme commercial libre-échangiste, est précipitée par la nécessité de résoudre les problèmes issus de la Grande dépression des années 1874-1895. Il en résulte une intense compétition militaire et économique au sein de laquelle les petits Etats éprouvent mille peines à préserver leurs intérêts.

Dans ce nouveau contexte politique, social et économique, l'Etat est appelé à jouer un rôle toujours plus important. La cure d'amaigrissement prônée par le libéralisme, dans le but de dissoudre l'Etat absolutiste au service de l'aristocratie, n'est plus à l'ordre du jour. Certes, le capitalisme manchestérien, qualifié parfois de «sauvage», reposait déjà sur une régulation étatique minimale du social et de l'économique, mais l'intervention change désormais en qualité et en intensité, justifiant l'utilisation du concept de capitalisme organisé. A l'intérieur, l'action étatique a notamment pour buts de stabiliser le système socio-politique et d'offrir des conditions-cadre optimales à l'économie. Vis-à-vis de l'extérieur, il s'agit de construire une puissance militaire à la hauteur des ambitions nationales et de favoriser l'expansion commerciale vers les marchés internationaux. Pour atteindre ces différents objectifs, le protectionnisme douanier est un moyen d'action important. Il permet de financer une partie de l'intervention militaire, sociale et économique de l'Etat, tout en favorisant le développement de nouvelles technologies liées à la deuxième Révolution industrielle – électricité, moteur à explosion, chimie. Par ailleurs, en réservant le marché intérieur aux producteurs nationaux, il procure des surprofits leur permettant de pratiquer une politique de «dumping» sur les marchés extérieurs. Dès 1879, l'Empire allemand s'engage dans la voie d'une politique protectionniste, bientôt suivi par la grande majorité des Etats européens. La Grande-Bretagne reste toutefois fidèle à un libre-échange doctrinaire favorisant ses activités tertiaires.

Fortement imbriquée dans l'espace économique et politique européen, et même mondial, la Suisse n'est pas épargnée par les évolutions évoquées, bien que celles-ci prennent des formes différentes en fonction des spécificités politiques et économiques helvétiques. D'un point de vue militaire, la nouvelle situation géostratégique crée un besoin urgent de réorganisation de l'armée, dont les faiblesses sont soulignées durant la guerre franco-prussienne de 1870. La crédibilité d'une politique de neutralité armée en dépend. Sur le plan socio-politique, la croissance accélérée des années 1850-1860, qui profite surtout à certaines élites économiques, joue un rôle déstabilisateur. Ainsi, dans certains cantons, les classes moyennes et salariées se regroupent au sein du mouvement démocratique pour revendiquer et obtenir une meilleure prise en compte de leurs intérêts. Des éléments de démocratie directe sont introduits sur le plan cantonal, puis fédéral. Par ailleurs, l'industrialisation accélérée produit un prolétariat toujours plus nombreux qui s'organise et commence d'utiliser la grève pour se faire entendre. Certes, l'influence politique de ces milieux socio-économiques s'exerce surtout au niveau local et cantonal, mais même au sein du champ étatique fédéral, il n'est plus possible aux élites économiques d'en faire abstraction. D'autant plus qu'à la fin des années 1870, les premières conséquences de la Grande dépression poussent les classes moyennes et salariées à s'organiser sur le plan fédéral. L'USAM (1879), l'USS (1880) et des associations agricoles voient successivement le jour. Les revendications à l'égard de l'Etat fédéral se radicalisent.

Bien que les évolutions militaires et socio-politiques soient loin de laisser les élites helvétiques indifférentes, ce sont les problèmes économiques qui sont au centre de leurs préoccupations. Dès le milieu des années 1860, alors que la conjoncture économique est pourtant favorable, certains milieux exportateurs se plaignent de l'insuffisance des conditions-cadre instaurées par l'Etat fédéral de 1848. Ces lacunes sont ressenties de manière encore plus vivace lorsque la conjoncture internationale se dégrade. Au cours de la Grande dépression, l'ensemble des élites exportatrices sont touchées, à tour de rôle, et dans des proportions diverses, par l'impérialisme économique des grandes puissances. Les difficultés commerciales engendrées par la recrudescence du protectionnisme stimulent la recherche de solutions pour accroître la compétitivité de la place économique helvétique. A l'instar de ce qui s'était passé dans les années 1840, des voix s'élèvent pour exiger un rôle accru de l'Etat fédéral dans l'économie et la société.

Entre 1870 et 1914, le débat concernant les contours et l'intensité de l'intervention de la Confédération ne s'interrompt pas. Avant de poursuivre l'analyse centrée sur la politique douanière de la Confédération, le chapitre 4 répond à la nécessité de redéfinir les forces qui luttent au sein du champ étatique fédéral ainsi que leurs objectifs. Le modèle utilisé au cours de la première partie doit en effet être affiné en fonction des évolutions structurelles du tissu économique et de l'organisation politique des différents milieux socio-économiques, facteurs modifiant les rapports de force en présence. Au sein des élites économiques, la principale nouveauté est le renforcement politique des grands industriels. Dans la deuxième partie du XIXe siècle, la production mécanisée en fabrique essaime, à partir de Zurich, sur l'ensemble du territoire, tout en investissant d'autres branches industrielles que le coton. En Suisse orientale, le pouvoir des grands industriels progresse, même si les marchands-entrepreneurs des branches de la broderie et de la soie demeurent très influents. Dans les cantons commerçants de Suisse occidentale, les milieux producteurs gagnent en importance vis-à-vis des négociants pratiquant le commerce de spéculation. La production mécanisée en fabrique ne perce toutefois que lentement dans l'horlogerie et la rubanerie, alors qu'elle est la règle dans la chimie bâloise. Globalement, le rapport de force s'est donc modifié en faveur des élites interventionnistes qui exigent alors une nouvelle refonte des conditions-cadre pour faire face à l'impérialisme commercial des grandes puissances. Mais les forces bancaires, marchandes et industrielles fidèles au libéralisme manchestérien, qui trouvent un appui bienvenu auprès des nouvelles élites touristiques, opposent encore un frein puissant à la centralisation de nouvelles compétences dans les mains de la Confédération.

Opposés dans un premier temps à une intervention accrue de la Confédération, les propriétaires terriens sont toutefois contraints de changer d'opinion. La violente crise qui les frappe, à partir de la fin des années 1870, les oblige à faire appel à une aide de l'Etat. Or, la capacité financière de la plupart des cantons n'est pas à même de supporter l'ensemble de la charge que représente la mise en place de structures d'encadrement efficaces de la production agricole – formation, recherche, promotion de la qualité, lutte contre les maladies, etc. Par ailleurs, l'évolution commerciale extérieure nécessite le recours à une intervention douanière accrue qui est du ressort de la Confédération. Contrairement à la situation de crise des années 1820, l'aristocratie terrienne des cantons catholiques-conservateurs n'est pas épargnée par la nouvelle vague de protectionnisme agricole. Un soutien économique de la Confédération passe donc par un changement d'attitude politique vis-à-vis de l'Etat fédéral. Malgré leur fédéralisme viscéral, les agriculteurs de montagne doivent désormais apporter un soutien ponctuel à la coalition interventionniste formée par les grands industriels et les propriétaires terriens de plaine.

Dans les dernières décennies du XIXe siècle, marquées par la crise économique, la redéfinition du rôle de l'Etat central exacerbe par conséquent les rivalités entre «mondes de production». A cette empoignade se superpose progressivement un second niveau de lutte qui oppose les élites aux classes moyennes et salariées. Mis sous pression par la concurrence extérieure, artisans et petits industriels exigent que la Confédération mène une politique moins libérale. Alors que le protectionnisme doit leur réserver le marché intérieur, une législation appropriée doit brider la concurrence intérieure. Les voix les plus radicales prônent un retour à une régulation corporatiste des métiers. Petits et moyens paysans exigent aussi une protection douanière ainsi que des mesures dans le domaine du crédit hypothécaire. Quant au mouvement ouvrier, ses deux ailes veulent un changement en profondeur du rôle de l'Etat central. A droite, les réformistes sont d'avis que les abus du système capitaliste doivent être corrigés par une politique sociale intensive, dont le pilier est l'assurance. Par le biais de l'impôt, l'Etat doit aussi veiller à une meilleure répartition de la richesse. A gauche, la frange la plus radicale des salariés estime que l'Etat ne doit plus se contenter d'encadrer l'activité économique, mais qu'il doit la prendre à son compte en socialisant les moyens de production. Face aux revendications des classes dites populaires, certaines élites économiques adoptent une attitude ambivalente. Bien que leur intérêt économique les pousse à refuser l'ensemble des changements proposés, la nécessité d'assurer une certaine stabilité sociale et politique les engage à faire quelques concessions. Alors que certains milieux dirigeants sont convaincus de la pertinence de mesures concrètes pour désamorcer le mécontentement, d'autres se contentent de développer un discours réformiste à vocation intégratrice. Une autre frange de l'élite opte au contraire pour une politique de confrontation avec les classes moyennes et salariées. Ce sont souvent ces milieux qui exacerbent un discours nationaliste musclé dans le but de renforcer la fidélité de la population à l'Etat.

Au sein de la mêlée des intérêts contradictoires qui s'agitent pour faire triompher leur point de vue, un noyau dur assume un rôle moteur dans la transformation des rapports entre Etat central et économie. Constituée en 1870, l'Union suisse du commerce et de l'industrie (USCI) n'est certes pas exempte de contradictions, mais après la fixation de la section Vorort (exécutif de l'association) à Zurich, en 1882, une stratégie cohérente visant à la poursuite de l'industrialisation est menée avec efficacité. Sur le plan économique, la compétitivité est surtout recherchée dans une spécialisation vers la production de qualité et les technologies de pointe. Sur le plan politique, une réforme des conditions-cadre de production et de commercialisation est progressivement mise en place. La révision de la constitution, en 1874, constitue un premier pas dans ce sens, bientôt suivi de multiples révisions partielles permettant une intervention accrue de la Confédération. Pour parvenir à ce résultat, les élites industrielles instaurent une collaboration étroite avec les différents lieux de pouvoir du champ étatique. Par ailleurs, la construction d'une majorité politique passe par la formation d'un bloc bourgeois-paysan uni contre la menace ouvrière. Les grands industriels sont donc contraints de faire des concessions aux élites agricoles et aux classes moyennes, ce qui crée des tensions avec les élites économiques libérales – banque, commerce, tourisme, industries du luxe. Après une période de flottement politique dans les années 1880 et 1890, accentuée par les effets de l'instauration du référendum législatif en 1874, la situation se stabilise au tournant du siècle.

4.1. Fondation de l'Union suisse du commerce et de l'industrie (1870) et révision de la constitution fédérale (1874): nouvelle refonte des conditions-cadre économiques

A la fin des années 1860, l'économie helvétique se trouve au terme d'une longue période de conjoncture favorable qui lui a permis de poursuivre son expansion commerciale sur les marchés internationaux. La clique des «Bundesbarone», emmenée par Alfred Escher, tend à monopoliser l'appropriation des profits économiques dégagés par la croissance. Grâce à des investissements massifs dans la grande industrie d'exportation et les chemins de fer, cette minorité d'entrepreneurs parvient à accumuler des fortunes considérables. Leur action économique est facilitée par un quadrillage systématique et efficace du pouvoir fédéral. L'action de la Confédération est ainsi mise au service de leurs intérêts, comme l'a souligné la conclusion du traité de commerce avec la France. Toutefois, la grande chevauchée du capitalisme libéral montre ses premiers signes d'essoufflement. Une série de problèmes structurels hypothèquent l'action économique et la domination politique des élites industrielles et commerçantes. Regroupées au sein de l'USCI, en 1870, celles-ci considèrent qu'une redéfinition du rôle de l'Etat central est désormais indispensable pour écarter les entraves à leur développement.

La révision constitutionnelle de 1874 constitue une sorte de pivot entre les deux grandes périodes analysées dans ce travail. Certes, elle peut être considérée comme l'accomplissement des idéaux mis en œuvre en 1848. Ainsi, le mouvement de centralisation cherche à achever la libéralisation amorcée en 1848. Le principe de la liberté du commerce et de l'industrie est proclamé et les droits politiques ainsi que les libertés individuelles sont renforcés. Par ailleurs, la mise en place de conditions-cadre au niveau national est poursuivie. La Confédération reçoit notamment la compétence d'instaurer un droit commercial unifié. Toutefois, la constitution de 1874 contient aussi les germes de la décadence du libéralisme manchestérien. Elle ouvre la voie à une intervention qualitativement différente de la Confédération. L'introduction d'un article permettant une législation sur le travail en fabrique en est l'exemple le plus significatif. Sur le plan politique, l'introduction du référendum législatif tend à compliquer la maîtrise du pouvoir fédéral par les élites industrielles et commerçantes.

4.1.1. Besoins accrus d'intervention et naissance de l'Union suisse du commerce et de l'industrie

La longue phase de croissance économique des années 1850-1860 a pour conséquence d'accélérer le développement économique en Suisse. Les deux principales manifestations de cette évolution sont la construction accélérée de chemins de fer et l'accroissement de la production en fabrique. Ces deux phénomènes économiques ont à leur tour des répercussions importantes sur le tissu social et les rapports de force socio-politiques.

Entre les années 1830/40 et les années 1870/72, le nombre des ouvriers du textile travaillant en fabrique passe de 15 000 à 68 000[1]. Il est vrai, ce chiffre ne représente que le 36% des emplois de la principale branche industrielle suisse. De surcroît, l'essaimage des unités de production le long des cours d'eau ralentit la constitution d'un prolétariat concentré dans les centres urbains. Néanmoins, l'avènement d'une classe ouvrière salariée commence à poser certains problèmes politiques et sociaux aux élites économiques dirigeantes. Avec la création de la Première Internationale, en 1864, le mouvement ouvrier prend une dimension organisationnelle qui ne peut plus laisser celles-ci indifférentes. Ce d'autant plus qu'entre 1868 et

1 SHS, 1996, p. 396; estimation Gruner.

1874, le patronat suisse est confronté à une première grande vague de grèves, dont les principaux objectifs sont l'augmentation des salaires et la réglementation du temps et des conditions de travail[2].

En 1864, le canton de Glaris, qui est alors le plus industrialisé de Suisse, fait œuvre de pionnier en matière de législation sociale. Une loi sur le travail en fabrique est instaurée, bientôt imitée dans les deux demi-cantons de Bâle (1868/1869)[3]. Contraints de limiter la durée du temps de travail, les patronats glaronnais et bâlois poussent dès lors à une extension de la législation sur le plan fédéral. En 1872, un leader économique de la cité rhénane, Alfons Koechlin-Geigy[4], déclare:

> *[...] l'école de Manchester a fait son temps [...] il ne faut pas qu'on puisse dire de la république démocratique qu'elle satisfait moins que les Etats monarchiques aux exigences de l'humanité*[5].

Sous le couvert d'une argumentation morale, il s'agit d'imposer les contraintes d'une législation du travail, qui réduit la compétitivité des entreprises, aux autres industriels suisses. Dans l'esprit de certains politiciens, une réglementation fédérale doit aussi participer à la stabilisation du système socio-politique qui pourrait être ébranlé par le mécontentement du prolétariat. Ainsi, le Conseiller national vaudois Louis Ruchonnet[6] estime que l'intervention de l'Etat se justifie parce qu'*«il y a ici une question d'humanité et de justice et il y a aussi une question d'ordre public.»*[7] Les représentants du libéralisme manchestérien combattent toutefois une intrusion de l'Etat dans les rapports de travail. Selon le radical genevois James Fazy[8], le projet cache *«une pensée du socialisme le plus exagéré.»*[9] A signaler qu'une intervention sociale de l'Etat divise aussi les spécialistes d'économie politique. Alors que les «socialistes de la chaire» sont favora-

2 Gruner, 1956/1, p. 47.
3 Rappard, 1914, pp. 304-312.
4 *Alfons Koechlin-Geigy* (1821-1893) (BS), cf. note 271, chapitre 3.
5 Cité in Rappard, 1938, p. 103.
6 *Louis Ruchonnet* (1834-1893) (VD), avocat renommé pratiquant à Lausanne, CdE (1868-1874), fondateur et membre du comité de la SICVD (1863-1881), Cn membre de la jeune école radicale-démocratique (1866-1881), Cféd (1881-1893).
7 Cité in Rappard, 1938, p. 104.
8 *Jean Jakob Fazy-Sprenger* (1794-1878) (GE), fils d'un important fabricant d'indiennes, publiciste et homme de lettres, fondateur du *JdG* (1826), fondateur de la «Caisse hypothécaire de Genève» et de la «Banque de Genève» (1847), fondateur et membre du CA de la «Banque générale suisse de crédit foncier et mobilier» (1853), fondateur et membre du CA de la «Société internationale d'escompte» (1867-1871), CdE (1846-1853), professeur de législation et d'histoire constitutionnelle à l'Université de Genève (dès 1870), Cn de tendance radicale (1857-1866), CaE (1848-1849/1851-1854/1856-1857/1871-1872), opposant aux révisions constitutionnelles de 1872 et 1874, adepte des thèses libérales d'Adam Smith.
9 Cité in Rappard, 1938, p. 103.

bles à des mesures concrètes visant à une intégration des couches salariées – fiscalité, logement, scolarité –, les partisans de l'école classique s'y opposent[10].

Outre l'organisation d'un mouvement ouvrier revendicatif, la phase de croissance des années 1850-1860 provoque le mécontentement des classes moyennes. Le désenclavement ferroviaire de la Suisse est en effet synonyme de difficultés économiques chez les producteurs écoulant leurs marchandises à l'échelle régionale ou nationale. D'une part, la réduction de la protection par la distance (tableau 1) engendre une pression à la baisse sur certains prix. Entre 1851/55 et 1861/65, l'indice moyen du froment perd 19%. D'autre part, le crédit hypothécaire est renchéri par la mobilisation des capitaux dans la construction de chemins de fer et le développement de la grande industrie. Dans le canton de St-Gall, le taux des premières hypothèques passe de 4,25% au début des années 1850 à 5% au début des années 1870[11]. A la frustration des classes moyennes – artisans, petits industriels, petits et moyens paysans – s'ajoute celle des milieux industriels des villes de seconde importance, qui se sentent floués par les décisions politiques des capitales cantonales. En matière ferroviaire, les milieux industriels ruraux exigent d'être rapidement reliés au réseau en construction.

Durant les années 1860, la grogne engendrée par les inégalités d'une croissance menée sans garde-fous sociaux par les adeptes du libéralisme manchestérien provoque une organisation des classes moyennes. Encadré par des élites opposées aux «Bundesbarone», un mouvement politique d'envergure se développe dans un certain nombre de cantons (BL, AG, SO, LU, BE, SH, ZH, TG), catalysant la frustration des laissés-pour-compte. Communément appelé mouvement démocratique, il intègre parfois la frange réformiste du mouvement ouvrier et fait alors siens certains postulats sociaux[12]. Indépendamment des particularités régionales, les différents partis démocratiques cantonaux poursuivent deux grandes visées communes. La première est d'améliorer l'accès des classes moyennes au processus législatif en introduisant des éléments de démocratie directe dans un système représentatif jusqu'alors dominé et instrumentalisé par les barons de la finance, des chemins de fer et du grand commerce. La seconde est d'obtenir certaines réformes économiques et sociales, dont les plus importantes sont la création de banques cantonales, la révision des systèmes fiscaux ainsi que la démocratisation des systèmes scolaires. Du fait que les couches sociales

10 Les 14 et 15 juillet 1872, les deux camps s'affrontent à l'occasion d'un débat sur la statistique sociale au sein de la Société suisse de statistique; le protocole de cette séance est partiellement retranscrit in *ZSV*, 1872, pp. 196-197.

11 Les chiffres sont tirés in SHS, 1996, pp. 480/828.

12 Sur le mouvement démocratique, cf. Schaffner, 1982; Auer, 1996; von Greyerz, 1980, pp. 1058-1062.

mécontentes développent surtout leur activité économique à l'échelle régionale, leurs principales revendications touchent des domaines de compétence réservés aux cantons.

A la fin des années 1860, le mouvement démocratique remporte d'importants succès qui se concrétisent par la révision de plusieurs constitutions cantonales. Les réformes ainsi obtenues satisfont dans une large mesure les revendications des classes moyennes. Le système politique fédéraliste fonctionne donc comme un fusible qui freine une structuration du mouvement au niveau national. Ainsi, au sein de l'Etat fédéral, la domination exercée par les élites économiques n'est pas fondamentalement remise en question[13]. Il n'est par conséquent pas possible d'interpréter le mouvement de révision de la constitution du début des années 1870 comme l'œuvre du mouvement démocratique et que très partiellement comme une réponse des élites économiques à ce facteur de déstabilisation socio-politique. Une intervention de la Confédération en faveur des classes moyennes ne sera sérieusement envisagée qu'au début des années 1880.

En réalité, les impulsions à une réforme du rôle joué par l'Etat central viennent une nouvelle fois des élites industrielles – grands industriels et marchands-entrepreneurs. A la fin des années 1860, une série de problèmes structurels péjorent leur compétitivité sur les marchés internationaux, nécessitant une nouvelle réforme des conditions-cadre de production et de commercialisation.

En 1866, l'échec de la révision partielle de la constitution annihilait les efforts consentis pour introduire un droit commercial fédéral. Cette revendication des élites interventionnistes, déjà formulée dans les années 1840, reste néanmoins à l'ordre du jour. En 1868, la Société suisse des juristes adresse une pétition demandant une unification du droit et la réorganisation du Tribunal fédéral. Le 1er mai 1869, une conférence réunit plusieurs sociétés commerciales et industrielles cantonales à Lausanne. L'urgence d'une unification du droit commercial est unanimement reconnue. Par contre, le moyen d'y parvenir – concordat pour certains, législation fédérale pour d'autres – est l'objet de divergences. La nécessité de poursuivre les réformes économiques engagées en 1848 est alors évoquée par le marchand bernois Alexander Bucher[14]:

> *Evidemment le commerce sent le besoin d'avoir des lois uniformes. Si l'on avait posé, il y a vingt ans, cette question, il est probable qu'on lui aurait fait un singulier accueil;*

13 Siegenthaler, 1982, pp. 336-340.

14 *Alexander Bucher-Flückiger* (1820-1881) (BE), négociant en textiles à Berthoud, principal promoteur du chemin de fer «Emmental-Burgdorf-Thun», CA des chemins de fer du «Gotthard» et du «Jura-Bern», CA de l'assurance «Mobilière Suisse», membre de la direction de la «Banque cantonale de Berne» (1856-1876), membre fondateur du BVHI, Cn de tendance radicale (1872-1881).

> *mais depuis ce moment, les circonstances ont changé. La Constitution de 1848 a fait réaliser de grands progrès [...] Maintenant, après avoir obtenu ces avantages, devons-nous être satisfaits? Cela n'est point mon avis, mais nous devons continuer à marcher de l'avant*[15].

La commercialisation des produits helvétiques est aussi confrontée à des problèmes de gestion du transport ferroviaire. L'intérêt des élites industrielles et marchandes à un transport sûr, rapide et bon marché entre parfois en contradiction avec la soif de profit des milieux financiers suisses et étrangers qui dirigent les chemins de fer. En particulier, l'absence d'une réglementation définissant la responsabilité des compagnies en matière de transport de marchandises est dénoncée. Ainsi, dès le début des années 1860, une série de sociétés cantonales sont créées pour faire pression sur les autorités politiques[16]. Rédigé en 1863, un appel à l'organisation du commerce bâlois illustre bien la nécessité d'un cadre légal plus conséquent dans le domaine ferroviaire:

> *Wie also schon dem Ueberwuchern der auch auf unserm Platz immer mehr um sich greifenden eisenbahnlichen Geschäftsjagd einzig mit Hilfe der Regierung Grenzen gesteckt werden kann, so ist es begreiflich nothwendig unsere Regierung sowohl in dieser Beziehung von den bestehenden Uebelständen und Uebergriffen vielseitig zu unterrichten, als derselben überhaupt Gelegenheit zu bieten, über durch ihre h. Fürsorge zur Hebung von Handel und Industrie erstellte oder gewünschte Einrichtungen, deren allgemeine Auffassung aus offenen, würdigen Discussionen zu vernehmen*[17].

Toutefois, les pouvoirs cantonaux compétents s'avèrent incapables d'imposer une ligne de conduite aux compagnies, ou peu disposés à le faire. Les démarches entreprises auprès de la Confédération n'ont pas plus de succès[18]. Mais l'option interventionniste ne cesse de gagner du terrain. En 1865, le futur Conseiller fédéral argovien Emil Welti[19] prend position en faveur d'une réglementation nationale[20]. En novembre 1869, le Conseiller national glaronnais Peter Jenny-Blumer[21], principal promoteur de l'USCI,

15 Compte rendu de la Conférence..., 1869, pp. 12-13.

16 Société industrielle et commerciale du canton de Vaud (SICVD, 1859), Bernischer Verein für Handel und Industrie (BVHI, 1860), Association commerciale et industrielle genevoise (ACIG, 1865); Hauser, 1985, pp. 50-91; Weyermann, 1960; Buri, 1910; Jouvet, 1940; Centenaire de la Chambre..., 1965.

17 Ein Wort..., 1863, p. 5.

18 En 1860, une première démarche est faite auprès de la Confédération par le commerce genevois; elle aboutit à l'arrêté du 22 janvier 1863 qui laisse aux cantons la compétence d'une réglementation du transport de marchandises; Hauser, 1985, pp. 144-165.

19 *Emil Welti-Gross* (1825-1899) (AG), étude d'avocat à Zurzach (dès 1847), CdE (1856-1866), CaE libéral (1857-1866), Cféd (1866-1891), son fils est marié avec la fille d'Alfred Escher, politiquement proche du libéral centralisateur argovien Carl Feer-Herzog.

20 Weber, 1903, pp. 85-87.

21 *Peter Jenny-Blumer* (1824-1879) (GL), commerçant à Manille (1847-1858/1863-1869), successeur de Peter Jenny-Tschudi (1800-1874) (GL) – membre du comité du

affirme qu'une réforme du cadre régissant le transport ferroviaire est nécessaire[22].

Les insuffisances du système douanier suisse sont également dénoncées. Comme nous l'avons vu lors de la conclusion du traité de commerce avec la France, la faiblesse du tarif et le renoncement à une taxation différentielle des produits étrangers empêchent la conclusion d'accords plus avantageux. Arraché grâce à des concessions politiques, il n'est pas sûr que l'accès aux marchés de proximité puisse être renouvelé à l'issue de la période contractuelle, qui est programmée pour le milieux des années 1870. Par ailleurs, certains milieux industriels évoquent la nécessité de revoir la répartition de la charge fiscale instaurée par le tarif de 1849/51. En 1871, l'économiste zurichois Viktor Böhmert[23] affirme que l'allégement de la taxation frappant les matières premières et les denrées de première nécessité est *«[...] eines der wichtigsten volkswirthschaftlichen Reformbedürfnisse der Schweiz.»*[24] Si les élites industrielles sont unanimes à défendre une diminution de la charge grevant leurs coûts de production, le report de celle-ci fait l'objet de profondes divergences: alors que les grands industriels veulent imposer les semi-fabriqués et les fabriqués, les marchands-entrepreneurs proposent de se rapprocher du système anglais (taxation du vin, des alcools, du tabac, du café, du sucre, etc.), tandis que les marchands-banquiers cherchent à imposer massivement le tabac. Entre 1870 et 1872, la question de la répartition de la charge douanière est au centre du débat financier engendré par la révision de la constitution fédérale[25].

Cependant, le problème économique qui péjore le plus la compétitivité des élites exportatrices est probablement celui de la main-d'œuvre. La conjoncture exceptionnelle des années 1850 et 1860 provoque en effet un assèchement du marché du travail qui se traduit par un renchérissement des coûts salariaux[26]. Entre 1850/54 et 1866/70, l'indice des salaires nominaux

---

SGV, cf. note 155, chapitre 2 – à la tête de la grande maison de commerce et d'impression de cotonnades «Blumer et Jenny» (dès 1872), CA des «Vereinigte Schweizerbahnen» (1864-1878) et de la «Bank in Glarus» (1872-1879), cofondateur et membre du comité de l'USCI (1870-1877), membre de la «Standeskommission» du canton de Glaris (1863-1879), successeur du même Jenny au CN (1866-1872), CaE radical de gauche (1875-1877).

22 *Protokoll über die Verhandlungen der für Gründung eines Schweizerischen Handels- und Industrie-Vereines am 15. November in Bern stattgefundenen Delegirten-Versammlung*, 1869, p. 5, in Archives USCI, PV de l'assemblée des délégués.

23 *Karl Viktor Böhmert* (1829-1918), économiste allemand, enseignant à l'Université de Zurich et à l'EPFZ (1866-1875).

24 Böhmert, 1871, p. 546.

25 Sur l'imposition du tabac, cf. Challet-Venel, 1870; sur l'ensemble du débat qui a lieu au sein de l'USCI, cf. Hauser, 1985, pp. 118-130.

26 Sur ce sujet, cf. Gruner, 1973/1; Siegenthaler, 1965.

dans l'industrie du textile augmente de 21%[27]. Dans la perspective d'endiguer cette hausse, un recours au réservoir de main-d'œuvre bon marché des cantons ruraux serait le bienvenu. Or, l'établissement d'une activité industrielle dans ces régions se heurte souvent à des entraves juridiques cantonales ou à des restrictions de la liberté du commerce et de l'industrie. Un exode de la population rurale en direction des centres industriels est aussi freiné par des législations cantonales disparates et discriminatoires en matière d'établissement, de droits civiques et de liberté de culte. Plutôt que de se prolétariser, les classes moyennes préfèrent d'ailleurs souvent émigrer à l'étranger. Un contrôle de ce mouvement de population est dès lors souhaité par les milieux industriels. Enfin, le niveau scolaire désastreux de certains cantons rend leur main-d'œuvre peu apte à une production industrielle de qualité. Une réforme du système scolaire suisse, afin de rendre l'enseignement laïc, obligatoire et gratuit sur l'ensemble du territoire, est de ce fait revendiquée par certaines élites interventionnistes.

Dès le milieu des années 1860, l'idée que les nouvelles données qui régissent la lutte concurrentielle internationale exigent une intervention accrue de l'Etat gagne du terrain et pénètre jusque dans les milieux commerçants bâlois:

> *Der einzelne überzeugt sich jetzt täglich, dass die Concurrenz-Faktoren ganz andere als früher sind und dass vereinzeltes Streben nach Abhülfe bestehender oder unserem Platz drohender Nachtheile ohnmächtig ist [...] Wir tragen die Überzeugung in uns, dass mit noch einigen Jahren Gehenlassen unsere Verkehrsverhältnisse ihre bisher behauptete Bedeutung einbüssen werden*[28].

Les limites du libéralisme manchestérien – compétition débridée entre concurrents et laisser faire de l'Etat – sont ressenties de manière toujours plus aiguë. Sans que l'idéal de la liberté du commerce ne soit encore fondamentalement remis en question, un besoin généralisé d'ordre et d'organisation dans les conditions de production et de commercialisation se manifeste[29].

27 SHS, 1996, p. 444.

28 Ein Wort..., 1863, pp. 4/6.

29 A ce propos, les conclusions de l'étude consacrée par Hauser aux associations économiques cantonales créées dans les années 1860 sont particulièrement significatives: «*In den vier genannten Wirtschaftsverbänden sah man ein, dass ein ordnendes Eingreifen nötig wurde. Man forderte, die Behörden sollten mit dem Erlass von Gesetzen die Macht der Bahnen eindämmen, und man versuchte selbst, Missstände zu beseitigen, indem man mit Kursen und der Entwicklung neuer Techniken kranken Wirtschaftszweigen Impulse verlieh. Nicht dass man mit solchen Massnahmen die persönliche Verantwortung dem Staat oder einer Wirtschaftsorganisation übertrug; das Ideal war nach wie vor die Ertüchtigung des einzelnen Geschäftsmannes im Konkurrenzkampf. Man hatte aber begriffen, dass die liberté de commerce Probleme geschaffen hatte, die sich nicht von alleine lösten, sondern den Beizug und die Hilfe des Staates oder der Wissenschaft erforderten.*»; Hauser, 1985, p. 93; ce besoin d'ordre ne se traduit donc pas uniquement dans un appel à une régulation des pratiques économiques par l'Etat; sur le

La constitution de l'Union suisse du commerce et de l'industrie (USCI), en 1870, n'est pas sans rappeler celle du SGV (1843)[30]. Afin de promouvoir une réforme des conditions-cadre de l'économie helvétique, les élites industrielles et commerçantes ressentent le besoin de s'organiser. L'impulsion vient cette fois du commerce d'exportation de Glaris. Le 30 mars 1869, la «Handels-Commission» de ce canton (HCGL) adresse une circulaire à une série d'organes représentatifs des milieux économiques, privés et étatiques, leur proposant de créer une organisation nationale du commerce et de l'industrie[31].

Selon le concept des initiateurs, emmenés par Peter Jenny-Blumer, l'organisation centrale devrait fonctionner comme intermédiaire obligatoire entre le champ étatique fédéral et les différentes associations cantonales, que ce soit à l'occasion de consultations menées par la Confédération ou lorsque des requêtes lui sont adressées par les milieux économiques. En recevant ce statut de plaque tournante, l'association aurait pour tâche de définir les grandes orientations à suivre par l'Etat en réalisant un consensus entre les intérêts divergents des différentes branches d'activité. L'agrégation des points de vue, parfois contradictoires, permettrait en effet d'accroître l'efficacité politique auprès des autorités fédérales. L'organisation proposée par la HCGL aurait pour second objectif de fournir l'information et le «know how» nécessaires à une intervention accrue de l'Etat fédéral. Cette centrale informationnelle ne devrait pas uniquement satisfaire aux demandes de la Confédération, mais donner des impulsions en vue d'une amélioration des conditions-cadre de l'économie suisse.

Lors d'une conférence de préparation, convoquée le 15 novembre 1869, 23 délégués de 13 cantons sont présents. A l'exception de Thurgovie, l'ensemble des cantons qui faisaient partie du SGV de 1843 sont représentés:

---

plan privé, les premières tentatives de pallier aux désagréments d'un libéralisme outrancier voient le jour, notamment dans le domaine des transactions commerciales – mouvement de création des «Börsenvereine» – et dans celui du crédit commercial; lors de la conférence de Lausanne du 1er mai 1869, le commerçant bernois Alexander Bucher veut qu'on engage les entrepreneurs *«[...] à chercher à s'entendre pour établir dans chaque branche des termes de paiements fixes et aussi courts que possible.»*; Compte rendu de la conférence..., 1869, p. 9.

30 Au sujet de la création de l'USCI, cf. Hauser, 1985, pp. 95-112; Wehrli, 1972, pp. 25-32; Hulftegger, 1920, pp. 4-13; Zimmermann, 1980, pp. 51-56; Richard, 1924, pp. 74-96.

31 La circulaire figure in Hulftegger, 1920, pp. 93-94; sur les motivations du commerce d'exportation glaronnais, cf. également le discours de Peter Jenny lors de la conférence de Berne du 15 novembre 1869; *Protokoll über die Verhandlungen der für Gründung eines Schweizerischen Handels- und Industrie-Vereines am 15. November in Bern stattgefundenen Delegirten-Versammlung*, 1869, pp. 5-7, in Archives USCI, PV de l'assemblée des délégués.

Berne (3), Argovie (3), Soleure (1), Zurich (2), St-Gall (2), Glaris (1) et Schaffhouse (3). La Suisse occidentale – Bâle-Ville (2), Genève (1), Neuchâtel (1), Vaud (1) et Fribourg (2) – ainsi qu'Appenzell Rhodes-Extérieures (1) participent également. Les délégués des associations cantonales et régionales sont surtout issus des principales branches du commerce d'exportation (soieries et rubans de soie, cotonnades, broderies, articles en paille, fromage, horlogerie, etc.)[32]. Si tout le monde s'accorde sur l'utilité d'une association faîtière, l'organisation de celle-ci est l'objet de profondes divergences. Issu d'une négociation entre élites de Suisse orientale, un projet plutôt centralisateur prévoit une assemblée générale, un comité central chargé de définir les orientations générales et une section Vorort chargée de l'exécution de la stratégie; celle-ci doit être assumée à tour de rôle par les associations qui adhèrent à la nouvelle organisation[33]. Craignant de se voir dicter une stratégie peu conforme à leurs intérêts, les associations des cantons de Genève, Vaud, Neuchâtel et Berne s'opposent à la création d'un comité central. Elles estiment par ailleurs nécessaire que les associations-membres conservent la liberté d'entretenir des relations directes avec les autorités fédérales, cela afin de pouvoir défendre leurs intérêts spécifiques[34].

Le 12 mars 1870, la séance de constitution de l'USCI rassemble 21 organisations économiques – 16 privées et 5 étatiques – représentant 14 cantons[35]. Les organes dirigeants de l'association faîtière seront une assemblée des délégués, investie du pouvoir décisionnel, un comité central de 11 membres – 4 membres du Vorort et 7 membres élus par l'assemblée des délégués – et une section Vorort nommée pour deux ans, chargée des fonctions d'exécution et d'administration. L'analyse des membres du comité central permet d'affirmer qu'il rassemble la «crème» des élites industrielles et commerçantes helvétiques[36]. Le Vorort est confié pour deux ans à la

32 La liste complète figure in Hulftegger, 1920, pp. 100-101.

33 Hauser, 1985, p. 106.

34 Hulftegger, 1920, pp. 4-8; cf. également le discours de Laurent Karcher (GE) tenu lors de la conférence de Berne du 15 novembre 1869; *Protokoll über die Verhandlungen der für die Gründung eines Schweizerischen Handels- und Industrie-Vereines am 15. November in Bern stattgefundenen Delegirten-Versammlung*, 1869, p. 9, in Archives USCI, PV de l'assemblée des délégués.

35 Soleure est absent, mais Thurgovie et Lucerne sont représentés; la liste des organisations présentes figure in Wehrli, 1972, pp. 31-32.

36 *Peter Jenny-Blumer* (1824-1879) (GL), cf. note 21, chapitre 4; *Karl Emil Viktor von Gonzenbach-Touchon (-Wetter)* (1816-1886) (SG), cf. note 271, chapitre 3; *Carl Feer-Herzog* (1820-1880) (AG), cf. note 259, chapitre 3; *Gustav Siber-Gysi* (?-1872) (ZH), associé de la maison de commerce de soie brute «Zuppinger, Siber et compagnie», comité de la «Bank in Zürich» (1871-1872), président du «Börsenverein» de Zurich; *Adolf Burckhardt-Bischoff* (1826-1904) (BS), associé de la banque «Ehinger», direction de la «Basler Handelsbank» (1863-1870), membre du «Handelscollegium» de Bâle, expert en matière de législation bancaire et monétaire; *Jules Martin-Franel* (1824-1876)

section bernoise de l'association[37]. Certes battues sur la création d'un comité central, qui est finalement décidée par 12 voix contre 7, les élites de Suisse occidentale obtiennent que la liberté d'action des membres de l'association soit explicitement reconnue dans les statuts[38]. Le poids politique du Vorort et du comité central est ainsi affaibli, puisque les sections gardent la possibilité de combattre leurs options stratégiques auprès des autorités. D'autant plus que la création de l'USCI pousse les élites commerciales et industrielles de plusieurs cantons à améliorer leur organisation, afin de défendre plus efficacement leurs intérêts spécifiques[39]. Au milieu des années 1870, des organisations privées existent dans les cantons de VD, BE, GE, TG, ZH, AG, SO, SG et BS. La conséquence de la faiblesse relative de l'organisation centrale sera une difficulté chronique à agréger les intérêts divergents des «mondes de production» représentés en son sein. Ce sera particulièrement le cas dans le domaine très controversé de la politique douanière.

(VD/GE), fils d'un négociant de Vevey, avocat à Lausanne (1850-1860), CaE radical (1851-1852), Cn (1854-1860), dirige une succursale genevoise de la fabrique de cigares veveysanne «Ormond» dont il est l'associé (dès 1860), membre du comité (1865-1870) puis président (1871-1872) de l'ACIG; *Jules Grandjean* (1828-1889) (NE), fabricant d'horlogerie jusqu'en 1857, directeur du chemin de fer du «Jura industriel» (1857-1874), puis du «Jura-Berne-Lucerne» (1874-1884), président du CA du «Comptoir d'escompte neuchâtelois», fondateur et administrateur de la «Banque fédérale» (1870-1879), fondateur de la Société industrielle et commerciale de La Chaux-de-Fonds, expert en matière de chemins de fer (Suisse, France, Espagne et Russie).

37 Il est constitué de personnalités appartenant aux instances dirigeantes du BVHI: *Alfred Ernst* (?-?) (BE), associé de la banque bernoise «von Wattenwyl, Ernst et compagnie» rachetée plus tard par la «Basler Handelsbank», directeur de la «Banque cantonale du Tessin» (dès 1875), président du BVHI (1869-1875), président de l'USCI (1871-1872); *Heinrich Fehr* (1815-1890) (BE), dirige un important commerce d'exportation de fromage à Berthoud, membre du comité directeur du BVHI, promoteur d'un cartel des exportateurs de fromage (1883); *Friedrich Born-Flückiger* (1829-1910) (BE), fondateur de l'entreprise «Born, Moser et compagnie» qui fabrique des rubans de soie à Herzogenbuchsee, membre du comité directeur du BVHI (1866-1872), Cn radical de gauche (1871-1879); *Adolf Lasche* (?-?) (BE), directeur de la division primaire supérieure de l'école cantonale de Berne, secrétaire du BVHI (1860-1878).

38 Les statuts du 12 mars 1870 figurent in Hulftegger, 1920, pp. 109-111.

39 Dès 1870, un «Thurgauischer Handels- und Industrieverein» (THIV) voit le jour; en 1873, la «Kaufmännische Gesellschaft Zürich» (KGZ) est constituée sous l'impulsion du Conseiller national Heinrich Fierz, promoteur de la fondation de l'USCI; en 1874, les élites économiques des cantons d'Argovie («Aargauischer Handels- und Industrieverein», AHIV) et de Soleure («Kantonaler Solothurnischer Handels- und Industrieverein», KSHIV) s'organisent aussi; en 1875, une «Industrie-Verein St. Gallen» (IVSG) donne une représentation plus conséquente aux milieux commerçants et industriels saint-gallois; l'accès au KDSG est en effet réservé aux élites économiques de la ville; enfin, en 1876, un nouveau «Basler Handels- und Industrieverein» est mis sur pied, assurant la succession de l'éphémère BHIV fondé en 1848; Richard, 1924 (ZH); Renold, 1924 (AG); Wegelin, 1950 (SG); Henrici, 1927 (BS).

4.1.2. La révision constitutionnelle de 1872/74: lignes directrices pour l'amélioration des conditions-cadre de l'économie helvétique

Simultanément à leur organisation associative, qui tend à accroître leur poids politique, les élites économiques exigeant de nouvelles conditions-cadre s'efforcent d'octroyer certains moyens administratifs à la Confédération. L'indigence du Département du commerce, qui est alors couplé avec celui des douanes, est notamment dénoncée comme une entrave à la conclusion de traités de commerce. Dès 1861, le Conseiller national glaronnais Peter Jenny-Tschudi[40] dépose une motion demandant l'instauration d'une Division du commerce. Cette initiative débouche, en 1863, sur la création d'un poste de secrétaire commercial au sein de l'administration fédérale. Son occupation reste toutefois intermittente durant les années 1860[41].

L'enjeu principal de la refonte du Département du commerce est l'obtention d'informations économiques permettant une intervention efficace de l'Etat. Sans une connaissance minimale de la réalité que l'on est censé transformer, une action politique appropriée n'est en effet pas possible. Dès le début des années 1860, des efforts sont consentis pour améliorer la statistique helvétique dans certains domaines. Ils se concrétisent par la création du Bureau fédéral de statistique (1860) et de la Société suisse de statistique (1864)[42]. Mais la récolte d'informations concernant les échanges commerciaux, nécessaire pour la négociation de bons traités de commerce, demeure entravée par les insuffisances de la statistique commerciale et le manque de collaboration des milieux du commerce et de l'industrie, toujours réticents à lever le voile sur leur activité économique.

A la fin des années 1860, la volonté des milieux interventionnistes de mettre en place un cadre administratif minimal se renforce. En juillet 1869, le KDSG mobilise plusieurs organisations cantonales afin d'appuyer certaines exigences auprès des autorités fédérales. L'association saint-galloise demande notamment que le poste de secrétaire commercial, vacant depuis 1867, soit repourvu[43]. Certes, les milieux économiques obtiennent gain de cause, mais l'instabilité du personnel administratif ne permet pas un travail efficace. Ce n'est qu'avec la nomination du Dr. Philipp Willi[44], en novembre 1874, qu'une certaine continuité est enfin assurée. Celui-ci reste à la tête de l'administration compétente dans le domaine commercial jusqu'en 1892.

40 *Peter Jenny-Tschudi* (1800-1874) (GL), cf. note 155, chapitre 2.

41 Hauser, 1985, pp. 28-33; Hulftegger, 1920, note 1 p. 88.

42 Jost, 1995, p. 15.

43 Wehrli, 1972, p. 27.

44 *Philipp Willi* (?-1892) (LU), secrétaire d'Etat à Lucerne (1860-1871), secrétaire commercial de la Confédération (1874-1882), chef de la Division du commerce (1882-1892).

L'efficacité de son action bénéficie de la réorganisation du CF de 1873. Un Département du commerce et des chemins de fer (DFCC) est créé, assumant le rôle de centrale de l'intervention économique de la Confédération, tandis que le Département des douanes est couplé avec celui des finances (DFFD).

Certes, le renforcement et la réorganisation de l'administration chargée de l'intervention économique sont susceptibles de faciliter la mise en place de nouvelles conditions-cadre, mais la clef de voûte de leur réalisation réside dans une révision de la constitution permettant de centraliser de nouvelles compétences[45]. Après le demi-échec de la révision partielle de 1866, une seconde tentative est amorcée en décembre 1869. Dans le but de dégager une majorité parlementaire favorable à une révision, le Conseiller fédéral argovien Emil Welti provoque une réunion des principaux leaders libéraux, radicaux et démocrates de l'AsF, la plupart étant issus des élites industrielles et commerciales de leur canton[46]. A cet égard, il n'est pas sans intérêt de

45 Sur cette problématique, cf. Rappard, 1948/1, pp. 271-289; Aubert, 1974, pp. 35-43; von Greyerz, 1980, pp. 1059-1063.

46 Il s'agit des députés suivants: *Johann Friedrich Peyer im Hof-Neher* (1817-1900) (SH), cf. note 129, chapitre 3; *Joachim Heer-Iselin* (1825-1879) (GL), cf. note 282, chapitre 3; *Johann Jakob Stehlin-Hagenbach* (1803-1879) (BS), suite à la mort prématurée de son père est élevé par son oncle H. G. Stehlin – grand industriel et co-initiateur du «Centralbahn» –, dirige l'entreprise de construction de son père jusqu'en 1853 puis se consacre essentiellement à la politique, fondateur de la «Basler Handelsbank», CA du «Gotthardbahn» (1871-1876), membre du Petit conseil (1847-1875), CaE libéral (1848-1853) puis Cn (1853-1875), refuse une élection au CF en 1855, soutient la politique d'Escher; *Adolf Zürcher-Schläpfer* (1820-1888) (AR), fils d'industriel et beau-fils de Johann Jakob Schläpfer – marchand-banquier à Herisau et Landammann –, médecin à Herisau (1842-1857), carrière politique au sein de l'exécutif cantonal, Cn libéral (1857-1875); *Rudolf Brunner-Stettler* (1827-1894) (BE), fils d'un négociant bernois, associé dans l'étude d'avocat de son beau-père Fr. Stettler-von Bonstetten (1854), Cn conservateur puis radical dès 1869 (1866-1894), défend une centralisation modérée et l'extension des droits démocratiques; *Johann Jakob Scherer-Studer* (1825-1878) (ZH), après un apprentissage dans une maison de commerce de Milan reprend l'important domaine et le commerce de chevaux de son père (1845), cofondateur de la «Bank in Winterthur», CdE (1866-1872), Cn démocrate (1869-1872), Cféd (1872-1878); *Johann Baptist Gaudy* (1831-1901) (SG), issu d'une famille de négociants en draps active à Rapperswil, directeur de la «Leihbank Rapperswil» (1865-1878), directeur du «Zürichsee-Gotthardbahn» (Rapperswil-Pfäffikon) (1878-1901), Cn démocrate (1866-1881); *Fridolin Anderwert* (1828-1880) (TG), avocat à Frauenfeld, CdE (1869-1874), juge fédéral (1874-1875), Cn démocrate (1863-1874), Cféd. (1875-1880); *Simon Kaiser-Mathys* (1828-1898) (SO), études de droit, directeur de la «Solothurner Bank» (1857-1885), CA de l'«Eidgenössische Bank» (1864-1881), de la filature de laine de Derendingen, etc., fondateur et président du KSHIV (1874-1886), Cn radical (1857-1887), avec Vigier dirige le parti radical de gauche soleurois au pouvoir dès 1857; *Moïse Vautier-Sauvan* (1831-1899) (GE), cf. note 282, chapitre 3; liste tirée in Weber, 1903, pp. 85-87.

relever que les 11 cantons représentés à cette réunion (AG, GL, SH, BS, AR, BE, ZH, SG, TG, SO, GE) participent simultanément à la fondation de l'USCI. Il faut également noter que des représentants du mouvement démocratique sont intégrés à la coalition. Après ses succès cantonaux, l'aile gauche du radicalisme devient une force politique indispensable pour vaincre l'opposition conservatrice. Le 23 décembre 1869, le CN demande au CF de faire des propositions au sujet d'une révision de la constitution fédérale.

Les années 1870/71 amènent beaucoup d'eau au moulin des partisans d'une révision. La guerre franco-prussienne et l'avènement de l'Empire allemand soulignent la nécessité d'une réforme fondamentale de l'organisation militaire. Les premiers jours de guerre révèlent aussi la fragilité du système monétaire suisse[47]. Suite à une très forte thésaurisation du public, le déroulement normal de l'activité économique est entravé par un manque de liquidités. La machinerie du crédit a des ratés et la paralysie du trafic des paiements est telle que certains cantons sont contraints de décréter un moratoire. La nécessité de renforcer le système monétaire suisse par une régulation de l'émission fiduciaire est désormais une évidence. Par ailleurs, les événements de la Commune de Paris agissent comme un électrochoc sur l'ensemble des classes dirigeantes européennes. Conscientes du danger socio-politique que représente le mouvement ouvrier en construction, certaines franges de la bourgeoisie et de l'aristocratie veulent le contrôler en pratiquant une politique de répression; d'autres sont cependant convaincues de la nécessité d'accompagner celle-ci par des concessions dans le domaine de la législation sociale.

Dès 1870, la révision constitutionnelle est encore investie d'une autre problématique: la redéfinition des rapports entre Etat fédéral et Eglise catholique. Suite à la proclamation du dogme de l'infaillibilité pontificale, le 10 juillet 1870, un mouvement de lutte contre l'Eglise catholique, communément appelé «Kulturkampf», se développe en Suisse comme dans d'autres pays européens[48]. Alors que certains milieux protestants et laïques voient dans la révision de la constitution un moyen de mener leur lutte culturelle, en restreignant le champ d'action de l'Eglise catholique – laïcisation de l'école, de l'état civil et du mariage, interdiction des Jésuites, etc. –, certaines élites économiques et politiques voient dans le «Kulturkampf» un moyen de réaliser de nouvelles conditions-cadre. Cette croisade anticatholique leur permet en effet de sublimer les contradictions d'intérêts économiques et politiques qui existent entre les différents cantons protestants. Comme en 1848, l'opposition au spectre catholique cimente une «Sainte

47 Zimmermann, 1987, pp. 21-28; Guex, 1993, pp. 28-32.

48 Bohrer, 1981, pp. 175-203; Aubert, 1974, pp. 38-39; von Greyerz, 1980, pp. 1066-1071.

Alliance» des cantons progressistes. Le «Kulturkampf» permet aussi de mobiliser le peuple grâce à un discours simpliste déconnecté des véritables enjeux de la révision.

Lancée le 17 juin 1870, date du message du CF, la révision constitutionnelle fait l'objet de travaux parlementaires entre le 12 juillet 1870 et le 5 mars 1872; le projet élaboré est adopté largement par le CN (78 voix contre 36), de justesse par le CE (23 voix contre 18)[49]. Il est l'œuvre des libéraux et des radicaux centralisateurs qui font quelques concessions aux démocrates afin d'obtenir leur soutien politique. Les principaux éléments de ce consensus sont une armée totalement centralisée, un droit civil unifié et un droit pénal pouvant l'être, des compétences fédérales en matière de scolarité obligatoire, la possibilité d'intervenir dans les domaines de l'émission fiduciaire et du travail en fabrique, la mise en place d'éléments de démocratie directe – référendum et initiative en matière de lois – et une série de dispositions limitant les prérogatives de l'Eglise. Intéressés à certains aspects de la révision, les marchands-banquiers libéraux-conservateurs refusent cependant de souscrire à une constitution aussi centralisatrice. Quant aux milieux agricoles des cantons catholiques-conservateurs, ils s'opposent au principe même d'une révision. Le 12 mai 1872, la deuxième tentative de réviser la charte fondamentale de 1848 échoue en votation populaire – 260 859 voix contre 255 606. La totalité des cantons du «Sonderbund», la totalité des cantons protestants romands, mais également les Grisons, le Tessin et les deux Appenzell refusent la nouvelle constitution.

Ce nouvel échec ne décourage pas les élites industrielles. Quelques jours après le vote, la *NZZ* donne le ton: *«La révision est morte, vive la révision!»*[50] En automne 1872, les grandes manœuvres politiques sont déclenchées à l'occasion des élections à l'AsF. Un comité central, dirigé par Carl Feer-Herzog, membre du comité central de l'USCI, est constitué dans le but de renforcer le camp de la révision aux Chambres[51]. Le 14 décembre 1872, ce même Feer-Herzog dépose une motion au CN, relançant ainsi le mouvement de révision. La stratégie politique des élites interventionnistes se résume dans la fameuse phrase: *«Il nous faut les Welsches»*. Dans le but d'intégrer les milieux fédéralistes romands, le nouveau projet atténue la centralisation des compétences – droit, émission fiduciaire, scolarité obligatoire, armée, etc. –, diminue le contenu démocratique – suppression de l'initiative – et renforce les dispositions contre l'Eglise catholique – interdiction de fonder de nouveaux ordres ou couvents, autorisation fédérale pour la création de nouveaux évêchés. Au niveau politique, les liens de la grande

49 Rappard, 1948/1, pp. 281-282.

50 Cité par Roland Ruffieux, «La Suisse des radicaux (1848-1914)», in NHS, 1982-3, p. 627.

51 Gruner, 1978, pp. 674-675.

famille radicale sont resserrés, en 1873, grâce à la création d'une nouvelle Association patriotique suisse. La même année, le «Kulturkampf» est attisé par l'expulsion de dignitaires de l'Eglise catholique, ce qui aboutit à la rupture des relations diplomatiques avec le Vatican. Après avoir été adoptée par les Chambres, le 31 janvier 1874, la nouvelle constitution passe aisément la rampe du peuple. Le 19 avril 1874, elle est acceptée par 340 199 voix contre 198 013. Les cantons de Genève, Neuchâtel, Vaud, Appenzell Rhodes-Extérieures et des Grisons passent dans le camp des acceptants[52].

La constitution de 1874 reprend tels quels 60 des 114 articles de la constitution de 1848, en modifie 40, en abroge 14 et en introduit 21 nouveaux[53]. De nombreux commentateurs estiment que si celle-ci ne bouleverse pas fondamentalement l'architecture politique de la Confédération, elle constitue par contre une œuvre-charnière en ce qui concerne les rapports entre Etat central et économie en Suisse[54]. D'une part, elle accomplit l'Etat national libéral créé en 1848, en poursuivant l'unification de certains domaines de la législation et en accordant de nouvelles libertés aux citoyens suisses. D'autre part, en élargissant les domaines de compétence de la Confédération, elle jette les bases d'un interventionnisme socio-économique accru. Enfin, la constitution de 1874 ouvre l'ère de la démocratie semi-directe en instaurant le référendum législatif facultatif. Cet outil de démocratie directe modifiera en profondeur les relations entre les différents milieux socio-économiques et le champ étatique fédéral.

Pour parvenir à imposer une amélioration de leurs conditions-cadre, les élites interventionnistes luttent donc simultanément sur trois fronts: renforcement de leur influence politique grâce à une meilleure organisation (USCI), réorganisation de l'administration fédérale (création du DFCC) et obtention de nouvelles compétences pour l'Etat central (constitution de 1874). Une utilisation efficace des résultats obtenus dans ces trois domaines requiert toutefois une collaboration plus intense entre milieux économiques et champ étatique fédéral. En outre, le système de communication entre les sphères économique et politique doit être rendu plus efficace[55].

Certes, dès la création de l'Etat fédéral, une consultation de l'économie a été instaurée. La commission d'experts et l'enquête économique sont alors les canaux les plus fréquemment utilisés pour rassembler l'information et assurer

52 Rappard, 1948/1, p. 284.

53 Pour un commentaire détaillé de la constitution de 1874, cf. Burckardt, 1905; Rappard, 1936 et 1948/1; Aubert, 1974.

54 Rappard, 1948/2, pp. 7-8; Gruner, 1956/1, p. 335; Jöhr, 1956, p. 55; von Greyerz, 1980, pp. 1071-1073; Hauser-Dora, 1986, pp. 35-37.

55 Hauser, 1985, pp. 15-49/131-144; Zimmermann, 1980, pp. 35-38/148-154; Witschi, 1987, pp. 227-247.

la légitimité de l'action étatique. A partir de 1860, le renforcement de l'organisation des milieux économiques à l'échelle cantonale permet une troisième forme de consultation: l'expertise auprès des associations privées les mieux informées et les plus intéressées par la prise de décision. Cependant, dès le début des années 1860, les limites de ce système de relations sont dénoncées par les élites interventionnistes[56]. Outre le caractère aléatoire de la consultation, qui dépend du bon vouloir des Conseillers fédéraux, celles-ci dénoncent les insuffisances de l'information utilisée pour la prise de décision. Selon elles, l'efficacité de l'action économique de la Confédération s'en ressent, notamment dans le domaine des relations commerciales extérieures. En 1861, Alfred Escher propose déjà l'instauration d'un collège permanent d'experts commerciaux que le Département du commerce devrait consulter de manière systématique (postulat). En 1863, Escher relance sa démarche en demandant au CF

> *[...] ob und in welcher Weise eine lebendige und fortwährende Verbindung zwischen dem Handels- und Zolldepartement und dem schweizerischen Handelsstande zum Zwecke der Wahrnehmung der Handelsinteressen der Schweiz am geeignetsten begründet werden könne*[57].

Bien que durant les années suivantes, la négociation de traités de commerce avec les pays voisins jette une lumière crue sur les limites du système de consultation, aucune réforme sérieuse n'est entreprise par le CF.

Dès sa création, l'USCI tente d'améliorer la communication avec le champ étatique fédéral. Il serait pourtant faux de croire que l'apparition de l'association faîtière bouleverse d'entrée de jeu les pratiques en vigueur. Ce n'est que très progressivement que l'USCI parvient à jouer un rôle important dans le processus législatif[58]. Après la création du DFCC, en 1873, le Chef du nouveau département, le Zurichois Johann Jakob Scherer, manifeste la volonté d'instaurer une collaboration plus fructueuse:

> *Soll nun das Departement innerhalb dieses weiten Rahmens wirklich nutzbringend arbeiten, so muss es vor allem die Bedürfnisse und Wünsche des schweizerischen Handels- und Gewerbestandes kennen lernen; es kann ihm sogar erwünscht sein, bestimmt formulirte und motivirte Vorschläge der betheiligten Kreise entgegenzunehmen*[59].

En juin 1874, une lettre adressée à l'USCI par l'ensemble du CF évoque la nécessité d'une intensification des contacts dans la perspective des réalisations législatives liées à la nouvelle constitution fédérale.

Avant même l'instauration du référendum, qui permettra à l'USCI de faire pression sur le processus législatif, une place privilégiée lui est ainsi accordée par le CF. S'il est vrai que l'association faîtière doit jouer des coudes pour se faire reconnaître en tant qu'avocat permanent du commerce et de l'industrie

56 Frey, 1892, p. 503; Hauser, 1985, pp. 140-141.
57 Cité in Hauser, 1985, p. 30.
58 Hauser, 1985, pp. 141-144; Zimmermann, 1980, pp. 150-151.
59 Cité in Hauser, 1985, p. 142.

auprès des autorités fédérales, ce n'est pas sa force politique qui lui permet d'obtenir ce statut, mais la bonne volonté des instances politiques à son égard. Les relations entre l'USCI et le champ étatique fédéral ne doivent donc pas être uniquement pensées en termes de pression et de rapport de force. De l'avis de l'historien Benedikt Hauser, la nouvelle pratique de consultation doit être considérée comme une déviance du système représentatif libéral:

> *Somit waren neue Zugänge zur Macht geschaffen worden. Man wurde Experte, weil man einem Verband angehörte, man legitimierte politische Vorstösse mit seiner Mitgliedschaft in einem Verein. Dies waren Formen der Politik, die sich klar und deutlich von der Konzeption des liberalen Repräsentativsystems von 1848 absetzten*[60].

Le besoin ressenti par les élites économiques interventionnistes d'améliorer leur collaboration avec le champ étatique débouche sur les prémisses d'un phénomène qui sera dénoncé plus tard par le concept de «Verwirtschaftlichung der Politik». La nécessité de mieux quadriller l'Etat central, dont l'intervention est appelée à changer qualitativement en raison de l'évolution structurelle de l'économie et de la société capitaliste, débouche sur une intégration toujours plus poussée des associations économiques, et surtout de l'USCI, au sein du processus législatif. Par le biais du développement d'une activité législative préparlementaire, les élites industrielles et commerciales pourront façonner l'intervention de l'Etat en fonction de leurs intérêts, tout en limitant l'influence politique d'autres milieux socio-économiques en train de s'organiser pour accéder plus massivement aux Chambres.

4.1.3. Réalisations législatives et blocages référendaires

Après le vote de la constitution de 1848, les élites étaient rapidement parvenues à mettre en place une législation d'application. Entre 1849 et 1854, de nouvelles conditions-cadre de production et de commercialisation, propices au développement de leurs activités, furent votées grâce au nouveau système de démocratie représentative. Durant les années qui suivent l'instauration de la constitution de 1874, les milieux interventionnistes rencontrent plus de difficultés à imposer les réformes qui leur sont nécessaires. L'introduction du référendum législatif facultatif en est la raison principale. Pour entrer en vigueur, une loi ne doit plus uniquement trouver une majorité à l'intérieur des deux chambres. En cas de saisie du référendum par 30 000 citoyens, elle doit également réunir une majorité en votation populaire. Or, dès 1875, les conservateurs catholiques et protestants se lancent dans une politique d'obstruction systématique au mouvement d'intervention.

Ecrasées par la majorité protestante, qui leur impose des mesures vexatoires durant le «Kulturkampf», les élites catholiques suisses s'organisent

60 *Ibidem*, p. 165.

pour riposter. Dans le but de quadriller culturellement et politiquement la population catholique, notamment la diaspora émigrée dans les cantons industriels, des associations et des organes de presse sont créés[61]. Les conservateurs protestants s'organisent aussi pour lutter contre la centralisation. En 1873, l'*Allgemeine Schweizer Zeitung* est créée pour diffuser les idées conservatrices. En 1875, un «Eidgenössischer Verein» est fondé par un cercle relativement restreint de patriciens et de banquiers des cantons de Zurich, Bâle, Berne, Schaffhouse et Neuchâtel[62]. En jouant sur la fibre fédéraliste, ces deux mouvements conservateurs sont capables, en cas d'alliance, d'opposer leur veto aux mesures législatives décrétées par la majorité libérale-radicale des Chambres. Introduit à la demande de la gauche démocratique, le référendum se révèle être un instrument politique de premier ordre pour freiner l'application des mesures progressistes potentiellement contenues dans la constitution de 1874[63].

A la fin des années 1870, le bilan de la constitution de 1874 est plutôt mitigé pour les élites interventionnistes. Globalement, les conditions de production des grandes industries se sont même péjorées. Les dispositions tendant à favoriser la mobilité de la main-d'œuvre – droits des personnes établies dans d'autres cantons (articles 43-48), liberté de croyance et de culte (articles 49-50), état civil (article 53), mariage (article 54) – peinent à recevoir une sanction législative. Une loi régulant la limitation des droits civiques des citoyens suisses (article 66) est ainsi refusée deux fois en votation populaire (1875 et 1877). Malgré le ralentissement conjoncturel, les salaires nominaux dans l'industrie du textile progressent encore de 5% entre 1875 et 1880[64]. Par ailleurs, la nécessité d'améliorer la formation scolaire est certes exprimée par l'article 27[65], qui consacre les principes de l'école obligatoire, gratuite et laïque, mais l'exécution permettant d'atteindre ces objectifs est laissée aux cantons. En raison de situations financières difficiles, mais aussi du refus des

61 Altermatt, 1991, pp. 58-94; deux des principaux organes de presse catholiques actuels, *La Liberté* et le *Vaterland*, sont créés en 1871.

62 Rinderknecht, 1949, pp. 19-31.

63 Leimgruber, 1980, pp. 84/108; deux tableaux indiquent les succès référendaires du conservatisme.

64 SHS, 1996, p. 444.

65 *Art. 27.* La Confédération a le droit de créer, outre l'Ecole polytechnique fédérale existante, une université fédérale et d'autres établissements d'instruction supérieure ou de subventionner des établissements de ce genre. Les cantons pourvoient à l'instruction primaire, qui doit être suffisante et placée exclusivement sous la direction de l'autorité civile. Elle est obligatoire et, dans les écoles publiques, gratuite. Les écoles publiques doivent pouvoir être fréquentées par les adhérents de toutes les confessions, sans qu'ils aient à souffrir d'aucune façon dans leur liberté de conscience ou de croyance. La Confédération prendra les mesures nécessaires contre les cantons qui ne satisferaient pas à ces obligations.

conservateurs de laïciser l'enseignement, certaines autorités renâclent et la formation de la main-d'œuvre ne s'améliore pas de manière significative. En 1882, une votation populaire empêche la création d'un secrétariat scolaire fédéral chargé de veiller à une meilleur application des objectifs constitutionnels.

Si les dispositions permettant de lutter contre le renchérissement de la main-d'œuvre et son manque de formation ne portent pas les fruits escomptés, les grands industriels sont par contre soumis à une législation fédérale sur le travail en fabrique. Sur la base de l'article 34[66], une loi s'inspirant du modèle glaronnais est votée par les Chambres. Elle interdit le travail des enfants de moins de quatorze ans et le travail de nuit des femmes, instaure la responsabilité de l'employeur en matière de sécurité du travail, met en place une inspection fédérale des fabriques et fixe l'horaire journalier maximum à onze heures de travail. Les coûts liés aux accidents de travail et la limitation du temps d'activité des ouvriers représentent une perte de compétitivité importante pour l'industrie suisse. Lancé par une partie du patronat, notamment les grands filateurs de l'industrie du coton, un référendum est repoussé, le 21 octobre 1877, par 181 204 voix contre 170 857. L'organe de presse de la grande industrie, le *Schweizerisches Centralblatt für Industrie, Handel und Verkehr*, souligne le caractère historique de cette loi qui voit pour la première fois l'Etat central se mêler des rapports de travail entre patron et ouvrier[67].

Quant à la charge fiscale supportée par les matières premières et la consommation ouvrière, elle n'est pas modifiée dans le sens d'un allégement. D'une part, le système fiscal entériné par la constitution de 1874 ne diffère pas fondamentalement de celui de 1848. Certes, l'article 42, qui fixe les revenus de l'Etat central, attribue la moitié de la taxe d'exemption militaire à la Confédération. Cependant, cette imposition ne rapporte que 1,22 mios de frs en 1880, soit 5% de l'ensemble des revenus[68]. La taxation douanière reste donc la clef de voûte du système fiscal fédéral. Les dispositions constitutionnelles réglant ce domaine ne sont d'ailleurs que peu modifiées[69]. L'exception principale est la suppression des indemnités douanières

66 *Art. 34.* La Confédération a le droit de statuer des prescriptions uniformes sur le travail des enfants dans les fabriques, sur la durée du travail qui pourra y être imposée aux adultes, ainsi que sur la protection à accorder aux ouvriers contre l'exercice des industries insalubres et dangereuses. Les opérations des agences d'émigration et des entreprises d'assurance non instituées par l'Etat sont soumises à la surveillance et à la législation fédérale.

67 *Centralblatt*, Nr. 34, 26. Oktober 1877, p. 459.

68 Halbeisen, 1990, p. 41.

69 L'article 28 spécifie que la Confédération ne pourra plus recourir aux droits de transit, supprimés depuis le traité de 1868 avec l'Autriche-Hongrie; les modalités de taxation fixées par l'article 29 reprennent les dispositions de l'article 25 de 1848 en spécifiant

aux cantons, qui doit permettre à l'Etat central de compenser l'augmentation de charges liée à la nouvelle constitution (article 30[70]). Le compromis financier de 1874 spécifie encore que les «Ohmgeld» devront être supprimés jusqu'en 1891, sans indemnisation des cantons concernés.

Tandis que la charge douanière prélevée ne fluctue pas de manière importante, les tentatives de l'USCI visant à modifier sa répartition ne sont pas non plus couronnées de succès[71]. Amorcée en 1871, une révision du tarif de 1851, qui doit aussi augmenter les revenus pour faire face aux déficits budgétaires, est stoppée dès janvier 1872 par le CF. Au moment où toute l'énergie de la famille radicale est consacrée à la révision constitutionnelle, celui-ci veut éviter de s'aliéner les milieux libre-échangistes en liant la centralisation à une modification à la hausse de la taxation douanière. Le processus engagé débouche toutefois sur une réforme formelle du tarif: les différentes marchandises, jusqu'alors divisées en classes de taxation (0,5 frs, 4 frs, etc.) seront désormais répertoriées selon les différentes catégories de marchandises. Approuvé le 14 août 1872 par le CF, ce changement entre en vigueur le 1er janvier 1873[72]. Fin mars 1873, le comité central de l'USCI demande au CF de relancer la révision douanière, mais en vain. Comme nous le verrons, la refonte complète du tarif n'aboutira finalement qu'en 1884.

Bien que mitigé, le bilan est meilleur en ce qui concerne les conditions de commercialisation. Dans le domaine des transports, une intervention de la Confédération est amorcée avant même l'acceptation de la nouvelle constitution. Dès 1872, la loi sur les chemins de fer de 1852 est en effet révisée. L'attribution des concessions entre dans le domaine des compétences de la Confédération. L'Etat fédéral reçoit par ailleurs le mandat de réguler le

---

que les matières premières nécessaires à l'agriculture doivent aussi être taxées modérément et que les principes de taxation doivent être respectés lors de la conclusion de traités de commerce; ce dernier garde-fou est imposé par les démocrates en réaction à l'affaire du traité de commerce avec la France (1864); cette disposition, dont la valeur est surtout symbolique, n'influencera pas de manière décisive le cours de la politique douanière helvétique.

70 *Art. 30.* Le produit des péages appartient à la Confédération. Les indemnités payées jusqu'à présent aux Cantons pour le rachat des péages, des droits de chaussée et de pontonnage, des droits de douane et d'autres émoluments semblables, sont supprimées. Les Cantons d'Uri, des Grisons, du Tessin et du Valais reçoivent par exception et à raison de leurs routes alpestres internationales, une indemnité annuelle dont, en tenant compte de toutes les circonstances, le chiffre est fixé comme suit: Uri 80 000, Grisons 200 000, Tessin 200 000, Valais 50 000. Les Cantons d'Uri et du Tessin recevront en outre, pour le déblaiement des neiges sur la route du St-Gothard, une indemnité annuelle totale de fr. 40 000, aussi longtemps que cette route ne sera pas remplacée par un chemin de fer.

71 Sur cette tentative de révision, cf. Hauser, 1985, pp. 118-130; Zimmermann, 1980, pp. 96-99; Gutachten über die Revision..., 1876, pp. 1-15.

72 FF, 1872, vol. 3, p. 123.

transport de marchandises. L'article 26[73] de la constitution de 1874 donne une base encore plus solide à l'intervention de la Confédération en matière ferroviaire. Malgré plusieurs actes législatifs durant les années 1870, l'épineux problème des tarifs de transport, trop élevés en comparaison internationale, demeure entier.

Les efforts pour unifier le droit commercial et le système monétaire sont encore moins probants. L'article 39[74] de la constitution de 1874 donne bien le droit de réguler l'émission fiduciaire à la Confédération, mais il exclut la mise sur pied d'un monopole et, par conséquent, d'une banque centrale. Après l'échec d'une première loi d'application en votation populaire (1876), il faut attendre 1881 pour qu'une réglementation soit introduite[75]. Si celle-ci confère un peu de stabilité au système monétaire suisse, elle ne résout pas la faiblesse du change helvétique, ni le problème d'un taux d'escompte plutôt élevé. Dans le domaine de l'unification du droit, la constitution de 1874 limite les compétences de la Confédération à quelques aspects du droit civil, dont le droit commercial (article 64). Un code des obligations ne voit toutefois pas le jour avant 1881, alors qu'une loi sur les dettes et les faillites attendra 1889.

4.2. Grande dépression et impérialisme commercial étranger: division au sein des élites industrielles et commerçantes au sujet d'une intervention de la Confédération

La période comprise entre 1873 et 1896 est communément appelée «Grande dépression» dans l'historiographie contemporaine. Elle se caractérise par une crise économique structurelle longue, dont les effets touchent à la fois l'industrie et l'agriculture des pays européens développés. La crise sociale provoquée par cette dépression, en connexion avec les effets politiques d'une extension du suffrage universel, tend à déstabiliser l'ensemble du système capitaliste basé sur les principes du libéralisme manchestérien et de la démocratie parlementaire. Selon les caractéristiques économiques, sociales et politiques de chaque pays, les élites au pouvoir sont contraintes

73 *Art. 26.* La législation sur la construction et l'exploitation des chemins de fer est du domaine de la Confédération.

74 *Art. 39.* La Confédération a le droit de décréter par voie législative des prescriptions générales sur l'émission et le remboursement des billets de banque. Elle ne peut cependant créer aucun monopole pour l'émission des billets de banque, ni décréter l'acceptation obligatoire de ces billets.

75 Zimmermann, 1987, pp. 28-31.

d'adapter plus ou moins profondément, et de manière plus ou moins rapide, les règles du jeu économique et politique. Un capitalisme organisé, qui se caractérise notamment par le rôle accru joué par l'Etat dans la société et l'économie, est instauré pour pallier aux insuffisances du libéralisme manchestérien. Alors que l'Etat libéral «veilleur de nuit» ne participait que très peu à la compétition économique internationale, laissant ce soin à l'entreprise privée, l'Etat impérialiste marche à la tête de l'économie nationale qui doit lutter pour la maîtrise des marchés et la conquête du profit. Sur le plan intérieur, le mécontentement des classes moyennes et la montée en puissance du mouvement ouvrier nécessitent une intervention à caractère social, ayant pour but de stabiliser le système socio-politique.

Fortement imbriquée dans l'économie mondiale, la Suisse subit de plein fouet les effets de la Grande dépression. Son commerce extérieur est notamment menacé par les politiques commerciales agressives des grandes puissances. Dans cette situation de crise, les élites industrielles et commerçantes sont divisées sur les remèdes à utiliser pour améliorer leur compétitivité. En fonction des caractéristiques de la production et de la commercialisation de leurs produits, chaque branche propose des solutions différentes. Une lutte politique fait notamment rage entre les partisans du statu quo libéral, qui s'inspirent du modèle de développement anglais, et les adeptes d'une intervention accrue de l'Etat fédéral, qui lorgnent du côté du capitalisme organisé allemand. Au sein de la mêlée, l'USCI assume progressivement le rôle de cerveau du corps économique helvétique. L'association faîtière du commerce et de la grande industrie définit en effet les options qui doivent permettre de surmonter la crise et de favoriser la poursuite du développement économique: rationalisation de l'appareil de production et spécialisation dans des niches de haute technologie et de haute qualité. Par ailleurs, l'association faîtière établit un programme de réformes des conditions-cadre nécessaires à la réalisation de sa stratégie de crise. En étroite collaboration avec le champ étatique fédéral, l'USCI poursuit la réalisation d'un capitalisme organisé adapté aux caractéristiques des secteurs de pointe de l'économie helvétique.

4.2.1. «Capitalisme organisé» allemand et «colonialisme libéral» britannique: modèles divergents de résolution de la crise socio-économique

La Grande dépression se caractérise avant tout par une violente déflation. Entre 1871/75 et 1894/98, le prix du fer diminue de moitié sur le marché mondial. En Grande-Bretagne, l'indice des prix perd 40% durant la même période[76]. Les explications de cette évolution sont multiples: insuffisance de

76 Hobsbawm, 1989, p. 55.

la production d'or (demande), surproduction provoquée par la rationalisation et la mécanisation de la production industrielle (offre), diminution des coûts de transport. Cette évolution déflationniste pose de gros problèmes aux industriels. Voyant fondre leurs marges bénéficiaires, ils sont contraints d'accroître la production afin de maintenir leur profit. L'opération a pour effet de générer une nouvelle baisse des prix. La concurrence dictée par la loi du marché engendre donc un cercle vicieux qui menace la survie de nombreux producteurs. Poursuivre dans la voie du libéralisme manchestérien mènerait à une destruction massive de capitaux, à la prolétarisation d'une partie des classes moyennes industrielles et à un chômage important dans les milieux ouvriers. Pour lutter contre cette évolution, qui pourrait aboutir à une implosion du système capitaliste, certaines élites industrielles estiment qu'il est indispensable de limiter la libre concurrence.

Durant la Grande dépression, l'agriculture européenne est également victime d'une baisse violente des prix et des profits: entre 1867 et 1894, le blé perd près de deux tiers de sa valeur[77]. L'afflux de céréales en provenance de Russie, puis d'Amérique du Nord, est la principale cause de cet effondrement. Le choc économique et social est terrible, car les agriculteurs représentent alors 40% à 90% de la population active, excepté en Grande-Bretagne. Des agriculteurs meurent en Russie (1891-1892), d'autres partent d'Irlande, d'Italie, d'Espagne ou des Balkans et émigrent en Amérique. Malgré cette soupape démographique, d'importantes révoltes paysannes troublent l'ordre social de ces pays. Face au défi américain, certaines agricultures tentent bien d'augmenter leur rendement par des améliorations techniques, la constitution d'un mouvement coopératif et une spécialisation dans l'élevage[78]. Cependant, seules les entreprises les plus solides des pays les plus modernisés parviennent à soutenir la concurrence. Il n'est dès lors pas étonnant de constater que les agriculteurs européens s'organisent pour exiger une aide de l'Etat. Subventions, protection douanière et crédit bon marché sont les principales revendications des mouvements paysans qui se constituent.

Au-delà des difficultés économiques rencontrées, les milieux dirigeants européens sont en butte à la lancinante question de la stabilité sociale et politique du système capitaliste en place[79]. Conçu par les élites bourgeoises pour les élites bourgeoises, le système de la démocratie parlementaire avait pour but d'évincer l'aristocratie au profit du «peuple». D'abord réservés à une minorité de privilégiés, les droits civiques sont revendiqués et progressivement obtenus par de nouvelles couches sociales. En Grande-Bretagne, le nombre d'électeurs passe de 8% de la population masculine de plus de

77 *Ibidem*, p. 53.
78 Léon, tome IV, 1977/1978, pp. 399-421.
79 Hobsbawm, 1989, pp. 115-150.

20 ans en 1867, à 29% en 1884. Mécontents de leur sort économique, petits industriels, artisans et boutiquiers des classes moyennes, agriculteurs et ouvriers s'organisent dans des associations ou des partis de masse pouvant influencer le résultat des élections. Les ailes les plus radicales de ces mouvements remettent en question le système capitaliste et ont pour objectif de le détruire. A partir des années 1890, des grèves menées par le prolétariat urbain menacent de prendre un caractère révolutionnaire. Consécutivement à cette dégradation de la situation socio-politique, l'idée que l'Etat doit désormais prendre des mesures sociales, afin d'assurer sa légitimité auprès des classes défavorisées, se répand parmi les milieux dirigeants.

A partir des années 1880, les élites économiques et politiques européennes sont ainsi confrontées à un double problème lié à l'évolution du système capitaliste libéral. Sur le plan économique, il est nécessaire de trouver des solutions pour stabiliser le taux de profit des secteurs primaire et secondaire à un niveau permettant de rentabiliser le capital investi. Sur le plan socio-politique, il s'agit de trouver des réponses à la déstabilisation engendrée par l'émergence politique de nouvelles couches de la population. Selon les caractéristiques économiques, sociales et politiques de chaque pays, ces deux problèmes apparaissent plus ou moins vite au cours de la Grande dépression et sont ressentis de manière plus ou moins aiguë par les élites au pouvoir. En conséquence, les solutions choisies pour y remédier ne sont ni uniformes, ni simultanées. Toutefois, il est indéniable que de manière générale, cette période marque la fin du concept de société issu du libéralisme manchestérien. De nouvelles formes de production, de financement et de commercialisation sont progressivement mises en place. Les rapports entre Etat, économie et société sont aussi modifiés. Dans la suite de l'analyse, cette nouvelle ère du système capitaliste est résumée par le concept de capitalisme organisé[80].

En Allemagne, l'instauration d'un capitalisme organisé est plus rapide et plus marquée que dans la plupart des autres pays industrialisés[81]. Afin de lutter contre la chute de leur taux de profit, les industries allemandes font d'importants efforts pour améliorer leur compétitivité: la production est rationalisée, de nouvelles technologies sont introduites et la recherche est développée au sein de l'entreprise. Cette stratégie demande des moyens financiers si importants qu'un mouvement de concentration des entreprises – fusion, rachat, participation – et un recours accru au financement extérieur en sont les conséquences. Le rapprochement du capital industriel et du capital bancaire débouche sur leur entrelacement, conceptualisé sous le terme de capital financier. L'effort de compétitivité entrepris par l'industrie

80 Organisierter Kapitalismus..., 1974; Hilferding, 1970.
81 Organisierter Kapitalismus..., 1974, pp. 36-57.

allemande est relayé par une intense activité de l'Etat. Les conditions-cadre de production sont améliorées afin d'abaisser les coûts de production: fiscalité avantageuse, transport, énergie et capital bon marché[82]. La production de qualité et la recherche de nouvelles technologies sont notamment favorisées par un système de formation scolaire et postscolaire performant.

Afin d'augmenter leur profit, les industriels allemands tentent également d'agir sur la formation des prix. Dans certaines branches de production, des cartels s'organisent pour limiter la concurrence sur la marché intérieur. Ceux-ci établissent des prix conventionnels ou fixent des contingents de production à chaque entreprise. L'offre peut ainsi être maintenue à un niveau adéquat à la situation du marché. L'instauration d'un protectionnisme douanier, dès 1879, soutient efficacement ce bouclage du marché allemand[83]. Mais pour assurer un développement durable et rémunérateur de l'industrie allemande, la maîtrise de la demande intérieure n'est pas suffisante. Un accroissement des débouchés passe par une expansion sur les marchés extérieurs. L'Etat allemand y contribue par diverses interventions.

Alors que les taxes douanières industrielles introduites pendant la première moitié du XIXe siècle avaient une vocation essentiellement défensive, le protectionnisme instauré dès 1879 a aussi pour vocation de faciliter une offensive sur les marchés extérieurs[84]. Grâce aux surprofits réalisés sur le marché intérieur, les industriels peuvent vendre à l'étranger à des prix parfois inférieurs aux coûts de production. Ce système de «dumping», qui a pour objectif d'étouffer la concurrence sur les marchés extérieurs, est d'autant plus efficace si la branche d'industrie est cartellisée[85]. La protection douanière favorise par ailleurs les investissements dans des secteurs de pointe tels que les machines, l'électricité, la chimie, etc. L'industrie allemande peut ainsi prendre une longueur d'avance dans la découverte et l'exploitation de nouvelles technologies, ce qui lui assure une compétitivité hors-prix. A partir des années 1890, l'Etat allemand favorise aussi l'exportation grâce à la conclusion de traités de commerce. Par ailleurs, sous le couvert d'un système de drawbacks, des primes à l'exportation sont allouées à certaines industries. Alors que le déficit de la balance commerciale se

82 *Ibidem*, p. 47.

83 Sur l'introduction d'un protectionnisme douanier en Allemagne, cf. Böhme, 1972; Kempter, 1985; Graf, 1970, pp. 198-207; Busino, 1990, pp. 15-33; Rückert, 1926, pp. 108-115.

84 Sur la nouvelle fonction du protectionnisme et ses liens avec le mouvement de cartellisation, cf. Fretz, 1923; Gürtler, 1931, pp. 55-56/59-60; Hilferding, 1970, pp. 407-419.

85 La protection douanière, qui tend à diminuer l'offre étrangère, n'a pas l'effet escompté sur les prix si un gonflement non maîtrisé de l'offre indigène compense la diminution de l'importation; un cartel permet de s'approprier les parts de marché de la concurrence étrangère tout en conservant un niveau de prix optimal pour dégager le maximum de profit.

situait entre 1 et 1,5 milliard de marks durant les années 1870, elle s'équilibre entre 1880 et 1888[86].

Outre la maximisation du profit des producteurs, le capitalisme organisé allemand a pour objectif de stabiliser le système social en place. D'une part, les classes moyennes artisanales et agricoles sont soulagées des effets de la crise par des mesures de protection douanière. D'autre part, Bismarck contrôle le mouvement ouvrier grâce à un savant dosage de répression et de politique sociale intégratrice (assurance maladie et accident, caisses de retraite). Par une intervention adéquate, l'Etat prend donc en charge une redistribution plus équitable de la fortune nationale. Au niveau culturel, le nationalisme est instrumentalisé afin de cimenter les différentes classes sociales dans une lutte commune contre l'étranger[87].

En quoi l'instauration d'un capitalisme organisé est-elle liée à la politique impérialiste du Reich allemand? Sans vouloir construire un lien simpliste de cause à effet, force est de constater que l'impérialisme constitue un formidable outil pour augmenter le taux de profit et stabiliser la situation sociale[88]. Les coûts de production sont réduits grâce à l'acquisition de matières premières et de denrées alimentaires bon marché. La demande de produits industriels est non seulement stimulée par l'ouverture militaire de nouveaux débouchés, mais également par les commandes de l'Etat. L'équipement de l'armée et la construction d'infrastructures dans les pays colonisés stimulent en effet les industries de la sidérurgie et de l'armement, tout en fournissant des occasions de placement aux capitaux des grandes banques. Le profit ainsi dégagé fournit une partie des moyens nécessaires à la politique sociale de l'Etat, par le truchement de l'impôt. Le gonflement de l'appareil administratif offre par ailleurs des emplois aux classes moyennes fragilisées par la crise. La militarisation de la société et l'exacerbation de l'idéologie nationaliste contribuent enfin au quadrillage de la classe ouvrière.

Faisant encore figure de première puissance économique mondiale, la Grande-Bretagne réagit de manière différente à la Grande dépression[89]. Combinant intervention militaire et laisser faire économique, le colonialisme libéral mené par l'Etat tient compte de la position financière et commerciale dominante de la Grande-Bretagne. La City de Londres, dont la puissance s'incarne dans la livre sterling, contrôle une part importante de l'exportation de capital outre-mer. S'appuyant sur une flotte marchande hégémonique, les ports britanniques jouent le rôle de plaque tournante du commerce entre l'Europe et le reste du monde. En conséquence, les élites

86 Busino, 1990, p. 136.
87 Hobsbawm, 1989, pp. 188-215.
88 Pour une définition de l'impérialisme, cf. Hobsbawm, 1989, pp. 79-114.
89 Organisierter Kapitalismus..., 1974, pp. 58-83.

vivant de cette économie tertiaire refusent de tuer la poule aux œufs d'or en instaurant un protectionnisme douanier. L'agriculture est ainsi sacrifiée sans état d'âme. Privée d'une protection qui lui permettrait de se restructurer selon le modèle allemand, l'industrie anglaise reste figée dans le moule de la petite et moyenne entreprise familiale à financement extérieur faible. Au lieu d'assurer son profit par le développement de technologies de pointe et la constitution de cartels, le secteur secondaire cherche son salut dans la spécialisation de sa production. Se prêtant bien à un écoulement sur les marchés de l'Empire, des biens de consommation – textiles et produits alimentaires surtout – sont produits en masse à des coûts très avantageux.

Entre 1876 et 1915, l'Angleterre s'accapare 10 mios de km^2 supplémentaires dans le monde, ce qui porte l'étendue totale de l'Empire à 33 mios de km^2. S'adressant à l'Ambassadeur de France, en 1897, le Premier ministre anglais souligne que cette politique d'expansion militaire est en partie motivée par la politique protectionniste des autres puissances:

> *Si vous n'étiez pas des protectionnistes aussi acharnés, vous n'auriez pas en face de vous des partisans aussi déterminés des annexions territoriales*[90].

En conquérant certains marchés par les armes, il s'agit d'éviter que ceux-ci ne soient accaparés par d'autres puissances qui les fermeraient à l'exportation anglaise. En outre, même si la Grande-Bretagne n'instaure pas un système douanier préférentiel dans son Empire, les liens économiques et administratifs tissés entre la métropole et les colonies suffisent souvent pour que les produits anglais y soient privilégiés. Sans avoir recours au protectionnisme, ni à une politique d'exportation interventionniste, l'Etat offre ainsi d'abondants débouchés aux productions industrielles anglaises. Après 1875, l'Inde absorbe plus de 40% de la production cotonnière britannique. Sur le plan social, l'Empire joue longtemps le rôle de soupape démographique en offrant de multiples possibilités d'émigration, particulièrement dans les colonies de peuplement – Canada, Australie, Nouvelle-Zélande. Pendant la première décennie du XXe siècle, la montée du mouvement ouvrier et l'organisation des classes moyennes en difficulté obligeront toutefois les milieux dirigeants à amorcer une politique sociale.

Phares de l'économie européenne en cette fin de siècle, l'Allemagne et la Grande-Bretagne développent donc deux modèles différents de résolution de la crise. L'une privilégie le protectionnisme, l'autre le libre-échange, mais toutes deux visent une expansion économique hors des frontières nationales, qui nécessite une intervention accrue de l'Etat. En fonction de leurs caractéristiques économiques, sociales, politiques et militaires, les autres Etats européens adoptent des voies intermédiaires pour promouvoir le développement de leur économie tout en assurant une certaine stabilité socio-politique.

90 Cité in Hobsbawm, 1989, pp. 92-93.

En Suisse, les premiers effets de la Grande dépression se font sentir dès le milieu des années 1870. Après avoir atteint un sommet de 2024 mios de frs en 1875, le PIB réel s'affaisse à 1743 mios en 1879, soit un recul de 14% en quatre ans. Après une phase de stagnation, jusqu'en 1883 (1790 mios de frs), le PIB réel reprend une croissance modérée – moyenne annuelle de 3,5% jusqu'en 1894, contre 5,5% entre 1854 et 1875[91]. Dans un premier temps, la crise économique helvétique est surtout liée à l'effondrement des investissements, qui diminuent de 51% entre 1872/76 (270 mios de frs) et 1882/84 (132 mios). En particulier, le capital investi dans la construction de chemins de fer passe de 58,9 à 9,8 mios de frs[92]. Bien que de manière ralentie, les exportations continuent de progresser durant cette première phase de la Grande dépression. A partir du milieu des années 1880, la situation s'inverse. Alors que les investissements reprennent du vif, les exportations stagnent, notamment en raison de la vague de protectionnisme douanier déclenchée par la crise. Ainsi, l'indice des exportations de la période 1891/95 (50,4) est inférieur à celui des années 1881/84 (51,4)[93]. En comparaison internationale, la Suisse réalise le plus mauvais taux de croissance des exportations durant la décennie 1880[94]. Les difficultés économiques, qui s'étendent alors au secteur agricole, provoquent une vague d'émigration. Entre 1877 et 1883, année record depuis 1854, la moyenne annuelle des départs augmente de 2030 à 13 806 personnes, soit 1% de la population active[95].

Très vite, les élites économiques suisses font preuve de lucidité face à la transformation de l'environnement économique et politique international. Dès 1879, un économiste proche des milieux industriels zurichois analyse le protectionnisme comme un phénomène structurel de retour à l'ordre du capitalisme:

> *Es ist derselbe Geist, welcher nun auch die europäischen Grossstaaten durchzieht, der Geist der Reaction gegen die Anarchie der internationalen Handelsbeziehungen, wie sie sich im Gefolge der neuen Erfindungen, der neuen Verkehrswege nothwendig hat bilden müssen, der Geist der Ordnung und der Sammlung nach wilden Ausschreitungen, die unselige Verwirrung, namenlose Verluste mit sich brachten [...] derjenige, dessen Blick versteht Vergangenes, Bestehendes und Werdendes in seinem*

91 SHS, 1996, p. 866.

92 *Ibidem*, pp. 886-887; sur la question des investissements en Suisse au XIXe siècle, Schwarz, 1981; Beck, 1983; Bernegger, 1983.

93 SHS, 1996, pp. 666-667, indice Bairoch.

94 Bairoch, 1978, p. 30; les chiffres de l'exportation doivent toutefois être relativisés en raison du mouvement de délocalisation de la production qui s'amorce durant les années 1880; une série de branches industrielles investissent en effet à l'étranger pour y transférer une partie de leur production, dont la vente n'apparaît plus dans la statistique du commerce extérieur suisse.

95 SHS, 1996, p. 365.

> *inneren Zusammenhange in Beziehung zu bringen und den Geist der Geschichte zu erfassen, den einen grossen Gedanken zu erkennen, dass die Weltwirtschaft langsam und allmälig von der zügellosen Anarchie zur Ordnung zurückzukehren im Begriffe steht, und dass das allgemeinste und erste Princip dieser Ordnung die Abgrenzung der einzelnen durch Geschichte und Nationalität gegebenen Wirthschaftsgebiete ist*[96].

Par ailleurs, les liens entre bouleversements économiques structurels, ruée vers les colonies et financement de l'effort militaire au moyen de revenus douaniers sont aussi explicités[97].

Considérant que le protectionnisme est appelé à durer et même à se renforcer avec l'exacerbation des luttes impérialistes, les contemporains jugent les perspectives économiques helvétiques de manière plutôt pessimiste. Certains estiment que le développement des industries d'exportation est dans une impasse[98]. D'autres, à l'image du *Grütlianer*, sont encore plus alarmistes. Le journal ouvrier affirme en effet que l'existence économique du pays est menacée par la pression concurrentielle extérieure:

> *Und wie einzelne Menschen, so führen auch ganze Nationen einen unerbittlichen, mörderischen Konkurrenzkampf. Der Kleinere, wirthschaftlich Schwächere muss dabei unterliegen. Die Schweiz fühlt diesen Konkurrenzkampf in seiner ganzen Schwere. Die Tendenz der grossen Nachbarstaaten ist Allen sicht- und fühlbar, uns die wirthschaftliche Existenzfähigkeit abzugraben*[99].

En 1885, Conrad Cramer-Frey[100], alors président de l'USCI, déclare qu'un étiolement économique durable de la Suisse est à craindre. A terme, il est d'avis qu'une telle évolution comporterait aussi des risques politiques:

> *Der Untergang unserer materiellen Existenz wird auch der Anfang des Endes unserer politischen Existenz bedeuten*[101].

Face à la crise, les différents «mondes de production» divergent sur les moyens à utiliser pour améliorer la compétitivité de la place économique helvétique. Le rôle que doit jouer l'Etat central fait notamment l'objet d'une controverse. En fonction de la situation conjoncturelle qui règne dans leur secteur d'activité, des structures de production et des perspectives commerciales, les différentes élites développent des stratégies de crise différentes, plus ou moins proches des modèles allemand et britannique. Une fois de plus, les grands industriels prennent la tête des milieux interventionnistes. A l'instar de leur organe de presse, ils réclament des conditions-cadre leur permettant de relever le défi concurrentiel étranger:

96 Steinmann-Bucher, 1879, pp. 3-4.
97 Rapport annuel publié en 1885 par l'ACIG; cité in Widmer, 1992, p. 102; Droz, 1888; Die Zollfrage..., 1887, p. 8; Schenkel, 1889, p. 2.
98 Steinmann-Bucher, 1879, p. 5.
99 Cité in Widmer, 1992, p. 485.
100 *Conrad Cramer-Frey* (1834-1900) (ZH), cf. note 320, chapitre 4.
101 Cité in Widmer, 1992, p. 486.

> *Der Kampf mit den äussern Feinden, den concurrirenden Nationen, werden sie* (die Industrieller, C. H.) *aufzunehmen versuchen, aber es fehlt der sichere Rückhalt nach innen; in dem Kampf mit ihren innern Gegnern sind sie überall unterlegen und weitere Niederlagen stehen in sicherer Aussicht. Sie sind für den Staat und die Gemeinden wenig mehr als Steuerobjekte, aus welchen Geld und viel Geld herausgeschlagen werden soll; sie haben das Gefühl, dass man sie mancherorts als ein Übel ansieht, welches, wenn auch nicht ausgerottet, doch beschränkt werden müsse. Ist es da zu verwundern, wenn die Springfedern erlahmen und viele unserer Industriellen einem dumpfen Fatalismus sich ergeben, und wer noch Unternehmungslust besitzt, in's Ausland zieht, um dort eine Existenz sich zu gründen*[102].

Partiellement bloquée par l'opposition référendaire des milieux conservateurs, l'adaptation des conditions-cadre engagée à la fin des années 1860 reçoit dès lors une nouvelle impulsion. Le contexte international engendré par la Grande dépression crée toutefois de nouveaux besoins d'intervention qui provoquent une remise en question fondamentale du libéralisme manchestérien. Alors que certains exigent une action musclée de la Confédération, dans le but d'améliorer la compétitivité de la place économique helvétique, d'autres demandent que des mesures en faveur des classes moyennes et du prolétariat soient prises afin de répondre à l'angoissante «question sociale».

4.2.2. Banque, commerce, tourisme et industries du luxe: piliers du statu quo libéral

Comme en Grande-Bretagne, les élites économiques suisses du secteur tertiaire – banquiers[103], financiers impliqués dans le transport ferroviaire, marchands actifs dans le commerce international et pionniers du tourisme – constituent le bastion du libéralisme manchestérien. Difficile à chiffrer, en raison des insuffisances de la statistique, le poids de leurs activités dans l'économie nationale est souvent sous-évalué par l'historiographie suisse qui privilégie l'analyse des secteurs productifs. Selon les estimations les plus récentes, la valeur ajoutée produite en 1883 par la banque, le commerce, les

102 *Centralblatt*, Nr. 1, 7. April 1877, p. 4.

103 Il faut toutefois signaler que durant la dernière partie du XIXe siècle, l'importance grandissante du financement de l'industrie incite probablement certains milieux bancaires à adopter une attitude plus conciliante à l'égard des revendications interventionnistes de certains producteurs; par ailleurs, la place financière commence à s'autonomiser et à prendre de l'ampleur; elle développe une organisation associative et élabore ses propres stratégies de politique économique; au début du XXe siècle, la taxation douanière devient le moyen d'éviter l'instauration d'une imposition fédérale directe frappant le capital, qui est réclamée par les socialistes et d'autres courants politiques de gauche; cf. Guex, 1993.

transports et le tourisme équivaut à près du quart du PIB (tableau 15). Du fait que ces chiffres englobent le commerce de détail et les activités hôtelières pratiqués par les classes moyennes, la part réelle des élites du tertiaire au revenu national est toutefois moindre.

Les principaux centres bancaires et commerciaux sont les cantons de Zurich (8300 emplois commerciaux/1600 emplois bancaires), Berne (7800/1300), Genève (5500/1500), St-Gall (5000/500), Vaud (4400/1000) et Bâle-Ville (3500/900)[104]. En 1883, la valeur ajoutée de ces deux branches d'activité, environ 275 mios de frs, correspond à 42% de la valeur ajoutée du secteur secondaire et à 18% du PIB[105]. Durant la Grande dépression, les élites bancaires et marchandes demeurent cependant faiblement organisées. Alors qu'une association faîtière des grossistes suisses voit le jour en 1904 (Schweizerischer Grossisten Verband), les milieux de la banque ne s'unissent qu'en 1912 (Association suisse des banquiers). La défense des intérêts bancaires et commerciaux s'effectue donc principalement à travers l'influence exercée dans les chambres de commerce cantonales et au sein de l'USCI.

Malgré la crise, le secteur touristique helvétique se développe fortement à la fin du XIXe siècle. Entre 1871/75 et 1891/95, le nombre de nuitées passe de 7,2 à 12,5 mios, alors que la valeur ajoutée augmente de 40,1 à 70,9 mios de frs[106]. Sur le plan macro-économique, l'apport de devises étrangères contribue à équilibrer une balance des paiements traditionnellement chargée par le déficit de la balance commerciale. Sur le plan micro-économique, le tourisme permet de développer des cantons peu dynamiques, en particulier les régions alpestres des Grisons, de Lucerne, de Schwyz, de Berne, de Vaud et du Valais. Outre la création de nombreux emplois, le tourisme a d'importants effets d'entraînement pour l'agriculture (consommation de denrées alimentaires), le bâtiment (construction d'hôtels, de chemins de fer de montagne et autres infrastructures), le commerce (vente de produits de luxe) et les banques cantonales (crédits hypothécaires). En 1882, la Société suisse des hôteliers (SSH) est créée. D'emblée, les 169 membres affiliés représentent près de 14 000 lits pour un capital investi de 319 mios de frs[107].

Au sein des élites économiques du tertiaire, qui sont particulièrement influentes en Suisse occidentale, les marchands-banquiers genevois sont à la pointe du combat engagé contre l'interventionnisme de certains secteurs productifs. En 1883, le traité d'économie politique de l'économiste Henri

104 SHS, 1996, pp. 404-411.
105 *Ibidem*, pp. 866-867.
106 *Ibidem*, p. 740; cf. également Bairoch, 1984, pp. 491-493.
107 Tschumi, 1929, pp. 529-532.

Bovet-Bolens[108] réaffirme la primauté du commerce ainsi que la nécessité de promouvoir le libre-échange, qui en découle[109]. Par ailleurs, la défense politique du modèle manchestérien est menée grâce à la diffusion de nombreuses brochures de vulgarisation[110]. Le souci de ne pas grever le commerce genevois par un accroissement de l'intervention de la Confédération, qui se traduirait par une augmentation de l'imposition douanière, est au centre des préoccupations. Pour alléger leur charge fiscale, les négociants prônent une réforme du tarif dans le sens du système anglais[111]. Selon eux, l'imposition de la consommation doit être ciblée sur le tabac et l'alcool. Les libre-échangistes les plus extrémistes vont jusqu'à proposer de faire de Genève un port franc[112]. Cette lutte contre l'imposition de la consommation est soutenue par les élites touristiques, dont la compétitivité dépend en partie du niveau des prix. Celles-ci combattent en particulier la taxation des denrées alimentaires et des objets de luxe vendus dans les stations[113].

Chantre du libéralisme genevois, le secrétaire de l'ACIG, Frank Lombard, estime que la résolution de la crise ne peut venir que de l'initiative privée:

> *Pour faire une bonne politique comme de bonnes finances il faut s'efforcer de rester dans un libéralisme qui demande le selfgovernment* (sic) *et l'essor de l'initiative privée [...] A cet égard la liberté de l'industrie, de la grande et de la petite industrie, la liberté du travail, la liberté d'émission des banques, etc. et surtout le libre échange* (sic) *sont des conditions vitales de prospérité de notre pays. Les doctrines qui tendent à faire de l'Etat le directeur de l'épargne nationale qui lui concèdent un droit d'intervention dans les transactions privées, qui en font l'organisateur de la bienfaisance, l'entrepreneur de toute œuvre ayant une direction utile plus ou moins accusée sont dangereuses*[114].

Pour faire face à la montée du protectionnisme, il propose de reconduire la stratégie commerciale libérale adoptée au début du siècle: produire bon marché et diversifier les débouchés outre-mer[115].

108 *Henri Bovet-Bolens* (1844-1893) (NE/GE), né à Fleurier, instituteur actif pendant vingt ans en Russie, études en économie à Bonn, enseignement en économie nationale à l'Université de Genève, collaborateur à la *Revue* de Lausanne, au *JdG* et à la *Revue internationale* de Rome.

109 Bovet-Bolens, 1883, pp. 125/149.

110 Demierre, 1878; Lombard, 1878; Demierre, 1883; Lombard, 1884; Darier et Challet-Venel, 1886; Lombard, 1887; Lombard, 1891.

111 Challet-Venel, 1870; Demierre, 1878, pp. 17/23; Lombard, 1884, pp. 59-60; «Adresse du commerce et de l'industrie de Genève aux Conseils de la Confédération», AF, E 11, vol. 15.

112 Demierre, 1883.

113 *Bulletin de la SICVD*, juillet 1877, «Rapport de la Commission chargée d'étudier la question de la révision des péages fédéraux», p. 171.

114 Lombard, 1878, p. 4.

115 *Ibidem*, p. 10.

Tableau 15. Principales forces libérales des secteurs secondaire et tertiaire durant la Grande dépression[116]

	Emplois milliers 1888	% pop. active 1888	Prod. mios 1883	Valeur ajoutée 1883	% du PIB 1883	Salaires mios 1883	% ouvr. fabrique 1888	CV/ trav. 1888	% de la prod. exportée	sommet de la crise
services										
banque	9	*0,7*	–	25	*1,6*	–	–	–	–	1883
commerce	55	*4,2*	–	250	*16,4*	–	–	–	–	1885
transports	25	*1,9*	–	63	*4,1*	–	–	–	–	1878
tourisme	33	*2,5*	–	50	*3,3*	–	–	–	–	1878
total	**122**	***9,3***	–	**388**	***25,4***	–	–	–	–	–
industrie										
horlogerie	44	*3,4*	64	35	*2,3*	30	*30*	0,10	*95*	1879
broderie	45	*3,4*	61	46	*3,0*	40	*40*	0,03	*90*	1877/92
soie	61	*4,7*	143	38	*2,5*	30	*41*	0,30	*95*	–
étoffes	33	*2,5*	89	20	*1,3*	18	*24*	–	*95*	1877/85
rubans	14	*1,1*	33	10	*0,7*	9	*43*	–	*95*	1885
fils	11	*0,8*	20	7	*0,5*	2	*55*	–	–	1875/86
total	**150**	***11,5***	**268**	**119**	*7,8*	**100**	*37*	**0,14**	***93***	–

Bien que plus modérées dans leur libéralisme, les élites économiques qui exportent des produits industriels de luxe – marchands-entrepreneurs et grands industriels de l'horlogerie, de la broderie et de l'industrie de la soie –, demeurent en général fidèles à l'école de Manchester. Dans le domaine douanier, les caractéristiques de production et de commercialisation de ces branches poussent les patronats à défendre le statu quo libre-échangiste, ou à ne tolérer qu'une intervention commerciale modérée en faveur de l'exportation. La masse salariale de ces trois industries étant de 100 mios de frs en 1883 – 6,6% du PIB –, toute augmentation de la charge douanière rime avec renchérissement des coûts de production et diminution du profit. En comparaison des inconvénients fiscaux, les avantages commerciaux d'une politique protectionniste ne pèsent pas lourd dans la balance. Exportant leur production à plus de 90%, ces branches d'industrie ne sont pas intéressées

116 Les chiffres de l'emploi (1888) ne concernent que les postes à plein temps; SHS, 1996, pp. 404-411; la valeur brute et la valeur ajoutée sont tirées in SHS, 1996, pp. 630-631/867; les masses salariales sont estimées à partir de la valeur ajoutée et de données sur les coûts de production tirées de la littérature secondaire – celles-ci figurent en notes dans la suite du texte; le nombre d'ouvriers soumis à la loi sur les fabriques (1888) est tiré in SHS, 1996, pp. 644-645; la force motrice par travailleur est tirée in Bernegger, 1983, p. 133; la part de la production exportée est calculée – arrondie à 5% près – selon une moyenne des années 1892/95, d'après les informations in SHS, 1996, pp. 680-687/630-631; en l'absence d'informations suffisantes, le rapport est tiré de la littérature secondaire; Masnata, 1924, note 1 p. 130 et Behrendt, 1931, p. 42; les sommets de la crise sont fixés en fonction de l'évolution de la valeur ajoutée de la branche.

à un bouclage du marché intérieur. L'attitude vis-à-vis d'une politique de combat est certes plus partagée. Mais en règle générale, l'intérêt à une ouverture des marchés de proximité demeure limité. En tant qu'objets de consommation de luxe, montres, broderies et soieries se prêtent bien à une stratégie de diversification des débouchés. En outre, ces productions franchissent relativement bien les murs douaniers, que ce soit légalement ou en contrebande. Dans le cadre des stratégies de crise mises en vigueur par les patronats de ces industries, une intervention commerciale de la Confédération visant à l'ouverture de nouveaux débouchés ne représente donc qu'un aspect secondaire. Tout de même important, l'engagement dans le domaine douanier vise à préserver le statu quo libre-échangiste.

La branche d'industrie regroupant l'horlogerie, la bijouterie et la production de boîtes à musique constitue la trame du tissu industriel de Suisse occidentale et en particulier de l'Arc jurassien[117]. En 1888, les 44 000 employés représentent 3,4% de la population active suisse. Mais la proportion d'horlogers grimpe à 4,6% dans le canton de Genève, 7,5% dans le canton de Soleure, 8,9% dans le canton de Berne (Jura bernois) et 32,2% dans le canton de Neuchâtel[118]. En 1883, la production s'élève à 64 mios de frs, soit une valeur ajoutée de 35 mios – 2,3% du PIB – et une masse salariale de 30 mios[119]. Le processus de fabrication se caractérise par une faible concentration dans les fabriques (30% des travailleurs sont soumis à la loi sur les fabriques) et un recours très limité à de la force motrice (0,10 CV/travailleur). A l'exception de la fabrication d'ébauches (semi-fabriqués), le travail manuel à domicile, ou dans des petits ateliers, est encore la règle, ce qui permet de faire pression sur les salaires. A horaire égal, l'ouvrier à domicile gagne jusqu'à un tiers de moins qu'en fabrique[120]. Cet avantage est d'importance pour un patronat qui distribue une masse salariale annuelle considérable.

L'industrie horlogère est une industrie d'exportation par excellence. Plus de 95% de la production de montres est expédiée sur les marchés internationaux[121]. Les débouchés se caractérisent par une forte diversification géo-

117 Sur les structures de production et de commercialisation de l'horlogerie, cf. Koller, 2003, pp. 69-328; Pfleghart, 1908; Gruner, 1988, vol. 2/1, pp. 479-528.

118 SHS, 1996, pp. 404-411.

119 Le rapport valeur ajoutée/valeur brute de 54% correspond à d'autres estimations; 55% in Bernegger, 1983, p. 202; 55% in Steinmann, 1905, pp. 5-6; il faut toutefois préciser qu'il varie fortement entre une montre or et une montre métallique ordinaire; une valeur ajoutée de 35 mios de frs est à prendre comme un minimum, puisque Bernegger l'évalue à 47 mios à la même date; Bernegger, 1983, p. 202; en considérant que la capitalisation de cette industrie est faible, une masse salariale de 30 mios constitue un minimum.

120 Pfleghart, 1908, p. 101.

121 Au début du XXe siècle, la consommation de produits horlogers sur le marché intérieur est estimée à 2,5 mios de frs, soit moins de 2% de la valeur exportée; *ibidem*, p. 85.

graphique. En 1892, treize pays achètent des montres suisses pour plus d'un million de frs[122]. Sur les marchés extérieurs, l'horlogerie est peu concurrencée par des industries indigènes. Seules les productions américaines et françaises contestent quelque peu l'hégémonie helvétique exercée sur le marché mondial. En 1896, la Suisse contribue aux exportations mondiales à raison de 101,6 mios de frs, alors que la France (4,3 mios) et les Etats-Unis (2,6 mios) se partagent les miettes[123]. Dans ces conditions, une politique de combat n'a d'intérêt que vis-à-vis de la France. Quant à une protection du marché intérieur, elle ne motive que la fabrication d'ébauches et la bijouterie, toutes deux concurrencées par la production française[124]. Les revendications protectionnistes de ces deux branches ne parviennent pas à remettre en question le dogme libre-échangiste cultivé dans les milieux horlogers.

L'horlogerie est la première industrie suisse à ressentir les effets de la Grande dépression. Entre 1873 et 1877, l'indice du volume des exportations horlogères plonge de 95 à 38, soit une baisse de 60%[125]. Le retour au niveau de 1873 ne s'effectue qu'en 1883. La valeur ajoutée dégagée par la branche atteint le creux de la vague en 1879. Après une nouvelle crise moins violente, entre 1891 et 1894, une forte croissance persiste jusqu'à la Première guerre mondiale. La crise des années 1870 est due avant tout au développement d'une concurrence aux Etats-Unis. Entre 1872 et 1876, l'exportation vers le principal client de l'industrie horlogère fond de 18 à 4,6 mios de frs, soit une baisse de 75%[126]. En utilisant des procédés de fabrication révolutionnaires – production de la montre en séries –, l'horlogerie américaine parvient à commercialiser des montres de qualité (précision) à des coûts avantageux. Suite à l'Exposition de Philadelphie, en 1876, les industriels helvétiques prennent conscience de la gravité d'une crise qui n'est pas que conjoncturelle, mais aussi structurelle.

122 Une statistique détaillée du commerce extérieur de la branche, en 1892 et 1893, se trouve in *Quatorzième rapport du comité central de la Société intercantonale des industries du Jura*, La Chaux-de-Fonds, 1894, pp. 29-34; cf. également SHS, 1996, p. 718; Koller, 2003, pp. 107-111.

123 Gruner, 1988, vol. 2/1, note 59 p. 736; cf. également Bairoch, 1984, pp. 478-479; Bernegger, 1983, p. 145; en 1873, la valeur de la production horlogère suisse serait de 80 mios de frs, soit 63% de la production mondiale; à la veille de la Première guerre mondiale, la fabrication helvétique représente encore plus de la moitié de la production mondiale.

124 En 1892, l'importation d'ébauches s'élève à 1,8 mios de frs et celle de bijouterie à 4,8 mios de frs, soit 72% et 171% des valeurs exportées par ces deux branches; *Quatorzième rapport du comité central de la Société intercantonale des industries du Jura*, La Chaux-de-Fonds, 1894, p. 29.

125 Bernegger, 1983, p. 214; entre 1873 et 1877, la valeur brute de la production passe de 92,7 mios de frs à 34,1 mios; estimations in SHS, 1996, p. 630.

126 Pfleghart, 1908, p. 69; sur l'évolution du marché américain, cf. Koller, 2003, pp. 113-116.

Pour y faire face, les milieux horlogers s'organisent. Le 14 mai 1876, une association est constituée par l'élite du patronat, sous le nom de Société intercantonale des industries du Jura (SIIJ)[127]. Publié en 1877, le premier rapport du comité central fait office de programme de crise. L'essentiel de sa réalisation incombe à l'initiative privée[128]. Le rôle de l'Etat se confine à des mesures devant améliorer la qualité de la production, dont la plupart peuvent être prises en charge par les cantons[129]. Les exigences vis-à-vis de la Confédération se limitent à l'instauration de brevets d'invention – stimulation du progrès technologique –, au contrôle des ouvrages en métaux précieux et à la protection des marques de fabrique. Les deux dernières mesures doivent éviter la commercialisation de produits frauduleux ou de contrefaçons qui nuisent à l'image de marque helvétique[130]. Enfin, les milieux horlogers sont à la pointe du combat mené pour une amélioration du système consulaire suisse[131]. En juin 1886, le Conseiller national neuchâtelois Robert Comtesse[132] dépose une motion dans ce sens. Cette mesure doit faciliter la diversification des débouchés horlogers[133].

127 Dès sa fondation, la SIIJ compte sept sociétés-membres: La Chaux-de-Fonds, Le Locle, Neuchâtel, district de Courtelary, Bienne, Sainte-Croix, Genève; le comité central nommé pour l'exercice 1876/77 est constitué des élites politiques et industrielles de ces régions horlogères et d'un représentant de l'industrie soleuroise: H. Etienne, aux Brenets, président; A. Grosjean, à la Chaux-de-Fonds, vice-président; J. Borel-Courvoisier, à Neuchâtel, secrétaire; E. Francillon, à St-Imier, assesseur; L. Martin fils, aux Verrières; Obrecht, à Granges; A. Jaccard, à Lausanne; A. Guedin-Chantre, à Genève; Ph.-A. Weiss, à Genève; *Rapport du Comité central de la Société intercantonale des industries du Jura,* Neuchâtel, 1877, p. 41; les rapports avec l'USCI sont d'emblée placés sous le signe de la collaboration; en 1879, la SIIJ devient membre de l'association faîtière; en 1899, suite à la constitution de Chambres de commerce cantonales officielles dans les cantons de Berne et Neuchâtel, la SIIJ se tranforme en Chambre suisse de l'horlogerie et des industries annexes: bijouterie, joaillerie, orfèvrerie, boîtes à musique; elle reçoit alors un statut officiel.

128 *Rapport du Comité central de la Société intercantonale des industries du Jura,* Neuchâtel, 1877.

129 Je n'aborde pas ici l'intervention étatique cantonale qui est pourtant importante, notamment dans le canton de Neuchâtel, où elle porte sur l'apprentissage, l'enseignement commercial, la création d'instituts d'émission fiduciaire, etc.; Mazbouri, 1991, pp. 43-51; pour le Jura bernois, cf. Koller, 2003, pp. 296-328.

130 En juin 1879, une motion demandant le contrôle des ouvrages d'or et d'argent est déposée au CN par Arnold Grosjean, vice-président de la SIIJ; un arrêté fédéral, voté en 1880, entre en vigueur dès 1882.

131 Hauser-Dora, 1986, pp. 366-384.

132 *Robert Comtesse-Matthey-Doret* (1847-1922) (NE), avocat, fondateur de la Fédération des sociétés romandes d'agriculture (1882), président de la Fédération horlogère (1887-1888), président de la SIIJ (1891-1899), CdE (1876-1899), Cn de tendance radicale de gauche (1883-1899), Cféd (1899-1912).

133 En 1895, Comtesse aborde cette problématique dans une publication; Robert Comtesse, *Quelques considérations sur la représentation diplomatique et consulaire de la Suisse*, La Chaux-de-Fonds, 1895.

A partir de 1880, les milieux horlogers tentent aussi de s'organiser pour remédier à la baisse des prix, principale manifestation de la crise. Vu la position dominante de l'horlogerie suisse sur le marché mondial, une cartellisation de la branche permettrait en effet de brider la concurrence intérieure responsable de l'écroulement des prix. Ainsi, 25 ententes cartellaires plus ou moins éphémères sont recensées entre 1880 et 1914[134]. Le petit patronat neuchâtelois, qui est le plus menacé par la baisse des marges de profit, tente même de promouvoir une organisation corporatiste de la production horlogère[135]. En 1887, la Fédération horlogère regroupe des syndicats patronaux et ouvriers afin d'instaurer des prix et des salaires minima. Toutefois, l'organisation d'une industrie d'exportation, qui plus est très peu concentrée, se révèle difficile. D'autant plus que la grande entreprise et le commerce horloger sont plutôt réticents à l'égard d'une trop grande limitation de la liberté du commerce susceptible de freiner la concentration du capital. Ainsi, la Fédération horlogère se désagrège dès 1889. Au début des années 1890, des représentants du petit patronat horloger tentent en vain d'obtenir un cadre juridique fédéral permettant l'instauration de syndicats professionnels mixtes obligatoires[136].

Face à la crise, les besoins d'intervention étatique de l'industrie horlogère demeurent par conséquent limités. Afin d'éviter un accroissement de la charge douanière, conséquence obligée d'une intervention de l'Etat fédéral, le plus de tâches possibles doivent être prises en charge par les cantons. Cette approche fédéraliste permet aussi d'adapter de manière optimale l'action étatique aux besoins bien spécifiques de l'horlogerie. L'appel à la Confédération ne doit survenir qu'en dernier recours. Durant la Grande dépression, le principal champion de cette conception libérale et fédéraliste du rôle de l'Etat est le Conseiller fédéral neuchâtelois Numa Droz[137]. Par la publication de brochures et d'articles dans la *Bibliothèque universelle*, le Neuchâtelois combat le modèle allemand de capitalisme organisé, qu'il qua-

134 Gruner, 1988, vol. 2/1, pp. 738 (note 89)/494-497.

135 Piotet, 1988; Gruner, 1956/1, pp. 359-362; Gruner, 1988, vol. 2/1, pp. 520-525; Widmer, 1992, pp. 466-468.

136 Le 17 juin 1889, le CE vote un postulat du radical de gauche neuchâtelois Auguste Cornaz invitant le CF à faire rapport sur la question de l'introduction de syndicats obligatoires sur le niveau cantonal; FF, 1892, vol. 5, p. 723, «MCF concernant le droit de légiférer en matière d'arts et métiers (25 novembre 1892)»; le 20 janvier 1892, une motion demandant au CF d'étudier une révision de l'article 31 est déposée au CN; principal initiateur de la démarche, le radical de gauche genevois Georges Favon défend les syndicats obligatoires en soutenant que c'est le seul moyen efficace de stabiliser l'ordre capitaliste; BSO, 1892/1893, n° 4, p. 57, CN, séance du 17 juin 1892.

137 *Numa Droz-Colomb* (1844-1899) (NE), issu d'une famille ouvrière d'horlogers à la Chaux-de-Fonds, graveur, instituteur, rédacteur du *National*, CdE (1871-1875), CaE radical (1872-1875), Cféd (1875-1892), se rapproche du centre libéral durant son mandat au Gouvernement.

lifie de «socialisme d'Etat»[138]. Il refuse notamment qu'un rôle de redistribution de la richesse soit confié à l'Etat.

Bien que le tissu industriel de Suisse orientale soit relativement diversifié, la broderie joue un rôle économique prépondérant dans cette région[139]. Alors qu'en 1888, les 45 000 emplois de la branche représentent 3,4% de la population active suisse, la proportion de brodeurs est bien plus élevée dans les cantons de Thurgovie (14,5%), St-Gall (23%), Appenzell Rhodes-Extérieures (24,8%) et Appenzell Rhodes-Intérieures (41,7%)[140]. Cette industrie est fractionnée en plusieurs domaines d'activité – broderie grossière («Kettenstichstickerei») et broderie fine («Plattstichstickerei»). Le segment principal de la branche est la fabrication de broderies fines au moyen d'une machine actionnée manuellement («Handmaschinenstickerei»). Le savoir-faire et l'habileté de la main-d'œuvre ainsi que le goût artistique des modélistes contribuent à la réputation internationale des marchandises helvétiques. Dans les années 1880, la production fait peu usage de force motrice (0,03 CV/travailleur) et elle n'est que modérément concentrée en fabrique (40% des travailleurs[141]). Quelque 300 grosses firmes d'exportation dominent le processus de fabrication et écoulent aussi les marchandises d'une multitude de petits fabricants indépendants. En 1883, la production s'élève à 61 mios de frs, soit une valeur ajoutée de 46 mios – 3% du PIB – et une masse salariale de 40 mios[142]. Les marchands-entrepreneurs s'opposent

138 Droz, 1896/1 et 3; un recueil d'articles parus dans la *Bibliothèque universelle* a été édité; Droz, 1896/2.

139 Sur les structures de production et de commercialisation de la broderie, cf. Tanner, 1982, pp. 48-68; Schläpfer, 1984, pp. 287-305; Gruner, 1988, vol. 2/1, pp. 435-438; Bodmer, 1960, pp. 378-384; Steinmann, 1905, pp. 66-69.

140 SHS, 1996, pp. 404-411.

141 Dans les années 1870 et 1880, la broderie suit une évolution contraire à la tendance générale de concentration de la production; le nombre de machines en activité à domicile passe de 7% à 53% du total; cette dispersion a de multiples avantages pour les quelque 300 firmes d'exportation qui dominent le processus de production: les investissements en capital fixe sont limités, la flexibilité de la production est optimisée, les prescriptions de la loi sur le travail en fabrique peuvent être éludées et la forte dispersion des travailleurs freine leur syndicalisation; Gruner, 1988, vol. 2/1, p. 436; Steinmann, 1905, pp. 66-69.

142 Cette branche dégage une valeur ajoutée de 45,7 mios en 1883; SHS, 1996, p. 631; en utilisant un rapport valeur ajoutée/valeur brute de 75% (Bernegger), la production s'élève donc à 60,9 mios; en utilisant le rapport de 80% indiqué in Reichesberg, 1911, pp. 920-921, la production ne serait que de 57,1 mios; toutefois, une valeur ajoutée de 45,7 mios de frs est à considérer comme un minimum; Bernegger fixe celle-ci à 57 mios en 1883, soit une valeur brute de 71,2 mios en utilisant le rapport de 80%; Bernegger, 1983, p. 202; une production de 61 mios de frs est par conséquent à considérer comme un minimum; en 1877, des industriels de la broderie évaluent les coûts salariaux à environ 70% du prix de la marchandise, ce qui fait une masse salariale d'au moins

donc à une protection douanière qui renchérirait la vie des ouvriers, de même qu'à une imposition de leur principale matière première, les tissus en coton. Les structures de production évoluent au tournant du siècle, lorsque la mécanisation («Schifflistickerei») pousse à une concentration en fabrique. D'article de luxe lié à un savoir-faire, la broderie passe alors à un statut de produit de masse pouvant être fabriqué partout dans le monde, ce qui engage le patronat suisse à délocaliser une partie de sa production.

Les caractéristiques commerciales de la broderie sont relativement semblables à celles de l'horlogerie[143]. Exportée à plus de 90%, la production suisse bénéficie longtemps d'une position presque monopolistique sur le marché mondial, en raison de la compétitivité hors-prix que lui confère son savoir-faire[144]. Dans la dernière partie du siècle, une concurrence indigène plus sérieuse se développe pourtant dans les pays voisins – France (Tarare), Allemagne (Saxe) et Autriche (Vorarlberg). Le patronat, représenté par le KDSG[145], est alors relativement intéressé à la pratique d'une politique de combat. Par ailleurs, la diversité des débouchés est moins marquée que dans l'horlogerie. En 1885, 75% du volume des exportations est expédié vers les Etats-Unis et la Grande-Bretagne[146]. Par conséquent, la conjoncture de la branche dépend fortement de la politique commerciale de ces deux pays. Il faut encore signaler l'important trafic de perfectionnement organisé par les marchands-entrepreneurs de St-Gall afin d'exploiter la main-d'œuvre bon marché de la région limitrophe du Vorarlberg. Facilité par des arrangements douaniers, ce mouvement de marchandises est combattu par les petits fabricants et les ouvriers suisses qui pâtissent de la concurrence autrichienne[147].

La Grande dépression n'empêche pas l'industrie de la broderie de se développer. Entre 1875 et 1890, le nombre de personnes employées augmente de 30 000 à 45 000. La main-d'œuvre débauchée dans d'autres branches en crise, notamment le coton, se réfugie dans cette activité. Diffusée à partir des années 1860, une machine manuelle permet par ailleurs de multiplier la productivité d'un ouvrier par 40. Dès lors, le volume et la valeur des

40 mios; en 1882, Cramer-Frey évalue les salaires à 50 mios de frs pour une production de 60 mios.

143 Une analyse détaillée du commerce extérieur de la broderie figure in Ferrari, 1977, pp. 67-87.

144 Fretz, 1923, p. 74; Bernegger, 1983, p. 145.

145 Il faut noter que le KDSG doit aussi prendre en compte les intérêts de l'industrie cotonnière mécanisée saint-galloise; dans le domaine de l'intervention étatique, cet organe adopte ainsi une attitude qui est à mi-chemin entre les élites libérales de Suisse occidentale et les élites industrielles interventionnistes de Zurich.

146 Ferrari, 1977, pp. 73/254-255.

147 Le 6 janvier 1878, les fabricants de broderies adressent une requête demandant à l'AsF de supprimer le trafic de perfectionnement et d'imposer l'importation de broderies à 10% de la valeur; *Centralblatt*, Nr. 15, 1878, pp. 111-114.

exportations progressent jusqu'en 1888[148]. A prix constants, elles passent de 14 mios en 1873, à un sommet de 92 mios en 1888, après un fort fléchissement dans les années 1876-1878. Cependant, ce développement s'accompagne d'une surproduction endémique qui pèse sur les prix et les salaires. Entre 1875 et 1885, la rémunération pour cent points passe de 49 à 27 centimes[149]. Principales victimes de cet effondrement, les petits fabricants appellent à une organisation de la production en fustigeant le libéralisme manchestérien des marchands-entrepreneurs:

> *Wir werden Front machen müssen gegen das Manchestertum, bei dem geschäftlicher Gewinn Selbstzweck ist, das für die Not und das Elend des Arbeiters weder Auge noch Ohr hat und auf den Ruinen seiner Gesundheit und Lebenskraft ein neues Sklaventum begründen will*[150].

En 1885, alors que le prix du point atteint un record à la baisse, les producteurs parviennent à convaincre les commerçants de la nécessité de brider la concurrence au sein de la branche. Un syndicat professionnel de type corporatiste est mis sur pied, le «Zentralverband der Stickereiindustrie der Ostschweiz und des Vorarlbergs» (ZSOV). Il regroupe les marchands-entrepreneurs, les «Fergger», les petits fabricants et les travailleurs en fabrique et à domicile[151]. Grâce à un taux de syndicalisation atteignant 97% des possesseurs de machines, l'organisation obtient une stabilisation du nombre de métiers, le respect d'un temps de travail maximum (11 heures par jour) et l'introduction d'un salaire minimum (28 cts).

A la fin des années 1880, une crise de débouchés frappe tout de même la broderie. Entre 1888 et 1892, l'exportation à prix constants diminue de 92 à 65 mios. La discipline du syndicat professionnel vole alors en éclats. La régulation de la concurrence interne est abandonnée et le prix du travail enregistre une nouvelle baisse, passant de 28 cts/100 points en 1891 à 24 cts en 1894. Pour lutter contre la crise, les grands exportateurs ne font que peu d'entorses aux principes du libéralisme manchestérien. La Confédération est sollicitée pour l'instauration d'une protection des modèles et la mise en œuvre d'une politique de combat. Quant aux petits fabricants et aux ouvriers, ils tentent de sauver l'organisation corporatiste de la branche en soutenant la démarche des fabricants horlogers visant à instaurer des syndicats professionnels mixtes obligatoires[152].

148 Ferrari, 1977, pp. 171/193/235; sur l'évolution des exportations, cf. également Tanner, 1982, p. 57; SHS, 1996, p. 667.

149 Bernegger, 1983, p. 225; cf. également Ferrari, 1977, p. 77; Tanner, 1982, p. 59; Steinmann, 1905, p. 129.

150 Cité in Steinmann, 1905, p. 78.

151 Gruner, 1988, vol. 2/1, pp. 452-455; Widmer, 1992, pp. 457-466.

152 Le 17 juin 1892, le Conseiller national saint-gallois Eduard Steiger soutient la motion Favon en ces termes: «*Es ist darum gewiss nur zu begrüssen, wenn sich überall Berufsgenossenschaften bilden, welche dazu berufen sind, an Stelle der Unordnung Ordnung*

L'industrie de la soie est divisée en deux espaces relativement cloisonnés: la fabrication d'étoffes, dont le centre est Zurich, et celle de rubans, qui essaime autour de Bâle. Ces deux centres dominent aussi la production des semi-fabriqués en soie – filage et retordage de grège, bourre de soie et filoselle; fils à coudre et à broder[153]. En employant 61 000 personnes en 1888, la soie est la branche industrielle suisse qui fournit le plus de travail (4,6% de la population active). Son importance est particulière dans les cantons de Bâle-Campagne (33,8%), Bâle-Ville (18,1%), Zurich (15,6%), Schwyz (11,5%), Zoug (9,9%) et Argovie (9,3%)[154]. Seulement 24% des tisseurs d'étoffes et 43% des tisseurs de rubans travaillent dans des établissements soumis à la loi sur les fabriques. Leur recours à une force motrice est par ailleurs modeste (0,3 CV/travailleur). Par contre, la dimension des entreprises est plus importante que dans l'horlogerie et la broderie. Du fait du coût élevé de la matière première, la fabrication et la commercialisation de soieries exigent un capital circulant très élevé, ce qui empêche la multiplication des unités de production[155]. Bien que le coût du travail représente une part limitée du prix de leurs marchandises, les soyeux helvétiques distribuent une masse salariale considérable (30 mios en 1883). A l'image du leader de la branche, Robert Schwarzenbach[156], ils défendent donc le libre-échange de manière intransigeante:

> *Denn was der Teufel für die Religion, das ist der Schutzzoll für die Exportindustrien eines Landes*[157].

En 1883, l'industrie zurichoise de la soie produit pour 88,9 mios de frs d'étoffes, ce qui représente une valeur ajoutée de 20,5 mios – 1,3% du PIB – et une masse salariale d'environ 18 mios[158]. A cette date, Zurich est le

---

zu schaffen. Aber dann, glaube ich, ist es auch Aufgabe des Staates, diese Verbände, je nach ihrer Bedeutung zu unterstützen.»; BSO, 1892/1893, n° 4, p. 62, CN, séance du 17 juin 1892.

153 Sur le développement de ces productions, cf. Reichesberg, 1911, 1ère partie, vol. 3, pp. 962-970.

154 SHS, 1996, pp. 404-411.

155 Gruner, 1988, vol. 2/1, pp. 430-433.

156 *Robert Schwarzenbach-Zeuner* (1839-1904) (ZH), grand industriel de la branche de la soie, membre du comité puis président (1881-1884) de la ZSIG, membre du Vorort de l'USCI (1890-1892); en 1882, l'entreprise Schwarzenbach emploie déjà 4000 tisseurs; en 1903, elle représente 25% du potentiel de production de l'industrie de la soie suisse – plus de 6000 métiers mécaniques et 2500 métiers à la main, 76 000 broches pour le retordage de la soie –, dont une partie est en activité à l'étranger: deux entreprises de tissage en France, quatre en Italie, une en Allemagne et une aux Etats-Unis; Schwarzenbach produit pour 50 mios de frs d'étoffes, emploie 13 000 personnes et distribue 10,5 mios de frs de salaires; Schwarzenbach, 1959; cf. également Gruner, 1988, vol. 2/1, p. 431; Hauser-Dora, 1986, pp. 249-252; Bernegger, 1986, pp. 146/149.

157 Schwarzenbach, 1890, p. 18.

158 Estimé ici à 23%, le rapport valeur ajoutée/valeur brute doit être considéré comme un minimum; il est en effet fixé à 35% in Bernegger, 1983, p. 32, ce qui ferait une valeur

second producteur mondial de soieries, après Lyon. Avec plus de 95% de sa production exportée[159], Zurich devance même son concurrent français dans la part prise au commerce mondial[160]. Durant les années 1860 et 1870, la réussite zurichoise est basée sur une complémentarité avec l'industrie lyonnaise. Alors que celle-ci produit des tissus de luxe lourds de très grande qualité, les fabricants suisses se spécialisent dans des tissus moins compliqués et plus légers pour lesquels ils bénéficient presque d'un monopole sur les marchés internationaux. La crise remet toutefois en question cette situation. En 1885, les principaux débouchés des étoffes zurichoises sont les Etats-Unis (21,1 mios/30%), la France (17,5 mios/25%) et la Grande-Bretagne (14,8 mios/21%)[161]. Sur le marché des Etats-Unis, la cherté des salaires permet aux produits zurichois de soutenir la concurrence indigène, malgré une taxation de 50% de la valeur. Quant aux exportations en Grande-Bretagne et en France, elles bénéficient de la franchise. Jusqu'au début des années 1890, moment de l'introduction d'une taxation protectionniste en France, le patronat n'a de ce fait pas intérêt à l'introduction d'une politique de combat.

Tout comme la broderie, la production d'étoffes en soie n'est touchée que tardivement par la Grande dépression. Entre 1874 et 1883, l'indice de la production de la branche progresse de 78 à 122, malgré une forte chute en 1877[162]. La diminution du pouvoir d'achat et l'évolution de la mode provoquent alors une récession. En 1885, l'indice de la production est redescendu à 100. Il stagne jusqu'en 1893, date à laquelle il dépasse enfin le

---

ajoutée de 31,1 mios; par ailleurs, le rapport salaires/valeur brute est évalué à 20% in Schwarzenbach, 1959, p. 114 et in Reichesberg, 1911, 1ère partie, vol. 3, p. 981; une masse salariale de 18 mios peut donc être considérée comme un minimum; en 1882, Cramer-Frey estime les salaires distribués par l'industrie zurichoise à 19 mios de frs; Cramer-Frey, 1882, p. 3.

159 En 1911, le marché intérieur consomme pour environ 8 à 10 mios de frs de soieries, dont 5 à 6 mios sont couverts par l'industrie suisse; cette somme représente moins de 5% de la production totale; Reichesberg, 1911, 1ère partie, vol. 3, p. 983.

160 Bernegger, 1986, p. 145; en 1911, le potentiel suisse de production d'étoffes en soie, uniquement sur sol suisse, est le troisième mondial; Reichesberg, 1911, 1ère partie, vol. 3, p. 976; avec 19 000 métiers (3,5 métiers manuels = 1 métier mécanique), l'industrie helvétique possède environ 11% du parc des neuf principaux pays producteurs et se situe immédiatement derrière la France (48 000) et les Etats-Unis (48 000); si l'on tient compte des unités de production sous contrôle suisse dans les différents pays producteurs – 15 000 métiers mécaniques selon Bernegger, 1986, p. 148 – cette proportion passe à près de 20%.

161 Les chiffres concernant le commerce extérieur de la soie zurichoise sont tirés in Ferrari, 1977, pp. 256-257; cf. également Masnata, 1924, p. 154; Lampenscherf, 1948, pp. 89-97; Niggli, 1954, pp. 66-70; Bodmer, 1960, pp. 374-375; Reichesberg, 1911, 1ère partie, vol. 3, p. 983.

162 Bernegger, 1983, p. 204.

niveau de 1883. Une véritable reprise de la croissance n'a lieu qu'à partir de 1897. Durant les années 1890, l'exportation est en effet confrontée à des mesures douanières protectionnistes de la France et des Etats-Unis.

Modérément touché par une crise qui reste larvée, le patronat zurichois cherche des solutions respectant les principes du libéralisme manchestérien. Sa stratégie vise avant tout à s'adapter à la demande qui s'oriente vers des tissus bon marché avec plus de fantaisie. Pour faire face à une fabrication plus compliquée, le niveau de formation est amélioré, notamment grâce à la création d'une école de tissage (1881), et le secteur de la création est développé au sein des grandes entreprises. Par ailleurs, les coûts de production sont diminués par une compression des coûts salariaux[163]. La production à domicile est transférée vers des régions rurales à bas salaires (Schwyz, Zoug, etc.). Dans les fabriques, le patronat recourt à de la main-d'œuvre féminine mal payée. En 1901, 81% du personnel travaillant en fabrique est féminin. Entre 1879 (sommet) et 1886 (creux), l'indice des salaires nominaux de la branche passe de 111,5 à 88, soit une baisse de 21%[164]. Parallèlement, des gains de productivité sont réalisés grâce à un accroissement de la mécanisation. De 1888 à 1901, le recours à la force motrice augmente de 0,3 à 0,5 CV par travailleur[165].

De l'avis des soyeux zurichois, l'intervention de l'Etat central doit rester limitée. Principal porte-parole des milieux libéraux de ce canton[166], la *NZZ* publie bien, en 1878, un appel à une intervention accrue de la Confédération[167]. Il ne s'agit toutefois pas de promouvoir une politique commerciale musclée ou une intervention sociale, mais de réclamer l'accomplissement du programme économique contenu dans la constitution de 1874 – entre autres des mesures facilitant la mobilité de la main-d'œuvre helvétique. En 1880, le Conseiller national Johann-Kaspar Baumann-Zürrer[168] prononce un discours devant le patronat zurichois. Placée sous le slogan *«leben und leben lassen»*, cette diatribe manchestérienne n'admet qu'une intervention de l'Etat très limitée, notamment dans les domaines de la formation profes-

163 Bernegger, 1986, pp. 145-149; Reichesberg, 1911, 1ère partie, vol. 3, pp. 974-987.

164 SHS, 1996, p. 444.

165 Bernegger, 1983, p. 133.

166 *Centralblatt*, Nr. 1, 5. Januar 1879, p. 2; dans ce numéro, la *NZZ* est qualifiée de *«[...] Hauptvertreterin der Manchesterpartei der Schweiz [...]»*.

167 Weisz, 1965, pp. 251-255.

168 *Johann-Kaspar Baumann-Zürrer* (1830-1896) (ZH), à la tête d'un commerce de soieries, beau-fils du grand fabricant de soieries Jakob Zürrer (1500 métiers en 1910), CA de la «Bank in Zürich» (1876-1880), de la «Spinnerei und Weberei Cham» (1870-1890), membre du comité de la KGZ (1873-1881), membre du comité central de l'USCI (1878-1880), Cn libéral (1878-1884), membre de la commission des douanes du CN, expert du CF en matière de politique commerciale, délégué aux expositions universelles de Vienne (1873) et Paris (1878).

sionnelle et de la représentation commerciale à l'étranger[169]. Leader de la branche, Schwarzenbach s'oppose à toute intervention de l'Etat fédéral en matière de commerce, de transports et d'assurances, car il veut éviter un accroissement de la charge fiscale grevant l'industrie de la soie[170].

Au début des années 1890, le protectionnisme douanier des Etats-Unis et de la France provoque toutefois un débat acharné au sein du patronat de la branche[171]. Les grands industriels, emmenés par Schwarzenbach, sont partisans du statu quo libre-échangiste. Ils prônent une diversification des débouchés et une expatriation de la production sur les marchés trop fortement protégés. En 1900, environ 40% des métiers mécaniques possédés par des entreprises helvétiques sont en activité en dehors des frontières suisses[172]. A la même date, seize firmes possèdent vingt-trois usines de tissage à l'étranger. En 1914, sept d'entre elles ont acquis le statut de multinationale[173]. Cette stratégie commerciale n'est toutefois pas adaptée aux petites et moyennes entreprises de la branche. Elles ne possèdent ni l'organisation commerciale nécessaire à une diversification des débouchés, ni les capitaux que requiert une implantation à l'étranger. Leur survie passe donc par une politique douanière de combat de la Confédération. A partir de 1890, l'association des soyeux zurichois (ZSIG) oscille par conséquent entre le libre-échange doctrinaire et le soutien à une politique de combat.

En 1883, la production de l'industrie du ruban de soie s'élève à 33,4 mios de frs, ce qui représente une valeur ajoutée d'environ 10,4 mios – 0,7% du PIB – et une masse salariale de 9 mios[174]. La place de cette branche sur le marché mondial est nettement moins importante que celle occupée par l'horlogerie, la broderie et la soie zurichoise. En 1872, la production suisse (57,1 mios de frs) est de loin inférieure à celles de la France (122 mios de frs) et de l'Allemagne (70 mios de frs)[175]. Exportés à 95%, les rubans de soie sont écoulés surtout en Grande-Bretagne (60% de la valeur de l'exportation en 1885) et aux Etats-Unis (21%)[176]. Le patronat n'est donc que peu intéressé à une

169 Die schweizerischen Zollverhältnisse..., 1880, p. 5.
170 Schwarzenbach, 1959, pp. 124-126.
171 Müller, 1966, pp. 75-76; Schwarzenbach, 1959, pp. 117-118; Niggli, 1954, pp. 54-55.
172 Vers 1900, l'industrie de la soie possède 19 544 métiers à main et 13 296 métiers mécaniques en Suisse, ainsi que 8563 métiers mécaniques à l'étranger, dont 3652 en Allemagne, 2058 aux Etats-Unis, 1445 en France et 1408 en Italie; Bernegger, 1986, p. 148; sur la délocalisation de la production de soieries, cf. également Ferrari, 1977, pp. 112-122; Schmidt, 1912, pp. 210-217; Hauser-Dora, 1986, pp. 301-302.
173 Schröter, 1993, pp. 35-37.
174 Le rapport valeur ajoutée/valeur brute, estimé ici à 31%, est fixé à 35% in Bernegger, 1983, p. 32; la masse salariale est évaluée à 12 mios de frs in Cramer-Frey, 1882, p. 3.
175 Chiffres tirés in Hahn, 1934, p. 15 et Bodmer, 1960, p. 376.
176 Ferrari, 1977, pp. 256-257.

politique de combat, d'autant plus que l'accès aux marchés allemands et français est assuré par une délocalisation précoce de la production, principalement en Alsace et dans le Bade. La stratégie douanière des rubaniers se limite alors à une lutte pour le statu quo libre-échangiste[177]. Entamé dans les années 1830 déjà, le processus d'expatriation de la production s'accélère avec la vague protectionniste des années 1880-1890. En 1905, 30% des ouvriers employés par l'industrie du ruban helvétique travaillent à l'étranger[178]. Toutefois, en 1914, une seule entreprise de la branche atteint le statut de multinationale, contre sept dans le domaine du tissage des étoffes[179].

L'industrie du ruban de soie est parmi les premières branches du secteur secondaire à être touchée par les effets de la Grande dépression. Après avoir atteint un sommet en 1872 (indice 122), la production stagne à un niveau inférieur de 10% entre 1873 et 1886[180]. Alors que le volume produit ne diminue pas de manière catastrophique, la valeur nominale des exportations subit un recul beaucoup plus marqué. De 57,1 mios en 1872, elle s'effondre à 28,6 mios en 1885, soit une baisse de 50%[181]. La valeur ajoutée de la branche atteint alors son minimum. Certes, le changement de mode, qui s'oriente vers le ruban demi-soie – soie mêlée à du coton ou de la filoselle –, est en partie responsable de cette évolution, mais l'exacerbation de la concurrence internationale y participe également.

Pour améliorer leur capacité concurrentielle, les patrons bâlois misent sur les mêmes stratégies libérales que leurs homologues zurichois. L'instauration de métiers mécaniques à domicile, grâce à l'électrification des campagnes, permet des gains de productivité tout en conservant les avantages d'une production à domicile. A partir de 1895, l'industrie bâloise profite de l'atout compétitif salarial pour se réorienter vers le ruban de haute qualité en soie pure, qui a plus de facilité à percer les murs douaniers. Entre 1895 et 1913, la valeur de l'exportation vers les Etats-Unis bondit de 2302 à 6764 frs par quintal[182]. Cette spécialisation dans le haut de gamme est doublée d'une diversification des débouchés. Entre 1885 et 1913, la part des marchés de second ordre passe de 5 à 15% du total des exportations[183]. Afin de soutenir cette stratégie, le Conseiller national bâlois Rudolf Geigy-

177 Hoffman-Merian, 1881/1 et 2.
178 Masnata, 1924, pp. 29-32; cf. également Bodmer, 1960, p. 377; Hahn, 1934, pp. 71-76.
179 Il s'agit de la «Gesellschaft für Bandfabrikation»; Schröter, 1993, pp. 35-37.
180 Bernegger, 1983, p. 204.
181 La première estimation est tirée in Bodmer, 1960, p. 376, la seconde in Ferrari, 1977, p. 243.
182 Ferrari, 1977, pp. 102-112.
183 *Ibidem*, pp. 111-112.

Merian[184] dépose une motion en faveur de l'amélioration du système de représentation suisse à l'étranger (1883)[185]. En dehors de cet appel à une amélioration de l'information commerciale, les rubaniers bâlois ne sollicitent que très peu l'intervention de la Confédération.

4.2.3. Industries du coton, de la chimie, de la métallurgie et des machines: adeptes d'une intervention plus musclée de la Confédération

Face au bloc des élites fidèles au libéralisme manchestérien, les grands industriels des branches du coton, des machines, de la métallurgie et de la chimie revendiquent une intervention économique accrue de la Confédération. En s'inspirant du patronat allemand, ils œuvrent en faveur d'un capitalisme organisé adapté à l'économie et au système politique suisses. En raison des caractéristiques de production et de commercialisation de leurs produits, l'amélioration des conditions-cadre constitue un pilier important des stratégies de crise élaborées pour faire face à l'intensification de la concurrence étrangère.

Dans ces branches d'industrie, la production en fabrique, plus ou moins mécanisée, mobilise d'importants capitaux fixes. En comparaison des industries du luxe fonctionnant encore selon le «Verlagssystem», la flexibilité de la production vis-à-vis de l'évolution de la demande est ainsi amoindrie. La sécurité des débouchés et la régularité de l'écoulement sont de ce fait des éléments nécessaires à la bonne marche des entreprises. Or, à l'exception de certains fabriqués en coton et en fer, les produits ne sont pas des biens de consommation qui peuvent être écoulés partout dans le monde, mais des semi-fabriqués – filés et tissus écrus en coton, colorants, fer brut – ou des biens d'équipement – machines, installations électriques –, qui sont surtout vendus dans les pays industrialisés. Le marché intérieur et les Etats voisins ont donc une importance plus grande que pour les industries du luxe. Cette situation engage les indus-

184 *Johann Rudolf Geigy-Merian* (1830-1917) (BS), fils de Karl Geigy-Preiswerk – commerce en gros de denrées coloniales (colorants/épices), cofondateur de la «Bank in Basel», président du «Centralbahn», etc. –, à la tête de l'entreprise familiale (1854-1891), développe parallèlement la production chimique de colorants, CA de très nombreuses entreprises dont les multinationales de la branche du ruban «Gesellschaft für Bandfabrikation Basel» (1884-1908) et de la fabrication de filoselle «Industriegesellschaft für Schappe», cofondateur et membre du CA de la «Basler Handelsbank» (1863-1916), également actif dans des entreprises ferroviaires et électriques, membre du comité (1876-1917) et président (1891-1898) du BHIV, membre de la Chambre suisse de commerce (1882-1898), Cn libéral (1878-1887), expert très influent auprès du CF en matière de politique douanière et commerciale, de politique ferroviaire et de politique monétaire.

185 Hauser-Dora, 1986, p. 374.

Tableau 16. Principales forces interventionnistes du secteur secondaire durant la Grande dépression[186]

	Emplois milliers 1888	% pop. active 1888	Prod. mios 1883	Valeur ajoutée 1883	% du PIB 1883	Salaires mios 1883	% ouvr. fabrique 1888	CV/ trav. 1888	% de la prod. exportée	sommet de la crise
coton	44	*3,4*	173	61	*4,0*	22	*81*	0,7	*48*	1878/92
filature	15	*1,1*	69	28	*1,8*	6	*98*	1,5	*25-35*	1879/87
tissage	21	*1,6*	63	17	*1,1*	12	*68*	0,5	*50*	1877/84
impression	4	*0,3*	23	6	*0,4*	3	*92*	0,2	*80*	déclin
teinturerie	1	*0,1*	18	10	*0,7*	1	*92*	0,5	*60*	1886
chimie	4	*0,3*	14	9	*0,6*	(3)	*59*	0,7	*50*	–
machines	16	*1,2*	31	17	*1,1*	10	*96*	0,3	*45-70*	1878/86
métaux	21	*1,6*	11	5	*0,3*	2	*21*	0,8	*30-40*	1879
total	85	*6,5*	229	92	*6,0*	37	*64*	0,6	–	–

triels à promouvoir une intervention commerciale de l'Etat fédéral visant à optimiser ces débouchés de proximité. Selon l'orientation géographique de la branche, l'accent est mis sur une politique de protection ou/et une politique de combat permettant de conclure des traités à tarif. Dans les deux cas, la sécurité commerciale acquise favorise les investissements nécessaires à une modernisation de l'appareil productif et à la recherche de nouvelles technologies. En raison d'une masse salariale relativement limitée – 37 mios de frs en 1883, soit un peu plus du tiers des salaires versés par les trois industries du luxe –, le renchérissement de la vie provoqué par un abandon du libre-échange ne charge que modérément les coûts de production.

Outre une réforme de la politique douanière suisse, les élites interventionnistes revendiquent un transport ferroviaire meilleur marché. En raison

186 Les chiffres de l'emploi (1888) ne concernent que les postes à plein temps; SHS, 1996, pp. 404-411/397; la valeur brute et la valeur ajoutée sont tirées in SHS, 1996, pp. 630-631/867, sauf pour l'industrie des machines et métaux in SHS, 1996, p. 625 et l'industrie de la chimie in Bernegger, 1983, pp. 123/202; les masses salariales sont estimées à partir de la valeur ajoutée et de données sur les coûts de production tirées de la littérature secondaire – celles-ci figurent en notes dans la suite du texte; la masse salariale de la chimie est une estimation peu sûre; le nombre d'ouvriers soumis à la loi sur les fabriques (1888) est tiré in SHS, 1996, pp. 644-645; la force motrice par travailleur est tirée in Reichesberg, 1911, 1ère partie, vol. 3, p. 946 pour le coton et in Bernegger, 1983, p. 133 pour les autres branches; la part de la production exportée est calculée – arrondie à 5% près – selon une moyenne des années 1892/95, d'après les informations in SHS, 1996, pp. 680-687/630-631; en l'absence d'informations suffisantes, la proportion est tirée de la littérature secondaire; Masnata, 1924, note 1 p. 130; Behrendt, 1931, p. 42; les sommets de la crise sont fixés en fonction de l'évolution de la valeur ajoutée de la branche.

du rapport poids/valeur élevé des matières premières et/ou des fabriqués, les coûts d'acheminement entrent pour une part importante dans le prix de vente. Faisant appel à une technologie de pointe et à un travail de qualité, ces industriels sont aussi sensibles à la formation scolaire et professionnelle de la main-d'œuvre ainsi qu'à un encadrement de la recherche. En ce qui concerne le financement de l'intervention, la forte capitalisation de leur production les pousse à privilégier une fiscalisation de la consommation pour éviter une imposition du capital.

A la fin du XIXe siècle, l'importance relative de l'industrie du coton au sein de l'économie suisse n'est certes plus aussi grande qu'au début de la Révolution industrielle. En 1883, elle n'en demeure pas moins la deuxième branche du secteur secondaire qui produit le plus de valeur ajoutée – 61 mios de frs, soit 4% du PIB –, juste derrière la construction. En 1888, le nombre d'emplois à plein temps s'élève à 44 000, soit 3,4% de la population active. Le travail du coton est principalement concentré dans les cantons de Glaris (44,5% de la population active), Appenzell Rhodes-Extérieures (17,5%), St-Gall (8,2%), Argovie (6,8%), Zurich (5,9%) et Thurgovie (5%)[187]. Certes, les structures de production varient entre les différents segments de la branche, mais dans l'ensemble, la concentration en fabrique est forte (81% des travailleurs[188]) et la mobilisation de force motrice importante (0,7 CV/travailleur). Au début des années 1880, l'industrie du coton détient à elle seule la moitié du potentiel mécanique des entreprises soumises à la loi sur les fabriques[189]. Les intérêts payés sur le capital fixe ainsi investi constituent de ce fait une part importante de la valeur ajoutée[190]. Si bien qu'en 1883, la masse salariale ne dépasse pas les 22 mios de frs[191]. Cela équivaut à un peu plus de la moitié des salaires payés par la broderie, tandis que la valeur brute de la production est près de trois fois supérieure. A l'exception de quelques segments de production faisant appel au travail à domicile, les industriels du coton préfèrent donc couvrir les besoins financiers de l'Etat fédéral par une imposition de la consommation plutôt que par une imposition directe qui frapperait le capital fixe et les revenus de leurs entreprises. Une taxation des denrées alimentaires est toutefois combattue pour éviter un renchérissement des salaires.

187 SHS, 1996, pp. 404-411.

188 En tenant compte des emplois à temps partiel, la proportion serait probablement plus faible.

189 Gruner, 1988, vol. 2/1, p. 434.

190 En 1880, un industriel de la branche évalue l'ensemble du capital investi dans la branche, broderie inclue, à un milliard de frs – 63% du PIB –, ce qui paraît tout de même exagéré; Lang, 1880, pp. 9-10.

191 Cette estimation, calculée à partir d'informations concernant les coûts de production des différents segments de la branche, correspond à une évaluation de Cramer-Frey qui fixe la masse salariale à 19,5 mios de frs en excluant le tissage en fin – environ 2 mios de frs de salaires; Cramer-Frey, 1882, p. 4.

Du fait de la forte capitalisation de la production, le patronat est intéressé à une stabilisation des débouchés. Or, l'industrie du coton est exposée à une concurrence internationale beaucoup plus forte que l'horlogerie, la broderie ou la soie. Dans la plupart des pays européens, la construction d'une industrie cotonnière est la première étape du processus d'industrialisation, qui est souvent soutenue grâce à une forte protection douanière. Sur les marchés internationaux comme sur le marché intérieur, l'industrie du coton helvétique est alors confrontée à une concurrence toujours plus acharnée. Pour faire face à cette évolution, la plupart des entrepreneurs s'accordent sur la nécessité d'une politique commerciale interventionniste de la Confédération. Alors qu'une politique de combat visant à la conclusion de traités à tarif fait pratiquement l'unanimité, la protection du marché intérieur divise les différents segments de la branche. Si les producteurs de semi-fabriqués – fils et tissus écrus – réclament des barrières douanières, les brodeurs, imprimeurs et autres teinturiers refusent une imposition de leur principale matière première. Par ailleurs, l'attitude vis-à-vis d'une politique protectionniste dépend de la proportion de la fabrication qui est écoulée sur le marché intérieur.

L'industrie du coton est atteinte de plein fouet par la Grande dépression. Entre 1875 et 1890, le nombre de personnes employées – à temps plein ou partiel – passe de 80 000 à 50 000, après avoir atteint un sommet au milieu des années 1860 (90 000)[192]. L'indice de la production monte jusqu'à un plafond de 109 en 1874, redescend à un minimum de 90 en 1877, puis stagne, jusqu'en 1894, à un niveau proche de 1874. A partir de cette date, la reprise de la croissance est faible par rapport aux autres branches de l'industrie. Après avoir atteint 136 en 1907, l'indice redescend à 102 en 1913[193]. Une approche globale de la branche du coton occulte cependant une évolution très différenciée des différents segments de la production. En fonction des caractéristiques structurelles et de la situation conjoncturelle de leur activité, les différents patronats de l'industrie du coton adoptent des positions très différenciées vis-à-vis d'une intervention de l'Etat fédéral.

La filature mécanisée de coton occupe environ 15 000 personnes en 1888[194]. 82% des broches en activité sont concentrées dans les cantons de Zurich (34,2%), St-Gall (16,3%), Glaris (15,9%) et Argovie (15,6%)[195]. Les 10 plus

192 SHS, 1996, p. 396, estimation Ritzmann; à remarquer que les diverses évaluations concernant le nombre d'emplois dans l'industrie du coton divergent largement; contrairement à la statistique professionnelle utilisée pour construire le tableau 16 – SHS, 1996, pp. 404-411 –, certaines estimations, dont celle de Ritzmann, comptabilisent les emplois à temps partiel.

193 Bernegger, 1983, p. 223.

194 Une analyse détaillée de cette branche d'industrie figure in Dudzik, 1987, pp. 313-384.

195 SHS, 1996, p. 635.

grandes des 81 entreprises de la branche, qui sont essentiellement zurichoises, accaparent 44,5% des broches. Une force motrice de 22 000 chevaux est activée, ce qui représente 65% du total utilisé dans l'industrie du coton (1,5 CV/travailleur)[196]. Concentration et mécanisation de la production font de la filature une industrie fortement capitalisée[197]. En 1883, l'ensemble de la branche fabrique pour 69,1 mios de frs de filés, ce qui représente une valeur ajoutée de 27,5 mios – 1,8% du PIB – et une masse salariale d'environ 6 mios[198]. Durant la Grande dépression, 65 à 75% de la production sont écoulés sur le marché intérieur, le reste étant exporté sur les marchés des Etats voisins. Par ailleurs, l'importation de filés étrangers n'est pas négligeable, puisqu'elle culmine à 2000 tonnes en 1884, ce qui représente 13% de la consommation de filés sur le marché intérieur[199].

A partir de la fin des années 1870, la filature helvétique est victime de l'inadéquation entre une consommation de filés freinée par les effets de la crise économique et un appareil de production mondial en plein essor[200]. Entre 1874 et 1879, la consommation sur le marché intérieur s'affaisse de 28% sous l'effet de la crise des industries cotonnières de finition[201]. Cette évolution est encore aggravée par le protectionnisme douanier des pays voisins, qui favorise la croissance de leur appareil productif, tout en fermant des débouchés à l'exportation suisse[202]. Dans ce contexte de guerre commerciale, la compétitivité de la filature helvétique n'est pas optimale. Les

196 Reichesberg, 1911, 1ère partie, vol. 3, p. 946.

197 En 1875, l'installation d'une filature de 100 000 broches, qui produit annuellement pour un million de frs, nécessite un capital de 700 000 frs; Dudzik, 1987, p. 350; en 1883, une enquête du SSZWV estime le capital fixe et d'exploitation engagé dans la filature à 120 mios de frs, alors que le tissage mécanique en blanc mobiliserait 26,4 mios; Jenny-Trümpy, 1898/1900, pp. 662-663.

198 La matière première représente 56% du prix du filé durant les années 1880/85 et le bénéfice brut 31%; les salaires, les intérêts du capital, le coût de l'énergie et les frais divers s'élèvent donc à 13% du prix; SHS, 1996, pp. 620-621; en sachant qu'en 1875, le rapport salaires/intérêts du capital est de 2/3 dans une filature de 10 000 broches, la masse salariale est probablement inférieure à 10% de la valeur de la production; une source datée de 1875 estime les coûts salariaux à 13% du prix du coton, soit environ 7% du prix du filé; Dudzik, 1987, p. 350; ce chiffre est corroboré par une étude qui fixe la part salariale à 8,5% en 1865; Bärtschi, 1983, p. 95; en 1882, Cramer-Frey évalue la masse salariale de la branche à 10 mios de frs; Cramer-Frey, 1882, p. 4; en 1883, une enquête de l'association des fileurs estime celle-ci à 6,8 mios; Jenny-Trümpy, 1898/1900, p. 663.

199 SHS, 1996, p. 620.

200 Dudzik, 1987, pp. 313-319; Gutachten über die Revision..., 1876, pp. 28-29; Feer-Herzog, 1878; Zur eidgenössischen Zollrevision..., 1878; Referate über die Textil-Industrie..., 1879; An den hohen schweizerischen Bundesrath, 1879.

201 SHS, 1996, p. 620.

202 Les taxes des pays voisins sur les fils en coton figurent in Referate über Textil-Industrie..., 1879, pp. 2-6.

hausses salariales des années 1850-1860 ont réduit le différentiel positif dont elle bénéficiait au début du siècle[203]. Dès 1877, l'instauration de la loi sur les fabriques interdit au patronat de réduire ses coûts de production en prolongeant le temps de travail journalier au-delà d'une limite de 11 heures. Enfin, la productivité de la plupart des filatures suisses souffre d'un retard technologique vis-à-vis des entreprises étrangères. En 1875, le fil standard n° 40 fabriqué en Suisse est environ 10% plus cher que celui produit par une filature anglaise[204]. Entre 1872/1874 et 1877/1880, le volume de la production reste stable, mais sa valeur brute diminue de 90,1 à 54,2 mios de frs[205]. Certes, cet effondrement est en partie imputable à une chute du prix du coton, mais le patronat est aussi contraint de diminuer ses marges bénéficiaires afin d'écouler la production. La valeur ajoutée est réduite de 42 à 17 mios de frs, tandis que le bénéfice brut passe de 188 à 50 cts/kg, soit une réduction de 73%. De nombreuses entreprises ne résistent pas au choc: entre 1870 et 1888, le nombre de filatures passe de 158 à 110[206]. Quant au nombre de broches en activité, il diminue à partir de 1884. A la veille de la Première guerre mondiale, l'érosion de la capacité de production s'élève à 21%.

Pour surmonter la crise, le patronat de la branche prend une série de mesures au sein de l'entreprise[207]. Des économies d'échelle sont réalisées au moyen de l'agrandissement des unités de production et de l'intégration verticale du filage et du tissage mécaniques. Des gains de productivité sont réalisés grâce à l'introduction de nouvelles technologies, mais seules les entreprises financièrement solides peuvent se permettre de renouveler leur parc de machines. Par ailleurs, l'idée d'organiser la branche afin d'agir sur la formation des prix gagne du terrain. En 1888, Fritz Bertheau-Hürlimann[208] est convaincu que la survie de la branche passe par une imitation des cartels étrangers:

> *Das Lebensfähige besteht darin, dass die einzelnen Industrien sich corporativ zusammenschliessen und die Erzeugung, sowie den Vertrieb der Güter gemeinschaftlich reguliren. Es ist nicht der Ort, hier auf diese Idee weiter einzugehen, nach meiner Ueberzeugung ist dies der einzige Rettungsanker für die Industriellen überhaupt, welche ohne denselben unfehlbar durch das Princip der freien Concurrenz, wie*

203 Vis-à-vis de certains pays en voie d'industrialisation, il se transforme même en différentiel négatif; en 1875, la masse salariale d'une filature de 10 000 broches est inférieure de 28% en Italie; Dudzik, 1987, p. 350.

204 *Ibidem*, p. 316.

205 Toutes les informations qui suivent sont tirées in SHS, 1996, pp. 620-621/634-635.

206 Dudzik, 1987, pp. 318-319.

207 *Ibidem*, pp. 337-384.

208 *Friedrich Bertheau-Hürlimann* (1829-1913), directeur (dès 1861) puis propriétaire (dès 1875) de la filature de coton de Rapperswyl, président puis secrétaire du SSZWV, probablement lié à la famille Hürlimann qui possède un véritable empire cotonnier.

> *solches in der Form des Manchesterthums sich ausgebildet hat, erwürgt werden. Dieses Princip hat sich jedoch in der Form des Manchesterthums ausgelebt, es sucht sich einen neuen Leib und wird denselben finden. Man tastet überall herum, die rechte Form für dies corporative Fabriciren zu finden [...]*[209]

Mais les limites de ces stratégies de crise poussent le patronat vers d'autres voies. Afin de poursuivre leur développement, les grands industriels de la branche délocalisent massivement leur production à l'étranger, en particulier dans les grands pays protectionnistes. En 1913, l'industrie cotonnière suisse contrôle 1,5 mios de broches et 27 000 métiers mécaniques dans les quatre principaux pays d'investissement (Italie, Allemagne, Autriche, Russie). A cela s'ajoute les capitaux exportés en France, Espagne, Roumanie, Pologne, Silésie, Bohème et au Brésil[210]. A la veille de la guerre, la capacité de production installée à l'étranger est supérieure à celle qui fonctionne en Suisse.

Afin d'assurer une rentabilité aux investissements réalisés depuis plusieurs décennies en Suisse – et d'éviter ainsi une destruction de capital et des licenciements massifs –, les grands industriels de la filature estiment nécessaire et légitime de recourir à une intervention de l'Etat. Dès 1877, l'association organisant les entreprises de la branche est renforcée pour mener la lutte contre la limitation légale du temps de travail[211]. En 1879, elle est élargie au patronat du tissage mécanique, puis, en 1884, à celui du retordage. Elle est alors baptisée «Schweizerischer Spinner-, Zwirner- und Weber-Verein» (SSZWV). Dès 1879, le SSZWV exige que la Confédération adopte une politique douanière de combat combinée avec une protection du marché intérieur:

> *Wir stehen vor dem Dilemma: entweder den grössern Theil unserer Spinnerei und Weberei nach und nach verschwinden zu sehen, oder aber im Hinblick auf die grosse Bedeutung dieser Industrien für die gesammte Landeswohlfahrt eine Änderung des bisherigen Zollsystemes zu verlangen [...] ein Ausweg steht uns noch offen; der Staat, die Gesammtheit aller Bürger, soll eintreten, wo die Kräfte der Einzelnen nicht ausreichen; er soll wenigstens dafür sorgen, dass diejenigen Baumwollwaaren, welche wir hier anfertigen können, grössten Theils zum weitern Gebrauch unserer Industrie, auch wirklich angefertigt werden können; mit andern Worten, dass die Einfuhr ausländischer Baumwollwaaren durch Auflage eines höhern Zolles beschränkt werde*[212].

D'une part, la forte taxation des filés importés doit préserver le marché intérieur du «dumping» allemand[213]. D'autre part, l'imposition des tissus

209 Bertheau, 1888, p. 26.
210 Dudzik, 1987, pp. 347-349; sur l'expatriation de l'industrie du coton, cf. également Feer-Herzog, 1878, pp. 3-4; Jenny-Trümpy, 1898/1900, pp. 670-671.
211 Les rapports de cette association fondée en 1870, qui existent dès 1877, sont disponibles à la Bibliothèque nationale; les informations qui suivent en sont extraites.
212 An den hohen schweizerischen Bundesrath..., 1879, pp. 4/5.
213 Eingabe des Schweizerischen Spinner-, Zwirner- und Weber-Vereines..., 1887, p. 2.

importés d'Angleterre par la broderie et l'impression – à environ 5% de la valeur –, doit permettre de les produire en Suisse. La protection demandée est conçue comme une garantie à l'investissement:

> *Sobald unsere Weberei einmal weiss, dass sie mit der überlegenen Massenproduktion der Engländer auf dem einheimischen Markt in Concurrenz treten darf, so wird sie sich ungesäumt in der nöthigen Stärke dafür einrichten, um diese Concurrenz aufzunehmen*[214].

A l'image de ce qui s'était passé durant la crise des années 1840, avec Christian Beyel, les aspirations du patronat cotonnier sont théorisées, modélisées et diffusées par un publiciste féru d'économie politique: Arnold Steinmann-Bucher[215]. Nommé secrétaire de la KGZ, en 1874, Steinmann-Bucher s'engage en faveur d'une réforme des conditions-cadre de l'économie suisse. En janvier 1877, il lance une bombe contre le libéralisme manchestérien, intitulée «Wie wir Volkswirthschaft treiben. Ein rückhaltloses Wort»[216]. La thèse défendue est que l'avenir de l'économie helvétique dépend d'une intervention accrue de la Confédération:

> *[...] hierin erblicken wir eine Hauptaufgabe unserer nächsten Bestrebungen: den volkswirthschaftlichen Ausbau des Bundes zu unternehmen. Je mehr wir uns mit diesen Forderungen beschäftigen, um so mehr werden wir uns vom Manchesterthum entfernen und den Staat nicht mehr als ein nothwendiges Uebel betrachten, sondern als die Grundlage unserer eigenen Stärke. Je mehr wir uns von der Isolirung der egoistischen Einzelleben aufraffen zu einer verständigen Gemeinschaftsaktion, je mehr wir von dem Einzelinteresse weg uns zum Gemeinschaftsinteresse wenden, um so mehr wird unsere nationale Kraft sich konsolidiren [...]*[217]

En mars 1877, Steinmann-Bucher démissionne de son poste de secrétaire de la KGZ, qui est encore dominée par les élites zurichoises libérales, pour créer une revue: *Schweizerisches Centralblatt für Industrie, Handel und*

214 An den hohen Bundesrath zu Handen..., 1882, p. 3.

215 *Arnold Steinmann-Bucher* (?-?), employé d'une compagnie ferroviaire à St-Gall («Vereinigte Schweizer-Bahnen»), secrétaire de la KGZ (1874-1877), fonde un hebdomadaire intitulé *Schweizerisches Centralblatt für Industrie Handel und Verkehr (Centralblatt)* dans lequel il attaque le libéralisme manchestérien (1877), secrétaire de la section saint-galloise de l'USAM (dès 1879), émigre en Allemagne (1885), devient rédacteur en chef de l'organe de presse du «Centralverband Deutscher Industrieller» – association patronale allemande; informations tirées in Zimmermann, 1980, note 1 p. 189; Gruner, 1956/1, note 76 p. 63.

216 Les points suivants y sont discutés: 1) organisation des milieux industriels; 2) réorganisation du Département du commerce; 3) chambres de commerce et associations économiques; 4) création de musées industriels; 5) formation professionnelle et écoles spécialisées; 6) propriété industrielle (protection des inventions, des modèles et des marques); 7) statistique industrielle; 8) politique douanière et commerciale; 9) régulation de l'émission fiduciaire; 10) intervention de l'Etat dans les chemins de fer; 11) loi sur les fabriques.

217 Steinmann-Bucher, 1877, p. 53.

Verkehr. Organ für die materiellen Interessen der Schweiz. Il y défend l'idée que le capitalisme doit s'adapter à la nouvelle réalité sociale et économique, à la fois pour échapper à l'anarchie issue du libéralisme manchestérien et pour éviter de tomber dans l'utopie socialiste[218]. L'interventionnisme prôné par le Saint-Gallois n'a pas pour objectif de redistribuer la richesse par le biais de mesures sociales, mais de créer du travail en améliorant les conditions de production et de commercialisation. Parmi les mesures qu'il propose pour y parvenir, l'intervention commerciale de l'Etat – protectionnisme et politique de combat – joue un rôle primordial[219]. Les autres voies explorées sont la réduction des coûts du transport ferroviaire, la régulation de l'émission fiduciaire (change fort et taux d'escompte avantageux), la flexibilité du temps de travail, la formation professionnelle, la protection des inventions, des modèles et des marques. Début 1880, Steinmann-Bucher abandonne la publication de son périodique, au moment même où le SSZWV envisage d'en faire son organe officiel. Le publiciste n'en poursuit pas moins sa croisade interventionniste en écrivant une série de brochures consacrées au sujet[220].

Dans les années 1880, le tissage de coton occupe 21 000 personnes[221]. Comme la filature, cette activité est surtout concentrée dans les cantons de Zurich, St-Gall, Glaris, Argovie et Thurgovie. Les trois principaux segments de la branche – tissus écrus, tissus en couleur et tissus fins – ont des structures de production et des intérêts commerciaux très différenciés. Ensemble, ils produisent pour une valeur de 63 mios de frs, soit une valeur ajoutée de 17 mios – 1,1% du PIB – et une masse salariale d'environ 12 mios. Seulement 50% de la production est directement exportée, le reste étant vendu aux industries de finition ou consommé sur le marché intérieur[222].

En 1883, environ 16 000 métiers mécaniques fabriquent des tissus écrus – semi-fabriqués utilisés par les industries de finition – pour une valeur

218 *Centralblatt*, Nr. 26, 1878, «Anarchie», pp. 198-200.

219 Outre la mise en place d'une politique interventionniste combinant protection et politique de combat, le publiciste saint-gallois lance l'idée d'une union douanière avec la France; Steinmann-Bucher, 1879; cette stratégie commerciale reçoit le soutien d'une partie du patronat de l'industrie de la filature, alors en plein marasme conjoncturel; les industriels espèrent en effet remplacer l'industrie cotonnière d'Alsace sur le marché français, suite à l'annexion de cette région par l'Empire allemand; Binswanger, 1958, pp. 278-283.

220 Steinmann-Bucher, 1881/2; Zur Zollfrage..., 1881; Steinmann-Bucher, 1882.

221 Sur le développement du tissage de coton, cf. Reichesberg, 1911, 1ère partie, vol. 3, pp. 883-896/955-956.

222 Une statistique détaillée des tissus de coton exportés et importés, à partir de 1885, figure in Jenny-Trümpy, 1898/1900, pp. 659-661; Reichesberg, 1911, 1ère partie, vol. 3, pp. 950-954; Ferrari, 1977, pp. 252-253; les informations données sur le commerce extérieur des différents segments de production sont tirées de ces ouvrages.

approximative de 40 mios de frs[223]. En 1885, 70% de la production est écoulée sur le marché intérieur; la concurrence étrangère y est vive, en particulier pour les tissus les plus fins utilisés par la broderie et l'impression – l'importation avoisine les 25% de la production suisse. Les 30% restant sont exportés vers les pays voisins (Allemagne et Italie). Le patronat de la branche accorde une certaine importance au trafic de perfectionnement passif avec l'Allemagne – environ 4% des tissus produits y sont expédiés pour être blanchis, teints ou imprimés, avant d'être réimportés en franchise. Pour faire face à la crise, qui culmine dans la première moitié des années 1880, les industriels du tissage mécanique prônent les mêmes solutions que les filateurs, qu'ils rejoignent au sein du SSZWV.

Concentrée en Argovie et dans le Toggenbourg (SG), l'industrie du tissage en couleur est dans une phase de restructuration qui se caractérise par une mécanisation progressive de la fabrication – 7000 métiers mécaniques contre 4000 métiers manuels en 1883[224]. La production – 15 mios d'étoffes en fils teints[225] – est encore principalement exportée (75%), surtout vers les marchés d'outre-mer. Dès la fin des années 1870, les difficultés rencontrées sur les débouchés traditionnels provoquent toutefois une polémique au sein du patronat. Fidèles au libre-échange, certains industriels prônent une stratégie de spécialisation de la production et de diversification des débouchés extérieurs:

> *Laissez faire und laissez aller heisst die Parole im Verkehrswesen; dann wird sich von selbst regeln, was die Natur erfordert [...] Allüberall wo der Staat seine ungelenken Finger in die Verkehrsverhältnisse hinein gestreckt, hat er nur Unheil und Verwirrung gebracht [...]*[226]

Par contre, une partie des entrepreneurs réorientent leur production pour satisfaire les besoins du marché intérieur. Dès 1879, ils demandent à la Confédération de soutenir leur stratégie commerciale par une protection

223 Les 88 000 quintaux fabriqués correspondent à 68% de la production totale de tissus; en admettant que la proportion en valeur est légèrement inférieure – les tissus fins et en couleur sont plus chers –, le chiffre de 40 mios sur une production totale de 63 mios (1883) est certainement proche de la réalité; Jenny-Trümpy, 1898/1900, p. 663; SHS, 1996, pp. 622/630-631; la masse salariale est estimée à 6,8 mios par une enquête du SSZWV (1883); Jenny-Trümpy, 1898/1900, p. 663; en 1882, Cramer-Frey l'évalue à 7 mios pour l'ensemble du tissage mécanique; Cramer-Frey, 1882, p. 4; une somme de 6 mios pour le tissage mécanique en blanc semble donc réaliste.

224 Pour un aperçu de la branche, cf. Fischer, 1990, pp. 183-205; Reichesberg, 1911, 1ère partie, vol. 3, pp. 896-901; Rey, 1937, pp. 80-87; Jenny-Trümpy, 1898/1900, pp. 663-667.

225 Une statistique donne un rapport salaires/valeur de la production de 25% en 1890; Jenny-Trümpy, 1898/1900, p. 667; en admettant que la mécanisation accélérée de la branche a diminué alors la proportion des salaires, une masse salariale de 4 mios est à considérer comme un minimum.

226 Brunner, 1880, p. 18.

douanière[227]. En 1900, 68% de la fabrication est écoulée en Suisse[228]. Industrie libre-échangiste au début de la crise – production manuelle destinée à l'exportation outre-mer –, le tissage en couleur est par conséquent passé dans le camp protectionniste au tournant du siècle – production de masse mécanisée tournée vers le marché intérieur.

Les plumetis – tissus imitant la broderie («Plattstichweberei») – et autres étoffes façonnées sont encore fabriquées à domicile au moyen de métiers manuels[229]. Industrie du luxe, ce segment du tissage exporte sa production – environ 8 mios de frs[230] – à plus de 95%, surtout vers les Etats-Unis et la Grande-Bretagne. Malgré la crise, l'indice de l'exportation s'envole entre 1878 (indice 70) et 1882 (indice 289). Mais à partir de 1883, le tissage en fin entre dans une crise profonde qui dure jusqu'en 1891. En 1887, l'exportation est à son niveau le plus bas en raison de la fermeture du marché américain et de la baisse des prix (0,6 mios de frs). Quatre-vingt-dix fabricants et commerçants de la branche décident alors de réagir en constituant une association, le «Verein für Handweberei» (1888). En profitant de leur situation quasi monopolistique sur le marché international, les producteurs tentent d'imiter les brodeurs en fixant des prix et des salaires minima, mais sans succès. Par ailleurs, la formation des modélistes et des tisserands est améliorée, dès 1895, grâce à l'ouverture d'une école. Les services demandés à la Confédération se limitent à l'instauration d'une protection des modèles[231]. Sur le plan commercial, le premier président de l'association, Jakob Steiger-Meyer[232], tente sans succès d'organiser une politique de

227 Referate über Textil-Industrie..., 1879, p. 8, discours de Roth-Meier; *Centralblatt*, Nr. 23, 1879, p. 165; la notice intitulée «Aargauischer Handels- und Industrieverein» fait état d'une requête adressée par cette association au CF, le 3 juin 1879, réclamant une protection pour les tissus en couleur, les tissus demi-laine et la filature de coton.

228 Jenny-Trümpy, 1898/1900, p. 667.

229 Sur le tissage manuel d'étoffes fines, cf. Buff, 1992; Tanner, 1982, pp. 48-52; Reichesberg, 1911, 1ère partie, vol. 3, pp. 886-887/889/895-896.

230 Les plumetis ne sont comptabilisés séparément dans la statistique suisse qu'à partir de 1885; Reichesberg, 1911, 1ère partie, vol. 3, p. 952; l'estimation des exportations – 7 mios en 1882 – est donc construite à partir de l'indice des exportations in Tanner, 1982, p. 50; le taux d'exportation étant de 95% – Buff, 1992 –, la production peut être évaluée à 8 mios de frs; en admettant un rapport salaires/valeur de la production de 30%, la masse salariale doit avoisiner les 2 mios de frs.

231 Buff, 1992, pp. 17-32.

232 *Jakob Steiger-Meyer* (1833-1903) (AR), apprentissage de commerce dans l'entreprise d'exportation Bischoff à Teufen, activité à Londres pour cette firme, ouverture d'un commerce d'exportation à St-Gall (1858) puis à Herisau (1860), président de l'«Industriekommission» créée par la SGG (1862), cofondateur de la «Bank von Appenzell» (1866), commissaire à l'Exposition universelle de Vienne (1873), négociateur du traité de commerce avec la France (1882), président de la section appenzelloise de l'USCI (1879-1890).

combat européenne contre les Etats-Unis, afin d'y assurer l'écoulement des produits de luxe[233].

En dehors de la filature et du tissage, l'industrie du coton compte encore des industries de finition, dont les deux plus importantes sont l'impression et la teinturerie. En 1888, ces segments de production emploient 5000 personnes, dont la majeure partie travaillent en fabrique dans les cantons de Glaris et Zurich.

Au début de la Grande dépression, l'industrie de l'impression est le principal exportateur de cotonnades[234]. La production de mouchoirs, de «yasmas» (capes turques), de «batiks» et d'étoffes couleur rouge turc s'élève à 23 mios de frs, soit une valeur ajoutée de 6 mios et une masse salariale de 3 mios[235]. Elle s'effectue en fabrique dans des entreprises d'une certaine envergure (92% des travailleurs sont soumis à la loi sur les fabrique[236]), mais la mécanisation de la production demeure limitée (0,2 CV/travailleur). Jusqu'à la crise, le patronat développe en effet une stratégie de spécialisation dans la fabrication de tissus ne pouvant pas être produit par des machines. Le travail manuel permet une certaine flexibilité de la production qui est adaptée à la demande des débouchés extérieurs, où elle est exportée à près de 80%. En 1885, 17,8 mios de frs de marchandises sont expédiés à l'étranger, dont les deux tiers vers des marchés européens[237]. L'industrie de l'impression est de ce fait très intéressée à une politique de combat, d'autant plus que durant les années 1880, les Etats voisins entravent fortement son exportation par des mesures protectionnistes[238]. Les traités de commerce doivent

233 En 1884, Steiger-Meyer propose une collaboration entre la France, l'Allemagne et la Suisse pour combattre le protectionnisme douanier américain; au moyen d'une augmentation de la taxe sur le blé, il s'agirait d'obtenir une diminution des taxes américaines sur les objets de luxe et d'empêcher ainsi le développement des industries de la soie, de la broderie et de l'horlogerie aux Etats-Unis; cette ébauche de politique de combat européenne contre les Etats-Unis ne reçoit toutefois pas le soutien des autorités politiques suisses; DDS, vol. 3, n° 280, pp. 591-595.

234 Pour un aperçu du développement de la branche, cf. Jenny-Trümpy, 1898/1900, pp. 596-653; Reichesberg, 1911, 1ère partie, vol. 3, pp. 909-917.

235 En 1882, Cramer-Frey évalue la masse salariale de l'impression et de la teinturerie à 2,5 mios de frs pour 4000 ouvriers; Cramer-Frey, 1882, p. 4; en admettant que le nombre d'ouvriers est en fait d'au moins 6000 à cette date, une masse salariale de 4 mios, dont 3 pour l'impression, semble plus proche de la réalité.

236 A la fin des années 1860, 22 entreprises emploient 5500 personnes dans le canton de Glaris, ce qui fait une moyenne de 250 ouvriers par unité de production; la plus grande d'entre elles compte 521 salariés; Jenny-Trümpy, 1898/1900, pp. 514-515.

237 Le détail de la répartition des marchés se trouve in Jenny-Trümpy, 1898/1900, p. 661; cf. également Lunge, 1901, pp. 65-68.

238 Les taxes à payer en 1895 sur les principaux marchés figurent in FF, 1895, vol. 3, p. 700; à l'abri de cette protection, la concurrence étrangère se développe rapidement; un aperçu de la capacité de production des pays concurrents se trouve in Jenny-Trümpy, 1898/1900, pp. 651-652.

par ailleurs promouvoir le trafic de perfectionnement actif, en particulier avec l'Allemagne[239]. En ce qui concerne le marché suisse, l'impression n'y écoule que 2,4 mios de frs, soit 50% de la consommation intérieure. Vu les limites de ce débouché, le patronat n'est que modérément intéressé à une politique protectionniste. Par contre, les entrepreneurs glaronnais livrent une lutte acharnée aux producteurs de semi-fabriqués qui cherchent à augmenter l'imposition de leur matière première[240]. Le renchérissement des tissus écrus, qui représentent jusqu'à 70% du prix de la marchandise, serait en effet catastrophique pour une branche déjà en difficulté[241].

Les différents segments de production de l'impression évoluent de manière différenciée au cours de la Grande dépression. La tendance générale est toutefois à la disparition progressive de cette industrie. Entre 1875 et 1895, la valeur de la production passe de 31,7 à 13,5 mios, alors que la valeur ajoutée diminue de 9,2 à 3,5 mios. Entre 1864 et 1890, le prix du mètre d'étoffe imprimé en rouge turc chute de 107 à 33 cts. Afin de lutter contre la crise, le patronat de l'impression tente de cartelliser la branche, sans grands résultats[242]. Par ailleurs, un mouvement de délocalisation de la production est amorcé, surtout en direction de l'Italie[243]. Afin de soutenir la fabrication en Suisse, une intervention de l'Etat est réclamée dans le but de réduire les coûts de production et de commercialisation. Dans cette perspective, les industriels de la branche créent, en 1882, une association regroupant aussi les patronats de la teinturerie, du blanchiment, de l'industrie des colorants et d'autres branches de l'industrie chimique: la «Schweizerische Gesellschaft für chemische Industrie» (SGCI)[244].

239 En 1900, le trafic de perfectionnement s'élève à 1708 quintaux, soit 13% de la quantité exportée en 1901 (12 730 quintaux); Reichesberg, 1911, 1ère partie, vol. 3, p. 954; Jenny-Trümpy, 1898/1900, p. 661.

240 Entgegnung des schweizerischen Spinner- und Webervereins auf die Eingabe des glarnerischen Druckerconsortiums..., 1883; requête des industriels de l'impression des «Yasmas» adressée le 31 mai 1890 au CF, in AF, E 11, vol.19.

241 Un tissu imprimé couleur rouge turc est vendu 27 à 33 cts le mètre entre 1880 et 1913; le tissu teint en rouge utilisé pour cette production coûte entre 19 et 22 cts, les drogues 1 cts, les matières combustibles 1 cts, et les salaires 1 cts, ce qui laisse une marge de 5 cts, dont il faut encore déduire les coûts du capital et ceux de commercialisation pour obtenir le bénéfice net; Sulzer, 1991, pp. 219-220.

242 En 1871 déjà, les principaux producteurs de tissus en rouge turc se réunissent dans une «Vereinigung der schweizerischen Turkischrot-Drucker» afin de fixer des prix minima; Jenny-Trümpy, 1898/1900, p. 630; entre mars 1892 et mars 1895, les producteurs de «yasmas» forment un cartel permettant de réduire la concurrence et de soutenir les prix; Jenny-Trümpy, 1898/1900, pp. 641-643.

243 Jenny-Trümpy, 1898/1900, pp. 670-671.

244 Gedenkschrift an das 50 jährige Jubiläum..., 1932; l'association regroupe d'emblée l'élite des patronats des cantons de Glaris (impression), Zurich (teinturerie/blanchiment/chimie), Thurgovie (teinturerie) et Bâle-Ville (chimie).

En 1883, l'industrie de la teinturerie de fils et de tissus en coton produit pour 18 mios de frs, soit une valeur ajoutée de 10,1 mios et une masse salariale d'un million[245]. La mécanisation étant limitée (0,5 CV/travailleur), de même que le coût de l'équipement, le capital fixe engagé est moins important que dans la filature. Jusqu'au début des années 1880, la teinturerie vend la majeure partie de sa production au tissage en couleur et à l'impression en rouge turc. Par la suite, l'écroulement de ces deux industries de finition oblige le patronat à compenser les pertes sur le marché intérieur par de nouveaux débouchés extérieurs, ce qui nécessite une organisation commerciale de la branche[246]. Au milieu des années 1880, l'exportation de tissus s'élève à 8 mios de frs, dont 45% vers les pays voisins, et celle de filés à 2,7 mios. Cela représente 60% de la valeur de la fabrication de 1883[247]. Le trafic de perfectionnement actif réalisé avec l'Allemagne équivaut à 3600 quintaux de fils et de tissus, soit 20% des quantités exportées en 1887[248]. De ce fait, les teinturiers sont à la fois intéressés à une protection douanière et à la conclusion de traités de commerce via une politique de combat.

La teinturerie n'est touchée par la crise qu'au début des années 1880. Celle-ci ne se manifeste pas par un écroulement de la production, mais par une diminution des prix et des marges bénéficiaires[249]. Après avoir atteint un sommet de 19,8 mios de frs, en 1879, la valeur ajoutée de la branche retombe à un minimum de 13,2 mios en 1885, avant de stagner à un niveau légèrement supérieur jusqu'au milieu des années 1890[250]. Le patronat de la branche est donc contraint de réduire les coûts de production et de commercialisation s'il entend préserver son profit. Il n'est dès lors pas étonnant qu'il s'allie aux imprimeurs pour exiger une intervention de l'Etat dans ce sens.

Au moment de la constitution de la SGCI, en 1882, l'industrie chimique n'a pas encore un poids relatif important au sein de l'économie suisse[251]. Elle

245 Une valeur ajoutée de 10 mios parait toutefois élevée lorsqu'on analyse les coûts de production chez Sulzer (1885): pour un mètre de tissu teint vendu 21,9 cts, le tissu brut coûte 14,5 cts, les drogues 2 cts, le combustible 1 cts, les salaires 1,3 cts, ce qui laisse une marge de 3,1 cts, dont il faut encore déduire le coût du capital et les coûts de commercialisation pour obtenir le bénéfice net; la valeur ajoutée se situe donc à environ 20% de la valeur du produit, ce qui est loin des 56% donnés par la SHS; Sulzer, 1991, p. 214.

246 Sulzer, 1991, pp. 223-241.

247 Reichesberg, 1911, 1ère partie, vol. 3, pp. 949-954; Ferrari, 1977, pp. 252-253.

248 Reichesberg, 1911, 1ère partie, vol. 3, p. 954.

249 Entre 1877 et 1884, chez Sulzer, la marge laissée par la teinte d'un mètre de tissu passe de 12,5 cts à 7,3 cts; Sulzer, 1991, p. 288.

250 SHS, 1996, p. 630.

251 Pour un aperçu de la branche, cf. Busset, 1997; Straumann, 1995; Lunge, 1901; Jenny-Trümpy, 1898/1900, pp. 579-595.

emploie environ 4000 personnes, principalement dans les cantons de Berne (1100), Bâle (700) et Zurich (700)[252]. La production s'élève à environ 14 mios de frs, soit une valeur ajoutée de 9 mios – 0,6% du PIB – et une masse salariale approximative de 3 mios[253]. Les principaux segments de cette branche sont la fabrication de colorants, de savons, de produits pharmaceutiques, de matières explosives et d'allumettes, de vernis et de laques, etc. Fortement liée à l'industrie textile (impression, teinturerie, blanchiment), la chimie produit essentiellement pour le marché intérieur. Mais à partir des années 1860, la branche entame son émancipation avec la fabrication de colorants de synthèse qui sont exportés à près de 90% (1905)[254]. Au contraire des autres segments de production, le patronat bâlois de l'industrie des colorants n'a donc que peu intérêt à une protection douanière[255]. En 1899, 38% de l'exportation de couleurs est dirigée vers les Etats-Unis et la Grande-Bretagne et 34% seulement vers les marchés voisins, dont 23% en franchise vers l'Allemagne et l'Italie. Un intense trafic de perfectionnement avec l'Allemagne est favorisé par des conditions douanières avantageuses. L'introduction d'une politique de combat ne motive de ce fait que modérément les grands industriels de la branche. Comme l'industrie mécanisée du coton, la chimie est fortement concentrée en fabrique (92% des travailleurs) et elle mobilise beaucoup de force motrice (0,7 CV/travailleur). Le capital investi est ainsi important.

A la fin des années 1870, l'introduction de la fabrication artificielle d'alizarine ne permet plus à l'industrie suisse de produire ce colorant rouge à des prix pouvant concurrencer l'industrie allemande. De manière générale, les prix des colorants sont à la baisse, ce qui restreint les marges bénéficiaires. Sur le plan commercial, la crise des industries suisses de transformation et la montée du protectionnisme européen posent certains problèmes. Pour faire face à une situation assez délicate, le patronat bâlois change de stratégie de développement, dans le sens d'une adaptation au modèle allemand. Les liens avec l'EPFZ sont renforcés et la recherche est développée au sein de l'entreprise. Les innovations technologiques ainsi favorisées permettent

252 SHS, 1996, pp. 404-411.

253 Les calculs sont effectués à partir d'une estimation de la valeur ajoutée de 9 mios in Bernegger, 1983, p. 202; ce même auteur donne un rapport valeur ajoutée/valeur brute de 65% pour les colorants; l'évaluation de la masse salariale est à prendre comme un ordre de grandeur.

254 Les données sur le commerce extérieur de la branche sont tirées in Lunge, 1901, pp. 54-55; Hahn, 1934, pp. 7-69; Busset, 1997, p. 94; Straumann, 1995, pp. 144-153.

255 En tenant compte du fait que le nombre de travailleurs de l'industrie des colorants représente moins du tiers des ouvriers de fabrique de la chimie, on peut admettre que les colorants ne constituent pas plus de la moitié de la valeur brute de la production; l'exportation d'autres produits étant alors faible, la part de la fabrication totale exportée peut donc être grossièrement estimée à 50%.

d'occuper des niches du marché international, dans lesquelles les produits suisses bénéficient d'une compétitivité hors-prix. Mise en place durant les années 1880, la nouvelle stratégie provoque un changement de position du patronat vis-à-vis de la protection des inventions. Lors de sa fondation, en 1882, la SGCI engage une lutte politique pour que les industriels de la branche ne soient pas astreints à une législation qui les empêcherait de piller les découvertes faites dans d'autres pays. Dès 1894, une majorité des membres de l'association est désormais favorable à l'extension de la loi de 1888 sur les brevets d'invention à la chimie. Afin de combattre le protectionnisme des grandes puissances (France, Russie, Etats-Unis, etc.), les entreprises de la branche délocalisent rapidement leur production vers ces pays. En 1913, trois firmes bâloises ont atteint le statut de multinationale. 30% des colorants helvétiques sont alors fabriqués à l'étranger[256]. Dans ce contexte, une intervention douanière accrue de l'Etat n'est pas ressentie comme une nécessité vitale. A partir de 1902, la chimie est néanmoins favorable à une politique de combat ainsi qu'à une protection du marché intérieur. Malgré les difficultés mentionnées, l'industrie des colorants traverse la Grande dépression de manière relativement sereine. De 1875 à 1896, la production passe de 7 à 16 mios de frs avant de se développer très rapidement dans les années 1890-1914[257].

Dans les années 1880, l'industrie des machines et métaux emploie 37 000 personnes, soit 2,8% de la population active[258]. En 1883, la valeur produite s'élève à 42,1 mios de frs, soit une valeur ajoutée de 21,2 mios – 1,4% du PIB – et une masse salariale de 12 mios[259]. Les structures de production de cette branche sont très hétérogènes. Le petit atelier familial côtoie l'entreprise Sulzer qui emploie alors 1700 personnes. Certes, la branche n'est dans son ensemble que peu concentrée, mais 3,6 % des entreprises occupent 61% des salariés[260]. L'utilisation de force motrice reste modérée dans la fabrica-

256 Sur les délocalisations de l'industrie chimique, cf. Schröter, 1993, pp. 35-37; Schröter, 1994, pp. 45-51; Hahn, 1934, pp. 79-82.

257 Jenny-Trümpy, 1898/1900, p. 586.

258 Pour un aperçu de la branche, cf. Gruner, 1988, vol. 2/1, pp. 315-350; Hofmann, 1962; Lincke, 1933; Gugerli, 1994; Paquier, 1998.

259 La part des salaires dans les coûts de production varie fortement selon les fabriqués; entre 1882 et 1914, ils représentent 45 à 50% des coûts de production de l'entreprise de construction de locomotives de Winterthour; Gruner, 1988, vol. 2/1, p. 346; en 1912, les salaires ne constituent que 12-16% des coûts de production d'un moteur diesel fabriqué chez Sulzer; Schröter, 1993, pp. 124-125; en 1876, une requête zurichoise évalue la masse salariale à environ 30% de la valeur brute de la production; Gutachten über die Revision..., 1876, p. 3; en 1882, Cramer-Frey estime les salaires distribués à 13 mios de frs; Cramer-Frey, 1882, p. 4.

260 En 1905, la moyenne de la branche s'élève à 6,3 travailleurs par unité de production; parmi les 17 entreprises suisses employant alors plus de 1000 personnes, 7 sont issues

tion de machines (0,3 CV par travailleur), tandis qu'elle est considérable dans la métallurgie (0,8 CV), dont les entreprises sont parmi les plus capitalisées de l'industrie suisse. En 1914, le record de capital immobilisé – 174 278 frs par salarié – est détenu par Aluminium Neuhausen AG[261]. En matière de fiscalité, le patronat des machines et de la métallurgie est parmi ceux qui s'opposent le plus à une imposition du capital.

En 1888, la métallurgie occupe 57% des emplois de la branche, qui sont principalement concentrés dans les régions jurassiennes de Suisse occidentale – Soleure (4,1% de la population active), Vaud (3,6%), Berne (2,6%)[262]. Mais sa production ne s'élève qu'à 11 mios de frs, soit 23% de la valeur brute de la branche. Cette somme est composée de matières premières (fer brut, acier), de semi-fabriqués (fils, tôles, barres, etc.) ainsi que de fabriqués (fourneaux, instruments agricoles, clous, limes, etc.). Les articles en fer dominent largement la production qui est écoulée à 70% sur le marché intérieur[263]. En règle générale, le patronat de la métallurgie est donc parmi les plus protectionnistes. Un conflit d'intérêt oppose cependant les différents segments de production. Tréfileries, câbleries, fonderies et autres producteurs de semi-fabriqués s'opposent à une taxation de la matière première produite par les hauts fourneaux.

Après une longue période de développement, qui dure de 1851 à 1874, la métallurgie subit une profonde crise entre 1874 et 1883. De 5,4 mios de frs en 1873, la valeur ajoutée fléchit jusqu'à un minimum de 2,9 mios en 1879, soit une baisse de 46%. Dans le segment de la production de fer brut, la situation est encore plus dramatique. Déjà forte avant la Grande dépression, la concurrence étrangère s'accentue sous l'effet de mesures commerciales agressives de la France et de l'Allemagne[264]. La situation de l'industrie du fer jurassienne est aussi péjorée par l'évolution de la situation communicationnelle. Alors que l'importation vers les centres de consommation helvétiques

de la branche des machines, 2 de la métallurgie, 1 de l'horlogerie, 3 de la soie, 2 de la broderie, 1 de la fabrication de chaussures et 1 de la fabrication de chocolat; les deux plus grandes sont «Sulzer» (3590 personnes) et «Von Roll» (3571); Gruner, 1988, vol. 1, p. 143; Gruner, 1988, vol. 2/1, p. 334.

261 *Ibidem*, p. 338.

262 SHS, 1996, pp. 404-411/396-397.

263 En 1883, le volume de l'exportation s'élève à 10 900 tonnes, alors que la production est de 37 800 tonnes; SHS, 1996, pp. 625/667.

264 Alors que la France met en place un système d'acquits-à-caution, qui équivaut à un système à peine camouflé de primes à l'exportation, l'Allemagne exerce un «dumping» qui s'accentue avec l'instauration de son système protectionniste en 1879; Zweite Eingabe der schweizerischen Eisenwerke..., 1877, p. 6; FF, 1877, vol. 3, p. 377, «MCF concernant un nouveau tarif des péages suisses (16 juin 1877)»; FF, 1878, vol. 3, p. 283, «Rapport de la commission du CN pour l'examen du nouveau tarif de péages fédéraux (25 avril 1878)»; La production de fer..., 1883, pp. 16-17.

peut bénéficier de l'arrivée des chemins de fer en Suisse, dès les années 1860, les industriels helvétiques ne sont reliés au réseau ferroviaire qu'au milieu des années 1870. En raison de leur situation géographique excentrée, ils paient tout de même des frais de transport très élevés. Au début des années 1880, l'acheminement d'un quintal de fer destiné à une industrie saint-galloise ne coûte pas plus cher à un producteur allemand de Sarrebruck, qu'à l'entreprise Von Roll de Gerlafingen[265]. A ces problèmes de compétitivité s'ajoutent encore les difficultés économiques de l'industrie des machines et de la construction de chemins de fer, qui entraînent une diminution de la demande sur le marché intérieur. Entre 1873 et 1878, la quantité de fer brut produite diminue de 56% et la valeur ajoutée de 71,4%[266].

Le patronat et les autorités politiques des régions productrices ne peuvent toutefois pas se résoudre à un abandon de cette industrie, qui aurait des conséquences économiques et sociales désastreuses[267]. Dès 1877, un renforcement de la protection douanière est par conséquent revendiqué avec l'espoir de s'accaparer des parts de marché couvertes jusqu'alors par l'importation, qui s'élève à 80% de la consommation intérieure dans les années 1876/80[268]. Une intervention de l'Etat central permettant de diminuer le coût du transport ferroviaire est aussi exigée par un des défenseurs de l'industrie du fer, le Conseiller national soleurois Simon Kaiser[269]. Bien que les autres segments de la métallurgie soient moins violemment touchés que les hauts fourneaux, ils subissent aussi une crise dès le milieu des années 1870.

265 Le coût du transport est alors de 2 frs, ce qui représente environ 20% du prix d'un quintal de fer suisse; de surcroît, la politique des compagnies ferroviaires helvétiques, axée sur la seule rentabilité, tend à accorder des tarifs préférentiels aux produits étrangers (tarifs différentiels), afin d'attirer un maximum de fret; La production de fer..., 1883, pp. 15-16/23-24; Revision des allgemeinen schweizerischen Zolltarifes..., 1877, p. 23; FF, 1878, vol. 3, pp. 283/288-289, «Rapport de la commission du CN pour l'examen du nouveau tarif de péages fédéraux (25 avril 1878)»; FF, 1883, vol. 1, pp. 416/470, «Rapport de la commission du CN chargée de l'examen du nouveau tarif des péages (10 mars 1883)».

266 SHS, 1996, pp. 612/624-625; cette crise accélère le mouvement de fermeture des hauts fourneaux suisses; de 9 en 1854, ils passent à 4 au début des années 1870, puis à 3 en 1877, 2 en 1882 et 1 en 1886.

267 Destruction de capitaux et d'emplois, suppression des effets d'entraînement dans l'industrie forestière et l'élevage de bêtes de trait, baisse du fret des chemins de fer régionaux, etc.; Revision des allgemeinen schweizerischen Zolltarifes..., 1877, pp. 23-25.

268 En 1880, une pétition de 140 communes jurassiennes est adressée aux autorités fédérales pour faire pression dans ce sens; Die schweizerischen Zollverhältnisse..., 1880, p. 57; cf. également Zweite Eingabe der schweizerischen Eisenwerke..., 1877; La production de fer..., 1883; la taxe sur le fer représente jusqu'à 10% du prix des fers allemands bon marché.

269 FF, 1878, vol. 3, pp. 283/288-289, «Rapport de la commission du CN pour l'examen du nouveau tarif de péages fédéraux (25 avril 1878)»; *Simon Kaiser-Mathys* (1828-1898) (SO), cf. note 46, chapitre 4.

La valeur ajoutée moyenne passe de 3,7 mios en 1874/76 à 2,7 mios en 1877/79[270]. Contrairement à l'industrie du fer brut, qui ne bénéficie d'une embellie qu'à partir de 1900, la production de semi-fabriqués et de fabriqués retrouve une croissance dès 1885. Elle bénéficie notamment de la conjoncture favorable dans le bâtiment. Le centre de gravité de la métallurgie se déplace alors vers la production de produits finis. Sur le plan de l'emploi, la reprise se traduit par un doublement des effectifs de la branche entre 1888 et 1910.

Concentrée surtout dans les cantons industriels de Suisse orientale – Schaffhouse (8,6% de la population active), Zurich (5,8%) –, l'industrie des machines procure 43% des emplois de la branche tout en produisant 77% de la valeur brute – 31 mios de frs en 1883. Les domaines dans lesquels s'illustre le patronat suisse sont l'équipement de l'industrie textile, la production et la distribution d'énergie hydraulique – turbines, moteurs, pompes – et la construction de matériel pour les transports – locomotives, wagons, bateaux, chemins de fer de montagne, etc. En outre, dès 1891, la mise au point de la distribution d'énergie électrique à longue distance donne un sérieux coup de fouet à la branche. L'équipement de centrales électriques, qui se multiplient, offre des débouchés très intéressants[271]. Du fait que le salaire constitue une part relativement importante de leurs coûts de production, certains producteurs de machines sont fortement opposés à un protectionnisme agricole frappant la consommation de leurs ouvriers. L'ensemble du patronat cherche par ailleurs à alléger la charge douanière imposée à leur matière première principale. Dans le cas d'un moteur diesel, le fer utilisé équivaut à 50-60% des coûts de production[272]. La taxation du tarif de 1851, qui représente 5 à 10% de la valeur des fers importés, constitue donc un élément de renchérissement non négligeable. Dès 1866, une croisade est entreprise contre les prétentions protectionnistes de la métallurgie[273].

Pour écouler leur production, les entreprises de la branche bénéficient d'une flexibilité commerciale intéressante. Le marché intérieur et les marchés internationaux absorbent en effet une quantité comparable de machines. Entre 1884 et 1896, la stagnation de l'exportation est ainsi compensée par une exploitation optimale de la reprise des investissements en

270 SHS, 1996, pp. 624-625.

271 Paquier, 1998; Lang, in Gugerli, 1994, pp. 103-116.

272 Schröter, 1993, pp. 124-125.

273 En 1877, une grande pétition demandant la réduction de la taxation du fer est aussi signée par les négociants en fer et les propriétaires de fonderies; «An den Hohen Bundesrath der schweiz. Eidgenossenschaft zu Handen der Hohen Bundesversammlung», in AF, E 11, vol. 13; cf, également Gutachten über die Revision..., 1876, pp. 34-35; FF, 1877, vol. 3, p. 377, «MCF concernant un nouveau tarif des péages suisses (16 juin 1877)»; FF, 1878, vol. 3, pp. 281-285, «Rapport de la commission du CN pour l'examen du nouveau tarif de péages fédéraux (25 avril 1878)»; Hofmann, 1962, pp. 57-59.

Suisse. Le rapport de la valeur de l'exportation à la production totale passe de 67% en 1885 à 44% en 1900[274]. Malgré cette réorientation et en dépit de l'importance de l'importation de machines étrangères, le patronat de la branche ne revendique une protection du marché intérieur qu'à partir de 1900[275]. L'objectif prioritaire étant de promouvoir une expansion sur les marchés internationaux, les industriels craignent qu'une augmentation de la taxation helvétique pousse les pays voisins à renforcer leur propre protectionnisme[276]. Sur les marchés extérieurs, l'industrie suisse des machines est confrontée à une forte concurrence. En 1913, les Etats-Unis, la Grande-Bretagne et l'Allemagne totalisent 84,4% de l'exportation mondiale, alors que la Suisse se contente de 2,4%[277]. Dès les années 1880, la vente à l'étranger est par ailleurs freinée par un renforcement du protectionnisme des pays industrialisés qui sont les principaux consommateurs de biens d'équipement. Entre 1885 et 1895, les quantités exportées demeurent en dessous de celles des années 1881/84[278]. En raison de l'importance des débouchés dans les pays voisins – 67% de la valeur de l'exportation (1892)[279] –, les producteurs de machines sont de fervents défenseurs d'une politique de combat. D'autant plus que les biens d'équipement pondéreux qu'ils fabriquent se prêtent mal à la contrebande.

L'industrie des machines traverse relativement bien la Grande dépression. Certes, la valeur ajoutée de la branche subit une réduction de 61% entre 1875 et 1878, mais dès 1879, une croissance régulière est de retour. En 1889, le niveau de 1875 est dépassé et la croissance s'accélère à partir de 1895. Entre 1891/95 et 1910/13, la valeur ajoutée augmente de 324%. Entre 1888 et 1910, les emplois bondissent de 16 000 à 57 000. Ce passage plutôt serein de la crise et le boom qui la suit s'expliquent de plusieurs manières. En Suisse, la branche bénéficie du mouvement de rationalisation de la production engagé par les autres industries, qui se traduit par un accroissement de la mécanisation. Dans le domaine de l'électricité, les cons-

274 En 1876, une estimation zurichoise fixe l'exportation à 38% de la production; Gutachten über die Revision, 1876, pp. 30/34; en 1885, le rapport augmente à 67% sous l'effet de la crise du textile suisse et de l'expatriation de la production de cette branche d'industrie; la crise des chemins de fer diminue aussi la demande intérieure; Gruner, 1988, vol. 2/1, p. 335; par la suite, le quota de l'exportation diminue à 58% en 1892 et à 44% en 1900, avant de remonter à 48% en 1913; ces quotas sont calculés à partir des chiffres tirés in SHS, 1996, pp. 630/687; le chiffre de l'exportation inclut les rubriques machines, instruments et véhicules; les taux d'exportation de certaines entreprises suisses des machines figurent in Paquier, 1998, vol. 1, p. 389.

275 En 1892, l'importation de machines s'élève à 62% de la valeur de la production suisse; SHS, 1996, pp. 625/681.

276 Zur Revision des schweizerischen Zolltarifs..., 1890, pp. 22-26.

277 Lincke, 1933, pp. 48-51.

278 SHS, 1996, p. 667.

279 *Ibidem*, p. 718.

tructeurs suisses bénéficient de la prise en charge d'une partie du réseau par les collectivités publiques qui privilégient les fournisseurs indigènes. Pour relancer son expansion sur les marchés extérieurs, le patronat suisse met en place une stratégie commerciale multiforme. En se spécialisant dans certaines productions, où le savoir-faire et l'innovation technologique sont décisifs, les entreprises parviennent à se construire des «niches» dans le commerce mondial. Ainsi, en 1913, la part suisse au commerce mondial de machines électriques et de moteurs à explosion s'élève à 37%[280]. A l'intérieur de ces niches, les industriels bénéficient d'une position dominante qui leur permet d'influencer la formation des prix. Par ailleurs, dès 1881, une délocalisation de la production est amorcée. Elle vise à éluder les taxes protectionnistes, à réduire la masse salariale, mais aussi à bénéficier des commandes des collectivités publiques étrangères. En 1914, sept entreprises de la branche ont atteint le statut de multinationale[281]. Plutôt que de se risquer dans une délocalisation, certaines entreprises préfèrent confier la fabrication sous licence de leur produits à des entreprises étrangères de renom. L'importance de l'expansion de l'industrie des machines sur le marché mondial ne peut dès lors plus se mesurer à la seule exportation de marchandises. Il faut aussi tenir compte de l'exportation de capitaux et des transferts de technologie.

L'industrie des machines amorce par ailleurs une diversification de ses marchés vers les pays d'outre-mer[282]. Cette nouvelle perspective commerciale, qui prend de l'envergure au tournant du siècle, reste limitée par la faible industrialisation de ces régions; elle est essentiellement liée à de grands projets d'électrification. Pour pouvoir battre la concurrence étrangère sur ce terrain, l'octroi de crédits avantageux à long terme est un atout souvent décisif. Les années 1890 voient donc la création d'une série de sociétés financières pour le développement de l'industrie électrique, dans lesquelles s'entremêlent intérêts industriels et bancaires[283]. Leur activité ne se limite toutefois pas aux marchés d'outre-mer. Le financement de projets d'électrification devient également important pour décrocher des commandes sur les marchés de proximité.

Afin de soutenir l'effort concurrentiel des entreprises privées, le patronat de l'industrie des machines est convaincu de la nécessité de meilleures conditions de production et de commercialisation. Certes, la remise en cause du libéralisme est moins radicale que parmi le patronat cotonnier, mais l'instauration d'un capitalisme organisé adapté à l'économie suisse est néan-

280 Lincke, 1934, pp. 51-52.
281 Schröter, 1993, pp. 35-37; cf. également Masnata, 1924, pp. 58-64.
282 Hauser-Dora, 1986, pp. 252-294.
283 Paquier, 1998, vol. 2, pp. 947-1086; Segreto, in Gugerli, 1994, pp. 57-72.

moins soutenu[284]. Afin de peser sur la politique économique de l'Etat fédéral, les plus importants industriels de la branche décident, en 1883, de fonder le «Verein Schweizerischer Maschinenindustrieller» (VSM)[285]. Sur la base d'un consensus douanier, l'association parvient à intégrer une partie du patronat de la métallurgie, ce qui renforce l'unité de la branche vis-à-vis du champ étatique. Au bénéfice d'un taux d'organisation élevé, d'une bonne homogénéité – les petites entreprises ne sont pas acceptées –, d'une base financière et organisationnelle solide, le VSM est d'emblée un acteur politique d'importance. Outre une réforme de la politique douanière – politique de combat et dégrèvement des matières premières –, l'industrie des machines exige une politique de baisse des coûts de transport, qui est vitale pour la compétitivité de la branche. Au tournant du siècle, des impulsions sont notamment données en faveur du rachat des chemins de fer et de leur électrification[286]. Enfin, le VSM accorde une grande importance aux mesures susceptibles d'encourager le progrès technologique et la production de qualité: amélioration de la formation professionnelle et de l'enseignement technique, développement de la recherche scientifique et protection appropriée des inventions.

Le tour d'horizon des différentes élites des secteurs secondaire et tertiaire n'est bien sûr pas exhaustif. Outre les élites du complexe agro-alimentaire – négociants en fromage, en bétail, en vin et en blé, industriels produisant du chocolat et du lait condensé –, dont les intérêts sont analysés dans le chapitre traitant du secteur primaire, certains industriels de la paille (Argovie, Fribourg), de la chaussure (Soleure), du lin (Berne, Lucerne) et de la laine (Berne, Zurich) mériteraient de figurer dans le tableau de famille du grand capital helvétique. A l'échelle nationale, leur activité ne représente toutefois pas une surface suffisante pour qu'ils jouent un rôle important au sein du champ étatique. Il faut également mentionner les branches du bâtiment et de la confection. Dégageant respectivement 5,4% et 2,7% du PIB, ces activités occupent, en 1883, la 1ère et la 3e position du secteur secondaire en termes de valeur ajoutée. Cependant, la production n'est que peu concentrée dans des grandes entreprises. Elle est donc principalement prise en charge par les classes moyennes.

284 Lincke, 1933, pp. 76-81.

285 Lincke, 1933, pp. 67-75; Gruner, 1988, vol. 2/1, pp. 346-350; Billeter, 1985, p. 63; les fondateurs, au nombre de sept, sont issus des entreprises «Escher-Wyss», «Oerlikon», «Sulzer», «Rieter», «Saurer», «Bell» et «Von Roll».

286 Dès 1877, le représentant de l'industrie des machines et de la construction O. Zschokke publie une brochure consacrée à l'exploitation des lignes ferrées par la Confédération; Lombard, 1878, note 5 p. 30; en 1889, l'industrie électrique s'organise au sein du «Schweizerischer Elektrotechnischer Verein»; cette association est l'instigatrice de la création, en 1902, d'une commission d'experts chargée d'étudier l'électrification des chemins de fer fédéraux; Gugerli, in Gugerli, 1994, pp. 9-23.

4.2.4. L'USCI en tant que centre de gravité du modèle helvétique de capitalisme organisé

A partir de la seconde moitié des années 1870, lorsque les effets de la crise frappent toujours plus durement la Suisse, les élites interventionnistes se plaignent amèrement du retard pris par la Confédération en matière d'encadrement de l'économie:

> *Unsere Nachbarstaaten sind uns in dieser Richtung weit überlegen und doch hat die Schweiz mehr als irgend ein anderes Land, Ursache dafür zu sorgen, dass ihre Industrien blühen und gedeihen. Der innere Absatzmarkt ist beschränkt, die nächsten äussern Gebiete werden uns abgesperrt, wichtige Rohstoffe produzirt unser Land in geringem Umfange und die grossen Wasserstrassen liegen uns fern. Immer schwieriger wird die Lage, immer ungünstiger die Aussicht auf Erfolg im Kampfe mit der Konkurrenz. Es ist alle Veranlassung dazu vorhanden, dass die schweizerischen Behörden dem Handel, der Industrie und den Gewerben des Landes alle Aufmerksamkeit schenken [...] In manchen Dingen könnte mit vehältnissmässig geringen Mitteln Grosses geleistet werden; es könnten Hindernisse beseitigt werden, die der Einzelne nicht zu bewältigen vermag*[287].

La grogne est particulièrement forte au sein de l'association du patronat argovien, l'AHIV, qui est dominée par les industriels de la branche du coton:

> *Unsere Bundesbehörden breiten die eine Hand scheinbar schützend über unsere Handwerker und Fabrik-Arbeiter, aber mit der andern Hand entziehen sie ihnen die Arbeit, indem sie die fremden Industrien Thür und Thor öffnen, während die anderen Staaten das Gegentheil thun und durch weise Gesetze und deren strenge Handhabung durch Musterschutz, Patente, Schutzzölle und alle erdenkliche, alle nur mögliche Vorsicht ihre Industrien zu heben und fremde Überfluthung zu verhindern suchen. Und die fremden Industriellen müssen natürlich in's Fäustchen lachen über unsere Einfalt in Zollsachen, denn wahrlich nicht umsonst nennen uns die Welschen têtes carrées und die Deutschen dumme Schweizerkühe*[288].

Dès 1878, l'AHIV prend la tête d'un mouvement de révolte à l'égard de la politique libérale des autorités fédérales[289]. Lors de la session des Chambres

287 Archives USCI, dossier «Chambre fédérale de commerce», projet de requête à envoyer au CF, daté du 12 février 1881, rédigé par la KGZ sur le mandat du Conseil d'Etat zurichois, p. 14.

288 Referate über Textil-Industrie..., 1879, p. 8, discours de Roth-Meier (tissage en couleur).

289 A cet égard, les assemblées générales des 25 mai et 26 octobre 1879 sont significatives; Referate über Textil-Industrie..., 1879; *Centralblatt*, Nrn. 23/47, 1879, pp. 165/328-329; *Der Aargauer*, 29. Oktober 1879.

de juin, leur «leader», Carl Feer-Herzog[290], est le premier poids lourd de l'économie suisse à exiger un abandon du libre-échange[291].

Dans un premier temps, les élites interventionnistes ne parviennent toutefois pas à imposer leur point de vue sur la scène fédérale. Au sein de l'USCI, l'organisation horizontale en place – la majorité des sections sont des chambres de commerce régionales – affaiblit leur pouvoir décisionnel. Les élites libérales, qui dominent la vie économique dans de nombreux cantons, sont fortement représentées au sein des organes dirigeants de l'association faîtière. Ainsi, les grands industriels argoviens n'escomptent pas un soutien de leur mouvement par l'USCI: *«Präs. Lang glaubt, es sei vom schweiz. Handels- und Industrieverein nichts zu erwarten.»*[292]

Lorsqu'une revendication interventionniste est toutefois défendue par l'association faîtière, le poids politique de sa prise de position n'est pas bien lourd. Vu le peu de pouvoir que lui délèguent les associations-membres, l'USCI est incapable d'agréger les intérêts divergents dans une solution consensuelle qui pourrait être défendue de manière crédible au sein du champ étatique. Les sections étant libres de contredire la position centrale auprès des autorités fédérales, le CF peut alors «diviser pour mieux régner»[293]. Par ailleurs, la faiblesse financière de l'association faîtière ne lui permet pas d'instrumentaliser le référendum législatif pour faire pression sur les autorités. Le manque de moyens l'empêche aussi de mettre en place une administration capable de réunir l'information économique nécessaire à la promotion d'une politique interventionniste.

A l'intérieur du champ étatique, le rapport de force est encore moins favorable aux élites interventionnistes. Le libéralisme manchestérien fait partie des dogmes de la culture politique des autorités fédérales qui font preuve d'une certaine inertie intellectuelle face au changement de contexte économique. Au sein du CF, l'idée du «Sonderfall Schweiz», havre de liberté et de prospérité économique, perdure. En témoigne le discours prononcé en 1876 par le chef du DFCC, le Bernois Karl Schenk[294], lors de l'assemblée des délégués de l'USCI:

290 *Carl Feer-Herzog* (1820-1880) (AG), cf. note 259, chapitre 3.

291 Feer-Herzog prononce deux discours qui sont imprimés avec un excursus faisant le point sur l'état de la compétitivité de l'industrie du coton helvétique; Zur eidgenössischen Zollrevision..., 1878.

292 *Der Aargauer*, 29. Oktober 1879.

293 Archives USCI, PV de l'assemblée des délégués, «Referat über die Reorganisation des SHIV. Gehalten im Auftrage des Vororts in der Delegirtenversammlung vom 9. Mai 1880 von Herrn Julius Maggi».

294 *Karl Schenk-Kehr* (1823-1895) (BE), pasteur, CdE (1855-1863), CaE radical (1857-1863), Cféd (1863-1895).

> *Es ist heute der Gedanke ausgesprochen worden, dass unserem modernen Staate immer mehr Funktionen überbunden werden müssen und dass auch die Schweiz diesem Zuge der Zeit sich nicht verschliessen könne. Nun sind wir aber ein eigen geartetes Land, und für uns trifft dieser Zug der Zeit nicht genau zu. Wir haben uns kräftig entwickelt, unsere Industrie blüht; wir sind ein Volk von grosser Wohlhabenheit und wir sind es geworden nicht durch eine Zentralgewalt, sondern durch die Fürsorge, welche unsere kleinen Gemeinwesen, die Kantone, auf das Volkswohl verwendeten. Wir haben den Kantonen schon soviel genommen [...] Und zudem, die Einmischung des Staates in Handel und Verkehr lässt sich mit unseren Freiheitsideen nicht gut vereinen*[295].

Alors qu'en 1873 et 1874, l'USCI a bénéficié de l'attitude conciliante du Zurichois Johann Jakob Scherer pour intensifier sa collaboration avec le CF, son influence n'est pas la même sous l'ère Schenk (1875-1877), qui est beaucoup moins bien disposé à son égard. En juin 1878, un membre du comité central déclare de manière désabusée:

> *Die gegenwärtig in Bern herrschende politische Strömung sei eben den Bestrebungen der schweiz. Industriellen ungünstig und so lange diese vorhalte seien wir eben nahezu ohnmächtig*[296].

Cette constatation est le résultat de l'impuissance de l'USCI à imposer ses vues durant l'élaboration de la loi sur les fabriques de 1877.

Indépendamment du manque de volonté politique qui règne au Gouvernement, l'élaboration de conditions-cadre performantes se heurte aux insuffisances de l'organisation des sphères économique et étatique. Une intervention efficace requiert la capacité de mobiliser l'information économique nécessaire. Il est en effet indispensable de connaître la réalité qui doit être transformée par une action politique. Or, les moyens dont dispose le champ étatique pour faire face à ce besoin sont ridicules. En 1877, le DFCC est composé du Conseiller fédéral Schenk, du secrétaire commercial Willy et d'un copiste[297]. Par ailleurs, la statistique économique helvétique en est encore à un stade que l'on peut qualifier d'embryonnaire[298]. La situation est encore pire au sein de l'USCI, puisque le Vorort ne peut pas même compter sur un employé à plein temps. La récolte de l'information économique auprès de la base, qui recourt au système de milice des chambres de commerce régionales, est par conséquent lente et lacunaire. A ces déficiences organisationnelles, viennent se superposer des problèmes de communication entre les deux sphères. Les changements fréquents de départements au sein du CF – le président de la Confédération, élu pour une année, prend

295 Cité in Steinmann-Bucher, 1877, p. 28.
296 Archives USCI, PV du comité central, 6 juin 1878.
297 Ce manque de moyens du champ étatique est dénoncé par les contemporains; Steinmann-Bucher, 1877, p. 31.
298 Jost, 1995, pp. 14-19.

toujours la tête du Département de politique extérieure –, et la rotation bisannuelle de la section Vorort de l'USCI créent une instabilité qui ne permet pas la définition d'une stratégie d'intervention cohérente et son application sur le long terme. Ces tournus engendrent aussi des problèmes de compétence et de maîtrise des dossiers, qui ralentissent l'élaboration de solutions adéquates. L'initiative de la consultation étant laissée à l'arbitraire des Conseillers fédéraux, celle-ci peut être délaissée ou rompue pour des raisons d'inimitié personnelle ou de tactique politicienne. En raison de toutes les carences évoquées, la préparation d'une intervention économique de la Confédération s'apparente alors à un long chemin de croix.

Si une loi parvient tout de même au terme de son élaboration, en dépit des freins politiques et des dysfonctionnements organisationnels, la voie qui mène à son application est encore semée d'embûches. Au sein du Parlement, une coalition de forces fidèles au libéralisme manchestérien (commerce, banque, tourisme, transports, industries du luxe) impose le plus souvent son veto. Les élites agricoles catholiques, alors opposées à toute centralisation, renforcent fréquemment ce front d'opposition libéral. Le manque d'intérêt de la classe politique pour les questions économiques freine par ailleurs la mise en place de conditions-cadre plus performantes. Empêtrés dans les querelles politiques et religieuses issues du «Kulturkampf», les élus ne consacrent que peu d'énergie à un domaine dans lequel ils n'ont d'ailleurs souvent que peu de compétences[299]. Au bout du processus législatif, une loi peut encore échouer sur l'écueil du référendum introduit par la nouvelle constitution fédérale. Ainsi, entre 1874 et 1884, l'opposition référendaire systématique des conservateurs catholiques et protestants fait échouer une série de projets devant le peuple. En jouant du discours libéral et fédéraliste, ces milieux parviennent à saborder la plupart des succès obtenus par les élites interventionnistes au sein du Parlement.

Dans ces conditions, il n'est pas étonnant que la politique économique de la Confédération reste dans les «starting blocks» durant les premières années de crise, prenant ainsi du retard sur certains pays concurrents. Entre 1875 et

299 En 1881, le bastion libéral de la Chambre de commerce de Bâle se plaint de la situation en ces termes: «*Das Uebel, worunter wir, soweit unsere jetzigen politischen und administrativen Verhältnisse in Betracht kommen, dermalen leiden, besteht darin, dass im Gegensatz zu den zwei ersten Jahrzehnten des neuen Bundes, seit 1870 in Folge von Vorgängen und Strömungen, die wir nicht näher erörtern wollen, die aber sicher mit einer allzu intensiven Vertretung gewisser Interessen zusammenhängen, die industriellen und Handels-, überhaupt die materiellen öconomischen Landesinteressen von den schweizerischen gesetzgebenden Behörden zu sehr in den Hintergrund gestellt und denselben nicht mehr die ihnen gebührende Wichtigkeit geschenkt worden ist, namentlich wenn diesen öconomischen Interessen politische oder sogenannte sociale Interessen entgegenstunden.*»; Archives USCI, dossier «Chambre fédérale de commerce», réponse du BHIV à la circulaire du Vorort du 12 juillet 1881, p. 4.

1882, les partisans d'une intervention mènent une politique volontariste afin de combattre cette inertie. Ils multiplient les démarches politiques dans le but de lever les obstacles jonchant le chemin qui mène à une forme helvétique de capitalisme organisé. Ils sont aidés en cela par la glissade de l'économie suisse dans le marasme, qui gonfle les forces interventionnistes et provoque une remise en question de la doctrine manchestérienne.

La première voie empruntée par les élites interventionnistes est celle de l'imitation des solutions adoptées à l'étranger. A l'image de ce qui a été mis en place en France (Conseil supérieur) et en Allemagne («Volkswirthschaftsrath» prussien), celles-ci proposent de créer un organe de représentation de l'économie au sein du champ étatique, la Chambre de commerce fédérale[300]. Cette solution permettrait d'améliorer la logistique disponible pour une récolte de l'information et forcerait les autorités politiques à une consultation systématique des milieux économiques, le tout aux frais de l'Etat. Grâce à une représentation plus avantageuse qu'au sein de l'USCI et du Parlement, les branches industrielles les plus interventionnistes gagneraient en poids politique au sein du champ étatique.

L'idée de la création d'une chambre de commerce fédérale est lancée, dès février 1875, par le secrétaire de la KGZ, Arnold Steinmann-Bucher[301]. Le 16 décembre 1876, le poids lourd de l'économie zurichoise, Alfred Escher, la reprend sous la forme d'une motion déposée au CN[302]. Schenk confie alors une expertise au magnat de l'industrie des machines et de la filature de coton, le Conseiller aux Etats Heinrich Rieter-Ziegler[303], ami d'Alfred Escher. Bien que membre du comité central de l'USCI, Rieter conclut que l'association faîtière n'est pas en mesure d'assurer à elle seule une consultation adéquate de l'économie. Il propose donc la création d'une Chambre de commerce fédérale officielle, rattachée au DFCC, dont les compétences seraient très étendues: commerce (traités de commerce, statistique commerciale, affaires consulaires, expositions), transports (tarifs ferroviaires), formation (écoles spéciales, musées professionnels et artistiques), monnaie et

300 Sur les deux tentatives d'instauration d'une Chambre de commerce fédérale, cf. Zimmermann, 1980, pp. 77-92; Hulftegger, 1920, pp. 26-82; Richard, 1924, pp. 79-87; Gruner, 1954, pp. 1-27; Hauser-Dora, 1986, pp. 322-327; sur la réorganisation de l'USCI durant cette période, cf. Zimmermann, 1980, pp. 56-69; Hulftegger, 1920, pp. 26-82; Wehrli, 1972, pp. 32-42; Hauser-Dora, 1986, pp. 319-322; Henrici, 1927, pp. 54-55.

301 En février 1875, Steinmann-Bucher rapporte au sein de la KGZ sur la nécessité d'améliorer la présence de l'économie au sein du champ étatique; le 10 avril 1876, il expose son projet devant l'assemblée des délégués de l'USCI, où il n'obtient pas le soutien espéré; Archives USCI, PV de l'assemblée des délégués, 10 avril 1876; Steinmann-Bucher, 1877, pp. 25-34; *Centralblatt*, Nrn. 1/3/8, 1877, pp. 3-6/19-21/99-102.

302 Le texte de la motion se trouve in Hulftegger, 1920, p. 41.

303 *Heinrich Rieter-Ziegler* (1814-1889) (ZH), cf. note 268, chapitre 3.

billets de banques, poids et mesures, législation sur les fabriques, protection des inventions et des marques, etc. La représentation au sein du nouvel organe favoriserait les branches d'industrie interventionnistes au détriment de la banque, du commerce et du tourisme; le rapport de force en vigueur au sein de l'USCI serait ainsi inversé[304].

Loin d'être dupes, les adeptes du libéralisme dénoncent la manœuvre politique des milieux interventionnistes. Lors de la consultation lancée par le CF, ils combattent le projet en ces termes:

> *Or, la création de la Chambre de commerce proposée, aurait pour conséquence d'empêcher de tenir compte d'une manière suffisante de la variété de ces besoins* (des différentes régions économiques, C. H.), *et c'est là pour nous le principal motif de ne pas appuyer sa création. Par la force des choses, l'influence prépondérante de la Chambre de commerce appartiendra à quelques grands industriels dont elle se composera, et spécialement à Messieurs les présidents de la Chambre et des sections*[305].

Alors que les chambres de commerce des cantons de Vaud et Genève sont favorables au statu quo, celles de Bâle et St-Gall se montrent plus ouvertes à des améliorations du système de consultation, mais sous d'autres formes. L'opposition est encore plus marquée au sein de l'AsF. Le trio Escher/Rieter/Feer-Herzog – ce dernier intervient pour soutenir la motion – est accusé de fomenter un putsch ayant pour but d'instaurer un pouvoir économique parallèle au sein du système parlementaire helvétique, cela afin de renforcer l'emprise politique des «Bundesbarone». Le mobile de leur action serait le sauvetage de l'entreprise ferroviaire du Gothard – traversée des Alpes –, alors au bord d'un désastre que seule une intervention financière de la Confédération peut permettre d'éviter. Certes, le soupçon qui circule n'est peut-être pas dénué de tout fondement – les trois promoteurs de la motion sont respectivement directeur, délégué du consortium financier et président du conseil d'administration de la compagnie –, mais le mobile des représentants de la grande industrie zurichoise et argovienne est probablement plus large: instaurer de nouvelles conditions-cadre. Le 24 juin 1877, la motion Escher est refusée par 53 voix contre 39. En 1879, la démarche aboutit toutefois à une réorganisation du CF. Le DFCC est transformé en un Département fédéral du commerce et de l'agriculture (DFCA), dont le potentiel administratif est quelque peu étoffé[306].

304 La clef de répartition proposée est la suivante: textiles (9), machines et métaux (3), horlogerie, bijouterie et instruments (3), matériaux de construction (2), bois (1), cuir (1), papier (1), denrées alimentaires (1), chimie (1), + 1 président et 2 vice-présidents; Archives de l'USCI, dossier «Chambre de commerce fédérale», «Au Département Fédéral des Chemins de fer et du commerce à Berne».

305 *Bulletin de la Société industrielle et commerciale du canton de Vaud*, juillet 1877, «Rapport au Vorort de l'Union suisse du commerce et de l'industrie sur la création d'une Chambre de commerce», p. 160.

306 Sur l'évolution de l'administration chargée du commerce, cf. Witschi, 1987, pp. 188-190.

En 1881, l'idée d'une Chambre de commerce fédérale est relancée par le bastion de la grande industrie suisse, Zurich. Suite à une motion votée par le Grand Conseil, la KGZ rédige un projet qui est adressé aux autorités fédérales[307]. Comme en 1877, un vaste débat s'engage au sein de l'USCI. Les sections de Suisse occidentale – ACIG, SICVD, BHIV, BVHI, SIIJ – s'accrochent au système de représentation libéral à l'anglaise, tandis que les sections de Suisse centrale et orientale – KGZ, AHIV, SSZWV, KDSG, HCGL, organes représentant Lucerne et Appenzell – proposent des solutions semblables aux systèmes étatiques allemand et français[308]. Une nouvelle fois, le couperet tombe au CN. Le 9 juin 1882, la motion déposée par Heinrich Landis-Hürlimann[309], grand industriel de la branche du coton, est refusée.

L'impossibilité d'instaurer un organe de représentation officiel pousse les élites interventionnistes à chercher des voies parallèles pour renforcer leur influence au sein du champ étatique. A la veille des élections fédérales de l'automne 1878, Steinmann-Bucher appelle l'électorat à donner une plus forte représentation aux milieux intéressés à la mise en place d'une législation économique[310]. La stratégie de conquête du pouvoir est toutefois prioritairement dirigée vers l'USCI. D'une part, il s'agit d'acquérir une position dominante au sein des organes dirigeants de l'association faîtière pour infléchir sa politique. D'autre part, une lutte est engagée afin d'accroître le pouvoir décisionnel des organes centraux: discipline intérieure rime en effet avec influence au sein du champ étatique. Enfin, les élites interventionnistes cherchent à renforcer le potentiel financier et administratif du Vorort. En faisant de l'USCI une centrale d'information économique efficace, l'objectif est de rendre l'association faîtière indispensable au bon fonctionnement du champ étatique, dont la faiblesse administrative persiste.

Le 6 juin 1878, le comité central de l'USCI décide de créer un poste de secrétaire à plein temps qui est confié à Arnold Eichmann[311]. Deux ans plus

307 Archives USCI, dossier «Chambre de commerce fédérale»; le projet de requête à adresser au CF, daté du 12 février 1881, est intitulé «An den h. schweizerischen Bundesrath in Bern».

308 *Ibidem*; la position des milieux libéraux est bien explicitée in «Rapport présenté au nom de la Chambre de commerce à l'Association commerciale et industrielle genevoise dans sa séance du 18 novembre 1881 par son président Ernest Pictet sur le projet de créer une Chambre de commerce fédérale».

309 *Heinrich Landis-Hürlimann* (1833-1915) (ZH), dirigeant de l'empire cotonnier de la famille Hürlimann à Richterswyl (4e groupe de la branche de la filature: 3 entreprises et environ 80 000 broches; tissage mécanique/teinturerie/impression), membre de nombreux CA d'entreprises importantes, dont les filatures «Uznaberg» (1877-1915) et «an der Lorze» (1875-1915), le «Crédit suisse» (1877-1915), la «Rentenanstalt» (1879- 1884), le «Nordostbahn» (1883-1890), etc., Cn libéral (1878-1890).

310 *Centralblatt*, Nr. 41, 1878, pp. 317-319, «Betrachtung zu den Nationalrathswahlen».

311 *Arnold Eichmann* (?-?), apprentissage dans une maison de commerce de St-Gall, employé dans le bureau statistique d'une maison d'Hambourg, études dans les univer-

tard, un membre du Vorort met en évidence la portée politique de la mesure:

> *Fehlte es vermöge der Vereinsstatuten dem Zentralorgan an äusserlicher Machtstellung, seiner Aufgabe nach dem Wunsche und dem Bedürfnisse des Schweiz. Handels- und Industriestandes nachzukommen, so suchte man nun die Bedeutung desselben in geistiger Macht und in vielfach erhöhter Leistungsfähigkeit, um damit auch dessen Ansehen bei den h. Bundesbehörden zu heben. Sie schufen, m. H., obschon vor der Hand nur provisorisch, das ständige Sekretariat*[312].

Lors de l'assemblée des délégués de la même année, l'AHIV propose une réorganisation verticale de l'USCI. Les sections-membres ne seraient plus les chambres de commerce régionales de tendance libérale, mais des associations regroupant le patronat des différentes branches de l'industrie[313]. Cette réforme, qui reviendrait à implanter l'organisation proposée par Rieter au sein de l'USCI, est refusée par les forces libérales qui demeurent majoritaires. Toutefois, avec l'organisation progressive des différentes branches d'activité, la verticalisation de l'USCI se réalise sans changement des statuts. En 1879, la SIIJ et le SSZWV viennent rejoindre la ZSIG au sein de l'USCI. En 1881, les associations de branche obtiennent deux sièges au comité central. En 1884, c'est au tour du VSM de devenir membre de l'association faîtière.

Dès 1880, la KGZ devient le moteur d'une réforme en profondeur de l'USCI. A l'occasion de l'assemblée des délégués du 9 mai 1880, l'association zurichoise propose de pallier au premier échec de la Chambre de commerce fédérale:

> *Versuchen wir, wenn uns auch die äussere Form fehlt, doch thatsächlich immer mehr die Zwecke und das Ziel einer eidgen. Handelskammer zu erreichen*[314].

La principale nouveauté des statuts du 9 avril 1881 est l'abolition du système de rotation obligatoire du Vorort qui, désormais, peut être renouvelé tacitement tous les quatre ans. En 1882, le second échec du projet de Chambre de commerce fédérale engage la KGZ à réaliser un véritable coup de force. L'acceptation de son mandat de section Vorort est conditionnée à une réforme en profondeur de l'association et à la réalisation d'un programme d'activités étoffé. Une sorte de chantage est par

---

sités de Jena, Berlin et Halle, secrétaire permanent du bureau du Vorort de l'USCI (1878-1882), secrétaire de la Division du commerce (1882-1892), successeur de Willi au poste de chef de la Division du commerce (1892-1921).

312 Archives USCI, PV de l'assemblée des délégués, «Referat über die Reorganisation des SHIV. Gehalten im Auftrage des Vororts in der Delegirtenversammlung vom 9. Mai 1880 von Herrn Julius Maggi».

313 Hulftegger, 1920, pp. 48-59.

314 Archives USCI, PV de l'assemblée des délégués, «Referat über die Reorganisation des SHIV. Gehalten im Auftrage des Vororts in der Delegirtenversammlung vom 9. Mai 1880 von Herrn Julius Maggi».

ailleurs exercé vis-à-vis du CF. Mettant en balance son «know how» et la faiblesse de celui de l'administration fédérale, la KGZ pose un véritable ultimatum financier au CF:

> *Le Vorort provisoire actuel de l'Union suisse du commerce et de l'industrie ne s'imagine nullement pouvoir exécuter le programme ci-après avec un seul secrétaire et les ressources financières dont disposait jusqu'ici la section en charge. Dès lors, la condition sine qua non à laquelle il subordonne la continuation de ses fonctions est, qu'à l'aide de la Confédération, l'Union soit en mesure de se procurer les fonds nécessaires, à teneur du programme suivant, pour les honoraires du bureau permanent, les frais d'impression et autres dépenses.*

En cas de refus d'une subvention régulière élevée

> *[...] l'Union ne saurait assumer aucune obligation en vue de travaux quelconques excédant le cadre des intérêts directs du commerce et de l'industrie. Il est même permis de se demander si la tentative de réorganisation ayant échoué, l'Union ne se dissoudrait pas, ce qui priverait les autorités d'un conseiller, qui leur a cependant rendu de bons services à réitérées fois et qui pourrait faire encore davantage à l'avenir*[315].

Dans le courant de 1882, le CF accède à la demande de la KGZ. Dès 1883, l'USCI bénéficie d'une subvention annuelle de 10 000 frs qui est inscrite au budget fédéral[316].

Réunie le 11 novembre 1882, une assemblée extraordinaire des délégués de l'USCI accepte une nouvelle révision des statuts. Bien que la stabilité du Vorort ne soit pas ancrée formellement dans la nouvelle mouture, sa fixation à Zurich est désormais acquise. Le comité central est transformé en une Chambre suisse du commerce. La symbolique de l'opération n'échappe pas à l'industriel bâlois Rudolf Geigy-Merian:

> *L'Union suisse du Commerce et de l'Industrie est devenue dans le fait, – ensuite d'une entente volontaire –, une chambre de commerce: elle est appelée à représenter et représente réellement et en toute vérité les intérêts du commerce et de l'industrie suisse. Actuellement où, grâce à l'obtention d'une subvention de la part de la Confédération, l'Union se voit portée en avant dans sa position vis-à-vis des autorités, elle peut encore prétendre avec plus de raison à cette épithète. Elle est, dans son genre, la seule association de la Suisse dont le caractère officiel soit si avancé; à côté d'elle il n'existe rien d'analogue et c'est pour ces motifs qu'elle est autorisée à demander pour elle, soit pour l'un de ses organes, le titre: «Chambre suisse de commerce»*[317].

La légitimité de l'association privée, tant auprès des milieux économiques que du champ étatique, est dès lors renforcée par l'octroi d'un statut semi-officiel entériné par la subvention fédérale. En outre, les statuts précisent que des membres du CF et de l'administration seront systématiquement invités à assister aux réunions de la Chambre suisse de commerce. Le financement alloué par l'Etat permet par ailleurs de renforcer le potentiel administratif de

315 Archives USCI, PV du comité central, 9 septembre 1882.
316 Wehrli, 1972, p. 53; par la suite, la subvention sera même augmentée à 20 000 frs.
317 Archives de l'USCI, PV de l'assemblée des délégués, 11 novembre 1882.

l'association faîtière par l'engagement d'un second secrétaire en la personne d'Alfred Frey[318]. Les principales tâches du bureau du Vorort seront la rédaction d'un rapport annuel sur l'économie suisse, la préparation de projets visant à améliorer la statistique économique, la réalisation d'enquêtes et le rassemblement d'informations sur les régimes douaniers étrangers[319].

La petite révolution de 1882 améliore notablement la force de frappe des élites interventionnistes. Au sein des nouvelles instances dirigeantes de l'USCI, les grands industriels sont désormais en mesure d'exercer une influence décisive sur la stratégie de crise de l'association faîtière. Composé de quatre membres nommés par la KGZ, le Vorort est acquis à une intervention accrue de la Confédération. Il est intéressant de constater l'éviction de la branche de la soie, la plus libérale, au profit de représentants de la filature de coton, de l'impression, de l'alimentation et du commerce d'exportation[320]. La nouvelle Chambre suisse du commerce est composée des quatre

318 *Alfred Frey* (1859-1924) (AG/ZH), frère d'Emil Frey – secrétaire de la KGZ, puis directeur de la «Rentenanstalt» – apprentissage de commerce, études de droit et d'économie à Zurich, Berlin, Leipzig et Paris, secrétaire du bureau du Vorort de l'USCI (1882-1900), directeur (1900-1917) puis président (1917-1924) de l'USCI, CA de l'«AIAG Neuhausen» (1915-1924), de la «Rentenanstalt» (1905-1924), du «Crédit suisse» (1906-1924), de la *NZZ* (1912-1924), etc., Cn radical (1900-1924), succède à Conrad Cramer-Frey.

319 Archives USCI, PV du comité central, 9 septembre 1882; le «Programme des travaux du bureau de l'Union suisse du commerce et de l'industrie» figure en annexe.

320 *Hans Wunderli-von Muralt* (1842-1921) (ZH), fils de Hans Wunderli-Zollinger – riche industriel actif dans la filature de coton –, petit neveu d'Heinrich Kunz surnommé le «roi des filateurs», beau-fils de Félix von Muralt-Locher – riche fabricant de soieries et président de la «Bank in Zürich» –, d'abord actif dans les entreprises familiales (filature/tannerie), prend ensuite la tête de l'entreprise «Wunderli-Zollinger» qui réunit les entreprises du défunt Heinrich Kunz – premier groupe de la branche avec environ 244 000 broches réparties dans 10 entreprises (1888) –, membre des CA du «Crédit suisse» (1877-1921), du «Nordostbahn» (1890-1902), de la *NZZ* (1891-1921), membre du comité (1880-1891), vice-président (1891-1896) et président (1896-1917) de la KGZ, membre du Vorort de l'USCI (1882-1900), président de l'association faîtière (1900-1917), Cn de tendance libérale (1893-1899); *Fritz Rieter-Bodmer* (1849-1896) (ZH), fils de l'industriel Adolf Rieter-Rothpletz de Winterthour – teinturerie et impression de cotonnades («Rieter, Ziegler et compagnie» à Neftenbach et Richterswil), cofondateur du «Crédit suisse» –, membre du comité de la KGZ (1877-1896), membre du Vorort de l'USCI (1882-1896); *Julius Maggi* (1846-1912), fils d'un meunier émigré d'Italie, reprend le moulin paternel à Kemptal, défend les intérêts protectionnistes de son industrie (brochure 1882), fonde l'entreprise «Julius Maggi et cie» en 1886 et développe celle-ci jusqu'à en faire une importante multinationale de la branche de l'alimentation (légumes secs/soupes/etc.), membre du comité de la KGZ (1881-1900), membre du Vorort de l'USCI (1878-1880/1882-1890); *Conrad Cramer-Frey* (1834-1900) (ZH), issu d'une famille d'agriculteurs, apprentissage commercial, activité dans l'entreprise de produits manufacturés «Frey et Salzmann» à Aarau et mariage avec la fille du directeur

membres du Vorort zurichois et de onze autres membres nommés par l'assemblée des délégués. Outre les quatre sièges de Zurich, six autres sont attribués aux cantons industriels de Suisse orientale et centrale – Zurich, St-Gall, Appenzell Rhodes-Extérieurs, Thurgovie, Glaris et Argovie[321] –, alors que la Suisse occidentale, traditionnellement plus libérale, ne reçoit que cinq sièges – Genève, Vaud, Neuchâtel, Berne et Bâle[322]. Les branches industrielles

(1854-1862), réorganise un commerce d'exportation à Bahia et fonde une succursale à Pernambouc (1862-1870), de retour en Suisse conserve la direction de l'entreprise qui ouvre une troisième antenne à Rio de Janeiro (1878), en 1895 se retire de l'entreprise qui change de raison sociale («Meili, Diethelm et cie»), membre du CA du «Crédit suisse» (1878-1891), du Conseil de surveillance de la «Rentenanstalt» (1879-1884), de la commission administrative de la *NZZ*, membre du comité (1876-1900) et président (1882-1891) de la KGZ, président de l'USCI (1882-1900), hérite du siège d'Alfred Escher au CN où il dirige la fraction libérale (1883-1900).

321 *Karl Emil Viktor von Gonzenbach-Touchon (-Wetter)* (1816-1886) (SG), cf. note 271, chapitre 3; *Johann Jakob Hohl-Hohl (-Streiff)* (1834-1913) (AR), apprentissage de tisserand, fondateur d'une entreprise de fabrication de textiles (1856), commerçant en vins, président de la commission cantonale pour le commerce et l'industrie (1877-1880), membre de la Chambre suisse de commerce (1881-1910), CdE (1874-1880/1883-1887), CaE radical-démocrate (1877-1911); *Philipp Heitz-Knüsli* (1850-1909) (TG), fils d'un pionnier de l'industrie, dirige l'entreprise familiale de tissage de coton en couleur à Münchwilen (190 métiers en 1884), membre fondateur du chemin de fer «Frauenfeld-Wil», CA de la «Lokomotiv- und Maschinenfabrik Winterthur» (1889-1909), membre du comité directeur de la «Banque cantonale de Thurgovie» (1883-1909), Cn radical-démocrate (1880-1890), expert du CF en matière de douanes; *Eduard Blumer-Jenny* (1848-1925) (GL), jusqu'en 1867 actif dans la grande maison de commerce fondée en 1788 par son grand-père P. Blumer-Jenny, à cette date fonde une importante entreprise d'impression sur coton à Schwanden («Gebruder Blumer»), membre du CA de nombreuses entreprises ferroviaires, électriques et textiles, vice-président de la «Banque cantonale du canton de Glaris» (1884-1894), membre du comité de l'USCI (1877-1882) puis de la Chambre suisse de commerce (1882-1911), Landamann (1887-1925), CaE (1877-1888), Cn (1899-1925), n'appartient à aucune fraction mais s'engage en faveur de réformes sociales, à plusieurs reprises fonctionne en tant que délégué du CF lors de négociations commerciales; *Conrad Widmer-Heusser* (?-?) (ZH), de Gossau, probablement lié à la filature «Johannes Heusser» (9500 broches en 1884), président de la Banque fédérale de Zurich, CA de la «Bank für elektrische Unternehmungen» fondée en 1895, secrétaire de la SSZWV puis président (dès 1883), membre de la Chambre suisse de commerce (1881-1913); *Emil Lang* (?-?) (AG), industriel de la branche de la filature de coton («Gebrüder Lang» à Oftringen: 12 000 broches en 1884), comité de l'AHIV (1882-1888), membre de la Chambre suisse de commerce (1882-1883).

322 *Rudolf Geigy-Merian* (1830-1917) (BS), cf. note 184, chapitre 4; *Ernest Pictet-Fuzier* (1829-1909) (GE), issu d'une famille patricienne de Genève, en 1855 entre à la banque privée fondée par son grand-père J. de Candolle et la dirige à partir de 1878 après l'avoir rebaptisée «Ernest Pictet et cie», CA de la «Banque de commerce de Genève» (1858-1909), de la «Caisse hypothécaire du canton de Genève» (1864-1868), de la «Caisse d'épargne du canton de Genève» (1867-1868), de l'«Association financière de Genève» (1872-1909), membre du comité (1865-1893) et président (1865-1871/1881-

interventionnistes sont donc fortement représentées (8/15). L'industrie du coton mécanisée est au bénéfice de quatre sièges (Wunderli-von Muralt, Widmer-Heusser, Lang, Heitz), la transformation et le commerce de cotonnades en obtient trois (Blumer, Rieter-Bodmer, Cramer-Frey) et l'alimentation un (Maggi). Les branches industrielles plus libérales n'obtiennent que quatre sièges, attribués à la broderie et au tissage en fin (von Gonzenbach, Hohl), à la chimie/rubanerie (Geigy-Merian) et à l'horlogerie (Borel-Courvoisier). Enfin, le commerce et la banque, principaux piliers du libéralisme manchestérien, n'obtiennent que deux sièges (Pictet et Conod).

La réforme de l'USCI coïncide avec l'arrivée de Conrad Cramer-Frey à la présidence de l'association. Dès lors, celui-ci devient le maître à penser de l'économie suisse. Chef de la fraction libérale aux Chambres, il n'est pas moins convaincu de la nécessité d'une réforme des conditions-cadre. Dans un de ses premiers discours prononcés devant le CN, le 4 avril 1883, il souligne le danger économique et social que comporterait un blocage de l'accroissement de l'intervention de l'Etat central:

> *Dann aber dürfen wir doch ja nicht vergessen, dass die Anforderungen an den Bund sich von Jahr zu Jahr steigern und zwar in ganz natürlicher Entwicklung, der wir uns nur zum grossen allgemeinen Schaden oder vergeblich entgegenstemmen würden [...] Denjenigen, welche heute noch auf dem Standpunkte des laisser aller, laisser faire beharren und einerseits den Forderungen der einheimischen Gewerbe gar keine Zugeständnisse machen, anderseits dem Bund die Mittel zur Erweiterung seiner Aufgabe vorenthalten wollen, rufe ich zu: Die reine Manchestertheorie ist zur Stunde unhaltbar geworden, weil sie durch die plötzlich allzuweit getriebene Konsequenz das Tempo mit den übrigen, auch den sozialen Faktoren nicht eingehalten hat. Je hartnäckiger wir uns gegen die moderne Anschauung von den Pflichten des Staates stemmen, desto schärfer muss der Einbruch in das Bestehende sich gestalten, er kann dann leicht in eine ungesunde und verderbliche Reaktion ausarten*[323].

Lors du même discours, le président de l'USCI affirme haut et fort le primat des intérêts de la production industrielle sur le commerce et l'agriculture[324]. Durant son mandat, le Zurichois adopte par conséquent une voie moyenne entre libéralisme manchestérien et capitalisme organisé allemand. Sous sa

---

1885) de l'ACIG, membre de la Chambre suisse de commerce (1880-1883), président de l'USCI (1880-1882), Cn de tendance libérale (1887-1890/1893); *Félix Conod* (?-1895) (VD), banquier à Lausanne, membre du comité de l'USCI (1874-1882) puis de la Chambre suisse de commerce (1882-1895); *J. Borel-Courvoisier* (?-?) (NE), de Neuchâtel, secrétaire de la SIIJ, membre du comité de l'USCI (1881-1882) puis de la Chambre suisse de commerce (1882-1890); *Auguste Ballif* (1833-1899) (BE), fabricant à Bollingen, membre du comité (1868-1884) et président du BVHI (1875-1884), membre du comité de l'USCI (1875-1882), puis de la Chambre suisse de commerce (1882-1884).

323 Cramer-Frey, 1883, p. 9.

324 *Ibidem*, p. 6.

houlette, l'USCI développe une stratégie de crise cohérente, dont les grandes lignes sont esquissées dès la première moitié des années 1880.

Les perspectives données pour assurer la poursuite du développement industriel suisse sont une rationalisation de la production – investissements dans la mécanisation de la fabrication et l'utilisation de nouvelles technologies (électricité, moteur à explosion, etc.) – et une spécialisation dans la fabrication de technologies de pointe et de produits de haute qualité. La diffusion de ce cadre de résolution de la crise, qui est susceptible de redonner confiance aux industriels, est facilitée par la mise sur pied de la première Exposition nationale de Zurich (1883)[325]. Dans un article du 3 octobre 1883, qui fait le bilan de l'exposition, la *NZZ* déclare:

> *Es war um den Muth zu verlieren, wenn man voraussah, dass alles Mühen vergeblich, durch die schwere Übermacht auswärtiger Konkurrenz gelähmt und vereitelt sei. Das ist jetzt anders geworden, und fröhliche Schaffenskraft wieder in die Gemüther eingezogen, die an der Fähigkeit unseres Landes verzweifeln wollten, seinen bisherigen Rang unter den aktiven Nationen zu behaupten. Schwerer als sonst ist heutzutage dieser Kampf ums Dasein geworden, aber im Kampfe stählt sich auch die Kraft. Nicht in der Agonie liegen wir; noch dürfen wir mit Anderen um den Sieg streiten: dies Bewusstsein hat die Ausstellung auf's Neue angefacht und befestigt, und es ist auch dem wirthschaftlichen Gebiete die wahre Quelle aller Erfolge*[326].

L'élaboration et la diffusion du modèle de l'USCI s'accompagnent d'un effort politique considérable. Il s'agit de mettre en place les conditions-cadre permettant aux industries suisses d'améliorer leur compétitivité en s'inscrivant dans le concept de développement proposé («rationalisation-spécialisation»).

La réforme de la politique douanière de la Confédération est au centre des priorités de Cramer-Frey. En octobre 1882, une requête intitulée «Die Revision des schweizerischen Zolltarifs» est adressée aux autorités fédérales par la KGZ. Le 4 avril 1883, Cramer-Frey prononce un discours devant le CN, publié sous le titre «Zur Zollfrage». Cette intervention aux Chambres fixe les lignes directrices de la nouvelle politique douanière que le Zurichois souhaite imposer à la Confédération. La priorité est mise sur l'instauration d'une politique de combat. Etant donné que les investissements nécessaires à la modernisation de l'économie helvétique sont tributaires d'un minimum de perspectives commerciales, il devient primordial de conclure des traités de commerce à tarif avec les quatre pays voisins qui, en 1885, absorbent 58% de la valeur des exportations helvétiques[327]. L'objectif est de diminuer la charge douanière imposée aux marchandises suisses, mais surtout de la

325 Sur le rôle joué par l'USCI et l'Exposition nationale dans la résolution de la crise, cf. Siegenthaler, 1983; Widmer, 1992, pp. 33-57.

326 Cité in Widmer, 1992, p. 36.

327 Geering, 1902, p. 84.

stabiliser sur une certaine durée[328]. Numa Droz, alors responsable du DFCA, partage l'analyse de Cramer-Frey:

> *[...] l'autonomie douanière telle que de grands états la pratiquent conduit à l'étouffement et à la ruine des petits états. Nous devons donc être partisans des traités de commerce, qui atténuent l'autonomie douanière et qui donnent à nos relations la sécurité dont elles ont un besoin impérieux [...] En premier lieu, pour fixer nos relations avec la France, nous devons adopter un terme assez long pour que les fabricants aient le temps d'amortir les frais de transformation de leurs outillages. Or, cinq ans ne suffisent pas pour cela, et l'incertitude qui a régné ces dernières années, depuis la dénonciation des traités, est en partie cause de la crise qui a sévi sur l'industrie*[329].

Représentant les milieux libre-échangistes de l'horlogerie, le Neuchâtelois est toutefois réticent à l'égard d'une politique de combat, que la KGZ légitime en utilisant ces termes:

> *Wir sind ganz damit einverstanden, dass die Schweiz nach wie vor die liberalste Zollpolitik auf dem Kontinent betreiben soll. Aber gerade weil wir so entschieden zu dem liberalen Systeme der Handelsverträge stehen, das die ruhige Entwicklung der Industrie und des Verkehrs auf Jahre hinaus zu sichern vermag, verschmähen wir auch die Mittel nicht, um diesen Zweck zu erreichen [...] Wir halten also dafür, dass es dringend nothwendig ist, den schweizerischen Generalzolltarif jetzt zum Abschlusse zu bringen und dadurch eine Grundlage zu schaffen, welche es unserer Zollpolitik gestattet, den Ereignissen kommender Jahre entgegen zu sehen*[330].

Selon Cramer-Frey, la politique douanière de la Confédération doit poursuivre un second but: soutenir la modernisation de l'industrie tournée vers le marché intérieur grâce à une modeste protection:

> *Der Sprung vom Alten zum Neuen macht sich eben gerade jetzt am stärksten fühlbar, und ich habe mich selbst überzeugt, dass gewisse Kreise in einen Zustand der Verzweiflung, in einem Marasmus verfallen sind, aus dem sich selbst herauszuarbeiten es denselben an der nöthigen moralischen Kraft und an der Einsicht gebricht. Da kommen wir sicherlich mit dem Appell an das blosse laisser aller, laisser faire nicht mehr aus.* Der Staat (souligné dans l'original, C. H.) – *und ich sage speziell mit Rücksicht auf die uns vorliegende Frage: der Bund* – hat hier in seinem allereigensten Interesse die Pflicht, einzutreten, allerdings vorsichtig, wohlüberdacht, nicht etwa indem er Prämien auf die Faulheit aussetzt und die Initiative des Individuums tödtet, aber anregend in der Weise, dass bei den Betheiligten der Muth und das Selbstvertrauen zurückkehren[331].

La protection à accorder ne doit en aucun cas éluder la concurrence étrangère, car elle ralentirait alors la modernisation en accordant un oreiller de

328 Sur la question de l'importance des traités de commerce à tarif pour l'économie suisse, dans le sens d'une sécurité apportée aux investissements, cf. Eingabe des Vorortes des SHIV..., 1876, pp. 23-24; Gutachten über die Revision..., 1876, p. 57; Zur Revision des schweizerischen..., 1890, pp. VIII-XII.

329 Cité in Kern, 1887, pp. 348-349/361.

330 Die Revision..., 1882, pp. 7-8.

331 Cramer-Frey, 1883, pp. 11-12.

paresse aux producteurs. Au contraire, une taxation modérée doit engager les industriels à investir dans une rationalisation de leur appareil de production:

> *Dagegen kann es sich auch nicht darum handeln, den natürlichen Lauf der Dinge, den Uebergang von der frühern Betriebsart von Gewerbe und Landwirthschaft zu derjenigen, welche die neuere Technik erzeugt hat, aufzuhalten, sondern nur darum, soweit es in der Kraft des Staates steht, diesen Uebergang erleichtern zu helfen*[332].

Cramer-Frey escompte que la massification de la production permettra, sur le moyen terme, de contrebalancer l'effet d'augmentation des prix provoqué par une protection:

> *In Deutschland sehen wir das Beispiel, dass die Massenproduktion eben auch die billigere Produktion ermöglicht und dass daselbst bei einem Eingangszoll von 10% bis 15% die fertigen Kleider billiger zu kaufen sind als in der Schweiz, welche nur ½% bis 1% Zoll erhebt*[333].

Sur le plan fiscal, la nouvelle tarification douanière doit subvenir à un accroissement des dépenses de l'Etat fédéral tout en allégeant la charge qui renchérit les coûts de production de l'industrie[334]. Les matières premières doivent être dégrevées, voire libérées de toute charge[335]. Facteur de renchérissement des salaires, le protectionnisme agricole est exclu:

> *[...] von Schutzzöllen auf Getreide, Kartoffeln, Schlachtvieh u. dgl. darf absolut keine Rede sein*[336].

L'effort fiscal doit porter essentiellement sur les produits industriels fabriqués, la confection, les articles de luxe ainsi que les denrées coloniales – café, sucre et tabac[337]. Par ailleurs, Cramer-Frey propose de centraliser des compétences dans les mains de la Confédération, dans le but de transférer une

332 *Ibidem*, p. 11.

333 *Ibidem*, pp. 10-11; sur la question de l'importance d'une protection du marché intérieur pour encourager les investissements nécessaires à une modernisation de l'appareil productif ou au lancement de nouvelles productions, cf. A la haute Assemblée fédérale..., 1ère pétition, 1877, pp. 7-8; Revision des Allgemeinen..., 1877, pp. 42-43; An den hohen Bundesrath zu Handen..., 1882, p. 3; Le nouveau tarif des péages..., 1891, pp. 6-8/18-27; requête adressée par l'industrie des allumettes, le 13 août 1880, intitulée «An die hohe Bundesversammlung der schweizerischen Eidgenossenschaft», in AF, E 11, vol. 15.

334 Die Revision..., 1882, pp. 12-42.

335 Un aperçu de la charge fiscale imposée en une année aux matières premières des différentes industries suisses de l'époque figure in Gutachten über die Revision..., 1876, pp. 24-28; d'après les chiffres donnés dans cette requête, dont l'objectivité n'est pas assurée, l'industrie métallurgique arrive largement en tête (57 frs/ouvrier employé), devant les machines (31 frs/ouvrier), la filature mécanique (8 frs/ouvrier) et le tissage de la soie (8 frs/ouvrier).

336 Die Revision..., 1882, p. 12.

337 *Ibidem*, p. 26.

partie de la charge fiscale jusque-là assumée par les cantons. Par ce biais, l'imposition directe cantonale pourrait être diminuée, au grand bénéfice des industries fortement capitalisées:

> *Der Bund hat den Kantonen die einzige wirklich einträgliche und steigerungsfähige indirekte Steuer, die Zölle, genommen; die Kantone sehen sich immer mehr beinahe ausschliesslich auf direkte Steuern angewiesen, die sich mancherorts und gerade da, wo die wirthschaftliche Entwicklung der Neuzeit die intensivste und in ihrer Rückwirkung auf die Einnahmen des Bundes durch Zölle, Posten und Telegraph auch günstigste ist, bis zum Unerträglichen gesteigert haben. Ist es daher nicht gerecht und billig, dass der Bund die ihm schon durch die Verfassung zugewiesene Aufgabe der Unterstützung öffentlicher, dem Gemeinwohl dienender Werke mehr und mehr erkenne und insofern den Kantonen erleichternd beispringe?*[338]

Les investissements dans l'appareil productif et la recherche de nouvelles technologies seraient ainsi favorisés.

La réforme de la politique douanière fédérale est certes le volet le plus important du programme de Cramer-Frey, mais une série de mesures destinées à promouvoir une production de qualité sont aussi proposées. L'amélioration de la formation doit contribuer à la création du capital intellectuel permettant à la main-d'œuvre d'assurer un travail de qualité et de développer ses capacités d'innovation technologique. La lutte pour une réforme de la scolarité obligatoire étant prise en charge par le parti radical, Cramer-Frey se préoccupe surtout de la formation professionnelle. Dès 1883, il se déclare favorable à un subventionnement de certaines écoles spécialisées par la Confédération:

> *Im Fernern mache ich darauf aufmerksam, wie sehr wir, theilweise in Folge der mangelnden Erkenntnis, dann aber auch hauptsächlich in Folge der Unzulänglichkeit der kantonalen Finanzen in Förderung des gewerblichen Unterrichtswesens gegenüber dem Auslande zurückgeblieben sind. Damit haben wir nicht zum Wenigsten die jetzigen, zum Theil entschieden zu weit gehenden Begehren unseres Gewerbestandes gezeitigt, der nun zumeist in hohen Zöllen sein Heil erblickt. Da muss in erster Linie und rasch durch ausreichende, zielbewusste Unterstützung von Gewerbemuseen und Gewerbeschulen u.s.w. der Bund eintreten, und dazu braucht er Geld*[339].

Par ailleurs, dès 1883, la KGZ est favorable à l'instauration d'une protection de la propriété industrielle – inventions, modèles, dessins, marques[340]. Le brevet d'invention, qui assure l'exclusivité de la production pendant un certain temps, offre une garantie de rentabilisation des investissements. Comme la protection douanière, il est susceptible de faciliter la

338 Cramer-Frey, 1883, p. 9.
339 *Ibidem.*
340 Ueber die Einführung des Schutzes der Erfindungen..., 1886; certaines entreprises, qui profitent de l'absence de législation en Suisse pour piller les nouveautés à l'étranger, sont toutefois opposées à une réglementation (chimie, impression, étoffes en soie, etc.); Wehrli, 1972, pp. 268-275.

mobilisation du capital-risque nécessaire au démarrage de nouvelles fabrications.

Un troisième volet de mesures concerne les conditions-cadre de commercialisation. Ainsi, Cramer-Frey publie toute une série d'études visant à réformer le système monétaire helvétique[341]. Adepte d'une régulation de la circulation par une banque centrale privée, dès 1880, il critique l'insuffisance de la loi sur l'émission des billets de banque de 1881. L'industrie et le commerce souffrent en effet d'une politique d'escompte anarchique (33 instituts d'émission en 1885). Entraves au trafic des paiements, cherté de l'argent, faiblesse du franc suisse face au franc français sont autant d'éléments qui affaiblissent la compétitivité des élites industrielles et commerçantes[342]. La capacité de concurrence de l'économie suisse est aussi diminuée par le désordre qui règne en matière de transport ferroviaire[343]. A la fin des années 1870, le différentiel négatif des coûts de transport par le rail vis-à-vis des pays concurrents est considérable[344]. Par ailleurs, le manque de centralisation des compétences empêche la Confédération de conclure des traités ferroviaires avec les Etats voisins[345]. En 1891, le Conseiller fédéral Emil Welti estime que la résolution du problème des tarifs ferroviaires est d'une

341 Cramer-Frey Conrad, *Die Regulierung des Banknotenwesens in der Schweiz*, Zürich, 1880; Cramer-Frey Conrad, *Zum Währungsstreit. Diskontoerhöhungen. Doktrin. Pariser Konferenzen*, Zürich, 1881; Cramer-Frey Conrad, *Die Münzfrage. Referat gehalten in der Generalversammlung der Kaufmännischen Gesellschaft Zürich vom 7. April 1881*, Zürich, 1881; Cramer-Frey Conrad, *Zur Reform des schweizerischen Banknotenwesens*, Zürich, 1885; Cramer-Frey Conrad, *Le monopole des billets de banque. Banque d'Etat ou banque privée. Rapport de M. le conseiller national C. Cramer-Frey lu à l'Assemblée des délégués de l'Union suisse du commerce et de l'industrie du 9 mai 1891*, Zürich, 1891; Cramer-Frey Conrad, *L'état actuel de la question monétaire et la situation en Suisse. D'après une conférence faite à la société commerciale de Zurich le 16 mars 1894*, Berne, 1894.

342 Pour une analyse détaillée des diverses raisons qui ont mené à la création de la BNS, cf. Guex, 1993, pp. 20-39; Zimmermann, 1987, pp. 20-49.

343 Sur la question, cf. Fueter, 1928, pp. 198-199; Strebel, 1980, pp. 105-109; Weber, 1903, pp. 127-139/143-152.

344 Sur son territoire, un industriel belge paie 2,5 cts par tonne de fer et par kilomètre, un industriel allemand 5 cts et un industriel suisse entre 10 et 15 cts, selon les compagnies; Revision des allgemeinen schweizerischen Zolltarifes..., 1877, p. 23; par ailleurs, la politique d'amortissement de la dette poursuivie à l'étranger, qui contraste avec la politique de redistribution des profits des compagnies suisses, est en passe d'aggraver le différentiel; Masnata estime qu'avant la Première guerre mondiale, le tarif moyen par tonne kilométrique s'élève à 2,70 cts aux Etats-Unis, 3,30 cts en Russie, 4,29 cts en France, 4,36 cts en Allemagne, 4,37 cts en Autriche, 4,62 cts en Hongrie et 8,43 cts en Suisse; Masnata, 1924, p. 123.

345 La Confédération est en effet incapable de s'opposer aux manipulations des tarifs ferroviaires auxquelles se prêtent certains Etats, cela afin d'entraver la compétitivité des produits helvétiques sur leur sol; n'étant pas compétente en matière de fixation des tarifs

importance comparable à la réforme douanière[346]. Dès 1883, Cramer-Frey est convaincu que le rachat des chemins de fer par la Confédération s'impose[347]. Mais pour des raisons politiques, il préfère soutenir la stratégie des petits pas du CF[348]. Lors des débats ferroviaires de 1891 et 1897, le Zurichois pèse de tout son poids en faveur du rachat. Les instances dirigeantes de l'USCI adoptent toutefois une attitude neutre afin de ne pas heurter la frange libérale de l'association.

Au début des années 1880, l'intervention de la Confédération en matière de politique sociale ne semble pas préoccuper outre mesure l'USCI. Cette problématique ne mobilise l'association qu'à partir de 1890[349]. Confronté à la multiplication des grèves, Cramer-Frey se fait le champion du modèle anglais de règlement des conflits de travail. En janvier 1890, il adresse une lettre au Conseiller fédéral Droz, dans laquelle il encense les «Trades Unions» britanniques. Leur action est en effet basée sur une solidarité patronat-ouvrier contre la concurrence étrangère:

---

suisses, elle ne peut négocier un traitement ferroviaire réciproque équitable; ainsi, lorsqu'en 1891, les chemins de fer italiens augmentent de 12% le prix du transport des machines suisses, réduisant à néant les baisses de taxation douanière obtenues par voie de traité de commerce, Welti ne peut que constater l'impuissance de la Confédération: «*So besitzen die fremden Eisenbahnen die Möglichkeit, die in den Zollverträgen mit Mühe und Not erlangten Erleichterungen in Frage zu stellen und uns des Vorteils der Zollverträge verlustig zu machen [...] Wir könnten diesen Manipulationen nur dann begegnen, wenn es in unsern Händen läge, die schweiz. Eisenbahntarife so zu gestalten, wie wir es im Interesse des schweizer. Importes und Exportes für nötig erachten. Hier aber begegnen wir dem Hindernis, dass wir in der Schweiz nicht im Falle sind, von Staats wegen auf die Gestaltung der Frachten irgend welchen Einfluss zu üben.*»; Weber, 1903, p. 144.

346 *Ibidem*, p. 143.

347 Lors du premier débat aux Chambres concernant un rachat des chemins de fer, qui a lieu du 19 au 21 avril 1883, la commission du CN se prononce en faveur d'un rachat partiel du réseau, mais ne réussit pas à convaincre une majorité de députés; cette solution est refusée par 67 voix contre 59; à cette occasion, Cramer-Frey combat le rachat, jugé prématuré, tout en confiant à son frère, dans une lettre, qu'il est convaincu de sa nécessité future; Meyer, 1969, pp. 25-28; sur l'attitude de Cramer-Frey en matière ferroviaire, cf. également Wehrli, 1972, pp. 204-207; Richard, 1924, pp. 1182-1183.

348 Le premier pas est une loi sur la comptabilité des compagnies de chemin de fer, votée le 21 décembre 1883; le 26 juin de la même année, une motion Cramer-Frey exigeant une étude des tarifs ferroviaires est acceptée par le CN; les autorités fédérales confient une enquête approfondie à l'USCI, qui débouche sur la publication d'un rapport (1884); une pression à l'unification des classifications de marchandises et des tarifs est ainsi exercée sur les compagnies privées.

349 Wehrli, 1972, pp. 277-282; cf. également Archives USCI, PV de l'assemblée des délégués, 26 avril 1890/27 avril 1895/30 avril 1898 et PV de la Chambre suisse du commerce, 24 avril 1890/27 avril 1895/30 avril 1897.

> *Je crois que ces Messieurs* (les Grutléens zurichois, C. H.) *auraient beaucoup à apprendre de leurs confrères des «Trades Unions» en Angleterre qui, depuis quelques temps déjà, ont fini par comprendre que leur intérêt et celui des fabricants est souvent identique, que le «strike» est une arme à laquelle on ne doit recourir qu'à la toute dernière heure et après une étude mûre de la situation générale de l'industrie, et de la possibilité pour celle-ci, de soutenir quand même la concurrence étrangère et qui, enfin, ont réussi à expulser peu à peu les éléments turbulents et socialistes*[350].

Pour éviter que le mouvement ouvrier ne se radicalise, Cramer-Frey est prêt à consentir certaines concessions dans le domaine de la protection sociale. Selon lui, le pilier de l'intervention fédérale doit être une assurance accident centralisée, fondée sur le système allemand de l'obligation. Au-delà de sa fonction intégratrice, cette loi doit soulager le grand patronat des désagréments que lui cause la loi de 1881 sur la responsabilité civile dans les fabriques. Un élargissement de la protection sociale à l'assurance maladie est beaucoup plus contesté au sein de l'USCI, en particulier si celle-ci doit prendre un caractère centralisé et obligatoire. Enfin, l'idée d'une assurance-chômage, qui est soutenue par l'aile gauche du parti radical, reçoit un accueil poli au sein de l'association patronale. Son application sur le plan fédéral n'est toutefois pas sérieusement envisagée.

Grâce à la réforme de 1882, les élites interventionnistes parviennent donc à mettre l'USCI sur les rails d'une révision des conditions-cadre de l'économie suisse. Par le biais du renforcement de l'association faîtière, elles gagnent aussi en influence au sein du champ étatique. Du fait de l'accroissement de son pouvoir informationnel, l'USCI parvient peu à peu à créer un lien de dépendance du CF et de l'administration vis-à-vis de son «know how» économique. Par ailleurs, la centralisation des compétences et l'acquisition d'un statut semi-officiel permettent d'améliorer le potentiel d'agrégation des intérêts divergents de l'économie. Dans les dossiers les plus délicats, tels que la politique douanière, ce rôle est joué par la KGZ[351]. Certes, la liberté de communiquer directement avec les autorités est conservée aux sections, mais les liens privilégiés établis entre le Vorort et le CF obligent de plus en plus les membres à passer par l'USCI pour être entendus. Cela les engage à respecter la stratégie commune qui peut être défendue de manière plus efficace vers l'extérieur. La consultation de l'USCI et l'adoption de ses options deviennent progressivement une garantie d'éviter l'opposition référendaire des élites industrielles et commerçantes. Dans des situations exceptionnelles, où l'USCI n'est pas écoutée, la force organisationnelle et financière acquise permet de mener victorieusement une campagne référendaire.

350 AF, E 2, Nachlass Droz, lettre de Cramer-Frey à Droz du 23 janvier 1890.
351 Zimmermann, 1980, pp. 93-148.

Si l'USCI prend une place de plus en plus importante au sein du champ étatique, force est de constater que le CF contribue de manière importante à cette percée. Le subside annuel inscrit au budget de la Confédération permet l'accroissement du potentiel administratif de l'association. Par ailleurs, le CF participe au renforcement du Vorort en lui accordant une place privilégiée dans le système de consultation des milieux économiques. Certes, cette attitude bienveillante s'explique en partie par le lien constitutif existant depuis 1848 entre élites économiques et autorités de l'Etat fédéral. Cependant, l'exécutif profite aussi de la situation qu'il contribue à créer. Au début des années 1880, la crise économique risque de dégénérer en crise sociale et les blocages politiques déjà évoqués empêchent de trouver des solutions adéquates. La légitimité du pouvoir fédéral s'en trouve peu à peu écornée. Dans ces conditions, le CF a tout intérêt à créer un axe politique fort avec l'USCI. Dans la nébuleuse des stratégies de crise contradictoires proposées par les différentes élites économiques suisses, le Vorort est le seul acteur qui a le potentiel politique et informationnel pour dégager des perspectives claires et les promouvoir de manière efficace au sein du champ étatique et dans l'opinion publique[352].

L'intensification progressive de la collaboration entre l'USCI et le CF repose par conséquent sur l'attrait d'un soutien réciproque. D'un côté, l'association faîtière a besoin du «monopole de la violence symbolique légitime» de l'Etat pour mettre en place de nouvelles conditions-cadre. En outre, pour mener à bien ses objectifs, le Vorort dépend du financement et de la légitimité que lui confère l'Etat. De l'autre côté, le CF a besoin de l'USCI pour asseoir son pouvoir dans un contexte politique (démocratie semi-directe) et économique (capitalisme organisé) en pleine mutation. En agrégeant les intérêts divergents dans une stratégie de crise cohérente, en fournissant le matériel informationnel à sa réalisation, en disciplinant en partie les élites économiques sur le plan référendaire, l'USCI contribue au bon fonctionnement du champ étatique. Cependant, l'intensification de la collaboration entre le Vorort et le CF n'empêche pas les deux partenaires d'entretenir une relation dialectique. Afin d'assurer sa légitimité politique, le champ étatique est parfois appelé à légiférer en faveur d'autres groupes sociaux, contre les intérêts des membres de l'USCI. Cette menace contraint le Vorort à adopter une attitude quasi schizophrénique. Contre l'opposition manchestérienne, il en appelle à un renforcement des capacités d'intervention de la Confédération (compétences constitutionnelles, moyens financiers et administratifs, etc.). Mais simultanément, il combat la constitution d'un Etat fort, dont la marge d'autonomie accrue pourrait être mise au service des élites agricoles, des classes moyennes ou de la population salariée. Ainsi, tout en collaborant étroitement avec la Confédération pour

352 Siegenthaler, 1983.

satisfaire les intérêts de sa base, l'USCI affiche une attitude antiétatique en diffusant un discours argumentatif libéral et fédéraliste.

Les deux faces de la stratégie de l'USCI apparaissent bien dans certains lieux forts des relations entretenues avec l'Etat fédéral. En politique financière, l'association faîtière prône une augmentation des revenus lorsqu'elle est nécessaire à l'intervention économique qu'elle approuve. Par contre, elle lutte contre les surplus budgétaires qui permettraient de développer une intervention à caractère social. La stratégie financière de l'Etat pauvre participe donc au contrôle de l'intervention étatique par les élites économiques[353]. Il en est de même de la stratégie de l'Etat maigre. Si l'USCI exige parfois que l'administration fédérale soit renforcée, pour être en mesure d'exécuter le volet économique de son intervention, elle lutte contre un gonflement de l'appareil administratif, en invoquant son inutilité et sa cherté. Ce faisant, l'association faîtière entretient une dépendance maximale du champ étatique vis-à-vis de son capital informationnel. Un autre moyen encore de contrôler l'intervention de l'Etat est de lui imposer le contenu de l'information économique qu'il récolte. Alors que l'USCI réclame un développement de la statistique commerciale devant servir à la conclusion de traités de commerce, elle refuse une statistique sur la production, qui pourrait servir les revendications des salariés et du fisc[354]. Par ailleurs, elle lutte pour empêcher le développement d'une statistique de la petite industrie et de l'agriculture[355]. La mise en évidence de l'importance de ces secteurs de l'économie suisse donnerait des atouts aux partisans d'une intervention en leur faveur[356].

La relation conflictuelle entre l'USCI et l'Etat transparaît aussi dans les incessantes tensions qui marquent l'élaboration du contenu d'une loi interventionniste et la définition des modalités d'application. Certes, l'USCI pousse à une intervention de l'Etat dans certains domaines économiques, mais les élites n'abandonnent pas leurs prérogatives sans condition. Elles entendent que la loi serve leurs intérêts et que l'Etat leur accorde une participation au contrôle de l'application, afin d'empêcher toute dérive. La centralisation des chemins de fer, de l'émission fiduciaire et de l'assurance accident provoquent des bras de fer épiques entre les deux pôles de l'axe USCI-CF. Lorsque l'Etat s'arroge une trop grande autonomie, souvent au profit d'autres groupes sociaux, l'association faîtière entrave le processus législatif pour obtenir gain de cause[357]. Ainsi, au tournant du siècle, l'USCI

353 Sur la stratégie de l'Etat pauvre en Suisse, cf. Guex, 1993, pp. 136-139; Guex, 1998, pp. 75-100.
354 Messmer, 1980, pp. 315-330.
355 Widmer, 1992, pp. 442-454.
356 Humair, 1998, pp. 37-40.
357 Sur la mise en place du système de consultation, entre 1874 et 1914, et l'utilisation du référendum comme moyen de pression, cf. Neidhart, 1970, pp. 57-181.

n'hésite-t-elle pas à se servir deux fois du référendum pour contrecarrer des lois qui ne lui conviennent pas[358].

L'USCI est de ce fait toujours confrontée aux objectifs contradictoires qu'implique sa double relation aux élites économiques et à l'Etat[359]. Pour assurer la bonne marche de sa collaboration avec la Confédération, l'association faîtière est obligée de soutenir – ou tout au moins de ne pas attaquer – des lois ne correspondant pas aux intérêts de sa base. Mais pour maintenir la fidélité de ses membres, elle est parfois contrainte de combattre des lois promulguées par l'Etat. Tenir l'équilibre entre ces deux fonctions – légitimation de l'Etat et défense des intérêts des élites industrielles et commerçantes – n'est pas toujours aisé. Cela touche à la quadrature du cercle quand il s'agit de le faire en période de crise économique, lorsque la marge de manœuvre des deux partenaires se rétrécit. Il est probable qu'en certaines circonstances, l'USCI encourage des sections ou un comité référendaire à faire le travail d'opposition à sa place, ce qui lui permet de ne pas s'aliéner le champ étatique.

Finalement, la réforme de 1882 renforce la position des élites interventionnistes en améliorant l'efficience du système de communication entre les sphères politique et économique. Comme nous l'avons vu, le potentiel administratif du Vorort est notablement amélioré par l'engagement d'un deuxième secrétaire à temps plein. Certes, la logistique dont dispose le DFCA demeure faible, mais elle tout de même étoffée par la création d'une Division du commerce (1881). Le secrétaire du commerce, Philipp Willi, est nommé à sa tête. Pour l'épauler, un nouveau fonctionnaire est engagé en la personne d'Arnold Eichmann[360]. L'ancien secrétaire du Vorort de l'USCI, qui connaît parfaitement les préoccupations des milieux industriels et commerçants, peut ainsi assumer une fonction de relais au sein du champ étatique.

Plus importante encore que l'amélioration quantitative du personnel chargé des affaires économiques, la stabilisation des acteurs du processus de consultation garantit une meilleure efficacité dans l'élaboration des lois. Epaulé par Alfred Frey, son secrétaire, Conrad Cramer-Frey devient le personnage-clef de l'USCI au sein du champ étatique. Le Vorort et la Chambre suisse du commerce bénéficient également d'une remarquable stabilité. Au

358 Il s'agit de la loi Hauser concernant l'instauration d'une Banque centrale étatique d'émission fiduciaire et la loi Forrer sur l'assurance maladie et accident; dans le deuxième cas, l'USCI n'affiche pas son opposition, mais la majorité des milieux industriels et commerçants soutiennent le référendum; Zimmermann, 1987, pp. 126-139/ 224-233; Wehrli, 1972, p. 281.

359 Schmid, 1983, pp. 111-133.

360 Hulftegger, 1920, note 1, p. 88; Witschi, 1987, pp. 188-190.

sein du CF, l'abolition du système présidentiel tournant, entre 1887 et 1896, ralentit la rotation des départements les plus concernés par l'intervention économique. Durant sa présidence de l'USCI (1882-1900), Cramer-Frey collabore donc avec un nombre restreint de Conseillers fédéraux[361] – Droz/Deucher (DFCA/DFIA/DFIAC), Hammer/Hauser (DFFD), Welti/Zemp (DFPC), Droz (DFP)[362]. Au sein de la Division du commerce, centre de gravité de l'intervention économique de la Confédération, Willy et Eichmann assurent une continuité administrative. Cette situation permet à Cramer-Frey de nouer des relations étroites avec les personnages-clefs du champ étatique, en particulier avec le Conseiller fédéral Numa Droz. Son emprise sur la politique économique de la Confédération est ainsi optimisée.

Progressivement, le système de consultation est par conséquent amélioré et intensifié. Le centre de gravité du processus législatif se déplace insensiblement des Chambres vers un triangle constitué par le CF (élu par les Chambres), l'administration (nommée par le CF) et certaines associations

361 Entre 1879 et 1886, le DFCA reste la propriété du Neuchâtelois Numa Droz – excepté 1881 (Ruchonnet); déplacé au DFP, qu'il dirige entre 1887 et 1892, Droz emmène la Division du commerce dans ses bagages; un Département fédéral de l'industrie et de l'agriculture est alors créé (DFIA), occupé jusqu'en 1912 par un interventionniste convaincu, le radical thurgovien Adolf Deucher; en 1892, la Division du commerce réintègre ce département qui devient le Département de l'industrie, de l'agriculture et du commerce (DFIAC); autre département sensible, le DFFD est occupé de 1876 à 1890 – excepté 1879 (Bavier) – par le banquier libéral soleurois Bernhard Hammer, également très au fait des affaires économiques; entre 1891 et 1902, ce département passe dans les mains du radical zurichois Walter Hauser, propriétaire d'une grande tannerie; de 1877 à 1891, le DFPC est sous la férule du libéral centralisateur argovien Emil Welti, partisan de l'étatisation des chemins de fer – excepté 1880-1881 (Bavier) et 1884 (Deucher); entre 1892 et 1908 – excepté 1902 (Comtesse) –, il est ensuite dirigé par le premier Conseiller fédéral catholique-conservateur, le Lucernois Josef Zemp.

362 *Emil Welti-Gross* (1825-1899) (AG), cf. note 19, chapitre 4; *Numa Droz-Colomb* (1844-1899) (NE), cf. note 137, chapitre 4; *Adolf Deucher-Schneblin* (1831-1912) (TG), médecin, CdE (1879-1883), Cn radical de gauche (1869-1872/1879-1883), Cféd (1883-1912), adepte d'une intervention économique et sociale de la Confédération; *Bernhard Hammer-Jäggi (-Fröhlicher)* (1822-1907) (SO), avocat, banquier privé («Hammer et Cie»), CA de la «Solothurner Handelsbank» (1857-1868/1893-1902) et de la banque cantonale (1893-1902), du «Gotthardbahn» (1891-1905), du «Centralbahn» (1896-1901), Ambassadeur extraordinaire en Allemagne (1868-1874), Cféd de tendance libérale (1875-1890); *Walter Hauser-Wiedemann* (1837-1902) (ZH), fils et collaborateur d'un important industriel de la branche de la tannerie, CA de la «Hypothekenbank Winterthur» (1881-1888), CdE (1881-1888), Cn radical de gauche (1869-1875), CaE (1879-1888), Cféd (1888-1902); *Josef Zemp-Widmer* (1834-1908) (LU), issu d'une vieille famille de notables de l'Entlebuch – région parmi les plus touchées par la crise agricole –, avocat, CA du «Centralbahn» (1879-1890), du «Bern-Luzern-Bahn» (1874-1875) et de l'entreprise de métallurgie «Eisenwerke von Moos» (1887-1891), CaE catholique-conservateur (1871-1872) puis Cn (1872-76/1881-1891), président de la fraction de 1881 à 1885, Cféd (1891-1908).

économiques (cooptation des élites économiques), dont la légitimité démocratique est discutable. Cette tendance est encore accentuée, en 1897, lorsque le CF autorise les chefs de l'administration à délibérer directement avec les associations faîtières[363]. Seul maillon du processus préparatoire de la législation démocratiquement élu, le Gouvernement se met ainsi volontairement entre parenthèses. Ce glissement de pouvoir au sein du champ étatique permet aux élites économiques interventionnistes d'acquérir une certaine emprise sur la politique de la Confédération, quand bien même leur poids politique aux Chambres demeure limité. Même si le rôle législatif du Parlement se transforme, la fonction de légitimation prenant le pas sur celle d'élaboration, la construction d'une majorité susceptible de soutenir l'action de l'axe CF-USCI demeure une nécessité problématique à satisfaire. De même, la levée de l'opposition référendaire conservatrice est indispensable à la mise en place des conditions-cadre nécessaires à l'industrie suisse. Comme nous le verrons dans la suite de l'analyse, ces obstacles seront surmontés grâce à la construction d'un bloc bourgeois-paysan réunissant les forces interventionnistes industrielles et agricoles.

4.3. Crise de l'agriculture suisse et intervention de l'Etat: les élites agricoles s'organisent et revendiquent

A partir des années 1870, l'arrivée de céréales américaines plonge l'Europe dans une crise agricole structurelle qui perdure. Cette évolution provoque une flambée de protectionnisme agricole qui remet en question l'exportation suisse de fromage et de bétail, fondement du développement de l'agriculture depuis le milieu du siècle. Face à cette situation délicate, qui menace la rentabilité du secteur primaire, les élites agricoles ne sont pas plus unanimes que les milieux industriels. Les différentes branches de production élaborent ainsi des stratégies de crise divergentes en fonction de leurs intérêts. Au-delà de ces divisions, la nécessité d'une intervention accrue de la Confédération est toutefois reconnue de manière presque unanime. Très vite, une aide à l'échelle cantonale se révèle en effet insuffisante pour faire face à l'ampleur de la tâche. Même l'aristocratie terrienne catholique, alors ultra-fédéraliste, est contrainte de solliciter l'Etat central.

En 1882, la création de la «Gesellschaft schweizerischer Landwirthe» (GSL) donne une certaine cohérence aux revendications de l'agriculture. De manière certes moins efficace que l'USCI, l'association des élites agricoles de Suisse orientale définit un programme de réforme des conditions-cadre du secteur primaire. Selon elle, la Confédération doit promouvoir une rationa-

363 Von Steiger, 1933, p. 67; Müller, 1966, pp. 126-127.

lisation de la production et favoriser une spécialisation dans des productions de qualité. «Rationalisation-spécialisation», les mots d'ordre de la GSL retentissent comme un écho à ceux de l'USCI. A partir de 1885, la chute du profit agricole oblige toutefois la GSL à s'engager dans la voie du protectionnisme douanier. Les mesures demandées à la Confédération doivent assurer la rentabilité nécessaire à la poursuite du processus de spécialisation dans des productions animales hautement capitalisées. Elles sont en particulier destinées à promouvoir la production de viande.

En raison de leur faiblesse politique au sein du champ étatique fédéral, les élites agricoles ne parviennent pas à arracher des concessions substantielles aux élites industrielles et commerçantes au pouvoir. Certes, un premier arrêté fédéral sur l'encouragement à l'agriculture est bien voté en 1884, et quelques taxes agricoles relevées lors des révisions douanières des années 1880, mais cela ne suffit pas à enrayer la dégradation de la situation économique des petits et moyens paysans. Cette évolution provoque une radicalisation des classes moyennes agricoles qui s'organisent au sein de ligues, dont le programme économique est beaucoup plus radical que celui des élites. La pression à l'instauration d'un véritable protectionnisme agricole est ainsi accentuée.

4.3.1. La crise agricole et ses conséquences économiques et sociales en Suisse

Dans le chapitre consacré au traité de commerce avec la France (1864), nous avons mis en évidence que, dès le milieu des années 1850, l'agriculture suisse engage un processus de spécialisation dans les productions animales pour lesquelles elle est la plus compétitive. La principale cause de cette évolution est l'importation toujours plus massive et bon marché de céréales – production mécanisée outre-Atlantique, baisse des coûts du transport maritime, construction d'un réseau ferroviaire en Suisse. Le transfert de production n'est toutefois possible qu'à condition de conquérir des débouchés extérieurs en suffisance afin d'écouler les surplus de fromage et de bétail. De ce point de vue, l'ouverture libre-échangiste européenne des années 1860-1875 est une bénédiction pour l'agriculture suisse, car elle permet au processus de spécialisation de se dérouler sans problème majeur durant cette période[364]. Certes, l'abandon progressif de la culture au profit d'une production animale, plus fortement capitalisée et plus axée sur le marché, pose certains problèmes aux petits et moyens paysans du plateau. Ceux-ci expriment d'ailleurs leur mécontentement en participant au mouvement démocratique qui émerge dans les années 1860. Cependant, entre 1851/55 et

364 Lemmenmeier, 1983, pp. 228-230; Kupper, 1929, pp. 12-19.

1871/75, la valeur ajoutée globale produite par l'agriculture (VAA) progresse de 329 à 529 mios de frs (+60%), la part de la production animale passant de 45% à 59%[365].

Dans les années 1880, l'importance du complexe agro-alimentaire au sein de l'économie suisse est encore considérable[366]. Les 490 000 personnes employées par l'agriculture et la sylviculture représentent 37,5% de la population active, tandis que l'industrie fabriquant des aliments, des boissons et des produits à base de tabac occupe 44 000 personnes, soit 3,4% de la population active[367]. Le taux de la population employée dans le secteur primaire est plus élevé que la moyenne suisse dans les cantons suivants: le Valais (76%), les Grisons (57%), Fribourg (57%), Uri (56%), Obwald (55%), le Tessin (52%), Lucerne (49%), Vaud (44%), Berne (43%), Argovie (42%), Schaffhouse (41%), Nidwald (40%) et Schwyz (40%). A l'exception de Soleure (33%) et Zoug (33%), nous retrouvons les cantons à dominante agricole de 1822. Avec 19% de la population agricole helvétique, Berne reste le principal poids lourd du secteur primaire, suivi par Vaud (9%), Zurich (9%), Argovie (7%), le Tessin (7%), le Valais (7%), Lucerne (6%) et Fribourg (6%). Ces huit cantons rassemblent donc 70% des actifs dans le secteur primaire. En 1883, la valeur ajoutée produite par le complexe agro-alimentaire s'élève à 594 mios de frs, soit 39% du PIB. Cela équivaut à 2,8 fois la valeur ajoutée des principales industries suisses (horlogerie, broderie, soierie, coton, machines, métallurgie et chimie – tableaux 15 et 16).

Le coût de la main-d'œuvre non familiale utilisée dans l'agriculture est beaucoup moins important que dans l'industrie. Au tournant du siècle, les salaires distribués représentent 10% de la valeur brute de la production agricole[368]. En 1883, l'agriculture verse donc une masse salariale d'environ 70 mios de frs, ce qui équivaut aux salaires payés dans l'horlogerie et la broderie[369]. Ainsi, les propriétaires terriens sont plutôt favorables à une fiscalité indirecte, tout en essayant de limiter une trop forte taxation de leurs outils de production (outils en fer, machines), de leur matières premières (engrais, semences, fourrages) et de leur consommation (habits, denrées coloniales,

365 Moyennes sur cinq ans en termes nominaux; SHS, 1996, pp. 554-555.

366 Pour un aperçu des structures de l'agriculture suisse au tournant du siècle, cf. Baumann, 1993; Kupper, 1929; Lemmenmeier, 1983; Bergier, 1984, pp. 89-110.

367 SHS, 1996, pp. 404-411.

368 Steiger, 1982, p. 75.

369 En estimant que la valeur ajoutée représente 80% de la valeur brute – les 20% restant représentent les semences, les fourrages (foin, céréales, pommes de terre, lait), les œufs à couver, etc. utilisés pour la production de l'entreprise agricole –, la production de 1883 peut être évaluée à 620 mios de frs; en admettant que la proportion de la masse salariale a diminué entre 1883 et 1905, en raison de la mécanisation, une somme de 70 mios, légèrement supérieure à 10% de la valeur brute, paraît probable.

Tableau 17. Principales forces du complexe agro-alimentaire durant la Grande dépression[370]

	val. ajoutée 1883 (mios de frs)	% de la VAA 1883	% du PIB 1883	import./ product. totale 1883	export./ product. totale 1883	sommet de la crise
agriculture	**498**	***100,0***	***32,7***	–	–	**1886/90**
prod. animale	339	*68,1*	*22,2*	–	–	–
bétail d'élevage	30	*6,0*	*2,0*	–	–	–
lait	157	*31,5*	*10,3*	1	1	1886/90
viande	122	*24,5*	*8,0*	33	10	–
prod. végétale	159	*31,9*	*10,4*	–	–	–
céréales	35	*7,0*	*2,3*	94	–	1891/95
vins	41	*8,2*	*2,7*	75	1	1886/90
sylviculture	**39**	–	***2,6***	–	–	**1885**
ind. alimentaire	**57**	–	***3,7***	–	–	**1878**
fromage	34	–	*2,2*	2	48	1878 et 1885
total	**594**	–	***39***	–	–	

etc.). Ils sont par contre opposés à une imposition directe qui frappe la rente et le capital fonciers:

> *Wir Bauern bezahlen z. B. die Steuern auf Grundlage unseres Grund- und Anlagekapitals und müssen sie bezahlen, selbst wenn wir eine vollständige Missernte hätten. Der Handelsmann und der Industrielle bezahlen vom Einkommen, also von demjenigen, was sie mit dem Anlagekapital verdienen, und haben sie schlechte Zeiten, so bezahlen sie natürlich weniger. Diese Ungleichheit ist nun nicht richtig [...] Ich meinerseits glaube, dass indirekte Steuern für Luxusgegenstände ganz am Platze wären und dazu geeignet, den direkten Steueransatz bedeutend zu reduziren*[371].

Quant aux intérêts commerciaux des milieux agricoles, ils divergent fortement en fonction des régions et des branches de production. En comparaison de la situation du début du siècle, les contradictions entre les agricultures de montagne et de plaine se sont toutefois atténuées, suite au développement de la fabrication de fromage en plaine.

370 La valeur ajoutée est tirée in SHS, 1996, pp. 554-555; les rapports importation/production totale et exportation/production totale sont construits à partir de quantités tirées in SHS, 1996, pp. 550-553/662-663/666-667; Brugger, 1968, pp. 272-298; Steiger, 1982, p. 177; les taux concernant la viande ne prennent en compte que la production de viande bovine, qui est toutefois la plus importante; en raison des fortes fluctuations des récoltes liées aux conditions météorologiques, la situation des différentes branches agricoles est évaluée en utilisant des moyennes sur cinq ans; SHS, 1996, p. 555.

371 Anderegg, 1879, p. 64.

L'élevage de bétail à cornes produit des bêtes destinées à la reproduction, à l'exploitation laitière (rente) et à l'engraissement de bétail de boucherie. Bien que cette branche ne dégage qu'une valeur ajoutée de 30 mios de frs – 6% de la VAA –, elle occupe une place privilégiée au sein de l'agriculture helvétique. Dans une certaine mesure, la qualité du bétail détermine la quantité et la qualité du lait, des produits laitiers et de la viande produits en Suisse. Par ailleurs, réservé à une élite agricole disposant du savoir-faire et des capitaux nécessaires, l'élevage génère une part importante du revenu des décideurs du monde agricole, en particulier dans les régions de montagne. Pris en charge par des négociants, le bétail est en partie exporté, principalement vers l'Italie et la France voisines[372]. Avec la construction du réseau ferroviaire, les marchés s'élargissent à l'ensemble des pays voisins, à l'Espagne, la Hongrie, la Russie et même aux Etats-Unis (1869). Cette extension des débouchés est facilitée par la réputation de qualité, dont bénéficie le bétail helvétique, qui est acquise notamment lors de l'Exposition universelle de Paris (1867). Ainsi, entre 1851/55 et 1871/75, l'exportation bovine annuelle progresse de 30 600 à 50 300 pièces (+64%)[373]. Alors que du bétail d'élevage de qualité est exporté, petits et moyens paysans des régions limitrophes se fournissent en bétail bon marché à l'étranger. Cette importation n'est pas négligeable, puisqu'elle passe de 43 400 à 49 200 têtes entre 1851/55 et 1871/75[374]. Par conséquent, les éleveurs sont intéressés à une politique de combat permettant la conclusion de traités de commerce. En cas de fermeture des marchés extérieurs, ils disposent d'une réserve d'écoulement sur le marché intérieur, qui est exploitable moyennant des mesures protectionnistes.

La production laitière constitue la clef de voûte de l'agriculture helvétique. Entre 1851/55 et 1876/80, la valeur ajoutée moyenne dégagée passe de 67,9 mios (21% de la VAA) à 166,7 mios de frs (30% de la VAA), soit une progression de 147%[375]. En 1883, la branche produit 10,3% du PIB. Si le litre de lait baisse alors d'un seul centime, l'agriculture enregistre un manque à gagner d'environ 12 mios de frs, soit 50% du budget de la Confédération[376]. Le lait produit est écoulé presque exclusivement sur le marché intérieur. Mais une part importante est toutefois exportée sous la forme de produits alimentaires à base de lait. Ainsi, la croissance de l'exportation de

372 Sur le commerce de bétail, cf. Kaufmann, 1988.

373 Ces chiffres correspondent à l'exportation totale de bétail bovin – 46 600 et 72 900 têtes – de laquelle est soustraite l'exportation de bétail de boucherie – 16 000 et 22 600 têtes; chiffres tirés respectivement in SHS, 1996, pp. 666-667 et in Steiger, 1982, p. 171.

374 Ces chiffres correspondent à l'importation totale de bétail bovin – 69 200 et 101 400 têtes – de laquelle est soustraite l'importation de bétail de boucherie – 25 800 et 52 200 têtes; chiffres tirés respectivement in SHS, 1996, p. 663 et in Steiger, 1982, p. 172.

375 SHS, 1996, pp. 554-555.

376 En 1883, le prix du quintal de lait de consommation est de 13 frs; *ibidem*, p. 482.

fromage, qui passe de 52 800 quintaux (1851/55) à 230 000 quintaux (1881/84), est l'élément décisif permettant d'éviter un engorgement du marché laitier jusqu'au milieu des années 1880[377]. En 1881/84, 21% de la production totale de lait est destinée à la fabrication de fromage qui est exportée à 45%[378]. Un recul des ventes à l'étranger peut donc provoquer une forte pression à la baisse du prix du lait[379]. En 1876/80, l'exportation de fromage suisse représente 15,3% du commerce mondial[380]. Malgré le fait que l'évolution des transports permet désormais d'accéder à des débouchés plus lointains, les marchés voisins absorbent 84,3% des expéditions en 1885 – France: 34,2%; Italie: 25,3%; Allemagne: 20,2%; Autriche-Hongrie: 4,6%[381]. Emmenés par les négociants de Berne et Lucerne, surnommés les «barons du fromage», les producteurs laitiers sont donc favorables à une politique de combat, quand bien même certaines qualités bénéficient d'une compétitivité hors-prix liée au savoir-faire des fromagers suisses[382]. Outre le fromage, d'autres produits laitiers sont aussi exportés – beurre, lait condensé, chocolat au lait –, mais l'importance de ce mouvement commercial est alors marginal pour l'écoulement du lait[383].

La production de viande est le troisième pilier de la production animale suisse. En 1883, cette activité dégage une valeur ajoutée de 122 mios de frs, soit 24,5% de la VAA et 8% du PIB. Insuffisamment développée pour

377 L'exportation de fromage est tirée in SHS, 1996, p. 666; si l'on admet qu'il est nécessaire d'utiliser 12,5 kg de lait pour produire 1 kg de fromage – Steiger, 1982, p. 190 –, l'exportation supplémentaire absorbe 2 215 000 quintaux de lait, soit 49% de l'augmentation de la production durant la période.

378 La production moyenne s'élève à 507 000 q dans les années 1881/84; SHS, 1996, p. 616.

379 Il n'existe toutefois pas de corrélation étroite entre les quantités exportées et le prix du fromage en Suisse, car d'autres éléments entrent en ligne de compte dans la formation du prix: demande sur le marché intérieur, variation de l'offre – principalement en fonction des récoltes de fourrages –, évolution des coûts de production, niveau des prix du fromage sur les marchés internationaux; Steiger, 1982, pp. 34-85.

380 *Ibidem*, note 2 p. 42; cf. également Bairoch, 1984, pp. 488-489; celui-ci estime que la part de l'exportation helvétique dans le commerce mondial est de 20,2% en 1911/13, ce qui place la Suisse en seconde position, loin derrière les Pays-Bas.

381 Zimmermann, 1886, p. 15.

382 Sur le développement du commerce de fromage au XIXe siècle, cf. Glauser, 1971; Roth, 1972.

383 Au milieu des années 1870, l'écoulement de beurre à l'étranger absorbe un peu plus de 1% de la production laitière; créées en 1865 (Cham) et 1878 (Nestlé), les principales condenseries helvétiques n'en sont qu'à leurs débuts; leur exportation absorbe 0,8% de la production de lait; enfin, la production de chocolat est encore écoulée sur le marché intérieur; ce n'est qu'à partir de 1878, avec la découverte du chocolat au lait, que les exportations prennent leur envol; les calculs sont effectués à partir des chiffres de l'exportation de produits laitiers in SHS, 1996, p. 666 et des équivalents kg/litres de lait fournis in Steiger, 1982, p. 190.

couvrir les besoins de la consommation intérieure, cette branche est peu orientée vers les marchés extérieurs (tableau 17). En 1883, l'importation de viande et de bétail de boucherie bovins couvre 33% de la consommation intérieure. Les engraisseurs de bétail sont donc intéressés à une protection du marché intérieur de la viande. Par contre, ils s'opposent à un renchérissement de leur principale «matière première», le bétail d'élevage. Si les bouchers partagent le souci d'empêcher une importation de viande, qui les prive du travail d'abattage, ils s'opposent à une protection du bétail de boucherie, qui tendrait à pousser les prix de la viande à la hausse.

En 1883, les différentes productions animales couvrent 68,1% de la VAA – 62% pour l'élevage de bétail à cornes, le lait et la viande; 6,1% pour les divers (élevage de petits animaux, œufs, miel, etc.). Le reste du revenu agricole, soit 31,9%, est tiré des productions végétales, dont les principales sont les céréales, le raisin, les pommes de terre et les fruits et légumes. Certes, la céréaliculture perd beaucoup de son poids relatif durant les années 1850-1875, puisque son apport à la VAA passe de 23 à 12%. Mais les quantités produites ne diminuent fortement qu'à partir du milieu des années 1870. En 1883, cette branche agricole ne représente plus que 7% de la VAA. Il faut toutefois souligner que ce chiffre ne prend pas en compte la valeur d'une quantité considérable de céréales, qui est utilisée pour fourrager le bétail. En constante progression, la demande intérieure est de plus en plus couverte par l'importation. Alors que cette dernière représentait 46% de la production indigène au début des années 1850, la proportion s'élève désormais à 94%. Localisés en plaine, les céréaliers sont donc favorables à une protection du marché intérieur. D'autant plus que la rentabilité de leur activité est mise à mal par une baisse sensible des prix, qui n'est pas accompagnée d'une compression équivalente des coûts de production. Il faut encore mentionner que la céréaliculture helvétique ne peut exister que si elle peut s'appuyer sur une industrie de la meunerie. Dans cette optique, les élites agricoles de plaine revendiquent une protection de la farine plutôt que d'exiger une taxation des céréales, qui est violemment combattue par le reste de la population.

A l'inverse de la céréaliculture, la production de raisin progresse entre 1860 et 1880, puisque les surfaces cultivées augmentent de 15%[384]. 64% des vignes sont alors concentrées dans les trois cantons du Tessin (26%), de Vaud (21%) et de Zurich (17%)[385]. Entre 1851/55 et 1871/75, la production moyenne de vin augmente de 1 150 000 hl à 2 056 000 hl (+79%)[386].

384 Les surfaces cultivées passent de 27 000 ha en 1858 à 31 000 ha en 1877; SHS, 1996, pp. 528-529.

385 En 1877, les autres cantons viticoles d'une certaine importance sont Argovie (8%), Genève (6%), Thurgovie (6%), Valais (4%), Neuchâtel (4%) et Schaffhouse (3%).

386 SHS, 1996, p. 550.

La viticulture suisse atteint alors son apogée avec une part de 15% au revenu agricole. En 1883, cette branche dégage encore une valeur ajoutée qui équivaut à 8,2% de la VAA, ce qui la place devant la céréaliculture. Exclusivement orientée vers le marché intérieur, la viticulture helvétique ne parvient pas à couvrir l'intégralité de l'extension de la consommation helvétique de vin. Durant les années 1850 à 1880, l'importation ne cesse de gonfler, atteignant 75% de la production locale en 1883. Les vignerons helvétiques sont donc intéressés à une taxation du vin plus conséquente, tout en désirant éviter un protectionnisme industriel et agricole qui renchérit leur consommation.

Dès le milieu des années 1870, l'agriculture helvétique ressent les premiers effets de la crise qui frappe alors la quasi-totalité des producteurs européens du secteur primaire[387]. En l'espace de vingt ans, l'indice du prix du blé vendu en Suisse s'écroule de 134 (1871/75) à 78 (1891/95) et atteint même un minimum de 66 en 1895[388]. Dans le même temps, le volume de la production diminue de 41% et la valeur ajoutée de la branche passe de 65,1 à 23,9 mios de frs[389]. La viticulture est aussi ébranlée par la crise, quand bien même les prix du vin résistent mieux que ceux des céréales. Sous l'effet conjugué d'une diminution de la consommation et d'une progression de l'importation, la quantité de vin produite diminue de 48% entre 1871/75 et 1891/95[390]. La valeur ajoutée de la viticulture recule ainsi de 78,5 mios à 49,9 mios. Il faut préciser que le déclin de cette branche ne touche pas de manière uniforme les différentes aires de production. Alors que la Suisse alémanique (ZH, AG, TG, SH) et le Tessin subissent un important recul des surfaces cultivées, le vignoble romand (VD, NE, GE) résiste mieux; le Valais double même les siennes de 1877 à 1884[391]. Entre 1871/75 et 1891/95, la part de la production végétale à la VAA continue donc de diminuer, passant de 41% à 29%[392].

Pour combler les pertes de revenu provenant de la culture, le secteur primaire helvétique cherche son salut dans un nouveau développement des productions animales, accentuant ainsi sa spécialisation. Toutefois, ce nouveau transfert pose des problèmes d'écoulement de la production. Sous l'effet de l'arrivée massive de céréales américaines, certaines agricultures européennes amorcent aussi un virage vers les productions animales, qui est

387 Sur la crise agricole européenne et ses conséquences, cf. Bairoch, 1976, pp. 296-307; Léon, tome IV, 1978, pp. 399-421.
388 SHS, 1996, pp. 480-481.
389 *Ibidem*, pp. 550/554-555.
390 La production intérieure diminue de 2 056 000 hl à 1 070 000 hl, alors que l'importation passe de 791 000 quintaux à 1 006 000 quintaux; *ibidem*, pp. 550/662-663.
391 *Ibidem*, pp. 528-529.
392 *Ibidem*, pp. 554-555.

encouragé par un accroissement de la protection douanière[393]. Dès 1879, l'Allemagne double sa taxe sur le fromage et instaure des taxes sur le bétail, importé jusqu'alors en franchise. En 1885, puis en 1887, de nouvelles augmentations frappent le bétail[394]. La France emboîte le pas en 1881: la franchise sur le bétail est remplacée par des taxes équivalentes à celles de l'Allemagne. De nouvelles augmentations ont aussi lieu en 1885 et 1887[395]. Avec son tarif général de 1887, l'Italie menace par ailleurs l'exportation suisse de fromage.

La branche de l'élevage de bétail est la plus touchée par la montée du protectionnisme agricole dans les pays voisins. De 1871/75 à 1891/95, l'exportation diminue de 50 300 à 31 500 pièces[396]. Toutefois, cette baisse ne provoque pas un effondrement de la branche, puisque la valeur ajoutée progresse de 22 mios à 39,3 mios[397]. Ce phénomène s'explique par une meilleure exploitation du marché intérieur, qui se traduit par le fléchissement de l'importation – 49 200 à 19 200 têtes[398]. A ce gain annuel de 30 000 têtes, il faut ajouter l'augmentation de la demande intérieure liée à l'accroissement du cheptel suisse – 13 000 têtes par année – ainsi qu'au développement de la production de viande – 100 000 têtes par année[399]. Le changement d'orientation commerciale de l'élevage de bétail permet ainsi de pallier au rétrécissement des marchés extérieurs et même d'accroître la production. Il en résulte une attitude toujours plus ouverte à la protection du marché intérieur, notamment chez les élites agricoles de montagne, restées jusqu'alors farouchement libre-échangistes.

Dans un premier temps, l'exportation de fromage ne pâtit que modérément de la crise agricole européenne, puisque son volume continue de progresser jusqu'en 1887. Le lait supplémentaire ainsi utilisé est toutefois loin

393 Un aperçu des mesures prises par les pays voisins, jusqu'en 1885, figure in *SLC*, Nr. 26, 27. Juni 1885.

394 Kempter, 1985, p. 113.

395 Hilsheimer, 1973, p. 74.

396 Ces chiffres correspondent à l'exportation totale de bétail bovin – 72 900 et 45 500 têtes – de laquelle est soustraite l'exportation de bétail de boucherie – 22 600 et 14 000 têtes; chiffres tirés respectivement in SHS, 1996, pp. 666-667 et in Steiger, 1982, p. 171.

397 SHS, 1996, pp. 554-555.

398 Ces chiffres correspondent à l'importation totale de bétail bovin – 101 400 et 79 600 têtes – de laquelle est soustraite l'importation de bétail de boucherie – 52 200 et 60 400 têtes; chiffres tirés respectivement in SHS, 1996, p. 663 et in Steiger, 1982, p. 172.

399 Entre 1876 et 1896, le nombre de bêtes à cornes recensées passe de 1 036 000 à 1 307 000, ce qui signifie un accroissement moyen de 13 000 têtes par année; dans le même temps, le nombre de pièces de bétail suisses abattues chaque année en boucherie augmente d'environ 100 000 – l'accroissement des abattages est d'environ 110 000 têtes, dont il faut déduire quelque 10 000 têtes étrangères importées en plus; SHS, 1996, pp. 536-537/552.

de couvrir l'accroissement global de la production laitière[400]. Il en résulte une baisse de l'indice du prix du lait de 81 (1871/75) à 70 (1885/87), qui ralentit la progression de la valeur ajouté dégagée par la branche – augmentation de 149,3 mios à 155,6 mios[401]. A partir de 1887, les mesures protectionnistes des pays voisins et le renforcement de la concurrence freinent l'exportation de fromage, qui diminue de 15% jusqu'au milieu des années 1890. Toutefois, les agriculteurs parviennent à faire face à ce recul en trouvant d'autres débouchés qui leur permettent de stabiliser le volume de la production. Les exportations de lait frais, de chocolat au lait et surtout de lait condensé sont ainsi développées. Par ailleurs, les besoins du marché intérieur s'accroissent, notamment grâce à une utilisation plus systématique du lait pour engraisser des veaux de boucherie[402]. Grâce à une légère remontée du prix du lait – l'indice moyen de 1891/95 est de 78 –, la valeur ajoutée de la production laitière passe de 155,6 mios en 1885/87 à 170,9 mios en 1891/95. Globalement, la Grande dépression ne fait que ralentir la croissance de la principale branche de l'agriculture suisse. La rentabilité de celle-ci est toutefois soumise à rude épreuve.

Si l'élevage de bétail et la production laitière résistent bien à la crise, ces branches ne parviennent pas à compenser les pertes de revenus liées à l'écroulement des productions végétales. En Suisse, le principal amortisseur de la crise agricole est l'accroissement de la production de viande. Alors que l'importation de bétail de boucherie augmente peu, la demande intérieure progresse de manière sensible. Entre 1871/75 et 1891/95, le nombre de pièces de bétail bovin suisses abattues chaque année en boucherie progresse de 100 000 pièces. Contrairement à la tendance générale des prix agricoles, le prix du bétail de boucherie évolue à la hausse: l'indice du bœuf gras passe de 75 à 82 et celui du veau gras de 68 à 78[403]. La valeur ajoutée dégagée par la production de viande progresse ainsi de 113 mios (21% de la VAA) à 152,7 mios de frs (28%)[404].

Les différents segments de production de l'agriculture suisse ne sont donc pas touchés uniformément par la crise agricole. Alors que les branches végétales fléchissent fortement, les productions animales rencontrent certes des difficultés, mais elles n'en poursuivent pas moins leur développement. Ainsi, entre 1871/75 et 1891/95, la production animale accroît sa part au revenu

400 De 1871/75 à 1885/87, l'exportation de fromage passe de 179 000 à 266 000 quintaux, ce qui équivaut à une utilisation supplémentaire d'environ un million de litres de lait; dans le même temps, la production augmente de 2,7 mios de litres; *ibidem*, pp. 666/552.

401 *Ibidem*, pp. 482/554-555.

402 Entre 1871/75 et 1891/95, la production suisse de viande de veau augmente de 53 000 à 89 000 quintaux; *ibidem*, p. 552.

403 *Ibidem*, p. 482.

404 *Ibidem*, p. 555.

du monde agricole de 59 à 69%. Globalement, la crise atteint un sommet dans les années 1886/90. La valeur ajoutée du secteur agricole est alors inférieure de 8% par rapport à celle de la période 1876/80.

La crise agricole et ses conséquences sociales ne sont pas ressenties de manière uniforme en Suisse. Selon leur situation géographique (production de plaine ou de montage), politique (législation agricole hétérogène des cantons) et sociale (petite ou grande entreprise), les agriculteurs sont touchés plus ou moins intensément et à des moments différents. Relativement modéré en soi, le recul du revenu agricole n'est donc pas réparti uniformément. En règle générale, les principales victimes sont les petites et moyennes exploitations fortement endettées. Pour elles, une diminution du prix du lait et des céréales se transforme vite en une incapacité de faire face aux frais fixes de leur entreprise – coût de l'endettement et imposition de la fortune immobilière. A Lucerne, qui compte parmi les cantons les plus touchés, 2488 faillites agricoles sont prononcées entre 1876 et 1890, ce qui représente 25% du nombre total des exploitations. La proportion de faillites des domaines de moins de cinq hectares atteint même 35%. Entre 1875 et 1884, le nombre d'assistés dans le canton progresse de 55%, pour atteindre le nombre de 17 527 personnes, soit 29% de la population active et 13% de la population totale[405].

La principale conséquence démographique de la crise agricole est un important gonflement du solde négatif de la balance migratoire helvétique. Alors que celui-ci était en moyenne de 2300 unités durant les années 1870, il atteint 10 900 entre 1880 et 1888, soit 0,38% de la population résidante. Les déficits les plus importants sont enregistrés dans les cantons suivants: Uri (-962 = -5,67%), Berne (-5000 = -0,94%), Tessin (-1163 = -0,90%), Argovie (-1678 = -0,86%), Valais (-708 = -0,70%) et Fribourg (-566 = -0,48%). Il s'agit des cantons agricoles où la situation des secteurs secondaires et tertiaires n'offre que des possibilités limitées de transfert de main-d'œuvre. Entre 1880 et 1888, la population agricole suisse diminue de 546 000 à 481 000 personnes (-12%)[406].

Bien que moins touchées par la crise, les élites agricoles en subissent aussi les conséquences. La diminution de la rente foncière provoque en effet une compression de leur revenu et une érosion de leur capital foncier. Selon une estimation contemporaine, la baisse de la valeur du sol atteint 30% dans le canton de Zurich[407]. Par ailleurs, la crise de confiance vis-à-vis du développement futur du secteur primaire entrave la mobilisation à bon marché des capitaux nécessaires à une modernisation de la production et à une réorien-

405 Lemmenmeier, 1983, pp. 288-297.
406 SHS, 1996, pp. 356-357/404-411.
407 Baumann, 1993, p. 47.

tation vers des productions animales plus capitalisées. Malgré la situation de crise, le taux d'intérêt hypothécaire ne recule que lentement. Entre 1871/75 et 1880/95, la moyenne du taux pour les premières hypothèques passe de 4,8 à 4,2% (-13%), avec un taux minimal de 3,8% en 1895[408].

4.3.2. L'Etat fédéral comme bouée de sauvetage: subventions, protectionnisme agricole et désendettement

A l'image des élites industrielles et commerçantes, les milieux agricoles sont divisés sur la stratégie à adopter pour lutter contre la crise. Au sein des élites et des classes moyennes, les solutions divergent en fonction des particularités du processus de production et de commercialisation de la branche d'activité, de la situation conjoncturelle de celle-ci, des conditions-cadre en vigueur dans le canton d'établissement et d'autres paramètres encore.

Certes, quelques héritiers de la pensée des Physiocrates cherchent bien à éviter une intervention de l'Etat, synonyme d'accroissement de la charge fiscale. Leur solution à la crise est une organisation interne de l'agriculture permettant d'augmenter sa compétitivité. En créant des coopératives de crédit, d'achat de matières premières, de mise en valeur et de distribution des produits, la rentabilité des exploitations doit être améliorée grâce à une diminution des coûts de production et une optimisation de la commercialisation[409]. Accessoirement, la création de syndicats d'élevage est prônée afin d'améliorer la qualité des produits suisses. Cependant, la grande majorité des élites agricoles considèrent ces mesures internes comme indispensables, mais insuffisantes. Dans une requête adressée aux autorités fédérales, le Conseiller d'Etat Johannes Hallauer[410], président de la société d'agriculture du canton de Schaffhouse, souligne l'incapacité de l'initiative individuelle et de l'organisation agricole de faire face à la crise:

> *Der Ruin Vieler ist unausweichlich, wenn man der Sache ihren Gang lässt. Es liegt nicht mehr im Vermögen des Einzelnen und nicht mehr in der Kraft der ganzen Bauernsame, sich selbst zu helfen, mag sie sich in Vereine oder Kreditgenossenschaften zusammenthun. Denn sie ist das Opfer, wie eigener Missgriffe und Unterlassung,*

408 SHS, 1996, p. 828; le taux moyen est construit à partir de celui des cantons de Berne, Zurich, St-Gall, Argovie et Vaud.

409 Sur le mouvement coopératif agricole, cf. Durtschi, 1936; Baumann, 1993, pp. 57-60; Lemmenmeier, 1983, pp. 368-370; Kupper, 1929, pp. 41-44.

410 *Johannes Hallauer-Schärrer* (1827-1884) (SH), fils d'un propriétaire foncier du canton de Schaffhouse, à la tête du domaine familial dès 1851, président du «Landwirthschaftlicher Verein Schaffhausen», membre du comité central du SLV, président du «Kaufmännische Direktorium» de Schaffhouse (1862-1867), CA de la «Bank in Schaffhausen» (1862-1872/1879-1883) et du «Nordostbahn» (1867-1871), CdE (1859-1872/1879-1884), CaE de tendance libérale-conservatrice (1865-1873/1878-1879).

> *so auch, und noch mehr, irriger volkswirthschaftlicher Anschauungen im Allgemeinen und in tonangebenden Kreisen des Landes*[411].

En raison de l'envergure des difficultés rencontrées, la conviction de la nécessité d'une intervention étatique gagne du terrain au sein des associations et de la presse agricoles:

> *Nun gibt es aber eine Menge von Verhältnissen in denen die Kraft der Einzelnen nicht ausreicht, um das vor angedeutete Ziel zu erreichen, in allen solchen Fällen ist es die Aufgabe des Staates, schützend, fördernd, helfend einzuschreiten [...]*[412]

L'attitude du monde paysan à l'égard de l'Etat, jusqu'alors empreinte de méfiance et de retenue, se transforme progressivement en raison de la nécessité d'obtenir son aide[413]. Sur le plan fédéral, les élites agricoles sortent de leur réserve politique pour revendiquer de nouvelles conditions-cadre.

Les demandes d'intervention en faveur de l'agriculture sont légitimées selon une double stratégie argumentative. Sur le plan économique, l'idée que le sort de l'économie suisse ne dépend que de la bonne santé de l'industrie d'exportation est l'objet d'une remise en question. En 1877 encore, le professeur Adolf Kraemer[414], alors leader intellectuel de l'agriculture helvétique, considère que le développement de l'agriculture suisse est avant tout lié à la capacité de consommation créée par l'industrie d'exportation. La politique économique de l'Etat doit de ce fait être entièrement vouée au développement de celle-ci:

> *Wo aber die Gelegenheit und Mittel zu Erwerb und Verdienst im Aussenverkehr verkümmert, da schwinden die Bedingungen für die Zunahme der Zahl und des Wohlstandes der Bevölkerung, sinkt schliesslich das Vermögen derselben für die Konsumtion auch der inländischen Produkte der Bodenkultur. Der Landwirt darf sich dem Grundsatze des Freihandels in agrikolen Erzeugnissen in keinem Falle widersetzen. Mit der Auflehnung gegen denselben würde er im eigenen Fleische wühlen*[415].

En 1891, le discours du chef de la Division de l'agriculture, Franz Müller[416], est totalement différent. Après avoir mis en évidence le poids du secteur pri-

411 AF, E 11, vol. 15, requête adressée le 12 mars 1883 par le CdE Hallauer à la commission des douanes.

412 *Zürcher Bauer*, Nr. 16, 7. August 1885, «Staatshilfe».

413 Mani, 1928, p. 24; Lemmenmeier, 1983, pp. 335-338; Hauser, 1961, p. 246.

414 *Adolf Kraemer* (1832-1910), fils d'un directeur de domaine allemand au service de la famille princière Wittgenstein-Berleberg, secrétaire des associations agricoles du Grand-Duché de Hesse, en 1871 prend la tête de la Division d'agriculture de l'EPFZ créée en 1869, rédacteur de l'organe de presse du SLV (1874-1881), membre fondateur et cheville ouvrière de la GSL (secrétaire, caissier, rédacteur de l'organe de presse), membre du comité de cette association (1882-1904), auteur de nombreuses publications sur l'agriculture suisse, père spirituel du mouvement coopératif agricole helvétique, expert du CF en matière agricole; pour plus de renseignements, cf. Frauendorfer, 1957, pp. 499-502.

415 Cité in Kupper, 1929, pp. 21-22.

416 *Franz Müller* (?-?) (ZG), issu d'une grande famille du canton, propriétaire du domaine du «Rost» près de Zoug, membre du comité de la GSL (1883-1885), directeur de la Division de l'agriculture (1884-1912).

maire dans l'économie suisse, il revendique une meilleure prise en compte des intérêts agricoles par l'Etat fédéral:

> *C'est pourquoi on ne comprend pas parfaitement comment il se fait que l'industrie et les métiers doivent être protégés par des droits et des traités, et que seule l'agriculture ne doive pas l'être*[417].

Les défenseurs de l'agriculture les plus extrémistes vont jusqu'à inverser la primauté des secteurs de l'économie helvétique:

> *Und doch hängt das Gedeihen des Handels, der Gewerbe und der Industrie wesentlich von der Prosperität der Landwirthschaft ab*[418].

La nécessité d'une aide à l'agriculture est aussi motivée par le rôle sociopolitique de la paysannerie. Dès 1879, le futur secrétaire permanent du SLV, Félix Anderegg[419], jette les bases de l'idéologie paysanne qui sera diffusée au tournant du siècle par les associations agricoles. Population physiquement et moralement saine, la paysannerie est, selon lui, investie d'une mission de conservation de l'Etat bourgeois, car elle est le seul rempart capable de contenir les prétentions du prolétariat industriel:

> *Die landwirthschaftliche Bevölkerung mit ihrem festen, eher conservativen zurückhaltenden Charakter bildet in einem Staate ein höchst wohlthätiges Gleichgewicht zu jener, leicht erregbaren, politisch rückhaltlosern Volksmasse, die aus der Industrie erwachsen ist und seit Jahren an der Lösung der sozialen Frage arbeitet, die sie in einem behaglichen Leben, ich möchte sagen, «ohne viel Arbeit», zu finden hoffte. Ihre fortwährenden Klagen, ihre Unzuverlässigkeit und leichte Erregbarkeit, ihre, oft durch ungesunde Elemente hervorgerufene Zerfahrenheit dieser Volksmasse, findet an dem einfachen, gesunden Sinne des ruhigen Landmannes eine feste Klippe, einen festen Wall zum voreiligen Durchbruch und diese schützt den Staat, dass seine Macht nicht schwankt, noch zusammenbricht, sondern sich im richtigen Gleichgewicht zu halten vermag. Die landwirthschaftliche Bevölkerung gibt dem Staate gesunde, kernhafte Volkskraft, die der herrschenden Ueppigkeit und Weichlichkeit ferne bleibt, und das kräftige Mark eines Landes bildet. Darum ist die Landwirthschaft dazu berufen, das Gleichgewicht der strebenden Kräfte im politischen, sozialen und wirthschaftlichen Leben einer Nation aufrecht zu halten!*[420]

La logique développée par Anderegg lui permet de revendiquer une aide de l'Etat au nom de tous les citoyens. Sauver la paysannerie équivaut en effet à sauver l'Etat et la Nation[421]. Avec la montée du mouvement ouvrier, le discours antisocialiste se durcit. Lors du débat douanier de 1891, l'aristocrate

417 Müller, 1891, pp. 23-24.

418 *Wochen-Blatt. Organ der landw. Gesellschaft des Kts St. Gallen*, 29. Juni 1889, «Zur Revision des schweizerischen Zolltarifs»; cf. également Anderegg, 1879, p. 8.

419 *Felix Anderegg* (1834-1911) (BE), instituteur, fonde une société pour le développement de l'agriculture et devient maître itinérant, professeur d'agriculture à Coire, premier secrétaire permanent du SLV (1883-1886), puis publiciste à Berne.

420 Anderegg, 1879, pp. 9-10.

421 *Ibidem*, p. 10.

bernois Jean von Wattenwyl[422] brandit l'épouvantail rouge pour obtenir des concessions en faveur de l'agriculture:

> *Die städtische Sozialdemokratie freut sich unseres Unterganges, weil wir die Burg eines geordneten Staatswesens sind; der Industrie ist es gleichwerthig, ob sie von aussen ihren Bedarf an Nahrungsmitteln beziehe, wenn dieselben nur billig sind, und in den Behörden selbst sind wir ohnmächtig, gewisse Machthaber auf den Abgrund aufmerksam zu machen, der das ganze Staatswesen dank unserer Vernichtung verschlingen könnte*[423].

Majoritairement convaincus de la nécessité d'une intervention accrue de la Confédération en faveur de leur activité, les milieux agricoles explorent trois pistes principales: la mise en place de conditions-cadre permettant de rationaliser la production et d'améliorer sa qualité, une réforme de la politique douanière suisse ainsi que des mesures dans le domaine du crédit hypothécaire.

Dès 1879, Félix Anderegg propose un programme de réforme des conditions-cadre de la production agricole: *Landwirthschaftliche Gespräche. Winke zur Hebung und Förderung der schweizerischen Landwirthschaft.* Ce pamphlet interventionniste, publié grâce au soutien financier de l'aristocratie terrienne des Grisons – entre autres les von Planta et les von Sprecher – fait écho au programme industriel lancé en 1877 par Arnold Steinmann-Bucher. Cette brochure de cent pages est en effet un véritable programme de capitalisme agricole organisé. L'idée directrice est la nécessité de diminuer les coûts de production pour résister à la concurrence étrangère:

> *Von Seite der Vereine sucht man auf die Landwirthe einzuwirken, dass sie neben der Mehrproduktion es auch verstehen lernen, billige Produkte zu erzielen, um der stets wachsenden Concurrenz vom Ausland die Stirne zu bieten. Wir sind also am Vorabend und an der Schwelle angelangt, wo unsere schweizerische Landwirthschaft grossartigen Wandlungen entgegensteht [...]*[424]

A l'exemple de l'agriculture anglaise, la production doit être modernisée et intensifiée grâce à une meilleure formation de l'agriculteur, des améliorations foncières ainsi que l'utilisation de machines et d'engrais artificiels. Par une législation appropriée et un engagement financier, l'Etat fédéral doit soutenir la réalisation de ce programme:

> *Daher soll der Staat uns auch alle Unterstützung zu Theil werden lassen, sei es in Beiträgen an Geldmitteln, sei es in der Gründung landwirthschaftlicher Lehranstalten,*

422 *Jean von Wattenwyl-von Wattenwyl* (1850-1922) (BE), d'une famille patricienne de Berne possédant des terres, entre autres à Elfenau, qu'il administre dès 1883, promoteur et président du syndicat d'élevage des cantons de Berne, Lucerne et Fribourg, président du «Verband Schweiz. Fleckviehzuchtgenossenschaften» (1892-1907), fondateur et président du CA de la condenserie de lait de Konolfingen (1891-1911), Cn libéral (1895-1896), proche d'Edmund von Steiger et de Numa Droz.

423 Von Wattenwyl, 1891, p. 5.

424 Anderegg, 1879, p. 13.

> *oder in einem Erlass zweckmässiger Gesetze, Unterstützung an Vereine und zweckmässige Unternehmungen, Ausstellungen, Gründung landwirthschaftlicher Versuchsanstalten, Einführung des ächten Wanderlehrerthums, Einführung der Kulturtechniker und Förderung der landwirthschaftlichen Statistik*[425].

La compétitivité des produits agricoles suisses ne dépend toutefois pas uniquement du niveau de leur prix. L'accroissement de leur qualité permet aussi d'améliorer l'écoulement. Lors d'une réunion d'experts agricoles, convoquée les 4 et 5 juin 1886 par le DFFD, les fabricants de produits laitiers et les éleveurs de bétail sont unanimes sur la question. A cette occasion, le professeur Adolf Kraemer déclare:

> *Die Molkerei wird nur dann möglich sein, wenn prima Qualitäten fabrizirt werden, um den guten Ruf, den die schweizerischen Molkereiprodukte vordem genossen wieder herzustellen*[426].

Dans cette perspective, l'Etat est appelé à jouer un rôle important. Par l'instauration de mesures de contrôle du lait, la création de stations laitières et la protection des marques suisses, il peut contribuer à améliorer la qualité et la renommée des produits laitiers helvétiques[427]. Dans le domaine de l'élevage de bétail, la lutte contre les épizooties, l'instauration d'un herd-book (livre généalogique) et la distribution de primes récompensant les meilleurs producteurs sont aussi des apports considérables. Enfin, la création de stations viticoles soutient l'amélioration de la vinification et la lutte contre les maladies de la vigne.

Si les élites agricoles sont plus ou moins unies derrière la nécessité de baisser les coûts et d'améliorer la qualité de la production, ce qui doit être facilité par des subventions de la Confédération, il n'en va pas de même au sujet des options à prendre en matière de politique douanière[428]. Certes, comme dans les milieux industriels, l'idée d'un allégement de la charge fiscale grevant les matières premières et les outils de production agricoles fait l'unanimité. De même, la nécessité de combattre le protectionnisme agricole étranger par la conclusion de traités de commerce n'est que rarement contestée. Toutefois, l'instauration d'une politique commerciale plus interventionniste – politique de combat ou protectionnisme – est l'objet de profondes divergences. Comme l'a montré l'analyse des différentes branches de production, les intérêts commerciaux des élites agricoles divergent en fonction de leur activité, tantôt tournée vers le marché intérieur, tantôt vers les marchés extérieurs.

425 *Ibidem*, p. 61.
426 AF, E 11, vol. 18, PV de la réunion d'experts agricoles des 4 et 5 juin 1886.
427 Lemmenmeier, 1983, pp. 321-322.
428 Sur le débat douanier au sein des milieux agricoles, cf. Kupper, 1929, pp. 20-36; Widmer, 1992, pp. 571-573; Brugger, 1963, pp. 184-185; Lemmenmeier, 1983, pp. 382-383.

Au cours de la Grande dépression, le rapport de force entre libre-échangistes, adeptes d'une politique de combat et protectionnistes ne cesse d'évoluer. Avec l'intensification des difficultés commerciales, le camp interventionniste se renforce au détriment des adeptes du libéralisme.

Les partisans du statu quo, majoritaires au début de la crise, se divisent en deux catégories. Emmenés par le professeur Adolf Krämer, certains représentants de l'agriculture défendent le libre-échange en affirmant que la conjoncture agricole dépend de la bonne marche de l'industrie d'exportation et du développement du tourisme, qui déterminent la capacité de consommation sur le marché intérieur[429]. Le gros des forces libre-échangistes est toutefois constitué par les élites agricoles tournées vers les marchés extérieurs, majoritairement implantées dans les régions de montagne, qui craignent que l'instauration d'un protectionnisme douanier ne se fasse qu'au bénéfice de l'industrie. Une charge fiscale supplémentaire serait ainsi imposée aux agriculteurs sans aucune contrepartie commerciale. En janvier 1880, le propriétaire terrien grison Andreas von Planta[430] défend son point de vue devant le CN:

> *Doch meine Aufgabe ist es nicht, für die Grossindustrie zu kämpfen und zu sorgen. Aber Herr Präsident, meine Herren! wir Bauern haben auch ein Recht auf Existenz [...] Und wenn wir uns erheben gegen jede neue Zollerhöhung, so geschieht es einfach, weil wir Bauern am Ende die ganze Zolllast allein tragen [...] nur der Landwirthschaft darf man nicht helfen. Denn die Bundesverfassung und alle industriellen Redner predigen immerfort den Satz: Rohstoffe und Lebensmittel, also alle landwirthschaftlichen Produkte müssen zollfrei eingehen*[431].

Le bastion de l'aile agricole libre-échangiste est le «Schweizerischer Alpwirthschaftlicher Verein»[432].

Avec les mesures protectionnistes allemandes de 1879, un premier mouvement de remise en cause du statu quo libre-échangiste se développe. Parmi les élites agricoles converties à une politique douanière interventionniste, une première scission oppose les exportateurs, partisans d'une politique de combat, aux producteurs travaillant pour le marché intérieur, favorables au protectionnisme. S'il y a accord sur la nécessité d'augmenter certaines taxes agricoles, l'objectif à poursuivre divise. Ainsi, les négociants en bétail et en fromage exigent que la protection de la viticulture et de l'engraissement de bétail soit sacrifiée pour ouvrir les marchés voisins à leurs produits. Au sein

429 Discours de Kraemer reproduit in Kupper, 1929, pp. 21-22; cf. également Engeler, 1885, p. 224; von Wattenwyl, 1891, pp. 3-4.

430 *Andreas Rudolf von Planta-von Planta* (1819-1889) (GR), cf. note 464, chapitre 4.

431 *Bernische Blätter für Landwirthschaft*, Nrn. 1-4, 3./10./17./24. Januar 1880, «Zu unseren Zollverhältnissen».

432 Fritz Rödiger, secrétaire de l'association et rédacteur de l'organe de presse *(Alpen- und Jura-Chronik. Monatschrift für Alpwirthschaft)*, défend une stratégie libre-échangiste dans un discours prononcé en 1880 devant le SLV; *SLZ*, 1880, pp. 479-493/562-575.

même du camp protectionniste, deux options différentes sont proposées. La première, proche du concept développé par Cramer-Frey, consiste à soutenir le mouvement de modernisation et de spécialisation de l'agriculture en améliorant sa rentabilité par des mesures douanières. La seconde poursuit des objectifs plus socio-politiques qu'économiques. La protection du marché intérieur, en particulier des produits végétaux demandant beaucoup de main-d'œuvre, est mise au service du maintien d'une population paysanne nombreuse.

Le chantre d'un protectionnisme agricole à visée modernisatrice est le propriétaire terrien thurgovien Viktor Fehr[433]. Dès 1880, celui-ci est convaincu qu'une rationalisation de la production ne peut être menée à bien qu'avec un encadrement douanier de la Confédération[434]. Sans perspectives de rentabilité, l'agriculteur ne peut en effet pas consentir les investissements nécessaires à l'amélioration de sa compétitivité:

> *Bessere Schulen, bessere Creditverhältnisse, ein rationeller Betrieb, Zusammenlegung der Grundstücke, Drainagen, Anschaffung von künstlichem Dünger u., das ist's, was uns zugerufen wird und uns helfen soll. Das sind Dinge alle recht und gut, aber wie können wir an grossartige Ameliorationen denken, wenn wir zum vorherein wissen, dass dieselben sich nicht rentiren und wir nur noch mehr Geld dabei einbüssen*[435].

Alors que dans une logique encore très libérale, Anderegg propose de moderniser la production afin de diminuer les coûts et augmenter ainsi la rentabilité, Fehr propose d'assurer une certaine rentabilité en maintenant les prix à un niveau artificiellement élevé, afin de permettre les investissements nécessaires à une modernisation:

> *Biete man unserer Production etwelchen Schutz, auf das sich dieselbe etwas besser rentiren kann, so wird es uns mit unserem geistigen und materiellen Capital ein Leichtes sein, dem Lande zu genügen. Wir werden dann die angepriesenen Ameliorationen ausführen können, unsere Landwirthschaft wird an Intensivität gewinnen [...]*[436]

Loin d'être un intégriste du protectionnisme, Fehr propose de se réserver la capacité de consommation intérieure et d'en négocier une partie contre des facilités à l'exportation.

433 *Viktor Fehr* (1846-1938) (SG/TG), fils du banquier saint-gallois Ernst Edmund Fehr-Klauser – président du KDSG et membre du comité élargi du SGV durant les années 1840 –, propriétaire du domaine «Karthaus Ittingen» dans le canton de Thurgovie, membre fondateur et vice-président de la GSL (1882-1912), puis président de cette association (1912-1938), joue un rôle important dans la création de l'USP (1897), membre du comité directeur de l'association faîtière, en contact étroit et amical avec le chef du Département de l'agriculture, le Thurgovien Adolf Deucher.

434 En 1880, Fehr prononce un discours dans ce sens lors de l'assemblée des délégués du SLV, s'opposant à la ligne libre-échangiste défendue par Rödiger; *SLZ*, 1880, pp. 289-302.

435 *Ibidem*, pp. 294-295.

436 *Ibidem*, p. 299.

La stratégie défendue par le Thurgovien ne reçoit pas uniquement l'aval de producteurs de plaine. Certains représentants de l'agriculture de montagne demandent aussi des mesures protectionnistes afin de soutenir le processus de spécialisation dans les productions animales. De l'avis du Conseiller national bernois Gottlieb Berger[437], le maintien du prix du lait doit être au centre de la politique agricole de la Confédération:

> *Wenn nun infolge ungenügenden Absatzes der Liter Milch nur um einen Rappen zurückgeht, so macht diess, inbegriffen den damit verbundenen Rückschlag auf dem Preis der Viehwaare, einen jährlichen Ausfall von mindestens 10 Millionen Franken, welchen die Landwirthschaft zu tragen hat. Was bedeuten gegenüber solchen Summen selbst die ausgiebigsten Subventionen des Bundes und der Kantone, welch letztere überdiess der ausübenden Landwirthschaft nur indirekt zu gute kommen, während von einem Rückschlag der Milch- oder Viehpreise das kleinste Schuldenbäuerlein direkt getroffen wird*[438].

Les élites agricoles qui partagent le point de vue du Bernois, accordent la priorité à une taxation élevée du bétail de boucherie importé. La rentabilité de la production de viande serait ainsi améliorée et un transfert vers l'engraissement permettrait d'atténuer la surproduction laitière. L'engraissement de veaux et de porcs, qui se fait avec du lait et du petit lait, pourrait notamment compenser les difficultés rencontrées dans l'exportation de fromage[439]. La seconde mesure envisagée pour soutenir le prix du lait est une taxation du beurre qui favoriserait le développement d'une production industrielle au moyen de la nouvelle technologie des écrémeuses[440]. Enfin, l'instauration de drawbacks sur le sucre contenu dans le lait condensé exporté est destinée à doper une industrie qui consomme des quantités de lait de plus en plus importantes[441]. Outre le soutien du prix du lait, certaines élites agricoles de montagne demandent un bouclage du marché intérieur du bétail d'élevage, contre l'avis des producteurs de viande et de lait. Destinée à compenser la diminution des exportations, la mesure est présentée comme un moyen d'améliorer la qualité des races bovines suisses[442].

437 *Gottlieb Berger-Dedelly* (1826-1903) (BE), issu d'une famille de paysans-épiciers-boulangers de Langnau, avocat, rédacteur et copropriétaire de l'*Emmentaler Blatt* – journal qui a alors le plus grand tirage en Suisse –, industriel dans la branche de la poterie (dès 1863), CA du «Bern-Luzern-Bahn» et de l'«Hotel Gurnigel», membre du comité de l'«Oekonomische Gesellschaft des Kantons Bern» (dès 1885), Cn radical-démocrate (1881-1902), défend les intérêts douaniers de l'agriculture, propose la création d'un «Zollverein» de l'Europe centrale (1887).

438 Berger, 1885, p. 22.

439 Die Handelsverträge und der Zolltarif..., 1885, pp. 14-15; requête adressée par la GSL aux autorités fédérales.

440 AF, E 11, vol. 18, PV de la réunion d'experts agricoles des 4 et 5 juin 1886.

441 Berger, 1885/1889.

442 Von Wattenwyl, 1891, p. 22.

A l'opposé du concept protectionniste modernisateur, qui pousse à un accroissement de la capitalisation de l'agriculture suisse – modernisation de l'appareil productif et spécialisation dans les productions animales –, certains milieux agricoles prônent un protectionnisme à tendance conservatrice, voire réactionnaire. Grâce à des taxes sur les productions végétales, intensives en travail, il s'agit de freiner ou même d'inverser le processus de spécialisation, avec pour but de maintenir une paysannerie nombreuse. Ainsi, dans un contexte de crise agricole engendrant faillites, chômage, exode rural et émigration, Johannes Hallauer prône un retour à une agriculture mixte:

> *Der kombinirte Wirthschaftsbetrieb, d. h. Getreide-, Kartoffelbau und Viehzucht erfordert eine grössere Händezahl, als die ausschliessliche Milchwirthschaft, welche die Bodenbearbeitung ausschliesst. Vermag man sich zu der Erkenntnis zu erheben, dass es wohlgethan wäre, die in unsern 1 600 000 Jucharten Ackerfeld schlummernden Ernten zu wecken, indem man einen Zoll auf Getreide, Mehl und Vieh setzt: so werden die durch Erfolglosigkeit entfremdeten Hände sich dem Ackerwerk wieder zuwenden. Der Zufluss der Arbeitskräfte nach den Städten und industriellen Punkten wird aufhören und sich in Rückbewegung umwandeln. Die Vertheilung der Arbeitskräfte wird wieder eine normale werden und sich in richtigem Verhältnis auf Bodenbearbeitung, Haus- und Grossindustrie vertheilen*[443].

Cette conception du protectionnisme abandonne une réflexion basée exclusivement sur des critères économiques de rentabilité pour intégrer des considérations socio-politiques.

La conception conservatrice du protectionnisme agricole est essentiellement défendue par les élites agricoles et les classes moyennes des régions propices à la céréaliculture et à la viticulture (VD, ZH, SH)[444]. Le champion d'une politique agricole à visée socio-politique est le Zurichois Conrad Schenkel[445]:

> *Im Lichte der politisch-ökonomischen Interessen erscheint noch nicht diejenige Vertheilung des Grundbesitzes die beste, welche den absolut höchsten Reinertrag vom Boden abwirft, sondern diejenige, welche der zahlreichsten Bevölkerung ein sicheres*

443 AF, E 11, vol. 15, requête adressée le 12 mars 1883 par le CdE Hallauer à la commission des douanes.

444 Dès 1878, le Vaudois Louis-Henri Delarageaz demande une meilleure protection du blé et du vin; AF, E 11, vol. 14, discours du rapporteur de la commission des douanes Delarageaz devant le CN (5 juin 1878); en 1883, le Shaffhousois Johannes Hallauer lui emboîte le pas; AF, E 11, vol. 15, requête adressée le 12 mars 1883 par le CdE Hallauer à la commission des douanes.

445 *Conrad Schenkel* (1834-1917) (ZH), dernier enfant d'une famille nombreuse de petits paysans, agriculteur à Fulau, fondateur du «Landwirtschaftlicher Verein Elsau», président du «Landwirtschaftlicher Bezirkverein Winterthur» (1881-1888), pionnier du mouvement coopératif agricole, fondateur et président du VOLG (1886-1902), rédacteur du *Genossenschafter* (1891-1895), membre du comité de la GSL (1890-1898) et de la direction de l'USP (1897-1901).

> *Einkommen aus der Landwirthschaft gewährt und dadurch den Stand tüchtiger, unabhängiger, sesshafter und heimatliebender Bürger vermehren hilft*[446].

Président de la plus grande coopérative agricole de Suisse orientale (VOLG), il n'hésite pas à revendiquer une protection douanière de 10% sur les céréales avec l'argumentation suivante: «*Ohne Landwirthschaft kein Staat; ohne Getreidebau keine Landwirthschaft.*»[447] Au moment où la situation de la céréaliculture devient dramatique, après 1890, l'instauration d'un monopole du blé est même projetée par certains milieux agricoles[448].

Si les élites agricoles sont conscientes que l'instauration d'un protectionnisme agricole heurte de plein fouet les intérêts des élites commerçantes, industrielles et touristiques, elles cherchent à convaincre le monde de la banque de son intérêt à soutenir cette stratégie de crise:

> *Dass die Pfandgläubiger, seien sie Kapitalisten oder Geldinstitute, ebenfalls ein grosses Interesse daran haben, dass ihre Debitoren zu Athmen kommen und ihre Pfänder einen Zins abwerfen, braucht kaum erwähnt zu werden*[449].

Un soutien de la rentabilité agricole permettrait non seulement de faciliter le paiement des intérêts de la dette hypothécaire, mais encore de favoriser de nouveaux investissements nécessaires au processus de modernisation. En cas de refus d'une politique des prix, les milieux bancaires s'exposeraient à des démarches politiques musclées dans le domaine du crédit[450]. En effet, l'alternative à une stratégie protectionniste est une diminution radicale des coûts de production liés à l'endettement, car la charge hypothécaire imposée à l'agriculture est considérable. En 1883, la dette hypothécaire du canton de Berne est estimée à 417 mios de frs et celle du canton de Zurich à 625 mios[451]. Au taux de 4,5%, les deux poids lourds économiques doivent débourser 47 mios de frs chaque année. L'agriculture ne supportant pas l'intégralité de la charge hypothécaire, sa part peut grossièrement être estimée à 20 mios de frs. Cette somme représente 14% du revenu agricole des deux

446 Schenkel, 1889, p. 5.

447 *Ibidem*, p. 10.

448 Le 15 octobre 1893, l'assemblée des délégués du SLV charge son comité d'étudier la question; en 1895, le futur directeur de l'USP, Ernst Laur, publie une étude intitulée «Die Hebung des schweizerischen Getreidebaues durch ein Getreidemonopol»; la même année, l'idée d'un taxation douanière variable du blé, destinée à maintenir un prix minimum de 20 frs/q, est également lancée; sur la question, cf. Messmer, 1972, pp. 183-185.

449 AF, E 11, vol. 15, requête adressée le 12 mars 1883 par le CdE Hallauer à la commission des douanes.

450 Sur la question de l'endettement de l'agriculture helvétique et des mesures proposées pour y pallier, cf. Baumann, 1993, pp. 66-70; Temperli, 1945.

451 AF, E 11, vol. 15, requête adressée le 12 mars 1883 par le CdE Hallauer à la commission des douanes.

cantons[452]. Par conséquent, une baisse du taux hypothécaire de 1% correspond grosso modo à une augmentation des prix agricoles de 3%[453].

Contrairement aux petits et moyens paysans qui mènent une lutte assez radicale dans le domaine du crédit hypothécaire, les élites adoptent une attitude modérée en la matière. Certes, la possibilité de mobiliser les capitaux nécessaires à la modernisation de leur production les préoccupe. Par ailleurs, des pressions sont exercées afin de maintenir le taux hypothécaire à un niveau compatible avec la rentabilité du secteur primaire. Cependant, les solutions permettant de soulager réellement la paysannerie – désendettement, création d'un institut de crédit fédéral, fixation d'un taux hypothécaire maximal – sont peu évoquées et même parfois combattues[454]. Cette attitude s'explique en partie par la situation privilégiée des grands propriétaires terriens. Durant la période 1901/14, l'endettement moyen des petites entreprises (3-5 ha) représente 95% de la valeur de rendement, contre 45% pour les grandes entreprises (30 ha et plus)[455]. Par ailleurs, à la fin du XIXe siècle, les grands propriétaires terriens détiennent encore, en tant que créditeurs privés, une part non négligeable des prêts hypothécaires. Ils refusent donc de participer à l'étranglement de la poule aux œufs d'or. Enfin, la plupart des dirigeants des associations agricoles sont liés aux élites bancaires de leur région ou font partie du conseil d'administration d'instituts hypothécaires privés ou publics.

4.3.3. Organisation du monde agricole: associations élitaires et mouvement paysan

Au milieu des années 1870, lorsque la Grande dépression commence de poser certains problèmes à l'agriculture suisse, la position politique des élites agricoles sur le plan fédéral peut être qualifiée de faible. A un niveau

452 Le revenu brut épuré de l'agriculture en 1883 est estimé à 498 mios de frs; en rapportant ce chiffre aux 28% de la population agricole que représentent les deux cantons (1880), le revenu brut épuré dégagé par les agricultures de Zurich et Berne peut grossièrement être estimé à 140 mios de frs; SHS, 1996, pp. 555/404-411.

453 Vu la fragilité des données utilisées, qui sont toutes des estimations, et les approximations successives, ce chiffre ne doit valoir que par l'idée qu'il donne de l'importance du problème du crédit hypothécaire en ce qui concerne la rentabilité de l'agriculture suisse; si l'on tient compte que le revenu brut épuré englobe la valeur des produits consommés par la famille productrice, l'économie réalisée suite à la baisse d'un point du taux hypothécaire est en fait supérieure au surplus de recettes engendré par une augmentation des prix de 3% sur les produits commercialisés.

454 En 1894, un débat sur la question a lieu au sein du SLV; le comité refuse des mesures de désendettement et se contente d'un programme d'action tendant à empêcher un accroissement de la dette; Baumann, 1993, p. 69.

455 *Ibidem*, p. 67.

supra-cantonal, leur organisation se limite à deux sociétés créées en 1863, le «Schweizerischer Alpwirthschaftlicher Verein» (SAV) et le «Schweizerischer Landwirthschaftlicher Verein» (SLV)[456]. En 1875, le très élitaire SLV, association faîtière des sociétés d'agriculture cantonales alémaniques, ne compte que 7200 membres[457]. Au sein du champ étatique, la représentation des milieux agricoles est loin de correspondre à leur importance numérique et économique, que ce soit au sein du CF ou aux Chambres. Les forces administratives occupées à la promotion de l'agriculture sont dérisoires. La nouvelle constitution de 1874 ne prévoit du reste pas la possibilité d'intervenir dans ce domaine économique qui demeure du ressort des cantons.

A l'image des élites industrielles interventionnistes, les milieux agricoles désireux de promouvoir de nouvelles conditions-cadre cherchent à pallier leur faiblesse en revendiquant l'instauration d'un organe représentatif au sein du champ étatique. En mars 1875, une motion Baumgartner-Flückiger-Beck[458], déposée au CN, demande la mise en place d'une centrale fédérale pour l'agriculture[459]. En décembre 1876, l'idée est reprise lors du dépôt de la motion Escher visant à la création d'une Chambre de commerce fédérale. L'échec de ces tentatives débouche tout de même sur la création, en 1878, du Département du commerce et de l'agriculture (DFCA). En 1879, c'est au tour de Félix Anderegg de proposer, sans succès, une refonte de l'organisation agricole qui obligerait le DFCA à consulter systématiquement le SLV[460]. Enfin, le 9 juin 1882, une dernière tentative est effectuée au cours du

456 Brugger, 1963, pp. 11-56.

457 Festschrift..., 1913, tableau 1.

458 *Franz Xaver Beck-Leu* (1827-1894) (LU), propriétaire du domaine «Beckenhof» à Sursee, cofondateur et président du «Luzerner Bauernverein» (1859), Cn catholique-conservateur (1869-1894), membre du Club de l'agriculture, membre de la commission des douanes et des traités de commerce, collabore avec Zemp au *Schweizerzeitung*, son fils J. Beck est un proche collaborateur de Decurtins au sein de l'aile du catholicisme social – cf. note 557, chapitre 4; *Daniel Flückiger-Steiner* (1820-1893) (BE), fils d'un agriculteur bernois, beau-frère du Cn Samuel Steiner-Schüpbach – entrepreneur dans la meunerie –, études de droit et carrière dans la magistrature, dirige parallèlement un domaine de 10 ha, président de l'«Ökonomische Gesellschaft des Oberaargaues» (1867-1871), président de l'«Oberaargauische Gesellschaft für Viehzucht» (1863-1892), membre du comité du SLV (1867-1881), membre du comité de l'«Ökonomische Gesellschaft des Kantons Bern» (1879-1889), Cn libéral-conservateur (1869-1872/1873-1875); *Bonaventura Baumgartner* (1822-1884) (SO), fils d'un petit agriculteur soleurois, CdE responsable de l'agriculture (1861-1873/1875-1884), directeur de la «Solothurnische Hypothekarkasse»(1873-1875) et membre du CA de cette entreprise (1875-1883), président de la société agricole cantonale (1862-1878), membre du comité central (1863-1869) puis président du SLV (1869-1881), Cn radical (mars-juin 1875).

459 *NZZ*, 23. Februar 1881, «Die eidgenössische Zentralstelle für Handel, Gewerbe und Landwirthschaft».

460 Anderegg, 1879, p. 86.

deuxième débat concernant l'instauration d'une Chambre de commerce fédérale, par l'entremise d'une motion Baldinger[461] qui échoue à son tour[462]. Les efforts des élites agricoles ne sont toutefois pas complètement vains. En 1883, le système de consultation est notablement amélioré par la constitution d'une Division de l'agriculture placée sous l'autorité d'un propriétaire terrien zougois, Franz Müller[463].

Face à l'impossibilité d'instaurer une représentation officielle au sein du champ étatique, les élites agricoles éprouvent le besoin d'améliorer leur organisation. D'autant plus que la mise en chantier d'une aide fédérale à l'agriculture les pousse à améliorer la force de frappe politique et administrative pouvant être mobilisée afin de défendre leurs intérêts. En effet, fin 1880, le plus gros propriétaire terrien de Suisse, le Dr. Andreas Rudolf von Planta[464], dépose une motion poursuivant la réalisation du programme Anderegg publié en 1879[465]. Suite à l'adoption de la motion, le DFCA demande une expertise au professeur Kraemer, qui est ensuite mise en consultation auprès des associations agricoles existantes. Afin de défendre efficacement leurs intérêts, les milieux agricoles sont obligés de s'organiser pour réunir un minimum de statistiques et autres informations économiques[466].

En Suisse romande, la motion von Planta provoque un regroupement des forces. Fondée en 1881, la Fédération des sociétés d'agriculture de la Suisse

461 *Emil Baldinger-Bürgi* (1838-1907) (AG), issu d'une famille de Baden, garde forestier (1860-1887), inspecteur cantonal des forêts (1887-1907), Cn libéral (1876-1907), défend les intérêts protectionnistes du lobby du bois.

462 Dès sa fondation, en 1882, la GSL fait également pression en faveur de l'instauration d'une «Zentralstelle für Landwirthschaft»; Widmer, 1992, pp. 414-415.

463 Encouragement de l'agriculture par la Confédération dans les années 1851 à 1912..., 1914, pp. 8-10.

464 *Andreas Rudolf von Planta-von Planta* (1819-1889) (GR), issu d'une grande famille de propriétaires terriens, possède 600 ha aux Grisons et en Thurgovie qui font de lui le plus grand propriétaire terrien de Suisse, membre du comité central du «Rätischer Viehzuchtverein», membre fondateur de l'«Alpwirthschaftlicher Verein» (1863), membre fondateur et membre du comité central du SLV, membre du comité de la GSL (1885-1889), initiateur de la création d'une Division agricole à l'EPFZ, propriétaire des bains de Bormio et participation dans d'autres entreprises touristiques, nombreuses participations dans des entreprises industrielles et ferroviaires de l'est de la Suisse, parmi les fondateurs du *Bund* (1850), Cn libéral (1848-1869/1876-1881).

465 *«Le Conseil fédéral est invité à ordonner des recherches et des études approfondies sur la nature et l'importance des subventions, et sur les différentes institutions adoptées par les autres états de l'Europe dans l'intérêt de l'agriculture, et à présenter ensuite un rapport et des propositions sur les exigences qui en résultent pour nos circonstances.»*; FF, 1884, vol. 1, p. 17, «MCF concernant l'amélioration de l'agriculture par la Confédération (4 décembre 1883)».

466 Gutachten betreffend Förderung der Landwirthschaft..., 1883; Rapport au Département fédéral du commerce et de l'agriculture..., 1883.

romande (FSASR) est une association faîtière qui chapeaute les diverses sociétés cantonales et régionales. Regroupant environ 3500 membres – plus de la moitié dans le canton de Vaud –, la FSASR reste une association élitaire, dont le noyau dur est la Société d'agriculture de la Suisse romande (1858) qui compte à peine 100 membres. Dès 1882, le SLV se réorganise pour promouvoir une intervention agricole plus efficace. Une révision des statuts augmente la durée du mandat de la direction de 2 à 3 ans. Un secrétariat permanent, qui fonctionnera jusqu'en 1888, est par ailleurs créé. Le titulaire du poste, qui n'est autre que Félix Anderegg, assume aussi la rédaction de l'organe de presse de l'association, la *Schweizerische landwirthschaftliche Zeitschrift (SLZ).* Ce renforcement des structures du SLV est le résultat du mécontentement de certaines élites agricoles qui ne se satisfont plus d'une association dominée par des politiques peu enclins à lutter en faveur de leurs intérêts.

Le 3 février 1882, 37 personnalités issues des élites du complexe agro-alimentaire décident de constituer la «Gesellschaft Schweizerischer Landwirte» (GSL)[467]. Emmenée par le duo Fehr-Kraemer, la nouvelle association est une alliance entre les propriétaires terriens favorables à une modernisation de l'agriculture et la pointe de la recherche agronomique[468]. Le centre de gravité de l'association se trouve dans les cantons de Zurich, Thurgovie, Argovie et des Grisons. Bien que ne dépassant jamais les 200 membres jusqu'à la Première guerre mondiale, la GSL devient le point de référence des autorités fédérales en matière de politique agricole jusqu'à la création de l'Union suisse des paysans (USP: 1897). A l'image de la nouvelle USCI de Cramer-Frey, l'association élabore une stratégie de crise cohérente basée sur les deux mêmes piliers que son homologue: rationalisation et spécialisation dans des productions animales de haute qualité.

Pour réaliser son programme, la GSL mise sur le développement de coopératives agricoles et l'instauration de nouvelles conditions-cadre de production, notamment grâce à des subventions de la Confédération. Le

467 Il s'agit, entre autres, de von Planta (GR), von Sprecher-Bernegg (GR), von Hegner (TG), von Brunschwiler (TG), Fehr (TG), von Gonzenbach-Escher (ZG), Müller (ZG), Abt (AG), Baldinger (AG), Ineichen (AG), Vogler (AG), Bertschinger (ZH) et Kraemer (ZH); Heusser, 1931; Gruner, 1956/2, p. 61.

468 En 1882, le comité de la GSL est constitué des personnes suivantes: *Edmund von Hegner* (1826-1898) (TG), propriétaire terrien à Eppishausen, président de l'association (1882-1897), favorable à des liens étroits entre la GSL et l'EPFZ; *Viktor Fehr* (1846-1938) (SG/TG), vice-président, cf. note 433, chapitre 4; *Adolf Kraemer* (1832-1910) (ZH), cf. note 414, chapitre 4; *Josef Ineichen* (1856-1907) (AG), propriétaire du «Sentenhof» à Muri, très actif dans la politique d'amélioration de la race brune, collabore avec Cramer-Frey à des essais sur l'introduction de la culture de la betterave sucrière; *A. Bertschinger* (?-?) (ZH), d'Oberwyl-Pfäffikon; en 1885, *Andreas Rudolf von Planta* (1819-1889) (GR) entre également au comité, cf. note 464, chapitre 4.

concept de politique agricole de la nouvelle association est parfaitement résumé dans l'expertise que Kraemer remet au CF suite à la motion von Planta: 1) amélioration de l'enseignement agricole sur les trois niveaux de l'école polytechnique fédérale, des écoles d'agriculture cantonales (écoles d'hiver, cours spéciaux, etc.) et de l'école vétérinaire; 2) création de stations d'essais (stations laitières et viticoles, stations de recherche agricole, etc.); 3) amélioration de l'élevage de bétail (herd-book, primes, etc.), 4) amélioration du sol (assèchements, irrigations, chemins d'accès, regroupements parcellaires, etc.); 5) mesures contre les dommages qui menacent la production agricole (assurances, lutte contre les épizooties et le phylloxera, etc.); 6) soutien financier aux différentes associations et sociétés agricoles; 7) statistiques agricoles et expositions[469].

D'un point de vue politique, la GSL cherche à compenser sa faiblesse numérique par une collaboration intense avec les élites industrielles et commerciales. Dès sa fondation, elle intègre une série d'industriels issus du complexe agro-alimentaire, mais aussi d'autres branches[470]. Jusqu'en 1884, l'organe de presse de la GSL, qui est le *Schweizerisches Landwirthschaftliches Centralblatt (SLC)*, paraît comme supplément de la *NZZ*. Ces relations influent probablement sur la position adoptée par la GSL en matière de politique douanière. Jusqu'en 1885, l'association renonce en effet à prôner un protectionnisme agricole[471]. Toutefois, avec l'exacerbation de la crise, l'association amorce une conversion pour défendre la nécessité d'une politique douanière interventionniste permettant d'améliorer la rente foncière[472]. Elle propose des mesures soutenant la spécialisation dans les productions animales, tout en intégrant la viticulture et l'arboriculture – mais pas la céréaliculture – à son concept de développement de l'agriculture helvétique.

Les efforts d'organisation réalisés par les élites agricoles sur le plan associatif renforcent quelque peu leur force de frappe politique. Dès 1884, l'arrêté sur l'encouragement de l'agriculture alloue par ailleurs des subventions

469 FF, 1884, vol. 1, pp. 17-121, «MCF concernant l'amélioration de l'agriculture par la Confédération (4 décembre 1883)».

470 Dans la liste des membres qui figure dans le rapport annuel de l'association, on peut noter la présence de Julius Maggi (meunerie), Hürlimann (brasserie), Kaspar Jenny (filature de Ziegelbrücke), Félix Sarasin (rubanerie), etc.; «Bericht über die Thätigkeit der Gesellschaft schweizerischer Landwirthe», *Mittheilungen der Gesellschaft schweizerischer Landwirthe*, 3. Heft, Zürich, 1883, pp. 15-18.

471 En 1882, lorsque la GSL est consultée par la KGZ dans la cadre de la révision du tarif douanier, celle-ci ne revendique que la baisse des taxes renchérissant la production de l'agriculture; Schramm, 1882.

472 Die Handelsverträge und der Zolltarif..., 1885; Die Stellung der Landwirthschaft..., 1887; Die Zollfrage vom Standpunkt der Landwirthschaft..., 1887; Zur Frage der Zolltarif-Revision..., 1889; Zur Revision des Zolltarifes, 1890; Zur Zolltarif-Revision, 1890; Schutzzoll und Landwirthschaft, 1892.

aux principales associations agricoles qui peuvent ainsi améliorer leur efficacité administrative. Au niveau parlementaire, les défenseurs de l'agriculture parviennent à surmonter les clivages politico-religieux pour former un Club de l'agriculture. Constitué en 1882, ce groupe de pression doit permettre d'optimiser l'influence du secteur primaire au sein des Chambres[473]. Mais en dépit de tous leurs efforts, les élites agricoles demeurent peu influentes au sein du champ étatique fédéral. Outre leur faible représentation au sein du CF et des Chambres, l'absence d'une association faîtière nationale équivalente à l'USCI explique cette situation d'infériorité. Les divergences entre les principales associations agricoles – SLV, FSASR, GSL, SAV – restent nombreuses et profondes. En matière douanière, l'axe CF-USCI peut donc aisément appliquer l'adage «diviser pour régner». Malgré de réitérées demandes adressées par le SLV, le monde agricole demeure exclu du centre de gravité de la politique commerciale helvétique de l'époque, à savoir la délégation chargée des négociations commerciales, et cela jusqu'à la création de l'USP[474].

Le manque de cohésion des élites agricoles n'a pas pour unique conséquence de les affaiblir au sein du champ étatique. Déçus par le peu d'efficacité des associations traditionnelles, petits et moyens producteurs constituent un mouvement paysan d'opposition. Organisé sur une base beaucoup plus large, celui-ci remet en question les options de politique agricole des élites. Dans la deuxième partie des années 1880, la majeure partie des petites et moyennes entreprises éprouvent en effet de sérieux problèmes de rentabilité. Contrairement aux grands propriétaires terriens, les paysans concernés ne sont pas capables d'intensifier davantage leur production pour les résoudre. Du fait d'un endettement déjà très élevé, de la difficulté d'obtenir des crédits, du manque de connaissances, voire même de blocages intellectuels liés à la mentalité très conservatrice du paysan moyen, les efforts de rationalisation demeurent insuffisants pour faire face à la baisse des prix. Les faillites se multiplient et les critiques vis-à-vis de la politique menée par les associations agricoles et les autorités sont de plus en plus virulentes.

Dans un premier temps, le mécontentement de la base s'exprime de manière encore feutrée, principalement au sein du mouvement coopératif en construction[475]. Créé en 1886, le «Verband Ostschweizerischer Landwirt-

473 Widmer, 1992, pp. 426-427; Gruner situe la création du Club de l'agriculture en 1887; Gruner, 1988, pp. 521-522.

474 Brugger, 1963, p. 184; Müller, 1966, pp. 58-60/91-95; la question est abondamment discutée dans la presse agricole en 1891; *Zürcher Bauer*, Nrn. 14/18/20, avril-mai 1891; *Der Genossenschafter*, Nr 21, 15. Mai 1891.

475 Sur le mouvement coopératif paysan et son rôle en politique agricole, cf. Baumann, 1993, pp. 57-60; Ammann, 1925, pp. 53-55; Durtschi, 1936, pp. 314-315; Müller, 1966, p. 60.

schaftlicher Genossenschaften» (VOLG) réunit déjà 49 coopératives agricoles en 1890; elles représentent un peu moins de 3000 membres. Active principalement dans les cantons de Zurich, Argovie et Thurgovie, cette organisation développe un discours politique musclé exigeant la sauvegarde de la petite et moyenne entreprise. Président du VOLG, Conrad Schenkel est parmi les premiers à prôner un protectionnisme agricole à cet effet[476]. En 1890, les instances dirigeantes de la coopérative proposent de mettre sur pied un parti politique paysan. Certes, le projet n'aboutit pas dans l'immédiat, mais il inquiète sérieusement la presse bourgeoise[477]. D'autant plus que ses promoteurs disposent désormais d'un outil de propagande au service de leur idée. Paru pour la première fois en janvier 1891, l'organe de presse du VOLG affiche un titre révélateur:

> *Der Genossenschafter. Obligatorisches Publikationsmittel für den Verband ostschweizerischer landwirtschaftlicher Genossenschaften und Organ für Bildung einer schweizerischen Bauernpartei.*

Promu rédacteur, Schenkel publie une série d'articles intitulés «Zölle», dans lesquels le protectionnisme agricole est appelé à devenir la clef de voûte de la politique agricole helvétique.

L'idée d'une organisation politique massive de la paysannerie se concrétise avec la création d'un «Bauernbund» dans le canton de Zurich[478]. En 1889, un paysan autodidacte du nom de Konrad Keller publie une brochure intitulée «Die Bauernsklaverei der Neuzeit oder die Bauern im Kampf mit den Federhelden». La politique agricole menée par l'Etat, en collaboration avec les associations agricoles élitaires, y est fustigée:

> *Um die durch die Zollpolitik hintangesetzten Bauern zu versöhnen, wirft man ihnen Almosen in Form von Subventionen und Prämien zu; schade ist nur, dass sie den wirklich Bedürftigen nicht erreichen*[479].

Selon Keller, les véritables solutions à la crise sont l'instauration d'un protectionnisme agricole et la mise en place de mesures de désendettement par une banque hypothécaire étatique à créer. La culture du blé devrait être soutenue par une combinaison de protection douanière et de primes à la pro-

476 Le 31 mai 1885, à l'occasion de l'assemblée générale du «Landwirtschaftlicher Bezirkverein Winterthur», Schenkel prononce un discours qui est à l'origine du mouvement de protectionnisme douanier qui gagnera progressivement du terrain dans l'ensemble du monde agricole; le 3 novembre 1889, à l'occasion du 4e Congrès annuel du VOLG, il est le premier à oser exiger une taxe conséquente sur le blé; Schenkel, 1889; Kupper, 1929, pp. 46-47.

477 Müller, 1966, p. 60.

478 Ammann, 1925; Baumann, 1993, pp. 60-64; Lemmenmeier, 1983, pp. 374-382; Widmer, 1992, pp. 685-703.

479 Cité in Ammann, 1925, p. 45.

duction. Pour réaliser ce programme, le Zurichois appelle à la mobilisation du potentiel politique de la paysannerie:

> *[...] bin ich überzeugt, dass dieser Bauernbund wie ein Blitzschlag zündend, von Tal zu Tal und von Berg zu Berg sich erweitern wird, und mit dessen Wachsen wächst auch seine Kraft. Dieser mächtige Riese wird alle Hindernisse überschreiten. Landwirte! wir besitzen eine Macht, von der ihr keine Ahnung habt*[480].

Le 18 octobre 1891, les «Bauernbund» des différents districts zurichois se rassemblent dans une organisation cantonale qui compte d'emblée 10 000 membres. Le mouvement s'étend rapidement à d'autres cantons – SG, AR/AI, TG, AG, BE, SO, BL, GR, LU, SZ. Son influence est la plus forte dans les anciens bastions du mouvement démocratique. Le 15 mai 1893, un «Schweizerischer Bauernbund» (SBB) est fondé.

A l'origine, le «Bauernbund» est conçu par Keller comme une organisation politique de classe constituée uniquement de paysans. Selon lui, les grands propriétaires terriens (plus de 5000 frs de subventions), les fonctionnaires d'associations agricoles ou autres politiciens intéressés à l'agriculture doivent en être exclus. Keller est par ailleurs partisan d'une ligne politique indépendante ne tenant compte que des intérêts de la paysannerie. Le SBB n'adopte toutefois pas les lignes directrices de son père spirituel. Le comité intègre en effet des élites agricoles, dont le président de l'association, le Bâlois Walter Meyer[481]. De plus, la ligne réactionnaire antisocialiste, qui est

480 *Ibidem*, p. 56.

481 Le comité est composé de treize membres dont: *Walter Meyer-Zangger* (1837-1901) (BL), né d'un père vétérinaire, agriculteur sur le domaine du «Neuhof» à Liestal, président du «Bauern- und Arbeiterbund Baselland», membre du comité central de l'USP (1897-1899), Cn dans la fraction de politique sociale (1894-1899); *Stephan Gschwind-Stingelin* (1854-1904) (BL), fils d'un agriculteur qui est président du tribunal de district de la région de Therwil, salarié dans l'industrie des machines, dès 1875 crée une entreprise à Oberwil (scierie/charpenterie/parqueterie), président de la section cantonale de la SdG, membre fondateur et rédacteur de l'organe de presse du «Bauern- und Arbeiterbund Baselland» (1892-1897), fondateur de la «Birseckische Produktions- und Konsumgenossenschaft», membre du comité central du «Freiland-Bewegung», Cn dans la fraction de politique sociale (1899-1904); *Josef Jäger-Horné* (1852-1927) (AG), fils d'un industriel de la branche du tissage du ruban, enseignant, puis rédacteur du *Schweizer Freien Presse* (1884-1910), fondateur et principal dirigeant du «Bauernbund» argovien, membre du comité central de l'USP (1898-1901), d'abord membre de la SdG appartient ensuite à l'aile gauche du parti radical-démocrate, élu au Cn avec le soutien de la SdG (1896-1905/1911-1925); *Ulrich Dürrenmatt-Breit* (1849-1908) (BE), fils d'un petit paysan de Guggisberg, enseignant, puis rédacteur du journal conservateur *Berner Volkszeitung*, d'abord membre de la SdG puis leader du parti conservateur protestant, fondateur du «Konservative Volkspartei» (1882) qui défend les intérêts de la classe paysanne moyenne, s'oppose à la politique menée par l'USP, Cn ne faisant partie d'aucune fraction (1902-1908); par ailleurs, Baumann nous apprend que le président de la section thurgovienne du SBB possède un château, alors qu'un membre influent de la section schwyzoise est un gros exportateur de bétail; Baumann, 1993, p. 62.

représentée par Keller et Dürrenmatt, est minorisée par une aile anticapitaliste cherchant à construire un front du travail avec l'aile modérée du mouvement ouvrier. Emmenée par le Grutléen Stephan Gschwind, fondateur du «Bauern- und Arbeiterbund Baselland» (1892), la fraction progressiste du SBB met le désendettement au centre de son programme de politique agricole, ce qui le rend compatible avec les intérêts des salariés. Gschwind est un des principaux promoteurs helvétiques de l'idée du «Freiland»[482]. Celle-ci prône un rachat du sol endetté par l'Etat, les moyens de production restant la propriété des agriculteurs.

Dès le début des années 1890, les associations agricoles élitaires sont conscientes du risque d'être débordées par les organisations de masse que sont le VOLG et le SBB:

> *Die sogenannte Bauernbewegung ist in vollster Entwicklung. Wo diese Bewegung aufhört, kann Niemand wissen. Nur soviel ist sicher, dass dieselbe nicht durch die landwirthschaftlichen Vereine geleitet wird [...] Wir dürfen uns aber nicht verhehlen, dass die Vereine dieses Vertrauen nicht in einem wünschbaren Grade besitzen. Es richtet sich sogar die Bauernbewegung ungerechtfertigter Weise da und dort gegen landwirthschaftliche Vereinsvorstände und bestehende landwirthschaftliche Verbindungen*[483].

Dans cette situation, l'intérêt des organisations élitaires n'est pourtant pas de combattre le mouvement d'organisation de la paysannerie, qui donne un poids politique certain aux revendications agricoles, mais de le canaliser. Ainsi, plusieurs sociétés agricoles cantonales organisent des coopératives qui font concurrence au VOLG[484]. Dans la perspective de maîtriser le mouvement paysan et de garder l'initiative en matière de politique agricole, les élites estiment qu'il est primordial d'obtenir des concessions notables en matière de politique douanière:

> *Der Bauer ist bald geneigt, Bureaukratie und Vereinswesen in einen Tiegel zu werfen. Mit Spannung blickt die schweizerische Bauernsame heute auf das Vorgehen der landwirthschaftlichen Vereine in der Zollfrage. Wir haben den Behörden und dem Volke den Beweis zu leisten, dass es uns Ernst war mit der Forderung um einen speziellen Vertreter bei den Zollunterhandlungen und dass es uns Ernst war mit unsern Forderungen zum Zolltarif*[485].

Sans soutien aux prix agricoles, l'auteur de cet article juge que l'heure de la révolte paysanne pourrait bien avoir sonné.

Le risque politique d'une radicalisation des petits et moyens paysans est la constitution d'une alliance rouge-verte. En pleine crise sociale, certains

482 Widmer, 1992, pp. 675-678.

483 Ces lignes sont tirées de l'organe de presse de la société agricole cantonale saint-galloise; In der Rendez-vous-Stellung..., 1891.

484 Baumann, 1993, pp. 58-59.

485 In der Rendez-vous-Stellung..., 1891.

membres dirigeants du mouvement ouvrier font en effet des propositions concrètes de collaboration économique à la paysannerie. Les principales sont le monopole du blé, le désendettement par le biais d'une banque étatique, la réglementation de la vente du sol et du crédit hypothécaire, le développement d'un mouvement coopératif commun, etc. Dès 1894, l'idée d'un rapprochement entre le VOLG et les coopératives de consommation proches du mouvement ouvrier (USC) est étudiée. Elle se concrétise, en 1898, par la création d'une association faîtière des coopératives, le «Schweizerischer Genossenschaftsbund», qui organise plus de 100 000 membres[486]. Face au danger d'une alliance rouge-verte, les élites agricoles adoptent une double attitude. D'une part, elles dénigrent le mouvement ouvrier auprès de leur base afin d'éviter un rapprochement. Elles mettent notamment en évidence la contradiction des intérêts paysans et ouvriers en matière douanière. D'autre part, elles instrumentalisent la menace d'une alliance rouge-verte, qu'elles agitent comme un épouvantail aux yeux des élites industrielles; elles en font un moyen de propagande au service de la conquête de nouvelles conditions-cadre de production et de commercialisation[487].

4.4. Crise économique et remous socio-politiques

Ce chapitre n'a pas l'ambition d'analyser en détail la situation des classes moyennes et salariées durant la Grande dépression. Il est toutefois indispensable de donner un aperçu de leur organisation politique et de leurs revendications à l'égard de l'Etat fédéral, car elles influencent en partie les stratégies politico-économiques des élites helvétiques. Les deux dernières décennies du XIXe siècle marquent en effet la fin de l'hégémonie incontestée de celles-ci au sein du champ étatique fédéral. Même si c'est encore de manière timide, «le peuple» commence de s'organiser efficacement à l'échelle nationale et à revendiquer une meilleure prise en compte de ses intérêts par la Confédération.

Fragilisées par la Grande dépression, qui les menace de prolétarisation, les classes moyennes industrielles sont parmi les premières à remettre en question le libéralisme manchestérien. Certes, quelques représentants des arts et métiers tentent bien d'améliorer leur compétitivité en respectant les règles libérales de l'économie. Une rationalisation de la production et une amélioration de sa qualité, par le biais d'une meilleure formation professionnelle, doivent leur permettre de soutenir la concurrence étrangère. Toutefois, la majorité des petits producteurs cherchent leur salut dans une restriction du laisser faire et

486 Baumann, 1993, pp. 143-145.

487 Sur l'attitude que les élites agricoles adoptent face au mouvement ouvrier, cf. Zur Revision des Zolltarifes, 1890; *Zürcher Bauer*, Nrn. 38/39, 20./27. September 1890, compte rendu de l'assemblée paysanne d'Olten; Von Wattenwyl, 1891, p. 5; Ein Wort über Schutzzölle..., 1890.

laisser aller. Alors que la frange modérée des interventionnistes se contente d'une lutte contre la concurrence étrangère au moyen d'une protection douanière efficace, les adversaires les plus décidés du libéralisme manchestérien rêvent d'un retour à des formes corporatistes de l'organisation de la profession. En 1879, les classes moyennes industrielles s'organisent au sein de l'Union suisse des arts et métiers (USAM). L'association faîtière développe tout d'abord un discours modéré, qui se durcit avec le prolongement de la crise. En raison de la faiblesse de son organisation, l'USAM demeure toutefois un acteur marginal de la politique économique de la Confédération.

Les classes salariées renforcent aussi leur organisation politique et syndicale à l'échelle fédérale – Union syndicale suisse (USS) en 1880 et Parti socialiste suisse (PSS) en 1888. S'il gagne en efficacité dans les luttes salariales menées au moyen de la grève, le mouvement ouvrier reste peu influent au sein des lieux de pouvoir du champ étatique. La forte segmentation économique, culturelle et idéologique de sa base rend une organisation de masse difficile. En outre, le système d'élection majoritaire affaiblit sa représentation aux Chambres. Même après l'introduction du référendum et de l'initiative constitutionnelle, l'influence du mouvement ouvrier sur la politique économique de la Confédération reste très limitée, car celui-ci ne réussit pas à instrumentaliser de manière efficace ces outils de démocratie directe. La définition d'une stratégie de politique économique cohérente est d'ailleurs délicate. Syndicats des industries tournées vers le marché intérieur et syndicats des branches exportatrices ne s'accordent pas sur les objectifs à poursuivre. Mais la principale ligne de fracture en matière d'intervention économique de l'Etat se situe ailleurs. Une aile droite du mouvement ouvrier propose une réforme du système capitaliste en place, notamment grâce à l'introduction d'assurances sociales. Quant à l'aile gauche, elle dénonce l'anarchie capitaliste engendrée par le libéralisme manchestérien et cherche à lui substituer une organisation socialiste de l'économie.

L'introduction du référendum législatif, en 1874, et les conséquences économiques, sociales et politiques de la Grande dépression modifient fondamentalement la donne politique suisse dans les deux dernières décennies du XIXe siècle. Les besoins d'intervention de la grande industrie, la nouvelle dépendance des élites agricoles vis-à-vis de l'Etat central, l'émergence des classes moyennes et la question sociale liée à la montée du mouvement ouvrier sont autant de paramètres nouveaux qui déstabilisent le système politique en place. La polarisation très géographique des forces en présence lors des révisions constitutionnelles de 1848 et 1874 – les élites industrielles et commerciales libérales et protestantes d'une part et les élites agricoles conservatrices et catholiques d'autre part –, est progressivement atténuée. L'espace de deux décennies, les contours que doit prendre la nouvelle majorité politique demeurent une question relativement ouverte. D'autant plus que les partis, divisés en plusieurs ailes, sont en pleine restructuration. A l'issue d'une gestation d'une vingtaine d'années, un bloc bourgeois-paysan antisocialiste s'impose. Sa structure de base n'est plus formée par les partis, mais par les trois grandes associations faîtières de l'USCI, de l'USP et de l'USAM. La polarisation des forces n'est plus géo-économique et religieuse, mais socio-économique. Le combat horizontal entre les différentes élites suisses demeure, mais la lutte politique essentielle devient verticale.

4.4.1. Les classes moyennes industrielles réagissent à la crise: naissance de l'Union suisse des arts et métiers (1879) et promotion de solutions antilibérales

La Grande dépression touche de plein fouet les classes moyennes industrielles. Celles-ci abordent en effet la crise en étant déjà fragilisées par le développement de la concurrence industrielle en Suisse – chaussures, confection, alimentation, etc. – et le renforcement de la concurrence étrangère consécutif à la construction du réseau ferroviaire helvétique (tableau 1). Ecoulant leurs produits sur le marché intérieur – à l'exception de quelques artisans des régions frontalières –, les arts et métiers sont victimes de la politique commerciale agressive des grandes puissances européennes, de l'Allemagne en particulier. Entre 1880 et 1888, le nombre de personnes employées dans l'artisanat et la petite industrie diminue de 281 000 à 253 000, soit un recul de 51% à 47% des actifs dans le secteur secondaire[488].

Plus encore que l'industrie et l'agriculture, les arts et métiers sont une nébuleuse de producteurs dont les intérêts ne sont que très peu homogènes. Dès lors, il n'est pas étonnant de constater que les solutions prônées pour faire face à la crise sont multiples et parfois contradictoires. D'autant plus que les classes moyennes industrielles, peu puissantes économiquement et mal organisées, délèguent parfois la défense de leurs intérêts à des politiciens qui ne sont pas issus de leurs rangs. L'ampleur que doit prendre l'intervention de la Confédération est donc l'objet d'un débat interne virulent. Les restrictions à apporter à la libre concurrence vont d'une légère protection douanière à des projets d'organisation corporatiste des métiers.

Emmenée par Theodor Hoffmann-Merian[489], l'aile la plus libérale ne veut pas entendre parler d'un protectionnisme douanier et encore moins d'un retour à une forme de corporatisme[490]. Selon ce négociant bâlois, le

488 Kneschaurek, 1964, p. 139.

489 *Theodor Hoffmann-Merian* (1819-1888) (BS), issu d'une famille d'industriels de la soie, négociant, directeur du 1er arrondissement douanier de Bâle (dès 1849), défend l'artisanat tout en étant opposé à la corporation, membre du comité central de l'USAM (1880-1888), président de l'association faîtière (1882-1884), député au Grand Conseil bâlois de tendance radicale.

490 Hoffmann-Merian, 1879; Zur Zollfrage, 1881; Hoffmann-Merian, 1881; sur un refus du protectionnisme douanier en tant que solution au développement de la petite industrie, cf. également von Steiger, 1879.

salut des arts et métiers passe par une amélioration de la qualité de la production helvétique:

> *Es kann noch ausserordentlich viel für unser Gewerbe gethan werden, nicht durch Besteuerung fremder Arbeit, sondern durch Mehr-Intelligenz, durch Mehr-Wissen, durch Anbringung von gar vielen Verbesserungen, deren unsere Gewerbsthätigkeit noch fähig ist. Diejenigen, die von diesem Geiste durchdrungen sind und mit ihm arbeiten, – die bedürfen keines Schutzzolles*[491].

Par conséquent, la principale tâche que l'Etat se doit d'assumer est de promouvoir la formation d'une main-d'œuvre qualifiée en améliorant le système de formation[492]. En matière de politique douanière, Hoffmann-Merian estime que l'industrie d'exportation doit continuer d'être privilégiée:

> *Mein Ideal ist dasjenige, durch den eigenen sehr einfachen und niedrigen Zolltarif eine begünstigte Stellung für unsere Exportindustrie auf dem Wege der Handelsverträge zu erlangen und uns fähig zu machen, diesen Export möglichst auszudehnen und zu vergrössern. Wenn unsere Exportindustrie lebhaft arbeitet, so hat Jedermann im Land zu verdienen [...]*[493]

En 1881, le fabricant de tuiles et de briques H. Hanhart publie un concept global de développement de la place économique helvétique. Il le présente comme une voie moyenne entre libéralisme manchestérien et socialisme:

> *Würden wir den Kampf um's Dasein künstlich wegschaffen, wie die Kommunisten, oder, wie sie sich zu nennen belieben, Socialdemokraten, das anstreben, so wäre nichts Anderes die Folge, als Rückschritt der Gesittung und Bildung und damit zusammenhängend «väterliches» Alleinherrscherthum Einzelner und Massenelend der vielen Anderen [...] Mit dem «laissez faire, laissez aller» kann man allerdings auch zu weit gehen. Es handelt sich darum, so lange Einzelne noch schwach und unselbstständig sind, den jeweilig passenden Mittelweg zwischen Selbsthülfe und Staatshülfe einzuschlagen [...]*[494]

Tout en reconnaissant la primauté des intérêts de l'industrie d'exportation, Hanhart revendique une protection douanière modérée au profit de la petite industrie – 10% de la valeur au maximum. Conçue comme une aide provisoire, celle-ci doit permettre les investissements nécessaires pour lutter victorieusement contre une concurrence étrangère toujours plus agressive[495]. Les branches de production que l'industriel de Winterthour propose de moderniser moyennant cette prime à l'investissement sont les industries de la laine, du lin, du cuir, des chaussures, de l'habillement, de la porcelaine et du verre.

Emmené par Arnold Steinmann-Bucher, un troisième courant exige un protectionnisme douanier beaucoup plus musclé en dénonçant le danger

491 Zur Zollfrage, 1881, pp. 19-20.
492 Hoffmann-Merian, 1879, pp. 26-27.
493 Hoffmann-Merian, 1881.
494 Hanhart, 1881, pp. 51-52.
495 *Ibidem*, pp. 45-46.

d'une économie suisse par trop dépendante des marchés extérieurs[496]. Selon le publiciste saint-gallois, le primat de la défense de l'industrie d'exportation doit être abandonné pour permettre une meilleure exploitation de la capacité de consommation du marché intérieur. Cette nouvelle stratégie commerciale permettrait d'endiguer le flux des investissements industriels faits à l'étranger et la saignée de main-d'œuvre qui émigre. Le patronat de l'industrie de la laine est parmi les plus fervents adeptes des thèses de Steinmann-Bucher. Employant 3500 personnes (1888) dans une production fortement mécanisée, les fabricants de la branche jouent le rôle de bélier du mouvement protectionniste suisse[497]. Bien que le «Verband der Schweizerischen Wollindustrieller» (VSW: 1882) soit affilié à l'USCI, il adhère à la Ligue protectionniste d'Olten qui est créée, en 1887, dans le but de promouvoir la fermeture du marché intérieur. Il en est de même des représentants du «Verband der Schweizerischen Leinenindustrie» (VSL: 1882). Autrefois parmi les plus prestigieuses industries d'exportation helvétiques, la fabrication de toiles en lin n'occupe plus que 6600 personnes (1888) qui produisent désormais pour le marché intérieur. D'autres branches protectionnistes s'organisent aussi dans les années 1880-1890 afin de mieux se faire entendre au sein du champ étatique fédéral – cuir, chaussures, bois, matériaux de construction, papier, etc.[498]. Sur le plan quantitatif, le poids lourd protectionniste est l'industrie de l'habillement. En 1888, cette branche emploie quelque 108 000 personnes qui sont toutefois peu organisées[499].

Avec à sa tête des représentants de l'artisanat nostalgiques de l'époque corporatiste, un dernier courant ne se contente pas de mesures visant à entraver la concurrence étrangère. Au nom de la survie des classes moyennes, dont dépendrait l'existence de la Confédération, une limitation du système de la libre concurrence est exigée:

> *Der Mittelstand, der Bürger und Bauer, ist in der Schweiz das Volk, in ihm laufen alle Fäden zusammen [...] Ohne den Mittelstand ist die Eidgenossenschaft nicht denkbar, nicht vorhanden. Der Mittelstand ist die Schweiz, die Eidgenossenschaft. Seine Erhaltung ist die sociale Frage vor Allem*[500].

496 Zur Zollfrage, 1881; Schweizerisch-französischer Handelsvertrag..., 1882.

497 A la haute Assemblée fédérale suisse..., 1877; Was wir wollen, 1881.

498 Les principales associations créées ou déjà existantes sont les suivantes: «Schweizerischer Gerberverein» (?), «Schweizerischer Schuhmachermeisterverein» (1875), «Verband Schweizerischer Schuhindustrieller» (1887), «Verband Schweizerischer Zement-, Kalk- und Gipsfabrikanten» (1881), «Schweizerischer Holzindustrieverband» (1883/86), «Schweizerischer Glasermeisterverband» (1886), «Schweizerischer Zieglerverein» (1893), «Verein Schweizerischer Papier- und Papierstofffabrikanten» (1899).

499 Les chiffres concernant les emplois des industries évoquées sont tirés in SHS, 1996, pp. 404-411.

500 Extrait d'un article intitulé «Der Mittelstand», paru en 1890 dans le journal *Freien Rhätier*; cité in Widmer, 1992, p. 679.

L'article 31 de la constitution de 1874, qui garantit la liberté du commerce et de l'industrie, est remis en question dans le but de réglementer les prix, de limiter l'accès aux métiers, d'exiger un certificat de capacité ou encore d'obliger l'adhésion à une association professionnelle[501]. Avec la persistance de la crise, ces attaques frontales contre le libéralisme manchestérien se multiplient sous l'impulsion des représentants bernois des arts et métiers; elles sont appuyées par un nombre croissant de petits producteurs qui y voient leur seule solution de salut. Jakob Scheidegger[502] s'illustre notamment en proposant l'instauration de syndicats professionnels mixtes obligatoires[503]. Cette solution, à caractère corporatiste, permettrait de réguler les prix et les rapports de travail entre patronat et salariat. Catégoriquement refusé par les élites industrielles[504], le projet rencontre de l'opposition jusque dans certains milieux des classes moyennes industrielles.

Les conséquences économiques désastreuses de la Grande dépression poussent les classes moyennes industrielles à s'organiser pour promouvoir une intervention de la Confédération en leur faveur. Après la dissolution du «Schweizerischer Handwerks- und Gewerbeverein», en 1864, celles-ci ne possèdent en effet plus d'association à l'échelle fédérale. Organisée en 1879, l'exposition industrielle et des arts et métiers de la Suisse centrale sert de forum de préparation à la mise sur pied d'une association faîtière. Le 16 novembre 1879, l'Union suisse des arts et métiers (USAM) voit le jour à Lucerne, lors d'une assemblée réunissant 70 délégués de 16 sociétés locales et régionales alémaniques[505]. Constituée sur le modèle de l'USCI, l'USAM est dirigée par une section Vorort tournante (période de deux ans) et un comité central fixe qui définit les orientations stratégiques de l'association.

501 Sur les efforts faits par les classes moyennes pour obtenir une limitation de la libre concurrence, cf. Gruner, 1956/1, pp. 359-363; Gruner, 1988, vol. 2/2, pp. 1388-1391; Widmer, 1992, pp. 468-477; FF, 1892, vol. 5, pp. 721-750, «MCF concernant le droit de légiférer en matière d'arts et métiers (25 novembre 1892)»; BSO, 1892/93, n° 17, pp. 205-220; BSO, 1893/94, n° 26, pp. 343-390.

502 *Jakob Scheidegger-Brodbeck* (1845-1925) (BE), fils de cordonnier, apprentissage de cordonnier, fabricant de chaussures à Berne (1870-1908), cofondateur et président du «Schweizerischer Schuhmachermeisterverband», rédacteur du *Schweizerische Schuhmacherzeitung* (dès 1874), membre du comité central (1883-1894) puis du comité directeur (1897-1916) de l'USAM, président de l'association faîtière de 1897 à 1915, CA de la «Banque populaire suisse» (1914-1920), des CFF (1902-1908) et de la CNA (1912-1917), Cn radical-démocrate (1908-1917).

503 Gruner, 1966, p. 220.

504 Archives USCI, PV de l'assemblée des délégués, 30 mai 1896, p. 4; cf. également PV de la Chambre suisse du commerce, 14 mars 1896, pp. 24-39.

505 Sur la création et l'évolution de l'USAM, cf. Schweizer Gewerbeverein..., 1904; Tschumi, 1929; Gutersohn, s.d.

Les premières années d'existence de l'USAM sont marquées par des luttes internes au sujet de l'élaboration de la stratégie de crise à adopter. Si un consensus quasi général se dégage en faveur d'une amélioration de la formation professionnelle, la ligne à suivre en politique douanière est vivement débattue[506]. Le 5 septembre 1880, Hoffmann-Merian et Steinmann-Bucher s'affrontent sur la question au sein du comité central. Après avoir publié les discours contradictoires[507], cette instance lance une vaste consultation interne qui débouche sur le programme douanier de 1883. Marqué du sceau du consensus, celui-ci prône l'instauration d'un protectionnisme industriel modéré:

> *[...] wollen wir jedoch in der Erhöhung der Zölle auf Fabrikate Mass halten. Schon eine mässige Erhöhung wird den meisten Gewerben aufhelfen, ohne die Konsumenten zu schädigen. Wir wollen* Hebung der nationalen Arbeit überhaupt – nicht nur einseitig derjenigen der Exportindustrie (souligné dans l'original, C. H.) *[...] Es handelt sich absolut nicht um einen Schutzzoll der die auswärtige Konkurrenz unmöglich macht. Niemand von uns will das*[508].

Avec la stabilisation du comité directeur de l'USAM à Zurich, dès 1885, la ligne modérée est plébiscitée par une majorité des sections-membres. Déçues par la timidité de leur association faîtière, certaines branches de production décident de collaborer avec la Ligue d'Olten (1887), qui est beaucoup plus radicale dans ses revendications protectionnistes[509].

Le programme douanier de 1883 constitue la pièce de résistance d'un concept d'intervention économique plus global, élaboré dans le cadre de l'enquête économique lancée en 1882 par les autorités fédérales. Certes, une meilleure prise en compte des intérêts de la petite et moyenne entreprise y est exigée, mais les réformes législatives proposées par l'association n'attaquent que marginalement le principe de la libre concurrence. Marquée du sceau de la collaboration développée avec l'USCI et les autorités fédérales, la stratégie de l'USAM s'intègre relativement bien dans la perspective de Cramer-Frey: la petite industrie ne doit pas se recroqueviller en limitant la concurrence externe et/ou interne, mais renforcer sa compétitivité pour faire face à la concurrence; la Confédération doit encadrer la modernisation de la pro-

506 Sur les intérêts douaniers des différentes classes moyennes industrielles, cf. Brunner, 1926.

507 Zur Zollfrage..., 1881.

508 Gewerbliche Enquête, I. Theil, 1883, p. 5.

509 Malgré une ligne protectionniste commune, l'USAM entretient des rapports houleux avec la Ligue d'Olten; lors des révisions de 1887 et 1891, l'USAM refuse de signer la requête adressée par celle-ci aux autorités, notamment parce qu'elle ne veut pas souscrire à des revendications de protectionnisme agricole jugées exagérées; Archives USAM, PV du comité directeur, 1885-1888, 17/26/30 octobre 1886, 2/9 novembre 1886, 6 avril 1887.

duction par une amélioration de la formation professionnelle et une prime à l'investissement sous la forme d'une protection douanière modérée.

Avec la persistance de la crise, le courant «corporatiste» gagne cependant en influence. Malgré une aide de la Confédération à la formation professionnelle, introduite en 1884, la situation des petits producteurs ne s'améliore guère et la multiplication des mouvements de grève poussent les classes moyennes vers des solutions plus radicales. Déjà évoquée dans les années 1880, l'élaboration d'une loi fédérale sur les arts et métiers devient le cheval de bataille de l'association. Lors de l'assemblée des délégués du 12 juin 1892, à Schaffhouse, une résolution précise les objectifs d'une telle loi: 1) organisation par l'Etat de syndicats professionnels mixtes dotés de larges compétences; 2) réglementation des rapports entre patrons, ouvriers et apprentis; 3) institution d'examens d'apprentissage obligatoires; 4) protection de la santé et de la vie des personnes occupées dans l'industrie et les métiers; 5) réglementation de l'adjudication des travaux et fournitures de l'Etat[510]. En 1900, un nouveau programme de politique économique est adressé aux autorités fédérales dans le cadre de la révision du tarif douanier[511].

Certes, avec la création de l'USAM, les classes moyennes industrielles améliorent leur potentiel politique. En 1885, l'association faîtière décide de renforcer encore sa position au sein du système de consultation instauré par les autorités fédérales en imitant les efforts d'organisation consentis par l'USCI. Suite à une révision des statuts, un comité directeur renouvelable est installé à Zurich (1885-1896). L'année suivante, la Confédération se déclare disposée à allouer une subvention de 10 000 frs à l'USAM, à condition que l'association fournisse l'information nécessaire à la politique économique de l'Etat (enquêtes, expertises, etc.). Ce soutien financier permet à l'USAM de créer un secrétariat permanent. Il est confié à Werner Krebs[512], fondateur du journal *Das Gewerbe* qui devient l'organe officiel de l'association faîtière. En comparaison de l'USCI, l'USAM demeure toutefois peu écoutée au sein du champ étatique fédéral. Ainsi, en 1886, le comité directeur zurichois

510 FF, 1892, vol. 5, pp. 728-735, «MCF concernant le droit de légiférer en matière d'arts et métiers (25 novembre 1892)».

511 Le programme, qui est publié en août 1900, est annexé aux desiderata adressés par l'USAM dans le cadre de la révision du tarif douanier; AF, E 6351 (A) -/2, vol. 48, «Ueber die Produktion und volkswirtschaftliche Bedeutung der schweizerischen Gewerbe»; à cette occasion, l'USAM se plaint de ne pas pouvoir étayer ses revendications avec une statistique de la production; faute de mieux, l'association a recours à des estimations, concernant la masse salariale et la valeur de la production, pour prouver l'importance économique des arts et métiers.

512 *Werner Krebs* (1854-?) (BE), fondateur, imprimeur et éditeur du journal *Das Gewerbe* (1878-1885), premier secrétaire de l'USAM (1886-1924), député au Grand Conseil zurichois (1890-1893) puis bernois (1898-1902).

fait état de son agacement vis-à-vis de l'attitude des autorités fédérales. Alors que des représentants du Département du commerce fréquentent régulièrement les séances de la Chambre suisse du commerce, les invitations du comité central de l'USAM restent sans réponse[513]. Ni les révisions de statuts (1894, 1910), ni le transfert du comité directeur à Berne (1897), ni la diffusion toujours plus large d'une idéologie des classes moyennes ne permettent à l'USAM d'atteindre un poids politique suffisant pour imposer ses options de politique économique. Lorsqu'elle est consultée dans le cadre de l'élaboration d'une loi, l'association des arts et métiers ne parvient que rarement à imposer son point de vue. C'est notamment le cas en matière de politique douanière, où les concessions obtenues demeurent limitées. Quant aux tentatives de restreindre la libre concurrence intérieure, elles ne débouchent pas sur l'adoption de mesures concrètes. Certes, après un premier échec populaire en 1894, l'USAM obtient un article 34ter permettant à la Confédération de légiférer en matière d'arts et métiers. Votée en 1908, cette disposition ne reçoit pas de concrétisation législative avant la Première guerre mondiale, laissant l'USAM dans une situation de parent pauvre de l'intervention économique de la Confédération.

Les raisons de la faiblesse politique de l'USAM sont multiples. La principale réside dans les limites de son organisation[514]. En 1885, elle ne compte que 2615 membres répartis dans 45 sections exclusivement suisses alémaniques[515]. En 1897, l'USAM ne réunit toujours que 20 344 membres (108 sections), alors que l'USP, fondée la même année, organise 20 sociétés agricoles représentant 74 227 membres[516]. Il faut noter que d'importantes branches d'activité ne sont pas encore organisées. Fondée en 1897, l'association des entrepreneurs du bâtiment n'adhère à l'USAM qu'en 1917. Par ailleurs, les classes moyennes exerçant le commerce – épiciers et détaillants – ne s'organisent qu'en 1909. Sur les plans financier et informationnel (presse), les sociétés d'artisans locales disposent de moyens ridicules si on les compare au potentiel des différentes élites économiques; à l'exception du canton de Zurich, les sections n'ont même pas réalisé l'intégration de leurs forces à l'échelle cantonale. Cette faiblesse «logistique», qui ne peut que très

513 Archives USAM, PV du comité directeur, 1885-1888, 28 décembre 1886.

514 Sur la faiblesse organisationnelle de l'USAM et ses conséquences politiques, cf. Gruner, 1988, pp. 1388-1391; Gruner, 1989, p. 60; Nordkämper, 1943, pp. 38-40; Tschumi, 1929, p. 87; Neidhart, 1970, pp. 109-110; Widmer, 1992, pp. 421-423.

515 Schweizerischer Gewerbeverein 1879-1904..., 1904, p. 32; il s'agit de 33 sociétés locales, 1 société cantonale, 3 associations de branche et 8 institutions ou commissions défendant les intérêts de la petite industrie.

516 Howald, 1922, p. 29; il faut toutefois préciser que l'affiliation multiple est certainement beaucoup plus importante au sein de l'USP, le même agriculteur pouvant faire partie à la fois d'une association cantonale, d'une coopérative agricole et d'un syndicat d'élevage.

partiellement être compensée par la création de l'USAM, se reflète dans la sous-représentation des milieux artisanaux aux Chambres fédérales, qui ne dépasse jamais quatre sièges au tournant du siècle[517]. Par ailleurs, les classes moyennes industrielles ne sont pas en mesure de se lancer dans un mouvement d'opposition référendaire qui permettrait de faire pression sur les autorités fédérales. Certains représentants des arts et métiers cherchent donc à remédier à cette situation de faiblesse en proposant l'instauration d'un «Parlement économique», avatar des projets de Chambre de commerce fédérale défendus par les élites industrielles interventionnistes[518].

Au-delà des faiblesses organisationnelles, financières et informationnelles, l'influence politique de l'USAM souffre également de l'attitude politique ambiguë de ses instances dirigeantes. Longtemps, les comités directeur et central ne sont pas constitués d'artisans ou de petits industriels, mais de politiciens sensibles à la cause des classes moyennes, parfois pour des raisons uniquement électorales. La ligne de l'association louvoie alors sans cesse entre une attitude revendicative et la volonté de collaborer avec le parti radical, l'USCI et les autorités fédérales. Sous la présidence du Conseiller national zurichois Johannes Stössel (1885-1897)[519], une ligne modérée l'emporte. Nommé membre d'honneur de l'USAM, en 1883, Cramer-Frey est même consulté lorsqu'il s'agit de désigner les représentants de l'artisanat chargés de préparer des négociations commerciales[520]. Suite à la révision des statuts de 1894, qui coïncide avec l'entrée au comité central de véritables représentants de la petite industrie, l'USAM s'oriente vers une politique de défense des classes moyennes plus revendicative. Ce tournant est confirmé, en 1897, avec le déplacement du comité directeur à Berne et la nomination du fabricant de chaussures bernois Jakob Scheidegger à la présidence (1897-1915). En 1899, un second secrétaire est nommé en la personne d'Eduard Boos-Jegher[521], promoteur du «Bürgerverein» de Zurich. Créée en 1905, cette organisation

517 Gruner, 1988, p. 1389.

518 Widmer, 1992, pp. 413-414.

519 *Johannes Stössel-Hatz* (1837-1919) (ZH), issu d'une famille de petits paysans de Bäretswil, après des études de droit devient enseignant à l'école cantonale industrielle de Zurich (1861-1862), secrétaire du Bureau fédéral de la statistique (1862-1869), rédacteur du *Zeitschrift für schweizerische Statistik* (1864-1889), CdE (1875-1917), président de l'USAM (1885-1897), CA du «Nordostbahn» (1880-1884), de la «Rentenanstalt» (1896-1918) et de la «Banque populaire suisse» (dès 1869), Cn de tendance démocrate puis radicale de gauche (1878-1891), CaE (1891-1905), président du PRDS (1897-1898).

520 Archives USAM, PV du comité directeur, 1885-1888, 9 novembre 1887/26 avril 1891.

521 *Eduard Boos-Jegher* (1855-1928) (ZH), directeur de l'école des travaux d'arts féminins près de Zurich, membre dirigeant de la Société des arts et métiers de la ville de Zurich, membre du comité directeur (1885-1897) et vice-président de l'USAM (1891-1897), membre du comité central (1897-1900), deuxième secrétaire de l'USAM (1899-1908), proche des entrepreneurs du bâtiment, directeur de l'Office suisse des expositions et du

contribue à la propagation de la nouvelle idéologie des classes moyennes, qui se valorisent en tant que bastion conservateur permettant de lutter contre le danger socialiste[522]. Enfin, en 1906, l'USAM se dote d'un véritable organe de presse hebdomadaire, la *Schweizerische Gewerbe-Zeitung*. Engagé en tant que rédacteur, Hans Tschumi[523] développe un discours de classe, qui attaque à la fois le grand capital et le mouvement ouvrier d'obédience socialiste. Discutée en 1912, l'idée de sortir du PRDS pour organiser un parti politique de défense des classes moyennes n'est toutefois pas soutenue par les dirigeants de l'USAM. Cette scission ne sera réalisée qu'à la fin de la Première guerre mondiale, sous la houlette des milieux agricoles – un Parti des paysans, artisans et bourgeois (PAB) est alors créé dans certains cantons[524].

4.4.2. Le mouvement ouvrier entre réforme sociale et socialisme

Certes, après avoir longuement analysé la situation économique et l'attitude politique des élites économiques (environ 3% de la population active en 1900), puis plus brièvement des classes moyennes agricoles (13,6%) et industrielles (11,5%), il peut paraître déplacé de traiter superficiellement du groupe socio-économique le plus important numériquement, celui des salariés (environ 70%)[525]. Ce choix méthodologique se justifie cependant du fait que jusqu'à la Première guerre mondiale, l'influence des milieux salariés sur la politique économique de la Confédération demeure très limitée. Représentant quelque 17% de la population active, les travailleurs agricoles ne développent pas d'organisation et de discours politiques propres. Il en va de même pour le personnel de maison (5,3%). En plein développement numérique (14,2%), les employés et les fonctionnaires commencent seulement à s'organiser[526]. Une association faîtière efficace n'est créée qu'en 1918. Au sein de la masse des salariés, seuls les ouvriers du secteur secondaire (34,7%) constituent alors une force politique organisée.

Bureau pour l'achat et la vente des marchandises à Zurich (dès 1908), membre fondateur puis président du «Bürgerverein» de Zurich (1905).

522 Jost, 1992, pp. 64-68; Widmer, 1992, pp. 679-681.

523 *Hans Tschumi-Vögeli (-Häni)* (1858-1944) (BE), issu d'une famille de petits paysans possédant une entreprise de menuiserie, enseignant au niveau primaire puis secondaire (1878-1890), inspecteur cantonal pour les denrées alimentaires (1891-1906), rédacteur du *Schweizerische Gewerbe-Zeitung* et secrétaire du «Handwerker- und Gewerbeverein der Stadt Bern» (1906-1912), membre du comité directeur de l'USAM (1912-1929), président de l'association (1915-1929), CdE (1912-1926), Cn PAB (1919-1935), président de la commission douanière du CN.

524 Sur la création du PAB, cf. Junker, 1968.

525 Ces estimations chiffrées sont tirées in Tanner, 1995, tabelles 5/7, pp. 43/46.

526 Sur l'organisation des employés et fonctionnaires, cf. König, 1984; Siegrist, 1985; Simmler, 1976, pp. 21-22.

Entre 1870 et 1914, le mouvement ouvrier peine cependant à jouer les premiers rôles au niveau fédéral. Sa forte segmentation économique, culturelle et idéologique entrave une organisation de masse cohérente[527]. Centre de gravité du mouvement ouvrier, la Société du Grütli (SdG), fondée en 1838 à Genève, ne compte que 6600 membres en 1879. La même année, sa première tentative de saisir le référendum échoue avec 19 273 signatures seulement, démontrant son incapacité à instrumentaliser efficacement le nouvel outil de démocratie directe[528]. A son apogée, en 1891, la SdG compte 352 sections regroupant 16 000 personnes[529]. Son organe de presse, *Der Grütlianer*, tire alors à 14 000 exemplaires. Fondé définitivement en 1888, le Parti socialiste suisse (PSS) ne compte que 15 000 membres au tournant du siècle. Grâce à sa fusion avec la SdG, qui a lieu en 1901, il organise quelque 31 000 membres en 1913[530]. Il est vrai que la fondation de l'USS[531] (1880), la création d'une caisse de réserve (1886) et le développement des unions ouvrières locales permettent progressivement aux syndicats ouvriers de déstabiliser le pouvoir du patronat sur les lieux de travail. Durant les années 1890, les mouvements de grève se multiplient et culminent dans les grèves générales de Genève (1902) et Zurich (1912)[532]. A partir de 1890, des représentants de la gauche entrent dans les législatifs puis les exécutifs municipaux et cantonaux. Mais au sein du champ étatique fédéral, les organisations ouvrières n'entament pas le pouvoir des élites économiques de manière conséquente.

Du fait de l'élection au suffrage majoritaire, les représentants du mouvement ouvrier à l'AsF restent longtemps une denrée rare. En 1896, un groupe de politique sociale se constitue aux Chambres. Il comptabilise 11 sièges sur 147 au CN et 1 siège sur 44 au CE; ils sont occupés par dix démocrates, un grutléen et un socialiste. En 1911, une fraction socialiste se constitue avec 17 sièges sur 189 au CN et 1 siège sur 44 au CE. Le groupe de politique sociale ne compte plus alors que 5 sièges au CN[533]. Sur le plan référendaire, l'efficacité des organisations ouvrières est tout aussi médiocre. Lancée en novembre 1892 par le PSS, une initiative sur le droit au travail aboutit grâce

527 Jost, 1990; Garbani, 1980.

528 FF, 1879, vol. 3, pp. 914-918, «RCF sur le résultat de l'opposition soulevée contre la loi fédérale concernant l'augmentation des droits d'entrée sur certaines espèces de marchandises (28 novembre 1879)».

529 Gruner, 1988, vol. 3, pp. 48-49.

530 *Ibidem*, pp. 296-297.

531 Concernant le développement de l'organisation syndicale en Suisse et la progression numérique de l'USS, cf. Gruner, 1988, vol. 2/1, pp. 157-164.

532 Sur les mouvements de grève entre 1880 et 1914, cf. Gruner, 1988, vol. 2/2, pp. 837-1139.

533 Gruner, 1966, vol. 2, pp. 196-203.

au soutien de la SdG. Le 3 juin 1894, elle est cependant balayée en votation populaire – 308 289 voix contre 75 880[534]. Quant à l'USS, son potentiel référendaire reste longtemps limité. Au tournant du siècle, l'association faîtière ne compte encore que 15 000 membres et son organe de presse, l'*Arbeiterstimme*, ne tire qu'à 4000 exemplaires[535]. Cette faiblesse organisationnelle explique probablement le peu d'engagement de l'USS dans le jeu plébiscitaire d'avant-guerre. Les moyens financiers sont par ailleurs mobilisés par les mouvements de grève.

Une approche moins détaillée du groupe social des salariés se justifie aussi d'un point de vue historiographique. Paru en 1988, un monumental ouvrage d'Erich Gruner, en quatre volumes, offre une analyse détaillée du monde ouvrier entre 1880 et 1914: «Arbeiterschaft und Wirtschaft in der Schweiz 1880-1914. Soziale Lage, Organisation und Kämpfe von Arbeitern und Unternehmern, politische Organisation und Sozialpolitik.» Il y est question de la situation économique des salariés durant l'ensemble de la période, de leur organisation syndicale et politique ainsi que de leurs revendications en matière de politiques sociale et économique. Plutôt que de reproduire de manière extensive les conclusions de l'étude de Gruner, je me contenterai d'analyser ici les différentes stratégies d'intervention étatique qui sont alors proposées en faveur des milieux salariés.

Personnalité incontournable de la gauche helvétique des années 1880-1890, le Conseiller national démocrate saint-gallois Theodor Curti[536] est parmi les principaux défenseurs d'une intervention de l'Etat en faveur des classes défavorisées de la population. Persuadé qu'il existe une question sociale en Suisse, il propose de la résoudre au moyen d'un certain nombre de réformes («Sozialreform»). L'objectif à atteindre n'est pas une suppression du libéralisme manchestérien, dont il reconnaît les acquis, mais bien la correction de ses insuffisances par le biais d'une intervention de l'Etat. Dès 1879, Curti crée la *Zürcher Post*, qui lui permet de diffuser son projet politique:

534 Widmer, 1992, pp. 721-723.

535 Gruner, 1988, vol. 2/1, pp. 66/158.

536 *Theodor Curti-Frey* (1848-1914) (SG/ZH), études de droit, activité de journaliste à la *St. Galler Zeitung* (1871-1872) puis à la *Frankfurter Zeitung* (1873-1879), fondateur de la *Zürcher Post* (1879) qu'il dirige en tant que rédacteur en chef jusqu'en 1894, CdE saint-gallois (1894-1902), nouvelle activité au sein du *Frankfurter Zeitung* (1902-1914), Cn de tendance démocrate (1881-1902), fondateur de la fraction de politique sociale aux Chambres (1896), homme de confiance de la section zurichoise de la SdG, cofondateur du deuxième «Arbeiterbund», membre du comité de la «Landwirtschaftliche Gesellschaft St. Gallen», défenseur d'une intervention de l'Etat en faveur des classes populaires (ouvriers, paysans, artisans, etc.).

> *Was wir durch die Freizügigkeit, durch den Grossbetrieb, durch die Entnationalisierung des Handels gewonnen haben, das darf uns nicht wieder verloren gehen. Was wir an Freiheit der individuellen Bewegung wirklich erlangt, wollen wir nicht in den Wind schlagen. Das Venenblut des Manchestertums strömt ins Herz zurück, um sich zu verjüngen. Aber das lebensrote Blut, zu dem es dort werden soll, kann es nur werden durch die Beimischung einer Nahrung,* welche nicht mehr die frühere ist (souligné dans l'original, C. H.), *und der Luft, in welcher wir* jetzt *atmen*[537].

En 1886, lors d'un discours prononcé devant l'assemblée des délégués de la SdG, Curti développe un large programme de mesures, qu'il qualifie lui-même de nationaliste et de réformiste. Dans la tradition du mouvement démocratique, son concept est destiné à améliorer le sort des couches populaires, dans lesquelles sont inclus ouvriers, paysans et classes moyennes industrielles. Au centre de la réflexion de Curti se trouve l'assurance:

> *Im Grossen organisirt, würde die gegenseitige Versicherung zahllose Existenzen retten, unendlichen Kummer mildern und durch die Verbannung der drückendsten Lebenssorgen auch allen geistigen Kräften, welche in der Gesellschaft thätig sind, eine grössere Spannkraft geben. Auch auf dem Gebiete des Versicherungswesens ist nicht die soziale Panacee zu suchen,* aber ein grosses Stück Hilfe und Rettung werden wir dort finden (souligné dans l'original, C. H.)[538].

Source de stabilité sociale, l'assurance doit être développée par l'Etat dans les domaines de l'accident, de la maladie et de la grêle, puis, si possible, dans les domaines de la vieillesse, de l'invalidité et du décès. Pour financer ce programme, Curti refuse le recours à une augmentation de l'impôt indirect, socialement injuste. Certes, sa préférence va à l'impôt direct progressif, mais sur le plan fédéral, la création de monopoles étatiques lucratifs lui semble plus réaliste. Pour des raisons fiscales, mais également économiques, le Saint-Gallois propose donc d'étatiser la commercialisation de l'alcool, du tabac et des jeux de cartes, la fabrication des allumettes, l'émission des billets de banque et l'exploitation des chemins de fer. Le surplus des revenus devrait être utilisé pour soutenir la formation: création d'une académie des arts, soutien des universités en difficulté, subventions à l'enseignement scolaire en faveur des cantons à faible capacité financière, gratuité des livres et du matériel scolaire.

Représentant de l'aile gauche de la SdG, le socialiste allemand Robert Seidel[539] est rédacteur de l'organe de presse de l'USS, l'*Arbeiterstimme*, où il

537 Extrait de la *Zürcher Post*, 5 mars 1882, cité in Morandi, 1995, p. 47.

538 Curti, 1886, pp. 6-7.

539 *Robert Seidel-Schwarz* (1850-1933) (GL/ZH), d'origine allemande, émigre en Suisse en 1870, ouvrier dans le textile puis employé de commerce, instituteur dans plusieurs localités puis maître secondaire à Mollis (GL) (1884-1890), durant cette période leader de la section glaronnaise de la SdG, échoue face à Greulich lors de la nomination d'un Secrétaire ouvrier (1887), rédacteur de l'organe de presse de l'USS, l'*Arbeiterstimme* (1890-1898), cofondateur et rédacteur du *Volksrecht* (1898-1899), maître secondaire à Zurich (dès 1900) puis privat-docent de pédagogie sociale à l'Université de Zurich (1908-1929) et à l'EPFZ (1905-1929), Cn socialiste (1911-1917), d'abord Grutléen de

diffuse ses options de politique économique. Bien qu'il reprenne le concept de «Sozialreform» à son compte, Seidel y donne un sens différent de celui de Curti. Il prône en effet une étatisation progressive de l'économie par l'instauration de monopoles:

> *Wer das Vaterland stark machen will, der muss diesen Feind* (Armut, C. H.) *bekämpfen. Er kann aber nur erfolgreich bekämpft werden durch Ausdehnung der Gemeinwirthschaft auf alle jene Gebiete des wirthschaftlichen Lebens, auf welchem das Grosskapital zunächst seine Herrschaft am unbestrittensten ausübt, und an deren Sozialisirung die grosse Masse des Volkes, nicht nur die Lohnarbeiterschaft, ein lebendiges Interesse hat. Diese Gebiete sind Handel und Verkehr; unter den Handelszweigen besonders der Importhandel. Ich spreche ausdrücklich um von einer Ausdehnung der Gemeinwirthschaft, denn es hat nie einen Staat ohne Gemeinwirthschaft gegeben, und wir haben ja in den letzten 50 Jahre dieselbe auf Münz-, Mass-, Gewichts-, Zoll-, Militär-, Rechts-, Schul-, Post-, Telegraphen und Telephonwesen ausgedehnt. Die Eidgenossenschaft treibt Waffen-, Pulver-, Pferde-, Getreide-, und Schapshandel, letzteren sogar als Monopol [...] Wenn daher die Sozialdemokratie die Gemeinwirthschaft nicht nur auf Handel und Verkehr, sondern auch auf Industrie und Landwirthschaft ausdehnen will, so handelt es sich dabei nicht um ein neues Prinzip, sondern nur um die Ausdehnung eines uralten, in Kraft stehenden Prinzipes, das seinen Ausdruck in unserer vaterländischen Devise gefunden hat: Einer für Alle, Alle für Einen*[540].

Dès 1879, Seidel défend notamment la création d'un monopole du blé afin de venir en aide à l'agriculture[541]. Il estime qu'à terme, la seule solution à la crise agricole est une socialisation de la production:

> *Gegen [...] die Noth des kleinen Bauernstandes hilft nur der Gemeinbetrieb, der Sozialismus. Die kleinen Bauern müssen sich und ihr Land vereinigen und die Landwirthschaft auch im Grossen, wissenschaftlich und mit Maschinen betreiben*[542].

Considéré comme le fondateur du PSS, Albert Steck[543] développe un concept de socialisation complète de l'économie par la voie réformiste[544]. Après avoir fondé le *Schweizerischer Sozialdemokrat* (1888), le Bernois tente de diffuser sa stratégie, qu'il oppose à la «Sozialreform» de Curti. Il se distancie en effet de la gauche bourgeoise acquise à des réformes sociales et

---

gauche il fait partie de l'aile droite issue de la fusion du PSS et de la SdG au tournant du siècle, lors de la scission en 1916 il sort momentanément du PSS (1916-1925).

540 Les passages cités sont tirés d'une série d'articles consacrés au monopole du blé; *Berner Zeitung*, Nrn. 47/55/56/70/72, 25. Februar und 6./7./24./26. März 1890.

541 En 1879, Seidel publie une brochure intitulée «Staatlicher Getreidehandel oder wie kommt das Volk zu billigem Brot», qui est écrite pour soutenir une initiative populaire dans le canton de Zurich; en 1889, il relance son projet par une campagne de conférences qui provoquent une polémique dans la presse.

542 Seidel, 1890, p. 12.

543 *Albert Steck* (1843-1899) (BE), avocat, rédacteur du *Sozialdemokrat*, fondateur du PSS.

544 Gruner, 1988, vol. 3, pp. 175-179.

l'accuse de vouloir freiner ainsi de véritables changements[545]. Concrètement, Steck engage un combat en faveur du droit au travail, que la gauche bourgeoise réformiste considère incompatible avec le système capitaliste. Aux Congrès de 1891 et 1892, le PSS décide de lancer une initiative populaire dans ce sens.

En ce qui concerne la politique douanière de la Confédération, le mouvement ouvrier est divisé sur la stratégie à suivre. Au sein de l'organe de référence en la matière, la SdG, deux ailes s'affrontent sur la question. Emmenées par le Secrétaire ouvrier Herman Greulich[546], des sections se prononcent en faveur de la protection du travail national. Il s'agit principalement des sections rurales, dont les membres – artisans, ouvriers de la petite et moyenne entreprise, salariés agricoles – produisent pour le marché intérieur. Dans ses discours, le Secrétaire ouvrier privilégie la lutte économique contre l'étranger à la lutte interne entre classes sociales:

> *Als Glieder eines Staatswesens bilden wir – trotz allen Klassengegensätzen – nach aussen eine wirtschaftliche Gemeinschaft. Dies darf vor allem die Arbeiterschaft eines kleinen Landes mitten auf dem Kontinent nicht vergessen, denn ein solches Land muss doppelt wachsam auf seine wirtschaftliche Unabhängigkeit sein*[547].

Dans cette perspective, Greulich considère le tarif douanier comme une arme de combat contre l'étranger plutôt qu'un lieu de défense des intérêts de classe. Il se montre par ailleurs ouvert à une protection douanière permettant aux classes moyennes de surmonter la crise économique. En 1888, il publie une brochure dans laquelle il légitime une protection douanière du secteur primaire:

545 Frei, 1891, p. 25.

546 *Herman Greulich-Kaufmann* (1842-1925) (ZH), né dans une famille pauvre en Allemagne, apprentissage de relieur, émigre en Suisse et s'établit à Zurich, crée la *Tagwacht* dont il est le rédacteur et l'administrateur (1869-1880), employé de la coopérative de consommation de Zurich (1880-1884), employé puis chef de l'Office de statistique du canton de Zurich (1884-1887), nommé Secrétaire ouvrier («Arbeitersekretär») au moment de la création du deuxième «Arbeiterbund» (1887-1920), Cn de la fraction de politique sociale, puis président de la fraction socialiste créée en 1911 (1902-1905/1908-1925), membre de la SdG, entre 1880 et 1900 collabore étroitement avec les démocrates de Zurich (Curti, Vögelin, Locher), en 1893 se présente aux élections fédérales contre le candidat du PSS Seidel, membre de la direction du PSS (1912-1919), fait partie de l'aile droite réformatrice du mouvement ouvrier qui veut réconcilier les salariés avec l'Etat bourgeois, fondateur de plusieurs syndicats (textile/fonctionnaires/commerce et transports).

547 Discours de Greulich cité par Alfred Frey in *NZZ*, Nr. 49, 18. Februar 1903, «Zum schweizerischen Zolltarif von 1902».

> *Nachdem durch die sogenannte Schutzzollpolitik der andern Staaten die Schweiz hart eingeschlossen und namentlich die Landwirthschaft schwer geschädigt worden, war es ein Gebot der Nothwehr, Zollerhöhung zu fordern*[548].

Les sections urbaines, dont la base est constituée de fonctionnaires, d'employés et d'ouvriers de la grande industrie d'exportation, prônent au contraire le libre-échange. Composé en large partie d'horlogers, le mouvement ouvrier romand adhère notamment à cette stratégie, dont le maître à penser n'est autre que Robert Seidel. En mettant l'accent sur l'injustice sociale d'une fiscalité indirecte, qui n'est pas prélevée de manière proportionnelle au revenu, le syndicaliste allemand fustige le protectionnisme douanier; sa conséquence est une perte de pouvoir d'achat qui ne peut être compensée qu'au prix de luttes salariales acharnées:

> *Die Zölle auf Lebens- und Genussmittel des Volkes drücken seine ohnehin niedrige Lebenshaltung noch mehr herunter. Alle Lebensmittel werden theuerer und das ist gleichbedeutend mit einem Sinken der Löhne [...] Sie wissen alle, welche Kämpfe es kostet, wenn der Arbeiter in der Stunde 3-5 Rappen Lohn mehr erringen will. Da heisst es gleich: Die Industrie geht zu Grunde; ja man erklärt das Vaterland in Gefahr [...] Nur wenn der Arbeiter für seine Arbeit einige Rappen mehr beansprucht, erhebt sich die ganze Gesellschaft mit Presse, Gericht, Kirche, Polizei und Soldaten gegen ihn. Wir wollen deshalb durch Zollerhöhungen die Löhne nicht noch mehr herunterdrücken lassen, denn sie wieder in die Höhe zu bringen, ist für die Arbeiterschaft sehr schwer und mit grossen Kämpfen und Opfern verbunden*[549].

Pour l'ouvrier de l'industrie d'exportation, les inconvénients fiscaux d'une politique protectionniste ne sont pas compensés par les avantages commerciaux dont bénéficient les salariés travaillant pour le marché intérieur, sous la forme d'une certaine sécurité de l'emploi.

Durant les années 1880, la politique douanière de la SdG suit la stratégie protectionniste de Greulich. Une estimation de la structure sociale de ses membres, en 1880, révèle une nette prépondérance des milieux artisanaux – 62% de petits entrepreneurs (3%), maîtres-artisans (3%) et ouvriers-artisans (56%), contre 34% d'ouvriers (30%) et d'employés/fonctionnaires (4%) et 4% de paysans et ouvriers agricoles[550]. Mais avec le changement progressif de sa structure sociale – le nombre d'ouvriers de fabrique passe de 30% à 53% entre 1878 et 1895 – la principale organisation du mouvement ouvrier devient progressivement libre-échangiste. Durant la révision douanière de 1891, les deux fractions s'affrontent encore sans pouvoir véritablement se départager. Mais à partir de la fin des années 1890, la SdG se prononce clairement en faveur de la ligne libre-échangiste. Il en est de même de l'ensemble du mouvement ouvrier.

548 Greulich, 1888, p. 19.
549 Seidel, 1890, pp. 13-14.
550 Gruner, 1988, vol. 3, pp. 47/50.

4.4.3. Le système politique et les partis en effervescence: quelles alliances pour quelle intervention de la Confédération?

Les bouleversements économiques et sociaux engendrés par la Grande dépression ne restent pas sans conséquence sur le système politique suisse, déjà ébranlé, dès 1874, par l'introduction du référendum législatif. Nous avons vu que les besoins d'intervention poussent les différents milieux socio-économiques à s'organiser au sein d'associations faîtières qui acquièrent un poids politique important, mais variable, au sein du champ étatique fédéral. Disposant d'une base relativement nombreuse et plus homogène d'un point de vue socio-économique, au bénéfice de moyens financiers plus conséquents, ces associations sont mieux adaptées que les partis à la lutte politique dans un système de démocratie semi-directe. Au sein d'une société où le débat idéologique cède le pas aux préoccupations économiques et sociales, elles sont notamment mieux armées pour définir des objectifs politiques cohérents; malgré certaines divisions internes évoquées, la plupart des associations faîtières sont capables de réunir leurs membres derrière une stratégie de crise commune. Cette transformation structurelle du système politique participe au déplacement du centre de gravité du processus législatif vers un triangle CF-administration-associations faîtières.

Bien que de plus en plus relégués dans une fonction de légitimation politique, les partis gardent une importance certaine lorsqu'il s'agit de rassembler une majorité aux Chambres et devant le peuple. Or, les partis traditionnels, jusque-là structurés selon la grande dichotomie entre forces du mouvement (libéraux, radicaux et démocrates) et forces conservatrices (conservateurs protestants et catholiques), ne sont pas épargnés par la tourmente économique et sociale. A l'intérieur, différentes ailes s'affrontent, notamment pour définir les objectifs du parti en matière d'intervention de la Confédération. La nécessité de s'adapter à l'extension du suffrage universel et à l'introduction du référendum pousse à la constitution de partis de masse. De ce point de vue, les élites sont contraintes de développer un discours intégrateur faisant miroiter des concessions aux classes moyennes et salariées. Des mesures de politique sociale sont introduites dans les programmes, alors que la volonté réelle de les réaliser, qui est difficile à déterminer, n'est pas toujours évidente. Vis-à-vis de l'extérieur, les partis traditionnels sont contraints de réfléchir en termes d'alliances. Depuis l'introduction du référendum, aucun d'entre eux n'est en effet capable de gouverner seul, pas même une famille radicale qui parviendrait à faire fi de ses divisions. Le mouvement référendaire conservateur, qui s'intensifie encore au début des années 1880, le prouve en bloquant le processus législatif. Au-delà des traditionnelles affinités idéologiques et politiques, le choix des partenaires se fait selon des critères économiques et sociaux. La stratégie d'intervention développée par le partenaire doit être la plus compatible possible avec les intérêts économiques des dirigeants du parti.

A droite, les effets de la crise agricole obligent les catholiques-conservateurs à modérer leur fédéralisme doctrinaire pour amorcer un processus d'intégration au sein de l'Etat fédéral[551]. Sur le plan économique, les propriétaires terriens catholiques-conservateurs sont touchés par le protectionnisme agricole européen – en particulier celui de l'Italie – qui entrave l'exportation de bétail et de produits laitiers. Sous leur impulsion, le parti s'investit dans l'élaboration d'une politique agricole fédérale, quand bien même la Confédération n'a pas les compétences constitutionnelles pour intervenir dans un domaine législatif réservé aux cantons. Peu fédéraliste, cette attitude est le résultat de la capacité financière réduite des cantons agricoles de montagne, qui ne leur permet pas de prendre en charge l'ensemble des frais liés à l'amélioration des conditions-cadre de production. Par ailleurs, le soutien de la rente foncière au moyen d'une politique douanière interventionniste ne peut être réalisé que par la Confédération[552]. Dès le milieu des années 1880, les catholiques-conservateurs sont parmi les principaux promoteurs du protectionnisme agricole au sein du champ étatique fédéral.

Sur le plan social, la Grande dépression pose de gros problèmes aux cantons catholiques-conservateurs. Leur population, essentiellement constituée de classes moyennes agricoles et artisanales, est touchée de plein fouet par la crise. Pour des raisons de stabilité socio-politique et de clientélisme électoral, certains leaders du parti catholique-conservateur se convertissent à une intervention en faveur des classes moyennes:

> *[...] sauvegarder la classe moyenne contre la décadence économique c'est empêcher la formation désastreuse d'un prolétariat agricole et commercial qui irait grossir les flots du prolétariat ouvrier*[553].

D'autres dirigeants se préoccupent de la diaspora catholique, composée surtout de travailleurs salariés émigrés dans les régions industrielles. Dès le milieu des années 1880, une aile catholique-sociale émerge au sein du parti[554]. En 1888, elle s'émancipe de l'association du «Piusverein» en créant le «Verein Katholischer Männer- und Arbeitervereine» (VMAV), qui cherche à concilier

551 Sur cette question cf. Altermatt, 1991, pp. 95-229; Fueter, 1928, pp. 181-188; Siegenthaler, 1983, pp. 218-219; von Greyerz, 1980, p. 1098.

552 Sur la position des élites agricoles de montagne en matière de politique douanière, cf. Lemmenmeier, 1983, pp. 335-338/382-383; AF, E 11, vol. 18, PV de la réunion d'experts agricoles des 4 et 5 juin 1886; dès 1886, l'organe de la société cantonale lucernoise d'agriculture, le *Landwirth*, prend position en faveur de mesures protectionnistes.

553 Déclaration de Georges de Montenach citée in Jost, 1992, p. 37.

554 Widmer, 1992, pp. 579-583.

les intérêts des travailleurs de la diaspora avec ceux des petits paysans des régions agricoles. A l'image de son principal représentant, Caspar Decurtins[555], le catholicisme social reconnaît l'insuffisance de la charité pour faire face à la crise et il admet la nécessité d'une intervention de l'Etat:

> *Ich verstehe unter sozialistischer Auffassung der Ökonomie des Staates jene Auffassung, welche glaubt, der Staat dürfe nicht mehr einem traurigen laisser faire, laisser aller huldigen, vielmehr müsse derselbe eine Anzahl Aufgaben im Interesse der Kleinen und sozial Schwächern übernehmen, Aufgaben, welche im ethischen Pflichtenkreise der Gesellschaft liegen, deren Willensorgan der Staat ist [...] Darum, ist es die Aufgabe der Gegenwart, durch eine umfassende und einschneidende Gesetzgebung die soziale Kluft [...] auszufüllen*[556].

Bien que fédéralistes, les promoteurs d'une intervention sociale sont contraints de faire des concessions centralisatrices, en raison des moyens financiers considérables à mobiliser. Au sein de la fraction catholique des Chambres, qui est alors le centre de gravité du parti, l'aile sociale dirigée par le triumvirat Decurtins-Beck-Feigenwinter[557] ne dispose pas d'un poids politique très important. Toutefois, soit par conviction, soit par contrainte politique, les dirigeants du parti doivent tenir compte de ses revendications, en tout cas sur le plan du discours. En 1887, le chef de la fraction, Theodor Wirz[558], déclare:

> *Ich gehöre zu Denen, welche in sozialen Fragen einen thatkräftigen und starken Staat wollen*[559].

555 *Caspar Decurtins* (1855-1916) (GR), grand propriétaire terrien fortuné de Truns, membre de l'Union de Fribourg, participe à l'élaboration de l'encyclique «Rerum Novarum», ami de Python et cofondateur de l'Université de Fribourg, y enseigne l'histoire culturelle (1905-1914), Cn catholique-conservateur (1881-1905), membre du comité (1888-1902) puis président de la fraction (1902-1905), initiateur de l'aile catholique sociale et cofondateur du VMAV, collabore avec Curti, Scherrer et Greulich pour créer le deuxième «Arbeiterbund», fondateur du parti fédéraliste démocratique des Grisons regroupant des conservateurs des deux confessions, cofondateur et membre du comité de l'USP.

556 Cité in Widmer, 1992, p. 507.

557 *Josef Beck* (1858-1943) (LU), vieille famille de Sursee, fils du Cn Franz Xaver Beck-Leu – propriétaire terrien, cf. note 458, chapitre 4 –, études de théologie, ordination en 1884, professeur à Lucerne puis à l'Université de Fribourg, proche de Decurtins; *Ernst Feigenwinter* (1853-1919) (BS), avocat bâlois, leader politique de la diaspora catholique, élu au CN en 1917.

558 *Theodor Wirz* (1842-1901) (OW), issu d'une famille de propriétaires terriens extrêmement riche de Sarnen, fils du Cn Franz Wirz – activité de bijoutier – et neveu du Cn Alois Hermann – commerce de fromage –, sa fortune lui permet de consacrer tout son temps à la politique, CdE (1876-1900), président de la banque cantonale (1886-1901), Cn (1871-1872) puis CaE catholique-conservateur (1872-1901), président de la fraction aux Chambres (1885-1892), entretient d'étroites relations avec les libéraux et les conservateurs protestants, cofondateur de l'*Obwaldener Volksfreund*.

559 Cité in Widmer, 1992, p. 507.

Sur le plan financier, la Grande dépression coïncide avec une situation de crise dans la plupart des cantons catholiques-conservateurs. L'origine de ces difficultés est à chercher dans le compromis financier de 1874. Certes, les caisses cantonales sont alors soulagées par la centralisation militaire, mais l'obligation d'instaurer une école laïque et obligatoire pèse sur les régions catholiques, où la formation scolaire est encore prise en charge par l'Eglise. Du côté des revenus fiscaux, l'indemnisation pour le rachat des douanes et des postes est supprimée et l'abolition de l'«Ohmgeld» est prévue pour 1890, sans contrepartie pour les cantons concernés. Dès la fin des années 1870, les revenus fiscaux subissent le contrecoup de la mauvaise conjoncture économique. Dans le même temps, les dépenses de politique économique et d'assistance sociale s'accroissent. Un choix cornélien est alors imposé aux élites catholiques-conservatrices. Soit elles réforment leur système fiscal cantonal, en instaurant un impôt direct moderne, qui frapperait notamment la rente et le capital fonciers, soit elles modifient leurs relations avec l'Etat fédéral. L'idéal serait d'obtenir que la Confédération cède aux cantons certaines ressources fiscales ou une partie de leurs revenus. L'allocation de subventions aux cantons, qui est conditionnée à des tâches définies et réglementées par la Confédération, est déjà plus contraignante d'un point de vue politique. Enfin, l'abandon de certaines compétences au pouvoir central permettrait un transfert de dépenses. Cette dernière solution est la moins prisée par les élites catholiques-conservatrices de tradition fédéraliste[560].

Au début des années 1880, la pression créée par les nécessités économiques, sociales et financières pousse une nouvelle génération de politiciens catholiques à constituer un parti structuré à l'échelle nationale. Il doit permettre de mener une politique plus active au sein du champ étatique fédéral[561]. Le 18 juillet 1881, à l'instigation du futur Conseiller fédéral lucernois Josef Zemp[562] et du Conseiller national saint-gallois Johann Joseph Keel[563], la «Konservative Union» est mise sur pied. Certes, en raison

560 Les enjeux financiers de l'intégration des catholiques-conservateurs au sein de l'Etat fédéral apparaissent très clairement lors du débat qui a lieu aux Chambres, en 1894, autour de l'initiative douanière dite du «Beutezug»; BSO, 1894/1895, pp. 38-207; l'initiative est analysée au chapitre 6.1.2.

561 Sur cette question, cf. Altermatt, 1991, pp. 95-229; Winiger, 1910, pp. 164-169; Gruner, 1969, pp. 103-125; Rinderknecht, 1949, pp. 172-176.

562 *Josef Zemp-Widmer* (1834-1908) (LU), cf. note 362, chapitre 4.

563 *Johann Joseph Keel-Benziger* (1837-1902) (SG), beau-fils du Cn schwyzois Josef Karl Benziger-von Reding – commerce de livres et propriétaire terrien –, études de droit, CdE (1870-1902), Cn catholique-conservateur (1875-1902), président du parti cantonal (1873-1899), cofondateur du journal *Ostschweiz*, défend une politique de centralisation modérée, approuve notamment le tarif douanier de 1891, le rachat des chemins de fer (1897), une banque centrale étatique (1897) et la «Lex Forrer» (1900).

de l'opposition de l'aile catholique cléricale fribourgeoise et de quelques «Landamänner» fédéralistes de Suisse centrale, la nouvelle structure ne survit pas longtemps. Cependant, l'impulsion des rénovateurs débouche sur une réorganisation de la fraction qui se donne un nouveau programme politique de tendance interventionniste[564]. Suite à la journée du «chameau à quatre bosses» – quatre référendums conservateurs aboutissent lors de la votation populaire du 11 mai 1884 –, un pas décisif est fait par l'aile catholique favorable à une intégration au sein de l'Etat fédéral. Le 6 juin 1884, une motion Zemp-Keel-Pedrazzini, déposée au CN, définit les réformes constitutionnelles exigées pour mettre fin à une opposition politique systématique[565]. Deux des cinq points du programme de la révision partielle tendent à un renforcement politique des catholiques-conservateurs – changement du découpage des cercles électoraux et extension de la démocratie directe (initiative constitutionnelle, limitation de la clause d'urgence, référendum sur les traités internationaux). Un troisième point demande que la liberté de l'enseignement soit ancrée dans la constitution, ce qui équivaudrait à un enterrement symbolique du «Kulturkampf». Les deux derniers points ont aussi une portée symbolique importante. La limitation de la vente d'alcool, qui doit résoudre le fléau social de l'alcoolisme, s'attaque au sacro-saint principe de la liberté du commerce. Quant au maintien de l'«Ohmgeld», il remet en question le compromis financier de 1874, au profit des cantons agricoles.

Les forces libérales et radicales interventionnistes ne se font pas faute de saisir la main qui leur est tendue. A l'issue d'un vaste «deal» politique, qui sera analysé plus loin, la motion Zemp est acceptée, le 24 juin 1884, par 98 voix contre 40. Alors que la réforme des conditions-cadre économiques constituait un des fondements de leur litige politique durant les années 1840, puis lors de la révision constitutionnelle de 1874, le besoin commun d'une intervention de la Confédération pousse désormais radicaux et catholiques-conservateurs à entamer une nouvelle ère marquée du sceau de la collaboration, même si celle-ci reste limitée et empreinte d'une méfiance réciproque[566].

564 Ce programme est défini par Théodor Wirz, dans une série d'articles écrits en 1883 dans l'*Obwaldener Volksfreund* sous le titre «Zur vaterländischen Lage».

565 Sur la motion Zemp, cf. Rinderknecht, 1949, pp. 160-172; Widmer, 1992, pp. 385-408; Winiger, 1910, pp. 193-208; *Délibérations du Conseil national sur la question de la révision de la Constitution fédérale provoquée par la motion de MM les conseillers nationaux Zemp et consorts*, s.l., s.d.; dans un article intitulé «Zur Motion Zemp», la *Grenzpost* écrit: «*Die Motion Zemp enthält Bedingungen, unter denen die Rechte sich ihrerseits bereit erklärt hat, die Streitaxt zu verscharren und die Hand zur Versöhnung zu bieten.*»; cité in Widmer, 1992, pp. 399-400.

566 De nombreux commentateurs considèrent 1884 comme une date charnière de l'histoire de la Confédération; Gruner, 1964, pp. 48-50; Jöhr, 1956, pp. 145-146; Widmer, 1992, pp. 385-408; Rinderknecht, 1949, pp. 172-176.

Le 7 juin 1886, la *NZZ* jubile à la nouvelle de l'élection de Zemp à la vice-présidence du CN:

> *Zum ersten Mal seit seinem Bestande hat der Nationalrat einen Mann der konservativen Minderheit zum Vizepräsidenten, beziehungsweise zum Präsidenten gewählt. Diese Tatsache verdient besonders hervorgehoben und gewürdigt zu werden [...] Es wäre töricht, zu glauben, dass jetzt fortwährend Friede und Eintracht wie unter Lämmern auf der Weide herrschen werde. Die politischen Gegensätze lassen sich einmal nicht aus der Welt schaffen; denn sie sind prinzipieller Natur. Sie werden bestehen, so lange es Menschen und Staaten gibt. Aber es ist nicht nötig, dass immer offener Krieg geführt werde [...] Es gibt genug andere Fragen zu beraten und zu beschliessen, die uns notwendiger und nützlicher sind, als die parteipolitischen und religiösen Händel. In wirtschaftlichen und sozial-politischen Fragen sind alle Fraktionen bereit, mit einander zu arbeiten*[567].

Lors d'un discours prononcé le 5 juillet 1886, à l'occasion de la commémoration de la bataille de Sempach, Zemp fait écho au discours de la NZZ:

> *Die Einigkeit anzustreben, ist unsere hohe Pflicht auch deshalb, weil die Gegenwart an das Gemeinwesen im Bunde und Kantonen neue Postulate stellt. Ich meine die sozialen und wirtschaftlichen Fragen [...] Vereinigen wir daher auf dem sozialen und wirtschaftlichen Gebiete unsere Arbeit und halten wir dabei namentlich Aug' und Herz offen für die wirklichen Leiden der Arbeiterbevölkerung, dann erfüllen wir nicht nur eine staatliche Aufgabe, sondern schaffen auch ein eminent christliches Werk*[568].

L'amorce d'une collaboration ne signifie cependant pas que l'opposition entre radicaux et catholiques-conservateurs disparaît. Sur le plan religieux, le catholicisme ne renonce pas à ses revendications. Sur le plan politique, le fédéralisme catholique-conservateur subit bien une mue, mais ne disparaît pas complètement. De doctrinaire, il devient pragmatique, tout en continuant d'imprégner la culture politique conservatrice. Jusqu'alors affairées à la consolidation de leurs fiefs politiques cantonaux, les élites catholiques sont toutefois contraintes de mener une politique fédérale plus offensive, afin d'accroître leur influence. Le moyen privilégié pour y parvenir est une extension de la démocratie directe – élections à la proportionnelle, révision des découpages électoraux, droit d'initiative, etc. En 1891, les catholiques-conservateurs remportent un succès important en obtenant l'instauration de l'initiative constitutionnelle.

Alors que le contexte socio-économique pousse l'opposition de droite à une intégration au sein de l'Etat fédéral, la gauche se renforce et se radicalise sous l'impulsion d'un mouvement ouvrier en pleine expansion. Jusqu'au tournant du siècle, son centre de gravité demeure la SdG, qui est déchirée entre deux options politiques contradictoires liées à des stratégies de crise différentes.

567 Cité in Winiger, 1910, p. 211.
568 *Ibidem*, p. 224.

L'aile gauche, qui est implantée surtout dans les cantons industriels et les grands centres urbains, désire transformer la SdG en une association purement ouvrière défendant les intérêts économiques du prolétariat. Inspirée par Robert Seidel, sa stratégie de crise propose une socialisation progressive de l'économie par le biais de l'instauration de monopoles. Pour parvenir à cet objectif, Seidel prône la lutte des classes et une tactique de collaboration avec le parti socialiste, réorganisé en 1888. Il combat toute alliance avec l'aile gauche des partis bourgeois. Selon lui, une réforme sociale menée de cette façon ne pourrait que ressembler à une politique d'intégration à la Bismarck:

> *Ja, werthe Mitbürger, es gibt eben zweierlei Sozialreform: eine echte und eine falsche, eine zäsaristische und eine demokratische. Die zäsaristische Sozialreform nimmt dem Volke Millionen Franken und gibt ihm einige Tausend zurück; sie ist ein alter Schwindel. Die zäsaristische Sozialreform wurde in neuester Zeit von Napoleon III. und Bismarck geübt. Unser Bundesrath bestrebt sich, sie nachzuahmen. Ihr Grundsatz ist: Sozialreform ohne Sozialdemokraten*[569].

En matière de politique douanière, Seidel refuse un soutien au protectionnisme agricole dans la perspective de faciliter un rapprochement entre mouvement ouvrier et mouvement paysan[570]. Sa propagande souligne au contraire les éléments susceptibles d'attiser la lutte des classes; directement liée au pouvoir d'achat des salariés, la problématique douanière est du pain béni pour qui veut mobiliser les ouvriers et les inciter à s'organiser.

Durant les années 1880, l'option de l'«Alleingang» du prolétariat ne l'emporte pas au sein de la SdG. Majoritaire, l'aile droite refuse la lutte des classes au profit du concept de «Volksgemeinschaft». Dans la tradition du mouvement démocratique, il s'agit d'instaurer une collaboration des classes populaires dans le but de défendre les intérêts économiques des salariés, mais aussi des artisans et des petits paysans. Président de la SdG entre 1882 et 1890, le démocrate Heinrich Scherrer[571] est parmi les promoteurs de cette stratégie:

569 Seidel, 1890, p. 3.

570 Publié le 23 août 1890, un article de l'*Arbeiterstimme* fait peu de cas de la survie de la petite paysannerie: «*An der Existenz dieser Bauernklasse (eben der kleinen Schuldenbauern) haben wir nicht nur kein Interesse, sondern es hängt unsere Emanzipation gerade davon ab, dass sie so oder anders verschwindet, und zwar je eher je besser für dieselbe wie für uns. Sie ist ein reaktionäres Element und kein fortschrittliches. Die Verewigung ihres Daseins ist die Verewigung der Lohnarbeit, der übermässig langen Arbeitszeit, der Hungerleiderei und der Rückständigkeit der landwirthschaftlichen Produktion.*»; cité in Müller, 1966, p. 64.

571 *Heinrich Scherrer-Schmid* (1847-1919) (SG), fils d'agriculteur, études de droit, avocat à St-Gall (1878-1902), CdE (1902-1919), Cn démocrate, membre de la fraction de politique sociale (1902-1911), CaE (1911-1919), président de la SdG (1882-1890), cofondateur du deuxième «Arbeiterbund» (1887), cofondateur du «Demokratische und Arbeiterpartei St. Gallen» (1888), adhère au mouvement de révision constitutionnelle de 1888/1890 lancé par Curti, adhère au PSS en 1905, intègre la fraction socialiste constituée en 1911.

> *Unsere ganze Vergangenheit, die Geschichte und die Zusammensetzung des Bundes weisen uns darauf hin, nicht ausschliesslich Arbeiterverein zu sein, sondern alle gleichgesinnten Elemente des Volkes, welchem Stande sie immer angehören mögen, uns zu verbinden, als wohlorganisirte Bürgerarmee in den Dienst der Gesammtheit zu treten und gleich einer kriegsgeübten stets gefechtsbereiten Avantgarde überall da in den Kampf einzugreifen, wo ein Grundrecht des republikanischen Bürgers, oder wo seine ökonomische Existenzmöglichkeit und Existenzfähigkeit in Frage liegt*[572].

En parfaite adéquation avec les objectifs de l'aile droite de la SdG, le concept de «Sozialreform» développé par le démocrate Théodor Curti est adopté par le Congrès de 1887. Pour parvenir à l'imposer, des ponts sont tirés en direction des démocrates, des radicaux de gauche ainsi que de l'aile catholique-sociale. Des efforts sont également consentis afin d'étendre les outils de démocratie directe qui sont censés améliorer la force de frappe du «peuple» au sein du champ étatique fédéral.

La réalisation concrète du concept de Curti est menée par l'homme fort de la SdG, Herman Greulich. Farouche adversaire de la lutte des classes, il cherche à développer des relations entre classes moyennes et salariés[573]. A peine le comité directeur de l'USAM établi à Zurich, en 1885, les dirigeants de la SdG amorcent une collaboration dans le but de tirer les milieux artisanaux vers la gauche de l'échiquier politique. Le 23 juillet 1886, le comité directeur de l'USAM fait mention d'une lettre de la SdG souhaitant

> *[...] dass die Zentralcomites von Gewerbeverein und Grütliverein in vielen Fragen gemeinsam arbeiten und engere Fühlung haben möchten*[574].

Dans le domaine douanier, Greulich soutient une protection du travail national qui doit sécuriser l'emploi et permettre au petit patronat de payer des salaires décents aux ouvriers. Ainsi, en 1887 comme en 1890, le comité de la SdG signe les requêtes protectionnistes de la Ligue d'Olten[575]. Par ailleurs, Greulich défend l'instauration d'une loi régulant les arts et métiers, avec l'appui du Congrès de la SdG (1888)[576]. Il est aussi partisan

572 Cité in Widmer, 1992, p. 711.

573 Sur la stratégie de Greulich, cf. Gruner, 1988, vol. 3, pp. 600-606.

574 Archives USAM, PV du comité directeur 1885-1887, 23 juillet 1886; lors de la séance du 2 novembre 1886, le secrétaire, Werner Krebs, déclare son intention de suivre des cours de statistique chez Greulich, qui est alors statisticien du canton de Zurich.

575 Zolltarifforderungen, 1887/1890; cf. également les comptes rendus des assemblées du comité d'Olten (10 octobre 1886/7 novembre 1886) dans la presse.

576 En 1888, Greulich publie un discours prononcé à l'occasion du Congrès annuel de la SdG: «Zur schweizerischen Gewerbegesetzgebung»; une résolution est alors adressée aux autorités fédérales: *«L'élaboration d'une loi fédérale complète et de portée générale sur l'industrie et les arts et métiers, laquelle doit avoir le caractère d'une loi générale pour la protection des ouvriers, est une nécessité urgente de notre époque. Une révision partielle de la constitution fédérale devant avoir lieu prochainement pour ouvrir la voie*

de la mise sur pied de syndicats professionnels mixtes obligatoires[577]. En janvier 1892, le Conseiller national Jakob Vogelsanger[578], rédacteur en chef du *Grütlianer*, est parmi les quatre signataires de la motion qui lance un débat sur la question aux Chambres fédérales[579].

Issu d'une famille paysanne, Greulich collabore aussi avec différentes organisations agricoles. En 1887, la société d'agriculture du canton de Zurich lui commande une enquête sur la crise agricole. L'année suivante, il publie une brochure au titre évocateur: «Die Nothlage der Landwirthschaft und die Mittel zur Besserung». Les principaux moyens qu'il propose pour sortir de la crise sont l'organisation coopérative, l'allégement de la fiscalité grevant la paysannerie et une réforme de la politique douanière suisse. Lors de diverses interventions publiques, Greulich prône en effet l'instauration d'un protectionnisme douanier sur les principales productions agricoles, à l'exception du blé[580]. Dans ce domaine, la préférence est donnée à l'instauration d'un monopole du blé permettant d'assurer la rentabilité de la céréaliculture tout en évitant une augmentation du prix du pain. En matière de crédit hypothécaire, certains Grutléens proposent des mesures visant à alléger la charge pesant sur la paysannerie. En 1891, Curti dépose une motion au CN pour promouvoir un crédit hypothécaire bon marché[581]. Plus radicale, la possibilité d'un désendettement du sol par le biais d'une Banque d'Etat est par ailleurs évoquée lors du débat sur la création d'une banque centrale helvétique. Les propositions les plus audacieuses sont le fait de

---

à l'assurance générale et obligatoire contre les accidents, sous l'administration de l'état (sic), *il est à propos de faire aussi porter la révision sur ce point que la Confédération a le droit d'édicter une loi sur l'industrie.*»; FF, 1892, vol. 5, p. 735, «MCF concernant le droit de légiférer en matière d'arts et métiers (25 novembre 1892)».

577 S'il existe quelques divergences sur l'organisation de tels syndicats et les objectifs qu'ils doivent poursuivre, l'idée de base est la même que celle défendue par les milieux artisanaux: améliorer la situation des arts et métiers ainsi que les rapports entre ouvriers et patrons; Gruner, 1988, vol. 2/1, pp. 113-124.

578 *Jakob Vogelsanger-Steinemann (-Müller)* (1849-1923) (ZH), fils d'un paysan devenu ouvrier-paysan, jardinier puis ouvrier dans différents journaux, rédacteur en chef du *Grütlianer* (1878-1892), Conseiller municipal de la ville de Zurich (1892-1919), premier Cn socialiste (1890-1905), d'abord indépendant puis fraction de politique sociale, considéré trop à droite par les socialistes – n'est plus soutenu par le PSS dès 1905 –, membre de la SdG qu'il mobilise pour soutenir la révision constitutionnelle de 1874, fondateur de la Caisse maladie «Grütli», président de l'association des voyageurs de commerce.

579 Durant le débat, Vogelsanger fait partie de la fraction la plus antilibérale qui exige une modification du sacro-saint article 31 sur la liberté du commerce et de l'industrie; BSO, 1892/93, n° 17, pp. 205-220; BSO, 1893/94, n° 26, pp. 343-390.

580 Beiträge zu der schweizerischen Zollfrage..., 1885; Die Zollfrage und unsere Landwirthschaft..., 1886; cf. également Widmer, 1992, pp. 695-696.

581 Baumann, 1993, p. 69.

Stephan Gschwind[582], promoteur du mouvement du «Freiland»: l'Etat doit racheter le sol tout en laissant la propriété des moyens de production aux agriculteurs. Sur le plan idéologique, Greulich favorise un rapprochement entre mouvement ouvrier et mouvement paysan par un discours de valorisation des classes moyennes paysannes:

> *Eine möglichst gesicherte Existenz der landwirthschaftlichen Bevölkerung ist aber für jeden Staat von der grössten Bedeutung [...] In ihr ruht noch das Schwergewicht des produzirenden Mittelstandes im besten Sinne des Wortes [...] Was der Landwirthschaft dient, dient dem ganzen Land*[583].

Au début des années 1890, la menace d'une alliance rouge-verte anticapitaliste est prise au sérieux par le grand capital zurichois. Dans la *NZZ*, elle est évoquée en ces termes par l'ancien secrétaire de la KGZ, Emil Frey:

> *Unsere Sozialdemokraten, wenigstens die ältern, geriebenern, suchten von jeher mit der bäuerlichen Bevölkerung in Berührung zu kommen und dieselbe auf ihre Seite zu bringen. Die Sache erzeigte sich aber als sehr schwierig und die Versuche Beziehungen anzubahnen begegneten manchem Misstrauen. Es war der ehemalige Tagwachtredaktor, damalige zürcherische Kantonsstatistiker und jetzige schweizerische Arbeitersekretär, Hr. Greulich, der die Fäden knüpfte [...] In der schutzzöllnerischen Bewegung war inzwischen die Frage des Getreidezolles an die Oberfläche gelangt, und dieser Frage bemächtigten sich die sozialdemokratischen Agrarier, indem sie dieselbe sehr geschickt mit der Frage des staatlichen Getreidemonopols verquickten. Es däuchte manche Landwirthe, als ob eine neue Sonne hinter den dunkeln Höhen aussteige. Der Profit, der ihrer vom staatlichen Getreidemonopol wartete, war so annehmbar, dass das Misstrauen etwas auszuthauen begann. Zwischen Landwirthen und sozialdemokratischen Grütlianern schien eine Annäherung möglich*[584].

Dans une lettre adressée le 21 février 1890 à Numa Droz, Cramer-Frey fait aussi part de ses craintes au sujet d'un rapprochement entre mouvements ouvrier et paysan. Il est inquiet au sujet d'une alliance qui regrouperait les socialistes, les démocrates et peut-être même les radicaux de gauche autour de l'instauration d'un monopole du blé:

> *Le menu* (du programme du parti radical, C. H.), *nous apprend que l'on se propose d'étudier ou de faire étudier – [...] – la question de remettre à la Confédération le monopole du commerce du blé! Dans ce cas-là nous serons quitte* (sic) *pour la peur de voir le tarif de douane actuel décoré d'une augmentation des droits sur les blés [...]*[585]

Certes, la potentialité d'une alliance rouge-verte culmine dans les premières années de la décennie 1890. La création du «Bauernbund» zurichois,

582 *Stephan Gschwind-Stingelin* (1854-1904) (BL), cf. note 481, chapitre 4.
583 Greulich, 1888, pp. 9/30.
584 *NZZ*, Nr. 264, 21. September 1890, «Die verbindung gegen die Vertheuerung der Lebensmittel».
585 AF, E 2, Nachlass Droz, lettre de Cramer-Frey à Droz du 21 février 1890.

en 1891, comporte le risque d'une radicalisation anticapitaliste du mouvement paysan. En 1892, la fondation d'un parti cantonal regroupant ouvriers et paysans, le «Bauern- und Arbeiterbund Baselland», ouvre la voie à une alliance sur le niveau fédéral. D'autant plus que le SBB, fondé en 1893, est dominé par l'aile anticapitaliste de la paysannerie qui prône une politique de rapprochement avec le mouvement ouvrier. Cependant, dès 1891, la campagne menée par l'aile gauche grutléenne contre l'instauration d'un protectionnisme agricole lézarde l'édifice construit patiemment par Greulich. En effet, parmi les milieux agricoles favorables à un rapprochement avec le mouvement ouvrier, l'attitude libre-échangiste des ouvriers urbains engendre une méfiance certaine:

> *Die agitatorische Bewegung der Arbeiter gegen die berechtigten Forderungen des Bauernstandes muss auch von demjenigen, der es mit den Arbeitern ehrlich meint, tief bedauert werden. Sie werden sich dereinst an der Arbeitersache selbst schwer rächen. Sie widersprechen dem gutschweizerischen Grundsatze der Gleichheit und Solidarität aller Bürger, und sie müssen, was das Schlimmste ist, das Vertrauen in die Loyalität der Arbeiter selbst erschüttern, da ihre Vertreter s.z. in Olten ausdrücklich mit Namensunterschrift dieselben Eingaben der landwirthschaftlichen Vereine unterzeichnet haben, die sie heute nun bekämpfen!*[586]

Du point de vue de la plupart des classes moyennes agricoles, le soutien ouvrier au protectionnisme agricole est la condition sine qua non à une collaboration politique. Toutes les mesures alternatives proposées sont en effet ressenties comme de vagues promesses d'eldorado, dont la réalisation demeure très hypothétique:

> *Der Lockruf der Gegner, für die Einführung der Monopole mitzumachen, ist eine Vertröstung auf der Ewigkeit, mit der wir noch nicht rechnen können. Eine Reihe ungünstiger Jahre, kostspielige Produktion und deren Entwerthung durch den ausländischen Markt drücken einen Grosstheil unserer Bauernsame in den Ruin. Eine theilweise Hülfe bietet ein mässiger Schutz dieser Produktion nach Aussen und vermehrter Absatz nach Innen*[587].

La concrétisation d'une alliance rouge-verte dépend donc largement de la capacité de Greulich à discipliner l'aile gauche du mouvement ouvrier derrière une politique douanière protectionniste.

Enfin, Greulich tisse des liens avec l'aile catholique-sociale, afin de promouvoir les assurances sociales et l'extension de la législation sur le travail. Le 28 août 1886, le comité central de la SdG écrit au CF et sollicite la création d'un Secrétariat du travail subventionné par la Confédération, dont l'objectif serait de rassembler l'information nécessaire à la mise en place

586 Näf, 1890.
587 Compte rendu d'une assemblée agricole in *Der Zürcher Bauer*, Nr. 38, 20. September 1890.

d'une législation sociale[588]. Motivé par la possibilité d'organiser et d'intégrer le mouvement ouvrier, le CF accepte, à la condition qu'une association faîtière de toutes les organisations d'ouvriers soit créée pour chapeauter le Secrétariat. Le 10 avril 1887, le congrès ouvrier d'Aarau fonde le second «Arbeiterbund» (AB), dont les statuts spécifient la neutralité politique et religieuse. Emmenées par Decurtins, les associations catholiques participent à la nouvelle organisation ouvrière:

> *Was kann uns daran* (de collaborer, C. H.) *hindern? Etwa die Nichtübereinstimmung in konfessionellen Dingen? Keineswegs. Ich bin ultramontan durch und durch, doch in sozialen Dingen, in allen Brotfragen, da stehe ich zu Euch. Und mit mir die katholischen Arbeiter [...] Denn Hunger ist weder katholisch noch protestantisch. Darum, wer mithilft in solchen Fragen, der sei willkommen, ob er im übrigen zum Evangelium Bakunins oder Lassalles oder zur katholischen Lehre sich bekenne*[589].

Elles représentent même la majorité des membres affiliés[590].

Nommé au poste de Secrétaire ouvrier, en 1888, Greulich ne parvient pas à faire de l'AB un instrument efficace au service d'une intervention sociale. Certes, le Secrétariat, qui emploie cinq personnes à plein temps, possède un potentiel administratif non négligeable, mais la force de frappe politique de l'AB n'est pas à la hauteur. Sous la dépendance financière du CF, l'association faîtière est de surcroît dominée par l'élément catholique fédéraliste qui se montre timoré dans ses revendications sociales. En 1893, l'AB se départit enfin de la réserve observée jusque-là. Sous la pression de Greulich, l'association faîtière décide de lancer une initiative pour la gratuité des soins médicaux, dans le but de faire pression en faveur d'une assurance maladie-accident. Alors que l'AB compte environ 190 000 membres, soit près du quart de l'électorat, la récolte de signatures échoue avec 39 000 signatures seulement[591]. Vertement critiquée dans la presse bourgeoise, l'action politique avortée de l'AB prouve son statut de colosse aux pieds d'argile. Faible sur le plan plébiscitaire, son poids politique est également limité aux Chambres. En 1896, l'AB dispose de 5 sièges sur 147, soit 3% des mandats. L'association faîtière ouvrière ne parvient donc pas à obtenir un statut équivalent à celui de l'USCI dans le processus législatif.

588 Sur la création et le fonctionnement de l'«Arbeiterbund», cf. Gruner, 1988, vol. 2/1, pp. 89-124; Widmer, 1992, pp. 427-429; Garbani, 1980, pp. 45-48.

589 Discours de Decurtins cité in Gruner, 1988, vol. 2/1, p. 92.

590 Sur un total de 94 250 membres – certaines personnes sont comptées à double ou triple du fait de leur appartenance à plusieurs associations membres de l'AB –, le Piusverein (10 000) et les autres sociétés catholiques se taillent la part du lion avec 20 500 membres; suivent les différentes caisses maladies avec 18 000 membres, la Fédération horlogère 15 000, la SdG 13 000, puis, très loin derrière, l'USS avec 2000 membres; *ibidem*, p. 93.

591 Sur la faiblesse politique de l'AB, cf. Gruner, 1988, vol. 2/1, p. 106-112.

Tout au long des années 1880 et 1890, une lutte interne divise donc la SdG. Majoritaire au début de la Grande dépression, l'aile droite favorable à la collaboration des classes populaires tente de créer un mouvement de masse qui permettrait d'imposer une nouvelle révision totale de la constitution, dont les objectifs seraient «demokratisch-interventionistisch» au lieu de «freisinnig-kulturkämpferisch»[592]. Les premiers signes d'un renversement du rapport de force au profit de l'aile gauche apparaissent au début des années 1890. Lors de la révision des statuts de 1892, une majorité se prononce en faveur d'une identification à la social-démocratie. La SdG renonce également à la promotion de l'idée nationale. En 1892 toujours, l'assemblée des délégués décide de récolter des signatures en faveur de l'initiative du PSS sur le droit au travail; grâce à son aide, la récolte aboutit avec 52 387 signatures. Dès 1893, le glissement à gauche s'accélère sous l'impulsion de la lutte des classes toujours plus agressive développée par les milieux bourgeois. Il aboutit, en 1901, à la fusion avec le PSS.

Au centre de l'échiquier politique, la grande famille radicale possède la clef de la composition de la majorité aux Chambres, dont dépend la stratégie interventionniste future de la Confédération. A gauche, la fraction issue du mouvement démocratique des années 1860 se renforce. Elle bénéficie en effet de l'organisation socio-économique des classes moyennes et salariées provoquée par la crise. Emmenée par Théodor Curti, elle poursuit un programme politique proche de l'aile droite de la SdG, avec laquelle elle entretient des relations étroites. Qualifié par lui de nationaliste et de réformiste, le programme d'intervention de l'Etat proposé par Curti est encadré d'une stratégie politique clairement définie[593]. Il s'agit de rassembler les forces favorables à une intervention sociale dans une coalition capable de s'imposer au sein du champ étatique fédéral. Pour améliorer la force de frappe des classes populaires, Curti propose aussi d'élargir la démocratie directe en élisant les Chambres à la proportionnelle et le CF par le peuple.

Au sein de la fraction radicale proprement dite, l'idée d'une intervention économique et sociale gagne aussi du terrain. S'inspirant du modèle allemand de Bismarck, les radicaux de gauche sont convaincus de la nécessité d'entreprendre certaines réformes, ou pour le moins d'en promettre la réalisation, afin d'éviter une dérive anticapitaliste des classes moyennes et salariées. Outre un objectif de stabilisation du système socio-économique, les projets d'intervention poursuivent des buts politiques évidents, car ils permettent de maintenir la clientèle électorale populaire au sein du parti radical. Avec la crise, l'exacerbation des contradictions d'intérêts matériels entre classes sociales menace en effet de provoquer un éclatement du grand

592 Gruner, 1988, vol. 3, pp. 61-62.
593 Curti, 1886, pp. 12-13.

parti national à vocation intégratrice. Il devient par conséquent urgent de convaincre que le radicalisme défend les intérêts de tous afin de conserver la force de frappe politique nécessaire pour défendre efficacement les intérêts des élites industrielles. Leader de l'aile gauche, Emil Frei[594] s'efforce d'orienter le parti dans cette direction. Il est ouvert à une collaboration avec les forces politiques de centre-gauche favorables à une intervention sociale – démocrates, mouvement ouvrier réformateur, mouvement paysan. L'aile droite de la fraction radicale n'est toutefois pas prête à consentir de trop grands sacrifices financiers pour satisfaire les classes populaires. Selon ses représentants, les moyens réduits de la Confédération doivent être destinés en priorité à l'amélioration des conditions-cadre de l'économie. Dans cette optique, ils prônent une alliance de centre-droite avec les libéraux-centralisateurs et les éléments catholiques-conservateurs ouverts à une collaboration avec l'Etat fédéral. En outre, les milieux producteurs craignent qu'une intervention sociale provoque une accentuation de la pression fiscale néfaste à leur compétitivité. De sorte que le parti radical est sans cesse déchiré entre l'exigence de concessions, nécessaires à la légitimation de son pouvoir, et la défense des intérêts économiques de ses milieux dirigeants, proches de la grande industrie.

A droite de la famille radicale, les libéraux sont victimes de la Grande dépression qui provoque une crise de confiance dans le libéralisme manchestérien. L'affaiblissement de la fraction aux Chambres est encore aggravé par des contradictions internes. Alors que les libéraux-conservateurs, liés à la banque, au commerce spéculatif ou encore au tourisme, continuent à défendre un libéralisme manchestérien pur et dur, les libéraux-centralisateurs issus de l'industrie et du commerce d'exportation exigent de nouvelles conditions-cadre. A leur tête, le président de l'USCI, Conrad Cramer-Frey, tente de trouver les alliances politiques nécessaires pour promouvoir une intervention à contenu économique. Une certaine convergence d'intérêts se dessine avec les propriétaires terriens de la fraction catholique-conservatrice. Elites agricoles et industrielles poursuivent en effet des buts relativement semblables. D'une part, elles cherchent à améliorer la compétitivité de l'économie suisse face à la concurrence internationale. D'autre part, elles poursuivent la stabilisation du système socio-économique en place contre les attaques du mouvement ouvrier et du mouvement paysan.

594 *Emil Frei-Kloss* (1838-1922) (BL), fils du Cn radical de gauche Emil Frei-Chatoney, CdE (1866-1872), rédacteur aux *Basler Nachrichten* (1872-1882), Ambassadeur suisse à Washington (1882-1888), rédacteur en chef du *Nationalzeitung* à Bâle (1888-1890), Cféd (1890-1897), directeur de l'Union internationale des télégraphes (1897-1921), Cn de tendance radicale de gauche (1872-1882), président de la fraction radicale-démocrate et cofondateur du PRDS, principal promoteur de la loi cantonale sur les fabriques de 1868, défenseur de la protection internationale du travail.

En 1878, alors que les premiers effets de la crise se font sentir, les fractions radicale et démocratique décident de s'unir et d'adopter un programme de tendance interventionniste[595]. En 1881, les élections sont menées sous la bannière de l'interventionnisme économique et social. Le succès est probant. La fraction radicale-démocrate bénéficie en effet de la majorité absolue au CN (84/145). Détenant 42 sièges à son apogée en 1866, le centre libéral est réduit à une représentation de 25 personnes. Suite à cette victoire, l'homme fort de la fraction radicale-démocrate, Emil Frei, publie un programme politique dans lequel il se distancie clairement du libéralisme manchestérien:

> *Wir haben die Früchte der schrankenlosen Freiheit nahe genug gesehen, um sie nach ihrem Werth und Unwerth beurtheilen zu können, und als das Produkt unserer Erfahrungen darf getrost der Satz aufgestellt werden, dass der Staat wieder anfangen muss, sich mit der ökonomischen Lage der Bürger zu befassen. In dieser Beziehung herrscht heute unter uns eine wahrhaft rührende Einigkeit*[596].

Les mesures proposées sont encore modérées: enquête économique, création d'un Département de l'économie renforcé et d'un conseil économique, amélioration du système scolaire, réforme des chemins de fer, nouvelle loi sur les droits civiques, introduction de l'initiative populaire. De surcroît, leur application est freinée par la majorité libérale du CF et l'opposition référendaire conservatrice[597].

Durant les années 1880, la position de l'aile gauche radicale-démocrate se renforce encore, notamment au sein du CF, où elle devient majoritaire dès 1890. Dans une petite brochure d'Emil Frei, publiée en 1891 sous le titre de «Sozialdemokratie und Sozialreform», le recul du libéralisme manchestérien est ainsi souligné:

> *Die manchesterlichen Gegner sind zumeist verstummt und Solche, die uns vor einem Dutzend Jahren noch als die Feinde der Gesellschaft bezeichneten, geberden sich heute, als ob sie nie in ihrem Leben etwas anderes gemeint und geschrieben hätten, als das, was wir damals trotz ihnen und gegen sie zu erkämpfen hatten*[598].

La réforme sociale est comprise comme une voie moyenne entre libéralisme manchestérien et communisme, permettant de stabiliser l'ordre existant sur les bases de la liberté individuelle et de la solidarité sociale:

595 Sur l'évolution politique du parti radical durant la Grande dépression, cf. Leimgruber, 1980; Gruner, 1964, pp. 45-46; Gruner, 1969, pp. 84-86; Gruner, 1978, pp. 694-702; Widmer, 1992, pp. 129-130/254-264/272-282.

596 Frei, 1882, p. 16.

597 En 1881, un «putsch» radical-démocrate tentant d'évincer les Conseillers fédéraux libéraux Emil Welti, Bernhard Hammer et Friedrich Hertenstein, au profit des radicaux interventionnistes Emil Frei, Wilhelm Vigier et Walter Hauser, échoue d'un rien.

598 Frei, 1891, p. 11.

> *Was die heutige Ordnung der Dinge überhaupt retten und die Entwicklung der Menschheit zu höherer und allgemeinerer Kultur sichern kann, ist nicht der wirthschaftliche Krieg Aller gegen Alle, der gesetzliche Anarchismus des Manchesterthums, ist auch nicht das allgemeine Opfer der persönlichen Freiheit im Kommunismus, sondern die in das öffentliche Sittlichkeitsgefühl übergegangene Erkenntnis von der unauflösbaren Solidarität der menschlichen Interessen, die zum Verfassungsprinzip erhobene Schutzpflicht des Staates, die Organisation des wirthschaftlichen Lebens auf dem Boden der Gerechtigkeit und der Freiheit [...] Das ist unseres Erachtens die Idee und die Aufgabe der Sozialreform gegenüber der wirthschaftlichen Anarchie des Manchesterthums einerseits und der – friedlichen oder blutigen – Sozialrevolution anderseits*[599].

En comparaison du projet de réforme développé par Curti, Frei est beaucoup plus réservé à l'égard de la monopolisation de certains secteurs de l'économie et de l'extension de la démocratie directe. Le concept de politique sociale de Frei se rapproche donc du «Staatssozialismus» mis en place par Bismarck en Allemagne. Il prône une intervention sociale autoritaire pour conserver le pouvoir en place.

Plus encore que le renforcement politique du radicalisme de gauche, c'est sa convergence avec les milieux d'une gauche plus musclée qui inquiète les élites économiques. Le 21 février 1890, Cramer-Frey fait part à Droz de ses craintes à l'égard de la situation politique dans le canton de Zurich, où une alliance entre démocrates et socialistes déstabilise les libéraux-radicaux. Sur le plan fédéral, la situation ne lui paraît guère meilleure:

> *Quelle ironie que celle de voir le Conseil fédéral dans la question des arrondissements électoraux, sur la proposition de Mr Hauser, tenir la corde aux démocrates-socialistes du canton de Zurich contre le parti libéral, à ne point parler du rôle passablement triste, joué par Mr Schenk, qui a pris la fuite devant la danse violente de la majorité de la commission du conseil national et du parti radical-démocrate. Il me semble que la besogne accomplie par l'assemblée fédérale dans la question des arrondissements doive nécessairement produire des conséquences fâcheuses pour la marche future des affaires publiques. Personnellement, je me sens dégoûté de mon mandat à Berne, et cela d'autant plus que je me sais beaucoup plus libéral et démocrate, dans le vrai sens du mot, que bon nombre de mes collègues au conseil national qui marchent, bras dessus, bras dessous, avec les députés mi-socialistes, mi-démocrates. Passons!*[600]

Au début des années 1890, une éventuelle alliance de centre-gauche, qui serait acquise au principe de réformes sociales, constitue donc une menace pour l'hégémonie des élites économiques au sein du champ étatique fédéral. Celle-ci serait susceptible de réunir l'aile gauche des radicaux, les démocrates, l'aile droite du mouvement ouvrier et même l'aile sociale du catholicisme.

Cependant, en l'espace de cinq ans, l'aile droite du parti radical parvient à reprendre l'initiative et à imposer une alliance de centre-droite avec les

599 *Ibidem*, p. 13.
600 AF, E 2/2307, lettre de Cramer-Frey à Droz du 21 février 1890.

élites économiques libérales et conservatrices. La radicalisation d'une partie du mouvement ouvrier, la vague de grèves marquant le début des années 1890 et la volonté de collaboration d'une frange des catholiques-conservateurs facilitent l'action volontariste des milieux économiques partisans d'un virage à droite. L'intégration d'un catholique-conservateur au sein du CF, en 1891, et la création du Parti radical démocratique suisse, en 1894, sont les principaux événements marquant la réorientation du radicalisme. Contrairement à ce que pourrait laisser croire la dénomination du nouveau parti, sa majorité n'est pas radicale-démocrate, mais libérale-radicale. Certains libéraux-centralisateurs alémaniques sont en effet intégrés, alors que l'aile démocrate de Curti fait sécession et constitue une fraction de «politique sociale» aux Chambres. Dès lors, la stratégie interventionniste radicale privilégie les objectifs économiques au détriment des réformes sociales, même si un discours à caractère social est maintenu pour ratisser le plus largement possible dans l'électorat populaire.

5. La politique douanière suisse se détourne du libre-échange: politique de combat et protectionnisme modéré (1875-1895)

En Suisse, la période de la Grande dépression est marquée par une redéfinition complète de la politique douanière menée par l'Etat central. Entre 1875 et 1895, les différents acteurs socio-économiques débattent sans discontinuer de l'opportunité d'abandonner la politique de libre-échange contractuel instaurée dans les années 1860. Alors que les partisans du statu quo considèrent que le tarif douanier doit rester un instrument essentiellement fiscal, imposant le moins possible la consommation, les adeptes du changement veulent en faire un outil d'intervention commerciale plus efficace. Confrontés à la fermeture progressive des marchés extérieurs, certains exportateurs prônent une politique de rétorsion, tandis que d'autres sont convaincus de la nécessité d'instaurer une politique de combat. Quant aux producteurs orientés vers le marché intérieur, ils estiment indispensable de suivre les grandes puissances voisines dans une politique protectionniste.

Au cours de la crise, le rapport de force entre les quatre stratégies douanières en présence évolue sans cesse. En fonction de la situation conjoncturelle de leur branche d'activité, mais aussi de l'évolution de leur capacité concurrentielle, les différents acteurs du champ douanier adaptent leur position. Par ailleurs, le poids politique respectif des acteurs change au gré de leur organisation associative qui est en pleine ébullition durant cette période. Afin d'instrumentaliser au mieux les possibilités de pression offertes par le référendum, des ligues d'associations et des comités référendaires se constituent. Il en résulte une instabilité chronique des forces en présence au sein des lieux de pouvoir du champ douanier, où les majorités se font et se défont rapidement. A certains moments du débat, il arrive même que les différentes instances décisionnelles défendent des stratégies douanières contradictoires, ce qui rend l'exécution d'une politique douanière cohérente plutôt difficile.

Au fil des années, la politique douanière de la Confédération évolue de la stratégie fiscaliste libre-échangiste vers une politique de combat teintée de protectionnisme. Un premier tournant intervient en 1884. Sous l'impulsion de la KGZ, une alliance des élites interventionnistes industrielles et agricoles parvient à imposer une sortie encore timide des eaux du libre-échange. Avec l'accentuation de la pression concurrentielle internationale, doublée d'une vague de protectionnisme en Europe, l'intervention commerciale de l'Etat fédéral au moyen des douanes prend des formes toujours plus intensives. La révolte du camp libre-échangiste, qui tente d'empêcher cette dérive grâce au référendum, n'y fait rien. Les révisions tarifaires de 1887 et 1891 procurent les armes nécessaires pour se lancer à l'abordage des Etats voisins. La guerre douanière contre la France, menée entre 1893 et 1895, marque le triomphe d'une politique de combat musclée. A son issue, des traités de commerce à tarif sont conclus avec les quatre puissances voisines. Par ailleurs, dès le début des années 1890, des pans entiers de l'économie suisse, voués à péricliter sous un régime de libre concurrence, sont soutenus par une protection douanière.

5.1. Le «deal» de 1884: amorce d'une collaboration interventionniste entre élites industrielles et agricoles

Au milieu des années 1870, la Confédération est confrontée à deux défis importants en matière de politique douanière. Sur le plan intérieur, des problèmes financiers rendent une révision du tarif douanier de plus en plus urgente. Comme nous l'avons vu précédemment, les traités de commerce conclus durant les années 1860 freinent la progression des revenus douaniers, engendrant une période de déficits budgétaires. L'entrée en vigueur de la nouvelle constitution de 1874, qui provoque de nouvelles dépenses, en particulier dans le domaine militaire, complique encore le retour à l'équilibre budgétaire[1]. Certes, la Confédération bénéficie de la suppression des indemnités douanières et postales redistribuées depuis 1848 aux cantons. Elle reçoit aussi la moitié des revenus provenant de la taxation imposée aux citoyens n'effectuant pas de service militaire. Mais ces nouvelles ressources ne parviennent pas à compenser l'accroissement des dépenses. La situation financière est encore assombrie par les effets de la crise sur le commerce extérieur suisse. Après avoir stagné à 17 mios entre 1875 et 1876, les revenus douaniers reculent à 15,7 mios en 1877, puis à 15,6 mios en 1878. Encore modéré en 1875 et 1876, le déficit des finances fédérales se creuse en 1877, pour atteindre 1,8 mios, soit 9% des dépenses[2].

Durant les deux premières décennies de l'Etat fédéral, la dette était restée presque négligeable – maximum de 12 mios de frs en 1856[3]. Mais avec les emprunts militaires successifs (1867/1870/1871), elle gonfle de manière

1 Sur l'évolution des dépenses militaires, cf. SHS, 1996, p. 946; Vogler, 1965, pp. 111-114/161-162; alors que le budget de l'armée s'élève à 8 mios de frs entre 1870 et 1874, il absorbe près de 14 mios jusqu'à la fin de la décennie.

2 SHS, 1996, p. 947.

3 Sur l'évolution de la dette de la Confédération, cf. Nüscheler, 1914, pp. 32-37; von Burg, 1916, pp. 126-127.

considérable. En 1877, un emprunt de 4 mios de frs est lancé afin de couvrir les déficits budgétaires qui s'accumulent. Il faut souligner que cette forme de financement des dépenses courantes est une première dans l'histoire de la Confédération. Alors que le service de la dette accaparait en moyenne 0,15 million de frs entre 1863 et 1866 (1,3% des dépenses totales), il absorbe 1,6 mios entre 1875 et 1878 (6% des dépenses totales)[4]. Voté en 1878, le subventionnement de l'entreprise du Gothard laisse augurer un nouvel accroissement de l'endettement de l'Etat central suisse.

En comparaison des problèmes financiers enregistrés durant certaines périodes du XXe siècle, la situation décrite peut paraître tout à fait saine à l'historien qui l'évalue a posteriori. Les acteurs de l'époque s'inquiètent cependant d'un déséquilibre des finances fédérales qu'ils jugent anormal. Dès le 4 juillet 1876, les Chambres demandent au CF de faire des propositions pour assainir les finances de la Confédération. Plusieurs études sont alors publiées pour influencer les décisions fiscales à venir[5]. Publiée en 1878, une analyse du Genevois Frank Lombard estime que le déficit budgétaire structurel à combler est de l'ordre de 4,5 mios de frs. Pour y faire face, il refuse de suivre le CF dans une politique d'emprunt:

> *Il s'agit aujourd'hui de créer des ressources pour faire face à des excédants de dépenses qui n'ont pas un caractère passager, mais qui résultent de chiffres normaux [...] L'emprunt n'est justifié que pour des dépenses d'une nature spéciale [...] L'impôt est la source normale des revenus pour toutes les dépenses motivées par le jeu ordinaire des institutions nationales; on ne comprendrait pas qu'on songeât à se départir de ces principes admis universellement*[6].

De son point de vue, le rétablissement de l'équilibre budgétaire doit s'effectuer dans les plus brefs délais. Pour y parvenir, il faut souligner que les autorités fédérales ne disposent pas d'alternative sérieuse à l'augmentation de la taxation douanière. Il est vrai, après avoir été refusée deux fois en votation populaire (1876 et 1877), une augmentation de la taxe d'exemption militaire passe enfin la rampe en 1878, mais le surplus de revenus ainsi dégagé n'est pas susceptible de sortir la Confédération des chiffres rouges de manière durable.

En matière de commerce extérieur, la Grande dépression a pour effet d'exacerber la concurrence sur les marchés internationaux. Or, face à l'intensification de la compétition économique, des mouvements protectionnistes se développent dans les pays voisins et exigent une fermeture du marché national. Pour les milieux exportateurs suisses, la situation est d'autant plus préoccupante que les accords commerciaux conclus dans les années 1860 arrivent à échéance. Clef de voûte de la politique commerciale helvétique, le traité de

4 SHS, 1996, p. 946.
5 Cohn, 1877; Bodenheimer, 1878; Lombard, 1878.
6 Lombard, 1878, pp. 6/16.

1864 avec la France est dénoncé pour le 24 novembre 1876. Dans la perspective d'une guerre commerciale européenne, l'outillage douanier suisse est tout à fait insuffisant. Les élites industrielles et commerçantes sont les premières à s'en préoccuper. Dès 1875, l'assemblée des délégués de l'USCI nomme une commission spéciale chargée de définir la stratégie commerciale à suivre[7]. Certaines élites agricoles exigent aussi une promotion plus efficace de l'exportation par la Confédération[8]. Le 31 mai 1875, la commission de gestion des Chambres lance un signal d'alarme et souligne la nécessité de se préparer en vue de cette échéance[9]. Mais si la plupart des élites exportatrices estiment que l'outillage douanier doit être renforcé pour faciliter leur pénétration sur les marchés voisins, elles ne sont pas encore disposées à en payer le prix, sous la forme d'une augmentation, même temporaire, de la charge douanière.

La tâche du CF se révèle ainsi ardue. Comment résoudre le problème budgétaire et forger des armes de négociation crédibles sans pour autant charger la consommation de la population? Cette quadrature du cercle est encore compliquée par le contexte de crise politique de la fin des années 1870. Les élites catholiques-conservatrices, qui sont en pleine phase de réaction au «Kulturkampf», sabordent systématiquement les réalisations législatives de la majorité libérale-radicale au moyen du référendum, avec le soutien occasionnel des conservateurs protestants. En accord avec les milieux ultra-libre-échangistes de Suisse occidentale, elles s'opposent notamment à tout renforcement du potentiel financier de l'Etat fédéral. En comparaison de la révision douanière de 1851, la majorité libérale-radicale doit alors compter avec un bloc fédéraliste-libre-échangiste renforcé par l'instauration du référendum. Enfin, la politique douanière de la Confédération est encore complexifiée par les balbutiements douaniers de la France. Le renouvellement du traité franco-suisse étant l'objectif prioritaire de la politique commerciale helvétique, les autorités sont tributaires de la révision du tarif douanier français. Entamée en 1876, elle traîne jusqu'en mai 1881 en raison de l'instabilité politique chronique.

Entre 1875 et 1884, la politique douanière de la Confédération vit une période d'improvisations[10]. Entreprise en 1876, la révision du tarif douanier suisse ne s'achève qu'en 1884. Le résultat final de ce long processus d'adap-

7 Archives USCI, PV de l'assemblée des délégués, 1870-1886, 3 mai 1875.

8 Le 24 juillet 1875, un représentant de l'élite agricole bernoise exige une intervention commerciale plus efficace dans les *Bernische Blätter für Landwirthschaft*, journal de l'«Ökonomische Gesellschaft des Kantons Bern»; Flückiger, 1875.

9 Frey, 1892, p. 483.

10 Sur la révision du tarif douanier entre 1875 et 1884, cf. Lampenscherf, 1948, pp. 20-53; Signer, 1914, pp. 46-90; Zimmermann, 1980, pp. 96-113; Leuthold, 1937, pp. 53-61; Dérobert, 1926, pp. 39-55; Schmidt, 1914, pp. 99-139; Wartmann, 1902, pp. 64-69; Lüdi, 1985, pp. 40-59; sur le renouvellement du traité de commerce avec la France, cf. Gern, 1992, pp. 83-113; Schoop, 1976, pp. 611-637.

tation à la nouvelle situation commerciale et financière, qui est le tarif de 1884, constitue une petite révolution: la politique de libre-échange contractuel instaurée en 1864 est abandonnée au profit d'une intervention commerciale accrue. L'insuffisance du traité de commerce franco-suisse de 1882 décide en effet certaines élites industrielles et agricoles à engager une politique de combat teintée de protectionnisme.

5.1.1. S'armer pour affronter une guerre commerciale: le tarif fantôme de 1878

La dénonciation du traité de commerce franco-suisse par la France, le 22 novembre 1875, déclenche un processus de révision du tarif douanier helvétique. Le 10 avril 1876, l'assemblée des délégués de l'USCI demande à la nouvelle section Vorort de Bâle de veiller à ce que les milieux économiques soient consultés lors de l'élaboration de la nouvelle base de négociation. Dans une requête adressée le 1er novembre 1876 aux autorités fédérales, le Vorort définit les grands axes de la politique douanière helvétique, dont la priorité doit être le renouvellement des traités de commerce:

> *Man ist allgemein damit einverstanden, dass die Unterhandlungen für eine solche Erneuerung stattfinden sollen, da die Handelsverträge allein dazu geeignet sind, den Handelsbeziehungen mit fremden Ländern diejenige Stabilität zu geben, deren der Kaufmann, hauptsächlich der Industrielle, zu langathmigen oder theuren Einrichtungen verlangenden Geschäften bedarf*[11].

Pour atteindre cet objectif, l'USCI estime que le tarif douanier helvétique doit être remodelé tout en restant fidèle au principe du libre-échange. Après les diminutions de taxes liées aux négociations, l'augmentation de la charge douanière ne doit pas excéder un million de frs. En outre, la répartition de celle-ci doit être revue en faveur de l'industrie. Le dégrèvement des matières premières et des denrées alimentaires doit être compensé par une augmentation des taxes fiscales (sucre, café, thé, pétrole, etc.). L'USCI propose par conséquent de poursuivre la politique douanière engagée dans les années 1860 en la rectifiant sur quelques points.

Certains cantons engagent aussi une procédure de consultation. Elle est le plus souvent menée par un organisme ad hoc constitué de représentants des milieux économiques. Le 14 octobre 1876, la commission du canton de Zurich publie une volumineuse expertise dont les conclusions sont proches de celles du Vorort bâlois[12]. Des divergences apparaissent toutefois concernant la répartition de la charge douanière. Les milieux zurichois veulent en

11 Eingabe des Vorortes..., 1876, pp. 23-24.
12 Gutachten über die Revision..., 1876.

effet supprimer complètement la taxation des matières premières et compenser les pertes par des augmentations sur le tabac, le vin, la bière, les eaux-de-vie, le sucre et le café. Début 1877, c'est au tour de la commission du canton de Berne de rendre son rapport[13]. Certes, l'objectif principal du tarif est aussi l'ouverture des marchés extérieurs, notamment en faveur du commerce de fromage, mais la commission bernoise veut que les industries travaillant pour le marché intérieur profitent aussi de la révision. L'augmentation de la charge douanière, fixée à 5 mios de frs, doit être financée par une hausse des taxes sur les fabriqués (coton, laine, lin, métallurgie, etc.).

Le 23 décembre 1876, une nouvelle impulsion est donnée à la révision du tarif. Un arrêté du CN invite le CF à lui soumettre une révision. Confronté à l'indigence du potentiel et du «know how» de son administration, le CF confie alors la rédaction d'un projet de tarif à un expert, le secrétaire du KDSG Hermann Wartmann[14]. Ce dernier élabore une échelle de taxation en fonction de la valeur des marchandises: les matières premières sont imposées à 1%, les semi-fabriqués à 2%, les fabriqués à 3%, les articles de confection à 5% et les articles de luxe à 10%. Quant aux produits agricoles, ils sont imposés entre 1 et 10% de leur valeur[15]. En comparaison du tarif de 1849/1851, la taxation du projet Wartmann est non seulement plus systématique, mais aussi plus différenciée: 31 taxes sont prévues, comprises entre 2 cts et 100 frs par quintal (tarif en vigueur: 30 frs/quintal). De l'ordre de 9 mios de frs, l'accroissement de la charge douanière est certes destiné à fondre durant les négociations commerciales, mais il est tout de même très important puisqu'il représente 50% des revenus douaniers de 1876.

Du 26 au 28 avril 1877, une conférence d'experts, présidée par le chef du DFFD, le Soleurois Bernhard Hammer[16], entérine les grandes options de la stratégie douanière élaborée par l'USCI, l'expert Wartmann et le CF. La commission consultée est composée de 31 représentants des élites industrielles et commerciales et de 6 responsables de l'administration supérieure du DFFD et du DFCC[17]. Les industries d'exportation – coton (5), broderie (2), paille (1), machines (2) – parviennent à imposer un projet de tarif susceptible de faciliter l'ouverture des marchés extérieurs.

13 Revision des allgemeinen schweizerischen Zolltarifes..., 1877.

14 Neidhart, 1970, pp. 97-98; *Hermann Wartmann* (1835-1929) (SG), issu d'une vieille famille saint-galloise, secrétaire du KDSG (1863-1913), cofondateur de l'USCI et membre du Vorort (1874-1876), ami de Cramer-Frey, CaE libéral-radical (1885-1886).

15 FF, 1877, vol. 3, pp. 356-368, «MCF concernant un nouveau tarif des péages suisses (16 juin 1877)»; sur l'élaboration du tarif de 1878, cf. également AF, E 11, vol. 13.

16 *Bernhard Hammer-Jäggi (-Fröhlicher)* (1822-1907), cf. note 362, chapitre 4.

17 La composition définitive de la commission figure in *Centralblatt*, Nr. 5, 1877, p. 58; la répartition cantonale est la suivante: Berne (6) et Zurich (5) se taillent la part du lion, suivis par Bâle (3), Soleure (2), Argovie (2), St-Gall (2), Genève (2), Vaud (2), Neuchâtel (1), Glaris (1), Thurgovie (1), Schaffhouse (1), Fribourg (1), Lucerne (1) et Valais (1).

Pour ce faire, elles s'appuient sur les industries qui exigent une meilleure protection du marché intérieur – métallurgie (2), lin (1), laine (1), tannerie (1), chaussures (1), papier (1), verre (1), savon (1), tabac (1). Mais contrairement aux représentants de l'industrie travaillant pour le marché intérieur, une majorité des exportateurs ne veut pas entendre parler de la mise en vigueur du nouveau tarif. A l'exception de quelques partisans d'une politique de combat, ceux-ci refusent en effet de souscrire à un accroissement de 50% de la charge douanière, même si celui-ci ne doit être que provisoire.

Le 16 juin 1877, le projet de tarif définitif est publié par le CF[18]. Acquis aux intérêts de l'industrie d'exportation, ce dernier tente de concilier la nécessité de forger une arme de négociation commerciale avec l'attitude libre-échangiste de la plupart des élites économiques. Conscient de la difficulté politique de faire voter son projet de tarif par les Chambres et surtout par le peuple, le Gouvernement tente de contourner le problème en proposant une procédure alambiquée[19]. Voté en première lecture, le nouveau tarif n'aurait pas force de loi et ne serait donc pas soumis au référendum. Il pourrait ainsi servir de base de négociation avec la France sans charger la consommation helvétique. Après la conclusion du traité de commerce, le projet de tarif modifié à la baisse par le processus de négociation serait voté en deuxième lecture aux Chambres. L'accroissement de la charge douanière étant alors notablement réduit, le nouveau tarif aurait des chances accrues de recevoir l'aval du peuple[20]. Le subterfuge imaginé par le CF a pour but principal de ne pas négocier le renouvellement des traités de commerce sur la base du tarif de 1851, qu'il juge inadapté à la nouvelle situation commerciale. A noter que la tactique adoptée est en partie inspirée par le Ministre de Suisse en France, qui est toujours Johann Konrad Kern[21]. Selon lui, l'adoption définitive du nouveau tarif provoquerait une réaction négative des autorités françaises, péjorant les chances d'un renouvellement avantageux du traité franco-suisse[22].

18 FF, 1877, vol. 3, pp. 356-384, «MCF concernant un nouveau tarif des péages suisses (16 juin 1877)»; au sein du Gouvernement, les élites économiques exportatrices sont alors représentées par Numa Droz (NE), Emil Welti (AG), Joachim Heer (GL), Johann Scherer (ZH) et Bernhard Hammer (SO); les radicaux de gauche Fridolin Anderwert (TG) et Carl Schenk (BE) sont peut-être plus sensibles aux intérêts des classes moyennes.

19 *Ibidem*, p. 368.

20 Sur les raisons d'une soustraction du tarif de 1878 au référendum, cf. FF, 1882, vol. 3, p. 491, «Rapport de la majorité de la commission du CE concernant les traités conclus avec la France le 23 février 1882 (25 avril 1882)»; Droz, 1883/2, pp. 19-20; DDS, vol. 3, n° 204 annexe 3, pp. 422-424, «Entretien du 7 décembre 1881 entre Kern, Ruchonnet et Gambetta».

21 *Johann Conrad Kern-Freyenmuth* (1808-1888) (TG), cf. note 247, chapitre 3.

22 Gern, 1992, pp. 93-94.

Malgré la procédure proposée afin d'éviter une application immédiate du nouveau tarif, le projet du CF déclenche une vive controverse. Entre juin 1877 et juin 1878, date de son adoption par les Chambres en première lecture, le nouveau tarif des péages est l'objet d'une lutte acharnée. Incapable d'imposer une certaine discipline au sein de l'association, le comité central de l'USCI décide de laisser aux sections la liberté de défendre leurs intérêts.

Le camp libre-échangiste est une nouvelle fois emmené par les élites économiques de Suisse occidentale. En août 1877, l'ACIG réagit en publiant une série de rapports relatifs au projet du CF[23]. L'association genevoise refuse toute augmentation de la charge douanière et propose de faire face aux besoins financiers de la Confédération par une imposition du tabac. Des brochures sont publiées par les milieux genevois du commerce et de la banque afin d'appuyer ces thèses[24]. Aux Chambres, un Conseiller national genevois agite ouvertement la menace référendaire:

> *Nous devons nous arranger de manière à ce que la main-d'œuvre n'augmente pas en Suisse [...] il faut abandonner la marche à suivre jusqu'ici* (sic) *et restreindre les subsides accordés à tout propos par la Confédération aux cantons, ce qui est sans doute commode dans certains moments, mais qui motive aussi les augmentations exagérées que l'on propose aujourd'hui; la Confédération a voulu le référendum, elle l'a, et il agira dans cette question; or si l'on désire que les péages soient augmentés, ils doivent l'être dans une proportion minime, sinon monsieur Référendum dira non*[25].

Bastion du commerce bâlois, le BHIV s'oppose aussi à une politique douanière trop agressive qui risque de déclencher des représailles contre l'exportation suisse. La rubanerie craint notamment que la Grande-Bretagne, son principal débouché, réagisse aux mesures douanières proposées[26]. Le 4 octobre 1877, l'association bâloise écrit aux autorités fédérales pour dénoncer les tendances protectionnistes du projet publié[27]. Quant aux représentants des milieux du commerce vaudois, réunis au sein de la SICVD, ils se déclarent partisans du statu quo libre-échangiste[28].

Au sein de l'industrie d'exportation, l'opposition au projet de tarif est la plus forte parmi les milieux horlogers, quand bien même certains fabricants

23 Rapports relatifs au projet d'un nouveau tarif..., 1877.

24 Demierre, 1878; Lombard, 1878.

25 *JdG*, 12 juin 1878, «PV de la séance du CN du 11 juin 1878, intervention Carteret».

26 Henrici, 1927, pp. 71-73; Lampenscherf, 1948, pp. 44-46; suite à la publication du projet de tarif, des critiques sont en effet émises par certaines Chambres de commerce anglaises, dont les représentants en Suisse se font l'écho; AF, E 11, vol. 13, document sans titre exposant les taux de protection accordés à certains textiles.

27 Eingabe des Vorortes..., 1877.

28 *Bulletin de la SICVD*, juillet 1877, pp. 166-196.

acculés par la crise réclament une politique douanière plus musclée[29]. En octobre 1877, la SIIJ adresse deux requêtes au CF dans le but de combattre le renchérissement du coût de la vie que provoquerait une politique de combat jugée trop agressive[30]. Craignant des mesures de rétorsion étrangères, la ZSIG adresse aussi une pétition aux Chambres, en décembre 1877, dans le but d'abaisser les taxes sur les soieries[31]. Quant à l'industrie des machines, elle s'allie aux fonderies suisses et au commerce du fer pour lutter contre la protection accordée aux semi-fabriqués produits par la métallurgie[32]. En juillet 1877, une pétition est adressée dans ce sens aux autorités fédérales, ce qui suscite une riposte des forges helvétiques[33].

En règle générale, les élites agricoles se montrent plutôt hostiles à une révision du tarif douanier: les régions catholiques sont à la tête de cette opposition fédéraliste. En 1877, la crise agricole n'a pas encore des effets susceptibles de modifier leur attitude défensive en matière de finances et de douanes. L'organe de presse du SLV prend position en faveur du libre-échange et le statu quo est vigoureusement défendu aux Chambres par le propriétaire terrien Andreas von Planta[34]. Rejoignant les milieux commerçants genevois, le Grison estime que les besoins financiers de la Confédération doivent être couverts par une imposition du tabac et de l'alcool. Il refuse par conséquent l'entrée en matière sur le projet du CF[35]. Cependant, des voix discordantes commencent à se faire

29 Le Cn Ernest Francillon (1834-1900), fondateur de la fabrique «Longines» à St-Imier (1866), prend à plusieurs reprises position en faveur d'une politique de combat qui doit permettre d'obtenir une situation de réciprocité douanière avec la France; Revision des allgemeinen schweizerischen Zolltarifes..., 1877, p. 29; *JdG*, 15 juin 1878, «PV de la séance du CN du 14 juin 1878, intervention Francillon»; lors du débat de juin 1878 au CN, il reçoit le soutien du Chaux-de-Fonnier Fritz Rüsser-Dubois (1828-1896), fabricant d'horlogerie, qui déclare à cette occasion: *«Il reconnaît que le marché français nous échappe et que nous aurons peut-être à craindre la concurrence française jusque chez nous, c'est pourquoi le principe du libre-échange doit être remplacé en Suisse par celui de la réciprocité. Ce n'est que par cette dernière qu'elle préviendra l'extinction de toutes ses industries.»*

30 Les deux requêtes, l'une datée du 18 octobre 1877, l'autre sans date, figurent in AF, E 11, vol. 13.

31 Niggli, 1954, pp. 52-53; Schwarzenbach, 1959, p. 116.

32 Sur le débat autour de la taxe sur le fer et ses dérivés, cf. Hofmann, 1962, pp. 57-59; Revision des allgemeinen schweizerischen Zolltarifes..., 1877, pp. 21-27; Gutachten über die Revision..., 1876, pp. 30-36; FF, 1877, vol. 3, pp. 376-379, «MCF concernant un nouveau tarif des péages suisses (16 juin 1877)»; FF, 1878, vol. 3, pp. 281-285, «Rapport de la commission du CN pour l'examen du nouveau tarif de péages fédéraux (25 avril 1878)»; *Schweizer Grenzpost*, 8. September 1877, dossier d'articles in AF, E 11, vol. 13.

33 AF, E 11, vol. 13, «An den Hohen Bundesrath der schweiz. Eidgenossenschaft zu Handen der Hohen Bundesversammlung»; la riposte s'intitule «Zweite Eingabe der schweizerischen Eisenwerke betreffs Revision des Zoll-Tarifes».

34 *Andreas von Planta-von Planta* (1819-1889) (GR), cf. note 464, chapitre 4.

35 *JdG*, 12 juin 1878, «PV de la séance du CN du 11 juin 1878, intervention von Planta».

entendre, surtout parmi les agriculteurs de plaine. Certains d'entre eux tentent en effet de profiter de la révision du tarif pour améliorer la protection de la viticulture et de la céréaliculture[36]. Intéressés au commerce de fromage, quelques représentants de l'agriculture sont par ailleurs favorables à une politique d'ouverture des marchés extérieurs plus agressive[37].

Alors que la phalange libre-échangiste estime que le projet du CF s'éloigne trop des principes de la politique douanière menée jusque-là, certains représentants de l'industrie d'exportation ne se contentent pas de la stratégie d'ouverture des marchés extérieurs proposée par le CF. Les plus modérés proposent de mieux se préparer à une politique de rétorsion qui devrait être menée en cas d'échec des négociations commerciales. Afin de renforcer la pression sur les négociateurs étrangers, ils estiment nécessaire d'attribuer des compétences spéciales au Gouvernement afin de lui permettre d'appliquer rapidement des mesures de rétorsion en cas de besoin. Tout en renforçant la position commerciale de la Confédération, cette mesure n'aurait pas de conséquences immédiates sur le niveau de la charge douanière. Emmenés par les industriels de la branche du coton, les milieux les plus interventionnistes proposent d'aller au-delà de la stratégie rétorsionniste pour se lancer dans une véritable politique de combat. Leur champion, le Conseiller national Carl Feer-Herzog[38], appelle à la guerre commerciale:

> *Mein Krieg, Ihr Krieg geht nur gegen die protektionistische Strömung [...]*[39]

L'Argovien propose d'appliquer tout de suite le nouveau tarif, ce qui pousserait les voisins à négocier des brèches dans leurs murailles douanières contre un accès au marché intérieur suisse. Cette manière de procéder augmenterait fortement la charge douanière pendant un certain laps de temps.

Béliers de l'industrie orientée vers le marché intérieur, les fabricants de produits en laine exigent une meilleure protection du marché intérieur[40]. Ils

36 *Henri Delarageaz-Bron* (1807-1891) (VD), – cf. note 259, chapitre 3 –, rapporteur de la commission douanière du CN, est leur principal porte-parole; *JdG*, 11/20 juin 1878, «PV des séances du CN des 10 et 19 juin 1878, intervention Delarageaz»; son discours figure in AF, E 11, vol. 14; des tendances protectionnistes sont aussi exprimées dans le canton d'Argovie; Über Revision des Handelsvertrages..., 1877; Der Vorstand der landwirthschaftlichen Gesellschaft..., 1877.

37 Flückiger, 1877; au cours du débat de juin 1878 au CN, un représentant de l'élite agricole du canton de Nidwald, Robert Durrer-Zelger (1836-1889), défend le nouveau tarif en tant que moyen de sauvegarder l'exportation de fromage vers l'Italie; *JdG*, 27 juin 1878, «PV de la séance du CN du 26 juin 1878, intervention Durrer».

38 *Carl Feer-Herzog* (1820-1880) (AG), cf. note 259, chapitre 3.

39 Zur eidgenössischen Zollrevision..., 1878, 2e discours, p. 9.

40 L'industrie de la laine adresse plusieurs pétitions et reçoit l'appui de parlementaires importants; A la haute Assemblée fédérale suisse..., 1877; *NZZ*, 6./7. Februar 1877, «Die Wolleninteressenten und die Zollfrage»; *JdG*, 26 juin 1878, «PV de la séance du CN du 25 juin 1878, interventions Zweifel (GL), Bucher (BE)».

sont soutenus par des industriels des branches du fer, du verre, du cuir, du papier, de la bière, du tabac, etc. qui revendiquent au moyen de nombreuses requêtes adressées aux autorités fédérales[41]. Au sein du Parlement, le Conseiller national soleurois Simon Kaiser[42] est le leader des adeptes d'une politique de réciprocité[43]. En outre, les premières velléités de protectionnisme apparaissent au sein de l'industrie du coton, en particulier parmi les industriels du tissage mécanique[44]. Même les petits fabricants de broderies réclament une protection s'élevant à 10% de la valeur ainsi que la suppression du trafic de perfectionnement avec le Vorarlberg[45].

Durant l'élaboration du nouveau tarif douanier de 1878, les différents lieux de pouvoir du champ douanier ne s'accordent pas sur la stratégie douanière à suivre. Le CF, à majorité libérale, est comme nous l'avons vu favorable à une révision du tarif, sans pour autant vouloir trop s'éloigner de la pratique commerciale inaugurée dans les années 1860. Son objectif principal est de renouveler le traité avec la France en adoptant un profil bas. En se targuant de mener une politique libre-échangiste, le Gouvernement espère conserver l'accès au marché du grand voisin obtenu en 1864. Le deuxième but poursuivi est de couvrir les besoins financiers de la Confédération grâce à un léger surcroît de revenus douaniers. Enfin, la révision doit permettre de remodeler la répartition de la charge douanière en conformité avec les désirs de l'industrie d'exportation.

Le CE s'inscrit dans la politique définie par le CF en lui donnant une teinte plus libre-échangiste. Publié le 1er décembre 1877, le rapport de la commission douanière du CE ne diverge que sur quelques points[46]. Bien

41 AF, E 11, vol. 13.

42 *Simon Kaiser* (1828-1898) (SO), cf. note 46, chapitre 4.

43 FF, 1878, vol. 3, pp. 258-290, «Rapport de la commission du CN pour l'examen du nouveau tarif de péages fédéraux (25 avril 1878)»; *JdG*, 11 juin 1878, «PV de la séance du CN du 10 juin 1878, intervention Kaiser»; cf. également le discours prononcé devant l'assemblée générale de l'USCI le 3 mai 1875; Archives USCI, PV de l'assemblée des délégués 1870-1886, 3. Mai 1875.

44 Petition der Schweizerischen Baumwollwebereien..., 1877.

45 *Centralblatt*, Nr. 15, 1878, pp. 111-114, «Eingabe der Maschinensticker der Kantone St. Gallen, Appenzell und Thurgau an die Bundesversammlung»; cette démarche n'est pas appuyée par les marchands-entrepreneurs du KDSG.

46 FF, 1877, vol. 4, pp. 607-625, «Rapport de la commission du CE chargée de l'examen du projet d'un nouveau tarif des péages (1er décembre 1877)»; cette commission est composée des personnes suivantes: Karl Rudolph Stehlin (1831-1881) (BS), rapporteur, Constant Bodenheimer (1836-1893) (BE), Auguste Cornaz (1834-1896) (NE), Charles Estoppey (1820-1888) (VD), Florian Gengel (1834-1905) (GR), Johann Jakob Hohl (1834-1913) (AR), Joseph Weber (1805-1890) (GL); il faut souligner la forte représentation des bastions libre-échangistes, alors que les cantons interventionnistes de Zurich, Argovie, St-Gall ou encore Soleure ne sont pas présents.

qu'elle reconnaisse l'objectif commercial du nouveau tarif, la Chambre des cantons accorde la priorité aux enjeux financiers de la révision:

> *Cette circonstance* (difficultés des finances fédérales, C. H.) *imprima en même temps au travail de la révision une tendance que sans doute, il avait suivie dès l'origine, mais d'une manière moins prononcée, savoir celle d'augmenter les droits; le but fiscal de la révision en devint insensiblement le point de vue principal*[47].

Remanié, le projet de tarif prévoit désormais un accroissement des revenus de 7,7 mios de frs au lieu de 9,2 mios. Le CE affaiblit donc la position commerciale de la Suisse en diminuant les possibilités de concessions lors de futures négociations[48].

Daté du 25 avril 1878, le rapport de la commission du CN se démarque de la stratégie définie par le CE[49]. Selon le rapporteur, Simon Kaiser, la priorité de la révision ne doit pas être fiscale mais commerciale:

> *C'est ce qui nous donne le droit de dire que le projet de tarif est un tarif international, de même que celui de 1851 était un tarif national. Le nouveau tarif permet au Conseil fédéral de se placer sur un terrain plus favorable que précédemment lors des négociations qui peuvent avoir lieu pour les nouveaux traités de commerce*[50].

S'opposant à la pratique fiscaliste du CE, le rapport estime qu'il n'est pas possible de prendre les besoins financiers de la Confédération comme base d'élaboration du projet de tarif. Ce point de vue est aussi défendu par Feer-Herzog:

47 *Ibidem*, p. 608.

48 Le détail des divergences entre les projets du CF, de la commission du CE, du CE, de la commission du CN et du CN figure dans des documents imprimés in AF, E 11, vol. 14, «Projet d'un nouveau tarif des péages...».

49 La composition de la commission est la suivante: Simon Kaiser (1828-1898) (SO), rapporteur, Albert Friedrich Born-Flückiger (1829-1910) (BE), Jean-Jacques Challet-Venel (1811-1893) (GE), Louis-Henri Delarageaz-Bron (1807-1891) (VD), Rudolf Hilty-Vetsch (1815-1905) (SG), Johann Jakob Keller-Rüegg (-Peter) (-Güttinger) (1823-1903) (ZH), Wilhelm Klein-Schabelitz (1825-1887) (BS), Arnold Künzli-Nussbaum (1832-1908) (AG), Fritz Rüsser-Dubois (1828-1896) (NE), Johann Jakob Widmer-Hüni (1819-1879) (ZH), Esajas Zweifel-Milt (1827-1904) (GL); les élites économiques favorables à une politique douanière plus interventionniste sont donc largement représentées: au cours du débat de juin 1878 au CN, Keller (filature de coton), Künzli (tissage en couleur), Rüsser (fabricant d'horlogerie), Zweifel (coton), Delarageaz (vin/blé) et Kaiser (fer/laine) sont favorables à une meilleure réciprocité douanière; Klein représente la petite industrie bâloise; Widmer (étoffes en soie) et Born (rubans de soie) ne s'opposent pas au tarif, mais exigent des baisses de taxes sur leurs matières premières et leurs fabriqués; en tant que représentants du commerce d'importation, Challet-Venel et Hilty sont probablement les seuls défenseurs du statu quo au sein de la commission; vu qu'ils ne s'expriment pas lors du débat au CN, il n'est toutefois pas possible de vérifier cette hypothèse.

50 FF, 1878, vol. 3, p. 261, «Rapport de la commission du CN pour l'examen du nouveau tarif de péages fédéraux (25 avril 1878)».

> *On n' a pas [...] à se préoccuper ici des intérêts du fisc, mais des intérêts économiques de la Suisse*[51].

Outre la conclusion de traités, Kaiser estime que le nouveau tarif doit poursuivre une amélioration de la protection du marché intérieur:

> *De son côté, le rapporteur soussigné estime que, tout en reconnaissant ce que la Suisse est redevable à son industrie d'exportation, le marché suisse est un débouché qu'on doit conserver précieusement et qu'il ne faut pas se fermer peu ou beaucoup sans une compensation équivalente de la part des autres pays. Si les traités ne nous ouvrent pas des débouchés vers l'étranger dans la mesure que l'on désire, ils ne doivent cependant pas être non plus le moyen d'exclure l'industrie suisse de notre propre marché*[52].

Même si elle n'est sûrement pas partagée par certains membres de la commission, cette profession de foi protectionniste n'est pas compatible avec les stratégies libre-échangistes du CF et du CE. Le projet de la commission du CN prévoit un accroissement des revenus douaniers de 8,3 mios, soit 0,7 million de plus que le CE. La procédure proposée par le CF pour éviter le référendum est par ailleurs soutenue.

Du 4 au 28 juin 1878, le CN débat du projet de tarif issu des délibérations du CE. Le refus d'entrée en matière proposé par von Planta est balayé par 88 voix contre 4. Si les divergences sur la taxation sont peu importantes, le CN renforce tout de même l'aspect protectionniste du tarif dans l'optique de négociations. Un véritable débat ne s'amorce que le 26 juin avec la discussion des modalités d'application du nouveau tarif. Majoritaires au sein de la commission douanière du CN, les partisans d'un durcissement de la politique commerciale tentent un coup de force. Ils proposent en effet d'ajouter deux articles à la loi sur le tarif douanier. Un article 5 donne au CF les moyens de mener une politique de rétorsion efficace durant les négociations: sous réserve de l'approbation des Chambres, il lui serait possible d'appliquer des taxes de rétorsion aux Etats qui défavorisent l'exportation suisse. Un article 6 prévoit l'application immédiate du nouveau tarif pour une durée de douze mois en faisant usage de la clause d'urgence. Le CF serait seul compétent pour fixer la date d'entrée en vigueur[53]. Selon Kaiser

51 *JdG*, 12 juin 1878, «PV de la séance du CN du 11 juin 1878, intervention Feer-Herzog».

52 FF, 1878, vol. 3, p. 264, «Rapport de la commission du CN pour l'examen du nouveau tarif de péages fédéraux (25 avril 1878)».

53 Les propositions de la commission sont contenues in AF, E 11, vol. 14, documents sans titre relatant l'évolution des débats aux Chambres; article 5: «*Les marchandises provenant d'Etats qui traitent les marchandises suisses moins favorablement que celles d'autres provenances ou qui frappent des marchandises suisses d'un droit d'entrée considérablement plus élevé que ce n'a lieu de la part de la Suisse vis-à-vis de marchandises de provenance étrangère, peuvent lorsque les dispositions d'un traité ne s'opposent pas à une telle mesure, être imposées d'une taxe additionnelle jusqu'au double du droit d'entrée prévu au tarif. La perception d'une telle taxe additionnelle est prescrite par le*

et Feer-Herzog, ces dispositions sont nécessaires en raison de la situation commerciale délicate de la Suisse.

La seconde proposition, qui permettrait d'amorcer une politique de combat, est catégoriquement refusée par l'opposition libre-échangiste. La clause d'urgence étant limitée aux arrêtés, son application à la loi sur le tarif des péages serait de leur avis un acte anticonstitutionnel:

> *M. Carteret comprend que le renvoi soit demandé, vu la portée considérable de la proposition de la commission, dont l'adoption constituerait un coup d'Etat dans la Confédération. La garantie que l'on a voulu donner au peuple serait dès lors enterrée et il ne serait plus question de parler de référendum. Ce serait donc une entorse positive au texte de la Constitution*[54].

Dans ce contexte, seuls les représentants des secteurs économiques les plus interventionnistes – industriels des branches du coton, du fer et de la laine ainsi qu'un négociant en fromage[55] – osent défendre la commission au mépris d'objections constitutionnelles justifiées. Face à une opposition aussi compacte, la commission décide de retirer sa proposition.

Par contre, l'article 5 permettant au CF de mener une politique de rétorsion sous le contrôle de l'Assemblée fédérale est adopté avec quelques modifications rédactionnelles. L'ensemble du paquet douanier n'étant adopté qu'en première lecture, selon la proposition du CF, l'article 5 perd cependant toute portée concrète, puisque la disposition n'acquiert pas force de loi. Afin d'éviter que le CF doive négocier des traités sans arme efficace, Feer-Herzog propose de voter un «Arrêté fédéral concernant l'application exceptionnelle du nouveau tarif des péages». Il est adopté dans la version suivante:

> *Le Conseil fédéral est autorisé – même avant l'entrée en vigueur du nouveau tarif – à frapper, sous réserve de l'approbation de l'Assemblée fédérale, d'une taxe additionnelle correspondante, les produits provenant d'Etats qui ne traitent pas la Suisse sur le pied de la nation la plus favorisée, ou dont le tarif général impose des droits particulièrement élevés sur les produits suisses*[56].

La clause d'urgence y est appliquée. Le 26 juin 1878, l'ensemble de la nouvelle loi est adoptée au CN par 66 voix contre 3. Flanquée de l'arrêté Feer-Herzog, elle retourne au CE pour le traitement des divergences. La version définitive est votée, en première lecture, le 28 juin 1878[57].

Certes, à l'issue de la révision douanière de 1878, la position du CF se trouve quelque peu renforcée dans l'optique du renouvellement du traité

Conseil fédéral sous réserve de l'approbation de l'Assemblée fédérale.»; article 6: «*La présente loi est déclarée urgente et entrera provisoirement en vigueur pour la durée de douze mois, au jour que fixera le Conseil fédéral.*»

54 *JdG*, 27 juin 1878, «PV de la séance du CN du 26 juin 1878, intervention Carteret».

55 *Ibidem*, «interventions Feer-Herzog, Kaiser, Bucher, Durrer».

56 RO, 1877-78, vol. II, 3, pp. 428-429.

57 FF, 1878, vol. 3, pp. 534-573, «Loi fédérale sur un nouveau tarif des péages fédéraux».

avec la France. Le tarif de 1878 est en effet mieux adapté à la nouvelle situation commerciale internationale que celui de 1851. Voté en première lecture, il est susceptible d'être adapté en tout temps aux besoins de la négociation. Enfin, la possibilité donnée au CF de s'en servir comme d'une arme de rétorsion permet d'exercer une certaine pression sur les partenaires commerciaux. Toutefois, le tarif n'a pas le statut d'une loi, ce qui en fait un outil de négociation peu crédible. De surcroît, le problème de l'équilibre des finances fédérales, qui devient aigu au cours de l'année 1878, n'est en rien résolu.

5.1.2. Improvisations douanières et renouvellement du traité de commerce avec la France (1878-1882)

Afin de satisfaire aux objectifs commerciaux prioritaires de la politique douanière helvétique, à savoir le renouvellement du traité avec la France, le CF et les Chambres renoncent donc à achever la révision du tarif. Cette décision a de fâcheuses répercussions sur la situation financière de la Confédération. Dans un premier temps, le CF espère résoudre le problème du déséquilibre budgétaire grâce à un dénouement rapide des négociations avec la France. A cet effet, il tente à plusieurs reprises d'accélérer la procédure en intervenant auprès du Ministre suisse à Paris. Le 14 janvier 1878, le DFCC propose le délai du 1er janvier 1879 pour l'entrée en vigueur d'un nouveau tarif[58]. Vu l'évolution de la révision du tarif douanier français, Kern estime toutefois que cette perspective n'est pas réaliste:

> *Il me sera permis, tout en reconnaissant la gravité de la question pour le Conseil fédéral et les difficultés financières qui peuvent en être la conséquence pour notre pays, d'énumérer les motifs qui me font personnellement considérer comme tout à fait improbable la conclusion d'un nouveau traité dans le courant de l'année [...]*[59]

Pour pallier aux besoins financiers, Kern propose de recourir à d'autres sources de revenus – impôt sur le tabac, contingents d'argent, etc. En avril 1878, le DFCC relance Kern en proposant le délai du 1er avril 1879, sans plus de succès[60].

58 DDS, vol. 3, n° 124, pp. 258-259, «Der Vorsteher des Eisenbahn- und Handelsdepartements, J. Heer, an den schweizerischen Gesandten in Paris, J. K. Kern, Bern, 14. Januar 1878»; cf. également la réponse de Kern, du 31 janvier 1878, en annexe du n° 124, pp. 260-262.

59 *Ibidem*, n° 128, pp. 268-270, «Der schweizerische Gesandte in Paris, J. K. Kern, an den Vorsteher des Eisenbahn- und Handelsdepartements, J. Heer, Paris, 20 mars 1878».

60 *Ibidem*, n° 130, pp. 273-274, «Der Vorsteher des Eisenbahn- und Handelsdepartements, J. Heer, an den schweizerischen Gesandten in Paris, J. K. Kern, Bern, 27. April 1878».

Dans cette situation de précarité financière, deux camps s'affrontent sur la manière de résoudre le problème. Emmenés par les milieux commerçants de Genève, les ultra-libre-échangistes sont d'avis qu'il faut abandonner le tarif voté en juin 1878 et explorer d'autres voies de financement. En juillet 1878, une série d'articles du *JdG* donnent le ton. Le 7 décembre 1878, une assemblée de commerçants et d'industriels genevois décide d'adresser une requête afin de

> *[...] réclamer de la Nouvelle Assemblée fédérale le maintien des tarifs actuellement en vigueur, en invitant respectueusement cette Haute Assemblée à chercher dans un impôt sur d'autres objets plus équitablement taxables, tels que les tabacs et les alcools (sous réserve de toutes facilités, drawbacks ou autres, à accorder à l'exportation), un accroissement de ressources pour la Confédération, si le budget fédéral ne peut s'équilibrer autrement*[61].

Créé à cette occasion, un comité développe une intense activité de propagande en faveur des thèses libre-échangistes[62]. Le 22 février 1879, il adresse une pétition garnie de 8137 signatures aux autorités fédérales; elle s'oppose à la mise en vigueur d'un nouveau tarif qui augmenterait la charge douanière. Du point de vue des forces protectionnistes, toute alternative financière à la révision douanière est considérée comme un danger. En rendant un nouveau tarif inutile, la taxation du tabac et de l'alcool risque de les priver d'un accroissement de l'imposition de leurs produits. Invoquant l'urgence des besoins financiers de la Confédération, les adeptes du protectionnisme tentent au contraire d'accélérer la mise en vigueur du nouveau tarif. En décembre 1878, Arnold Steinmann-Bucher propose même une relecture du tarif voté en juin, qui devrait déboucher sur un renforcement de ce dernier et sa mise en vigueur dans les plus brefs délais[63].

Confronté aux assauts des extrémistes libre-échangistes et protectionnistes, le CF se fait le champion du juste-milieu. Devant l'impossibilité de mener rapidement à bien les négociations avec la France, il propose, le 3 juin 1879, d'appliquer les taxes du tarif de 1878 sur le tabac, le café, le thé, les épices et le pétrole[64]. Selon le Gouvernement, le relèvement de ces positions

61 AF, E 11, vol. 15, «Adresse du commerce et de l'industrie de Genève aux Conseils de la Confédération»; la proposition de taxer le tabac est loin d'être une nouveauté; développée dans les années 1840 et 1850 par des milieux politiques bernois, elle est reprise en 1870 par le Conseiller fédéral genevois Challet-Venel; en 1875, une pétition du Vaudois Vuagniaux est déposée dans ce sens au CN; en 1878, une étude du Conseiller aux Etats bernois Bodenheimer, n'excluant pas le recours au monopole, relance le débat; Bodenheimer, 1878; un petit historique sur le sujet est contenu dans une autre contribution au débat; Ott, 1879.

62 Demierre, 1878; Lombard, 1878.

63 *Centralblatt*, Nr. 50, 15. Dezember 1878, pp. 389-390, «Die schweizerische Zolltariffrage».

64 FF, 1879, vol. 2, pp. 825-839, «MCF concernant l'augmentation des droits d'entrée sur quelques espèces de marchandises (3 juin 1879)»; les taxes sur le tabac sont légèrement modifiées.

fiscales, dont le gain est estimé à 1,3 mios de frs, n'est pas susceptible d'équilibrer le budget fédéral sur le long terme. La mesure ne remettrait donc pas en question la révision totale du tarif:

> *Avec ce petit nombre d'articles d'importation, on ne peut sans doute réaliser qu'une partie de l'augmentation de recettes de péages nécessaire pour suffire aux exigences de l'administration fédérale, ainsi que cela résulte du calcul ci-après. Il vaut néanmoins la peine de prendre ces premières mesures, à l'effet d'alléger la situation financière de la Confédération, avant d'amener la révision du tarif à son complet achèvement*[65].

Afin d'éviter une importation massive de tabac, qui réduirait à néant les résultats financiers de la mesure, le CF demande que les nouveaux droits de cette rubrique entrent tout de suite en vigueur.

Le 13 juin 1879, la proposition de révision partielle du CF est débattue au CN. La majorité de la commission remanie le projet de fond en comble. Si les augmentations sur le tabac et ses différents dérivés sont encore poussées à la hausse, celles sur le café, le thé, les épices et le pétrole sont supprimées. Par ailleurs, le CF est autorisé à augmenter les taxes sur les alcools, jusqu'à 20 frs/quintal, dès le 1er janvier 1880. L'entrée en vigueur des augmentations sur le tabac est prévue pour le 1er juillet 1879 et le tout est assorti d'une clause d'urgence. Un parlementaire de l'époque estime, de manière probablement exagérée, que la portée financière totale de l'opération pourrait s'élever à 6 mios de frs[66]. Selon le rapporteur de la commission, Feer-Herzog, les mesures proposées faciliteront le renouvellement du traité avec la France qui demeure la priorité de la politique douanière helvétique:

> *En se bornant aujourd'hui à proposer d'imposer les tabacs et les alcools, la majorité de la commission est surtout guidée par l'opportunité de se garder les coudées franches pour le renouvellement des traités de commerce*[67].

Les augmentations prévues doivent en effet décharger les négociateurs de contingences financières et leur permettre ainsi de se concentrer sur les impératifs commerciaux.

Soutenue par le CF, la proposition de la commission reçoit un appui sans condition de certains élus bernois et saint-gallois[68]. Certes satisfaits du choix de l'objet fiscal – tabac et alcool –, les milieux libre-échangistes genevois veulent toutefois limiter l'augmentation des revenus douaniers en réalisant des économies et en effectuant une conversion de la dette. Ils concèdent les

65 *Ibidem*, p. 828.
66 *JdG*, 15 juin 1879, «PV de la séance du CN du 14 juin 1879, intervention Weck-Reynold».
67 *Ibidem*, 14 juin 1879, «PV de la séance du CN du 13 juin 1879, intervention Feer-Herzog».
68 *Ibidem*, 15 juin 1879, «PV de la séance du CN du 14 juin 1879, interventions Bucher (BE), Zyro (BE), Aepli (SG)».

augmentations sur le tabac, mais rechignent sur l'alcool. Le Bâlois Geigy-Merian propose quant à lui de consacrer un million de frs à l'amortissement de la dette. Seuls quelques libre-échangistes extrémistes, dont le Grison von Planta, refusent l'entrée en matière[69]. Représentant du commerce et de la banque, le Zurichois Johann Jakob Sulzer-Ott[70] propose de renvoyer le dossier au CF en lui demandant d'élaborer un véritable impôt sur les tabacs et les spiritueux[71]. Par l'intermédiaire de leur chef de fraction, Louis de Weck-de Reynold[72], les catholiques-conservateurs adoptent une attitude proche des libre-échangistes romands. En raison du soutien accordé au subventionnement fédéral des chemins de fer alpins, la fraction catholique se sent obligée de souscrire à une augmentation des taxes sur le tabac devant rapporter 2 à 3 mios de frs. Quant à l'imposition supplémentaire de l'alcool, qu'il évalue à 3 mios de frs, de Weck-de Reynold n'est d'accord d'y souscrire que si la somme est affectée à l'amortissement de la dette. Afin d'éviter de créer un fâcheux précédent, les catholiques-conservateurs appuient les libre-échangistes de Suisse occidentale dans leur refus d'appliquer la clause d'urgence à une mesure financière. Comme on pouvait s'y attendre, les plus farouches opposants au projet de la commission sont les milieux protectionnistes. Kaiser refuse l'entrée en matière et reproche au CF de mener une politique douanière faite d'indécision. Il estime *«que la révision partielle entravera la révision complète, qui a plus d'importance»*[73]. Bien que soute-

69 *Ibidem*, «interventions Chenevière (GE), Vogt (GE), Martin (NE), Geigy-Merian (BS), von Planta (GR)».

70 *Johann Jakob Sulzer-Ott* (1821-1897) (ZH), issu d'une vieille famille de Winterthour distincte de celle des Sulzer de l'industrie des machines, fils d'un propriétaire terrien et beau-fils d'un commerçant de Zurich, cofondateur de la «Bank in Winterthur» et membre du CA (1862-1883), cofondateur de la «Hypothekarbank Winterthur» et membre du CA (1865-1879), cofondateur du «Nordostbahn», CdE (1852-1857), Cn de pensée libérale mais démocrate d'appartenance du fait de son inimitié personnelle avec Alfred Escher (1866-1869/1879-1890), n'est pas réélu à cause de son opposition aux taxes protectionnistes agricoles; la question d'un lien familial avec Adolf Ott, auteur d'une brochure défendant le monopole du tabac (1879), n'a pas pu être éclaircie.

71 *JdG*, 15 juin 1879, «PV de la séance du CN du 14 juin 1879, intervention Sulzer».

72 *Louis de Weck-de Reynold* (1823-1880) (FR), issu d'une grande famille de propriétaires fonciers, exploite le domaine de «Bonnes-Fontaines», promoteur de la «Caisse hypothécaire» et membre du Conseil de surveillance (1854-1880), directeur de la Société de commerce «La Gruyérienne» active dans l'achat et la vente de fromage (?-1861), membre actif de la Société d'agriculture de la Suisse romande et secrétaire de la société d'agriculture cantonale, promoteur du «Lausanne-Fribourg-Berne», diverses charges dans les lignes de chemins de fer romandes, CdE chargé des finances (1861-1880), CaE (1863-1866) puis Cn catholique-conservateur (1866-1880), succède à von Segesser à la tête de la fraction, membre de la commission de révision de la constitution en 1874, principal artisan de la transaction dite du «Gothard» concernant les subventions aux chemins de fer alpestres, pressenti comme Cféd en 1878.

73 *JdG*, 14 juin 1879, «PV de la séance du CN du 13 juin 1879, intervention Kaiser».

nue par une partie de la représentation vaudoise, cette position reste marginale au cours du débat.

Pour briser les dernières réticences du bloc fédéraliste-libre-échangiste et éviter ainsi tout danger d'opposition référendaire, Feer-Herzog dépose un postulat demandant au CF d'étudier l'amortissement et la conversion de la dette[74]. Après avoir fait alliance avec les milieux protectionnistes pour obtenir des outils de négociation efficaces, Feer-Herzog fait désormais cause commune avec les libre-échangistes afin de régler les soucis financiers du CF et mettre celui-ci dans une situation optimale pour négocier le renouvellement des traités. La proposition Sulzer de renvoi au CF est repoussée par 67 voix contre 38. Les droits sur le tabac sont adoptés par 60 voix contre 42 avec une seule modification des propositions de la commission[75]. Quant à la clause d'urgence, elle est refusée par 67 voix contre 48. Les droits sur l'alcool passent de justesse avec 54 oui et 47 non. L'ensemble de l'arrêté et le postulat Feer-Herzog, légèrement transformé, sont acceptés par 49 voix contre 26.

Après le débat au CE et un retour au CN, l'application est réglée de la manière suivante: les augmentations de taxe sur le tabac et la possibilité d'augmenter celles sur l'alcool sont inclues dans une loi datée du 20 juin 1879, soumise au référendum[76]. Daté du même jour, un arrêté déclaré urgent permet au CF de mettre en vigueur tout de suite les nouvelles taxes sur le tabac, sous réserve de remboursement en cas de refus de la loi par le peuple[77]. Un postulat demandant au CF d'étudier l'introduction de drawbacks sur le tabac est aussi voté[78]. Un mouvement référendaire est bel et bien lancé contre la loi du 20 juin. Ses promoteurs ne sont pas les élites économiques du bloc fédéraliste-libre-échangiste, mais la SdG qui s'oppose à une augmentation de la fiscalité indirecte jugée socialement inacceptable. Le 3 octobre 1879, le CF constate l'échec de la récolte de signatures et met la loi du 20 juin 1879 en vigueur. Le 28 novembre 1879, il publie un

74 *«Le Conseil fédéral est invité à faire rapport, d'ici à la prochaine session de décembre sur la question de savoir dans quelle mesure et de quelle manière le produit de l'augmentation des droits sur les tabacs et alcools peut être employé pour l'amortissement de la dette fédérale. En outre, il est, d'une manière générale invité à étudier un projet de conversion et d'unification de la dette fédérale.»*; *ibidem*, 18 juin 1879, «PV de la séance du CN du 17 juin 1879»; à noter que ce postulat débouchera en 1880 sur un gigantesque emprunt de 35 mios de frs affecté à la conversion de la dette et à une subvention destinée au Gothard.

75 Les taxes adoptées figurent in RO, 1879, vol. II, 4, p. 299; cf. également une comparaison entre les anciennes et les nouvelles taxes in Schanz, 1890, vol. 1, p. 188.

76 RO, 1879, vol. II, 4, pp. 298-300.

77 *Ibidem*, pp. 179-180.

78 Le débat autour de cette question ne débouche sur aucune mesure législative.

rapport sur le mouvement référendaire qui n'a récolté que 18 695 signatures valables[79].

La révision douanière allemande, achevée le 12 juillet 1879, donne une nouvelle impulsion aux milieux économiques prônant un durcissement de la politique helvétique. Dès l'été 1879, les industriels argoviens de la branche du coton effectuent plusieurs démarches pour obtenir une réforme de leur encadrement douanier. Le 3 juin 1879, le comité du AHIV demande au CF d'entamer la seconde lecture du tarif tout en faisant un usage immédiat de l'arrêté Feer-Herzog contre les pays qui entravent l'exportation suisse[80]. Lors de l'assemblée des délégués du 26 octobre 1879, les industriels des branches de la paille et du ruban de soie se joignent au mouvement pour exiger une politique de combat. Auteur de la résolution votée à cette occasion, le Conseiller national Johann Haberstich[81] résume bien l'état d'esprit des milieux économiques argoviens:

> *Wenn andere Staaten den Krieg wollen, so müssen wir ihn aufnehmen und den Zolltarif so einrichten, dass andere Staaten zur Einsicht kommen, dass sie unsern Verhältnissen Rechnung tragen müssen*[82].

Le 15 juin 1879, les milieux économiques bernois proposent de donner force de loi au tarif voté en juin 1878. Au sein du BVHI, l'initiative de la démarche est prise par un négociant en fromage ainsi que des représentants des industries du coton et du lin[83]. Le 29 novembre 1879, une assemblée populaire est orga-

79 FF, 1879, vol. 3, pp. 914-918; les signatures proviennent, pour l'essentiel, des cantons de St-Gall (3275), Berne (2806), Lucerne (2412), Soleure (1467), Zurich (1300), Glaris (1293) et Neuchâtel (1119).

80 *Centralblatt*, Nr. 23, 1879, p. 165; le 25 mai 1879, à l'occasion de l'assemblée des délégués du AHIV, deux représentants de l'industrie du coton exigent déjà un abandon du libre-échange; il s'agit d'Emil Lang (filature) et de Roth-Meyer (tissage en couleur); Referate über Textil-Industrie..., 1879.

81 *Johann Haberstich-Holzach (-Steiner)* (1824-1891) (AG), avocat, CA de l'«Aargauische Bank» (1854-1891), accède à la présidence à la mort de Feer-Herzog (1880), membre puis président du CA du «Nordostbahn» (1873-1890), CA du «Gotthardbahn» (1880-1891), CaE libéral-centralisateur (1851-1852/1866-1867/1886-1890), Cn (1872-1881).

82 *Der Aargauer*, 29. Oktober 1879, compte rendu de l'assemblée des délégués du AHIV du 26 octobre 1879; au cours du débat douanier qui a lieu à cette occasion, seul un fabricant de tissus en couleur défend le statu quo libre-échangiste; celui-ci publie d'ailleurs une brochure pour défendre sa position; Brunner, 1880; la résolution votée est adressée le 9 novembre 1879 au CF; le texte figure in *Centralblatt*, Nr. 47, 1879, pp. 328-329.

83 *Ibidem*, Nr. 25, p. 178; il s'agit des Conseillers nationaux *Wilhelm von Graffenried-Marcuard* (1834-1909) (BE), banquier et fondateur de la filature de coton «Felsenau» à Berne et *Andreas Schmid-Miescher* (1824-1901) (BE), fabricant et commerçant d'articles en lin – cf. note 137, chapitre 5 –, ainsi qu'un certain Sommer de Langenthal, représentant probablement la grande maison d'exportation de fromage du même nom.

nisée à Wald, bastion de l'industrie cotonnière zurichoise. Dans un discours prononcé devant 300 personnes, le Conseiller national et filateur zurichois Johann Jakob Keller[84] exige une augmentation immédiate de la protection des semi-fabriqués en coton[85]. D'autres assemblées ont aussi lieu à Lenzburg, Baden et Uster afin de faire pression sur le CF. Quelques jours plus tard, c'est au tour du SSZWV d'intervenir auprès du Gouvernement. Dans sa requête, l'association des filateurs et des tisseurs motive longuement sa conversion au protectionnisme industriel[86]. Le 5 décembre 1879, une motion Haberstich munie de 36 signatures est déposée au CN pour exiger une seconde lecture du tarif de 1878. Malgré toutes les pressions subies, le CF décide de maintenir sa stratégie attentiste axée sur le renouvellement du traité avec la France[87]. Le 11 décembre 1879, il est suivi par le CN qui refuse la motion Haberstich[88].

Entre janvier 1880 et septembre 1881, date de l'ouverture des négociations avec la France, le débat douanier continue de faire rage. Le 5 février 1880, la KGZ organise un débat public sur la question. Alors que plusieurs industriels de la branche du coton en appellent à une adaptation de la politique douanière helvétique, les industriels de la soie et des machines restent fidèles au statu quo[89]. Début 1880, le débat douanier s'étend au monde agricole[90]. Tandis que la plupart des représentants de l'agriculture de montagne restent encore fidèles au libre-échange[91], certains milieux agricoles de plaine commencent à exiger une politique douanière plus interventionniste[92].

84 *Johann Jakob Keller-Rüegg (-Peter) (-Güttinger)* (1823-1903) (ZH), industriel actif dans les branches de la filature et du tissage de coton (12 500 broches en 1878), promoteur de la banque cantonale et membre de son Conseil de banque (1869-1899), membre de la société cantonale d'agriculture (dès 1892), Cn de tendance radicale-démocrate (1869-1893), parmi les principaux opposants au système Escher.

85 Compte rendu de l'assemblée in *Centralblatt*, Nrn. 48/49, 1879, pp. 335-340/347-349.

86 An den hohen schweizer. Bundesrat..., 1879; la requête est datée du 3 décembre 1879.

87 DDS, vol. 3, n° 169, pp. 348-350, «Antrag des Vorstehers des Handels- und Landwirtschaftsdepartements, N. Droz, an den Bundesrat».

88 *JdG*, 12/13 décembre 1879, «PV de la séance du CN du 11 décembre 1879»; durant le débat, la motion Haberstich est défendue par Bucher (BE), Keller (ZH), Landis (ZH) et Künzli (AG); elle est attaquée par Philippin (NE), Geigy-Merian (BS), de Weck-de Reynold (FR), Chenevière (GE), Baumann-Zürrer (ZH), von Planta (GR), Joos (SH); finalement, une proposition Bavier-Zweifel qui soutient la politique du CF, tout en prévoyant une deuxième lecture «aussitôt que les circonstances le permettront», l'emporte contre une proposition Philippin refusant une seconde lecture avant la négociation des traités (59 voix contre 49).

89 Die schweizerischen Zollverhältnisse..., 1880.

90 Sur le débat douanier au sein de l'agriculture, cf. Kupper, 1929, pp. 20-36; Widmer, 1992, pp. 571-573.

91 Von Planta, 1880; Messikommer, 1880; Rödiger, 1880; *Der Landwirth*, Nr. 40, 30. September 1880, «Landwirthschaft und Schutzzölle»; *Le Villageois*, nos 17/20, 20 septembre/20 octobre 1880, «Le système protecteur et le système du libre-échange».

92 *Zürcher Bauer*, Nr. 6, 12. März 1880, requête adressée par l'association agricole cantonale au CF; Baumgartner, 1880; Fehr, 1880/1 et 2.

Le 30 mai 1880, l'assemblée des délégués du SLV se prononce en faveur de mesures de combat et de protection. Quant aux classes moyennes industrielles, représentées dès 1879 par l'USAM, elles s'orientent vers la défense d'un protectionnisme modéré[93].

Au printemps 1881, les milieux favorables à un durcissement de la politique douanière helvétique tentent une nouvelle démarche. Le 8 avril, à Zurich, ils élaborent un programme commun en trois points: 1) reprise immédiate de la révision du tarif de 1878 – baisses sur les matières premières et les denrées alimentaires et hausse de la protection industrielle; 2) les revenus supplémentaires obtenus doivent servir à couvrir le budget, à soulager l'industrie d'exportation par l'octroi de drawbacks et à encourager l'agriculture et l'artisanat grâce à une politique de subventions; 3) le tarif autonome voté peut être négocié à la baisse si les partenaires commerciaux font des concessions suffisantes; en cas d'échec des négociations, il doit être appliqué tel quel ou même augmenté grâce à l'arrêté Feer-Herzog[94]. Les élites industrielles impliquées ne concèdent toutefois pas une protection agricole qui permettrait de gagner une partie des agriculteurs à leur cause[95]. Le mouvement échoue une fois de plus aux Chambres.

En avril 1881, Kern demande au CF de réactiver les préparatifs concernant les négociations commerciales avec la France. L'élaboration du nouveau tarif français, qui sera adopté le 7 mai 1881, entre en effet dans sa phase finale. Ruchonnet, en charge du DFCA, convoque alors la commission parlementaire chargée des traités de commerce[96]. Réunie le 25 avril 1881,

93 Le 5 septembre 1880, le comité central délibère au sujet de la politique douanière à défendre; les discours de Steinmann-Bucher (protectionniste) et Hoffmann-Merian (libre-échange) sont publiés; Zur Zollfrage..., 1881; le 6 février 1881, une assemblée générale charge le comité central d'élaborer un programme avec les directives suivantes: diminution de la taxation sur les matières premières et les denrées alimentaires et augmentation sur les produits de luxe et de l'artisanat; le 10 avril 1881, le comité central décide d'envoyer une circulaire aux sections pour consultation; le 29 mai 1881, le comité constate qu'une majorité de ses sections sont favorables à un protectionnisme modéré; Archives USAM, PV de l'assemblée des délégués et du comité central; la démarche aboutit au programme douanier de 1883.

94 Steinmann-Bucher, 1881/3; Was wir wollen..., 1881.

95 Steinmann-Bucher, 1881/1 et 2.

96 La commission des traités de commerce est composée majoritairement de membres du comité central de l'USCI qui devient la Chambre suisse du commerce en 1882: *Eduard Blumer-Jenny* (1848-1925) (GL), cf. note 321, chapitre 4; *Heinrich Rieter-Ziegler* (1814-1889) (ZH), cf. note 268, chapitre 3; *Johann Rudolf Geigy-Merian* (1830-1917) (BS), cf. note 184, chapitre 4; *Karl Emil Viktor von Gonzenbach-Touchon (-Wetter)* (1816-1886) (SG), note 271, chapitre 3; *Philipp Heitz-Knüsli* (1850-1909) (TG); cf. note 321, chapitre 4; les élites industrielles protectionnistes sont représentées par *Arnold Künzli-Nussbaum* (1832-1908) (AG), fils d'Abraham Künzli-Gugelmann – pionnier de l'industrie cotonnière dans le Murgenthal –, dès 1866 à la tête de l'entre-

celle-ci décide de relancer le processus de consultation auprès des cantons. Parallèlement à la préparation du traité avec la France, le DFCA négocie une troisième prolongation du traité de 1869 avec l'Allemagne, basé sur la clause de la nation la plus favorisée[97]. Un accord, valable pour une durée de cinq ans, est signé le 23 mai 1881 et ratifié par les Chambres[98]. Au grand dam des milieux protectionnistes, cela signifie que l'ensemble des concessions accordées à la France par voie de traité seront aussi appliquées aux importations allemandes. Du 15 au 17 août 1881, une commission d'experts élargie – 27 représentants des élites économiques libérales-radicales – est convoquée pour préparer les négociations avec la France[99]. Dès le

prise de tissage en couleur «Künzli-Gugelmann», fondateur d'entreprises de tricotage mécanique, d'articles en bois, de vannerie, fondateur et membre du CA de l'«Aargauische Kreditanstalt» (1873-1908), cofondateur de plusieurs sociétés d'électricité, membre de plusieurs CA de compagnies de chemins de fer, CdE (1868-1873), Cn de tendance radicale de gauche opposée aux libéraux Feer-Herzog et Haberstich (1864-1865/1869-1908), pousse cependant à la fusion des radicaux avec les libéraux (1894), très grande influence aux Chambres, fonctionne à plusieurs reprises en tant que délégué du CF à des négociations commerciales; les libre-échangistes romands sont représentés par *Louis Martin-Fauguel* (1838-1913) (NE), fils de Jérémie Louis Martin-Chédel – fondateur d'une maison de commerce aux Verrières –, employé (1852-1870) puis directeur (1870-1897) de l'entreprise familiale, impliqué dans plusieurs compagnies ferroviaires, CA de la «Banque cantonale neuchâteloise», membre du comité central de la SIIJ, membre du comité de plusieurs associations agricoles et du comité central de l'USP (1897-1905), président de la Société laitière de Suisse romande, Cn radical (1878-1881/1891-1913), CaE (1881-1883), libre-échangiste convaincu; *Arthur Chenevière-Munier* (1822-1908) (GE), banquier au service de la maison «Bonna et Cie», en 1868 fonde sa propre banque privée, membre du CA de la compagnie d'assurances «La Genevoise» (1872-1892), de la «Banque commerciale de Bâle» (1872-1898), de l'«Association financière de Genève» (1872-1904), de la «Banque des chemins de fer suisses» (1879-1900), de la «Société financière franco-suisse» (1888-1891), cofondateur de la «Deutsche Vereinsbank» à Frankfort, membre du comité de l'ACIG (1866-1900), CdE (1864-1871), Cn de tendance libérale-conservatrice (1878-1884), opposé au régime radical de Fazy, porte-parole des conservateurs dans toutes les questions financières, entretient des liens étroits avec le Cféd Numa Droz.

97 DDS, vol. 3, n° 192, pp. 393-396; les négociateurs délégués par le CF sont le Ministre Roth ainsi que von Gonzenbach (SG), Blumer (GL) et Geigy-Merian (BS).

98 FF, 1881, vol. 3, pp. 339-348, «MCF au sujet d'un traité de commerce et d'une convention pour la protection de la propriété littéraire et artistique avec l'Allemagne (9 juin 1881)»; RO, 1880-1881, vol. II, 5, pp. 425-445.

99 *Section 1: industries textiles;* groupe 1: machines et coton: Heinrich Rieter-Ziegler (ZH) (filature/machines), président, Johann Heinrich Bühler-Honegger (ZH) (tissage/machines), Eduard Blumer-Jenny (GL) (impression), Kaspar Jenny (GL) (filature), Karl Emil Viktor von Gonzenbach-Touchon (-Wetter) (SG) (broderie), Hermann Wartmann-Hochreutiner (SG) (broderie), Philipp Heitz-Knüsli (TG) (tissage), Jakob Steiger-Meyer (AR) (broderie/tissage en fin); groupe 2: autres textiles: Alfons Koechlin-Geigy (BS) (bourre de soie), Sarasin-Stehlin (BS) (rubans de soie), Arnold Rütschi (ZH) (étoffes en soie), Isler-Cabezas (AG) (articles en paille), Andreas Schmid-Miescher (BE) (lin);

1er septembre 1881, les tractations sont menées par Johann Conrad Kern et Charles Lardy, conseiller à la légation suisse de Paris. Comme en 1864, le CF nomme une série de commissaires chargés d'apporter une assistance technique aux négociateurs, mais aussi de légitimer les options du Gouvernement auprès du patronat de leur branche[100]. Malgré l'opposition des autorités françaises, ces experts interviendront tout au long des négociations, longues et pénibles[101].

Alors que les négociateurs suisses pensaient être bien armés pour négocier, ils doivent vite déchanter. En arguant, à juste raison, que le tarif général suisse n'a pas force de loi, les négociateurs français refusent de prendre le tarif de 1878 comme base de négociation. Lors de la séance du 2 novembre 1881, le Ministre du commerce Tirard déclare:

> *Plus je réfléchis, plus je me demande si nous avons des avantages quelconques à traiter avec la Suisse sur cette base. Nous vous aidons indirectement à faire voter votre loi sur les péages sous forme de tarif annexé au traité franco-suisse [...] une convention provisoire sur la base du traitement de la nation la plus favorisée, jusqu'au vote définitif du tarif général suisse, semblerait très naturelle dans ces condi-*

Section 2: horlogerie, bijouterie, boîtes à musique et instruments de précision: Dr. Hirsch (NE), président, Hippolyte Etienne (NE) (horlogerie), Philippe Weiss (GE) (horlogerie-bijouterie), Laurent Karcher (GE) (horlogerie-bijouterie), Auguste Jaccard (VD) (boîtes à musique), Ernest Francillon-Grosjean (BE) (horlogerie); *Section 3: autres industries et agriculture*: Johann Rudolf Geigy-Merian (BS) (chimie), Ernest Mercier (VD) (tannerie), Walter Hauser (ZH) (tannerie), Miller (SO) (papier), Daniel Flückiger-Steiner (BE) (agriculture), colonel Imer (BE) (agriculture); *Administration:* Kumer (directeur du Bureau fédéral de statistique), Meyer (directeur des péages fédéraux); les cantons représentés sont donc Berne (4), Zurich (4), Bâle (3), St-Gall (2), Glaris (2), Neuchâtel (2), Genève (2), Vaud (2), Appenzell (1), Thurgovie (1), Argovie (1) et Soleure (1); FF, 1882, vol. 1, pp. 507-508.

100 *Coton et machines* (9 représentants)*:* Hans Wunderli-von Muralt (ZH) (filature), Heinrich Rieter-Fenner (ZH) (filature), Johann Heinrich Bühler-Honegger (ZH) (tissage), Spörri-Stadtmann (ZH) (tissage), Eduard Blumer-Jenny (GL) (impression), Fritz Rieter-Bodmer (ZH) (teinturerie/impression), Karl Emil Viktor von Gonzenbach-Touchon (-Wetter) (SG) (broderie/tissage en couleur), Jakob Steiger-Meyer (AR) (broderie/tissage en fin), Jakob Heinrich Sulzer-Steiner (ZH) (machines); *autres textiles* (2 représentants)*:* Robert Schwarzenbach-Zeuner (ZH) (soieries), Johann Rudolf Geigy-Merian (BS) (rubans de soie/articles en paille/chimie); *horlogerie* (4 représentants)*:* Arnold Grosjean-Christen (NE) (commerce d'horlogerie), Hippolyte Etienne (NE) (horlogerie), Philippe Weiss (GE) (horlogerie-bijouterie), Ernest Francillon-Grosjean (BE) (horlogerie); *autres industries et agriculture* (3 représentants)*:* Heinrich Fehr (BE) (commerce de fromage/cuir/papier), François Demôle (GE) (élevage de bétail), Schatzmann (VD) (produits laitiers); l'industrie du coton et le canton de Zurich sont les mieux représentés.

101 Le PV des négociations a été publié; Ministère des affaires étrangères..., 1882; plusieurs échanges de lettres entre les négociateurs et le CF figurent in DDS, vol. 3, pp. 409-446; cf. également Gern, 1992, pp. 97-104; Schoop, 1976, pp. 622-633.

> *tions. Il me semblerait difficile de me présenter devant le Parlement avec un tarif aggravé à l'entrée en Suisse, alors qu'aucune loi fédérale ne consacre ces aggravations vis-à-vis des Etats qui n'ont pas traité avec Vous*[102].

Face à cette attitude, Kern demande au CF de faire usage de l'arrêté Feer-Herzog pour mettre en vigueur tout ou partie du tarif de 1878 à l'égard des pays ne possédant pas de traités avec la Suisse:

> *Le Conseil fédéral, en agissant de la sorte, demanderait la ratification de l'Assemblée fédérale par un arrêté qui serait déclaré urgent, puisqu'il y a réellement urgence vis-à-vis de la France si on veut éviter l'application du tarif général français. – De cette manière, le tarif de 1878 serait consolidé et placé sur une base indiscutable par les Etats étrangers. – On couperait court à d'interminables discussions intérieures; on assurerait le succès de négociations gravement mises en question. La discussion et l'adoption d'une loi définitive seront réservées à une époque plus opportune. – Il va sans dire que l'application du nouvel arrêté fédéral serait restreinte aux Etats avec lesquels la Suisse n'a pas de traité, et aux Etats qui, à l'expiration des traités actuels, n'en auraient pas signé de nouveaux avec la Confédération*[103].

L'objectif poursuivi par Kern est donc d'introduire une taxation différentielle qui motiverait les Français à négocier sur des bases plus favorables à l'exportation suisse.

Emmené par Droz (DFP) et Ruchonnet (DFCA), qui sont des libre-échangistes convaincus, le CF refuse les propositions de Kern. En partie guidé par la crainte d'un refus des Chambres d'éluder le référendum, le Gouvernement s'obstine dans la stratégie définie en 1878[104]. Après avoir tenté, sans succès, de convaincre les négociateurs français du bien-fondé de la position suisse, le CF envoie Ruchonnet à Paris. L'événement est de taille, puisque le déplacement d'un Conseiller fédéral en mission commerciale à l'étranger constitue une première dans l'histoire de la Confédération. Les 7 et 8 décembre 1881, Ruchonnet rencontre Gambetta (affaires étrangères) et Rouvier (commerce) afin de leur exposer le point de vue fiscaliste du CF:

> *Nous repoussons toute arrière pensée protectionniste. Notre tarif a été et doit demeurer fiscal [...] Nous sommes obligés – et c'est là une condition de l'existence même et du développement de la Confédération suisse – de nous procurer par les douanes un supplément de recettes évalué à trois millions et demi et par les pessimistes à cinq millions. Nous avons reçu des chambres, par le tarif de 1878, une direction, pour les*

102 DDS, vol. 3, n° 201, note 2 p. 411, «Der schweizerische Gesandte in Paris, J. K. Kern, an den Bundespräsidenten und Vorsteher des Politischen Departements, N. Droz, Paris, 3 novembre 1881».

103 *Ibidem*, pp. 412-413.

104 *Ibidem*, n° 202, pp. 413-415, «Der Bundesrat an den schweizerischen Gesandten in Paris, J. K. Kern, Berne, 15 novembre 1881».

négociations avec les Etats étrangers, et nous ne pouvons pas renoncer à une base qui nous a été indiquée par le pouvoir législatif[105].

Ruchonnet insiste sur le fait qu'une deuxième lecture du tarif suisse ne pourrait que nuire aux intérêts français:

A diverses reprises depuis trois ans, ce vote définitif a été demandé; en Suisse comme ailleurs, il y a des protectionnistes nombreux et puissants. Si le tarif avait été définitif, s'il avait reçu la sanction plébiscitaire, il eût été infiniment plus difficile de faire des concessions aux Etats étrangers; le parti du libre-échange l'a compris et c'est pour cela qu'au mois de juin, encore, il a réussi à obtenir l'ajournement du vote en deuxième lecture. La France et les autres Etats contractants ne peuvent donc que se féliciter de la situation actuelle. Si les négociations devaient échouer, on pourrait craindre un développement considérable de l'esprit protectionniste et, une fois le nouveau tarif voté, une difficulté extrême de reprendre les négociations[106].

La mission de Ruchonnet se solde toutefois par un échec retentissant qui est fustigé par la presse. En réaction à la campagne de dénigrement dont il est l'objet, le Vaudois refuse de se rendre une seconde fois à Paris.

Retrouvant le DFCA au début de l'année 1882, après une année passée à la tête du DFP, Numa Droz porte un jugement très pessimiste sur l'évolution des négociations:

C'est à mon corps défendant et à regret que je remplacerai M. Ruchonnet. Il n'y a rien de bien agréable dans la perspective d'aller négocier un traité qui n'aboutira certainement pas si la France ne donne pas satisfaction à nos demandes [...] Nous sommes arrivés à l'extrême limite des concessions possibles. Ou bien cela, ou bien rupture. Espérons encore que la France entendra raison[107].

Dès le 2 janvier 1882, Droz se rend à Paris pour prendre la tête de la délégation suisse chargée des négociations. Dans une lettre adressée le 18 au CF, le Neuchâtelois relève la difficulté de résoudre la contradiction entre d'une part, les objectifs financiers et protectionnistes du tarif et d'autre part, la nécessité de faire des concessions afin d'ouvrir le marché français à l'exportation suisse:

Nous le répétons, c'est au Conseil fédéral à faire maintenant pencher la balance du côté qui doit l'emporter[108].

Le 26 janvier 1882, un changement de ministère retarde encore la conclusion du traité. Droz en profite pour venir consulter le CF et les milieux écono-

105 *Ibidem*, n° 204 annexe 3, pp. 423-424, «Entretien avec M. Gambetta, Paris, 7 décembre 1881».
106 *Ibidem*.
107 *Ibidem*, n° 205, p. 428, «Der Bundespräsident und Vorsteher des Politischen Departements, N. Droz, an den schweizerischen Gesandten in Paris, J. K. Kern, Berne, 21 décembre 1881».
108 *Ibidem*, n° 209, p. 434, «Die schweizerische Handelsvertragsdelegation an den Bundesrat, Paris, 18 janvier 1882».

miques suisses. Lors d'une réunion de la commission parlementaire pour les traités de commerce, les représentants de l'industrie d'exportation déclarent préférer un traité décevant que l'application du tarif général français[109]. Ils demandent instamment au CF de sacrifier les objectifs fiscaux et protectionnistes du tarif pour promouvoir l'exportation. Fort de nouvelles instructions du CF, Droz retourne à Paris, où une mauvaise surprise l'attend. Menées en parallèle, les négociations franco-anglaises sont sur le point d'être rompues définitivement. Cet échec est susceptible de pousser la France à adopter un régime douanier autonome comparable à celui de l'Allemagne. Pressée par le temps, la délégation helvétique réalise rapidement un dernier marchandage pour éviter une telle catastrophe. Le 23 février 1882, le nouveau traité franco-suisse est signé. Son bilan est plus que mitigé[110].

A l'exportation, quelques machines et le lait condensé seront moins imposés et le statu quo est obtenu pour le fromage, les étoffes et les rubans de soie pure ainsi que la plupart des filés en coton. Bien que revues à la hausse, les taxes sur les cotonnades, les broderies et l'horlogerie sont jugées supportables par les représentants de ces industries. Même si elles ne sont pas satisfaites, les élites industrielles et commerçantes apportent donc leur soutien au traité. Le 5 avril 1882, une assemblée extraordinaire des délégués de l'USCI plébiscite l'accord: quatorze sections l'approuvent, une le refuse (AHIV) et une s'abstient en raison de divergences internes (BVHI)[111]. Commanditée par la KGZ et la ZSIG, une brochure de soutien au traité est publiée par Conrad Cramer-Frey[112]. Toutefois, certaines élites industrielles critiquent un accord qui remet en question leur exportation vers la France. Les produits les plus touchés sont les tissus en coton écrus fins, les tissus en coton de couleur, les rideaux brodés, les broderies grossières et les montres de dames[113]. Malgré un

109 *Ibidem*, n° 210, pp. 436-438, «Protokoll der Sitzung der Handelsvertragskommission, Bern, 31. Januar 1882»; à la suite des élections fédérales de 1881, la commission est élargie: aux anciens membres – Geigy-Merian, Künzli, Heitz, Chenevière, von Gonzenbach, Blumer, Rieter, Martin – se joignent Bühler-Honegger, Francillon et Hauser, membres de la commission d'experts consultée lors de la préparation du traité avec la France.

110 Une analyse détaillée des résultats se trouve in FF, 1882, vol. 1, pp. 503-556, «MCF sur le traité de commerce conclu avec la France le 23 février 1882 (21 mars 1882)»; cf. également Gern, 1992, pp. 102-104; un tableau compare les taxes de 1864 et 1882 imposées aux principales exportations helvétiques; le texte et les tarifs du traité figurent in RO, 1882, vol. II, 6, pp. 295-355.

111 Archives USCI, PV de l'assemblée extraordinaire des délégués de l'USCI tenue le 5 avril 1882 à Berne; Droz, Lardy et Willi assistent à cette assemblée entièrement consacrée au traité de commerce avec la France.

112 Cramer-Frey, 1882; le 23 mars 1882, une assemblée générale de la KGZ prend position en faveur du traité; Richard, 1924, pp. 566-571.

113 Une liste complète des industries se plaignant de l'accord avec la France figure in FF, 1883, vol. 4, p. 166, «MCF sur l'enquête industrielle (20 novembre 1883)»; une liste

frein mis à l'exportation de bétail, le SLV et la GSL défendent le traité en raison du statu quo obtenu pour le fromage.

A l'importation en Suisse, le traité conventionnel ne lie que 260 des 600 positions du nouveau tarif helvétique. Les 340 positions restantes sont de ce fait susceptibles d'être augmentées pour servir à remplir les caisses fédérales, exercer une pression commerciale lors de futures négociations ou renforcer la protection du marché intérieur. Une marge de manœuvre importante est notamment conservée pour satisfaire le besoin de protection de plusieurs branches de production – coton, fer, verre, poterie, ciment, bière, farine, bétail, etc. Eu égard aux intérêts des exportateurs français, 260 positions doivent toutefois être liées, la plupart au niveau du tarif conventionnel de 1864. Pour les industries du lin et du savon, entre autres, le traité supprime tout espoir d'amélioration des conditions douanières pour une durée de 10 ans. Une vingtaine de positions sont toutefois liées à un niveau supérieur de celui de 1864. Sur les vins, la Suisse n'obtient qu'un relèvement minime de la taxe (3 frs à 3.50 frs) qui ne contente pas les intérêts viticoles. Quant aux industries de la laine, de la confection et du cuir, béliers du mouvement protectionniste, elles n'obtiennent que des concessions jugées insatisfaisantes. Les 17 et 26 mars 1882, des assemblées réunissant les principaux opposants au traité ont lieu à Zurich et Olten[114]. Accompagnée d'une pétition de 14 000 signatures, une requête rédigée par Steinmann-Bucher est adressée aux Chambres pour exiger une renégociation du traité sur la base d'un nouveau tarif helvétique[115]. Le 10 avril 1882, une assemblée extraordinaire des délégués de l'USAM décide de se joindre au mouvement d'opposition[116]. Via la clause de la nation la plus favorisée accordée au Reich, le traité avec la France ouvre les portes du marché suisse à la redoutable concurrence allemande.

des requêtes envoyées aux Chambres se trouve in FF, 1882, vol. 3, pp. 526-533; la commission du commerce et de l'industrie du canton d'Appenzell Rhodes-Extérieures (broderies grossières) et l'association des fabricants d'horlogerie de Bienne (montres bon marché et fournitures d'horlogerie) prennent notamment position contre le traité; les industries du coton insatisfaites renoncent en général à faire de l'opposition, car elles espèrent obtenir une amélioration de leur protection lors de la future révision du tarif.

114 A noter la présence des voyageurs de commerce; le traité conclu avec la France règle en effet la question des taxes devant être payées par les voyageurs français en Suisse; à l'image de ce qui s'était passé en 1864 avec l'établissement des juifs français, la Confédération s'arroge le droit de réglementer par voie de traité un domaine de compétence réservé aux cantons; d'un point de vue constitutionnel, cette manière de procéder est hautement discutable, d'autant plus que les voyageurs helvétiques sont soumis de la sorte à un traitement différentiel qui diminue leur compétitivité; le problème de la constitutionnalité de cette clause du traité est largement discuté lors du débat aux Chambres.

115 Schweizerisch-französischer Handelsvertrag..., 1882; cf. également Was verlieren wir..., 1882.

116 Archives USAM, PV de l'assemblée des délégués, 10 avril 1882.

Aux Chambres, l'opposition au traité ne parvient pas à s'imposer[117]. Au sein de la commission du CN, un bloc constitué des élites exportatrices et des milieux libre-échangistes du commerce et de l'agriculture l'emporte par 10 voix contre 4[118]. Il en est de même lors du débat au CN, qui dure du 18 au 24 avril 1882[119]. Une proposition Künzli de réduire la validité de l'accord de 10 à 5 ans est balayée par 92 voix contre 29. Le traité est finalement ratifié par 104 voix contre 20. L'acceptation est encore plus massive au CE (37 voix contre 2). La défaite de l'opposition n'est toutefois pas totale. Voté le 28 avril 1882, un arrêté fédéral demande au CF d'engager la révision définitive du tarif douanier helvétique et d'étudier un soutien aux arts et métiers:

> *Le conseil fédéral est invité à faire une enquête sur l'état des industries qui se plaignent des traités de commerce et à examiner dans quelle mesure il est possible de contribuer au relèvement de ces industries, soit par le remaniement du tarif, soit par le subventionnement d'écoles professionnelles d'art et de métiers, soit par tout autre moyen*[120].

Trois objets économiques intimement liés sont désormais à l'étude. Après l'enquête agricole lancée en 1881, une enquête industrielle démarre et la préparation d'un tarif définitif est engagée. Il n'est dès lors pas étonnant de constater une intense activité d'organisation au sein des milieux économiques durant les années 1882 et 1883[121].

Le 12 mai 1882, le CF décide d'appliquer un nouveau tarif d'usage avec effet immédiat[122]. Véritable patchwork, ce tarif est le résultat des improvisations douanières de la période 1878-1882. La plupart des taxes demeu-

117 Sur le débat aux Chambres et dans l'opinion publique, cf. Gern, 1992, pp. 104-113; Schoop, 1976, pp. 634-637; Signer, 1914, pp. 69-71; Schmidt, 1914, pp. 114-119.

118 FF, 1882, vol. 2, pp. 133-210, «Rapports de la commission du CN au sujet des traités conclus le 23 février avec la France (6/14 avril 1882)»; la minorité est composée de Kaiser (SO) (laine/fer), rapporteur, Keller (ZH) (filature/tissage du coton), Künzli (AG) (tricotage/tissage en couleur) et Schmid (BE) (lin), alors que les membres de la majorité sont Philippin (NE), rapporteur, Baumann-Zürrer (ZH) (soie), Beck-Leu (LU) (agriculture), Geigy-Merian (BS) (chimie/rubans), von Gonzenbach (SG) (broderie), Hermann-Etlin (OW) (commerce de fromage), Hofstetter-Kern (AR) (filage/tissage fin du coton), Kuhn-Barbier (BE) (commerce/banque), Mayor-Vautier (VD) (industrie alimentaire/tourisme), Vautier (GE) (métallurgie), Zweifel-Milt (GL) (tissage du coton).

119 *JdG*, 19-25 avril 1882, «PV des séances du CN des 18/19/20/22/24 avril 1882».

120 RO, 1882, vol. II, 6, p. 164.

121 Des associations sont notamment créées au sein de l'agriculture (FSASR: 1882; GSL: 1882), dans les branches d'industrie de la chimie (SGCI: 1882), de la laine (VSW: 1882), du lin (VSL: 1882) et des machines (VSM: 1883) ainsi que dans l'hôtellerie (SSH: 1882); 1882 marque aussi la réorganisation de l'USCI, cf. chapitre 4.2.4.

122 RO, 1882, vol. II, 6, pp. 166-173; FF, 1882, vol. 3, pp. 55-67, «MCF concernant des modifications au tarif de péages, résultant du nouveau traité de commerce avec la France (5 juin 1882)».

rent inchangées au niveau de l'ancien tarif d'usage issu du traité de 1864. Elles ont en effet été confirmées et liées par le traité de 1882. Concernant les taxes libérées par le traité de 1882, le CF décide d'en laisser une quinzaine inchangées au niveau de 1864. Pour les autres, ce sont les taxes plus élevées du tarif général de 1851 qui sont désormais appliquées. Quant aux positions liées par le traité de 1882 à un niveau plus élevé que celui de 1864, le CF décide de les appliquer aussi, y compris celles qui dépassent les bases légales du tarif de 1851. En effet, négociées sur la base du tarif de 1878, certaines taxes du tarif conventionnel – vin, articles en laine, en cuir et en fer – excèdent le niveau du tarif général légal. L'arrêté du CF signifie donc la mise en vigueur partielle du tarif de 1878, alors que ce dernier n'a reçu de sanction ni des Chambres, ni du peuple. Enfin, le CF profite de l'occasion pour mettre en vigueur les augmentations de taxes sur les alcools votées en 1879 par les Chambres.

Prise indépendamment de la future révision exigée par les Chambres, cette mesure a une portée financière importante. Le CF évalue l'augmentation des revenus à 1,4 mios de frs. Pour légitimer une démarche quelque peu cavalière, le Gouvernement évoque l'article 34 de la loi sur le tarif douanier de 1851. Celui-ci permet au CF, dans des circonstances extraordinaires, qui ne sont pas évidentes en l'occurrence, de prendre des mesures douanières d'urgence sous réserve de ratification des Chambres. Dans un contexte politique où toute tentative d'accroître les revenus de la Confédération risque d'échouer en votation populaire, la procédure utilisée par le CF est pour le moins habile. Alors qu'une modification de la loi sur le tarif douanier ne peut pas être soustraite au référendum, un arrêté donnant décharge au CF pour des mesures extraordinaires peut être assorti de la clause d'urgence. Le 24 juin 1882, une majorité de la commission des douanes suit le CF, mais exige que le tarif en question soit remplacé dans les plus brefs délais par un tarif définitif[123]. Au grand dam du bloc fédéraliste-libre-échangiste, la commission propose d'utiliser la clause d'urgence. Débattu le 27 juin 1882 au CN, l'arrêté est voté par 58 voix contre 18[124]. Le 30 juin au CE, la clause d'urgence n'est acceptée que grâce à la voix décisive du président (15/14)[125]. L'application du tarif d'usage provisoire de 1882 permet d'augmenter les revenus douaniers d'environ 10%[126].

123 AF, E 11, vol. 15, «dossier ayant trait à l'arrêté du CF du 12 mai 1882».

124 *JdG*, 28 juin 1882, «PV de la séance du CN du 27 juin 1882».

125 *Ibidem*, 1er juillet 1882, «PV de la séance du CE du 30 juin 1882».

126 Durant les années 1879-1881, les revenus moyens sont d'environ 17 mios de frs; ils passent à 18,5 mios en 1882 et à 20 mios en 1883 (+18%); une partie de l'accroissement des revenus est toutefois occasionnée par une augmentation du volume des importations, dont l'indice passe dans le même temps de 40 à 43 (+8%); SHS, 1996, pp. 665/947.

5.1.3. A la recherche d'un consensus douanier: tarif de 1884 et politique de subventions (1882-1884)

Le demi-échec subi lors des négociations du traité de 1882 avec la France met crûment en évidence les faiblesses de la politique commerciale de la Confédération. Pour de nombreux représentants des élites industrielles et commerçantes, il agit comme un électrochoc qui les convainc de la nécessité d'une adaptation de la politique douanière suisse au nouveau contexte international. Section Vorort de l'USCI, la KGZ révise sa stratégie douanière dans la perspective de la révision définitive du tarif. Une commission d'experts rassemblant des représentants des diverses branches d'industrie zurichoises élabore un compromis axé sur une politique de combat[127]. Afin de cimenter ce premier consensus, Conrad Cramer-Frey, alors président de la KGZ et de l'USCI, cherche à régler les différends douaniers à l'intérieur de l'industrie du coton. En septembre 1882, il obtient que le DFFD organise une conférence réunissant les producteurs de semi-fabriqués en coton – filature et tissage – et les consommateurs qui s'opposent à leur protection – impression, teinturerie, broderie et tissage d'étoffes mi-soie[128]. En octobre 1882, la KGZ adresse une requête demandant au CF d'adopter une véritable politique de combat[129]. Signe révélateur de l'évolution des élites écono-

127 La commission est composée de Hans Wunderli-von Muralt (filature de coton), Fritz Rieter-Bodmer (impression/teinturerie sur coton), Gustave Naville (machines), August Bertuch (soie) et Emil Frey (secrétaire de la KGZ); le renversement de majorité au sein de la KGZ est probablement dû à un changement d'attitude de l'industrie des machines; afin de lutter contre les revendications protectionnistes de la métallurgie, le patronat défendait jusqu'alors une politique libre-échangiste; mais l'expansion sur les marchés extérieurs étant de plus en plus entravée, le patronat se convertit à une politique de combat, puis à une politique de protection du marché intérieur qui gagne en importance au tournant du siècle; Zimmermann, 1980, pp. 109-113; Richard, 1924, pp. 575 et ss.

128 AF, E 11, vol. 15; la liste des industriels invités est la suivante: *coton:* Bertheau-Hürlimann, Wunderli-von Muralt, Widmer-Heusser (filature), Rieter-Fenner (retordage), Bühler (tissage mécanique grossier), Spörri-Schindler, Wild (tissage mécanique fin), Weber (blanchiment/apprêtage), Rothpletz (teinturerie), Blumer, Tschudy, Schlissler (impression); *broderie:* von Gonzenbach, Steiger-Meyer, Kirchhofer-Gruber; *soie:* Beder (retordage), Schwarzenbach-Zeuner, Bertuch (tissage d'étoffes); bien que la conférence parvienne à un consensus sur la taxation des fils et tissus en coton, celui-ci est loin de faire l'unanimité; tout au long du processus de révision du tarif, les taxes sur les semi-fabriqués en coton sont en effet l'objet d'une lutte acharnée; le SSZWV exerce notamment une forte pression sur les autorités en multipliant les requêtes; An den hohen Bundesrath..., 1882; An das hohe Handels- und landwirthschaftliche Departement..., 1882; Entgegnung des schweizerischen Spinner- und Webervereines..., 1883; le rapport annuel de l'association publié en 1884 mentionne l'organisation d'assemblées populaires et l'envoi d'une pétition de 20 000 signatures; il agite la menace d'un référendum dans la perspective du débat douanier qui aura lieu la même année aux Chambres.

129 Die Revision des schweizerischen Zolltarifs..., 1882.

miques zurichoises, la *NZZ* abandonne le libre-échange doctrinaire pour défendre le concept de la KGZ.

Une réorientation douanière est aussi portée par le renforcement des exigences protectionnistes des arts et métiers et de l'agriculture. Dans le cadre de l'enquête industrielle lancée par le DFCA, l'USAM élabore un programme douanier demandant une protection modérée du marché intérieur[130]. L'association faîtière estime en effet qu'une intervention de la Confédération dans le but d'améliorer l'enseignement professionnel est nécessaire, mais pas suffisante. Dans un discours prononcé en juin 1883 devant le CN, Cramer-Frey soutient une protection modérée des classes moyennes industrielles[131]. Quant à l'agriculture, ses exigences concernant une intervention de l'Etat se précisent aussi. Certes, la GSL se contente encore de revendiquer l'amélioration des conditions-cadre de production par le biais de subventions de la Confédération ainsi que la diminution de l'imposition des matières premières agricoles[132]. Mais les premières exigences protectionnistes sont adressées au CF, en particulier par le SLV qui revendique la hausse des taxes sur le fromage, le beurre, le bétail, le vin, la bière et les spiritueux[133].

En 1883, de nouveaux déboires de la diplomatie commerciale helvétique apportent de l'eau au moulin des milieux interventionnistes. Signés les 14 et 22 mars 1883, les traités de commerce avec l'Espagne et l'Italie sont loin de satisfaire les espoirs des élites exportatrices[134]. Le traité conclu avec l'Italie

130 La première partie du rapport de l'USAM est consacrée à l'élaboration du nouveau tarif douanier; Gewerbliche Enquête, I. Theil betreffend Umarbeitung des Zolltarifes..., 1883.

131 Cramer-Frey, 1883.

132 Schramm, 1882; Gutachten betreffend Förderung der Landwirthschaft..., 1883.

133 AF, E 11, vol. 15, document imprimé résumant les requêtes adressées au DFFD jusqu'en septembre 1882; une protection sur le bétail est demandée par le SLV, les sociétés cantonales des cantons de Vaud et Thurgovie et le Conseil d'Etat argovien; une protection sur les produits laitiers est exigée par le SLV, la société du canton de Thurgovie ainsi que le Conseil d'Etat d'Appenzell Rhodes-Intérieures; une protection de 2 frs sur le blé est proposée par la société agricole du canton de Vaud; une protection sur la farine est demandée par les meuniers, la bourse des blés de Zurich et la société agricole du canton de Vaud; une protection sur le vin est revendiquée par le SLV, la société cantonale de Thurgovie et divers Gouvernements cantonaux; enfin, une protection des spiritueux favorisant l'écoulement des fruits est défendue par le SLV, les sociétés agricoles de Soleure, Berne, Argovie et Lucerne ainsi que les Gouvernements de Lucerne et Berne; le 12 mars 1883, le CdE schaffhousois Hallauer, président de l'association agricole du canton, envoie une requête à la commission des douanes du CE; il y développe un véritable concept d'intervention de la Confédération en matière agricole incluant des mesures de protection douanière.

134 Concernant le traité avec l'Espagne, RO, 1883-1884, vol. II, 7, pp. 203-226; FF, 1883, vol. 2, pp. 109-119, «MCF concernant le traité de commerce conclu le 14 mars 1883 avec l'Espagne (9 avril 1883)»; concernant le traité avec l'Italie, RO, 1883-1884, vol. II,

ne permet pas d'obtenir des concessions en faveur des produits cotonniers suisses fortement taxés par le nouveau tarif général italien. Cet important débouché est ainsi compromis et même perdu pour certains produits. Le traité est toutefois défendu par les fabricants de machines, de soieries et d'horlogerie ainsi que par les élites agricoles qui obtiennent des concessions significatives sur le fromage et le bétail. Le 21 décembre 1883, l'accord est de ce fait ratifié par les Chambres.

La révision définitive du tarif douanier se révèle être un véritable casse-tête chinois sur le plan politique. La constitution d'une majorité est compliquée à souhait par l'émiettement des intérêts douaniers des différents acteurs socio-économiques – fiscalisme, politique de rétorsion, politique de combat, protectionnisme. Par ailleurs, les différents lieux de pouvoir du champ douanier – CF, commissions douanières, CN et CE – divergent sur la stratégie à adopter. Enfin, pour couronner le tout, un consensus élaboré au sein des Chambres risque encore de capoter devant le peuple. Malgré sa victoire électorale lors des élections de 1881, la majorité radicale-démocrate ne parvient pas à gouverner de manière efficace. Entre 1882 et 1884, les succès référendaires de l'opposition conservatrice sont de plus en plus probants. Une lourde hypothèque pèserait donc sur un tarif douanier ne recevant pas l'aval de la minorité catholique-conservatrice.

Moteur de la révision douanière, le CF est favorable au statu quo fiscaliste[135]. Le traité de commerce avec la France étant renouvelé pour une durée de dix ans, le nouveau tarif doit avant tout permettre de couvrir les besoins financiers de la Confédération tout en modifiant la répartition de la charge douanière. Publié le 3 novembre 1882, le message du CF propose de renoncer à une imposition différentielle de l'importation étrangère qui renforcerait la position commerciale de la Suisse, mais nécessiterait un important développement de l'administration douanière[136]. Dans une optique libre-

7, pp. 349-381; FF, 1883, vol. 2, pp. 163-205, «MCF concernant le traité de commerce conclu avec l'Italie le 22 mars 1883 (16 avril 1883)»; FF, 1883, vol. 4, pp. 834-843, «MCF concernant le traité de commerce conclu avec l'Italie (6 décembre 1883)».

135 Après l'échec du putsch radical-démocrate de 1881, qui tente d'évincer trois libéraux au profit de radicaux, une majorité libérale (Welti, Hammer, Hertenstein, Bavier) domine les représentants du radicalisme (Droz, Schenk, Ruchonnet); en politique économique, la prépondérance libérale perdure jusqu'en 1883 (remplacement Bavier/Deucher), voire jusqu'en 1888 (Hertenstein/Hauser), ou même jusqu'en 1890 (Hammer/Frei), si l'on considère que Droz et Schenk défendent des positions libérales dans ce domaine; en politique douanière, le CF est en majorité libre-échangiste; s'il est sûr que Droz (NE), Ruchonnet (VD) et Bavier (GR) défendent un libre-échange doctrinaire, Schenk (BE), Hertenstein (ZH), Hammer (SO) et Welti (AG) sont probablement plus ouverts à une politique douanière interventionniste.

136 FF, 1882, vol. 4, pp. 363-494, «MCF concernant un nouveau tarif des péages fédéraux (3 novembre 1882)».

échangiste, le Gouvernement est d'avis que les positions du tarif encore libres doivent être revues à la baisse pour être harmonisées avec les positions liées par le traité franco-suisse. La charge sur les matières premières est notamment allégée. Le nombre de positions est diminué et la taxe maximale passe de 100 frs/quintal dans le tarif de 1878 à 50 frs dans le nouveau projet. Fixées à 19 mios de frs, les recettes douanières n'excèdent que de 0,7 mios les dépenses budgétisées pour 1883. De minces réserves de négociation sont introduites dans un nombre très restreint de positions afin de faciliter la conclusion de nouveaux traités de commerce. Enfin, l'article 6 du texte donne au CF la possibilité de prendre des mesures de rétorsion lors de situations exceptionnelles. Devant les Chambres, Droz et Hammer estiment que la voie poursuivie par le CF est la seule capable de désarmer une opposition référendaire.

Les options stratégiques du CF ne sont toutefois pas adoptées par la commission douanière du CN[137] qui publie son rapport le 10 mars 1883[138]. En

137 Composition de la commission douanière du CN: *Simon Kaiser-Mathys* (1828-1898) (SO), rapporteur, cf. note 46, chapitre 4; *Johann-Kaspar Baumann-Zürrer* (1830-1896) (ZH), cf. note 168, chapitre 4; *Franz Xaver Beck-Leu* (1827-1894) (LU), cf. note 458, chapitre 4; *Johann Rudolf Geigy-Merian* (1830-1917) (BS), cf. note 184, chapitre 4; *Karl Emil Viktor von Gonzenbach-Touchon (-Wetter)* (1816-1886) (SG), cf. note 271, chapitre 3; *Johann Jakob Keller-Rüegg (-Peter, -Güttinger)* (1823-1903) (ZH), cf. note 84, chapitre 5; *Arnold Künzli-Nussbaum* (1832-1908) (AG), cf. note 96, chapitre 5; *Moïse Vautier-Sauvan* (1831-1899) (GE), cf. note 282, chapitre 3; *Arnold Grosjean-Christen* (1834-1898) (NE), fondateur de la maison de commerce d'horlogerie «Grosjean et Cie» qui a des succursales à Bruxelles, Stockholm, Berlin, etc., CA de plusieurs compagnies de chemins de fer, Conseil de direction de la «Caisse d'épargne de Neuchâtel» qu'il préside de 1896 à 1898, cofondateur et premier vice-président de la SIIJ (1876), fondateur de la Société des fabricants d'horlogerie de la Chaux-de-Fonds (1887), membre de la Chambre suisse du commerce (1890-1898), Cn radical (1878-1893), initiateur de la loi fédérale sur le contrôle des ouvrages d'or et d'argent; *Nicolaus Hermann-Etlin* (1818-1888) (OW), fils d'Alois Hermann – propriétaire d'un important commerce de fromage –, riche propriétaire terrien se consacrant à la politique, fondateur de l'*Obwaldener Zeitung* (1862), juge fédéral (1854-1874), Cn catholique-conservateur (1878-1888), proche du centre libéral, favorable à une collaboration avec l'Etat fédéral; *Charles-L. Kuhn-Barbier* (1831-1888) (BE), fils d'Abraham Kuhn – fabricant de tables –, actif dans la banque privée «Barbier-Moser» appartenant à son beau-père, actionnaire (dès 1872) puis directeur de l'entreprise, fondateur d'un commerce de fer avec Schwab et Neuhaus (1861), fondateur d'une entreprise d'ébauches d'horlogerie avec son beau-frère Tièche (1870), Cn radical (1878-1886); *Eugène Ruffy-Mégroz* (1854-1919) (VD), fils de Victor Ruffy-Chevalley – propriétaire terrien, vigneron et tanneur; Cféd entre 1867 et 1869, cf. note 282, chapitre 3 –, avocat, CdE (1885-1893), Cféd (1893-1899), CA de la «Caisse hypothécaire cantonale vaudoise» (1880-1884), membre du comité de la SICVD (1882-1895/1897-1904), président du CA de la *Revue*, Cn radical (1882-1893); *Andreas Schmid-Miescher* (1824-1901) (BE), fils de Andreas Schmid – industriel de la branche du lin –, reprise de l'entreprise familiale et création d'un commerce d'articles en lin (1856), CA de la filature mécanique de lin à Berthoud

son sein, une coalition de producteurs entend utiliser la révision du tarif pour renforcer la position suisse en vue de futures négociations commerciales. Trois options axées sur une ouverture plus efficace des marchés extérieurs s'affrontent. Emmenée par les représentants de l'industrie textile et du commerce de fromage, la majorité de la commission propose de mener une politique de rétorsion sur la base d'un système de tarif double[139]. Alors que le tarif d'usage demeure libre-échangiste, un tarif général contenant des taxes plus élevées lui est adjoint. Les modalités de sa mise en vigueur sont réglées par l'article 6: sur décision du CF ou des Chambres, il est susceptible d'être appliqué tout ou en partie contre des pays refusant d'assouplir leurs conditions douanières au profit du commerce suisse[140]. Les deux tarifs sont regroupés dans une même loi soumise au référendum.

(1870-1901) qu'il dirige pendant un certain temps, CA de nombreuses compagnies de chemins de fer, CA de la «Banque cantonale de Berne» (1880-1890), membre du comité du BVHI (1860-1866), Cn radical (1869-1872/1881-1887); *Johann Conrad Sonderegger-Hohl (-Hämmerli)* (1834-1899) (AR), «Fergger» dans une entreprise de textile, peut-être lié à la famille Hohl active dans la broderie, commerce de vin, CA de la banque cantonale (1885-1899), CdE (1876-1883), Cn radical (1881-1899); *Esajas Zweifel-Milt* (1827-1904) (GL), fils de Johann Jakob Zweifel-Legler – boulanger, meunier et propriétaire de scierie –, beau-fils de Jost Milt – copropriétaire de l'entreprise de filature et de tissage «Gebrüder Becker und Milt» (19 000 broches et 230 métiers en 1869) –, en collaboration avec la famille de sa femme dirige une grande entreprise de tissage dans le Würtemberg (1856-1865), de retour à Glaris assume de nombreuses charges politiques, membre de la «Standeskommission» dès 1872, Landamann (1876-1885), CA de la «Bank in Glarus» (1884-1904), du «Nordostbahn» (1883-1890), de la «Rentenanstalt» (1873-1897), Cn libéral (1876-1884), CaE (1884-1893).

138 FF, 1883, vol. 1, pp. 383-471, «Rapport de la commission du CN chargée de l'examen du nouveau tarif des péages (10 mars 1883)».

139 Lors du débat au CN, la proposition de la majorité est défendue et votée par Kaiser (laine), von Gonzenbach (broderie), Hermann (commerce de fromage), Keller (filature/tissage de coton), Kuhn (commerce de fer/ébauches d'horlogerie), Künzli (tissage en couleur/tricotage), Schmid (filature/tissage de lin), Sonderegger (commerce de vin/industrie du coton) et Zweifel (filature/tissage de coton).

140 L'intitulé de l'article 6 proposé par la commission est le suivant: «*Pour le cas où des stipulations internationales ne s'y opposent pas, ou quand un état ne traite pas la Suisse sur le pied de la nation la plus favorisée, ou aussi quand il menace les intérêts du commerce suisse par des droits élevés d'importation ou d'exportation, les droits du tarif B ci-après peuvent être appliqués en tout ou en partie, ensuite de décisions du conseil fédéral. Ces décisions devront être portées à la connaissance de l'assemblée fédérale, qui peut les abroger ou les modifier. L'assemblée fédérale peut aussi prendre de son for des décisions concernant l'application du tarif B*»; ce qui fait dire à Numa Droz: «*Si d'un autre côté, on examine le libellé de l'art. 6, il est facile de se convaincre que la négociation des traités de commerce n'est pas l'unique souci des auteurs du tarif général. Ce que les protectionnistes veulent, c'est à coup sûr l'application de ce tarif aussi vite que cela sera possible [...] Il n'y a rien d'aussi féroce que l'égoïsme des protectionnistes.*»; article «Protectionnisme ou libre-échange?» daté de 1883, in Droz, 1896/2, pp. 27/29-30.

Certes, la stratégie proposée ne représente en soi qu'un léger durcissement de la politique douanière helvétique dans le sens d'une meilleure préparation à une politique de rétorsion, mais le bloc fédéraliste-libre-échangiste la dénonce comme un dangereux subterfuge visant à gonfler les revenus de la Confédération et à introduire par la bande une protection du marché intérieur. En répétant la procédure utilisée pour le tarif provisoire de 1882, la majorité radicale pourrait en effet instaurer le nouveau tarif sans que le peuple soit appelé à se prononcer. Désireux de renforcer la position commerciale suisse tout en évitant le risque d'une dérive fiscaliste ou protectionniste, le libre-échangiste Rudolf Geigy-Merian propose de limiter le tarif général à quelques positions importantes pour l'exportation des Etats voisins. Le Bâlois estime par ailleurs que la fusion des deux tarifs dans une seule loi est une erreur tactique. Le risque d'un refus du peuple est ainsi accru, ce qui hypothèque l'instauration d'un nouveau tarif d'usage allégeant la charge douanière imposée aux matières premières industrielles[141].

A l'opposé de l'échiquier douanier, certains industriels dénoncent les insuffisances du système de tarif double. La mise en vigueur du tarif général étant un acte de rétorsion qui risque de dégénérer en guerre douanière, ils sont persuadés que les autorités politiques y renonceront systématiquement. Confrontés à cet épouvantail qui ne les empêche en rien de piller le marché intérieur helvétique, les Etats étrangers n'auront aucun intérêt à négocier un abaissement de leur muraille douanière. Pour les y obliger, les adeptes de la politique de combat sont convaincus qu'il faut construire des murailles douanières provisoires. En échange de leur suppression, les partenaires commerciaux devront consentir à un partage de leur marché. Arrivé au sein de la commission douanière en avril 1883, Cramer-Frey tente de rallier ses membres au concept douanier élaboré par la KGZ[142]. En raison des risques d'accroissement de la charge douanière liés à la pratique d'une politique de combat, la plupart des exportateurs refusent toutefois de le suivre.

Du 4 au 23 avril 1883, un débat douanier acharné et alambiqué a lieu au CN[143]. Malgré un discours très remarqué de Cramer-Frey[144], la politique de combat proposée par la KGZ ne recueille que 7 voix. La politique de rétorsion douce défendue par Geigy-Merian ne reçoit guère plus de soutien; elle est retirée au profit de la proposition de tarif unique du CF. Le débat se polarise ainsi entre les tenants du statu quo fiscaliste et les défenseurs d'une

141 Durant les débats au CN, Geigy-Merian retire sa proposition pour soutenir celle du CF; le système de double tarif est refusé par Baumann-Zürrer (étoffes de soie), Beck-Leu (agriculture de montagne), Grosjean (horlogerie), Ruffy (agriculture de plaine), Vautier (commerce genevois).

142 AF, E 11, vol. 17, propositions de la commission des douanes du CN réunie le 3 avril 1883.

143 *JdG*, 5-24 avril 1883, «PV des séances du CN du 4-23 avril 1883».

144 Cramer-Frey, 1883.

politique de rétorsion. Le camp fédéraliste-libre-échangiste est finalement battu par 35 voix contre 65. Les représentants de l'horlogerie neuchâteloise tentent alors d'obtenir des garanties contre une dérive protectionniste ou fiscaliste[145]. Ils proposent que l'application du tarif général soit soumise au référendum au cas où les augmentations de taxes dépasseraient un million de frs. Leur échec ne fait que renforcer les soupçons libre-échangistes à l'égard du système de tarif double.

Au sein de la commission douanière du CE[146], une majorité des membres adhère à une politique de rétorsion: «*A chaque renouvellement de traité, la*

145 AF, E 11, vol. 17; la proposition, datée du 23 avril 1883, est signée par Grosjean, Tissot, Comtesse et Morel.

146 Composition de la commission douanière du CE: *Heinrich Rieter-Ziegler* (1814-1889) (ZH), rapporteur, cf. note 268, chapitre 3; *Eduard Blumer-Jenny* (1848-1925) (GL), cf. note 321, chapitre 4; *Fritz Göttisheim-Breitling* (1837-1896) (BS), cf. note 15, chapitre 6; *Auguste Cornaz-Maillardet* (1834-1896) (NE), directeur du *National suisse* à la Chaux-de-Fonds (1860-1864), avocat (1864-1872), CdE (1872-1893), CaE de tendance radicale de gauche (1867-1868/1876-1893); *Alfred Scheurer-Grossenbacher* (1840-1921) (BE), père du futur Cféd Karl Scheurer, avocat issu d'une famille d'agriculteurs, CA de nombreuses compagnies de chemins de fer, CA de la «Zuckerfabrik Aarberg» (1909-1921), CA de la «Hypothekarkasse Bern» (1878-1915) et de la «Banque cantonale bernoise» (1878-1915), CdE (1878-1904), Cn radical (1873-1875), CaE (1879/1882-1883/1896-1897); *Marianus Theiler-Bachmann* (1837-1893) (SZ), possesseur de la plus grande entreprise de meunerie et de boulangerie du canton de Schwyz, également agriculteur, CA de la «Kantonalbank Schwyz» (1889-1892), CaE catholique-conservateur (1872-1885); *Franz Trog-Buol* (1828-1904) (SO), cousin du Cn Johann-Jakob Trog-Frey, position dirigeante dans l'entreprise «Lehmann, Trog et Cie» qui exploite la ligne «Hauenstein-Olten» du «Centralbahn», copropriétaire de l'hôtel «Schweizerhof» à Olten, CA de la «Solothurner Hypothekarkasse» (1869-1886), CA de la «Eidgenössische Bank» (1870-1890), Cn radical (1879-1881), CaE (1881-1887); *Niklaus Friedrich von Tschudi-Sulzberger (-Schwarz) (-Rossander)* (1820-1886) (SG), fils de Johann Jakob von Tschudi-Zwicky – grand commerçant glaronnais fortuné – et beau-fils de Johann Sulzberger – grand commerçant de St-Gall –, propriétaire terrien et agriculteur, grande activité journalistique, CdE (1870-1873/1875-1885), président de la «Landwirthschaftliche Gesellschaft St. Gallen» (1857-1866), cofondateur et premier président du «Schweizerischer landwirthschaftlicher Verein» (1858) qui devient le SLV en 1863, comité du SLV (1863-1877), CaE libéral (1877-1885); *Oliver Zschokke-Sauerländer* (1826-1898) (AG), fils d'Heinrich Zschokke – écrivain et politicien réputé – et beau-fils de Friedrich Sauerländer – imprimeur et éditeur –, ingénieur du «Centralbahn» (1853), dès 1859 dirige une grande entreprise de construction active notamment dans les domaines du chemin de fer et de l'énergie hydraulique, CA de l'«Aargauische Kreditanstalt» (1873-1877), CaE radical (1877-1885) puis Cn (1890-1897), grand défenseur du protectionnisme et de la centralisation des chemins de fer; *Charles Estoppey-Böhlen* (1820-1888) (VD), commerce de fer, carrière dans la magistrature, CdE (1866-1873/1874-1888), membre des instances dirigeantes de la banque cantonale et de la «Caisse hypothécaire du canton de Vaud», membre du comité de la SICVD (1884-1888), Cn radical (1852-1863), CaE (1867-1873/1874-1888), refuse une élection au CF (1875); *Adrien Lachenal-Eggly* (1849-1918) (GE), fils de Jacques Lachenal-Jaquier – huissier judiciaire – et beau-fils de Jean-

Suisse a perdu du terrain. Il est temps d'y mettre fin.»[147] Le projet de loi du CN est cependant adapté dans le sens des intérêts du bloc fédéraliste-libre-échangiste. Les taxes du tarif d'usage sont abaissées et l'application du tarif général est modifiée. L'initiative de mesures de rétorsion ne peut être prise que par le CF, selon la procédure en vigueur jusque-là – article 34 de la loi sur les douanes. La majorité du Gouvernement étant d'obédience libre-échangiste, le risque d'une dérive fiscaliste ou protectionniste est ainsi limité. En donnant la possibilité au peuple de se prononcer séparément sur les deux objets, la commission permet au camp libre-échangiste d'acquérir un nouveau tarif d'usage tout en refusant le tarif général.

Les adaptations de la commission du CE ne suffisent pas à convaincre la Chambre des cantons qui décide de soutenir le tarif unique proposé par le CF. Le 2 juillet 1883, le tarif général est refusé par 21 voix contre 20. Alors que les représentants des cantons libre-échangistes – GE, NE, VD, TI et GR – s'y opposent de manière unanime, les élus catholiques-conservateurs sont déchirés entre leurs convictions fédéralistes et leur intérêt à une politique d'ouverture des marchés extérieurs: 5 députés rejoignent les libre-échangistes – VS (2), FR (2) et ZG (1) – et 10 soutiennent les rétorsionnistes – LU (2), UR (2), SZ (2), OW (1), NW (1), AI (1), ZG (1). Une dérive fiscaliste du tarif de rétorsion étant peu probable, certains représentants de l'agriculture décident d'y souscrire pour favoriser l'exportation de fromage et de bétail. Le système de tarif double fait le plein des voix des cantons de ZH, AG, SO, BS/BL et SH. Son échec est précipité par la réticence des élus des cantons de Suisse orientale – GL (2), TG (2), SG (1) et AR (1). D'une part, les représentants de la broderie et de l'impression refusent les élévations de taxes accordées aux semi-fabriqués en coton. D'autre part, certains députés s'opposent au système de double tarif pour promouvoir la politique de combat de Cramer-Frey, à l'image du Thurgovien Johannes Altwegg[148]:

> *S'il a rejeté hier le tarif général, c'est parce qu'il n'a pas foi en l'efficacité de cet épouvantail, mais il approuve parfaitement que le tarif d'usage soit remanié dans le sens d'une majoration, pour devenir une arme de combat*[149].

Antoine Eggly – monteur de boîtes –, avocat à la tête d'une importante étude, carrière dans la magistrature, Cféd (1893-1899), CA de la «Caisse d'épargne du canton de Genève» (1881-1893), membre de l'ACIG, CaE radical (1881-1884/1899-1918), Cn (1884-1892), membre fondateur de la Ligue suisse contre le renchérissement.

147 *JdG*, 3 juillet 1883, «PV de la séance du 2 juillet au CE, intervention du rapporteur Rieter»; cf. également FF, 1883, vol. 2, pp. 263-270, «Rapport de la commission du CE sur le nouveau tarif des péages fédéraux (19 juin 1883)».

148 *Johannes Altwegg-Schoop* (1847-1888) (TG), fils de Johann-Jakob Altwegg – propriétaire terrien de moyenne importance –, beau-fils d'un industriel, avocat, CA du «Nordostbahn» (1878-1888), membre du comité de la «Thurgauische Hypothekenbank» (1880-1883), CaE radical-libéral (1880-1888).

149 *JdG*, 5 juillet 1883, «PV de la séance du 4 juillet au CE, intervention Altwegg».

Le 4 juillet 1883, le CE décide de renvoyer le projet au CN. Le 5, la commission du CN confirme son système de tarif double par 10 voix contre 3. Le 6, le CN ratifie la proposition de sa commission par 76 voix contre 38. Le 7 juillet, le CE adhère à la décision du CN par 20 voix contre 15 et 5 votes blancs. En s'abstenant, les représentants des cantons de Suisse orientale – SG (2), TG (2) et AR – font donc pencher la balance en faveur des rétorsionnistes. Cette victoire ne signifie toutefois pas que la situation de blocage de la révision est résolue. Bien décidés à faire capoter le projet de tarif double, les libre-échangistes de Suisse occidentale agitent la menace du référendum[150]. Ils bénéficient d'un puissant allié au sein du CF, puisque Numa Droz déclare devant le CN:

> *Si le tarif est adopté tel quel, il est à craindre que le peuple ne le rejette, les armes données au CF ne sont ni suffisantes, ni sérieuses, et M. Droz décline toute responsabilité. Si la majorité persiste et repousse la conciliation qu'offre la minorité, il y a encore le peuple suisse, notre maître à tous*[151].

En cas d'échec du double tarif devant le peuple, qui ne fait pas de doute selon Droz, la Confédération ne pourrait disposer que du tarif de 1851 comme arme commerciale[152]. Craignant cette issue, le CE renvoie la discussion définitive du tarif à une date ultérieure.

L'impasse dans laquelle se trouve la révision du tarif douanier freine considérablement la mise en place de nouvelles conditions-cadre économiques par la Confédération. En plein marasme conjoncturel, la plupart des branches de production ont pourtant un besoin urgent d'être soutenues par l'Etat dans la lutte engagée contre la concurrence étrangère. Convaincus de la nécessité d'agir rapidement, le duo Cramer-Frey/Droz s'emploie à élaborer un programme d'intervention consensuel permettant de réunir une coalition politique large. Leur entreprise est notamment facilitée par la tenue, en 1883, de la première Exposition nationale à Zurich. De par sa fonction de forum des différentes élites économiques

150 Dans une étude parue début 1884, le Genevois Frank Lombard déclare: «*Il nous paraîtrait tout à fait inopportun de faire subir au peuple suisse, pendant une dizaine d'années, un tarif général onéreux, applicable de suite ou au gré du Conseil fédéral, uniquement en vue de négociations futures*»; il agite par ailleurs clairement une menace référendaire: «*L'acceptation des lois dépend aussi du consentement populaire […] Il en sera ainsi pour la question des péages que le peuple dans son ensemble, est intéressé à voir résoudre d'une manière libérale.*»; Lombard, 1884, pp. 29/10.

151 *JdG*, 7 juillet 1883, «PV de la séance du CN du 6 juillet 1883, intervention Droz».

152 Analysant les forces en présence, en novembre 1883, Droz insiste sur la force du bloc fédéraliste-libre-échangiste pour en arriver à la conclusion suivante: «*J'ai l'intime conviction qu'on ne trouvera pas en définitive cinq cantons donnant une majorité au nouveau tarif s'il doit être adopté comme il est sorti du conseil national.*»; article «Protectionnisme ou libre-échange?» daté de 1883, in Droz, 1896/2, p. 34.

helvétiques, cette manifestation permet un rapprochement des points de vue en matière de politique économique. Publié dans l'édition du 3 octobre 1883 de la *NZZ*, un article destiné à faire le bilan de l'exposition se félicite de cette évolution:

> *Wir sind einander näher gekommen, die Bande, welche unsere verschiedenen Sprachstämme in Einigkeit zusammenhalten, haben wieder fester angezogen*[153].

Par ailleurs, cet événement contribue à dissiper quelque peu le pessimisme ambiant qui paralyse alors tout esprit d'entreprise.

Centre de gravité d'un accord entre Suisse orientale et occidentale, la révision douanière fait l'objet d'un long article de Droz intitulé «Protectionnisme ou libre-échange?». Publié en novembre 1883 dans la *Bibliothèque universelle*, il cherche une voie moyenne entre politique de combat et libre-échange. En accord avec Cramer-Frey, Droz propose d'élaborer un tarif unique contenant certaines réserves de négociation:

> *Il serait à tous égards préférable d'avoir une disposition législative ferme qui permît d'offrir aux autres états une base de négociation solide, et en cas de non-réussite, d'appliquer les droits du tarif sine ira studio. Pour cela, il faut non pas deux tarifs mais un seul, et ce tarif unique doit être combiné de manière à ce que nous puissions à la rigueur en supporter l'application sans avoir à en souffrir trop nous-mêmes. Les guerres de tarifs sont comme toutes les autres, elles font du mal aux deux combattants. Il faut donc rester dans les limites raisonnables en fixant les taux des articles de combat*[154].

S'il s'aligne sur le principe d'une politique de combat, Droz fixe un cadre libre-échangiste dans lequel celle-ci doit évoluer: 1) statu quo sur les revenus douaniers à un niveau de 20 mios de frs, 2) répartition de la charge douanière favorable à l'industrie d'exportation et au commerce d'importation – baisse sur les matières premières, refus d'augmentations sur la farine et le bétail, taux maximum de 40 à 50 frs/quintal pour éviter la contrebande, 3) refus du principe de réciprocité par rapport à la taxation étrangère, 4) limitation des réserves de négociation à quelques positions de combat. L'objectif poursuivi par Droz est clairement défini: casser l'alliance rétorsionniste entre les adeptes de traités de commerce et les milieux protectionnistes au profit d'une alliance des milieux exportateurs sur la base d'une politique de combat très modérée:

> *Sera-t-il possible d'amener les libre-échangistes partisans du statu quo, à consentir à un remaniement du tarif dans les limites que j'ai indiquées? Je l'espère, car c'est au nom de l'équité que cette révision s'impose. Les partisans des traités de commerce qui se sont laissé entraîner à voter le tarif général comprendront-ils que la rédaction de l'article 6 ne fait nullement leur affaire? Je sais que bon nombre en sont convaincus*

153 Cité in Widmer, 1992, p. 48.
154 Droz, 1896/2, pp. 46-47.

comme moi, mais ils trouvent peut-être que la partie est maintenant trop engagée pour qu'on puisse revenir en arrière. Je les conjure de songer à ce qui résultera d'un rejet du tarif par le peuple. N'auront-ils pas compromis gravement notre situation pour de futurs traités? Si ces deux éléments voulaient s'unir dans les chambres, ils y formeraient certainement la majorité. Quant aux protectionnistes, je ne pense pas qu'on puisse les ramener à d'autres idées par la persuasion[155].

Le deuxième volet du programme d'intervention de la Confédération est un soutien aux arts et métiers. Base sociale importante du radicalisme, les classes moyennes industrielles sont indispensables pour la construction d'un consensus politique large. Lancée pour calmer l'agitation consécutive à la conclusion du traité de commerce avec la France – postulat du 26 avril 1882 –, l'enquête industrielle est menée à bien par le DFCA de Droz. Certes, le spectre de la consultation est large – Gouvernements cantonaux, USCI, SdG, SGG, experts privés –, mais le CF privilégie une collaboration étroite avec l'USAM. Ainsi, des moyens financiers sont alloués à l'association faîtière pour lui permettre de mener une étude approfondie auprès de ses membres. Du 6 janvier au 6 février 1883, une série de conférences sont organisées pour élaborer un catalogue de revendications qui est ensuite transmis aux autorités fédérales[156]. A l'automne, le traitement du dossier s'accélère. Le 29 octobre 1883, une commission d'experts, où figure Cramer-Frey, se réunit pour analyser les résultats de l'enquête et faire des propositions au DFCA. Minorisés au sein de la commission, les véritables représentants des arts et métiers sont de surcroît choisis parmi l'aile libérale de l'USAM[157]. Plus que de formuler les revendications des arts et métiers, le rôle de la commission

155 *Ibidem*, p. 48.

156 Gewerbliche Enquête, 1883.

157 La composition de la commission est un mélange de représentants des *associations économiques* – Cn Conrad Cramer-Frey (ZH), président de l'USCI, Hippolyte Etienne (NE), président de la SIIJ, Cn Cuénoud (VD), président de la SICVD, Cn Schild-Rust (SO), comité du KSHIV, Scheidegger (BE), comité central de l'USAM, Deggeler (BS), comité central de l'USAM, CaE Fritz Göttisheim (BS), comité de la société artisanale de Bâle –, *du monde politique* – Cn Johann Heinrich Riniker (AG), Cn Ludwig Karrer (AG), CaE Johannes Altwegg (TG), député au Grand conseil vaudois Demiéville (VD) –, *de l'enseignement professionnel* – Heinrich Bendel (SH), ancien directeur du musée industriel de St-Gall, Friedrich Autenheimer (ZH), professeur au technicum de Winterthur, Friedrich Fischbach (SG), directeur de l'école de dessin à St-Gall, Adolf Lasche (BE), recteur de l'école réale et commerciale de Berne, Rambal (GE), directeur de l'école des arts et métiers de Genève, Virchaux (NE), membre de la commission de l'enseignement supérieur du canton de Neuchâtel – *de l'Exposition nationale de Zurich* – Zuan-Salis (ZH), directeur de l'Exposition nationale, Ed. Guyer (ZH), président du jury – *et de l'administration fédérale* – Dr. Willi, chef de la Division du commerce et de l'industrie du DFCC; FF, 1883, vol. 4, p. 648, «MCF sur l'enquête industrielle (20 novembre 1883)»; la présence de dirigeants de l'Exposition nationale est probablement due au fait qu'un concours sur l'introduction de nouvelles industries est organisé à cette occasion; certains travaux primés sont d'ailleurs publiés; Arnold, 1884; Fischbach, 1884.

est donc d'élaborer un compromis politique entre les élites économiques libérales et les classes moyennes industrielles les plus modérées.

Le 20 novembre 1883 déjà, le résultat des délibérations de la commission est livré dans un message du CF[158]. En accord avec le concept de développement économique de Cramer-Frey, la priorité est accordée à une amélioration de l'enseignement professionnel qui doit aussi profiter à la grande industrie:

> *Il n'y a aucun doute que le moyen le plus efficace de soulager les industries et les métiers dans le malaise, consiste dans l'amélioration de l'enseignement qui s'y rapporte. La commission que nous avions appelée pour délibérer sur les résultats de l'enquête industrielle s'est prononcée unanimement pour une participation de la Confédération à l'enseignement industriel et des arts et métiers. Elle considère cette voie comme étant la meilleure pour arriver au relèvement de l'industrie et des métiers*[159].

Plutôt que de se lancer dans une procédure de révision constitutionnelle, le CF propose d'appuyer l'intervention de la Confédération sur l'article 2 de la constitution de 1874 qui donne mandat à la Confédération d'accroître la prospérité commune. Contestable d'un point de vue juridique, cette stratégie comporte certains avantages politiques. Elle permet d'instaurer le subventionnement de l'enseignement professionnel par la voie d'un arrêté déclaré urgent. En outre, l'article 1 du projet conditionne l'aide fédérale à une situation financière saine de la Confédération[160]. Intéressées par ce biais à l'équilibre des finances fédérales, les classes moyennes sont ainsi poussées à accepter le futur tarif douanier, quelle qu'en soit la portée protectionniste. Pour l'année 1884, le message du CF demande un crédit de 150 000 frs. Un subside ne peut être obtenu que si le canton fournit une participation au moins équivalente à celle de la Confédération. Bien que la commission et le CF évacuent d'autres revendications plus musclées des classes moyennes industrielles, celles-ci semblent se satisfaire des concessions obtenues[161]. En

158 *Ibidem*, pp. 613-668.

159 *Ibidem*, p. 658.

160 L'article 1 du projet est ainsi formulé: «*En vue d'améliorer l'enseignement professionnel et pour autant que la situation financière le permet, la Confédération peut subventionner les établissements déjà installés ou qui seront créés à cet effet.*»; *ibidem*, p. 663.

161 La commission d'experts retient d'autres points du catalogue de revendications issu de l'enquête: loi sur les poursuites et la faillite, réforme de la statistique commerciale, baisse des tarifs ferroviaires et postaux, protection des inventions, des modèles et des dessins; toutes ces mesures entrent toutefois dans les conditions-cadre définies par l'USCI; par contre, les revendications propres à la petite industrie sont rejetées: élaboration d'une loi sur les arts et métiers (syndicats mixtes obligatoires, réglementation des rapports entre patrons et ouvriers, fixation des conditions d'apprentissage, etc.), professionnalisation du système consulaire, création d'une statistique industrielle; la seule véritable concession des élites industrielles et commerçantes est une subvention régulière de la Confédération qui permet à l'USAM de créer un secrétariat permanent.

1884, plusieurs membres de la commission, dont Cramer-Frey, sont nommés membres d'honneur de l'USAM.

Le troisième volet de l'intervention de la Confédération concerne la réforme des conditions-cadre agricoles dans le but d'intensifier la production, de diminuer ses coûts et d'améliorer sa qualité. Déposée en décembre 1880, la motion von Planta est d'abord traitée de manière peu empressée par le DFCA. Les élites industrielles et commerçantes ne sont en effet que peu disposées à charger le budget fédéral pour venir en aide aux élites agricoles. La facture serait inévitablement payée par un accroissement de la charge douanière. Une expertise est toutefois confiée au professeur Kraemer. Achevée en mai 1882, elle est mise en consultation auprès des cantons et des sociétés agricoles qui s'expriment à son sujet[162]. Fin 1883, la procédure s'accélère enfin. Dans un article intitulé «La crise agricole», paru dans la *Bibliothèque universelle*, Droz définit jusqu'où ses convictions libérales lui permettent de souscrire à un soutien de l'agriculture. Après avoir analysé les causes de la crise, il exclut tout recours au protectionnisme pour y remédier:

> *Ces causes ne se laissent pas détruire, et le moyen d'en atténuer les effets ne doit pas être cherché dans le protectionnisme, mais dans le perfectionnement des procédés, dans l'adaptation des cultures aux milieux qui leur conviennent, dans le développement de l'instruction agricole et dans l'esprit individuel d'observation, de prévoyance et d'initiative*[163].

Il souscrit à un encouragement du crédit agricole sur le plan cantonal ainsi qu'à un soutien de l'enseignement agricole, présenté comme la panacée pour améliorer la situation des agriculteurs:

> *Tant que la masse des agriculteurs ne sera pas pénétrée non seulement de l'utilité, mais de la nécessité d'un enseignement agricole scientifique raisonné, la crise actuelle ne sera pas près de finir*[164].

Le 4 décembre 1883, le CF publie un message concernant l'amélioration de l'agriculture par la Confédération[165]. Comme dans le cas du soutien à la formation professionnelle, l'absence de base constitutionnelle est réglée par un recours à l'article 2 de la constitution. Muni de la clause d'urgence, l'arrêté proposé conditionne aussi l'attribution des subventions à une participation paritaire des cantons et à la bonne situation financière de la Confédération:

162 Gutachten betreffend Förderung der Landwirthschaft..., 1883; Rapport au Département fédéral du Commerce et de l'Agriculture..., 1883.

163 Droz, 1883/1, vol. 17, p. 220.

164 *Ibidem*, vol. 18, p. 73.

165 FF, 1884, vol. 1, pp. 17-121, «MCF concernant l'amélioration de l'agriculture par la Confédération (4 décembre 1883)».

> *Nous avons vu que l'appui de l'agriculture ne constituait pas pour la Confédération une obligation constitutionnelle, mais un acte volontaire, provenant de la prise en considération de certaines circonstances ou de certains besoins du moment. Il en résulte qu'il peut seulement être question d'employer dans ce but les moyens financiers de la Confédération quand celle-ci a satisfait à toutes ses obligations constitutionnelles*[166].

Les subventions de la Confédération doivent être distribuées dans les domaines suivants: enseignement agricole (EPFZ, écoles d'agriculture, écoles d'hiver, école vétérinaire), stations d'essais (recherche, qualité du lait, vinification), améliorations de l'élevage de bétail (bovins et cheval), améliorations du sol, mesures contre les dangers menaçant la production agricole (assurances, lutte contre les maladies), encouragement des associations agricoles, mise sur pied d'expositions, statistique agricole. Alors que le budget de 1884 consacre 235 000 frs à l'encouragement de l'agriculture sous diverses formes, l'application des mesures proposées reviendrait à environ 500 000 frs.

Début décembre 1883, le duo Cramer-Frey/Droz a donc défini les fondements de son programme de politique économique. Basé sur un consensus entre les élites industrielles et commerçantes de Suisse orientale et occidentale, le «deal» intègre aussi les élites agricoles (GSL) et les classes moyennes industrielles (USAM) de la famille radicale. Dès la session d'hiver des Chambres, la réalisation politique du programme d'intervention est entreprise. Le 26 novembre 1883, le CE décide de renvoyer le tarif douanier en commission pour une refonte complète du projet. En collaboration avec le DFFD, la commission élabore un compromis sur la base du tarif unique proposé par Droz. Le 11 mars 1884, un rapport consacré au nouveau projet est unanimement approuvé[167]. Sur le plan financier, le tarif est conçu pour dégager 20 mios de frs. Le modeste surcroît de recettes, environ 0,6 million, doit permettre de faire face aux dépenses occasionnées par le subventionnement de l'agriculture et de la formation professionnelle. D'un point de vue commercial, un certain nombre de taxes frappant des produits industriels sont surévaluées pour servir de monnaie d'échange lors de futures négociations. Enfin, en vertu des promesses faites lors de la ratification du traité franco-suisse, le tarif améliore quelque peu la situation de la petite industrie:

> *Or, quoique l'enquête n'ait pas constaté le bien-fondé de ces réclamations dans la mesure où elles se sont produites [...] votre commission estime cependant opportun de tenir la promesse faite d'une manière qui tienne compte de la situation, et comme l'on se préoccupe beaucoup actuellement du relèvement des métiers et de la petite industrie, on ne pourrait guère se dispenser d'y contribuer dans une certaine mesure, pourvu que cela soit possible sans abandonner nos principes en matière de politique douanière*[168].

166 *Ibidem*, p. 26.
167 FF, 1884, vol. 1, pp. 435-449, «Rapport de la commission du CE pour le nouveau tarif suisse des péages (11 mars 1884)».
168 *Ibidem*, p. 442.

Le projet de la commission du CE enterre par conséquent la politique de rétorsion engagée par le CN pour amorcer une timide politique de combat. Il est vrai, une protection de la consommation du marché intérieur est introduite sur quelques positions industrielles du tarif, mais le niveau de la taxation est loin d'atteindre les propositions de la KGZ. Par ailleurs, les 20 mios de revenus douaniers fixés par Droz sont respectés. En fait, la politique fiscaliste de la Confédération est maintenue dans son principe, mais un déplacement de la charge douanière sur les fabriqués industriels doit permettre une politique d'ouverture des marchés extérieurs plus efficace ainsi qu'une légère amélioration de la protection du marché intérieur. Après un débat qui dure du 11 au 21 mars 1884, le CE adopte le projet de tarif à l'unanimité. Le 24 avril 1884, un rapport de la commission des douanes du CN entérine le compromis du CE[169]. Même le leader du camp protectionniste, le Soleurois Simon Kaiser, adopte une attitude consensuelle:

> *En outre, nous avons dû reconnaître, quelque déplaisir que nous ayons éprouvé du retard apporté à la solution par la décision du conseil des états, que le laps de temps qui s'est écoulé entre les deux débats a été utilement employé par sa commission, puisque l'enquête qui a eu lieu a conduit à une espèce de* transaction (souligné dans l'original, C. H.), *dont nous n'avons pu, dans la plupart des cas, contester la justesse. Bien qu'on fût tenté, dans le commencement, de voir dans la décision du conseil des états un tarif de coalition, on a reconnu de divers côtés qu'il fallait l'envisager comme un compromis dont on ne peut s'écarter en regard de la divergence de vues qui règne en Suisse au sujet du tarif des péages en général, et spécialement de celui qui avait été adopté par le conseil national*[170].

Pierre d'angle du programme de politique économique, le tarif douanier fait désormais l'unanimité au sein de la famille libérale-radicale-démocrate.

Le programme d'intervention de la Confédération n'en demeure pas moins menacé par l'opposition référendaire conservatrice qui fait rage entre 1882 et 1884[171]. Alors que les arrêtés sur le subventionnement de l'agriculture et de la formation professionnelle peuvent être munis de la clause d'urgence, il en va autrement de la loi sur le tarif douanier. Certes intéressées au programme d'intervention élaboré par le duo Cramer-Frey/Droz – subventions agricoles et promotion de l'exportation de fromage et de bétail – les élites agricoles catholiques-conservatrices risquent de faire échouer la révision douanière pour des raisons de tactique politique. D'autant plus qu'en avril 1883, l'accession du catholique-conservateur lucernois Alois Kopp[172]

169 FF, 1884, vol. 2, pp. 833-840, «Rapport de la commission du CN concernant les propositions du CE pour le nouveau tarif des péages suisses (24 avril 1884)».

170 *Ibidem*, p. 834.

171 Sur l'opposition référendaire conservatrice, cf. Rinderknecht, 1949, pp. 159-176; Widmer, 1992, pp. 375-408; Winiger, 1910, pp. 193-208.

172 *Alois Kopp-Scherer* (1827-1891) (LU), fils de Joseph Kopp-Villiger – agriculteur et boucher –, avocat, CdE (1870-1879), juge fédéral (1879-1891), actionnaire et membre dirigeant du «Bern-Luzern-Bahn» et du «Luzern-Zürich-Bahn», CA de la «Mobilière

au CF, soutenue par les libéraux, est repoussée de justesse par l'AsF au profit du radical de gauche thurgovien Adolf Deucher. Après la grande victoire référendaire du «Chameau à quatre bosses», en mai 1884, ce sont cependant les catholiques-conservateurs modérés qui tendent la perche à la majorité radicale. Le 6 juin 1884, une motion Zemp-Keel-Pedrazzini est déposée au CN[173]. Parmi les concessions constitutionnelles exigées en compensation de l'arrêt d'une politique d'obstruction systématique figure le maintien de l'«Ohmgeld» au-delà de 1890, date de suppression prévue dans la constitution de 1874. Pour certains cantons agricoles conservateurs, cet impôt est en effet important pour assurer l'équilibre budgétaire. Par ailleurs, une suppression de l'imposition de l'alcool concourrait au développement du fléau social de l'alcoolisme qui ravage déjà les campagnes. Le «deal» économique s'élargit alors à une quatrième dimension: la taxation de l'alcool.

Du 9 au 16 juin 1884, le tarif douanier est débattu au CN. Il est finalement accepté par 96 voix contre 6. Les opposants sont des irréductibles du bloc fédéraliste-libre-échangiste[174]. Toutefois, 26 députés s'abstiennent de voter, dont 23 catholiques-conservateurs[175]. La réserve exprimée équivaut à une menace de référendum qui doit être levée ou confirmée en fonction des autres éléments du «deal». Le 18 juin 1884, le CF publie un message concernant l'imposition de l'alcool[176]. Du 19 au 24 juin, le CN débat de la motion Zemp[177]. La majorité du CF – Droz est appuyé par les libéraux Welti,

Suisse» (1874-1879), Cn catholique-conservateur (1851-1859), CaE (1871-1879), appartient à la tendance Zemp ouverte à une collaboration au sein de l'Etat fédéral.

173 Sur l'attitude des catholiques-conservateurs et le contenu de la motion Zemp, cf. chapitre 4.4.3.

174 Il s'agit de von Segesser (LU), qui demande l'appel nominal, Aeby (FR), Wuilleret (FR) et Vonmentlen (TI) pour les catholiques-conservateurs fédéralistes; Sulzer (ZH) (commerce) et Mayor-Vautier (VD) (tourisme/alimentation) pour les milieux libre-échangistes; *JdG*, 17 juin 1884, «PV de la séance du CN du 16 juin 1884».

175 Les trois abstentionnistes qui ne font pas partie de la fraction catholique-conservatrice sont des défenseurs de l'agriculture: Berger (BE), Jaquet (FR) et Bühler-Honegger (ZH).

176 Ce message ne répond pas directement à la motion Zemp; en décembre 1881, une motion Geigy-Merian consacrée à la question est votée au CN, relancée par un postulat du 30 juin 1882; le 5 juillet 1882, le CF lance une enquête qui semble traîner en longueur; en juillet 1883, les catholiques-conservateurs Wirz et Schmid réagissent, sans succès, en déposant une motion au CE: elle prône une révision de l'article 31 de la constitution permettant de s'attaquer de front au problème; après tant de tergiversations, la parution du message du CF dans les jours qui précèdent la conclusion du «deal» de politique économique n'est probablement pas le fruit du hasard; sur la question de la taxation de l'alcool, cf. Widmer, 1992, pp. 512-542; Kahlert, 1954, pp. 21-28; Perret, 1937; Droz, 1896/2, pp. 537-592.

177 *Délibérations du Conseil national sur la question de la révision de la Constitution fédérale provoquée par la motion de MM. les conseillers nationaux Zemp et consorts*, s. l., s. d.

Hammer et Hertenstein – demande aux Chambres d'accepter la motion. L'opposition est composée de représentants des cantons viticoles opposés à l'«Ohmgeld», de radicaux de gauche refusant d'intégrer la droite ainsi que de milieux anticléricaux. Par 98 voix contre 40, la motion est toutefois acceptée et transmise au CF pour examen. Le 26 juin 1884, le tarif douanier est accepté par 34 voix et une abstention au CE. Le 27 juin, les arrêtés réglant le soutien à l'agriculture et à l'enseignement professionnel sont votés sans clause d'urgence. Dans le discours prononcé à l'occasion de la clôture de la session parlementaire, le président du CN souligne la portée des mesures votées:

> *M. Favon répond à ceux qui disent que cette législation a été stérile, en rappelant qu'elle a élaboré quatre actes législatifs importants, les lois sur les tarifs des péages et les taxes postales, et des arrêtés accordant des subventions aux écoles professionnelles et à l'agriculture. Il espère que ces deux derniers projets qui accordent à la Confédération de nouvelles compétences dans l'intérêt de tous trouveront grâce devant le peuple. Il exprime l'idée que par une pente naturelle de la démocratie, l'Etat républicain moderne tend toujours plus à devenir le gardien et le régulateur des forces économiques de la nation. Il termine en faisant appel à la modération, à la courtoisie et même à la fraternité dans la lutte*[178].

Le «deal» de 1884 constitue un premier pas vers une réforme des conditions-cadre de la place économique suisse. Il est véritablement achevé en 1887, lorsque l'instauration d'un monopole fédéral de la vente d'alcool satisfait les revendications financières et sociales des cantons catholiques-conservateurs[179]. Dans un discours prononcé en 1908, le Conseiller national bâlois Paul Speiser[180] estime que les mesures prises alors marquent le début d'un changement qualitatif de l'intervention de l'Etat central suisse:

178 *JdG*, 28 juin 1884.

179 Introduit consécutivement aux votations populaires du 25 octobre 1885 (article constitutionnel) et du 15 mai 1887 (référendum sur la loi), le monopole de l'alcool contente les intérêts fiscaux des cantons catholiques-conservateurs; certes, la loi de 1887 abolit l'«Ohmgeld», mais une compensation complète des pertes financières cantonales est assurée grâce à une redistribution des gains de la Régie fédérale des alcools.

180 *Paul Speiser-Sarasin (-Sarasin)* (1846-1935) (BS), fils de Johann Jakob Speiser – cofondateur de la «Bank in Basel», cf. note 29, chapitre 3 –, beau-fils de Karl Sarasin-Sauvain – fabricant de rubans de soie –, avocat, professeur de droit, CdE (1878-1884/1886-1902/1907-1914), membre de nombreux CA dans les domaines de la banque – «Bank in Basel» (1885-1886), «Basler Handelsbank» (directeur 1902-1907) –, de l'assurance – «Basler Transportversicherungsgesellschaft» (1885-1893), «Basler Lebensversicherungsgesellschaft» (1884-1892), «Basler Versicherungsgesellschaft gegen Feuerschaden» (1884-1892) –, des transports, de la chimie – «Sandoz» (jusqu'en 1934), «Sodafabrik Zurzach» (1914-1935) –, de l'industrie électrique – «Kraftwerke Brusio» (1904-1906/1915-1918), «Schweizerische Gesellschaft für elektrische Industrie» (1903-1907) –, Cn libéral (1889-1896/1902-1911/1915-1919).

> *Die Jahre 1883 bis 1908 umspannen eine Zeit, in welcher sich die Tätigkeit des Staates und ganz besonders die Tätigkeit des Bundes in grösstem Masse entwickelt hat: es ist die Entwicklung des Rechtstaates zum Sozialstaates, zum Staate, der sich die Aufgabe stellt, durch aktives Eingreifen die Wohlfahrt des Volkes zu pflegen und selber die Volkswirtschaft zu leiten*[181].

Bien qu'il ne faille pas exagérer la portée sociale des subventions accordées à l'agriculture et à l'enseignement professionnel, ni celle de la réglementation de la vente d'alcool, il est cependant nécessaire de souligner la nouveauté de cette intervention. L'historien Erich Gruner en fait de même:

> *Der Bundesstaat hatte seit seiner Gründung öffentliche Werke subventionieren helfen. Nun dehnte er seine Unterstützungspolitik auf leidende Erwerbsgruppen aus. Als Marksteine erscheinen hier die Bundesbeschlüsse zur Förderung der gewerblichen und industriellen Berufsbildung und der Landwirtschaft von 1884 [...] Doch empfanden die Räte die Subventionsbeschlüsse von 1884 deutlich als Abschied von einer alten Zeit [...]*[182].

Certes, l'avancée interventionniste de 1884 est encore modeste, mais les ingrédients nécessaires à la mise en place d'un capitalisme organisé version helvétique sont déjà présents. Sous l'impulsion du duo Cramer-Frey/Droz, une collaboration intense est désormais instaurée entre l'USCI et le CF. Avec le renforcement des radicaux interventionnistes au cours de la seconde moitié des années 1880, le programme de Cramer-Frey trouve un écho toujours plus grand au sein du Gouvernement, malgré quelques tiraillements au sujet des modalités de son application. Le «deal» de 1884 amorce aussi un rapprochement entre élites industrielles et agricoles afin de satisfaire un besoin commun d'intervention de l'Etat central. En matière de politique douanière, l'intensification de cette collaboration est portée par la vague de protectionnisme qui continue de déferler sur les marchés européens ainsi que par l'intensification de la crise agricole.

5.2. Le triomphe du concept de politique de combat (1885-1891)

Le tarif instauré grâce au «deal» de 1884 se révèle vite insuffisant pour faire face à la dégradation rapide des conditions douanières du commerce extérieur suisse. La pression exercée sur les Etats voisins n'est en effet pas suffisante pour les convaincre de conclure des traités de commerce à tarif avec la Confédération. Au contraire, entre 1885 et 1887, une vague de mesures protectionnistes péjore encore la réciprocité douanière avec l'Allemagne, l'Autriche-Hongrie et l'Italie. Alors que la compétitivité de certaines exportations suisses

181 Cité in Jöhr, 1956, pp. 145-146.
182 Gruner, 1964, p. 48.

devient problématique sur ces importants marchés, la concurrence étrangère peut s'approprier une partie de la consommation helvétique sans être gênée par les modestes taxes douanières suisses. Si elle se poursuit, cette évolution est susceptible d'entraver le développement économique helvétique. Les branches d'industrie à la pointe du progrès technologique sont en effet parmi celles qui souffrent le plus de la fermeture des marchés de proximité. Afin de briser la spirale commerciale qui menace d'étouffer certaines productions, la nécessité d'un nouveau durcissement de la politique douanière suisse paraît de plus en plus évidente aux autorités fédérales. Seule l'intensification de la politique de combat engagée en 1884 est en effet capable d'obliger l'Allemagne, l'Autriche-Hongrie et l'Italie à conclure des traités de commerce à tarif avec la Confédération, synonymes de ballons d'oxygène pour l'exportation suisse.

La pression à une nouvelle adaptation de la politique douanière suisse n'est pas uniquement extérieure. Dès 1885, les problèmes de rentabilité toujours plus aigus du secteur primaire poussent les élites agricoles à durcir leur position en matière de politique douanière. Soucieuses d'éviter un renchérissement de leur consommation de produits industriels, celles-ci privilégiaient jusqu'alors le libre-échange. Mais la baisse de la rente foncière les oblige désormais à solliciter une intervention commerciale de la Confédération. Ecoulant leurs productions à la fois sur les marchés extérieurs et sur le marché intérieur, les élites agricoles ont la possibilité de jouer sur les deux tableaux. Dès 1885, la GSL élabore donc un concept douanier mixant protectionnisme agricole et politique de combat. Le virage douanier amorcé au sein du secteur primaire est un cadeau empoisonné pour la KGZ. Certes, en devenant les béliers d'une politique douanière interventionniste, les élites agricoles représentent un allié de choix pour imposer une politique de combat au sein des divers lieux de pouvoir du champ douanier. Cependant, les exigences des «agrariens» deviennent rapidement incompatibles avec les intérêts de l'industrie d'exportation qui ne veut pas d'un protectionnisme agricole musclé renchérissant la consommation ouvrière. Avec la création de la Ligue d'Olten, en 1887, les élites agricoles renforcent leur position en faisant cause commune avec les milieux industriels protectionnistes.

Dès 1885, le CF est par conséquent soumis à une double pression extérieure et intérieure le poussant à une adaptation de sa politique douanière. Dans un premier temps, le Gouvernement adopte une stratégie de résistance. Mais la pression extérieure a finalement raison de sa politique attentiste. La nécessité de conclure de meilleurs traités de commerce avec l'Allemagne, l'Autriche-Hongrie et l'Italie engage le CF à procéder à une révision partielle du tarif qui s'achève en décembre 1887. Appliqué dès le 1er mai 1888, le nouveau tarif est une véritable arme de combat. Des réserves de négociation sont instaurées non seulement sur des positions industrielles, mais également sur certains produits agricoles, ce qui constitue une petite révolution de la politique douanière suisse. Cet outil commercial permet de conclure des traités à tarif relativement avantageux avec l'Allemagne, l'Autriche-Hongrie et l'Italie. Véritable roi de l'échiquier douanier, Cramer-Frey s'appuie tantôt sur le camp protectionniste pour renforcer ses armes de combat, tantôt sur les milieux libre-échangistes pour réduire la charge douanière à l'occasion des traités de commerce conclus avec les Etats voisins.

Prévu pour 1892, le renouvellement de l'ensemble des traités de commerce est minutieusement préparé par les élites économiques suisses. La révision totale du tarif doit marquer le triomphe définitif du concept de politique de combat de la KGZ. Jusqu'alors sur la défensive, le camp libre-échangiste lance toutefois une contre-attaque d'envergure. L'Union suisse des coopératives de consommation (USC) est créée afin de défendre les intérêts des consommateurs urbains. Emmenée par les représentants du commerce, du tourisme et de l'horlogerie de Suisse occidentale, une Ligue contre le renchérissement de la vie organise les associations opposées à un gonflement de la charge douanière. Désormais minorisées dans tous les lieux de pouvoir du champ douanier, les élites libre-échangistes tentent ainsi de mettre un frein à la dérive protectionniste en menaçant de saisir le référendum. L'échec qu'elles subissent lors de la votation populaire de 1891 ne fait que précipiter le déclin du libre-échange. L'adoption d'une politique douanière interventionniste a désormais reçu une légitimation populaire.

5.2.1. Révision tarifaire partielle de 1887: avènement du protectionnisme agricole

Entré en vigueur le 1er janvier 1885, le tarif douanier de juin 1884 ne fait l'objet d'aucun mouvement référendaire. Mais le consensus politique obtenu autour de la nouvelle taxation fait long feu. Dès l'été 1885, l'exacerbation de la compétition internationale relance le débat douanier. Dans un premier temps, ce sont les industries d'exportation de produits de luxe qui se soucient de préserver l'important débouché que représente les Etats-Unis[183]. Dans son

183 Exportant respectivement 50% et 30% de leur production aux Etats-Unis, les industries de la broderie et de la soie craignent que des mesures protectionnistes y soient introduites pour encourager le développement d'une concurrence indigène; afin d'éviter une telle catastrophe commerciale, le patronat de ces branches fait partie des promoteurs d'une alliance douanière européenne dont le but serait de combattre une accentuation du déséquilibre commercial entre les deux continents; DDS, vol. 3, n° 280, pp. 591-595; l'exportateur appenzellois Steiger-Meyer (broderies/tissage en fin) estime qu'il faut instrumentaliser les divisions douanières américaines pour obtenir une baisse du protectionnisme industriel; en menaçant d'élever leurs taxes sur le blé, la France, l'Allemagne et la Suisse pousseraient les milieux agricoles de l'ouest des Etats-Unis à faire pression sur le Gouvernement représentant les intérêts industriels de l'est.

rapport du 15 mai 1885, la commission de gestion du CE propose d'adopter le postulat suivant:

> *Le conseil fédéral est invité à examiner, en s'entourant de l'avis d'experts, quelles mesures (au besoin en s'entendant avec d'autres états) on pourrait prendre pour résister à la politique protectionniste des grandes puissances, qui nuit à l'industrie suisse*[184].

Dans son argumentation, le rapport affirme la nécessité de contrecarrer la concurrence américaine grâce à une solidarité douanière européenne[185]. Voté par le CE, le postulat est cependant modifié par le CN. A l'instigation de Droz, toute allusion à une union douanière est supprimée:

> *La conception d'une ligue européenne contre les droits protecteurs américains présente des difficultés de réalisation insurmontables et est inacceptable pour la Suisse; en effet, celle-ci ne pourrait pas, et pour cause, recourir aux représailles les plus efficaces: l'élévation des droits sur le blé*[186].

Votée le 26 juin 1885, la version définitive du postulat mandate le CF pour examiner les moyens de lutter contre le protectionnisme des grandes puissances.

Dans un deuxième temps, l'objet privilégié de la polémique douanière devient l'attitude à adopter vis-à-vis de l'Allemagne, qui est alors un partenaire commercial en tout cas aussi important que la France. Conclu sur la base de la clause de la nation la plus favorisée, le traité germano-suisse arrive à échéance le 30 juin 1886. Faut-il le prolonger tacitement jusqu'à l'échéance du traité avec la France (1892), chercher à le renouveler en obtenant des améliorations ou encore le dénoncer? En mai 1885, de nouvelles augmentations tarifaires allemandes rendent la question encore plus brûlante. Touchant surtout l'exportation helvétique de cotonnades, de produits en soie, de broderies, d'horlogerie et de bétail, les hausses de taxe sont appliquées dès le 1er juillet 1885. La pression douanière allemande n'est que la pointe apparente de l'iceberg qui menace l'économie helvétique. Partout en Europe, les mouvements protectionnistes gagnent en ampleur et provoquent des révisions tarifaires. En Italie, un nouveau tarif général, voté en juillet 1887, remet en question une partie de l'exportation helvétique, en particulier le fromage et les cotonnades. Conclu en 1883, le traité italo-suisse basé sur la clause de la nation la plus favorisée est dénoncé par l'Italie pour la fin de l'année 1887. Les quelques concessions tarifaires dont bénéficie l'exportation helvétique à travers les traités austro-italien et franco-italien risquent de lui être alors

184 FF, 1885, vol. 3, p. 131, «Rapport de la commission du CE sur la gestion du CF et du tribunal fédéral en 1884».

185 *Ibidem*, p. 132.

186 DDS, vol. 3, n° 293, p. 634, «Protokoll der Sitzung des Nationalrates vom 24. Juni 1885»; Droz se fait le porte-parole de l'industrie horlogère qui craint des mesures de rétorsion des Etats-Unis; DDS, vol. 3, n° 280, pp. 591-595.

retirées. En Autriche-Hongrie, des augmentations de taxation sur une série de produits suisses – soieries, machines et fromage – sont mises en vigueur dès le 1er juin 1887. Début 1888, un nouveau traité de commerce entre l'Italie et l'Autriche-Hongrie réduit les avantages douaniers dont bénéficiait l'exportation suisse vers ces deux pays via la clause de la nation la plus favorisée. A la fin de l'année 1887, la dégradation des relations commerciales avec l'Allemagne, l'Autriche-Hongrie et l'Italie rend le renouvellement des traités de commerce avec ces pays de plus en plus indispensable.

En janvier 1888, Numa Droz publie un article intitulé «L'anarchie économique en Europe» dans la *Bibliothèque universelle*[187]. Ce plaidoyer libre-échangiste révèle l'angoisse des élites économiques et politiques helvétiques face à la montée du protectionnisme européen:

> *L'état de paix armée dont l'Europe souffre chaque année davantage est rendu plus aigu par l'anarchie économique. De quelque côté qu'on se tourne, on n'entend que lamentations. Les uns se plaignent de ne plus pouvoir exporter leurs produits, d'autres, au contraire, assurent qu'ils sont ruinés par les importations des articles concurrents. L'insécurité règne partout dans les affaires; à chaque instant des relèvements de tarifs viennent dérouter le commerce et l'industrie*[188].

En cas de surenchère protectionniste, Droz ne voit que deux issues:

> *Une guerre générale pourrait avoir pour effet le retour à une politique économique plus sage [...] Une révolution sociale pourrait aussi précipiter ce résultat*[189].

Selon le Neuchâtelois, une seule solution peut éviter le pire, à savoir un retour de l'Allemagne à une politique de traités de commerce:

> *Un grand pas serait fait dans la voie de l'amélioration, si l'Allemagne pouvait renoncer à son autonomie douanière absolue – ou à peu près telle – pour revenir aux tarifs conventionnels. L'ascendant politique qu'elle exerce dans le monde, le développement industriel énorme qu'elle a pris depuis une dizaine d'années [...] lui permettraient d'exercer une influence prépondérante sur le rétablissement de rapports économiques réguliers entre les peuples. Par là, elle ôterait à l'art. 11 du traité de Francfort la signification pénible qu'il a actuellement pour la France, et par contre-coup pour les autres peuples*[190].

Dans l'attente d'une éventuelle conversion allemande, Droz propose une sorte de trêve douanière générale basée sur un plafonnement volontaire de la taxation à 10% de la valeur.

187 «L'anarchie économique en Europe», in Droz 1896/2, pp. 55-77.
188 *Ibidem*, p. 55.
189 *Ibidem*, p. 71.
190 *Ibidem*, p. 72; l'article 11 du traité de Francfort, imposé à la France suite à la victoire militaire prussienne de 1870, assure le traitement de la nation la plus favorisée à l'Allemagne; les producteurs allemands bénéficient donc des accords commerciaux conclus par la France sans avoir à concéder quoi que ce soit sur leur tarif; après l'instauration du tarif autonome allemand de 1879, la progression du déséquilibre commercial entre les deux pays pousse la France à limiter la portée de son système de traités avec des pays tiers.

L'exacerbation de la concurrence internationale et la montée du protectionnisme européen ne sont pas sans effets sur les rapports de force à l'intérieur du champ douanier helvétique. Principales victimes de l'importation industrielle en provenance d'Allemagne, les petites et moyennes entreprises accentuent leurs exigences protectionnistes. Le 29 mai 1886, après un long débat interne, l'USAM demande au DFCA de résilier ou au moins de réviser le traité avec l'Allemagne[191]. Le 6 juin 1886, l'assemblée des délégués adopte une résolution proposant l'inclusion d'un article de rétorsion («Kampfzollartikel») dans la loi sur le tarif des douanes de 1884. Le CF aurait ainsi la possibilité de multiplier les taxes du tarif par quatre ou cinq en cas d'échec des négociations. La résolution demande également une enquête préparatoire pour déterminer les positions du tarif à augmenter dans le double but de protéger le travail national et de fournir des armes de négociation. Le 21 juin 1886, le CF consent à la seconde demande et charge l'USAM de réaliser une enquête. Le 17 septembre, un rapport provisoire est adressé au DFCA, suivi d'un rapport définitif daté du 27 février 1887. Ce dernier exige que la politique douanière helvétique ne soit pas uniquement orientée selon les intérêts de la grande industrie, sans verser toutefois dans un protectionnisme outrancier:

> *Wir verhehlen uns nicht, dass unsere Ausführungen sowohl von Seite der grundsätzlichen Freihändler wie der ausgesprochenen Schutzzöllner Anfechtungen zu gewärtigen haben werden*[192].

Pour s'assurer que de futures augmentations de taxes ne soient pas sacrifiées en entier à la politique de combat de l'industrie d'exportation, l'USAM revendique une meilleure représentation des arts et métiers dans le processus de négociation des traités de commerce[193].

Alors que le durcissement des positions de l'USAM n'a pas de répercussions importantes au sein du champ étatique, il en va autrement du basculement rapide des élites agricoles dans le camp des adeptes d'une politique douanière plus interventionniste. Dès le milieu des années 1880, des problèmes de rentabilité toujours plus aigus engagent les milieux agricoles à abandonner leur attitude passive pour s'engager massivement dans le débat douanier[194]. Il s'agit de

191 AF, E 11, vol. 18, divers documents concernant l'activité douanière de l'USAM; Archives USAM, PV de l'assemblée des délégués des 26 avril 1885/9 août 1885/6 juin 1886, PV du comité central du 5 juin 1886, PV du comité directeur des 13 octobre 1885/30 novembre 1885/15 janvier 1886/19 janvier 1886/2 février 1886/19 février 1886/9 mars 1886/4 mai 1886/14 mai 1886/29 mai 1886/1er juin 1886; cf. également Tschumi, 1929, pp. 352-354.

192 Vorschläge des Zentralvorstandes..., 1887, p. 66.

193 Archives USAM, PV du comité directeur des 12/15/19/22 octobre 1886.

194 Sur la question de la dégradation de la rentabilité dans le secteur primaire et ses conséquences sur l'attitude du monde agricole en matière de politique douanière, cf. chapitres 4.3.1. et 4.3.2.

trouver des solutions à une flambée de protectionnisme qui ferme progressivement les marchés voisins, principaux débouchés de l'exportation agricole helvétique[195]. Exporté en franchise dans les années 1870, le bétail à destination de l'Allemagne et de la France est désormais frappé de lourdes taxes[196]. Plus grave encore, l'exportation de fromage à destination des pays voisins (6/7 du total) est menacée par une série de mesures douanières. Après un doublement de la taxe allemande en 1879, l'Italie et l'Autriche-Hongrie augmentent aussi leur imposition. Suite au nouveau traité de commerce austro-italien, appliqué dès le 1er janvier 1888, la taxe autrichienne passe de 4,40 à 20 florins, réduisant de moitié l'exportation helvétique[197]. La taxe italienne passe quant à elle de 8 à 12 lires, ce qui ne compromet pas cet important marché (10 mios de frs d'exportation). Toutefois, le traité italo-suisse étant dénoncé, les autorités italiennes sont libres d'appliquer la taxe du tarif général (25 lires) quand bon leur semble. Les qualités inférieures seraient ainsi prohibées[198]. Face à cette évolution, la plupart des élites du complexe agro-alimentaire revendiquent des hausses sur les positions agricoles. Alors que certains veulent les utiliser pour mener une politique de combat musclée – c'est notamment le cas des représentants du commerce de fromage et de bétail –, d'autres sont d'avis qu'il faut optimiser ainsi les débouchés intérieurs[199]. En se réservant la consommation suisse de bétail d'élevage et de boucherie, l'agriculture pourrait compenser les pertes subies sur les marchés extérieurs. Une protection des produits de la culture – vin, blé, fruits et légumes – est beaucoup plus contestée, car elle ne favorise que les producteurs de plaine.

Entre 1880 et 1885, le SLV était la seule association agricole d'importance à prôner l'instauration d'une protection douanière. Avec le relèvement du tarif allemand en mai 1885, la situation change rapidement. Le 26 mai 1885, une assemblée de la société régionale de Winterthour lance un mouvement revendicatif qui exige une protection agricole ainsi que le remplacement des traités de commerce avec clause de la nation la plus favorisée par des traités à tarif[200]. En août 1885, une circulaire est adressée aux associations agricoles et aux autorités cantonales, provoquant un intense débat

195 Sur cette question, cf. Kempter, 1985, p. 113; Hilfsheimer, 1973, p. 74; Kupper, 1929, pp. 45-46.

196 En Allemagne, les premières taxes sont instaurées en 1879, puis relevées en 1885 et 1887; en France, la taxation introduite en 1881 est fortement relevée en 1885 et en 1887; un tableau comparant les taxes agricoles suisses avec celles des pays voisins, en 1885, figure in *SLC*, Nr. 26, 27. Juni 1885; cf. également Kupper, 1929, pp. 98-99.

197 FF, 1888, vol. 4, p. 833, «MCF concernant les traités de commerce conclus avec l'Empire d'Allemagne et l'Autriche-Hongrie (1er décembre 1888)»; Fischer, 1996, p. 237.

198 Sur l'évolution des taxes sur le fromage des quatre pays voisins, cf. Kupper, 1929, p. 97.

199 Sur les divergences douanières au sein de l'agriculture, cf. chapitre 4.3.2.

200 Beiträge zu der schweizerischen Zollfrage..., 1885; Schenkel, 1885; Die Schutzzollfrage..., 1885.

douanier au sein du monde agricole. Fin 1885, la GSL prend la tête du mouvement. Après débat interne, une requête est adressée aux autorités fédérales pour revendiquer la conclusion de traités à tarif avec l'Allemagne et l'Autriche-Hongrie[201]. A l'instar de l'USAM, la GSL propose l'instauration d'un article de rétorsion devant renforcer la position suisse lors des négociations[202]. Les taxes sur le bétail, le beurre et la farine doivent être immédiatement relevées. Durant l'année 1886, la requête de la GSL reçoit l'appui de plusieurs sociétés agricoles cantonales[203]. Le 16 mai, l'assemblée générale du SLV décide également de la soutenir. En juin, l'organe de presse de la société agricole lucernoise, le *Landwirth*, défend pour la première fois une politique douanière interventionniste[204]. Certaines élites agricoles des régions de montagne commencent ainsi à rallier le camp protectionniste.

En été 1887, la pression du monde agricole s'accentue encore. Suite à la résiliation du traité de commerce italo-suisse, le marché transalpin risque en effet d'être perdu pour l'exportation de fromage et de bétail[205]. Cette catastrophe commerciale aurait des conséquences particulièrement graves pour l'économie alpestre des cantons de Suisse centrale. Le 4 avril 1887, la direction du SLV convoque une assemblée des associations du complexe agro-alimentaire à Zurich. Les négociants en fromage et les élites agricoles décident de combattre activement les hausses de taxes projetées par l'Italie. La GSL est chargée d'élaborer une requête à l'intention des autorités fédérales. Envoyée en mai 1887, celle-ci exige des augmentations plus importantes et plus nombreuses que celles formulées en 1885[206]. Une brochure motivant l'attitude revendicatrice des milieux agricoles est également publiée[207]. Le 18 juin 1887, l'organe de presse de la puissante «Oekonomische Gesellschaft des Kantons Bern» fustige la politique douanière de la Confédération qui ne tient pas assez compte des besoins de l'agriculture et des arts et métiers:

201 Die Handelverträge und der Zolltarif..., 1885.

202 Comme l'USAM, la GSL propose que les taxes de rétorsion puissent être augmentées jusqu'à la limite supérieure du quadruple de la taxe du tarif de 1884.

203 Il s'agit des sociétés des cantons de Zurich, Argovie, Thurgovie et St-Gall; FF, 1886, vol. 3, pp. 731-737, «MCF concernant la modification de la loi du 26 juin 1884 sur le tarif des péages (19 novembre 1886)»; Vernehmlassung der Direktionskommission des thurgauischen landwirthschaftlichen Vereins..., 1886; Die Zollfrage und unsere Landwirthschaft..., 1886.

204 Lemmenmeier, 1983, pp. 382-383.

205 Anderegg, 1887; Zur Zollfrage, 1887; les autorités italiennes projettent d'augmenter la taxe sur le fromage de 8 lires (tarif conventionnel en vigueur) à 20 lires, soit environ 15% de la valeur.

206 Die Stellung der Landwirthschaft..., 1887; cf. également Anderegg, 1887.

207 Die Zollfrage vom Standpunkt..., 1887.

> *Die massenhaften Eingaben, welche von gewerblicher und landwirthschaftlicher Seite zur Verbesserung der Schweiz. Zollverhältnisse dem tit. Bundesrath eingereicht wurden, beweisen einerseits, dass in diesen Kreisen eine grosse Unzufriedenheit über die gegenwärtigen Zollverhältnisse herrscht, und anderseits, dass man mit der bisherigen Wirthschaftspolitik unserer Grossindustrie, welche ihre Eigeninteressen in Zollfragen bis in alle Details verfolgte, von Seite des Gewerbsstandes und der Landwirthschaft brechen will [...] Die Schutz- und Kampfzollfrage ist trotz allen gegentheiligen Behauptungen, trotz aller freihändlerischen Sympathien einzelner massgebenden Persönlichkeiten eine Existenzfrage für die Landwirthschaft und für das Gewerbe geworden*[208].

Dernier bastion libre-échangiste, l'agriculture romande amorce une conversion. Une pétition vaudoise couverte de 12 000 signatures exige une adaptation de la politique douanière suisse[209].

Renforcé par l'évolution des milieux agricoles, le mouvement protectionniste suisse améliore par ailleurs son organisation. Le 10 octobre 1886, à Olten, une assemblée d'agriculteurs, d'industriels et d'artisans décide de constituer une ligue dans le but d'améliorer la force de frappe politique des milieux protectionnistes. Le 7 novembre 1886, une seconde assemblée établit des structures et définit les objectifs à poursuivre[210]. Un comité exécutif de cinq personnes, désormais appelé comité d'Olten, est chargé d'élaborer un catalogue de revendications[211]. Le 3 avril 1887, une requête est adressée à l'AsF[212]. A l'instar de l'USAM et de la GSL, le comité d'Olten propose de faciliter la conclusion de traités de commerce à tarif au moyen d'un article de rétorsion. Afin de protéger le marché intérieur, le comité fixe un tarif d'usage complet au-dessous duquel les négociateurs suisses ne devraient en aucun cas descendre. La requête est signée par la GSL et le SLV pour le monde agricole. La petite et moyenne industrie est représentée par une série d'associations (bois, tannerie, chaussure, bijouterie, brasserie, tabac, lin, laine et mi-laine) et des représentants de différentes branches (verre, élastiques, chicorée, papier, coton, rubans, filature de laine, chapeaux, parapluies, poterie, confection). Quant à l'artisanat, il n'est représenté que par la SdG. Bien qu'ayant participé à l'élaboration de la requête, l'USAM décide de s'en désolidariser. Outre le souci de préserver ses relations avec l'axe USCI-CF, ce sont les revendications agricoles jugées exagé-

208 Zur Zollfrage, 1887.

209 Information tirée in Gutachten des Herrn Dr. Hermann Christ..., 1887, p. 7.

210 A cette occasion, le commerçant bâlois Henri Gautschy prononce un discours de défense du protectionnisme; Gautschy, 1886.

211 Un compte rendu de la réunion du 7 novembre 1886 figure in *SLZ*, 1886, pp. 535-538; la composition du comité d'Olten est la suivante: H. Gautschy (industries du coton et du ruban), A. Hagnauer (secrétaire du «Schweizerischer Gerber-Verein»), C. Auer (président de l'Union suisse des meuniers et négociants en grain), P. Schenker (comité directeur de l'USAM), H. Greulich (comité central de la SdG).

212 Zolltarifforderungen, 1887.

rées qui sont à l'origine de cette décision[213]. Bien qu'il continue de revendiquer une meilleure protection de la production cotonnière, le SSZWV ne participe pas à la Ligue protectionniste d'Olten[214]. L'association des filateurs et des tisseurs est alors opposée à la résiliation du traité de commerce avec l'Allemagne prônée par la ligue, car cet accord garantit un important trafic de perfectionnement à ses membres[215].

La pression exercée par les milieux protectionnistes contraint le moteur de la révision de 1884 à adopter une stratégie défensive. Cramer-Frey craint en effet qu'une nouvelle adaptation de la politique douanière suisse ne se fasse au détriment de l'industrie d'exportation. A plusieurs reprises, il prend position contre une révision partielle du tarif qui aurait toutes les chances de déboucher sur une flambée de protectionnisme agricole. Par ailleurs, il estime qu'une instabilité douanière chronique n'est pas propice au développement de l'économie helvétique. S'alignant sur la position du SSZWV, il propose de préparer une révision douanière totale pour l'échéance du traité avec la France (1892). Jusque-là, la défense des intérêts commerciaux suisses peut se faire sur la base du tarif de 1884, auquel doit être adjoint un article de rétorsion. Plus musclée que l'arrêté Feer-Herzog de 1878, l'arme de combat de Cramer-Frey doit calmer le mouvement protectionniste tout en renforçant la position des négociateurs suisses[216]. Eu égard aux intérêts de l'industrie du coton, Cramer-Frey propose de ne pas résilier le traité avec l'Allemagne, mais d'entreprendre une démarche visant à sa renégociation.

Le 27 mai 1886, le comité central de la KGZ entérine la stratégie douanière défensive de Cramer-Frey[217]. Le 29 mai, celui-ci écrit à Numa Droz pour lui faire part de sa position:

> *J'ai peur d'une reprise de la révision du tarif des péages, et d'autre part des augmentations de droits comme le demandent les «Landwirthe» ne pourraient pas même remplir le but que l'on poursuit par l'adoption, sous tous les rapports moins dange-*

213 Archives USAM, PV du comité directeur des 17/26/30 octobre 1886, 2/9 novembre 1886, 6 avril 1887.

214 Eingabe des Schweizerischen Spinner-, Zwirner-, und Weber-Vereines..., 1887.

215 Bertheau, 1886; cf. également *Jahresbericht 1887/1888 der Commission des SSZWV*, 1888, p. 3.

216 L'intitulé de l'article contraint le CF à prendre des mesures de rétorsion à l'égard des pays n'appliquant pas la clause de la nation la plus favorisée à la Suisse; il ne lui en donne pas seulement la possibilité comme l'article 34 de 1851 ou l'arrêté Feer-Herzog de 1878: «*[...] le conseil fédéral, sous réserve d'en donner à la première occasion connaissance à l'assemblée fédérale, doit élever du triple au sextuple les taux de droits pour les marchandises provenant de pays qui n'accordent pas à la Suisse le traitement de la nation la plus favorisée ou qui frappent les produits suisses de droits exceptionnellement élevés.*»; FF, 1886, vol. 3, p. 765, «MCF concernant la modification de la loi du 26 juin 1884 sur le tarif des péages (19 novembre 1886)».

217 Sur l'attitude de la KGZ, cf. Zimmermann, 1980, pp. 113-120; Meyer, 1969, pp. 22-23.

reuse, d'un «Kampfzollartikel» [...] Mais quoique vous fassiez, quoi que vous allez préparer aux Chambres fédérales, j'envisage la création préalable d'une arme ferme et forte comme très urgente et comme devant exercer une certaine impression sur les esprits en Autriche, en Italie et en Allemagne[218].

Le 31 mai 1886, une requête de la KGZ est adressée aux Chambres pour demander un article de rétorsion[219]. Dans une seconde requête, datée du 1er juin 1887, la KGZ s'oppose à une révision du tarif:

[...] ständen wir in principieller Feindschaft der ganzen Strömung gegenüber, welche gegenwärtig in der schweizerischen Zoll- und Handelspolitik die Oberhand zu gewinnen scheint[220].

Cette stratégie attentiste est appuyée par les milieux libre-échangistes de Suisse romande et de Bâle[221].

Jusqu'alors fidèle à un libre-échange respectueux des besoins financiers de la Confédération, le CF ne peut pas rester indifférent à la dégradation du commerce extérieur suisse et aux pressions du mouvement protectionniste. Après avoir longtemps refusé une nouvelle adaptation de la politique douanière suisse, le Gouvernement sort de sa réserve. Lors de la séance du 28 mai 1886, il est décidé d'adresser une demande de révision du traité germano-suisse de 1881 aux autorités du Reich. L'objectif est de remplacer le traité avec clause de la nation la plus favorisée par un traité à tarif sans recourir à une résiliation. Dans cette perspective, le CF décide de ne pas entrer en matière sur les diverses requêtes demandant des modifications de taxes, mais de confier la préparation d'une révision partielle du tarif douanier au DFCC (Droz) et au DFFD (Hammer), qu'il est prévu de soumettre aux Chambres en hiver 1886[222]. Un rapport dans ce sens est publié dans la *Feuille fédérale*[223]. Les 4 et 5 juin 1886, Hammer convoque une conférence d'experts agricoles pour débattre des desiderata douaniers exprimés par la GSL[224]. L'encouragement de l'élevage et de l'engraissement de bétail grâce à

218 AF, E 11, vol. 18, lettre de Cramer-Frey à Droz du 29 mai 1886.

219 En dehors de la GSL, de l'USAM et de la KGZ, un article de rétorsion est également soutenu par l'AHIV et le VSM; FF, 1886, vol. 3, p. 735, «MCF concernant la modification de la loi du 26 juin 1884 sur le tarif des péages (19 novembre 1886)».

220 Zur Revision des schweizerischen Zolltarifes..., 1887, p. 2.

221 Eingabe des Basler Handels- und Industrieverein..., 1887; sur la position du BHIV, cf. Henrici, 1927, p. 76.

222 DDS, vol. 3, n° 300, pp. 648-650, «Protokoll der Sitzung des Bundesrates vom 28. Mai 1886»; AF, E 11, vol. 18, «RCF sur les changements partiels du tarif du 28 mai 1886».

223 FF, 1886, vol. 2, pp. 517-518.

224 AF, E 11, vol. 18, «Petition der Gesellschaft schweiz. Landwirthe»; *ibidem*, «PV de la séance d'experts agricoles des 4 et 5 juin 1886»; la composition de la commission est la suivante: *Adolf Kraemer* (1832-1910) (ZH), cf. note 414, chapitre 4; *Johann Jakob Rebmann-Berger* (1846-1932) (BE), agriculteur à Erlenbach, exportateur n° 1 de la race tachetée, président de la commission bernoise d'expertise du bétail, initiateur du

une protection douanière est au centre des débats. A l'exception du représentant genevois, tous les experts y sont favorables. Même l'industrie laitière défend cette mesure susceptible de soutenir le prix de ses produits par un transfert de production vers la viande. Les taxes sur le bétail fixées par les experts dépassent les propositions de la GSL[225]. Alors qu'une augmentation de la taxe sur le beurre est également entérinée, la commission refuse des hausses sur la farine, le vin, les fruits, les légumes, les œufs et le fromage.

Prise contre l'avis de la KGZ, la décision de réviser le tarif marque un changement du rapport de force à l'intérieur du CF. Emmenée par Hammer, une majorité souscrit à un durcissement de la politique de combat helvétique moyennant l'instauration d'un protectionnisme modéré. Selon le Soleurois, la conclusion de bons traités de commerce ne peut pas se faire sur la base du tarif de 1884. Il est de ce fait nécessaire d'opérer un réarmement douanier immédiat. Cette stratégie est soutenue par l'Argovien Welti, le Bernois Schenk et le Thurgovien Deucher[226]. En s'appuyant sur Ruchonnet (VD) et Hertenstein (ZH), Droz tente bien de freiner la dérive protectionniste de l'exécutif avec la collaboration de Cramer-Frey. Mais le changement d'organisation du CF réalisé en 1887 ne fait qu'accentuer le poids de la nouvelle majorité. Désormais, trois départements seront parties prenantes de la politique douanière du CF: le Département fédéral des finances et des douanes (DFFD) de Hammer, le nouveau Département fédéral de l'industrie et de l'agriculture (DFIA) de Deucher et le Département fédéral de

«Herdbuch» du Simmental, gros investissements dans les chemins de fer du Simmental, initiant de la «Spar- und Leihkasse Niedersimmental», Cn radical (1883-1919); *Gottfried Bürgi-Dettling* (?-?) (SZ), agriculteur à Arth, exportateur n° 1 de la race brune, membre de la GSL, membre du comité central de l'USP (1897-1909), Landamann, père du Cn Joseph Bürgi-Gretener (1919-1928); *Camenisch Anton* (1836-1911) (GR), éleveur de bétail à Sarn, président du «Rhätischer Viehzuchtverein», président de la société agricole cantonale; *Glasson* (FR), syndic de Bulle; *Müller*, chef de la Division de l'agriculture; *Meyer*, directeur de douanes; absent lors de la séance, *François Demôle* (GE) communique ses positions par écrit.

225 Les bœufs de boucherie, jusqu'alors taxés à 5 frs la pièce, devraient l'être à 15 frs selon la GSL et à 20 frs selon la commission; bétail d'élevage avec dents de remplacement (adulte): 5 frs (1884)/10 frs (GSL)/10 frs (commission); bétail d'élevage sans dent de remplacement: 2 frs/4 frs/5 frs; veau jusqu'à six mois: 1 frs/2 frs/3 frs; porcs: 2 frs/4 frs/4 frs.

226 Les positions des différents Conseillers fédéraux peuvent être analysées à partir d'une série de PV in AF, E 11, vol. 18, PV du CF des 12/15/16/18 novembre 1886; proche des milieux agricoles, Deucher est favorable à une protection de l'agriculture respectueuse des autres secteurs de l'économie: «*Ich glaube es aussprechen zu dürfen, dass mit Bezug hierauf* (politique commerciale et douanière, C. H.) *in den massgebenden Kreisen der Bundesbehörden der beste Wille vorhanden ist, berechtigten Wünschen der Landwirtschaft entgegenzukommen und unsere Bauernsame gegenüber einer immer mehr um sich greifenden, für dieselbe ruinöse Zollpolitik des Auslandes den nötigen Schutz angedeihen zu lassen, soweit dies mit den vitalen Interessen der übrigen Bevölkerungsklassen vereinbar ist.*»; cité in Fischer, 1996, p. 307.

politique extérieure (DFP) qui est désormais occupé durablement par Droz. Fin 1888, le remplacement du libéral zurichois Hertenstein par le radical de gauche protectionniste Hauser marginalise encore davantage les libre-échangistes romands. Certes minorisé au sein du CF, Droz dirige cependant le centre de gravité de la politique commerciale helvétique, c'est-à-dire la Division du commerce transférée au DFP en 1887. Il possède donc certains moyens pour freiner le cours protectionniste que prend la politique du CF. Prétextant de la nécessité d'opérer la révision du tarif le plus tard possible, afin de la moduler en fonction des négociations commerciales avec les pays voisins, Droz parvient à en retarder l'exécution.

Demandées en mai aux autorités du Reich, les négociations pour le renouvellement du traité germano-suisse ne s'ouvrent qu'en novembre 1886[227]. Elles sont menées par Arnold Roth, Ministre de Suisse à Berlin[228]. Il est assisté d'une série d'experts, parmi lesquels figurent Cramer-Frey, mais aussi des personnalités proches de la Ligue protectionniste d'Olten[229].

227 Ces négociations sont préparées en collaboration avec l'USCI et l'USAM; les 28 et 29 septembre 1886, une conférence d'experts élargie se réunit à Berne pour formuler les exigences helvétiques; la liste des experts se trouve in FF, 1888, vol. 4, p. 854, «MCF concernant les traités de commerce conclus avec l'Empire d'Allemagne et l'Autriche-Hongrie (1er décembre 1888)»; c'est à partir des résultats de cette conférence que le CF compose les instructions destinées à la délégation suisse; DDS, vol. 3, n° 304, pp. 657-662.

228 *Arnold Roth-Zollinger* (1836-1904) (AR), cf. note 250, chapitre 5.

229 Les milieux protectionnistes sont représentés par *Heinrich Abt-Ineichen (-Scherer)* (1854-1937) (AG), important exportateur de bétail, membre du comité du VOLG (1886-1905), président (1905-1919), rédacteur de l'organe de presse (1895-1899/1905-1919), membre dirigeant du syndicat d'élevage de la race brune («Brauenviehzuchtgenossenschaft») (1897-1912), membre du comité du SLV (1885-1897), membre du comité directeur de l'USP (1901-1933), rédacteur de la *Schweizerische Bauernzeitung* (1901-1903), Cn radical-démocrate (1911-1919); *Johannes Blumer-Egloff* (1835-1928) (SG), à la tête de la maison «Blumer et Wild» active dans la fabrication et le commerce de confection, bonneterie et mercerie, CA du «Schweizer Unionsbank in St. Gallen» (dès 1889), fondateur et président du «Schweizerischer Wirkereiverein» (1894-1896) puis membre du comité (1896-1902), défenseur des classes moyennes, participe à la fondation du «Schweizerischer Detaillistenverband» (1909), Cn radical-libéral; *Oliver Zschokke* (1826-1898) (AG), industrie des machines, membre du AHIV – cf. note 146, chapitre 5; *Johannes Stössel* (1837-1919) (ZH), président de l'USAM – cf. note 519, chapitre 4; l'USCI est représentée par *Conrad Cramer-Frey* (1834-1900) (ZH), cf. note 320, chapitre 4; *Hans Wunderli-von Muralt* (1842-1921) (ZH) (filature de coton), cf. note 320, chapitre 4; *Eduard Blumer-Jenny* (1848-1925) (GL) (impression), cf. note 321, chapitre 4; l'horlogerie par *Arnold Grosjean-Christen* (1834-1898) (NE), cf. note 137, chapitre 5; la soie zurichoise par *Auguste Rübel* (1827-1892) (ZH), maison de commerce de soieries «Rübel et Abegg», cofondateur et premier président du CA de la fabrique de produits alimentaires «Maggi S.A.», membre de la ZSIG; la rubanerie par *Rudolf Paravicini-Vischer* (?-?) (BS), président du «Bandfabrikantenverein», membre du comité du BHIV; la broderie par *Franz*

Après deux séances seulement, les négociations sont interrompues. L'Allemagne n'est en effet pas disposée à faire des concessions sérieuses avant d'avoir réglé son différend douanier avec l'Autriche-Hongrie. Une fois de plus, la diplomatie helvétique est traitée comme quantité négligeable. Suite à ce nouvel échec commercial, le CF confirme sa volonté de durcir la politique douanière helvétique. Les 12, 15, 16 et 18 novembre 1886, le CF parachève la révision douanière partielle entreprise en mai et discute de la procédure à suivre pour son application[230]. L'introduction immédiate de certaines taxes dirigées contre l'importation allemande, en vertu de l'article 34, est sérieusement envisagée. Il est pourtant décidé de surseoir à une telle mesure et d'engager une révision douanière selon la procédure normale. Le 19 novembre 1886, un message est publié à l'intention des Chambres[231]. Certes, à la demande de Droz, la poursuite d'objectifs protectionnistes n'est pas explicitée. Selon lui, il faut éviter que la marge de manœuvre des négociateurs soit restreinte par des promesses faites aux milieux protectionnistes. Ainsi, l'accent est mis sur la nécessité de se créer des armes en vue du renouvellement des traités de commerce. Certains passages du message, qui est rédigé par Hammer, sont pourtant tout à fait révélateurs de la dérive protectionniste au sein du CF:

> *Eu égard à l'importation considérable pour nous, de bois scié d'essence tendre (fr. 2 088 366 en 1885), et considérant que les nouveaux tarifs mis en vigueur en mai 1885 par l'Allemagne ont beaucoup diminué l'exportation de Suisse en Allemagne du bois de construction et de charronnage, il nous paraît nécessaire de favoriser l'écoulement de nos bois sur le marché intérieur pour remplacer le débouché qu'ils ont perdu en Allemagne (notamment en Alsace), afin de parer à la dépréciation des forêts qui résulterait d'une baisse ultérieure sur le prix du bois*[232].

A l'exception de la taxe sur les bœufs de boucherie, qui est ramenée de 20 frs à 15 frs, les propositions de la commission d'experts agricoles sont reprises telles quelles dans le projet de tarif du CF. Estimant que l'article 34 de la loi de 1851 lui suffit pour prendre des mesures de rétorsion en cas de nécessité, le CF demande aux Chambres de renoncer à l'instauration d'un «Kampfzollartikel».

La publication du message du 19 novembre 1886 est loin de calmer le débat douanier. De fait, la pression du mouvement protectionniste continue de s'accentuer. Entre novembre 1886 et avril 1887, le CF reçoit 57 requêtes

---

Maximilien Hoffmann (1851-1924) (SG), frère du Cféd. Arthur Hoffmann – cf. annexe 14 –, grand industriel de la broderie, membre du KDSG, président du ZSOV; la composition de la commission est tirée in Fischer, 1996, note 6 p. 389.

230 AF, E 11, vol. 18, «PV des séances du CF des 12/15/16/18 novembre 1886».

231 FF, 1886, vol. 3, pp. 731-779, «MCF concernant la modification de la loi du 26 juin 1884 sur le tarif des péages (19 novembre 1886)».

232 *Ibidem*, p. 739.

qui viennent s'ajouter aux 34 ayant servi de base au message. La plupart exigent un renforcement de la protection douanière[233]. Tour à tour, l'USAM (27 février) et le SSZWV (11 mars) renforcent leurs exigences. Mais ce sont les élites agricoles qui exercent la pression la plus forte. Comme nous l'avons déjà mentionné, les velléités protectionnistes de l'Italie provoquent une nouvelle vague de revendications. Le 1er mai 1887, lors de l'assemblée générale du SLV, Félix Anderegg prononce un discours musclé exigeant une adaptation de la politique douanière suisse. A cet effet, il demande que la composition de la commission des douanes du CN soit modifiée pour améliorer la représentation de l'agriculture:

> *Die gegenwärtige 15 gliedrige Zolltarifkommission, die 10% landw. Vertreter gegenüber 90% zählt, sei vom Bundesrath dahin zu ergänzen, dass die Landwirthschaft dabei wenigstens um 45%: 50% vertreten sei, nach der % Zahl der landw. schweizer. Bevölkerung [...]*[234]

Le 6 mai 1887, le CF cède à la pression en publiant un supplément au message du 19 novembre 1886. La révision partielle touche désormais 118 des 415 positions du tarif, dont 102 sont revues à la hausse[235].

Fin mai 1887, la commission des douanes du CN rend son rapport sur les deux messages du CF[236]. La majorité soutient la politique du CF en la modifiant sur quelques points. Auteur d'un rapport spécial concernant les textiles, Cramer-Frey motive le refus du CF et de la commission d'accorder une protection supplémentaire à la filature et au tissage de coton. Durant le laps de temps séparant la publication du rapport de la commission et l'entrée en matière du CN, un nouveau coup dur frappe l'exportation helvétique. Le 1er juin 1887, l'Autriche-Hongrie met en vigueur des augmentations de taxes touchant notamment les soieries, les machines et le fromage. Le 10 juin, la KGZ, la ZSIG et le VSM demandent au CF de résilier le traité austro-suisse basé sur la clause de la nation la plus favorisée. Les associations soulignent

233 Un récapitulatif des requêtes se trouve in FF, 1887, vol. 2, pp. 335-340, «Supplément au MCF concernant la modification de la loi du 26 juin 1884 sur le tarif des péages (6 mai 1887)».

234 Anderegg, 1887, p. 5.

235 FF, 1887, vol. 2, pp. 335-397, «Supplément au MCF concernant la modification de la loi du 26 juin 1884 sur le tarif des péages (6 mai 1887)».

236 Comparativement à 1883, la composition de la commission douanière du CN ne subit que peu de changements: Lachenal (GE) remplace Vautier (GE), Stockmar (BE) remplace Kuhn-Barbier (BE), Tobler (SG) remplace von Gonzenbach (SG) et Schindler (GL) remplace Zweifel (GL); le rapport de force reste favorable aux milieux industriels enclins à un durcissement de la politique douanière de la Confédération; la sensibilité aux intérêts de l'agriculture est légèrement améliorée avec l'arrivée de Tobler – fabricant de gaze, membre du comité de la «Landwirthschaftliche Gesellschaft St. Gallen» – et Schindler – beau-fils d'un industriel de l'impression, président du «Landwirthschaftlicher Verein des Kantons Glarus».

alors l'importance d'une augmentation des positions agricoles dans l'optique de la négociation d'un traité à tarif avec cet Etat voisin. L'industrie de l'impression défend le même point de vue[237].

Du 10 au 23 juin 1887, le CN débat de la révision partielle du tarif douanier de 1884. Les joutes sont présidées par Zemp, premier catholique-conservateur à accéder à cette charge honorifique. Lors du débat d'entrée en matière, l'opposition se limite aux milieux ultra-libre-échangistes en majorité romands[238]. Leur attitude est ridiculisée par le Soleurois Kaiser, président de la commission douanière:

> *Les partisans du projet s'occupent uniquement des nécessités de la situation, tandis que la politique de ses adversaires est une politique d'autruche; ils professent les principes de Rousseau qui voulait se mettre un jour à revenir à l'état sauvage (Ici l'orateur fait le geste d'enlever son habit, hilarité)*[239].

La réplique du Genevois Carteret fuse:

> *Une partie de la Suisse croit avoir intérêt à vendre cher; elle ferait mieux de produire bon marché*[240].

Cette logique commerciale libre-échangiste ne fait cependant plus recette. L'entrée en matière est votée par 103 voix contre 13. Bien qu'il se distancie des exagérations protectionnistes du projet, Cramer-Frey vote l'entrée en matière pour éviter d'infliger un désaveu au CF, ce qui aurait de fâcheuses conséquences pour les négociations à venir. Il est suivi par Geigy-Merian et Tobler qui représentent l'industrie de la chimie et de la soie. Il faut encore souligner le vote favorable des milieux agricoles vaudois, jusqu'alors libre-échangistes, et l'unanimité des catholiques-conservateurs. Au cours de l'élaboration du tarif, ces derniers sont les principaux défenseurs de l'agriculture. Baldinger (AG), Python (FR), Decurtins (GR), Beck-Leu (LU), Durrer (NW) et Schwander (SZ) interviennent tour à tour pour obtenir une hausse des positions agricoles. Clef de voûte du protectionnisme défini par la GSL, mais aussi d'une politique de combat vis-à-vis de l'Italie et de l'Autriche-Hongrie, la taxe sur les bœufs de boucherie est augmentée à 25 frs,

237 Schmidt, 1914, p. 142; FF, 1888, vol. 4, p. 825, «MCF concernant les traités de commerce conclus avec l'Empire d'Allemagne et l'Autriche-Hongrie (1er décembre 1888)».

238 Il s'agit principalement de Genevois (Lachenal, membre de la commission, Carteret, Dufour, Favon, Pictet) et de Neuchâtelois (Grosjean, membre de la commission, Comtesse, Morel) qui représentent la banque, le commerce et l'horlogerie; les Conseillers nationaux suivants votent également contre l'entrée en matière: Paschoud (vigneron vaudois), Cuénat (milieux bancaires du Jura bernois), Sulzer (commerce de Winterthour), Eisenhut (fabricant de broderies à la main d'Appenzell Rhodes-Extérieures) et Müller (fabricant de tissus en couleur saint-gallois).

239 *JdG*, 11 juin 1887, «PV de la séance du CN du 10 juin 1887, intervention Kaiser».

240 *Ibidem*, «intervention Carteret».

contre l'avis de la commission (20 frs), du CF (15 frs) et des milieux libre-échangistes (statu quo à 5 frs).

Entre juin et novembre 1887, le CF temporise. Fort du tarif voté par le CN, il espère que les pays voisins, en particulier l'Allemagne, consentiront à négocier une ouverture de leur marché. Cette attitude réservée, qui est celle défendue par l'axe Droz-Cramer-Frey, mécontente le comité d'Olten. Elle vise en effet à éviter l'application d'un tarif dont les tendances protectionnistes dérangent. Réunie en assemblée générale, le 9 octobre 1887, la ligue protectionniste radicalise sa position en votant une résolution en quatre points: 1) respect des exigences communiquées dans la requête du 3 avril 1886; 2) interruption des négociations avec l'Allemagne en cas de refus de concessions et résiliation du traité; 3) idem avec l'Autriche-Hongrie; 4) menace de recours au peuple si les autorités ne tiennent pas compte des revendications de la ligue[241]. Dans la perspective d'un mouvement populaire, il n'est probablement pas fortuit que la présidence de l'assemblée soit confiée au Grutléen Herman Greulich, principal promoteur d'une alliance rouge-verte. Bouc émissaire des différents orateurs, Numa Droz est accusé de mener une politique commerciale à contre-courant de la majorité du CF, affaiblissant ainsi la position suisse face à l'Allemagne[242].

Fin 1887, l'axe Droz/Cramer-Frey sort de sa politique attentiste. D'une part, la critique intérieure risque de dégénérer en véritable crise politique. La menace du comité d'Olten de recourir à un mouvement populaire n'est en effet pas que rhétorique. Constitué en avril 1887, le deuxième «Arbeiterbund» est le résultat d'un rapprochement des milieux démocrates, grutléens et catholiques-sociaux. Si elle venait à être élargie à la paysannerie sur le thème de la politique douanière, l'alliance des milieux favorables à une intervention en faveur des classes populaires serait en mesure de lancer un mouvement de révision de la constitution sur la base du projet de réformes du démocrate Curti (1886)[243]. La politique économique de la Confédération, portant jusqu'ici sur le développement des relations commerciales et financières internationales, serait alors remise en question au profit d'une politique davantage tournée vers le marché intérieur. D'autre part, la dégradation des rapports commerciaux avec les pays voisins arrive à un point qui n'est plus supportable pour l'industrie d'exportation. Le 26 novembre

241 Un compte rendu de la séance figure in *Zürcher Bauer*, Nr. 41, 15. Oktober 1887.

242 Suite au discours prononcé par Olivier Zschokke lors de cette assemblée, ce dernier est expulsé de la délégation helvétique chargée des négociations avec l'Allemagne; une querelle juridique est alors engagée entre Zschokke et le CF; Gutachten des Herrn Dr. Hermann Christ..., 1887; Fischer, 1996, pp. 232-233.

243 Sur la constitution d'une alliance populaire pour promouvoir une intervention sociale de la Confédération, cf. chapitre 4.4.3.

1887, alors qu'elle refuse toujours de reprendre les négociations avec la Suisse, l'Allemagne révise à nouveau certaines positions de son tarif à la hausse. Les relations commerciales avec l'Italie subissent aussi une péjoration. Certes, le 23 décembre 1887, une délégation suisse entame des négociations à Rome[244]. Invoquant les pourparlers en cours avec la France, qui vont déboucher sur une guerre douanière, les négociateurs italiens refusent pourtant de faire des concessions substantielles à l'exportation suisse. Résilié au 1er janvier 1888, le traité avec clause de la nation la plus favorisée est prolongé jusqu'au 1er mars 1888. Il n'a cependant plus beaucoup d'intérêt pour l'exportation helvétique qui ne bénéficie plus des réductions jusqu'alors accordées par l'Italie à la France. Si les autorités fédérales entendent préserver l'économie d'une lente strangulation de son commerce extérieur, il est grand temps que la diplomatie commerciale helvétique sorte de la spirale négative imposée par les pays voisins.

Le 7 novembre 1887, le CF décide de résilier le traité avec l'Autriche-Hongrie – délai d'une année. Dans un deuxième temps, le Gouvernement relance la révision partielle du tarif douanier qui est traitée du 6 au 14 décembre 1887 au CE. Les propositions de la commission ne divergent du projet du CN que sur 15 positions revues à la hausse. Au cours du débat, les élites agricoles catholiques-conservatrices peignent le diable sur la muraille. Selon leur président de fraction, des mouvements révolutionnaires similaires à ceux déclenchés par les paysans d'Irlande sont à craindre dans les campagnes[245]. Le 14 décembre, le CE approuve un nouveau projet de tarif par 29 voix contre 5[246]. Après règlement des divergences avec le CN, le tarif est définitivement adopté le 17 décembre 1887. Une troisième mesure du CF concerne les relations commerciales avec l'Allemagne. Le 15 décembre, une requête adressée au Reich exige une rapide reprise des négociations, mais sans succès[247]. En réalité, il faut attendre la mise en vigueur du nouveau tarif suisse pour que la situation commerciale se débloque. Le référendum n'ayant pas été saisi, le CF décide, le 3 avril 1888, de l'appliquer à partir du 1er mai 1888[248]. Comparativement au tarif de 1884, il marque une réelle avancée protectionniste. La taxation maximale passe de 100 à 300 frs par quintal. La principale caractéristique du tarif de 1887 est toutefois la mise en place des premières mesures de protectionnisme agricole (annexe 6).

244 Elle est composée du Ministre suisse à Rome, *Simeon Bavier-von Salis* (1825-1896) (GR), – cf. note 250, chapitre 5 –, de *Conrad Cramer-Frey* (1834-1900) (ZH), – cf. note 320, chapitre 4 – et d'*Eduard Blumer-Jenny* (1848-1925) (GR), – cf. note 321, chapitre 4.

245 *JdG*, 9 décembre 1887, «PV de la séance du CE du 8 décembre 1887, intervention Wirz».

246 Les opposants sont Cornaz (NE), Berthoud (NE), Moriaud (GE), Reali (TI) et Balli (TI).

247 DDS, vol. 3, n° 353, pp. 780-783.

248 FF, 1888, vol. 1, pp. 662-672; FF, 1888, vol. 2, pp. 53-75.

5.2.2. Renouvellement des traités de commerce avec l'Allemagne, l'Autriche-Hongrie et l'Italie: premiers succès de la nouvelle politique de combat

Le 28 mai 1888, les négociations avec l'Autriche-Hongrie débutent enfin[249]. Elles sont menées par le Ministre suisse à Vienne, Arnold Aepli, qui est accompagné de deux représentants de l'USCI, Cramer-Frey et Blumer-Jenny. Presque simultanément, le CF réussit à relancer les pourparlers avec l'Allemagne grâce à de nouvelles propositions. Les 31 août et 1er septembre 1888, deux séances ont lieu pour faire le point sur les négociations. Convoquées par Droz, elles réunissent les Conseillers fédéraux libéraux Hammer (DFFD) et Welti (DFCP), les quatre ministres en fonction dans les pays voisins – Lardy (France), Roth (Allemagne), Aepli (Autriche-Hongrie) et Bavier (Italie)[250] – ainsi que les deux négociateurs Cramer-Frey et Blumer-Jenny. Il est intéressant de constater l'hégémonie des représentants des élites

249 La délégation est composée du Ministre à Vienne Aepli, de Conrad Cramer-Frey (ZH) et d'Eduard Blumer-Jenny (GL) (impression); elle est accompagnée d'un certain nombre d'experts: Heinrich Sulzer-Steiner (ZH) (machines), vice-président du VSM; Auguste Rübel (ZH) (soieries), membre de la ZSIG; Max Hoffmann (SG) (broderies), membre du KDSG; F. Jenny-Zwicky (GL) (filature/tissage de coton), direction du SSZWV.

250 Les Conseillers fédéraux Droz – cf. note 137, chapitre 4 –, Hammer, cf. note 16, chapitre 5, et Welti – cf. note 19, chapitre 4 – sont déjà connus du lecteur, de même que Cramer-Frey – cf. note 320, chapitre 4 – et Blumer-Jenny – cf. note 321, chapitre 4; comme le montrent les notices biographiques qui suivent, les Ministres appartiennent également aux élites économiques proches du centre libéral: *Simeon Bavier-von Salis* (1825-1896) (GR), fils du Cn Johann Baptist Bavier-Roffler – négociant et banquier, cf. note 138, chapitre 3 –, ingénieur de formation, administre les domaines de la famille et collabore au sein de la banque de son père, CA des «Vereinigte Schweizerbahnen» (1862-1878), Cn de tendance libérale (1863-1878), Cféd (1878-1883), Ministre à Rome (1883-1895), ami intime de Kern; *Arnold Roth-Zollinger* (1836-1904) (AR), fils du Cn Johannes Roth-Schiess – politicien fortuné, beau-fils d'un homme d'affaire fortuné d'Herisau –, avocat de formation, secrétaire auprès du Ministre Kern à Paris qui est un ami du père, CdE (1871-1877), Ministre à Berlin (1877-1904), succède à son père au CE (1871-1876), ami politique de Welti, Aepli, Bavier et Kern; *Arnold Aepli-von Gonzenbach* (1816-1897) (SG), beau-frère des Cn Karl Emil Viktor von Gonzenbach – commerce de broderies, président du KDSG, cf. note 271, chapitre 3 – et August von Gonzenbach – cf. note 157, chapitre 1 –, avocat de formation, carrière dans la magistrature, cofondateur du *Bund*, CdE (1851-1873), CA des «Vereinigte Schweizerbahnen», CaE de tendance libérale-conservatrice (1849/1850-1851/1851-1852/1853/1857-1864/1865-1872), Cn (1872-1883), Ministre à Vienne (1883-1893), ami politique de von Planta, Escher, J. J. Blumer, Bavier, Roth, Heer et Dubs; *Charles Lardy*, (1847-1923) (NE), avocat, secrétaire puis conseiller à la légation de Suisse à Paris où il seconde le Ministre Kern, cheville ouvrière du traité de 1882 avec la France, devient Ministre à la démission de Kern (1883-1917), représente la Suisse à l'Union monétaire latine, biographe de Feer-Herzog, entretient une correspondance régulière avec Droz.

industrielles et commerçantes proches du centre libéral. Bien que chahutées aux Chambres par le mouvement protectionniste, celles-ci gardent la maîtrise de la politique douanière helvétique en occupant les postes-clefs de la diplomatie commerciale. Elles continuent ainsi à prendre les décisions stratégiques les plus importantes, comme celle d'accorder des concessions sur le bétail à l'Autriche, contre l'avis du DFIA de Deucher. Le 24 septembre, le CF vote de nouvelles instructions sur la base de ces séances. Déjà nommés délégués aux négociations avec l'Italie et l'Autriche-Hongrie, Cramer-Frey et Blumer-Jenny sont désignés pour mener aussi les pourparlers avec l'Allemagne. Cette décision, qui est motivée par la nécessité de coordonner les diverses négociations, marque une nouvelle étape dans le processus d'intégration de l'USCI au sein du champ étatique. Dorénavant, l'association faîtière bénéficiera quasiment d'un statut paraétatique en matière de diplomatie commerciale. Lors des futures négociations, ses représentants seront systématiquement inclus dans la délégation suisse, où ils donneront les grandes lignes de la stratégie à suivre.

Fin 1888, le balancier commercial s'inverse enfin. Les premiers succès liés au durcissement de la politique de combat par le CF sont enregistrés. Outre la pression exercée sur les pays voisins grâce au nouveau tarif douanier, la diplomatie commerciale helvétique bénéficie alors d'une constellation politique avantageuse. Désireux d'attirer la Suisse dans son orbite politique, Bismarck est prêt à faire certaines concessions commerciales pour y parvenir[251]. Ce d'autant plus que le climat entre les deux pays s'est détérioré au début de l'année 1888, en raison des tensions provoquées par la politique d'asile de la Suisse à l'égard des réfugiés politiques allemands. De manière surprenante pour les négociateurs suisses, l'Allemagne consent à sortir de la politique douanière autonome menée depuis 1879, en faisant quelques concessions à l'exportation helvétique[252]. Le 11 novembre 1888, un complément au traité de 1881 est signé[253]. Pour la première fois de l'histoire de la diplomatie commerciale suisse, ce n'est pas le ministre chargé des négociations qui rédige le rapport adressé au CF, mais le délégué Cramer-Frey[254]. Le 23 novembre 1888, un second traité est signé avec l'Autriche-Hongrie[255]. Un message consacré à

251 DDS, vol. 3, n° 384, pp. 857-858, «Der schweizerische Gesandte in Berlin, A. Roth, an den Vorsteher des Departements des Auswärtigen, N. Droz, Berlin, 17. Dezember 1888».

252 L'Allemagne a déjà conclu des traités avec l'Espagne et l'Italie en 1883; cependant, c'est la première fois qu'elle consent à faire des concessions tarifaires non pas sur des positions agricoles essentiellement fiscales (vin, fruits du sud, etc.), mais sur des positions protectionnistes industrielles.

253 RO, 1887-1888, vol. II, 10, pp. 743-750.

254 DDS, vol. 3, n° 384, pp. 857-858, «Der schweizerische Gesandte in Berlin, A. Roth, an den Vorsteher des Departements des Auswärtigen, N. Droz, Berlin, 17. Dezember 1888».

255 RO, 1887-1888, vol. II, 10, pp. 751-789.

ces deux accords est adressé aux Chambres début décembre[256]. Bien que le résultat obtenu ne soit pas jugé satisfaisant en tous points, les aspects positifs l'emportent aux yeux du CF. Pour la première fois de son histoire, la Confédération parvient à conclure des traités à tarif avec l'Allemagne et l'Autriche-Hongrie. Si limité que soit le nombre des positions inclues dans les tarifs conventionnels, les concessions sont d'importance pour l'exportation helvétique[257]. Le CF attribue les résultats obtenus à la nouvelle politique de combat:

> *Les nouveaux droits ont en effet rendu service au conseil fédéral dans les négociations qui viennent d'avoir lieu. Sans eux, la réalisation de traités de commerce acceptables n'aurait absolument pas été possible [...]*[258]

Fort de ces deux succès, le CF décide de mettre la pression sur les autorités italiennes. Le 1er décembre 1888, il autorise les négociateurs suisses à brandir la menace d'une guerre douanière:

> *Die Delegirten des Bundesrates werden ermächtigt, im geeigneten Momente, sei es im Anfange, sei es im Laufe der Unterhandlungen, den Delegirten der k. italienischen Regierung zu eröffnen, dass wenn bei den jetzigen Unterhandlungen kein neuer Vertrag zu Stande komme [...] der Bundesrat sich in die Lage versetzt sehen würde, auf die Produkte italienischer Provenienz den schweiz. Generaltarif zur Anwendung zu bringen und gleichzeitig auf demselben Erhöhungen einzelner Ansätze zu beschliessen*[259].

Après deux mois de négociations difficiles, un traité est signé le 23 janvier 1889[260]. Il est intéressant de constater qu'une fois de plus, des considérations de politique extérieure jouent un rôle non négligeable. Désireuse de compléter les liens entre la Confédération et la Triple Alliance, la diplomatie allemande n'hésite pas à intervenir auprès du Gouvernement Crispi pour qu'un accord soit trouvé[261]. Le 5 mars 1889, un message du CF est adressé aux Chambres[262]. Même si l'insuffisance des concessions obtenues est affi-

256 FF, 1888, vol. 4, pp. 821-857, «MCF concernant les traités de commerce conclus avec l'Empire d'Allemagne et l'Autriche-Hongrie (1er décembre 1888)».

257 *Autriche:* le droit sur le fromage est ramené de 20 florins à 5 florins, soit une augmentation de moins d'un florin par rapport au taux d'avant 1887; la plupart des droits supportés par les grandes industries d'exportation sont abaissés; *Allemagne:* le droit sur le fromage est uniquement lié; les broderies en coton bénéficient d'une réduction de droit importante (350/300 marks); il en est de même pour les articles en soie (800/600 marks) et les montres de poche (réduction de 20 à 73% du droit selon les articles); le statu quo est assuré pour les machines et le coton; les facilités procurées par le trafic de perfectionnement sont prolongées.

258 FF, 1888, vol. 4, p. 826, «MCF concernant les traités de commerce conclus avec l'Empire d'Allemagne et l'Autriche-Hongrie (1er décembre 1888)».

259 DDS, vol. 3, n° 382, p. 850, «Protokoll der Sitzung des Bundesrates vom 1. Dezember 1888».

260 RO, 1889-1890, vol. II, 11, pp. 82-105.

261 DDS, vol. 3, nos 386/388, pp. 861-862/865.

262 FF, 1889, vol. 1, pp. 379-401, «MCF concernant le traité de commerce conclu le 23 janvier 1889 avec l'Italie (5 mars 1889)».

chée[263], la stabilité que procure le nouveau traité est jugée préférable à un vide contractuel pouvant générer une guerre douanière.

Aux Chambres, les trois traités conclus sont loin de recueillir l'unanimité. Les élites agricoles et les classes moyennes industrielles, dont la protection a été abaissée contre des concessions à l'exportation helvétique, estiment que leurs intérêts ont une nouvelle fois été sacrifiés sur l'autel de la grande industrie d'exportation. Les représentants de l'agriculture sont particulièrement mécontents des concessions faites à l'Autriche-Hongrie sur les positions agricoles[264]. Certains demandent même le rejet de ce traité en attaquant le CF et les négociateurs de manière virulente[265]. Débattus les 12 et 13 décembre 1888, les traités avec l'Allemagne (105 voix contre 10) et l'Autriche-Hongrie (92 voix contre 34) sont toutefois acceptés par le CN. Le 27 mars 1889, il en est de même pour l'accord signé avec l'Italie. A cette occasion, Cramer-Frey tire le bilan du renouvellement des traités de commerce avec l'Allemagne, l'Autriche-Hongrie et l'Italie[266]. A la fois représentant des élites exportatrices et porte-parole de la politique commerciale du CF, le président de l'USCI légitime la politique de combat menée. Il estime que les arts et métiers et l'agriculture n'ont pas été floués. L'exportation de fromage est assurée pour une somme de 20 mios de frs, soit la moitié de l'exportation totale, et la protection du bétail est notablement plus élevée qu'avant 1884[267]. Cramer-Frey souligne les parts du marché suisse de la viande gagnées par les agriculteurs helvétiques.

Quant au bilan général des accords, Cramer-Frey le juge en demi-teinte. Il considère toutefois que la Suisse s'est pour la première fois imposée en tant que puissance commerciale:

263 *Italie:* le droit sur le fromage, qui est de 25 lires dans le tarif général et de 12 lires dans le traité avec l'Autriche, est baissé à 11 lires; le chocolat passe de 150 à 130 lires; des baisses de taxe sont obtenues sur certains tissus en coton écrus et imprimés, alors que les taxes sur les fils et les tissus teints et en couleur sont liées; les taxes sur les broderies sont légèrement diminuées; les taxes sur les machines et l'horlogerie sont liées; peu écoulés en Italie, les produits en soie helvétiques n'obtiennent pas de concessions.

264 Mis en vigueur le 1er janvier 1889, le nouveau tarif conventionnel abaisse les taxes appliquées depuis le 1er mai 1888 sur le beurre (8 frs/7 frs), les bœufs de boucherie et taureaux avec dents de remplacement (adultes) (25 frs/15 frs), les vaches et génisses avec dents de remplacement (20 frs/12 frs), les porcs de 25 kg et plus (8 frs/5 frs) et la farine (2,50 frs/2 frs).

265 Il s'agit de Beck-Leu (LU), Decurtins (GR), Bühler (GR) et Gisi (SO); DDS, vol. 3, nº 383, pp. 855-856.

266 Cramer-Frey, 1889.

267 La protection sur le bétail évolue de la manière suivante; bœufs et taureaux avec dents de remplacement: 0,50 frs (avant 1884)/5 frs (1885-avril 1888)/25 frs (mai 1888-décembre 1888)/15 frs (dès 1889); vaches et génisses avec dents de remplacement: 0,50 frs/5 frs/20 frs/12 frs; veaux: 0,10 frs/1 frs/3 frs/3 frs; porcs de plus de 25 kg: 0,50 frs/2 frs/8 frs/5 frs; porcs de moins de 25 kg: 0,10 frs/1 frs/3 frs/3 frs (annexe 6).

> *Während der ganzen längeren Vorverhandlungen und auch noch in der ersten Periode der eigentlichen Verhandlungen in Rom hielt Italien an dem alten prinzipiellen Standpunkte fest, kleinen Staaten gegenüber könne es für solche Hauptkategorien* (machines et coton, C. H.), *bei denen andere Staaten viel mehr betheiligt seien, seinen Zolltarif nicht durchbrechen lassen. Dass wir schliesslich doch mit unserer bestimmten Forderung durchgedrungen sind, betrachte ich als keinen kleinen Erfolg für die Gegenwart und für die Zukunft*[268].

Si elle veut soutenir la guerre commerciale que lui livrent les grandes nations, la Confédération doit améliorer les armes douanières à faire valoir lors du futur renouvellement des traités de commerce:

> *Wenn ich vor allzu grossen Illusionen mit Bezug auf die Zukunft warne, so möchte ich doch nicht behaupten, dass in zwei Jahren das Terrain für neue Unterhandlungen nicht ein erheblich günstigeres sein werde, als es vor Beginn der nun abgeschlossenen Negociationen der Fall war. Wir werden dannzumal etwas mehr Waffen in den Kampf tragen können*[269].

La conclusion de traités de commerce à tarif, qui est un élément essentiel des conditions-cadre définies par le président de l'USCI, ne peut se faire que moyennant une intensification de la politique de combat. Lors de son discours, Cramer-Frey se déclare prêt à recourir à la guerre douanière si nécessaire.

Le temps des improvisations est terminé. Déclenchée par les effets économiques désastreux de la Grande dépression, la longue mue de la politique douanière helvétique arrive à son terme. Entre 1876 et 1889, la stratégie douanière inaugurée en 1864 – fiscalisme, traité de commerce à tarif avec la France, clause de la nation la plus favorisée avec les autres Etats – est progressivement remplacée par une politique de combat – protection du marché intérieur, négociation de la capacité de consommation contre des traités à tarifs. Section Vorort de l'USCI, la KGZ dirigée par Cramer-Frey est le principal moteur de cette évolution. D'abord minorisée au sein du champ douanier, l'association zurichoise réussit peu à peu à gagner les différents lieux de pouvoir à sa cause. Le CN, puis le CF et enfin le CE se rallient à la nouvelle politique douanière. L'élément décisif du succès politique de la KGZ est le changement de stratégie douanière des élites agricoles. Entre 1885 et 1887, celles-ci abandonnent le libre-échange pour adhérer à un mélange de politique de combat et de protectionnisme agricole. D'abord réticentes pour des raisons fiscales et politiques, les élites agricoles catholiques-conservatrices deviennent des adeptes convaincus d'une intervention douanière à but commercial. Le maintien de la rentabilité de l'agriculture est à ce prix.

268 Cramer-Frey, 1889, pp. 10-11.
269 *Ibidem*, p. 10.

Pilier de la politique douanière libérale menée jusqu'alors, le bloc fédéraliste-libre-échangiste explose. Les milieux bancaires, commerçants, touristiques et horlogers de Genève, Neuchâtel, Vaud et Bâle ne peuvent plus compter sur l'appui des élites agricoles de Suisse centrale pour freiner les augmentations tarifaires. Au sein du champ douanier, une majorité est désormais favorable à une politique douanière interventionniste permettant de lutter contre la pression commerciale étrangère. Cette coalition, composée d'élites industrielles et commerçantes, d'élites agricoles et de classes moyennes agricoles, industrielles et artisanales est traversée de nombreuses contradictions. La principale oppose les tenants d'une politique de combat à ceux du protectionnisme. Défendant les intérêts de la grande industrie d'exportation, les uns cherchent une restauration la plus complète possible du libre-échange après la conclusion des traités de commerce. Intéressés à la capacité de consommation intérieure, les autres tentent de préserver une protection optimale de leur production.

Au centre de la nouvelle coalition, la KGZ a la volonté et les moyens de gérer les contradictions. Cette capacité consensuelle génère en partie son influence auprès du CF, jusqu'alors conseillé par le Bâlois Rudolf Geigy-Merian, leader du bloc fédéraliste-libre-échangiste. Partisan d'une politique de combat visant le libre-échange, Cramer-Frey est certes obligé de faire certaines concessions aux partenaires protectionnistes, en particulier aux élites industrielles et agricoles. Pour limiter celles-ci à un minimum, Cramer-Frey peut s'appuyer sur l'aile libre-échangiste de l'USCI qui bénéficie d'un relais efficace au sein du champ douanier en la personne de Numa Droz. Par ailleurs, le Zurichois est en mesure d'instrumentaliser la position centrale qu'il s'est construite au sein de la diplomatie commerciale helvétique avec la bénédiction du chef du DFP. En se cachant derrière les exigences des diplomaties commerciales étrangères, Cramer-Frey peut remodeler la tarification votée par les Chambres dans un sens libre-échangiste. Les traités de commerce ainsi conclus sont approuvés par une majorité composée des partisans de sa politique de combat et des adeptes du libre-échange. Cette arme est d'autant plus efficace qu'elle ne peut être contrecarrée par une votation populaire, les traités de commerce n'étant pas soumis au référendum.

Deux dangers menacent cependant la stratégie douanière de Cramer-Frey. Le plus sérieux est la constitution d'un mouvement protectionniste assez fort pour investir les différents lieux de pouvoir du champ douanier. Dans ce sens, la constitution de la Ligue protectionniste d'Olten représente une sérieuse menace. Elle contient en germe une alliance rouge-verte que Cramer-Frey tente de saper en soulignant les contradictions d'intérêts douaniers entre salariés et paysans:

> *Eine wesentliche Besserung dürfte bei uns mehr eintreten im Sinne der nun auch in der Schweiz vorherrschenden Tendenzen zu Gunsten der einheimischen Schutzöllner statt zu Gunsten der exportirenden Gewerbe. Die Zeche werden die Konsumenten zu*

> *bezahlen haben. Freilich, ein erheblicher Theil der letztern, nämlich die Arbeiter, wird die zu erwartenden höheren indirekten Steuern gerne zahlen. So muss ich wenigstens schliessen aus dem eigenthümlichen Phänomen, dass die Arbeiterführer wie z. B. deren spezifische Vertreter in diesem Rathe und auch der schweizerische Arbeitersekretär seit einiger Zeit ganz energisch Propaganda zu Gunsten höherer Zölle auf Lebensmitteln und anderen Gegenständen des täglichen Verbrauchs machen*[270].

Le second danger, moins fondamental, provient des élites agricoles qui exigent de participer à la diplomatie commerciale. Un siège au sein de la délégation chargée de la négociation des traités de commerce est revendiqué avec toujours plus d'insistance. Cramer-Frey tente aussi d'y parer en ridiculisant les quémandeurs:

> *In landwirthschaftlichen Kreisen hat man geglaubt, oder zu glauben vorgegeben, es wäre für sie bei diesen Verträgen mehr abgefallen, wenn man den Unterhändlern auch einen spezifisch landwirthschaftlichen Vertreter, oder doch einen Experten beigegeben hätte, wie man es für einige industrielle Branchen gethan. Das setzt voraus, dass die schweizerischen Unterhändler ohne Experten nicht gewusst haben sollten, was Käse, was ein Ochse oder eine Kuh sei*[271].

A l'horizon du renouvellement des traités de commerce helvétiques, prévu pour 1892, la nécessité d'une révision totale du tarif douanier est presque unanimement reconnue. Le rapport annuel du SSZWV publié en 1889 estime que le triomphe d'une politique de combat ne fait plus de doute:

> *[...] bei uns die naive Meinung, die noch bei Abschluss des französischen Handelsvertrages obgewaltet hat, als könnten wir durch Hervorheben unserer freihändlerischen Gesinnung und Anerbieten von minimen Finanzzöllen auf die harten schutzzöllnerischen Herzen unserer Nachbarn einwirken, wohl gänzlich aufgegeben ist*[272].

D'autant plus que la pression commerciale extérieure ne fait que s'accentuer. Sous l'impulsion d'un mouvement protectionniste emmené par Méline, la France s'apprête à abandonner le système de traités de commerce bâti depuis 1860, au profit d'une politique douanière autonome. L'exportation d'importantes quantités de soieries, de broderies et de fromage est ainsi menacée. Par ailleurs, les Etats-Unis préparent une taxation ultra-protectionniste qui sera introduite en 1890 sous le nom de tarif Mac Kinley. La voie royale qui s'ouvre à la stratégie douanière développée par Cramer-Frey est cependant jonchée de nouveaux obstacles. A la maîtrise parfois délicate des milieux protectionnistes vient s'ajouter la réorganisation de l'opposition libre-échangiste qui menace d'entrer dans une opposition référendaire. Pour relever ces défis, le nouveau maître à penser de l'économie helvétique possède néanmoins quelques atouts dans sa manche. Président de l'USCI, président de la KGZ,

270 *Ibidem*, pp. 9-10.
271 *Ibidem*, p. 17.
272 *Jahresbericht 1888/89 der Commission des schweiz. Spinner-, Zwirner- und Weber-Verein*, Wetzikon, 1889, p. 2.

membre d'honneur de l'USAM, président de la commission douanière du CN, leader de la fraction libérale aux Chambres, négociateur des traités de commerce, il joue un rôle important à tous les niveaux d'élaboration de la politique douanière helvétique[273].

5.2.3. Vers une véritable politique de combat: le tarif général de 1891

Avant même que la conclusion des traités de commerce avec l'Allemagne, l'Autriche-Hongrie et l'Italie ne soit acquise, la KGZ se soucie de la préparation du renouvellement de l'ensemble des traités à tarif prévu pour 1892. Dans sa requête du 1er juin 1887 adressée à l'AsF, l'association zurichoise propose une série de mesures dans le but d'élaborer un appareil douanier correspondant aux besoins de l'économie helvétique. D'une part, le tarif général issu des révisions de 1884 et 1887 doit être révisé sur la base d'une vaste consultation des milieux économiques. La procédure proposée prévoit que la récolte de l'information soit organisée par le DFFD, alors que son traitement serait confié à une commission d'experts. Celle-ci serait chargée d'entendre les différents intérêts en présence et de trouver des solutions consensuelles, avant d'élaborer un projet de tarif général. D'autre part, la KGZ exige que la loi sur l'organisation douanière, qui date de 1851, soit enfin révisée. Selon l'association zurichoise, les conditions économiques nouvelles nécessitent une refonte de la réglementation des admissions temporaires et des ports-francs, le remplacement du dédouanement au poids brut par un dédouanement au poids net (déduction de la tare) ainsi que l'introduction de bureaux de douanes à l'intérieur du pays[274].

Le 9 avril 1888, le magnat zurichois de l'industrie du coton, Hans Wunderli-von Muralt[275], donne une nouvelle impulsion au sein du comité de la KGZ. Dans le but de renforcer l'armement douanier suisse, il propose de faire cause commune avec les élites agricoles durant la révision douanière. La définition de la stratégie à suivre est toutefois reportée jusqu'à la conclusion des traités de commerce en cours de négociation. Les 19 et 20 décembre 1888, un postulat Cramer-Frey demandant la préparation du renouvellement des traités de commerce est accepté par les Chambres. Alors que le CF ne lance la consultation des milieux économiques qu'en avril 1889, la KGZ prépare la révision douanière dès le mois de février[276]. Le comité

273 Sur l'accumulation de pouvoir réalisée par Cramer-Frey, cf. Zimmermann, 1980, pp. 134-137; Iff, 1923, p. 15; Wartmann, 1902, pp. 71-72.
274 Zur Revision des schweizerischen Zolltarifes..., 1887.
275 *Hans Wunderli-von Muralt* (1842-1921) (ZH), cf. note 320, chapitre 4.
276 Sur le rôle déterminant joué par la KGZ lors de la révision de 1889-1891, cf. Zimmermann, 1980, pp. 126-132; Müller, 1966, pp. 26-30; Richard, 1924, p. 595; Henrici, 1927, p. 103.

décide en effet d'appliquer la procédure proposée aux autorités fédérales de manière interne. Une commission d'experts constituée de six poids lourds de l'économie zurichoise est nommée dans le but d'élaborer un projet de tarif consensuel[277]. Ses membres occupent des fonctions dirigeantes au sein de l'USCI, de la KGZ et des grandes associations de branche (SSZWV, SGCI, VSM et ZSIG). La présidence est confiée à Wunderli-von Muralt. Entre mars et décembre 1889, cette commission siège à 39 reprises. Les milieux industriels, artisanaux et agricoles de Suisse orientale et centrale sont consultés en collaboration avec le KDSG[278]. L'avis des milieux horlogers de la SIIJ est même sollicité par écrit[279]. Alors qu'un consensus est obtenu entre les intérêts divergents de l'industrie des machines et de la métallurgie, des fabricants de chaussures et de cuir, le problème de la taxation des semi-fabriqués en coton demeure insoluble.

Le 9 décembre 1889, la KGZ adresse une requête détaillée concernant la révision de la loi sur l'organisation douanière de 1851[280]. Le 18 janvier 1890, une première ébauche de tarif est transmise au DFFD. Enfin, en mai 1890, les conclusions de la commission d'experts sont publiées dans un rapport détaillé[281]. La KGZ y redéfinit le concept de politique de combat élaboré en 1882 et propose un projet de tarif devant servir cette politique. En fonction de l'augmentation de la pression commerciale extérieure, la nécessité de disposer d'un armement douanier plus performant est soulignée:

> *Denn je weniger eine Gegenpartei sich dem Abschlusse eines Vertrages geneigt zeigt, um so eher muss man mit Pressionsmitteln auf sie einwirken können, um so dringli-*

277 La composition de la commission est la suivante: *Hans Wunderli-von Muralt* (1842-1921) (ZH), président, à la tête du plus grand groupe suisse de filature de coton «Heinrich Kunz und Joh. Wunderli», membre du comité de la KGZ et du Vorort de l'USCI, membre du SSZWV – cf. note 320, chapitre 4; *Fritz Rieter-Bodmer* (1849-1896) (ZH), à la tête de l'entreprise de teinturerie et d'impression «Rieter, Ziegler et Co», membre du comité de la KGZ et du Vorort de l'USCI, membre fondateur de la SGCI – cf. note 320, chapitre 4; *Gustave-Louis Naville* (1848-1929) (ZH), à la tête de l'entreprise de fabrication de machines «Escher Wyss», cofondateur et membre du comité du VSM, sera plus tard membre du Vorort de l'USCI (1896-1900); *Conrad Baumann* (?-?) (ZH), à la tête de la maison de commerce de soieries «Baumann älter et Co», membre du comité de la KGZ, ancien membre du comité central de l'USCI (1872-1874), ancien président de la ZSIG (1871-1876); *Johannes Spörri* (1837-1921) (ZH), à la tête d'un commerce de soieries de renommée mondiale, surnommé «Seidenspörri», membre de la ZSIG; *Emil Frey*, (?-?) (ZH), rédacteur à la *NZZ*, secrétaire à plein temps de la KGZ (dès 1888), membre du comité (1893-1895), devient directeur de la «Rentenanstalt» (1894).

278 Quatorze séances sont consacrées à la consultation des milieux économiques des cantons de Zurich, St-Gall, Thurgovie, Schaffhouse, Glaris, Zoug, Argovie et Soleure.

279 AF, E 11, vol. 19.

280 Zur Revision des Bundesgesetzes über das Zollwesen..., 1889.

281 Zur Revision des schweizerischen Zolltarifs..., 1890.

> *cher ist es, ihr eine Schädigung ihrer Ausfuhr als Gegenstück für ihre abwehrende Haltung in Aussicht zu stellen*[282].

Bien qu'elle se réclame du libre-échange, la KGZ adopte une attitude pragmatique en accordant une protection modérée à certaines productions. Cette ouverture en direction des milieux protectionnistes ne se limite plus aux positions industrielles, mais tient aussi compte des revendications agricoles:

> *So sind wir dazu gelangt, mässige Schutzzölle für eine Anzahl von Industrien und Gewerben, sowie für einzelne Zweige der Landwirthschaft zu befürworten. Dieselben haben eine gewisse Berechtigung, wo es sich darum handelt, die durch übertrieben hohe Schutzzölle hervorgerufene Ueberproduktion des Auslandes, die verschiedene Gewerbe und kleinere Industrien zu erdrücken droht, etwas abzuhalten, oder einzelnen Erwerbszweigen gewisse Uebergangsstadien zu erleichtern, nach deren Zurücklegung der Zoll entweder wieder überflüssig oder für den Konsumenten irrelevant werden dürfte*[283].

D'un point de vue politique, la protection du bétail d'élevage est la clef de voûte d'un soutien des élites agricoles des régions de montagne. Une modeste protection du bétail de boucherie est aussi concédée, contre l'avis des milieux libre-échangistes de la KGZ et de l'USCI.

Les concessions de la KGZ faites à l'agriculture et aux arts et métiers poursuivent un double but. D'un point de vue commercial, l'augmentation des positions agricoles et artisanales est indispensable à la construction d'un tarif de combat efficace. Sur le plan politique, Cramer-Frey espère consolider l'alliance mise en place avec les milieux protectionnistes modérés. En cas de mécontentement, ceux-ci pourraient en effet se radicaliser et rejoindre la Ligue protectionniste d'Olten. Le bloc ultra-protectionniste ainsi renforcé serait susceptible d'imposer une politique douanière contraire aux intérêts de l'industrie d'exportation. A cet égard, la dérive de certains milieux agricoles, qui exigent désormais une protection du blé, inquiète sérieusement Cramer-Frey[284]. Il préfère donc donner quelques sucres pour éviter de tout perdre. De cette manière, l'USAM et la GSL seront notamment maintenues dans l'orbite de la politique gouvernementale. Diviser pour régner...

Autant d'un point de vue politique qu'administratif, la KGZ joue par conséquent un rôle qui dépasse la défense des intérêts économiques de sa base. Tout au long de la révision douanière, l'association zurichoise assume des tâches que ni l'administration fédérale, ni l'USCI ne sont en mesure d'accomplir. Encore fragile, l'association faîtière du commerce et de l'industrie refuse en effet de jouer le rôle paraétatique assumé par la KGZ. Les divergences d'intérêts douaniers en son sein sont encore si prégnantes que le

282 *Ibidem*, p. 10 de l'introduction.
283 *Ibidem*, p. 13 de l'introduction.
284 AF, E 2, 2307, «Lettre de Cramer-Frey à Droz du 21 février 1890».

risque d'une dissidence libre-échangiste n'est pas exclue. Ainsi, le 30 avril 1889, la Chambre suisse de commerce décide de ne pas réaliser l'agrégation des intérêts douaniers de ses sections.

Poids lourd du camp protectionniste, l'agriculture se lance dans le débat douanier en ordre dispersé. Entre 1885 et 1887, les élites agricoles de la GSL menaient les opérations douanières du complexe agro-alimentaire sans rencontrer de véritable opposition. Lorsque la révision du tarif s'amorce, en 1889, la GSL reste le partenaire privilégié de la Division de l'agriculture, qui est dirigée par un de ses membres, mais sa stratégie de spécialisation dans les productions animales est désormais contestée[285]. Réorganisé en 1888, le SLV développe son propre discours douanier avec conviction[286]. Sensible aux revendications des classes moyennes, cette association propose un élargissement du protectionnisme agricole aux productions végétales (blé, vin, fruits, légumes, tabac). Une taxe de 1,50 frs est notamment demandée sur les céréales. Contre la volonté des engraisseurs de Suisse orientale, une hausse de l'imposition du jeune bétail et des veaux est aussi exigée au profit des éleveurs des régions de montagne. Plus radical encore que le SLV, le VOLG revendique une taxe de 2 frs sur le blé. Principal porte-parole du mouvement paysan qui se constitue alors, la coopérative agricole prône une politique douanière permettant de conserver une population paysanne nombreuse[287]. Pour parvenir à leurs fins, les dirigeants n'excluent pas une collaboration avec l'aile Greulich du mouvement ouvrier. Enfin, les grands propriétaires terriens romands de la FSASR défendent leurs intérêts spécifiques: refus d'une protection accrue sur le bétail, protection de la production de beurre et protection du vin et du tabac[288]. Responsable de la consultation des milieux agricoles, la Division de l'agriculture du DFIA est donc en présence de quatre partenaires principaux dont les exigences sont en partie contradictoires. L'agrégation des intérêts agricoles est encore compliquée par l'intervention de nombreux acteurs secondaires – sociétés agricoles cantonales, associations régionales et Gouvernements cantonaux[289].

285 Zur Frage der Zolltarif-Revision..., 1889.

286 La question douanière est débattue dans les colonnes de l'organe de presse de l'association, la *SLZ*: Emil Frey, secrétaire de la KGZ, et Heinrich Abt, membre des comités du SLV et du VOLG, sont les principaux contradicteurs; en date du 18 septembre 1889, le SLV adresse une requête au DFIA; AF, E 11, vol. 19; le texte de la requête figure in Zolltariffoderungen, 1890, pp. 51-55.

287 Schenkel, 1889.

288 Principalement orientée vers la production laitière, l'économie agricole romande exporte la majeure partie de son fromage vers le marché français, qui demeure ouvert à l'exportation helvétique; la question d'un transfert vers la production de viande n'est pas aussi urgente qu'en Suisse orientale et centrale.

289 Ces divergences sont répertoriées dans un document de l'administration fédérale daté du 15 mars 1890 et intitulé «Révision du tarif des péages 1890. Enumération dans

Autre poids lourd du camp protectionniste, l'industrie du coton mécanisée se radicalise. Dans un exposé prononcé le 1er juillet 1888, le secrétaire du SSZWV décrit les perspectives de la filature et du tissage de manière plutôt pessimiste. Selon lui, la seule planche de salut se trouve dans une protection douanière et une régulation de la production moyennant une cartellisation[290]. Mécontent des propositions formulées par la KGZ, le SSZWV se désolidarise et envoie sa propre requête aux autorités fédérales[291]. Dans le but de casser la domination des industries de finition aux Chambres – broderie, impression et tissage d'étoffes et de rubans en soie mêlée – les producteurs de semi-fabriqués sont désormais décidés à pactiser avec les milieux agricoles protectionnistes. A l'occasion d'une assemblée paysanne, le président du SSZWV, Conrad Widmer-Heusser[292], déclare que

> *[...] die Vertreter der Industrie und des Handelsstandes für die gerechten Forderungen der Landwirthe einstehen werden, in der Erwartung, dass durch Entgegenkommen der interessirten Berufskreise ein Zolltarif geschaffen werde zu Nutz und Frommen des gesammten arbeitenden Volkes*[293].

Par ailleurs, le SSZWV adhère au comité d'Olten. En apparence anodine, cette décision change les données du débat douanier. Disposant des ressources financières nécessaires au lancement d'un mouvement référendaire, les élites de l'industrie cotonnière sont en mesure d'instrumentaliser la base agricole et ouvrière de la Ligue protectionniste d'Olten afin de mettre en échec un tarif qui ne tiendrait pas assez compte de leurs intérêts.

Par rapport aux révisions de 1884 et 1887, la KGZ doit ainsi gérer une pression accrue des partenaires protectionnistes de sa coalition douanière. Seule l'USAM, dont le comité directeur est alors situé à Zurich, continue de se tenir sagement dans son sillage. De l'aveu de Werner Krebs, secrétaire de l'association faîtière des arts et métiers, l'enquête douanière effectuée en 1889 se solde par un échec[294]. Mal organisée, mal représentée au sein du champ douanier, l'USAM est contrainte de se contenter des résidus protectionnistes de la politique de combat de la KGZ. L'attitude modérée des instances dirigeantes est peut-être aussi due à la dépendance économique des arts et métiers zurichois vis-à-vis de la grande industrie d'exportation

---

l'ordre des rubriques du tarif [...] des demandes contenues dans les pétitions provoquées par cette révision»; AF, E 11, vol. 19; un tableau récapitulatif des requêtes des associations agricoles figure in Kupper, 1929, p. 78.

290 Bertheau, 1888.

291 Anträge des Schweizerischen Spinner-, Zwirner- und Weber-Vereins..., 1889.

292 Conrad Widmer-Heusser est également membre de la Chambre suisse de commerce entre 1881 et 1913.

293 *NZZ*, 17. September 1890, compte rendu de l'assemblée du 14 septembre 1890 organisée par le SLV à Olten.

294 Widmer, 1992, p. 423.

qui détermine la conjoncture dans ce canton. La soumission à la politique de Cramer-Frey est telle que le comité central consulte ce dernier avant de nommer les experts chargés de représenter l'USAM lors de conférences préparatoires aux négociations commerciales[295]. Il n'est dès lors pas étonnant que l'USAM décide de ne pas collaborer avec la Ligue protectionniste d'Olten. Constatant que cette dernière établit des contacts directs avec ses sections afin de solliciter leur soutien, le comité directeur envoie une circulaire de mise en garde. Les exagérations de la ligue y sont dénoncées au profit d'une politique modérée permettant le consensus avec d'autres associations économiques[296].

Au sein du CF, la nouvelle révision douanière est l'objet d'un débat à couteaux tirés entre les divers départements concernés. Alors que l'élaboration d'un projet de tarif est confié au DFFD de Hammer, qui assume donc le rôle de moteur de la révision, le DFIA (Deucher) est chargé de traiter les requêtes concernant les taxes agricoles et le DFP (Droz) d'analyser le problème du renouvellement des traités de commerce. Si la révision de 1887 poursuivait des objectifs essentiellement commerciaux, celle qui court de 1889 à 1891 est aussi investie d'une dimension financière. Entre 1884 et 1889, la progression des recettes douanières parvient grosso modo à couvrir le surcroît des dépenses de la Confédération. De sorte que cette période se caractérise par des excédents budgétaires[297]. Entre 1880 et 1890, la dette consolidée augmente toutefois de 37,4 à 71,1 mios de frs (+90%)[298]. En 1889, un emprunt de 25 mios est contracté afin d'améliorer l'équipement de l'armée. Par ailleurs, les dépenses militaires courantes explosent au début des années 1890. De 1889 à 1891, elles passent de 21,2 à 32 mios de frs (+51%), ce qui fait basculer le budget dans les chiffres rouges dès 1891. A moyen terme, les revenus douaniers sont susceptibles de contribuer au financement des nouveaux projets d'intervention de la Confédération. Emil Welti, chef du DFCP, fait du rachat progressif des chemins de fer un objectif à réaliser rapidement. L'article constitutionnel permettant d'instaurer une assurance maladie-accident doit être débattu aux Chambres en juin 1890. Enfin, le CF projette de créer une caisse de pension pour les fonctionnaires fédéraux. Au débat entre protectionnistes, adeptes d'une politique de combat et libre-

295 Archives USAM, PV du comité central du 26 avril 1891.

296 Müller, 1966, pp. 56-58; Signer, 1914, pp. 127-128.

297 Entre 1884 et 1889, les recettes douanières progressent de 21,3 à 27,3 mios de frs (+28%); le coût de l'intervention économique introduite en 1884 s'élève à environ 2 mios de frs; les dépenses consacrées à l'agriculture progressent de 0,2 à 0,7 mios de frs, celles consacrées à l'industrie et au commerce de 0,3 à 1,4 mios de frs et celles de l'éducation de 0,7 à 0,9 mios de frs; quant aux dépenses militaires ordinaires, elles augmentent de 15 à 21,2 mios; SHS, 1996, p. 947.

298 Von Burg, 1916, p. 126.

échangistes, se superpose un affrontement sur l'ampleur de l'augmentation des revenus douaniers. Les défenseurs du libéralisme manchestérien s'opposent à l'accroissement des recettes de la Confédération prôné par les partisans d'une intervention étatique plus musclée. Mais ces derniers ne sont pas unis sur la manière de financer l'action de l'Etat. Alors que les uns estiment qu'il faut continuer de recourir aux douanes, d'autres sont d'avis qu'il faut chercher de nouvelles sources de revenus.

En mars 1890, les conclusions de la Division du commerce du DFP sont livrées dans un long document marqué du sceau libre-échangiste de Droz[299]. Invoquant l'incertitude qui enveloppe l'évolution commerciale européenne – attitude de repli de la France et réaction incertaine de l'Allemagne – le DFP estime que le CF doit adopter une attitude prudente en matière de douanes. Le renouvellement des traités de commerce n'étant pas assuré, le tarif général en place suffit pour couvrir les besoins financiers futurs de la Confédération. En cas d'échec des négociations, son application intégrale rapporterait près de 35 mios de frs, soit un surplus de 7 à 8 mios. Dans ce même cas de figure, un nouveau tarif renforcé renchérirait le coût de la vie dans une mesure incompatible avec les intérêts de l'industrie d'exportation. Pour étayer son point de vue, le DFP réalise une enquête sur l'augmentation des prix agricoles suisses et allemands depuis l'introduction de mesures protectionnistes dans les deux pays[300]. Le rapport insiste aussi sur l'accroissement de la charge douanière supportée par les ménages suisses durant la dernière décennie[301]. Pour aborder les futures négociations, le DFP estime qu'il suffit de relever quelques positions de combat:

> *Mit Staaten, die überhaupt zu Tarifverträgen geneigt sind, werden wir ohne übermässige Zölle Begünstigungen für unsern Export erlangen, ein Interesse ist stets auch an der Herabsetzung mässiger Zölle vorhanden und reicht selbstverständlich bis zur Einräumung gänzlicher Zollfreiheit [...] Richten wir unseren Tarif einigermassen für die Vertragsunterhandlungen ein; eine bescheidene Erhöhung einzelner Positionen mag von diesem Gesichtspunkte aus gerechtfertigt sein*[302].

299 AF, E 11, vol. 19, «Gutachten des eidgenössischen Departements des Auswärtigen (Abtheilung Handel) über die Zolltarif-Revision».

300 *Ibidem*, pp. 15-20; des documents relatifs à cette enquête figurent in AF, E 11, vol. 19.

301 *Ibidem*, pp. 4-15; l'utilisation des chiffres est quelque peu tendancieuse, car les taux de protection sont calculés à partir de la taxe du tarif général; elle exprime donc la protection potentielle accordée par le tarif général et non pas la protection réelle qui doit être calculée à partir du tarif d'usage (cf. annexes 3 et 6); quant au calcul de l'incidence de la charge douanière sur la consommation, qui est un aspect sans cesse controversé par les protagonistes du débat douanier, elle s'appuie sur une étude réalisée en 1883 par le professeur Fritz de l'EPFZ; de l'aveu même du rapport, le but n'est pas d'avancer des chiffres précis, mais de montrer la tendance à l'aggravation de la charge fiscale supportée par les ménages.

302 *Ibidem*, pp. 21-22.

De ces positions de combat sont exclus le blé et le bétail. En cas d'échec des négociations commerciales, le DFP se déclare opposé à l'application d'une taxation douanière différentielle et plus encore à l'engagement d'une guerre douanière[303]. En conclusion, le département de Droz propose de temporiser pour mieux pouvoir adapter le tarif helvétique à l'évolution commerciale internationale.

Le point de vue défendu par Deucher, dans un document daté du 25 janvier 1890, est en complète contradiction avec celui du DFP[304]. Le radical de gauche thurgovien défend en effet une politique de combat musclée englobant les produits agricoles:

> *Les négociations concernant le renouvellement des traités de commerce de 1888 ont démontré la valeur pour l'industrie des droits sur les denrées alimentaires*[305].

Ainsi, le bétail de boucherie, le vin et même le blé sont englobés dans les taxes de combat devant servir à l'ouverture des marchés extérieurs. En accord avec la GSL, le DFIA estime que ces positions agricoles doivent essentiellement servir à promouvoir l'exportation de fromage:

> *Nous insistons principalement sur le fromage [...] parce que le prix de toute notre production laitière dépend du prix du fromage d'exportation et que cette production [...]* est la ressource principale et, dans certaines grandes contrées, la seule ressource de notre agriculture (souligné dans l'original, C. H.)[306].

Le DFIA est non seulement favorable à une politique de combat englobant les produits agricoles, mais encore à une série de mesures protectionnistes destinées à soutenir l'agriculture:

> *Par contre, il est des plus désirable d'avoir* un droit protecteur fixe (souligné dans l'original, C. H.) *pour le bétail bovin destiné à l'élevage*[307].

Au contraire de la GSL, qui se contente d'une protection sur le gros bétail, le DFIA propose d'importantes augmentations sur le jeune bétail, les veaux et les porcelets:

> *Les 47,6% de tous les ménages de la Suisse possèdent du bétail. En conséquence, presque la moitié de tous les ménages a un intérêt à ce que la production du bétail soit encouragée; le meilleur encouragement consiste en des prix rémunérateurs*[308].

303 *Ibidem*, p. 24.
304 FF, 1890, vol. 2, pp. 1115-1132; le préavis est publié à la demande de la commission des douanes du CN.
305 *Ibidem*, p. 1116.
306 *Ibidem*, p. 1130.
307 *Ibidem*, p. 1126.
308 *Ibidem*, p. 1129; un récapitulatif des requêtes du SLV, de la GSL et de la FSASR est proposé dans le document en question; *ibidem*, pp. 1131-1132; les divergences du DFIA par rapport à la GSL, qui ne portent que sur quelques positions, sont également mentionnées; *ibidem*, p. 1128.

Ce département est également favorable à une protection permettant de diversifier la production agricole (viande, produits de la culture). Vétéran du mouvement démocratique, Deucher soutient une politique douanière plus orientée vers le marché intérieur qui favoriserait notamment les classes moyennes agricoles.

Entre les positions commerciales extrêmes défendues par Droz et Deucher, Hammer construit un projet de tarif tenant compte des impératifs financiers liés à sa position de chef du DFFD. Discuté en avril par le CF, ce projet est publié le 2 mai 1890[309]. Le message qui l'accompagne reconnaît l'influence exercée par la KGZ:

> *La société commerciale de Zurich déploya dans ce travail de révision une activité tout particulièrement remarquable [...] Nous avons [...] sur beaucoup de points pu nous ranger aux propositions de la société commerciale qui nous parurent avoir touché juste*[310].

Certes, l'analyse confirme que le projet de tarif du CF s'inscrit dans la stratégie de combat définie par la KGZ, mais elle permet aussi de constater une série de divergences. De nombreuses positions industrielles sont augmentées de manière plus modérée que ne le proposait la KGZ, ce qui limite la marge de manœuvre lors de futures négociations. Plusieurs taxes agricoles sont au contraire élevées de manière plus conséquente. Dans certains cas, la taxation du projet dépasse même les propositions de la GSL. Ce protectionnisme agricole est motivé ainsi dans le message:

> *Toutes les fois que cela était possible, nous avons cherché à concilier le point de vue de nos rapports avec l'étranger avec celui des intérêts de notre population, et si nous proposons entre autres des élévations de droit aussi sur les subsistances, notre but principal était de faire valoir la capacité de production de notre agriculture et d'obtenir par là qu'une partie au moins des fortes sommes qui s'expédient chaque année à l'étranger en échange de produits agricoles profitent aux producteurs indigènes et indirectement aussi à une plus grande partie de la population. Mais nous n'avons jamais perdu de vue que les augmentations de droit ne doivent pas aller jusqu'à renchérir effectivement le prix de la vie [...]*[311]

Enfin, le message affiche la nécessité d'augmenter les revenus douaniers de 4 mios de frs pour faire face aux besoins financiers futurs de la Confédération. Pour couvrir cette somme, le CF prévoit notamment une hausse des positions fiscales du tarif – tabac, sucre, pétrole et saindoux – devant rapporter 1,4 mios de frs, contre l'avis de la KGZ. En outre, le Gouvernement s'oppose à la baisse massive de la taxation des matières premières proposée par l'association zurichoise.

La lutte engagée au sein du CF s'achève ainsi par une double défaite de Droz. Sur le plan commercial, l'adoption d'une politique de combat musclée

309 FF, 1890, vol. 2, pp. 831-927, «MCF sur la révision du tarif des péages (2 mai 1890)».
310 *Ibidem*, p. 834.
311 *Ibidem*, p. 872.

est désormais acquise. Par ailleurs, des objectifs protectionnistes sont ouvertement affirmés dans le message du 2 mai 1890. Sur le plan financier, la majorité du Gouvernement est acquise à une hausse des revenus douaniers pour faire face à une intervention accrue de la Confédération. Alors que les libéraux Welti et Hammer s'inscrivent dans la réforme des conditions-cadre définie par Cramer-Frey, les radicaux de gauche Deucher, Hauser et Schenk sont aussi favorables à une intervention en faveur des classes moyennes et ouvrières. Fin 1890, le remplacement du libéral Hammer par Emil Frei permet à l'aile gauche du radicalisme de devenir majoritaire au sein du CF. Frein libéral jusqu'au milieu des années 1880, le CF assume désormais le rôle de moteur d'une intervention de la Confédération.

Défait au sein du CF, Droz n'abandonne pas pour autant sa croisade libre-échangiste. Avant même la publication du projet du CF, le Neuchâtelois sollicite ses amis politiques afin qu'ils organisent l'opposition libre-échangiste. Dans son édition du 21 mars 1890, le *National suisse*, journal radical neuchâtelois, lance l'idée d'une «Ligue contre le renchérissement de la vie»:

> *A la ligue qui s'est formée pour augmenter le prix de nos aliments les plus essentiels, il faut en opposer une autre, une ligue contre le renchérissement de la vie. C'est dans notre canton en majorité industriel, dans notre canton toujours le plus frappé par l'élévation des droits d'entrée que la ligue doit prendre naissance [...]*[312]

Le 18 avril 1890, le Conseiller aux Etats Auguste Cornaz[313] écrit à Droz pour l'informer que le comité central de la Patriotique a décidé d'organiser un mouvement intercantonal d'opposition:

> *Le comité central doit aussi entrer en rapports avec des groupes et des comités dans d'autres parties de la Suisse et provoquer, si possible, une assemblée des délégués à Berne ou à Olten pour organiser le mouvement [...] Il serait bien nécessaire, au sujet de ces mesures d'exécution, que nous puissions nous en entretenir*[314].

Durant la session des Chambres de juin 1890, la ligue est effectivement fondée par une série de parlementaires[315]. Le compte rendu de la séance publié par le *JdG* nous apprend que

> *M. Droz assistait à la réunion du café Weibel où il s'est trouvé par hasard, sans en avoir connu le but. Il s'est vivement félicité de ce réveil des consommateurs et de l'esprit libre-échangiste, qui est de nature à faciliter sa tâche*[316].

312 *National suisse*, 21 mars 1890, «Une ligue contre le renchérissement de la vie»; peut être consulté dans un dossier de presse in AF, E 11, vol. 19.
313 *Auguste Cornaz-Maillardet* (1834-1896) (NE), cf. note 146, chapitre 5.
314 AF, E 2, 2307, Nachlass Droz, lettre de Cornaz à Droz du 18 avril 1890; cf. également la lettre de Dubois à Droz du 16 avril 1890.
315 Sur la constitution de la Ligue contre le renchérissement et ses prises de position, cf. Müller, 1966, pp. 35-121; E 11, vol. 19, dossier de presse.
316 Cité in Müller, 1966, note 52 p. 46.

Un comité est alors constitué et chargé d'organiser l'action de la ligue[317].

Mi-septembre, la Ligue contre le renchérissement de la vie se constitue à Olten. Plus de 400 personnes, représentant 212 associations (environ 100 000 membres), menacent de saisir le référendum si les intérêts des consommateurs ne sont pas mieux pris en compte au cours des prochaines étapes de la révision du tarif douanier. Instigatrices de la ligue, les élites économiques ultra-libre-échangistes de Suisse occidentale donnent le ton. Elles dominent le comité élu ainsi que le comité financier qui sera constitué plus tard afin de préparer un éventuel référendum[318]. L'ACIG (Lachenal, Lombard), le BHIV (Geigy-Merian) et la SIIJ (Etienne, Grosjean, Francillon) sont les fers de lance du mouvement. La puissante SSH est aussi représentée, de même que les négociants vaudois et tessinois. Bien qu'ils fournissent le gros des effectifs de la ligue, les classes moyennes – bouchers, boulangers, confiseurs – et les salariés ne sont que peu représentés dans les instances dirigeantes. Le 16 novembre 1890, la ligue reçoit un renfort de poids avec l'adhésion de la ZSIG[319]. Sous la pression de Robert Schwarzenbach, qui menace de délocaliser sa production[320], l'association zurichoise se désolidarise de la politique menée par la KGZ. La décision n'est toutefois prise qu'avec une majorité de hasard (17 voix contre 14).

La présence de représentants du mouvement ouvrier au sein des comités de la ligue libre-échangiste peut paraître étonnante, car elle est en complète contradiction avec l'attitude des instances dirigeantes de la SdG. En mai 1890, le comité de la société suit en effet la stratégie politique de Greulich en

317 Il est composé d'Auguste Cornaz (NE), Eugène Ruffy (VD), Adrien Lachenal (GE), Ernest Francillon (BE), Paul Speiser-Sarasin (BS) et Theodor Curti (SG).

318 *Comité d'initiative* élargi: Cornaz (NE), président; Grosjean (NE), horlogerie; Lachenal (GE), commerce et horlogerie; Wanner (VD); Francillon (BE), horlogerie; Geigy-Merian (BS), commerce, chimie; Hauser (LU), hôtellerie; De Stoppani (TI); Zingg (ZH), président de l'Association suisse des maîtres bouchers; Stempfle (BS), confiserie; Stadelmann (BS), USC; Curti (SG-ZH), rédacteur de la *Zürcher Post*; Vogelsanger (GR), rédacteur du *Grütlianer*; Itschner (Neumünster), unions ouvrières de Suisse orientale; *Grenzpost*, 16. September 1890, compte rendu de l'assemblée d'Olten du 14 septembre 1890; complété par d'autres articles de presse in AF, E 11, vol. 19. *Comité financier:* Cornaz (NE), président de la Ligue; Etienne (NE), président de la SIIJ; Richard (NE), directeur du «Crédit foncier» à Neuchâtel; Lombard (GE), secrétaire de l'ACIG, Siegfried (BS), secrétaire du BHIV; Chessex (VD), représentant de la SSH; Schwarzenbach (ZH), représentant de la ZSIG; Engeler (ZH), secrétaire de l'Association suisse des maîtres bouchers; Schenkel (ZH), Association suisse des maîtres boulangers; Stadelmann (BS), président de l'USC; Fenner (ZH), comité central de la SdG et représentant des unions ouvrières de Suisse orientale; *La Fédération horlogère*, 11 avril 1891, appel du comité des finances de la Ligue contre le renchérissement de la vie.

319 Concernant la controverse douanière au sein de la ZSIG, cf. Müller, 1966, pp. 75-76; Niggli, 1954, pp. 54-55; Schwarzenbach, 1959, pp. 117-118; Hauser-Dora, 1986, p. 251.

320 Schwarzenbach, 1890.

signant la pétition protectionniste du comité d'Olten. Ce soutien accordé aux classes moyennes agricoles et artisanales est pourtant contesté par deux ailes de la gauche helvétique[321]. Bien que partisans d'une alliance populaire rouge-verte, certains démocrates de Suisse orientale, groupés autour de la *Zürcher Post* de Theodor Curti, refusent de souscrire à un protectionnisme agricole qui est contraire aux intérêts de leur base électorale constituée surtout de travailleurs de l'industrie d'exportation et de salariés du secteur tertiaire (employés, fonctionnaires). Quant à l'aile gauche de la SdG, groupée autour de Seidel, elle dénonce le protectionnisme en tant qu'instrument d'exploitation des classes salariées, dans le but d'attiser la lutte des classes:

> *Was ist aber die Zollpolitik? Nichts als eine Form der kapitalistischen Ausbeutung des Volkes. Wer Feind des Kapitalismus ist, muss auch Feind der Schutzzollpolitik sein*[322].

En conformité avec les conceptions douanières de Marx, la défense du libre-échange est comprise comme un moyen d'accélérer l'avènement du socialisme[323]. Les 12 et 13 juillet 1890, le congrès de la SdG inflige un désaveu à la politique de Greulich en s'opposant au tarif du CF[324]. Le 28 juillet 1890, une manifestation populaire réunit 3000 personnes à Zurich. Un débat contradictoire entre Seidel et Greulich se solde par une nouvelle défaite de l'aile protectionniste[325]. A l'évidence, cette réorientation libre-échangiste du mouvement ouvrier rend la constitution d'une alliance rouge-verte problématique. La *NZZ* ne manque pas de le souligner sur un ton jubilatoire[326]. La constitution d'un mouvement protectionniste de masse susceptible d'imposer une réorientation de la politique économique fédérale a du plomb dans l'aile.

Outre la naissance de la Ligue contre le renchérissement de la vie et le virage amorcé par le mouvement ouvrier, un troisième élément renforce encore le camp libre-échangiste: les 11 et 12 janvier 1890, l'Union suisse des coopératives de consommation (USC) est créée[327]. Bien que de nombreuses sections soient historiquement et politiquement liées à la gauche, cette association faîtière, dont le centre de gravité se situe à Bâle, ne peut pas être

321 Sur les divisions du mouvement ouvrier, cf. Müller, 1966, pp. 61-64; Signer, 1914, pp. 212-215; cf. également le chapitre 4.4.2.

322 *Arbeiterstimme*, 9. September 1891.

323 Meierhans, 1922, pp. 50-61.

324 Sur la controverse qui a lieu en 1890 entre Seidel et Greulich, cf. Seidel, 1903, pp. 5-11; l'auteur fait un court historique du débat interne en adoptant un point de vue totalement partisan; Greulich y est dénigré comme un pion à la solde des capitalistes.

325 Seidel, 1890.

326 En septembre 1890, le secrétaire de la KGZ, Emil Frey, rédige un article de fond sur la question; après avoir constaté les efforts politiques développés par Greulich, dès 1885, afin d'engager un rapprochement entre agriculteurs et salariés, il estime que la démarche est ruinée par l'opposition ouvrière au protectionnisme agricole; *NZZ*, Nr. 264, 21. September 1890, «Die Verbindung gegen die Vertheuerung der Lebensmittel».

327 Sur la création de l'USC et son développement, cf. Handschin, 1955; Müller, 1966, pp. 37-38.

considérée comme une simple émanation du mouvement ouvrier. Des milieux bourgeois intéressés à la vie à bon marché, notamment issus de l'industrie d'exportation, sont aussi impliqués dans le mouvement des coopératives de consommation. En matière de politique économique, le stratège de la coopérative est le vice-président de la commission administrative (exécutif), Johann Friedrich Schär[328]. L'objectif principal de cet économiste est la défense des consommateurs des régions urbaines industrialisées. Dans cette perspective, Schär est favorable à une politique de combat au service de l'industrie d'exportation, mais il s'oppose à tout protectionnisme qui restreint le pouvoir d'achat du consommateur. Le 23 mai 1890, l'USC adresse une requête pour s'opposer aux tendances protectionnistes du projet du CF:

> *Le prétexte de vouloir, par une semblable politique douanière, favoriser la production indigène et par là la hausse des salaires, n'est qu'un vain sophisme, attendu que le renchérissement des denrées et, par suite, de l'existence entière est bien plutôt fait pour entraver le développement normal de notre puissance productive en augmentant le coût de la production, et en nous mettant hors d'état d'affronter la concurrence sur le marché universel*[329].

En été 1890, l'USC participe à la création de la Ligue contre le renchérissement de la vie[330]. Si l'on en croit l'organe de la GSL, Cramer-Frey ne serait pas tout à fait étranger à la naissance de l'USC[331]. Effrayé par les exagérations protectionnistes des milieux agricoles – en témoigne une lettre adressée à Droz en février 1890[332] –, il n'est en effet pas impossible que le président de l'USCI ait encouragé la création d'un contrepoids politique à opposer aux agrariens. La présence d'un rédacteur de la *NZZ* au sein des instances dirigeantes de l'USC ne fait qu'étayer cette hypothèse[333].

328 *Johann-Friedrich Schär* (1846-1924) (BE/BS), à l'origine fromager et marchand de fromage, enseignant à l'école normale de Münchenbuchsee (1868-1870), directeur de l'école secondaire des filles à Bienne (1880-1882), professeur de sciences commerciales à Bâle (1882-1903), directeur de l'USC, professeur de sciences commerciales à l'Université de Zurich (1903-1906), professeur à la «Handelshochschule» de Berlin (1906-1919), membre du comité de l'association du «Freiland», père d'Oskar Schär – membre de la commission administrative de l'USC (dès 1898), président (1934-1939), Cn radical de gauche (1917-1929).

329 Pétition de l'Union suisse..., 1890, p. 2.

330 Sur l'attitude de l'USC durant la révision douanière de 1890-1891, cf. Signer, 1914, pp. 139-151; Schär, 1891.

331 *SLC*, Nr. 26, 28. Juni 1890, «Zur Revision des Zolltarifes».

332 AF, E 2, 2307, «Lettre de Cramer-Frey à Droz du 21 février 1890».

333 Dans une brochure éditée dans le cadre de la lutte contre le tarif général de 1902, le Genevois Frank Lombard trace un bref historique du mouvement référendaire de 1891; il prétend également que Droz et Cramer-Frey étaient plutôt favorables à un contrepoids pouvant être opposé aux agrariens: «*D'ailleurs, les directeurs de la politique économique de la Suisse, MM. Numa Droz et Cramer-Frey, ne voyaient pas alors de mauvais œil un mouvement qui pouvait servir de contrepoids aux revendications naissantes des agraires.*»; Lombard, 1902, p. 19.

Face à l'organisation du camp libre-échangiste, les milieux protectionnistes ne restent pas inactifs. Sitôt le projet de tarif du CF publié, le comité d'Olten se mobilise[334]. Celui-ci compose un tarif alternatif qui est discuté le 26 mai 1890 en assemblée générale, puis envoyé aux autorités fédérales[335]. Les exigences des associations affiliées à la ligue sont reprises sans modification, ce qui donne une couleur ultra-protectionniste au projet de tarif. Dans le domaine agricole, l'extension de la protection aux produits de la culture, défendue par le SLV et le VOLG, est incorporée dans les revendications de la ligue. Cela explique probablement la position de la GSL qui, bien que représentée au sein du comité d'Olten, ne signe pas la requête envoyée aux autorités. Cette attitude ne signifie pourtant pas que les élites agricoles de la GSL soient pleinement satisfaites des concessions du CF. En témoigne la réaction au projet, publiée dans l'organe de presse de l'association[336]. Dans le domaine industriel, la requête du comité d'Olten est appuyée par une série d'industries déjà présentes en 1887 – laine, tannerie, verre, bois, papier, tabac, bière, chicorée, cordonnerie, chapellerie. Nouveau venu, le SSZWV revendique une protection conséquente des semi-fabriqués en coton qui lui a une nouvelle fois été refusée par le CF. Au contraire, certaines industries présentes en 1887 ne figurent plus parmi les signataires de 1890 – bijouterie genevoise, industrie du lin et fabrication d'élastiques.

Principales victimes de la propagande du mouvement libre-échangiste, les associations agricoles durcissent le ton. Le 3 août 1890, le congrès du VOLG discute de la création d'un parti paysan chargé de défendre les intérêts de l'agriculture. Certes, cette première semonce, qui annonce la vague de création de «Bauernbund» en 1891, n'aboutit pas. Le VOLG se dote toutefois d'un organe de presse, le *Genossenschafter*, qui diffuse une intense propagande en faveur du protectionnisme agricole. Le 14 septembre 1890, soit le jour de la constitution de la Ligue contre le renchérissement de la vie, le SLV convoque une contre-manifestation à Olten[337]. Le changement d'at-

334 Composition du *comité d'Olten version 1890*: H. Schneebeli, comité de la GSL (agriculture); H. Nägeli, président du SLV (agriculture); C. Schenkel, président du VOLG (agriculture); C. Widmer-Heusser, président du SSZWV (coton); W. Pfenninger, président du VSW (laine); Ed. Schneider, président du «Schweizerischer Gerberverein» (tannerie); H. Gautschy (rubans de soie et de coton); A. Ammann (chaussures?); H. Greulich, comité central de la SdG; par rapport au comité d'Olten version 1887, H. Greulich (SdG) et H. Gautschy (rubanerie) restent en place, A. Hagnauer (tannerie) est remplacé par Ed. Schneider; P. Schenker (USAM) et C. Auer (meunerie) disparaissent; l'agriculture occupe désormais une position dominante au sein de la ligue protectionniste, qu'elle partage avec les industries du coton et de la laine.

335 Zolltarifforderungen, 1890.

336 *SLC*, Nr. 21, 24. Mai 1890, «Zur Zolltarifrevision».

337 *Zürcher Bauer*, Nr. 38, 20. September 1890, compte rendu de l'assemblée d'agriculteurs du 14 septembre 1890 à Olten; *NZZ*, 17. September 1890, «Versammlung der landwirthschaftlichen Vereine in Olten».

titude du mouvement ouvrier à l'égard de la paysannerie y est fustigé, de même que les divisions de l'agriculture qui affaiblissent la cause protectionniste – éleveurs de montagne et engraisseurs de plaine ne parviennent pas à s'entendre au sein du Club de l'agriculture. En fin de séance, une résolution est votée afin de mettre la pression sur les Chambres[338]. Le même jour, une assemblée réunissant 600 agriculteurs a lieu à Berthoud. Une menace de référendum est agitée pour convaincre les Chambres de ne pas entamer la protection agricole accordée par le projet du CF:

> *Wir verdanken dem Bundesrath seine Anträge betreffend die landwirthschaftlichen Zölle im neuen Zolltarif; zugleich aber erwarten wir bestimmt, dass nicht unter diese Ansätze herabgegangen werde, und wir verlangen von unsern Vertretern, dass sie in dieser Frage unsere Interessen kräftig wahren. Andernfalls behalten wir uns vor, auf Verwerfung des neuen Zolltarifs in der Volksabstimmung hinzuarbeiten*[339].

Soumise à la menace référendaire simultanée des camps libre-échangiste et protectionniste, qui se sont organisés sous la forme de ligues, la révision du tarif douanier ne peut plus faire l'objet d'un consensus général comme cela avait été le cas en 1884 et 1887[340]. Grand maître de ce jeu d'échec politique, Cramer-Frey est contraint de choisir une alliance avec les milieux protectionnistes modérés. Fondée sur un axe KGZ-USAM-GSL, sa politique douanière doit aussi contenter les milieux agricoles catholiques-conservateurs, afin d'éviter la reconstruction de l'axe fédéraliste-libre-échangiste qui pourrait l'emporter dans un affrontement référendaire. En s'appuyant sur les associations favorables à une politique de combat à but libre-échangiste – KDSG, VSM, SGCI, etc. – et en instrumentalisant la pression exercée par la Ligue contre le renchérissement, Cramer-Frey tente cependant de limiter les concessions accordées aux milieux protectionnistes, en particulier dans le domaine agricole.

Faisant alors office de centre de gravité du champ douanier, la commission des douanes du CN se saisit du projet de tarif du CF au début du mois de mai 1890. La composition de ce lieu de pouvoir, présidé par Cramer-Frey, est significative du changement des rapports de force intervenu depuis le début de la Grande dépression[341]. Sur les 16 sièges à attribuer, les

338 Le texte de la résolution adressée à l'AsF figure in Brugger, 1963, pp. 186-187.

339 *Zürcher Bauer*, Nr. 39, 27. September 1890, compte rendu de l'assemblée d'agriculteurs du 14 septembre 1890 à Berthoud.

340 Sur la révision de 1889-1891, cf. Müller, 1966, pp. 9-121; Signer, 1914, pp. 115-151; Dérobert, 1926, pp. 60-65.

341 Composition de la commission des douanes du CN: *Conrad Cramer-Frey* (1834-1900) (ZH), cf. note 320, chapitre 4; *Johann Jakob Keller-Rüegg (-Peter) (-Güttinger)* (1823-1903) (ZH), cf. note 84, chapitre 5; *Arnold Künzli-Nussbaum* (1832-1908) (AG), cf. note 96, chapitre 5; *Johann Philipp Heitz-Knüsli* (1850-1909) (TG), cf. note 321, chapitre 4; *Johann Conrad Sonderegger-Hohl (-Hämmerli)* (1834-1899) (AR), cf. note 137, chapitre 5; *Arnold Grosjean-Christen* (1834-1898) (NE), cf. note 137, chapitre 5;

milieux libre-échangistes en obtiennent 5 (Grosjean, Lachenal, Ruffy, Polar, Stockmar), alors que les adeptes d'une politique de combat et les protectionnistes s'en octroient 11. Au sein de cette majorité interventionniste, la grande industrie d'exportation n'obtient que 2 sièges (Sonderegger, Tobler). Le camp protectionniste se taille la part du lion avec 3 sièges à l'industrie cotonnière mécanisée (Keller, Heitz, Künzli), 1 siège à la petite et moyenne industrie (Eckenstein) et 5 sièges à l'agriculture (Arnold, Beck-Leu, Gisi, Berger, Schindler). Fait remarquable, les catholiques-conservateurs obtiennent 3 sièges (Arnold, Beck-Leu et Polar). Avant que les travaux de la commission ne débutent, Droz adresse une lettre à ses membres afin de leur exposer son point de vue libre-échangiste[342]. Le

---

Adrien Lachenal-Eggly (1849-1918) (GE), cf. note 146, chapitre 5; *Eugène Ruffy-Mégroz* (1854-1919) (VD), cf. note 137, chapitre 5; *Gottlieb Berger-Dedelly* (1826-1903) (BE), cf. note 437, chapitre 4; *Joseph Gisi* (1848-1902) (SO), cf. note 79, chapitre 6; *Franz Xaver Beck-Leu* (1827-1894) (LU), cf. note 458, chapitre 4; *Joseph Stockmar-Walzer* (1851-1919) (BE), neveu du Cn Xavier Stockmar-Marquis, associé du négoce en vin «Stockmar et Vallet» à Porrentruy, CdE (1878-1896), directeur du «Jura-Simplon» (1897-1903), directeur du 1er arrondissement des CFF (dès 1903), CA des chemins de fer du «Jura-Berne» (1876-1880), du «Jura-Berne-Lucerne» (1882-1888), du «Centralbahn» (1879-1894), du «Jura-Simplon» (1890-1896), initiateur du tunnel du Simplon, fondateur du journal *Le Démocrate*, Cn radical de gauche (1879-1897); *Ignazio Polar-Enderlin* (1837-1900) (TI), beau-fils d'Enderlin – grand industriel actif dans la branche de l'impression –, négociant à Breganzona et Lugano, Cn catholique-conservateur (1880-1893); *Christoph Tobler-Lutz* (1838-1907) (SG), associé de la fabrique «Dufour et Cie» produisant de la gaze de soie à bluter («Seidenbeuteltuch»), cofondateur d'un groupe réunissant cinq entreprises de la branche («Schweizerische Seidengazefabrik AG»), membre du conseil de la banque cantonale (1882-1907), membre du comité central de la «Landwirthschaftliche Gesellschaft St. Gallen», Cn libéral (1884-1899); *Eduard Eckenstein-Schröter* (1847-1915) (BS), fils d'Eduard Eckenstein – fabricant de malt –, transforme l'entreprise familiale en société anonyme («Gesellschaft für Malzfabrikation AG Basel»), directeur de la nouvelle entreprise (1890-1913), Cn radical (1887-1893), membre du comité du «Handwerker- und Gewerbeverein Basel» (1867-1905), membre du comité du BHIV (1900-1902), défend les intérêts protectionnistes de la petite et moyenne entreprise; *Josef Arnold-Muheim* (1825-1891) (UR), issu d'une grande famille de propriétaires terriens, beau-fils de Caspar Muheim-Schmid – propriétaire terrien et commerçant –, participation dans une entreprise financière appartenant aux Muheim, cofondateur et membre du CA des entreprises «Papierfabrik Perlen» (1881-1891), «Zementfabrik Rotzloch» et «Dynamitfabrik Isleten», CA de l'«Eidgenössische Bank» (1864-1891), de la «Ersparniskasse Uri» (1880-1888), CA du «Gotthardbahn» (1871-1889), CdE (1858-1860/1862-1882), CaE catholique-conservateur (1850-1865), Cn (1865-1890); *Kaspar Schindler-Leuzinger* (1832-1898) (GL), vétérinaire, nombreuses charges politiques, CdE (1887-1890), président du «Landwirthschaftlicher Verein des Kantons Glarus» (dès 1886), Cn issu du «Demokratische und Arbeiterpartei» (1884-1898), adhère à la fraction de politique sociale de Curti (1896).

342 AF, E 11, vol. 19, «Lettre du DFP aux membres de la commission des douanes du CN du 5 mai 1890».

rapport du DFP consacré à la révision du tarif y est joint. Malgré cette manœuvre, la majorité de la commission reste acquise à la politique de combat prônée par Cramer-Frey.

Sous l'impulsion du président de l'USCI, le projet du CF est corrigé dans plusieurs directions[343]. Les positions utiles à une politique de combat sont relevées, tandis que le caractère protectionniste du tarif est atténué au nom des intérêts de l'industrie d'exportation. Sans que le front commun avec les élites agricoles soit remis en question, les prétentions sur le bétail sont revues à la baisse[344]. Par contre, des hausses de taxes sont concédées aux producteurs de semi-fabriqués en coton. Quant à la portée financière du tarif, elle est réduite afin de couper court aux revendications sociales adressées à la Confédération:

> *Il a plutôt semblé à plusieurs membres de la commission que les excédents de recettes, tels qu'en a fourni ces dernières années à la caisse fédérale le produit des droits de péage, sont nuisibles dans un certain sens et tendent tout droit à provoquer d'incessantes demandes et à favoriser l'emploi irrationnel des deniers de l'Etat*[345].

Le revenu des positions fiscales est diminué d'environ 1,25 mios de frs. Si les élites interventionnistes sont prêtes à débloquer les moyens financiers nécessaires à une intervention en leur faveur, elles ne veulent pas d'un Etat riche qui aurait les moyens de pratiquer une politique sociale de grande envergure.

Comme en 1884, la révision du tarif douanier est la pierre d'angle d'un «deal» conclu entre l'axe KGZ-CF et les catholiques-conservateurs. Lors de la session de juin 1890, deux postulats de la motion Zemp sont enfin satisfaits: l'élargissement des droits populaires à l'initiative constitutionnelle[346] et le changement du découpage électoral pour les élections au CN[347]. En contrepartie, les élites industrielles obtiennent deux articles constitutionnels importants pour la réalisation de leur programme d'intervention. Permettant l'introduction d'un monopole de l'émission des billets de banque et

343 FF, 1890, vol. 3, pp. 327-345, «Rapport de la commission du CN sur la révision du tarif des péages (28 mai 1890)»; ce rapport est rédigé par Cramer-Frey.

344 La nouvelle classification introduite par le CF pour les bœufs, vaches et jeunes bêtes est refusée au profit du statu quo assorti de quelques majorations de droit: bœuf (CF: 30 frs/commission CN: 30 frs), vaches et génisses avec dents de remplacement (CF: 30 frs; commission CN: 25 frs), jeunes bêtes sans dent de remplacement (CF: 30 frs et 12 frs; commission du CN: 12 frs); *ibidem*, p. 343.

345 *Ibidem*, p. 330.

346 Le 5 juillet 1891, l'article constitutionnel est accepté en votation populaire par 180 794 oui contre 119 179 non; SHS, 1996, p. 1057.

347 FF, 1890, vol. 2, pp. 1083-1100, «MCF concernant la révision de la loi sur les élections au CN, du 3 mai 1881 (21 mai 1890)»; déjà discutée lors d'une session précédente, cette nouvelle loi est finalement adoptée le 20 juin 1890, sans soulever d'opposition référendaire.

la réalisation d'une assurance maladie-accident, ils seront approuvés en votation populaire[348]. La collaboration des catholiques-conservateurs a cependant ses limites. Une majorité d'entre eux refusent de souscrire à un rachat des chemins de fer ainsi qu'à la création d'une caisse de pension pour le personnel fédéral[349]. Durant cette même session de juin 1890, les Chambres décident de célébrer le 600e anniversaire de l'alliance des cantons primitifs à Schwyz. Ce geste symbolique confirme la volonté de la majorité libérale-radicale d'intégrer les forces catholiques-conservatrices. Le 1er août est décrété fête nationale et les dimensions de la croix blanche du drapeau national sont fixées dans une loi. Le 27 juin 1890, la création d'un musée national destiné à sauvegarder le patrimoine culturel suisse est acceptée. Amorcée en 1884, la collaboration entre élites industrielles et agricoles interventionnistes franchit une nouvelle étape importante sur fond de nationalisme.

Les 11, 12, 17 et 18 juin 1890, le CN se saisit une première fois du dossier douanier[350]. En conformité avec la stratégie attentiste définie par Droz, le camp libre-échangiste tente de reporter le débat à la session d'hiver. Cramer-Frey estime au contraire que le tarif doit être immédiatement débattu et il reçoit le soutien du CF. Droz rompt alors la collégialité pour tenter d'imposer sa position contre la volonté de la majorité du Gouvernement[351]. Sans succès. Mais le temps à disposition n'étant pas suffisant pour aborder la révision tarifaire, le débat est finalement repoussé à une session d'automne extraordinaire. Lorsque celle-ci débute, le 22 septembre 1890, la situation politique s'est notablement modifiée[352]. En raison de l'«Affaire du Tessin»[353], qui éclate le 11 septembre 1890, la collaboration entre la majorité libérale-radicale et la minorité catholique-conservatrice est quelque peu troublée. Par ailleurs la constitution définitive de la Ligue contre le renchérissement, le 14 septembre 1890, renforce le poids politique du camp libre-

348 L'article sur l'assurance maladie-accident est accepté par le peuple le 26 octobre 1890 par 272 908 voix contre 86 684; celui sur le monopole de l'émission est voté en même temps que le nouveau tarif douanier, le 18 octobre 1891, et il est accepté par 228 755 voix contre 165 758; SHS, 1996, pp. 1055/1057.

349 Durant la session des Chambres de juin 1890, l'achat de parts du «Jura-Simplon» est discutée mais pas finalisée; en 1891, le rachat du «Centralbahn» est accepté par les Chambres, mais la mesure est toutefois refusée en votation populaire, le 6 décembre 1891, par 289 402 non contre 130 675 oui; quant à la caisse de pension du personnel fédéral, elle échoue également devant le peuple, le 15 mars 1891, par 352 583 non contre 91 139 oui; SHS, 1996, pp. 1055/1057.

350 Sur le débat de juin 1890 aux Chambres, cf. Müller, 1966, pp. 43-53.

351 AF, E 11, vol. 19, «Observations présentées au sujet du nouveau tarif des péages par M. le Conseiller fédéral Droz dans la séance du Conseil national du 18 juin 1890».

352 Sur le débat de septembre 1890 au CN, cf. Müller, 1966, pp. 68-74.

353 Putsch des radicaux tessinois appuyé par une intervention armée de la Confédération, faisant suite à une victoire électorale des catholiques-conservateurs.

échangiste. Dans cette situation, le projet consensuel de la commission des douanes n'est que peu modifié. En ce qui concerne la question centrale des taxes sur le bétail, le CN adopte une voie moyenne entre le CF et la commission. Le 10 octobre 1890, le nouveau projet de tarif est adopté par 74 voix contre 14 (57 abstentions et absences).

Dès le 10 novembre 1890, c'est au tour de la commission du CE de se saisir du dossier[354]. Protectionnistes et libre-échangistes font le «forcing» pour tenter d'arracher de nouvelles concessions. Le 1er décembre, la session des Chambres s'ouvre par un camouflet politique infligé à la minorité catholique-conservatrice. Lors de l'élection au CF du remplaçant de Hammer, une faible majorité radicale refuse l'investiture du candidat catholique-conservateur lucernois, Aloïs Kopp. Elle lui préfère le leader de l'aile gauche radicale, le Bâlois Emil Frei. Venant se greffer sur la pénible «Affaire du Tessin», cette élection manquée ravive les vieilles tensions du «Kulturkampf». D'autant plus que lors de la discussion du tarif, qui se déroule du 8 au 16 décembre, la protection du jeune bétail est abaissée. Au moment du vote final, les catholiques-conservateurs signifient la possibilité d'une opposition référendaire. Aux 22 voix favorables au tarif s'opposent 10 refus et 9 abstentions. Les députés des cantons libre-échangistes de Genève, Neuchâtel et Tessin refusent en bloc, alors que ceux des cantons catholiques de Suisse centrale balancent entre le refus et l'abstention[355]. L'ensemble du nouveau «deal» économico-politique amorcé en juin est donc remis en question. Dans le domaine de l'industrie du coton, l'impression glaronnaise obtient que la protection accordée par le CN aux tissus fins soit diminuée. Cette décision est prise malgré les menaces référendaires du SSZWV[356].

354 Sur le débat de décembre 1890 au CE, cf. Müller, 1966, pp. 74-84.

355 Le refus du tarif est voté par des représentants des cantons de Schwyz (1), Nidwald (1), d'Appenzell Rhodes-Intérieures (1) et des Grisons (1); l'abstention est le fait de huit députés des cantons de Lucerne (2), Valais (2), Schwyz (1), Obwald (1), Zoug (1) et des Grisons (1); *ibidem*, p. 83.

356 Adressée le 29 novembre 1890 aux autorités fédérales, une requête du SSZWV s'insurge contre les réductions de taxes proposées par la commission du CE; une menace référendaire est implicitement exprimée: «*Ihre Commission hat bedauerlicherweise diesen Weg nicht betreten, sondern will uns auch das Wenige, das uns der hohe Nationalrath concedirt hat, wieder nehmen. Unsere Industrie, obschon sie mit Bezug auf das in ihr angelegte Capital den ersten Rang einnimmt und mit Rücksicht auf den in ihr direkten und indirekten Erwerb obenan steht, soll auch in der Zukunft wie in der Vergangenheit als die Parias unserer nationalen Arbeit behandelt werden [...] Ein Zurückweichen hinter den Beschluss des Nationalrathes, der auf einem Compromiss mit schweren Opfern unserseits beruht, kann von uns nimmermehr acceptirt werden, der ganze Zolltarif wäre für uns interessenlos und müsste den heftigsten Kämpfen rufen.*»; cette requête est contenue dans un mémoire adressé au CE par le comité d'Olten; AF, E 11, vol. 20, «An den hohen Ständerath».

Arrivé au stade de la résolution des divergences entre les deux Chambres, le processus de révision du tarif douanier demeure ouvert à plusieurs scénarios. S'il est probable que le référendum sera saisi, les questions de la provenance et de la composition de l'opposition restent indécises. Cette situation est en partie provoquée par le flou qui entoure alors l'évolution commerciale internationale. Outil de négociation, le tarif douanier est en effet partiellement dépendant de l'évolution des relations avec les Etats voisins. Or, début janvier 1891, la future stratégie douanière de la France et de l'Allemagne n'est pas encore clairement définie. Le refus de négocier des deux voisins signifierait l'application sans grande modification du projet de tarif, alors que la conclusion de traités se ferait au détriment de la protection du marché intérieur. Dans le deuxième cas de figure, l'ampleur de l'érosion que devrait subir le tarif général n'est pas non plus définie. Confrontés à cette situation, libre-échangistes et protectionnistes sont dans l'expectative.

Moteur de la politique commerciale, le CF se trouve dans une situation analogue. Pour permettre d'adapter au mieux le tarif aux besoins d'éventuelles négociations, le Gouvernement obtient des Chambres qu'elles repoussent le traitement des divergences en avril 1891[357]. Durant ce laps de temps, Droz s'emploie à clarifier la situation. Au plan international, il engage les services diplomatiques helvétiques à rassembler un maximum d'informations sur la possibilité de conclure des traités de commerce en exigeant des relèvements sur le tarif helvétique[358]. Au plan intérieur, il tente de convaincre Deucher et Hauser – nouveau chef du DFFD suite au retrait de Hammer – de la nécessité de fixer un tarif minimal au-dessous duquel il ne serait pas possible de descendre sans s'exposer à un refus des traités par les Chambres[359]. Favorables au maintien d'une protection minimale, les deux collègues obtempèrent. Deucher demande alors une expertise à la Division de l'agriculture. Contre l'avis de certaines associations agricoles, Müller estime qu'à l'exception des taxes sur le bétail d'élevage, toutes les positions agricoles sont des outils de combat devant servir à promouvoir l'exportation de produits laitiers et de bétail. Il s'oppose par conséquent à l'instauration d'un tarif minimal secret limitant la marge de manœuvre des négociateurs[360]. De son côté, Hauser consulte Cramer-Frey qui semble aussi réticent à définir un tarif minimal informel. Cet outil dissiperait le flou douanier qui permet de maintenir protectionnistes et libre-échangistes dans l'expectative.

357 AF, E 11, vol. 19.

358 DDS, vol. 4, n° 38, pp. 76-78, «Le Chef du Département des Affaires étrangères (Division du commerce), N. Droz, au Ministre de Suisse à Rome, S. Bavier du 27 décembre 1890».

359 AF, E 11, vol. 19, lettres de Droz à Deucher et de Hauser à Droz des 10 janvier et 17 février 1891.

360 Müller, 1891.

Une fois ce tarif d'usage minimum défini, il serait inévitable qu'un des deux camps saisisse le référendum ou peut-être même les deux.

Entre fin janvier et mars 1891, la situation internationale se décante. Sous l'impulsion de Méline, la France abandonne sa politique de traités de commerce au profit d'un repli protectionniste[361]. Par note du 17 janvier 1891, le Gouvernement français dénonce le traité de commerce de 1882. Tous les efforts entrepris pour limiter la taxation des produits helvétiques dans le nouveau tarif français restent sans résultat. Farouche défenseur du libre-échange, le Ministre suisse à Paris convient de la nécessité absolue de se munir de taxes de combat pour lutter contre la France:

> *Mais renoncer à des droits de combat, alors que nous ignorons avec qui et dans quelles conditions nous aurons à traiter me paraîtrait extrêmement imprudent et me paraîtrait de nature à enlever un très fort argument à tous ceux qui, en France, combattent les folies économiques de M. Méline. Je crains qu'en donnant simplement à entendre que nous userons de représailles en cas d'échec, nous n'inspirerons de crainte à personne, pas plus qu'en 1878/81. Encore une fois, le but à atteindre est de sauvegarder nos industries d'exportation par la vie à bon marché en Suisse, et je crois que, pour les relations franco-suisses, il y aurait, en présence de M. Méline et de ses amis, bien peu de chances de conserver à nos industries d'exportation le marché français si nous ne pouvons pas montrer des armes. Il y aurait une grande responsabilité à encourir en nous cantonnant dans le libre-échange ou dans les droits très bas sur les produits français […]*[362]

Le développement de l'exportation allemande étant entravé par la montée du protectionnisme en France et aux Etats-Unis, le Reich décide de sortir de sa politique autonome pour élaborer un système de traités de commerce en collaboration avec l'Autriche-Hongrie[363]. Ce changement de stratégie commerciale est personnalisé par l'arrivée de Caprivi au poste de chancelier, en lieu et place de Bismarck. Fin janvier 1891, les deux Etats voisins font des ouvertures à la Confédération[364]. Dans le but de déterminer l'attitude à adopter, le CF en réfère à l'USCI. Le 22 janvier 1891, une séance secrète de la Chambre suisse du commerce a lieu en présence de Droz et Willi[365]. Après consultation des sections, il est décidé de poursuivre la politique de traités de commerce à tarif engagée à la fin des années 1880 et d'accepter les

361 Sur l'évolution de la politique commerciale française, cf. Hilsheimer, 1973; Smith, 1980; Graf, 1970, pp. 216-217; DDS, vol. 4, n°s 45/46/47/48, pp. 91-99, échange de lettres entre Droz et Lardy.

362 DDS, vol. 4, n° 48, pp. 96-99, «Le Ministre de Suisse à Paris, Ch. Lardy, au Chef du Département des Affaires étrangères, N. Droz, 17 mars 1891».

363 Sur le retour de l'Allemagne à une politique de traités, cf. Graf, 1970, pp. 205-207; Busino, 1990, pp. 28-29.

364 DDS, vol. 4, n° 44, pp. 89-90, «Le Chef du Département des Affaires étrangères, N. Droz, au Ministre de Suisse à Vienne, A. O. Aepli, 24 janvier 1891».

365 Archives USCI, PV de la Chambre suisse du commerce, 22 janvier 1891.

ouvertures de l'Allemagne[366]. Mises sous pression par l'attitude protectionniste de la France, les élites industrielles et commerçantes décident ainsi de ne pas imiter le repli du voisin sur son marché intérieur, mais de rester fidèles à une stratégie d'expansion sur les marchés internationaux. Au service de cet expansion, la politique commerciale suisse opère une réorientation géographique de ses priorités. Désormais, la clef de voûte du tarif d'usage suisse ne sera plus le traité à tarif conclu avec la France, mais celui avec l'Allemagne.

Dans la perspective des négociations avec l'Allemagne et l'Autriche-Hongrie, agendées en mai, la position suisse doit être renforcée grâce à l'achèvement de la révision douanière. En avril, les Chambres éliminent par conséquent les divergences existantes[367]. Dans le domaine sensible des denrées alimentaires, les baisses exigées par la Ligue contre le renchérissement de la vie ne sont que peu prises en compte[368]. L'imposition du bétail est finalement fixée de manière consensuelle entre les taxations du CN et du CE[369]. L'élevage de jeune bétail et de porcs reçoit une protection, à la grande satisfaction des milieux agricoles alpestres. La menace catholique-conservatrice d'entrer dans l'opposition est écartée. D'autant plus que lors de la session d'été, une motion en vue d'un élargissement de l'aide à l'agriculture est acceptée[370]. La protection des tissus en coton unis est aussi améliorée,

366 DDS, vol. 4, n° 44, pp. 89-90, «Le Chef du Département des Affaires étrangères, N. Droz, au Ministre de Suisse à Vienne, A. O. Aepli, 24 janvier 1891».

367 Sur le débat d'avril 1891 aux Chambres, cf. Müller, 1966, pp. 88-89.

368 Le 1er février 1891, le comité d'action de la ligue se retrouve à Aarau; par 19 voix contre 4, il décide de saisir le référendum si des concessions ne lui sont pas faites lors de la session de printemps; par ailleurs, la récolte de fonds dans cette perspective est organisée dès fin mars; Müller, 1966, pp. 85-86.

369 La taxation finalement adoptée est la suivante – les propositions de la GSL sont indiquées entre paranthèses: bœufs, 30 frs (35 frs); taureaux destinés à la reproduction, vaches et génisses, 25 frs (30 frs); jeunes bêtes sans dent de remplacement ne rentrant pas dans la position suivante, 20 frs (libre); veaux gras pesant plus de 60 kg, 10 frs (libre); veaux gras pesant jusqu'à 60 kg, 6 frs (libre); porcs, 8 frs (libre jusqu'à 25 kg/12 frs à partir de 25 kg).

370 Le 8 juin 1891, la motion suivante est déposée par Beck-Leu, Roten, von Matt, Risch, Hochstrasser, Scheuchzer, Steiger (St-Gall), Zschokke, Curti et Vogelsanger: «*Le conseil fédéral est invité à examiner si le chapitre C ‹Améliorations du sol› figurant dans l'arrêté fédéral du 27 juin 1884 concernant l'amélioration de l'agriculture par la Confédération, ne pourrait pas être modifié et développé dans ce sens: 1) que les conditions pour l'obtention de subventions fédérales dans le but d'améliorer les terrains soient rendues plus faciles; 2) que la Confédération favorise d'une manière efficace l'éducation professionnelle des géomètres (ingénieurs agricoles); 3) que l'on rende accessible au paysan l'acquisition d'engrais artificiel bon marché; en outre, le conseil fédéral est invité à faire dresser un tableau synoptique des faits que l'expérience pourra lui apprendre au sujet des dettes immobilières grevant les agriculteurs et sur les conséquences qu'on doit*

sauf sur les «tulles» servant à la broderie[371]. Cette décision satisfait le SSZWV et le KDSG, mais elle pousse l'industrie glaronnaise de l'impression dans l'opposition au nouveau tarif. Le 10 avril 1891, le CN accepte sa version définitive par 75 voix contre 15[372].

Le 21 avril 1891, une séance du CF est consacrée à la préparation des négociations avec l'Allemagne et l'Autriche-Hongrie. La délégation chargée des négociations, qui seront menées simultanément avec les deux pays, est composée des ministres Roth et Aepli, de Cramer-Frey et de l'ancien Conseiller fédéral Hammer. Tous libéraux, les négociateurs défendent prioritairement les intérêts du commerce et de la grande industrie orientés vers les marchés extérieurs. Le CF impose toutefois à la délégation de consulter l'industrie, les arts et métiers ainsi que l'agriculture:

> *Ces derniers* (les négociateurs, C. H.) *sont chargés de se mettre, d'accord avec les départements respectifs, en rapport avec les représentants des intérêts agricoles de la Suisse et les diverses branches de l'industrie et des arts et métiers, d'entendre leurs différentes opinions au point de vue tant des concessions à réclamer, lors des négociations, par la Suisse que celles à accorder par cette dernière et de faire rapport au département des affaires étrangères sur les résultats de leurs pourparlers*[373].

Des conférences de consultation sont ainsi programmées pour les 4 et 8 mai 1891. Sur la base de leurs résultats, la Division du commerce devra élaborer un projet d'instructions aux négociateurs et le soumettre au CF. L'axe Cramer-Frey/Droz est donc placé au centre du processus décisionnel de la future politique commerciale.

Les milieux industriels de l'USCI et de l'USAM se montrent satisfaits de la procédure adoptée par le CF. Il n'en est pas de même des milieux agricoles. Début 1891, le mécontentement de la base paysanne de Suisse orientale est à son comble. La politique agricole modérée des associations élitaires

---

en tirer.»; une version modifiée par Baldinger et Deucher est acceptée par les Chambres: «*Le conseil fédéral est invité à examiner si l'arrêté fédéral concernant l'encouragement de l'agriculture par la Confédération suisse du 27 juin 1884 ne devrait pas subir une révision dans le but d'une plus grande utilisation pour l'agriculture. En outre, le conseil fédéral est invité à dresser une récapitulation des faits qui ont pu venir à sa connaissance au sujet de l'endettement de l'agriculture et de ses conséquences.*»; FF, 1892, vol. 5, pp. 895-944, «MCF au sujet de la révision de l'arrêté fédéral du 27 juin 1884 concernant l'amélioration de l'agriculture par la Confédération (28 novembre 1892)».

371 Alors que le CF propose le statu quo dans son projet (taxes allant de 4 à 14 frs par quintal selon la finesse du tissu), le tarif définitif fixe les taxes dans une fourchette allant de 4 frs («tulle») à 50 frs; si on se rappelle que le tissu écru représente jusqu'à 80% des coûts de production d'une étoffe imprimée ou teinte, une telle augmentation est loin d'être négligeable pour les industries de finition.

372 RO, 1891-1892, vol. II, 12, pp. 426-477.

373 FF, 1891, vol. 2, p. 295, «Extrait des délibérations du CF (21 avril 1891)».

n'est plus crédible aux yeux des petits et moyens paysans asphyxiés par la crise. En Suisse orientale, puis en Suisse centrale, la création de «Bauernbund» remet en question la position politique dominante des élites du monde agricole[374]. Afin de maîtriser ces organisations paysannes à tendance anticapitaliste, les associations agricoles sont convaincues de la nécessité d'obtenir une amélioration substantielle des conditions douanières de l'agriculture. Elles regagneraient ainsi en légitimité. Le 19 avril 1891, la GSL, le SLV et le VOLG se réunissent à Winterthour[375]. Ces associations décident alors d'engager un bras de fer avec le CF et l'USCI afin d'obtenir un siège au sein de la délégation chargée des négociations[376]. Si leur exigence de représentation n'est pas satisfaite, elles ne participeront pas à la séance de consultation du 4 mai à Berne. Soutenu par la Division de l'agriculture, le Club de l'agriculture et certaines élites agricoles de Suisse occidentale, le CF refuse de se plier aux pressions exercées. Le 1er mai, l'assemblée des délégués de la GSL se désolidarise déjà de l'ultimatum. Bien qu'elle continue d'exiger une représentation, l'association décide de se rendre à Berne[377]. En fin de compte, l'ensemble des organisations agricoles participent à la consultation sans avoir obtenu gain de cause. En jouant sur la division des forces agricoles, l'axe USCI-CF peut ainsi continuer de les exclure du processus des négociations commerciales. Une déclaration commune de mécontentement est alors publiée pour sauver la face[378]. Le 10 mai 1891, l'assemblée générale du SLV charge le comité d'engager un mouvement de protestation au cas où l'évolution de la situation le demanderait. La pétition et le référendum sont envisagés. Le 15 mai 1891, l'organe de presse du VOLG prend position en faveur du lancement d'un référendum contre le tarif[379].

Dans le camp libre-échangiste, le tarif général voté par les Chambres ne satisfait pas la Ligue contre le renchérissement de la vie. Cependant, à la demande de Droz, ses dirigeants décident à mi-avril de ne pas lancer immédiatement le référendum. Cette stratégie attentiste est surtout défendue par les milieux ouvriers et consommateurs de Suisse allemande (SdG et USC). Ceux-ci ne veulent pas saborder la conclusion des traités avec l'Allemagne et l'Autriche-Hongrie, qui est vitale pour le devenir de l'industrie d'exportation[380]. Par ailleurs, certains membres de la ligue espèrent que les conces-

374 Sur la création de «Bauernbund», cf. chapitre 4.3.3.

375 Sur l'attitude des associations agricoles vis-à-vis des autorités fédérales, cf. Müller, 1966, pp. 91-95; Ammann, 1925, pp. 146-147.

376 In der Rendez-vous-Stellung..., 1891.

377 *SLC*, Nr. 18, 2. Mai 1891, «Der neue General-Zolltarif und die Handelsvertrags-Unterhandlungen».

378 Le texte se trouve in Müller, 1966, p. 95.

379 *Der Genossenschafter*, Nr. 21, 15. Mai 1891, «Die Konferenz landw. Abgeordneter mit den Unterhändlern für die Zollverträge, den 5. und 6. Mai in Bern».

380 Schär, 1891.

sions faites au cours des négociations permettront de diminuer la taxation suisse à un niveau compatible avec leurs intérêts libre-échangistes[381]. Lors de conférences avec les dirigeants de l'USC, le CF entretient d'ailleurs cette perspective en faisant des promesses concernant la portée financière du futur tarif d'usage[382]. Le 31 mai 1891, l'assemblée des délégués de l'USC décide de repousser encore le lancement du référendum jusqu'à fin juin. Les milieux horlogers neuchâtelois proposent quant à eux de récolter les signatures de manière conditionnelle et de ne les déposer que si le résultat des négociations n'est pas satisfaisant. Cette proposition est probablement inspirée par Droz[383]. Le 4 juin 1891, une assemblée des associations de la ligue décide toutefois de lancer le mouvement référendaire. L'impulsion est donnée par le commerce genevois qui craint une dégradation des relations commerciales avec la France. En l'absence de traité, l'importation française serait soumise au nouveau tarif général voté par les Chambres. Certes, le référendum est voté par 38 voix contre 7, mais la faiblesse numérique de l'opposition est trompeuse[384]. Les délégués de la SdG, de l'USC et de la ZSIG refusent en effet de soutenir le mouvement[385]. L'opposition alémanique au tarif est ainsi sérieusement entamée, les industriels glaronnais de l'impression étant pratiquement les seuls à défendre le référendum.

381 Müller, 1966, pp. 90-91.

382 En mai 1891, des délégués de l'USC sont reçus par Droz et Welti, puis par Cramer-Frey et Hammer, qui leur donnent certaines garanties; Signer, 1914, pp. 147-149; dans un discours prononcé lors de la campagne référendaire de 1903, J. F. Schär déclare avoir été alors trompé par les deux Conseillers fédéraux: «*J'ai encore bien présentes à la mémoire les assurances très positives que MM. les conseillers fédéraux Welti et Droz me donnèrent en 1891, au moment où il s'agissait de savoir si l'Union suisse des sociétés de consommation se joindrait ou non à la campagne référendaire alors annoncée contre le nouveau tarif. Dans cette audience, on donna aux délégués de l'Union l'assurance la plus formelle qu'il ne pouvait être question d'une élévation des recettes des douanes de 15 ou de 20 millions; qu'il allait sans dire que le peuple suisse ne pourrait supporter une aggravation semblable (les recettes des douanes s'élevaient alors à une trentaine de millions); que, en tout état de cause, on abaisserait les droits de manière à concilier équitablement les intérêts en présence et à maintenir à peu près les recettes au point où elles étaient. Confiants dans ces assurances, nous nous rendîmes alors directement de Berne à Lucerne, où avait lieu l'assemblée des délégués de l'Union. Nous y fîmes adopter une résolution contre le référendum [...]*»; Lombard, 1902, pp. 21-22.

383 DDS, vol. 4, n° 56, pp. 113-116, «Le Chef du Département des affaires étrangères, N. Droz, à la Délégation commerciale suisse à Vienne, 5 juin 1891».

384 *Ibidem*; cf. également Schär, 1891, pp. 24-30; Müller, 1966, pp. 96-98; la proposition neuchâteloise ne recueille que 11 voix.

385 Les sept opposants sont Vogelsanger et Curti (SdG), Schär et Stadelmann (USC), Schindler (ZSIG), Ruffy (CN vaudois) et Fürholz (Soleure).

5.2.4. Luttes référendaires à propos d'un abandon du libre-échange et du libéralisme (1891)

Le lancement d'un mouvement référendaire par la Ligue contre le renchérissement de la vie a deux conséquences majeures. Sur le plan international, les négociations avec l'Allemagne et l'Autriche-Hongrie s'embourbent et sont finalement suspendues jusqu'à ce que le peuple se soit prononcé. Le 8 août, le CF fixe les votations sur le tarif douanier et sur le monopole de l'émission des billets de banque au 18 octobre 1891. Dans ce contexte, Numa Droz est tenu pour responsable de l'aboutissement du référendum et des déboires qu'il implique pour la diplomatie helvétique. Le 16 juin 1891, 87 membres du CN et 23 du CE adressent une condamnation de l'attitude de la ligue au CF, dans laquelle le Neuchâtelois est attaqué à mots couverts[386]. Lors de la séance du CF du 18 juin 1891, Droz demande que le dossier lui soit retiré. Ses collègues refusent toutefois de le désavouer et publient leur décision dans la *Feuille fédérale*[387]. Le 23 juin 1891, les milieux parlementaires libre-échangistes réfutent les attaques portées contre Droz et la ligue: 15 Conseillers nationaux et 6 Conseillers aux Etats des cantons de Genève, Neuchâtel et du Tessin signent la pétition adressée au CF[388]. Sur le plan intérieur, le lancement du référendum oblige les différentes forces socio-politiques à se positionner vis-à-vis du nouveau tarif général. Bien que n'étant pas toujours satisfaits des concessions tarifaires obtenues, la plupart des milieux protectionnistes décident alors de lutter contre l'attaque libre-échangiste.

Dans sa croisade contre le nouveau tarif, la Ligue contre le renchérissement de la vie peut s'appuyer sur les milieux du commerce genevois (ACIG), bâlois (BHIV) et tessinois, l'industrie horlogère romande (SIIJ), les milieux touristiques (SSH), l'industrie de l'impression glaronnaise et l'association suisse des bouchers[389]. Le mouvement référendaire est aussi appuyé par la plupart des journaux neuchâtelois, le *JdG* et la *Gazette de Lausanne*. La propagande des opposants au tarif dénonce l'injustice sociale d'une imposition qui frappe la population ouvrière:

> *Wenn sie nämlich die obligatorische Unfall- und Krankenversicherung, welche neulich von den eidgenössischen Räthen im Prinzip einstimmig angenommen wurde, nur um den Preis einer Vertheuerung des täglichen Lebensbedarfes erhält, dann wird ihr mit der einen Hand wieder genommen, was ihr die andere zu geben schien*[390].

386 Le texte de la pétition figure in DDS, vol. 4, annexe au n° 58, p. 119; les signataires sont répertoriés in *Bund*, Nr. 167, 18. Juni 1891.

387 FF, 1891, vol. 3, pp. 640-641.

388 AF, E 11, vol. 20, «Au Conseil fédéral».

389 Müller, 1966, pp. 99-100/107-111/116-119; Lampenscherf, 1948, pp. 64-66.

390 AF, E 11, vol. 19, appel diffusé par la Ligue contre le renchérissement de la vie en août 1891.

Par ailleurs, les conséquences du tarif sur l'écoulement des produits suisses à l'étranger sont décrites en termes apocalyptiques pour effrayer les salariés de l'industrie d'exportation[391]. La ligue ne parvient toutefois pas à convaincre l'ensemble du mouvement ouvrier. Alors que le Congrès ouvrier romand décide de soutenir le référendum, suivant en cela le patronat horloger, la SdG se désolidarise du mouvement. En Suisse alémanique, seules l'*Arbeiterstimme* de Seidel et la *Zürcher Post* de Curti militent contre le tarif.

La ligue tente aussi de gagner des voix dans le monde agricole en prétendant que le protectionnisme n'est pas une solution adéquate pour aider la paysannerie en crise. Elle affirme notamment que le petit agriculteur fera partie des victimes du nouveau tarif, car il consomme plus qu'il ne livre au marché. La propagande de la ligue cherche également à mobiliser les élites agricoles catholiques-conservatrices et romandes en agitant le spectre de la centralisation. Le lien entre protectionnisme, augmentation des revenus douaniers et attaques du fédéralisme est sans cesse souligné:

> *Le citoyen souffre, mais le trésor regorge – la centralisation progresse mais non la liberté – car l'extension progressive des compétences transportées à la Confédération est un corollaire de la politique protectionniste*[392].

La progression continue des revenus douaniers est aussi fustigée comme une cause du développement de la bureaucratie:

> *Der Ertrag unserer eidgenössischen Zölle war brutto im Jahre 1888 26 und im Jahre 1889 27,5 Millionen Franken. Im Jahr 1890 würde er sogar, nach den Einnahmen des ersten Halbjahres zu urtheilen, auf die enorme Ziffer von 32 Millionen ansteigen [...] Natürlich müssten derartige Ausschreitungen von allerlei schlimmen Folgen begleitet sein, nicht am wenigsten auch von einer schädlichen Wirkung bureaukratischen Wesens*[393].

Si l'efficacité de la propagande libre-échangiste dans les régions rurales est difficile à évaluer, il est avéré que les élites agricoles de Suisse centrale ne soutiennent pas le mouvement référendaire. En témoigne la provenance des 51 564 signatures déposées en juillet 1891. 85% sont récoltés dans les cantons commerçants et horlogers de Neuchâtel (14 898), Genève (12 008), Tessin (6927), Vaud (5757) et Berne (3936). En Suisse alémanique, seul le canton de Glaris réalise un score significatif avec 3155 signatures, soit 6% des suffrages[394]. En outre, une série d'associations agricoles de Suisse inté-

391 Lombard, 1891, pp. 5-11; cf. également la brochure Freihandel..., 1891.
392 Lombard, 1891, p. 13.
393 AF, E 11, vol. 19, appel diffusé par la Ligue contre le renchérissement de la vie en août 1891.
394 FF, 1891, vol. 5, p. 518; cf. également Müller, 1966, p. 111.

rieure prennent fait et cause pour la nouvelle taxation. *Der Landwirth*, organe de presse de la société d'agriculture lucernoise, défend à plusieurs reprises le tarif ainsi que le monopole de l'émission des billets de banque[395]. Les *Blätter des Obwaldnerischen Bauernvereins* appellent à voter oui en raison de la protection accordée à l'élevage du bétail[396]. Partagé entre les intérêts de sa clientèle agricole et ses convictions fédéralistes, le parti catholique-conservateur prend majoritairement position en faveur du tarif. Les sections cantonales de Lucerne, Uri, Zoug, Soleure et St-Gall recommandent de lutter contre le référendum. Phares de la presse conservatrice, le *Vaterland* (LU) et l'*Ostschweiz* (SG) en font de même[397].

Suite au lancement du référendum par le camp libre-échangiste, les élites agricoles des régions radicales modèrent leur opposition à la politique commerciale du CF. Réunis le 20 juin 1891 à Winterthour, la GSL, le SLV et le VOLG décident cependant de ne pas encore se prononcer sur le tarif, maintenant ainsi la pression sur les négociations avec l'Allemagne. Après la suspension des tractations, les associations agricoles sont toutefois contraintes de prendre parti. Le 10 octobre 1891, en accord avec le Club de l'agriculture, elles décident de lutter contre le référendum. Les 3 et 10 octobre 1891, les *Bernische Blätter für Landwirthschaft* publient un article favorable au tarif[398]. Le même journal reproduit le discours d'un négociant en fromage qui insiste sur la nécessité du nouveau tarif douanier pour maintenir l'exportation suisse[399]. Dans une brochure intitulée «Der neue schweizerische Zolltarif», l'aristocrate bernois von Wattenwyl, qui compte parmi les dirigeants les plus influents des syndicats d'élevage du canton de Berne, prend fait et cause pour le tarif.

En Suisse romande, l'attitude des milieux agricoles est moins unanime. Alors que la Société vaudoise d'agriculture et de viticulture approuve la nouvelle tarification[400], les aristocrates de la Société d'agriculture de la Suisse romande soutiennent le référendum. Ceux-ci estiment en effet que la seule protection du bétail n'est pas suffisante pour obtenir l'appui des agriculteurs de plaine intéressés à la protection du blé et du vin:

395 *Der Landwirth*, Nr. 41, 9. Oktober 1891, «Banknotenmonopol und Zolltarif»; *Der Landwirth*, Nr. 42, 16. Oktober 1891, «Die Bauern und der Zolltarif»; cf. également Lemmenmeier, 1983, pp. 383-384.

396 *Blätter des Obwaldnerischen Bauernvereins*, Nr. 6, 1891, «Schutzoll oder Freihandel».

397 Müller, 1966, pp. 228-229.

398 *Bernische Blätter für Landwirthschaft*, Nrn. 40/41, 3./10. Oktober 1891, «Der neue schweizerische Zolltarif»; un appel de la direction de l'«Oekonomische und gemeinnützige Gesellschaft des Kantons Bern», en faveur du tarif, est également publié.

399 *Bernische Blätter für Landwirthschaft*, Nr. 41, 10. Oktober 1891, «Schweizerischer Zolltarif».

400 *Gazette de Lausanne*, n° 241, 12 octobre 1891.

> *Protégez l'industrie agricole efficacement en rendant rémunératrices toutes ses cultures, ou bien laissez-la au bénéfice de la vie à bon marché. Le droit sur le bétail que vous lui offrez est un leurre dont elle n'a que faire*[401].

A l'opposé de l'échiquier du monde agricole, certaines sections du «Bauernbund» zurichois – Bülach et Dielsdorf – s'opposent à un tarif qui ne protège pas assez le petit paysan de plaine[402]. Bien que marginal au sein du monde agricole, le soutien au référendum prend une certaine ampleur dans les cantons viticoles (Valais et Vaud).

Le camp des partisans du tarif est quant à lui emmené par la KGZ[403]. Deux jours après la décision des milieux libre-échangistes de lancer le référendum, un comité de défense du tarif est constitué au sein de la direction de l'association zurichoise. Bien qu'ayant adhéré dans un premier temps à la Ligue contre le renchérissement, la ZSIG y est représentée[404]. L'aile libre-échangiste de l'association est en effet battue sur la question du référendum. Les petits et moyens entrepreneurs craignent qu'en l'absence de pression douanière suisse, la France puisse fermer son marché aux soieries helvétiques. Or, en 1890, près du tiers des tissus en soie exportés le sont dans ce pays, une partie étant réexportée par le commerce intermédiaire français[405]. Mi-juin, la KGZ, la ZSIG, le VSM ainsi que la «Kaufmännische Gesellschaft Winterthur» lancent un appel commun invitant la population zurichoise à ne pas participer à la récolte de signatures. Bien qu'elle refuse de participer à la campagne orchestrée par la KGZ, l'USAM s'engage aussi en faveur du tarif[406].

Au sein des élites industrielles et commerçantes, le nouveau tarif de combat reçoit également le soutien des brodeurs de Suisse orientale. Le 10 juin 1891, un appel au boycott du référendum est lancé par le KDSG, le «Zentralverband der Stickereiindustrie der Ostschweiz und des Vor-

401 *Journal de la Société d'Agriculture de la Suisse romande*, n° 10, octobre 1891, article de Albert de Haller intitulé «Le tarif douanier».

402 Ammann, 1925, pp. 146-147.

403 Sur l'action menée par la KGZ pour lutter contre le référendum, cf. Zimmermann, 1980, pp. 141-145; Richard, 1924, pp. 599-604.

404 Au sein du comité de défense du tarif se trouvent plusieurs membres de la commission chargée d'élaborer le projet de tarif de la KGZ: Fritz Rieter-Bodmer, devenu président de la KGZ, Emil Frey, Hans Wunderli-von Muralt et J. Spörri; la ZSIG est représentée par *Dietrich Schindler-Huber* (1856-1936) (ZH), possède une fabrique produisant de la gaze en soie, président de la ZSIG (1895-1897), directeur (1903) puis directeur général de la fabrique de machines «Oerlikon» appartenant à la famille Huber, vice-président du VSM, membre de la Chambre suisse de commerce (1900-1926), membre (1900-1918) puis vice-président (1918-1926) du Vorort de l'USCI.

405 Ferrari, 1977, pp. 256-257/201; SHS, 1996, p. 666; cf. également Gern, 1992, pp. 136-137.

406 Tschumi, 1929, p. 355.

arlbergs» et les sociétés industrielles de St-Gall, Herisau et Gais[407]. En pleine crise, l'industrie de la broderie veut éviter à tout prix une fermeture de la France – troisième marché en importance avec 5 mios de frs[408]. D'autant plus que son principal débouché, les Etats-Unis, est menacé par la mise en vigueur imminente d'un nouveau tarif protectionniste (Mac Kinley). Lié à l'industrie laitière, le BVHI craint pour sa part qu'un refus du tarif entraîne une forte diminution de l'exportation de fromage sur les marchés voisins. En 1890, la France importe à elle seule pour 10,7 mios de frs de fromage, soit 28% de l'exportation helvétique[409].

Fin juillet 1891, un comité de défense du tarif est créé sur le plan national. Organisant différentes associations économiques de producteurs, il préfigure le bloc bourgeois-paysan qui se constituera à la fin du siècle autour des trois grandes associations faîtières (USCI-USP-USAM)[410]. Sa composition résume à elle seule la collaboration qui s'instaure alors entre milieux industriels et agricoles interventionnistes. Leur besoin d'une nouvelle politique douanière améliorant la compétitivité des produits suisses est plus fort que les clivages socio-économiques et politiques. Industriels, agriculteurs et artisans, qu'ils soient protestants ou catholiques, libéraux-radicaux ou conservateurs, issus des élites ou des classes moyennes, s'unissent pour défendre la clef de voûte d'une politique commerciale plus interventionniste de la Confédération. L'Argovien Arnold Künzli préside un amalgame de 27 personnalités représentant tous les cantons sauf Neuchâtel, Genève et le Tessin; les anciens piliers du SGV – Zurich (3), St-Gall (3), Argovie (2) et Berne (2) – constituent le noyau dur du comité. Mais les élites agricoles des régions catholiques – Lucerne, Uri, Schwyz, Obwald, Nidwald, Zoug, Fribourg et Valais – sont également bien représentées. Le maître à penser de la campagne contre le référendum n'est autre que le bras droit de Cramer-Frey, à savoir l'ancien secrétaire de la KGZ, Emil Frey, devenu directeur de la compagnie d'assurance «Rentenanstalt». Dans une brochure intitulée «Le nouveau tarif des péages», le Zurichois rappelle les enjeux centraux de l'abandon d'un libre-échange doctrinaire[411]. Tout en mettant l'accent sur la nécessité d'une politique de combat, il légitime un protectionnisme modéré dans le but de soutenir la modernisation de la petite industrie et de l'agriculture. Frey aborde

407 AF, E 11, vol. 20, «An die stimmfähigen Schweizerbürger des ostschweizerischen Industriegebiets».

408 Ferrari, 1977, pp. 254-255; cf. également Gern, 1992, p. 174; les chiffres de cet auteur, basés sur la *Feuille fédérale*, donnent une exportation de 6,9 mios de frs en 1890; il s'agit là non seulement des broderies sur coton, mais également des broderies sur tissus en soie, laine, etc.

409 *SLC*, Nr. 7, 13. Februar 1892, «Unsere Handelsbeziehungen zu Frankreich».

410 La composition du comité est analysée dans l'annexe 13.

411 Le nouveau tarif des péages..., 1891.

également la politique douanière helvétique d'un point de vue historique en condamnant l'attitude passive adoptée jusque-là par la Confédération[412].

Jouant jusqu'alors le rôle de balance politique entre libéraux-radicaux centralisateurs et conservateurs fédéralistes, les libéraux et radicaux romands s'accommodent mal de la constitution d'un axe interventionniste Zurich-Berne-Lucerne. Dans son édition du 17 octobre 1891, la très libérale *Gazette de Lausanne* fustige le «deal» douanier réalisé par les gros industriels zurichois:

> *On les a bien par ici par là gênés au moyen de lois plus ou moins «sociales»: ils n'ont pas boudé longtemps, et aujourd'hui ils se donnent beaucoup de peine pour prendre une petite revanche, peu importe aux dépens de qui. Ils ont su s'allier aux gros éleveurs de bétail des petits cantons et de St-Gall, qui sont comme eux des entrepreneurs en grand [...]*[413]

Les milieux économiques romands craignent, à juste titre, que la politique de concessions mutuelles entre élites industrielles et agricoles ne se traduise par une centralisation économique ne tenant pas compte de leurs intérêts. Lors d'une manifestation organisée à Genève, quelques jours avant les deux scrutins sur le tarif et le monopole de l'émission fiduciaire, deux orateurs se plaignent des effets pervers de cette intervention. Alors que le premier dénonce le renchérissement des prix et des salaires lié à l'augmentation des revenus douaniers, le second craint que le monopole entraîne un renchérissement du coût de l'argent par une fiscalisation excessive de l'émission des billets de banque:

> *Le vote des Chambres a été surpris par une manœuvre parlementaire et acheté par un marché avec les petits cantons. Le seul résultat atteint sera d'améliorer les finances de quelques cantons en renchérissant aux dépens de tous le prix de l'argent*[414].

Le 18 octobre 1891, 59,6% du corps électoral se déplacent aux urnes après une campagne référendaire acharnée[415]. Le nouveau tarif douanier est accepté par 220 004 oui contre 158 934 non; 12 cantons et 6 demi-cantons l'approuvent et 7 le refusent. De manière prévisible, Genève (97% de non),

412 En 1892, Frey publie une histoire de la politique commerciale helvétique dans les *Schriften des Vereins für Socialpolitik*; en 1890, une histoire de l'unification douanière helvétique est également publiée par Albert Huber, statisticien du DFP; à la fin de son ouvrage, Huber défend la nécessité de maintenir un libre-échange relatif tout en se défendant mieux face à la pression extérieure; en 1892 encore, un article de Josef Litschi sur le Concordat de rétorsion contre la France tend à montrer l'incapacité helvétique de mener une politique de rétorsion efficace; il paraît donc évident que les premières études historiques de la politique douanière helvétique sont étroitement liées au débat politique autour de cette question.

413 *Gazette de Lausanne*, 17 octobre 1891, «Le tarif douanier».

414 *Ibidem*, «Les lois fédérales»; les orateurs sont Adrien Lachenal et Georges Favon.

415 Sur la campagne précédant la votation, en particulier l'argumentation développée par les deux camps, cf. Müller, 1966, pp. 105-121/190-278.

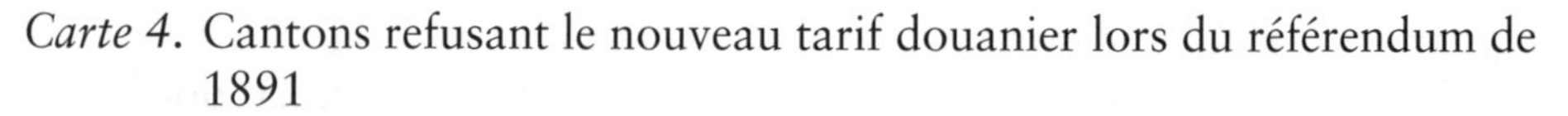

Carte 4. Cantons refusant le nouveau tarif douanier lors du référendum de 1891

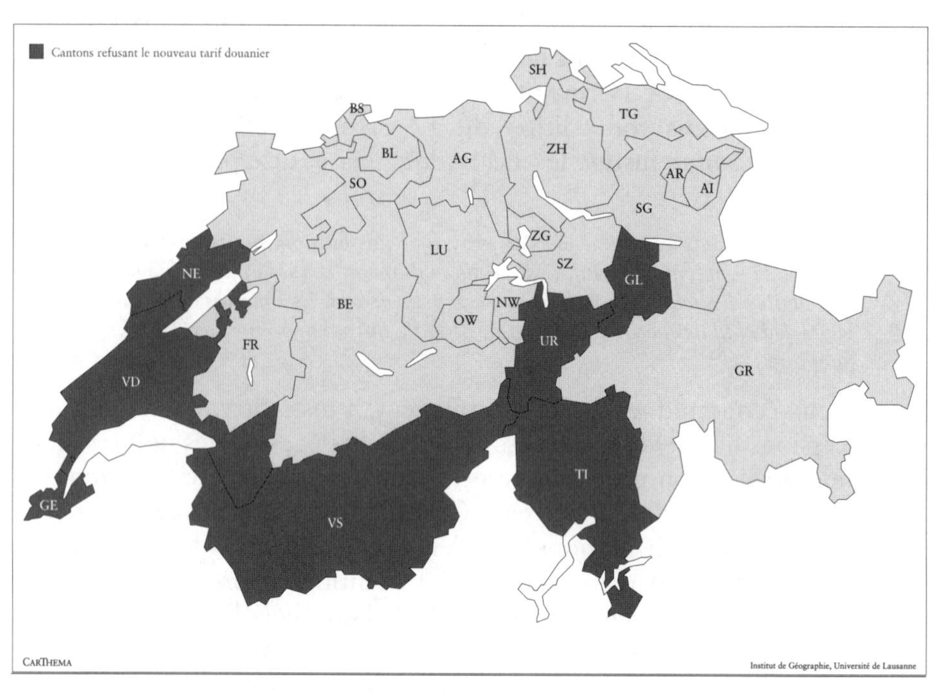

Neuchâtel (96%) et le Tessin (96%) s'y opposent massivement[416]. Vaud (57%) et Valais (65%) le refusent de manière plus mitigée. Dans ces deux cantons, les élites économiques libérales – tourisme, viticulture, horlogerie (Jura vaudois) – ont instrumentalisé les dispositions fédéralistes de l'électorat pour contrecarrer la campagne de certains milieux agricoles favorables au tarif. Le refus des Chambres d'accroître la protection sur le vin a sans doute joué un rôle décisif. En effet, suite aux concessions faites à cette branche de production lors de la révision de 1902, les deux cantons passeront dans le camp des acceptants. Du fait de l'opposition de l'industrie de l'impression, le canton de Glaris dit aussi non (64%). Enfin, le canton d'Uri refuse le nouveau tarif du bout des lèvres (51%). Il est le dernier bastion de l'opposition fédéraliste catholique-conservatrice.

Certes, dans les autres petits cantons de Suisse centrale, les majorités en faveur du tarif demeurent faibles: Schwyz (53%), Obwald (55%) et Nidwald (66%). Par contre, l'acceptation est très nette dans les trois forteresses du conservatisme catholique que sont Lucerne (81%), Zoug (72%) et

416 FF, 1891, vol. 5, pp. 517-526, «MCF concernant la votation populaire du 18 octobre 1891 sur le tarif des douanes et le monopole des billets de banque (24 novembre 1891)».

Fribourg (71%). Comme prévu, Zurich (73%), Thurgovie (82%), Soleure (78%), Argovie (72%) et Berne (65%) soutiennent la nouvelle politique douanière. A eux seuls, ces cinq cantons engrangent 55% des voix favorables au tarif. Le score moins tranché du canton de Berne est dû à la forte opposition libre-échangiste du Jura bernois horloger. En Suisse orientale, le nouveau tarif douanier est aussi accepté. Alors que les cantons industriels de St-Gall (69%) et Appenzell Rhodes-Extérieures (75%) dégagent des majorités confortables, les cantons plus agricoles des Grisons (66%) et d'Appenzell Rhodes-Intérieures (59%) se montrent moins enthousiastes. Enfin, Bâle-Campagne (72%) et Bâle-Ville (72%) acceptent le tarif. La propagande libre-échangiste diffusée par le BHIV ne parvient donc pas à convaincre une majorité de la population de Bâle-Ville. Il faut signaler que les autorités bâloises ainsi que le «Gewerbeverein» sont favorables à la nouvelle politique de combat. Quelques jours avant le scrutin, l'USC appelle aussi à voter oui.

Les résultats de la consultation populaire permettent d'affirmer que l'axe Zurich-Berne-Lucerne constitué au sein du comité de défense du tarif a bien fonctionné. Ce d'autant plus que le même jour, le monopole de l'émission des billets de banque est approuvé par 229 000 voix contre 166 000[417]. Dans le camp libéral – *Gazette de Lausanne* –, cette défaite est interprétée comme une victoire indéniable du camp interventionniste et centralisateur:

> *La Suisse allemande, c'est un fait incontestable, paraît toujours plus gagnée au socialisme d'Etat. L'intervention de l'Etat est jugée nécessaire dans une foule de domaines jusqu'ici laissés à l'industrie privée. A ce point de vue, le vote de dimanche est très significatif*[418].

Dans le camp conservateur – *La Liberté* –, la date du 18 octobre 1891 reçoit une portée historique:

> *La journée du 18 octobre 1891 est une des plus importantes de notre vie nationale contemporaine. Elle inaugure la réalisation d'un programme social que l'on ne s'attendait pas à voir sortir de sitôt du domaine de la théorie et de la propagande par la presse et les associations. Sous ce rapport elle pourrait devenir ce qu'a été la votation du 19 avril 1874 dans l'ordre politique*[419].

L'ensemble des mesures votées en 1890 et 1891 constitue une seconde étape importante dans le processus d'instauration d'un capitalisme organisé en Suisse. En 1884, le «deal» interventionniste lié à l'acceptation de la motion Zemp s'était fait en accord avec les élites économiques de Suisse romande. Un nouveau tarif douanier, le soutien à l'enseignement profes-

417 SHS, 1996, p. 1057.
418 *Gazette de Lausanne*, 21 octobre 1891, «Dans la Suisse allemande».
419 Cité in *Gazette de Lausanne*, 20 octobre 1891, «Le vote de dimanche».

sionnel ainsi que le subventionnement de l'agriculture avaient pu être introduits sans opposition référendaire. Entre 1885 et 1889, cette première étape était complétée dans plusieurs domaines. La révision douanière partielle de 1887 permettait de conclure des traités de commerce à tarif avec trois Etats voisins (Allemagne, Autriche-Hongrie et Italie), tout en introduisant un protectionnisme agricole encore modéré. En 1887 toujours, l'article constitutionnel permettant l'introduction d'une protection de la propriété industrielle était accepté en votation obligatoire, alors qu'une première version avait été refusée en 1882. En 1888, la loi d'application était votée sans provoquer une opposition référendaire[420]. En 1889, une loi sur les poursuites et les faillites, dont la base constitutionnelle existait depuis 1874, était acceptée malgré un référendum. Enfin, dans le domaine de la fiscalité, l'article constitutionnel (1885) et la loi sur le monopole de l'alcool (1887) remportaient deux votations populaires. Les cantons agricoles recevaient ainsi une indemnisation totale des pertes financières liées à l'abolition de l'«Ohmgeld».

En 1890/1891, le second «deal» interventionniste se fait en partie contre la volonté des élites romandes libérales. Comme nous l'avons vu, les catholiques-conservateurs obtiennent deux concessions politiques d'importance: l'instauration de l'initiative en matière constitutionnelle et un nouveau découpage des circonscriptions pour l'élection au CN. Un «couac» est toutefois enregistré lors de l'élection au CF de décembre 1890, lorsqu'une majorité radicale de hasard refuse un siège aux catholiques-conservateurs. Sur le plan économique, les élites agricoles bénéficient d'un sérieux renforcement de la protection douanière des productions animales. Lancée en été 1891, la réforme de l'encouragement à l'agriculture débouche sur la loi du 22 décembre 1893: l'intervention est étendue à d'autres domaines et le volume des subventions fédérales s'accroît[421]. La moyenne annuelle des subsides passe d'environ un million de frs entre 1885 et 1894 à 3 mios entre 1895 et 1904[422]. En contrepartie, les élites industrielles emmenées par

420 Cette première loi de 1888 épargne certaines industries du textile (impression) ainsi que la chimie, branches dont la production s'inspire alors largement des modèles et inventions pillés à l'étranger; l'horlogerie, les machines et la broderie poussent au contraire à une protection; en 1907, une seconde loi protège les inventions de l'industrie chimique qui est désormais mieux positionnée dans le domaine de la recherche.

421 A propos de la loi sur l'agriculture de 1893, cf. FF, 1892, vol. 5, pp. 895-944, «MCF au sujet de la révision de l'arrêté fédéral du 27 juin 1884 concernant l'amélioration de l'agriculture par la Confédération (28 novembre 1892)»; Neuhaus, 1948, pp. 28-44; Encouragement de l'agriculture par la Confédération dans les années 1851 à 1912, 1914.

422 SHS, 1996, p. 946; l'entrée en vigueur de la nouvelle loi n'a des répercussions qu'à partir de 1895; si elle n'entraîne pas un bond dans les dépenses liées à l'agriculture, elle favorise la lente progression de celles-ci; il est intéressant de constater que le véritable

Cramer-Frey obtiennent un tarif de combat qui doit permettre la conclusion de traités à tarif avec les Etats voisins. L'inscription du monopole de l'émission fiduciaire dans la constitution donne la possibilité de résoudre les insuffisances du système monétaire issu de la loi de 1881 – taux d'escompte élevé, faiblesse du franc suisse, fragilité du système bancaire. Approuvé le 26 octobre 1890 en votation populaire, l'article constitutionnel sur l'assurance maladie-accident ouvre également la perspective d'un règlement des problèmes liés à la responsabilité patronale en matière d'accidents de travail. Les dispositions de la loi sur la responsabilité civile des fabricants (1881) imposent alors une charge jugée trop importante par le patronat. En ce qui concerne la formation, l'extension du subventionnement fédéral à la formation commerciale, qui répond notamment aux besoins des grandes entreprises qui se tertiarisent, est l'objet d'un arrêté fédéral en avril 1891. Sur le plan fiscal enfin, le nouveau tarif douanier dégage des moyens financiers supplémentaires pour couvrir l'accroissement de l'intervention économique fédérale ainsi que l'équipement d'une armée censée assurer la crédibilité de la politique de neutralité helvétique.

Les parents pauvres du marchandage effectué entre élites industrielles et agricoles interventionnistes sont assurément les élites de Suisse occidentale. Les milieux financiers, banque et assurance, ne sont pas enthousiastes à l'idée d'abandonner deux activités lucratives à l'Etat central – émission fiduciaire et assurance maladie-accident. Les places commerciales internationales de Genève et de Bâle sont les principales perdantes de l'abandon du libre-échange. Elles craignent par ailleurs que le nouveau tarif douanier accentue les tensions avec la France. Le protectionnisme instauré par le voisin et la réorientation de la politique commerciale suisse vers l'Allemagne et l'Autriche-Hongrie laissent en effet présager un affrontement douanier que veulent éviter les deux places commerciales. Genève cherche en particulier à préserver les échanges intenses entretenus avec les Zones franches françaises. Peu intéressée à une politique commerciale de combat, l'horlogerie ne voit pas l'intérêt d'un tarif qui risque de gonfler l'importante masse salariale de la branche. Les milieux touristiques – Riviera et Alpes vaudoises, Alpes valaisannes – n'ont rien non plus à gagner d'un renchérissement de la vie. Enfin, vignerons et producteurs de blé ne bénéficient d'aucune amélioration de leur protection. Dès lors, il n'est pas étonnant de voir les libéraux de Suisse occidentale recourir au référendum pour entraver l'intervention fédérale. Certes, leurs efforts se soldent par trois défaites cuisantes – tarif douanier, monopole de l'émission et assurance maladie. Mais dans les deux derniers

saut qualitatif se fait avant même l'entrée en vigueur de la loi: entre 1889 et 1894, le budget consacré à l'agriculture fait un bond de 0,8 à 2,1 mios, soit une progression de 167%.

domaines, seule la bataille constitutionnelle est perdue, car la future guerre législative offre encore des perspectives de lutte intéressantes. Quant aux effets protectionnistes du nouveau tarif, ils sont toujours susceptibles d'être atténués durant la campagne de renouvellement des traités de commerce.

Le chemin qui mène à la réalisation des conditions-cadre contenues dans le programme Cramer-Frey est donc encore long. D'autant plus que les catholiques-conservateurs ne semblent pas disposés à collaborer dans deux autres domaines d'intervention importants: l'amélioration de l'efficience du système scolaire obligatoire, dans le but de former une main-d'œuvre plus qualifiée, ainsi que la diminution des coûts de transport moyennant un rachat des chemins de fer. Lors de la session de juin 1891, une majorité des Chambres approuve le rachat du «Centralbahn» proposé par Welti. Mais le 6 décembre 1891, la votation populaire provoquée par les milieux conservateurs débouche sur un refus du peuple (289 400 non contre 131 000 oui). Les libéraux tirent rapidement les conséquences de cet échec référendaire. La démission de Welti permet en effet l'élection du catholique-conservateur lucernois Joseph Zemp au CF, qui a lieu le 17 décembre 1891. La signification politique de l'événement est bien analysée par le *Berner Tagblatt*:

> *Die Eisenbahnverstaatlichung ist unmöglich ohne vorherige Abfindung mit der Rechten. Ebenso unmöglich wäre wohl die Ausführung des Unfall- und Krankenversicherungsparagraphen und des neuen Banknotenparagraphen der Bundesverfassung. Zuerst galt es, eine seit Jahrzehnten eiternde Wunde zu beseitigen. Diese Einsicht brach sich in radikalen Kreisen mächtig Bahn, und das Zeitungsgeschrei der eingefleischten Intoleranz vermochte dagegen nimmermehr aufzukommen*[423].

Grâce à cette intégration des catholiques-conservateurs au sein du CF, une nouvelle étape de la collaboration entre élites industrielles et agricoles interventionnistes semble ouverte. Mais avant d'analyser celle-ci, il est nécessaire de dire quelques mots de la campagne commerciale réalisée entre 1891 et 1895 sur la base du nouveau tarif général. Celle-ci marque en effet un tournant de la politique commerciale helvétique.

5.3. Réorientation de la politique commerciale helvétique (1891-1895)

Après les premiers balbutiements de 1888, les négociations commerciales menées entre 1891 et 1895 marquent un changement significatif dans la pratique commerciale de la Confédération. A l'attitude libre-échangiste passive adoptée depuis la création de l'Etat fédéral se substitue une politique de combat résolue cherchant à ouvrir les marchés extérieurs par des traités

423 Cité in Winiger, 1910, p. 309.

à tarif. La diplomatie helvétique sort de sa réserve pour exiger un traitement commercial à la mesure de son importance économique qui est loin d'être négligeable en cette fin de XIXe siècle. Dans cette perspective, la guerre douanière contre la France (1893-1895) symbolise l'affirmation de la petite Suisse en tant que puissance commerciale. Elle est l'aboutissement du long processus d'abandon du libre-échange engagé dès le milieu des années 1870.

Ce changement de pratique n'empêche pas les autorités suisses de perpétuer le mythe du petit pays dont l'existence économique dépend de la bonne volonté des grandes puissances, car il est bien utile lors de négociations commerciales. Dans le cadre de réflexion imposé par cette croyance, la survie d'une Suisse neutre, indispensable à l'équilibre politique européen, dépend de l'oxygène accordé par les Etats voisins au commerce extérieur helvétique. Le CF se construit ainsi une arme symbolique qu'il n'hésite pas à utiliser:

> *Nous n'osons pas nous prononcer sur la question de savoir s'il serait possible d'obtenir exceptionnellement de nos quatre grands voisins, par la voie des négociations diplomatiques et en tenant compte de nos devoirs internationaux, qui font supposer une Suisse aussi forte que possible au point de vue économique, des traités plus favorables. On ne peut guère qualifier cette idée d'utopie, si l'on pense que notre petit pays, économiquement parlant, ne peut guère exercer d'influence sur les grands Etats, mais peut faire beaucoup pour le maintien de la paix entre eux, en supposant qu'il est à même de défendre vigoureusement sa neutralité. Si notre production agricole et industrielle est paralysée par le protectionnisme des pays dans lesquels nous exportons, notre faculté de repousser des attaques éventuelles sera diminuée en proportion*[424].

Le message adressé aux Etats voisins n'est pas même voilé: si vous voulez une Suisse neutre au milieu de l'Europe, donnez-nous des marchés!

Le mythe du petit pays économiquement fragile permet au CF d'en construire un second, dont il a déjà été question dans l'introduction; celui du radeau helvétique qui est entraîné contre son gré dans la tourmente protectionniste provoquée par les grandes puissances:

> *Entourée de grands états dont la législation douanière est sans exception protectionniste, la Suisse se voit peu à peu contrainte à des mesures qui ne cadrent plus avec ses traditions libre-échangistes. Les principes que professait il y a dix ans la majorité du peuple suisse ont dû fléchir devant la force des choses et céder à l'instinct de conservation*[425].

Désormais incapable d'assumer totalement leur image de premières de classe du libre-échange, qui est utilisée tout au long du XIXe siècle pour avoir accès aux marchés extérieurs, les autorités suisses se posent en martyr du protectionnisme des grandes puissances. Vis-à-vis des partenaires commerciaux, cette représentation permet de légitimer la protection de toute

424 Préavis du Conseiller fédéral Deucher sur la révision douanière; FF, 1890, vol. 2, p. 1117.

425 FF, 1890, vol. 2, p. 833, «MCF sur la révision du tarif des péages (2 mai 1890)».

une série de branches de production qui ne sont plus compétitives dans un régime de libre-concurrence, tout en revendiquant le statut de champion malheureux du libre-échange. Ce ne sont pas les autorités suisses qui sont responsables de la dérive hors des eaux du libre-échange, mais la politique des grandes puissances à laquelle il est nécessaire de s'adapter pour éviter un dépérissement économique.

A la fin du XIXe siècle, une dichotomie fondamentale s'installe ainsi au cœur de la politique commerciale helvétique. Dans la pratique, celle-ci s'oriente vers une politique de combat musclée et la protection de pans entiers de la production suisse (élevage du bétail, coton, laine, papier, bois, métallurgie, etc.). Elle s'affirme vis-à-vis des grands pays voisins en exigeant une meilleure réciprocité dans les conditions d'échange. Bien qu'incontestable, ce tournant est en partie occulté par l'idée de continuité libre-échangiste qui est véhiculée sur le niveau des représentations. Certes, le discours des élites libérales est contraint d'avouer une certaine dérive protectionniste. A quelques exceptions près, il continue cependant de présenter la Suisse comme un nain économique dont la politique commerciale est dictée par les grandes puissances. Contrainte de s'adapter au protectionnisme ambiant, la Suisse reste intrinsèquement libre-échangiste. Cette dichotomie fonctionne encore de nos jours. Malgré un marché intérieur parmi les plus protégés et cartellisés d'Europe, la Suisse continue de revendiquer le statut de champion du libre-échange. Malgré sa force financière et commerciale d'importance mondiale, elle demeure le «petit Etat neutre» qui en appelle à la bienveillance des grandes puissances pour poursuivre son expansion internationale.

A l'heure des luttes impérialistes de la fin du XIXe siècle, le renouvellement des traités de commerce helvétiques revêt une dimension de politique internationale évidente. La puissance européenne qui pourra offrir le plus de concessions commerciales à la Suisse aura toutes les chances de l'attirer dans son orbite politique. Comme en témoigne une lettre de l'Ambassadeur de France à Berne adressée au Ministre des Affaires étrangères, la diplomatie helvétique n'a aucun scrupule à exploiter cette situation:

> *Votre Excellence sait à merveille à qui nous avons à faire. Sous des grands mots et des gestes héroïques [...] la Suisse cache le ferme propos de faire acheter le plus cher possible sa neutralité. Ses sympathies nationales sont proportionnées exactement à ce qu'elles lui font gagner [...] Il faut aussi se rendre nettement compte que la question commerciale dans ce pays [...] se confond, plus qu'autre part, avec la politique, et que dans un traité de commerce avec la Suisse figure toujours une clause idéale et non libellée qui porte sur sa neutralité*[426].

Or, l'évolution de la constellation commerciale européenne est propice à un bouleversement de l'orientation suisse. Comme nous l'avons déjà cons-

426 Cité in Lacher, 1967, pp. 139-140.

taté dans le chapitre précédent, la conversion protectionniste de la France pousse les élites économiques suisses dans les bras de l'Allemagne qui se lance dans la construction d'un réseau d'accords commerciaux. Depuis 1864, le traité à tarif avec la France servait de pierre angulaire à la politique commerciale suisse. Désormais, c'est le traité à tarif avec l'Allemagne qui jouera ce rôle.

L'étude de cette phase cruciale de la politique commerciale helvétique, qui aura des répercussions fondamentales et durables sur l'avenir de la politique extérieure suisse, demanderait à elle seule une recherche de grande envergure, l'historiographie consacrée à la réorientation de la première moitié des années 1890 n'étant pas très riche. En particulier, la conclusion des traités de commerce avec les pays de la Triple Alliance ne semble pas avoir déchaîné l'enthousiasme des historiens helvétiques[427]. Du côté allemand, les quelques études consacrées aux relations commerciales germano-suisses au tournant du siècle sont loin d'être récentes[428]. Les analyses sont encore plus lacunaires lorsqu'il s'agit de dégager le rôle de ces traités dans l'imbrication ultérieure des économies allemande et helvétique et de mettre en évidence les relations politiques privilégiées qui en découlent[429]. En tant qu'événement atypique de la politique commerciale suisse, la guerre douanière contre la France a été l'objet de plus de sollicitude, autant de la part des économistes de l'époque que de celle des historiens contemporains[430]. Ces études n'inscrivent toutefois que rarement l'événement dans sa complexité économique et politique internationale. Loin d'avoir l'ambition d'épuiser une problématique étendue et compliquée, les deux chapitres qui suivent interrogent plus qu'ils ne donnent des réponses. Ils n'ont pour but que de poser quelques jalons nécessaires à la compréhension de la suite de l'analyse.

427 A ma connaissance, un seul ouvrage est consacré à la politique commerciale germano-suisse de la période; Schmidt, 1920; quelques histoires commerciales générales, écrites sans un recours à des sources archivistiques, y consacrent un chapitre, voire quelques pages seulement; Geering, 1902, pp. 4-9; Schmidt, 1914, pp. 154-165; Dérobert, 1926, pp. 63-70; Bleuler, 1929, pp. 63-68; Vogel, 1966, pp. 119-122; à signaler une approche plus récente, mais peu problématisée, dans le cadre de la publication des DDS; Collart, 1983, pp. 95-112.

428 Lünenbürger, 1901; Rückert, 1926; Mulertt, 1925.

429 A noter un mémoire de licence consacré au commerce bilatéral germano-suisse entre 1872 et 1912; Busino, 1990.

430 L'ouvrage de référence est Gern, 1992, pp. 117-233; cf. également Gern, 1982; Lacher, 1967, pp. 125-149; Eysoldt, 1913; Bricet, 1907, pp. 17-99; Archinard, 1894; dans des ouvrages moins centrés sur la question, cf. Geering, 1902, pp. 9-69; Schmidt, 1914, pp. 165-190; Dérobert, 1926, pp. 70-76; Bleuler, 1929, pp. 68-76; Vogel, 1966, pp. 126-129.

5.3.1. Entrée dans l'orbite commerciale allemande: les traités de commerce de 1891 et 1892

Après un intermède de près de trois mois provoqué par le référendum sur le nouveau tarif helvétique, les négociations menées avec l'Allemagne et l'Autriche-Hongrie reprennent début décembre 1891. D'un point de vue politique, l'Allemagne désire un aboutissement rapide des pourparlers. Il s'agit de sortir la Suisse de l'orbite commerciale française avant que cette dernière ait terminé sa révision douanière et soit en mesure de négocier un éventuel accord. Le 10 décembre, les traités avec l'Allemagne et l'Autriche-Hongrie sont signés à Vienne. Un sentiment de soulagement prédomine parmi les élites économiques helvétiques. Après les angoisses provoquées par la vague protectionniste de la deuxième moitié des années 1880, ces traités ont valeur de délivrance. En témoigne l'article paru dans l'édition du 2 février 1892 de la *NZZ*, sous le titre évocateur «Ein kritischer Tag erster Ordnung»:

> *Nous nous réjouissons du résultat final et nous payons à l'empire allemand un tribut de reconnaissance, parce qu'il a usé de sa puissance avec une loyauté inattendue, pour nous ramener à un état de choses normal; et cela d'autant plus volontiers qu'il lui a fallu faire des sacrifices considérables pour terminer son œuvre [...] Un point est acquis pour le moment, c'est la stabilité commerciale pour une période de 12 ans [...] Le régime de terreur protectionniste est définitivement écarté. L'avenir nous apparaît sous des couleurs moins sombres*[431].

Dans un message publié le 5 janvier 1892, qui traite conjointement des deux traités, le CF met l'accent sur l'importance de la stabilité des conditions d'échange pour le développement de l'exportation suisse[432].

L'analyse des deux traités confirme la valeur que leur confèrent les élites industrielles. D'un point de vue quantitatif, une part importante du commerce extérieur suisse est assurée pour une durée de douze ans. En 1890, les importations en provenance d'Allemagne (295 mios) et d'Autriche-Hongrie (102 mios) représentent 42% du total, alors que ces deux mêmes pays absorbent 31% des exportations suisses (182 mios/39 mios)[433]. Cet acquis

431 Traduit et cité in Gern, 1992, p. 126.

432 FF, 1892, vol. 1, pp. 205-313, «MCF concernant les traités de commerce conclus le 10 décembre 1891 avec l'Empire allemand et l'Autriche-Hongrie (5 janvier 1892)».

433 *Ibidem*, p. 207; il faut préciser que ces chiffres sont probablement surévalués en raison des insuffisances de la statistique commerciale helvétique qui ne seront corrigées qu'en 1892; entre 1885 et 1891, le pays d'origine ou de destination d'une marchandise est le pays de la dernière transaction pour l'importation et de la première pour l'exportation; une partie du commerce intermédiaire effectué avec les pays voisins est donc comptabilisée dans le commerce spécial; une partie des productions suisses qui sont réexportées par le commerce allemand vers d'autres pays est par exemple comptabilisée sous la rubrique Allemagne; en 1892, une réforme de la statistique introduit le pays de fabrication et de consommation comme références; il en résulte une diminution de 130 mios de

est d'autant plus appréciable que la Suisse obtient une meilleure réciprocité douanière pour ces échanges. Suite à la construction de leur réseau de traités de commerce, l'Allemagne et l'Autriche-Hongrie abaissent la quasi-totalité de leur tarif d'usage d'environ 25%. Au contraire, la Suisse renforce notablement la protection de son marché intérieur. Certes, d'importantes concessions sont faites sur le tarif général de 1891: 291 des 476 positions sont liées (60%), dont 196 à la baisse (40%). Toutefois, la plupart des taxes demeurent plus élevées que dans les tarifs d'usage de 1884 et 1888[434]. En outre, le tarif douanier helvétique sort des négociations en contenant encore d'importantes réserves de négociation à faire valoir contre l'Italie et la France.

Les traités de 1891 comportent encore un autre avantage important pour l'expansion économique helvétique sur les marchés internationaux: il s'agit d'un règlement avantageux du trafic de perfectionnement avec les deux voisins. Il est vrai, les traités germano-suisses de 1869, 1881 et 1887 ont déjà permis à ce mouvement commercial particulier de se développer, mais l'accord de 1891 franchit une étape supplémentaire: le trafic actif est désormais garanti dans le traité et des facilités de dédouanement sont accordées. Avec l'Autriche-Hongrie, le statu quo est assuré pour une durée de douze ans. Il se limite au trafic passif que la broderie saint-galloise entretient avec le Vorarlberg. Quand bien même le volume limité du trafic de perfectionnement peut inciter à une banalisation de son importance, ses avantages pour l'économie suisse sont multiples[435]. A travers le trafic actif, l'industrie allemande fournit du travail à certaines branches de production suisses qui possèdent un savoir-faire – impression, teinturerie, etc. La qualité de l'exécution permet ensuite aux produits allemands de gagner des parts de marché à l'étranger. A l'inverse, le trafic passif offre un débouché non négligeable à d'autres industries suisses. Des tissus écrus sont ainsi expédiés en Alsace pour y être imprimés ou au Vorarlberg pour y être brodés. L'industrie d'exportation helvétique peut ainsi profiter d'une main-d'œuvre bon marché ou d'un savoir-faire, sans que la production soit renchérie par une imposition douanière.

---

frs pour les exportations vers les quatre pays voisins, alors que les pays d'outre-mer gagnent 68 mios; ce changement de système statistique rend relativement aléatoire une analyse chiffrée des conséquences du tournant commercial amorcé par la Suisse entre 1891 et 1895; sur cette question, cf. Buser, 1918; Hauser-Dora, 1986, pp. 81-85.

434 Une comparaison des tarifs d'usage suisses figure dans l'annexe 6; il faut préciser que le tarif d'usage issu des négociations avec l'Allemagne et l'Autriche-Hongrie subira encore quelques modifications consécutives aux traités avec l'Italie (1892) et la France (1895).

435 La question de l'importance du trafic de perfectionnement germano-suisse mériterait une analyse approfondie qui permettrait de mieux comprendre l'imbrication des deux économies; les considérations qui suivent doivent être considérée comme des pistes de recherche; sur cette question, cf. Studer, 1927; Hahn, 1949.

Ces avantages «classiques» du trafic de perfectionnement ne sont toutefois que la pointe de l'iceberg. Grâce à des investissements directs en Allemagne, l'industrie d'exportation suisse peut déjouer le protectionnisme allemand et bénéficier pleinement de ce gigantesque marché. En implantant une entreprise dans le sud de l'Allemagne, des firmes de la chimie bâloise ou de l'industrie des machines zurichoise peuvent produire des semi-fabriqués à bon compte, qu'elles importent en franchise en Suisse. Ceux-ci sont alors transformés en produits spécialisés de haute qualité avant d'être réexportés en Allemagne, toujours en franchise, pour y être écoulés. Ce système de production intégrée permet donc d'éluder la taxation douanière allemande tout en utilisant les services de la main-d'œuvre suisse qualifiée. Sur le marché allemand, les produits suisses ainsi fabriqués bénéficient d'un statut douanier égal à celui de la concurrence allemande et plus favorable que celui des produits en provenance de pays tiers. De surcroît, la «naturalisation» de la production helvétique lui permet de participer aux appels d'offre des collectivités publiques allemandes. Sur les marchés de pays tiers, la production helvétique «naturalisée» peut bénéficier de la politique commerciale agressive du Reich et de son effort impérialiste. A l'inverse, l'industrie allemande peut procéder de même afin de s'emparer de la capacité de consommation du marché suisse. La neutralité helvétique est par ailleurs utile pour pénétrer des marchés contrôlés par d'autres puissances impérialistes. Le trafic de perfectionnement entre la Suisse et l'Allemagne multiplie donc les avantages liés à une délocalisation de la production. Il est en partie responsable du développement accéléré des investissements croisés entre les deux pays à la fin du XIXe siècle.

Sur le long terme, le trafic de perfectionnement avec l'Allemagne a des effets d'une qualité différente. Au-delà des avantages commerciaux mutuels qu'elle procure, cette forme d'échanges participe à un véritable processus d'intégration des économies suisse et allemande. Une collaboration se développe dans le but de conquérir des parts de marchés, les deux pays additionnant leurs atouts économiques et politiques pour battre la concurrence étrangère. D'une part, cette stratégie se traduit par un entrelacement des capitaux suisse et allemand. Dans l'industrie, des prises de participation se multiplient et des entreprises mixtes sont créées, comme chez «Alusuisse» ou «Brown Boveri». Des sociétés financières sont aussi mises sur pied, notamment dans le secteur hydroélectrique. Elles assurent le financement mixte de grands projets d'électrification en le liant parfois à des commandes aux entreprises suisses et allemandes. D'autre part, la collaboration économique amorcée accentue la complémentarité des appareils de production. Alors que l'Allemagne renonce à développer massivement l'horlogerie ainsi que certaines productions chimiques, mécaniques et alimentaires, la Suisse en fait de même dans certaines branches, notamment la métallurgie, la confection, l'industrie de la laine et la fabrication de meubles. Ces évolutions sont déjà en germe dans les concessions mutuelles accordées dans le traité de 1891[436]. A cet égard, il est significatif que la franchise demeure acquise pour les industries bâloises des couleurs et de la filature de bourre de soie[437].

A côté des avantages directement liés aux traités de 1891 – stabilité des conditions douanières, meilleure réciprocité de la taxation et avantages liés au trafic de perfectionnement –, l'économie helvétique profite encore des effets de la construction d'un système européen de traités de commerce par l'Allemagne. Sur le marché allemand, l'exportation suisse bénéficie des réductions tarifaires concédées par le Reich pour obtenir des accords avec des pays tiers[438]. Grâce au réseau suisse de traités avec clause de la nation la plus favorisée, qui est relativement étendu[439], le commerce helvétique peut aussi profiter de la plupart des réductions consenties par ces pays à l'Allemagne. Des débouchés s'ouvrent ainsi en Italie et en Belgique. Dans le sillage du «grand frère» allemand, les élites économiques suisses participent également à la politique d'expansion conceptualisée sous le terme de «Mitteleuropa». Des relations commerciales et financières sont tissées avec les pays balkaniques, en particulier avec la Roumanie et la Serbie. Il est significatif qu'après l'Espagne en 1892, la Serbie est le second Etat non limitrophe avec lequel la Confédération conclut un traité à tarif (1907).

Ainsi, du point de vue des élites industrielles et commerçantes, les traités de 1891 avec l'Allemagne et l'Autriche-Hongrie sont éminemment positifs. Certes, le patronat orienté vers le marché intérieur doit renoncer à la protection musclée de productions offrant des possibilités d'investissement intéressantes, en particulier dans la branche de la laine. Certaines industries d'exportation, qui sont en concurrence avec des producteurs allemands, n'obtiennent pas non plus les concessions douanières souhaitées (industrie de la soie). La Confédération doit enfin concéder une légère entorse au principe de la clause de la nation la plus favorisée, dont pâtit le commerce intermédiaire helvétique[440]. En échange, les principales industries d'exportation suisses bénéficient cependant d'une amélioration de leurs conditions doua-

436 FF, 1892, vol. 1, pp. 213-215, «MCF concernant les traités de commerce conclus le 10 décembre 1891 avec l'Empire allemand et l'Autriche-Hongrie (5 janvier 1892)».
437 Hahn, 1934, pp. 7-16.
438 L'Allemagne conclut des traités à tarif avec l'Autriche-Hongrie, l'Italie, la Belgique, la Serbie, la Roumanie, la Russie, etc.
439 Une liste des traités suisses en vigueur en 1894 figure in FF, 1894, vol. 2, pp. 372-373.
440 L'Allemagne refuse d'appliquer la clause de la nation la plus favorisée au blé et au vin; elle veut pouvoir accorder des réductions sur le blé russe sans devoir les accorder à d'autres pays qui pourraient passer par la Suisse pour écouler leur production vers l'Allemagne; quant au vin, l'Allemagne craint qu'en cas de rupture commerciale avec l'Espagne et le Portugal, ces pays passent par la Suisse pour écouler leur production; DDS, vol. 4, n° 74, pp. 164-165, «PV de la séance du CF du 8 décembre 1891».

nières sur les marchés allemand et austro-hongrois, cela pour une durée de douze ans.

Qu'en est-il des intérêts des élites agricoles qui ne sont pas représentées au sein de la délégation commerciale suisse? Centre de gravité de leur politique commerciale, la taxe sur l'exportation de fromage est abaissée par l'Allemagne (20 à 15 marks/quintal[441]) et maintenue à son niveau de 1888 par l'Autriche-Hongrie (5 florins au lieu de 20 au tarif général). Des facilités sont aussi accordées sur le beurre et le lait condensé[442]. Bien qu'ils n'obtiennent pas de concessions significatives à l'exportation, les grands éleveurs de montagne bénéficient désormais d'une protection conséquente du marché intérieur. Si les taxes du tarif général de 1891 subissent certaines baisses, elles n'en demeurent pas moins à un niveau sensiblement plus élevé qu'en 1888[443]. A partir de 1892, la tarification suisse sur le bétail d'élevage est plus élevée que celle des quatre Etats voisins[444]. Pratiqué surtout par les agriculteurs de plaine, l'engraissement de bétail est aussi pris en considération, mais de manière moins significative. Utilisées comme armes de combat, les taxes sur les bœufs et les porcs de boucherie sont ramenées au niveau de 1888[445]. En comparaison internationale, la protection helvétique demeure inférieure à celle de la plupart des pays voisins, en particulier pour les bœufs[446]. Par contre, la position «veaux gras de plus de 60 kg» est augmentée de manière significative pour tenter de désengorger le marché laitier – engraissement de veaux de boucherie au lait. Certes, la confirmation des augmentations de 1888 permet aux producteurs indigènes de gagner des parts du marché suisse de la viande et d'amortir ainsi les effets de la crise

441 Cette baisse n'est toutefois accordée qu'aux meules de fromage pesant plus de 50 kg; concrètement, cela signifie que seuls les fromages «Emmental» et non les «Gruyère» en bénéficient, ce qui entraîne un certain mécontentement dans le canton de Fribourg.

442 Pour plus de détails, cf. Kupper, 1929, p. 93.

443 La taxe sur les taureaux reproducteurs augmente de 66% (25 frs au lieu de 15; tarif 1891: 25 frs); la taxe sur les vaches et les génisses augmente de 50% (18 frs au lieu de 12; tarif 1891: 25 frs); la taxe sur le jeune bétail de 140% (12 frs au lieu de 5; tarif 1891: 20 frs); la taxe sur les veaux de moins de 60 kg de 66% (5 frs au lieu de 3; tarif 1891: 6 frs); la taxe sur les porcs de moins de 60 kg de 266% (8 frs au lieu de 3; tarif 1891: 8 frs), elle est cependant ramenée à 4 frs par le traité avec l'Italie, soit une augmentation de 25%; FF, 1892, vol. 1, pp. 229-230, «MCF concernant les traités de commerce conclus le 10 décembre 1891 avec l'Empire allemand et l'Autriche-Hongrie (5 janvier 1892)».

444 Les taxes des quatre pays voisins figurent in Kupper, 1929, pp. 98-99.

445 La taxe sur les bœufs est ramenée de 25 frs à 15, soit le statu quo; la taxe sur les porcs de plus de 60 kg augmente de 20% (6 frs au lieu de 5; tarif 1891: 8 frs); elle est ramenée à 5 frs dans le traité avec l'Italie, soit le statu quo; la taxe sur les veaux de plus de 60 kg augmente de 333% (10 frs au lieu de 3; tarif 1891: 10 frs).

446 La taxation des quatre pays voisins figure in von Steiger, 1933, p. 24.

agricole. Mais un transfert massif de la production du lait vers la viande, objectif principal de la politique protectionniste des élites agricoles, n'est pas possible.

En règle générale, les élites agricoles sont satisfaites par les traités de 1891 avec l'Allemagne et l'Autriche-Hongrie. Aux Chambres, les résultats mitigés obtenus pour la production de viande suscitent bien quelques remous. Représentant en vue du Club de l'agriculture, Gisi

> *déclare qu'une fois de plus la patience de l'agriculture suisse est poussée à bout. Les plaintes ont été très vives lorsqu'on a appris que le droit sur les bœufs avait de nouveau été ramené à 15 francs. Si l'orateur accepte les traités, c'est qu'il est forcé de le faire par les circonstances. Qu'on s'en souvienne en négociant avec l'Italie et la France*[447].

A noter qu'un certain mécontentement anime aussi les producteurs de vin qui doivent se contenter du statu quo[448]. Mais malgré les quelques bémols exprimés par les représentants de l'agriculture, les traités sont acceptés à l'unanimité, autant au CN qu'au CE.

L'amélioration des conditions douanières de l'agriculture contribue à endiguer la radicalisation du mouvement paysan. Porte-parole de la grogne des petits producteurs, le VOLG modère son discours vis-à-vis de la politique commerciale des autorités:

> *Die Landwirthschaft ist weder leer ausgegangen, noch hat sie erreicht, was sie wünschen dürfte und vielen Andern ging es ebenso. Wir haben wenig genug erwartet, deshalb ist unsere Enttäuschung auch nicht gross [...] Einen wesentlichen Vortheil für unsere Landwirthschaft erblicken wir darin, dass Oesterreich-Ungarn durch die neuen Handelsverträge und die Viehseuchenkonvention, für seine landw. Produkte: Getreide, Wein, Vieh nach Deutschland Lust bekommt, so dass alle diese Artikel in Ungarn bessere Preise erzielen und unsern Markt entlasten werden*[449].

Il est vrai, les «Bauernbund» apparus l'année précédente poursuivent leur organisation. En 1893, le SBB voit le jour. Le mouvement semble pourtant s'essouffler assez vite. Du fait qu'il cherche à réaliser une alliance rouge-verte anticapitaliste, le SBB doit tenir compte des réticences ouvrières vis-à-vis du protectionnisme et ne peut donc pas promouvoir une politique de soutien des prix agricoles. Or, pour les petits et moyens paysans quotidien-

447 *JdG*, 26 janvier 1892, «PV de la séance du CN du 25 janvier 1892, intervention Gisi».

448 Dans son intervention au CN, le Vaudois Fonjallaz relève que la viticulture exigeait 12 frs au tarif général et qu'elle a dû se contenter du statu quo à 6 frs; les traités rabaissent la taxe à son niveau du tarif d'usage précédent, soit 3,50 frs; le degré d'alcool admis dans le vin, qui avait été abaissé de 15 à 12 degrés dans le tarif général, est relevé à 13 degrés; pour tout acquis, la viticulture doit donc se satisfaire d'un abaissement de deux degrés et d'une protection accrue sur les raisins secs; ces avantages seront encore limés par le traité avec l'Italie; *JdG*, 27 janvier 1892, «PV de la séance du CN du 26 janvier 1892, intervention Fonjallaz».

449 *Der Genossenschafter*, 1. Januar 1892, «Die neuen Zollverträge».

nement menacés par la faillite, les promesses de désendettement ou de monopole du blé n'ont que peu d'attrait en comparaison des avantages modestes, mais tout de suite palpables, de la politique douanière menée par les associations agricoles élitistes[450]. Traditionnellement méfiantes vis-à-vis de la population urbaine, les masses paysannes sont plutôt enclines à endosser le rôle de bastion du conservatisme proposé par les élites agricoles, que celui de frère de lutte des salariés. Les attaques virulentes adressées au monde paysan par certains journaux socialistes de gauche ne font que renforcer une attitude antisocialiste déjà bien ancrée dans les mentalités[451].

Egalement absentes de la table des négociations, les classes moyennes industrielles obtiennent certaines satisfactions. De manière générale, elles bénéficient d'une amélioration de la réciprocité douanière avec l'Allemagne et l'Autriche-Hongrie. A la lecture du tarif conventionnel, il est toutefois évident que la protection arrachée au cours des négociations profite surtout aux grosses industries travaillant pour le marché intérieur et dans une moindre mesure aux arts et métiers (annexes 3 et 6). L'industrie du coton mécanisée, qui conserve les acquis du tarif général de 1891, est la grande gagnante. Alors que l'industrie du fer doit se contenter du statu quo, d'autres branches de la métallurgie bénéficient d'une augmentation de leur protection. Les industries fabriquant des matériaux de construction (ciment, asphalte, briques, tuiles, verre à vitres, etc.) et certaines industries alimentaires (conserverie de légumes, chocolat, vinaigre, etc.) reçoivent un traitement de faveur. Le bilan est plus mitigé pour une série d'industries dont les intérêts entrent en contradiction avec l'exportation allemande de produits manufacturés. La tarification obtenue par les industries de la laine et du lin dans le tarif général de 1891 est fortement abaissée. De sorte que malgré une augmentation substantielle de la protection par rapport aux années 1870 et 1880, celle-ci demeure à un niveau modeste. Ce phénomène est encore plus marqué dans le domaine de la confection. La taxe de 180 frs est diminuée à 105 frs, le taux de protection passant tout de même de 2,5% (1887) à 9,1% (1897) dans le tarif d'usage.

Certaines branches des arts et métiers bénéficient d'une amélioration sensible de la protection de leur production; les taxes à l'entrée en Suisse sont notamment augmentées sur les articles de menuiserie, les articles en cuir (chaussures, gants, articles de voyage, etc), l'orfèvrerie et la bijouterie, les cordes, les parapluies, la charcuterie, etc. Certaines de ces positions constituent cependant des réserves de négociations à faire valoir contre l'Italie et la France. Par ailleurs, toute une série de métiers et de petites industries

450 En 1896, l'échec de l'initiative du «Bauern- und Arbeiterbund Baselland», qui vise à réformer le système hypothécaire cantonal, symbolise cette incapacité des «Bauernbund» d'agir positivement sur la situation économique immédiate du petit paysan.

451 Müller, 1966, pp. 236-240.

doivent se contenter du statu quo ou d'un gain de protection très modeste: vannerie, brosserie, tonnellerie, coutellerie, poterie, literie, fabrication de houblon, malt, bière, chicorée, etc. Une fois de plus, les classes moyennes peuvent être considérées comme le parent pauvre de la politique commerciale helvétique. Vu le peu de réactions faisant suite à la conclusion des traités de 1891, force est de conclure que les miettes de la politique de combat menée par les élites économiques suffisent à satisfaire ce groupe socio-économique hétérogène et encore mal organisé. A ma connaissance, l'USAM ne mène aucune action visant à entraver l'acceptation des traités avec l'Allemagne et l'Autriche-Hongrie. Les représentants des classes moyennes aux Chambres ne protestent que timidement contre les concessions faites sur le tarif de 1891[452]. Ils votent d'ailleurs en faveur des traités. A ce stade des négociations, Cramer-Frey parvient donc à préserver l'unité de la coalition douanière qui s'était formée en faveur du tarif de 1891, cela malgré de fortes atteintes à la protection industrielle et agricole inclue dans ce dernier.

Forte du succès commercial que représente les traités avec l'Allemagne et l'Autriche-Hongrie, la diplomatie helvétique se lance à l'assaut de la forteresse italienne. Depuis 1888, l'Italie mène une guerre douanière contre la France, son partenaire commercial le plus important. Une partie de son exportation est dès lors réorientée vers la Suisse[453]. Malgré les quelques concessions douanières obtenues dans l'accord du 23 janvier 1889, l'exportation helvétique subit au contraire un mouvement de recul[454]. Le déficit commercial avec le voisin du sud passe ainsi de 39 mios de frs en 1885 à 114 mios en 1890. Il est vrai, cette explosion est surtout la conséquence d'une importation massive de soie brute, matière première nécessaire à l'industrie helvétique. Néanmoins, la Confédération ne peut tolérer plus longtemps la fermeture du marché italien aux productions suisses les plus spécialisées. Début 1891, le CF dénonce le traité de commerce avec l'Italie pour le 12 février 1892.

452 *JdG*, 26 janvier 1892, «PV de la séance du CN du 25 janvier 1892, interventions Eckenstein, Blumer-Egloff, Ryniker».

453 Si l'on compare les années 1885 et 1890, l'importation suisse passe de 50,7 à 102 mios de frs pour la soie écrue et la bourre de soie, de 4,8 à 10,5 mios pour le vin et de 0,2 à 5,3 mios pour les porcs; FF, 1892, vol. 3, pp. 564-567, «MCF concernant le traité de commerce conclu avec l'Italie le 19 avril 1892 (13 mai 1892)».

454 Entre 1885 et 1890, l'importation italienne passe de 8,5 à 5,9 mios pour l'horlogerie, 2,8 à 0,7 mios pour la bijouterie, 5,8 à 4,2 mios pour les machines, 5,8 à 4,3 mios pour les tissus en coton et 6,7 à 3,1 mios pour le bétail; les exceptions à ce mouvement à la baisse sont le fromage et les soieries qui profitent probablement de l'exclusion de la concurrence française; *ibidem*.

Dès le 3 juin 1891, la Division du commerce s'adresse au Vorort de l'USCI pour préparer les négociations. Mais en prétextant des pourparlers en cours avec l'Allemagne, le Gouvernement italien cherche à prolonger une situation douanière qui profite à son économie. Le 10 novembre 1891, Droz durcit le ton vis-à-vis de la diplomatie italienne. Il notifie au Ministre suisse à Rome le refus de prolonger le statu quo au-delà du 12 février 1892. A cette date, le tarif général de 1891 sera appliqué à l'Italie, si un nouveau traité ne devait être conclu jusque-là. L'économie italienne aurait alors à subir un traitement douanier différentiel sur le marché suisse. L'ultimatum de Droz est par ailleurs assorti d'une exigence ferme concernant le nouveau traité à négocier. A l'image de ceux conclus avec les voisins du nord et de l'est, il devra obligatoirement améliorer la réciprocité douanière qui, depuis 1879, n'a fait que se dégrader au détriment de la Suisse:

> *Nous devons demander le rétablissement d'un juste équilibre, et nous ne pourrons souscrire qu'à un traité qui nous donnera satisfaction sous ce rapport*[455].

Suite à la conclusion des traités italien et helvétique avec l'Allemagne et l'Autriche-Hongrie, en décembre 1891, des négociations s'engagent enfin le 4 janvier 1892 à Zurich. Rapidement, le refus italien d'améliorer la réciprocité douanière au profit de la Suisse mène les discussions dans une impasse. Face à cette situation de crise, le CF ne cède pas. Le 16 janvier 1892, un message aux Chambres réaffirme la volonté d'appliquer des taxes différentielles à l'Italie en cas d'échec des négociations[456]. Le 1er février 1892, le tarif d'usage issu des traités avec l'Allemagne et l'Autriche-Hongrie est mis en vigueur. Pour la première fois depuis la création de l'Etat fédéral, l'importation d'un pays est soumise à une taxation différentielle: en l'absence d'un traité avec clause de la nation la plus favorisée, les produits en provenance du Portugal sont soumis au tarif général de 1891[457]. Ce coup de semonce adressé à l'Italie est accompagné d'une mise en garde de la *NZZ*:

> *L'Italie, très bien traitée et quelque peu gâtée par ses alliés politiques, croyait avoir facilement raison de la petite République helvétique. Mais celle-ci a su prendre position dans cette immense guerre des intérêts contradictoires et, comme grand Etat industriel, en opposition à sa situation politique qui lui commande la neutralité, elle a frappé sur son bouclier et s'est lancée dans la bataille. Elle a été considérée sous ce rapport comme une grande puissance et entend être traitée comme telle par l'Italie, à laquelle elle est reliée plus étroitement que par le passé par l'un des travaux les plus grandioses du génie moderne*[458].

455 DDS, vol. 4, n° 70, p. 158, «Le Chef du Département des Affaires étrangères (Division du commerce), N. Droz, au Ministre de Suisse à Rome, S. Bavier, 10 novembre 1891».

456 FF, 1892, vol. 1, pp. 107-111, «MCF concernant le renouvellement du traité de commerce avec l'Italie (16 janvier 1892)».

457 FF, 1892, vol. 1, pp. 534-535.

458 *NZZ*, 2. Februar 1892; cité in Gern, 1992, note 33 p. 148.

Malgré la détermination affichée par les autorités suisses, le Gouvernement italien campe sur ses positions.

Le 12 février 1892, le CF décide d'appliquer le tarif général à l'importation italienne[459]. Même Droz, le plus libre-échangiste des «sept sages», approuve cette mesure traduisant la volonté helvétique de s'imposer en tant que puissance commerciale:

> *Le Conseil fédéral n'ayant pu accepter les dernières propositions italiennes qui revêtaient du reste le caractère d'un ultimatum a dû constater l'impossibilité de conclure un nouveau traité en ce moment. Comme je vous en avais prévenu par mon télégramme de mardi le tarif général sera appliqué dès demain aux produits italiens. Ces résolutions qui sont le fruit d'un mûr examen ont été prises à l'unanimité par le Conseil fédéral convaincu qu'il n'y a momentanément pas d'autre issue à la situation et certain de l'approbation des Chambres fédérales du peuple suisse*[460].

Les négociations italo-suisses se poursuivent alors par la voie diplomatique. Désireuses de conserver l'important débouché suisse, les autorités transalpines sollicitent une reprise des pourparlers qui se concrétise à la mi-avril. Le 19 du même mois, un nouveau traité italo-suisse est signé[461].

Dans le message qu'il adresse aux Chambres, le 13 mai 1892, le CF se montre modérément satisfait du traité. Même si la réciprocité douanière a été quelque peu améliorée, l'imposition des exportations helvétiques demeure trop élevée à ses yeux. L'analyse des concessions tarifaires permet de constater que les concessions italiennes profitent à l'industrie d'exportation helvétique, alors que l'agriculture en paie le prix par une réduction de sa protection. A l'entrée en Italie, les principales baisses avantagent les industries du coton (filés, tissus et broderies), des machines et de la paille. L'exportation agricole n'obtient rien d'autre que le statu quo sur le fromage et le bétail ainsi qu'une légère baisse de la taxe sur le lait condensé. A l'entrée en Suisse, la viticulture et l'engraissement de porcs perdent tous les acquis obtenus dans le tarif général de 1891[462].

Mécontents du double jeu mené par Cramer-Frey, certains représentants de l'agriculture, emmenés par le Soleurois Joseph Gisi, s'opposent à la ratification du traité conclu avec l'Italie:

459 FF, 1892, vol. 1, pp. 619-620.

460 DDS, vol. 4, n° 79, p. 173, «Le Chef du Département des Affaires étrangères, N. Droz, au Ministre de Suisse à Rome, S. Bavier, 12 février 1892».

461 RO, 1891-1892, vol. II, 12, pp. 787-832.

462 FF, 1892, vol. 3, pp. 561-609, «MCF concernant le traité de commerce conclu avec l'Italie le 19 avril 1892 (13 mai 1892)»; la taxe sur le vin est maintenue à 3,50 frs, mais la limite de 13 degrés est augmentée à 15; la viticulture italienne obtient des diminutions de taxe sur les raisins de table et les raisins foulés servant à la fabrication de vin; tous les acquis contenus dans le tarif général de 1891 sont ainsi liquidés; l'engraissement de porcs retrouve les conditions douanières de 1889, alors que l'élevage de porcelets ne bénéficie que d'un franc supplémentaire de protection (+25%).

Nous devons nous demander si nous n'avons pas été les dupes d'un groupe d'industriels qui ne pense qu'à soi. Que nous reste-t-il aujourd'hui de ce tarif général que nous avons voté parce qu'il devait nous venir en aide? Quelques surélévations sans importance sur le jeune bétail et un ou deux articles[463].

Au cours de sa diatribe, Gisi en vient même à regretter d'avoir prêté main forte à l'élaboration d'un tarif protectionniste: alors que la charge fiscale reposera sur les agriculteurs, les avantages commerciaux seront réservés à l'industrie d'exportation. Comme le constate le *JdG*, Droz est une nouvelle fois le bouc émissaire de la politique menée par Cramer-Frey:

Aussi comprenons-nous que les attaques personnelles de M. Gisi aient dû atteindre douloureusement l'honorable conseiller fédéral. S'il y a, en effet, quelqu'un qui ne puisse être accusé de connivence dans la politique à deux faces de l'école de Zurich, c'est bien M. Droz, qui, dans la période d'élaboration du nouveau tarif, a ouvertement combattu les illusions protectionnistes des agraires[464].

L'opposition agricole ne s'étend toutefois pas à l'ensemble du secteur primaire[465]. Les représentants des régions vouées à l'industrie laitière considèrent que le statu quo sur le fromage à 11 frs est un succès[466]. Les acquis en matière de protection du bétail d'élevage contentent aussi une partie des producteurs de montagne. Enfin, certaines élites agricoles libre-échangistes de Suisse romande sont satisfaites des diminutions de taxes enregistrées.

Face à l'opposition d'une partie des milieux agricoles, la coalition formée des milieux exportateurs et des adeptes du libre-échange apporte un soutien sans faille au traité italo-suisse. Lors de la votation du 8 juin 1892 au CN, l'accord est ratifié par 85 voix contre 13. Au CE, il fait même l'unanimité. Grands gagnants de la campagne de renouvellement des traités, les milieux de la Ligue contre le renchérissement de la vie exultent. Dans son commentaire, le *JdG* se gausse des agriculteurs déçus:

La discussion nous a apporté des déclarations libre-échangistes bien inattendues: ce sont celles de MM. Gisi, Fonjallaz et Aeby. Pour venir un peu tard, elles n'en sont pas moins précieuses. Il faut bien ajouter que ces adhésions à la cause que nous avons si souvent défendue ici n'ont été que conditionnelles: «nous aurions préféré le libre-échange au relèvement général des droits autres que sur les produits agricoles, nous a-t-on dit; nous acceptions, par exemple, la protection des tissus, parce que nos bœufs

463 *JdG*, 8 juin 1892, «PV de la séance du CN du 7 juin 1892, intervention Gisi».

464 *JdG*, 10 juin 1892, «Chronique de l'Assemblée fédérale».

465 Lors du vote au CN, les représentants des milieux agricoles suivants s'opposent à la ratification: Eschmann (ZH), Steinemann (ZH), Scheuchzer (ZH), Gisi (SO), Burkhalter (BE), Beck-Leu (LU), Erni (LU), Bühler (GR), Risch (GR), von Roten (VS); *JdG*, 9 juin 1892, «PV de la séance du CN du 8 juin 1892»; il s'agit des agriculteurs des régions les plus touchées par l'importation de bétail italien (GR, VS, LU) et des engraisseurs des régions de plaine.

466 *JdG*, 9 juin 1892, «PV de la séance du CN du 8 juin 1892, interventions Berger, Aeby».

> *étaient aussi protégés; la protection agricole venant à nous manquer, l'autre nous est charge». Qu'alliez-vous donc faire dans cette galère, ô paysans naïfs?*[467]

Profitant du désarroi des milieux agricoles, le journal libéral en appelle à la reconstitution du bloc libre-échangiste autrefois majoritaire:

> *Lors de la prochaine révision du tarif général des douanes, les agriculteurs auront à se demander s'ils ont un intérêt quelconque à ce protectionnisme-là ou si le libre-échange n'est pas plus conforme à leur intérêt bien compris.*

D'un point de vue commercial, le traité conclu en 1892 avec l'Italie se révélera peu efficace. Malgré une légère amélioration de la réciprocité douanière, le déficit commercial se creusera encore jusqu'en 1895. Sur le plan politique, l'épisode italien de 1892 doit pourtant être interprété comme une victoire de la nouvelle politique de combat helvétique. Grâce à l'application de son tarif général, la diplomatie suisse est parvenue à faire plier un grand Etat européen. Même si l'Italie est alors une puissance économique de seconde zone, la Confédération marque ainsi des points à la veille d'affronter le grand voisin français. Symboliquement, la «petite Suisse» a montré qu'elle savait dire non aux grandes puissances. Par ailleurs, les trois traités conclus avec l'Allemagne, l'Autriche-Hongrie et l'Italie permettent d'aborder les négociations avec la France dans une position de force: l'économie helvétique a alors les moyens de se passer d'un arrangement commercial avec la France. Le rapprochement commercial opéré avec les pays de la Triple Alliance est aussi susceptible d'inquiéter le Gouvernement français, de plus en plus isolé en Europe. L'intérêt politique de ce dernier à freiner l'évolution vers un déséquilibre trop marqué des relations économiques suisses peut jouer en faveur de la Confédération.

5.3.2. Guerre douanière contre la France: un aboutissement de la nouvelle politique de combat (1893-1895)

Voté le 11 janvier 1892, le double tarif douanier français menace les relations commerciales franco-suisses. Avec ce nouveau système de tarification, la France entame en effet une politique douanière autonome axée sur la protection de la capacité de consommation intérieure. Alors que le tarif maximum est pratiquement prohibitif, le tarif minimum constitue une forte aggravation de l'imposition de la plupart des exportations suisses. Proposé par la France, un échange du tarif minimum français contre le tarif d'usage suisse provoquerait une forte péjoration de la réciprocité douanière au détriment de la Suisse. Alors que l'exportation helvétique rétrécirait comme peau de chagrin, les produits français bénéficieraient de tous les avantages

467 *JdG*, 10 juin 1892, «Chronique de l'Assemblée fédérale».

conquis à coup de concessions douanières par les pays de la Triple Alliance[468]. Si la Confédération refuse de souscrire à cette détérioration des conditions d'échange, elle doit appliquer son tarif général à l'importation française. L'Etat voisin répliquerait alors par l'application de son tarif maximum. Dans cette situation d'affrontement – tarif général contre tarif maximum –, la réciprocité douanière serait également péjorée pour la Suisse. Pour y pallier, la Confédération se verrait dans l'obligation d'adopter des mesures de rétorsion et d'entrer ainsi dans la voie de la guerre douanière. L'engrenage qui mène au conflit peut être évité de deux manières: soit le CF et les Chambres plient l'échine et acceptent le diktat français, soit le Gouvernement tricolore accepte de négocier un assouplissement du tarif minimum, le plus dur étant de le faire ratifier par un Parlement à majorité protectionniste.

Avant même le vote définitif du tarif double, certaines élites industrielles et agricoles suisses engagent le CF à adopter une position de fermeté à l'égard de la France. Le 21 novembre 1891, l'assemblée des délégués de la KGZ débat des relations commerciales avec l'Hexagone[469]. Les branches du coton, des machines et de la soie déclarent toutes préférer la guerre douanière à l'application du tarif minimum. L'importante exportation de tissus en soie est particulièrement menacée[470]. Bénéficiant jusqu'alors de la franchise, les soieries helvétiques devraient désormais supporter une taxe de 400 frs/quintal (tarif minimum) ou même 600 frs (tarif maximum). Cela correspondrait à une charge douanière de 1,7 ou 2,6 mios de frs. Selon les estimations de la branche, l'exportation serait réduite de 26 à 11 mios de frs sous l'empire du tarif minimum et à 4 mios en cas d'application du tarif maximum. Contre l'avis d'une minorité de ses membres qui restent attachés au libre-échange, la ZSIG refuse le tarif minimum et souscrit à une guerre douanière[471]. L'ensemble de la branche du coton – filature, tissage, blanchiment, teinturerie, impression – est opposée à un tarif minimum qui exclurait les productions helvétiques du marché français. Le 18 janvier 1892, soit immédiatement après la votation définitive du tarif français, la KGZ

468 Lardy estime que l'application du tarif minimum provoquerait une diminution de l'exportation suisse de produits manufacturés de 86 mios à 59,5 mios; avec le tarif maximum, celle-ci passerait à 27,5 mios; Gern, 1992, p. 139.

469 Sur l'attitude de la KGZ concernant les relations commerciales avec la France, cf. Richard, 1924, pp. 614-635.

470 En 1890, le marché français absorbe pour 26 mios de frs – dont 6 mios sont réexportés –, soit un peu moins du tiers des exportations suisses; Ferrari, 1977, pp. 256-257/201; SHS, 1996, p. 667.

471 Gern, 1992, pp. 136-137/173-174; emmenée par Robert Schwarzenbach, l'aile libre-échangiste estime qu'il est préférable de pallier au protectionnisme français par une délocalisation de la production; avant même le résultat des négociations avec la France, les deux firmes «J. Schwarzenbach et Landis» et «Naef frères» établissent des fabriques de tissage mécanique à Boussieu et à Saillans.

demande au CF de faire usage de l'article 34 pour appliquer des mesures de rétorsion à la France.

En pleine crise, l'industrie de la broderie est aussi partisane d'une ligne dure vis-à-vis de la France. Le 21 novembre 1891, une délégation d'associations économiques des cantons de St-Gall et Appenzell rencontre Droz pour lui demander de refuser le tarif minimum[472]. Le 6 janvier 1892, une requête adressée aux autorités fédérales exige l'application du tarif général à la France[473]. Le 11 janvier, la GSL prend à son tour position contre le tarif minimum français. Les taxes sur le bétail et le fromage – augmentation de 4 à 15 frs/quintal – seraient fortement majorées. Or, le marché français absorbe alors plus du tiers de l'exportation agricole suisse[474]. Enfin, les classes moyennes industrielles ne seraient pas mécontentes des effets d'une guerre douanière qui fermerait la consommation intérieure aux produits français. La coalition KGZ-KDSG-GSL-USAM est encore renforcée par le soutien d'une partie des milieux horlogers. Traversant alors une crise conjoncturelle, ceux-ci refusent de subir une dégradation de la réciprocité douanière au profit de la concurrence française. Ce sont notamment les fabricants d'ébauches qui cherchent à mieux protéger leurs débouchés en Suisse.

Comme en 1822, l'opposition à une guerre douanière est emmenée par les places commerciales de Bâle et Genève qui ne veulent pas d'une strangulation des échanges franco-suisses. Genève craint tout particulièrement qu'une guerre douanière remette en question son statut de centre commercial des Zones franches françaises. Par ailleurs, l'approvisionnement des deux villes frontières en denrées alimentaires serait menacé de renchérissement. Quant aux exportations bâloises – rubans de soie, fils de bourre de soie et colorants –, elles ne sont que peu touchées par la mise en vigueur du tarif minimum français. Le BHIV préfère donc son application à une guerre douanière. Il le fait savoir au CF dans une lettre datée du 15 janvier 1892. En cas de mise en vigueur du tarif général suisse, l'industrie bâloise menace de délocaliser une partie de sa production en France[475]. Au-delà des désagréments d'ordre commercial, une guerre douanière serait susceptible de détériorer les relations financières entretenues avec la banque parisienne. Les compagnies ferroviaires suisses, qui se trouvent alors confrontées à des difficultés financières chroniques, seraient coupées d'une source importante d'approvisionnement en capitaux bon marché.

472 DDS, vol. 4, n° 72, p. 161, «Le Chef du Département des Affaires étrangères, N. Droz au Ministre de Suisse à Paris, Charles Lardy, 26 novembre 1891».

473 Schmidt, 1914, p. 169.

474 Le marché français absorbe environ 37% des 28 mios de frs de produits agricoles exportés; *SLC*, 13. Februar 1892, «Unsere Handelsbeziehungen zu Frankreich».

475 Sur l'attitude du BHIV, cf. Geigy-Merian, 1893; Henrici, 1927, p. 107; Schmidt, 1914, p. 170; sur l'attitude de l'ACIG, cf. Jouvet, 1940, pp. 72-73.

Confronté à des pressions contradictoires, le CF définit une stratégie en conformité avec les options de Cramer-Frey[476]. Il s'agit d'obtenir absolument des réductions sur le tarif minimum français. Bien qu'il s'aligne sur l'objectif du Gouvernement, Droz fait tout son possible pour l'atteindre sans recourir à une guerre douanière. En accord avec Lardy, il estime en effet que les conséquences politiques et financières d'un conflit commercial pourraient être extrêmement négatives pour la Confédération[477]. Afin de faciliter la conclusion d'un accord, il est décidé de limiter les revendications aux produits d'exportation typiquement suisses, c'est-à-dire les tissus en soie, les broderies, l'horlogerie et le fromage[478]. Comme à l'accoutumée, la légitimité de l'action commerciale du CF est renforcée par une consultation des associations économiques. Après avoir envoyé un questionnaire écrit, Droz réunit de nombreux experts, dont la majorité se prononce contre le tarif minimum français.

Dès le 7 décembre 1891, le Ministre suisse à Paris définit la position helvétique dans un entretien qu'il a avec le président de la République française, Sadi Carnot:

> *Il est donc naturel que nos cercles industriels, si peu protectionnistes de tempérament s'irritent de mesures aussi violentes. Plusieurs de mes amis me signalent un courant très vif en Suisse pour l'application de notre tarif général aux produits français. La petite Suisse absorbe autant de produits français que la grande Espagne ou que la grande Italie, 15 fois plus de produits que l'Empire austro-hongrois et 30 fois plus de produits français que la Russie (M. Carnot a paru très impressionné de ces chiffres et m'a demandé de lui en indiquer les grands traits, ce que j'ai fait rapidement). Il peut devenir difficile aux partisans des idées modérées de résister au courant qui est en train de se former chez nous, même chez les chefs des industries qui vivent de l'exportation*[479].

Au cours de la conversation, Lardy insiste sur le fait qu'une rupture commerciale profiterait à la concurrence allemande, anglaise et belge. Il évoque aussi le risque d'une détérioration des relations politiques franco-suisses. En filigrane, un rapprochement vers la Triple Alliance est sous-entendu. Quelques jours plus tôt, Jules Ferry a prononcé un discours protectionniste musclé devant le Sénat. Il a affirmé ne pas craindre des représailles étrangères qui seraient combattues au moyen de *«lois de fer»*. En réaction à cette

476 Ce rôle prépondérant du président de l'USCI se lit également dans la perception de la situation politique qu'ont les diplomates français; Gern, 1992, pp. 221/224; Lacher, 1967, pp. 143-147.

477 DDS, vol. 4, n° 72, p. 161, «Le Chef du Département des Affaires étrangères, N. Droz, au Ministre de Suisse à Paris, Ch. Lardy, 26 novembre 1891».

478 DDS, vol. 4, n° 66, pp. 137-138, «Le Ministre de Suisse à Paris, Ch. Lardy, au Chef du Département des Affaires étrangères, N. Droz, 22 octobre 1891».

479 DDS, vol. 4, n° 73, pp. 162-163, «Le Ministre de Suisse à Paris, Ch. Lardy, au Chef du Département des Affaires étrangères, N. Droz, 7 décembre 1891».

intervention, Cramer-Frey a envoyé une lettre à Lardy pour fustiger l'attitude de la majorité protectionniste française:

> *Voici le langage d'un homme d'Etat! Ce dont il n'y a pas lieu de douter, c'est que les sympathies que la Suisse a toujours eues pour la France ne manqueront pas [...] de se détourner plutôt vers l'Allemagne; n'importe, M. Ferry s'en fiche*[480].

Contrairement à la majorité protectionniste du Parlement, qui refuse toute concession sur le tarif minimum, le Gouvernement se montre mieux disposé à l'égard des revendications helvétiques. Confronté à l'isolement international dans lequel la France est en train de s'enfermer, il ne reste pas insensible aux signaux d'alarme qui lui parviennent de son service diplomatique en Suisse. Dans un rapport daté du 1er décembre 1891, le consul français à Bâle estime que le refus d'accorder un traité de commerce à la Suisse servirait les objectifs politiques et militaires de l'Allemagne:

> *Ne pas traiter avec la Suisse, c'est renier une tradition diplomatique, c'est faire brèche en quelque sorte aux fortifications du Gothard, c'est forger des armes contre soi-même*[481].

Dans une lettre adressée au Ministre des affaires étrangères, Alexandre Ribot, le consul français à Zurich abonde dans le même sens:

> *Dès à présent je puis affirmer que si des raisons d'une nature exclusivement politique ne pouvaient faire pencher la balance en faveur des concessions demandées par la Suisse, ce pays se trouverait jeté, bien malgré lui, dans les bras de l'Allemagne. Pour tout homme clairvoyant, il ne saurait exister le moindre doute à cet égard*[482].

Le 23 décembre 1891, soit peu de temps après la conclusion des traités de commerce entre la Suisse, l'Allemagne et l'Autriche-Hongrie, Ribot fait une timide ouverture en direction des autorités helvétiques. Au cours d'une discussion avec Lardy, il se montre disposé à négocier quelques positions en dessous du tarif minimum. Invoquant la pression politique intérieure, il exclut cependant la possibilité d'y parvenir jusqu'au 1er février 1892, date d'entrée en vigueur du nouveau tarif d'usage suisse. Dans l'attente d'une situation plus favorable, il demande qu'un accord provisoire intervienne alors sur la base suivante: tarif minimum français contre tarif d'usage helvétique.

Considérant les propositions de Ribot comme un peu de poudre jetée à ses yeux afin de mieux lui faire avaler la pilule, le CF durcit une nouvelle fois le ton. Le 15 janvier 1892, il adresse une lettre au Gouvernement français l'informant d'une application du tarif général dès le 1er février 1892:

> *Es ist uns unmöglich, den Mindesttarif auf Grund seiner hohen Zölle und seines Mangels an Dauer als gleichwertig mit dem Vertragssystem zu betrachten, das wir für*

480 Cité in Gern, 1992, p. 130.
481 *Ibidem*, pp. 130-131.
482 *Ibidem*, note 52 p. 131.

eine Dauer von zwölf Jahren mit Deutschland und Oesterreich-Ungarn festgestellt haben und das wir auch mit Italien festzustellen in Begriffe sind. Infolgedessen müssen wir Frankreich gegenüber völlig freie Hand behalten, indem wir bedauern, dass ein Land mit welchem wir durch enge Freundschaft verbunden sind, eine Wirtschaftspolitik annehmen zu müssen geglaubt hat, deren Folgen für das gute Einvernehmen zwischen den beiden Nationen nur verdriessliche sein können[483].

La réaction du Gouvernement français ne se fait pas attendre. Le 20 janvier 1892, une note de l'Ambassadeur français en Suisse confirme la volonté d'ouvrir des négociations. Des concessions sur le tarif minimum pourraient être consenties à la Suisse par voie autonome[484]. Manœuvre politicienne visant à éviter une guerre douanière immédiate? Ou véritable volonté politique d'œuvrer pour le maintien d'un équilibre des relations commerciales helvétiques entre l'Allemagne et la France? Il est difficile de trancher. Le CF décide néanmoins de saisir cette dernière chance d'éviter un conflit douanier. Le 23 janvier 1892, il propose aux Chambres d'accorder temporairement, à partir du 1er février, le tarif d'usage suisse contre le tarif minimum français[485]. Dans la perspective de négociations difficiles, il demande aussi de bénéficier de pleins pouvoirs pour gérer les relations commerciales franco-suisses jusqu'à la prochaine session des Chambres.

Le 26 janvier, les commissions douanières des deux Chambres sont réunies en présence de Droz, Hauser et Deucher[486]. Malgré les explications données par les membres du CF, certaines élites économiques demeurent favorables à une guerre douanière immédiate. A l'occasion du débat aux Chambres, les 28 et 29 janvier 1892, ce sont les élites économiques de Suisse orientale qui emmènent l'opposition. Mettant en évidence les inconvénients du tarif minimum et arguant d'un manque de loyauté vis-à-vis des pays ayant conclu des traités avec la Suisse, elles s'opposent à la proposition du CF, qu'elles considèrent comme un aveu de faiblesse[487]. Les représentants des classes moyennes industrielles défendent une position similaire[488]. Au nom du Club de l'agriculture, Beck-Leu n'approuve le CF que de manière conditionnelle. Il n'acceptera un accord que si des baisses de taxes sont obtenues sur le fromage, le beurre, le bétail, la viande et le bois. L'accord provisoire est finalement accepté par 81 voix contre 14 au CN et 34 voix contre 6 au CE.

483 Cité in Schmidt, 1914, p. 170.
484 Il ne s'agirait donc pas d'un traité en tant que tel, liant certaines positions du tarif français pour une durée déterminée, mais de réductions de durée indéterminée accordées par voie de législation et pouvant être modifiées à tout moment par décision du Parlement.
485 FF, 1892, vol. 1, pp. 416-429, «MCF concernant nos rapports commerciaux avec la France (23 janvier 1892)».
486 *JdG*, 27 janvier 1892, «Confédération suisse».
487 *NZZ*, 29./30. Januar 1892, «PV de la séance du CN du 28 janvier 1892 et de la séance du CE du 29 janvier 1892, interventions Hilty, Hohl».
488 *Ibidem*, «interventions Blumer-Egloff, Göttisheim».

Durant les mois de février et mars, le CF prépare les négociations en collaboration avec l'USCI. Les 10 et 11 mars 1892, deux conférences réunissant le sommet de la diplomatie commerciale fixent les grandes lignes de la stratégie à suivre – Droz, Hauser, Deucher, Cramer-Frey, Hammer et Lardy sont présents. Sur la base de ces discussions, des instructions sont élaborées par le CF[489]. Après un premier contact, mi-avril, les pourparlers avec la France ne débutent véritablement que le 23 mai. Mais début juin, le Ministre français du commerce, Jules Roche, demande déjà une reconduction de l'accord provisoire[490]. Bien qu'il soupçonne le Gouvernement français de chercher à faire du définitif avec le provisoire, le CF cède une nouvelle fois[491]. Le 24 juin, les Chambres le suivent et lui accordent jusqu'à la mi-juillet pour parvenir à la signature d'un accord[492]. En cas d'échec, le CF est tenu de convoquer une session extraordinaire avant le 1er août.

Le 23 juillet 1892, un accord commercial est enfin signé. Il peut être modifié à tout moment avec un délai de dénonciation d'une année. Les diminutions de taxes françaises, au nombre de 55, doivent faire l'objet d'une loi votée par le Parlement. Les exportations de tissus de soie, d'horlogerie et de fromage bénéficient de concessions jugées suffisantes par les négociateurs; la broderie et les machines de concessions passables – excepté la broderie à la main appenzelloise qui est exclue du marché français; les cotonnades de concessions insuffisantes. La filature de coton, qui exportait pour 5 mios de frs, est désormais soumise à des taxes prohibitives[493]. De son côté, la Suisse lie 34 positions de son tarif, dont 17 à la baisse. La protection de l'industrie de la laine est légèrement réduite. Les autres branches touchées sont la confection, l'horlogerie, le savon et les matériaux de construction. Certes, l'accord améliore la situation provisoire en vigueur depuis le 1er février 1892, mais il entérine néanmoins une forte dégradation de la réciprocité douanière au détriment de la Suisse. La *NZZ* évalue les pertes futures de l'exportation suisse entre 15 et 20 mios de frs[494]. Un nouvel accroissement du déficit de la balance commerciale bilatérale est donc programmé.

Il est vrai, un petit pas est fait dans la direction d'un règlement pacifique des relations commerciales franco-suisses. Le plus dur reste cependant à

489 DDS, vol. 4, nº 81, pp. 178-180.

490 *Ibidem*, nº 90, pp. 195-196, «La délégation commerciale à Paris, Ch. Lardy et C. Cramer-Frey, au Chef du Département des Affaires étrangères, N. Droz, 6 juin 1892».

491 *Ibidem*, nº 93, pp. 199-200, «Le Chef du Département des Affaires étrangères, N. Droz, à la délégation commerciale suisse à Paris, 3 juillet 1892».

492 FF, 1892, vol. 3, pp. 1137-1151, «MCF concernant les rapports commerciaux de la Suisse avec la France (21 juin 1892)».

493 Pour plus de détails sur le cours des négociations et leur résultat, cf. Gern, 1992, pp. 150-179; une analyse détaillée de l'évolution de la taxation française à l'égard des exportations suisses est notamment présentée.

494 *Ibidem*, p. 183.

faire, car le Gouvernement français doit convaincre la majorité protectionniste du Parlement. Dès la publication de l'accord, le 1er septembre 1892, les ténors des Chambres françaises le déclarent inacceptable. L'opinion publique est alertée et un débat est engagé sur la base d'une argumentation tout sauf rationnelle. Face à cette tempête de protestations, Jules Roche est le seul ministre à s'engager franchement dans la bataille. Craignant d'affronter la majorité du Parlement, Ribot ne défend que peu la cause suisse. Il n'est d'ailleurs pas à exclure que ce dernier n'ait envisagé la signature d'un accord que dans le but de pourrir la situation et de pousser ainsi la Suisse à accepter le statu quo. Cette attitude a le don d'énerver la diplomatie helvétique qui a le sentiment de s'être fait berner par les belles promesses du Gouvernement français. Dès le 14 octobre 1892, Droz communique à Lardy que les mesures de guerre douanière sont en préparation. Le 5 novembre, il lui demande d'informer Ribot que le CF ne se contentera pas d'appliquer le tarif général, mais qu'il prendra des mesures de rétorsion en vertu de l'article 34 de la loi sur les douanes[495]. Le 9 novembre, Lardy s'acquitte de sa tâche lors d'une séance pour le moins houleuse. Voyant que la stratégie de temporisation ne peut plus être prolongée, Ribot use de la menace:

> *La guerre des tarifs; Vous ne l'avez pas faite à l'Allemagne et avez subi ses tarifs autonomes; pour les soieries, Vous acceptez des Allemands, des Autrichiens, des Espagnols, des droits bien plus élevés que le tarif minimum. Nous faire pour cela l'application de votre tarif général serait de l'hostilité politique [...] Ce n'est pas ainsi que vous nous amènerez à céder. Vous avez procédé jusqu'ici par la voie amicale; continuez donc, je Vous en prie; sinon nous serons obligés de riposter; les choses s'envenimeront et les élections se feront l'année prochaine contre Vous, avec mandat spécial de ne pas traiter avec qui que ce soit et notamment pas avec Vous; qu'aurez-Vous gagné à un pareil mot d'ordre*[496].

Le 5 novembre, la commission douanière française s'oppose à la majeure partie des concessions accordées à la Suisse. L'avenir de l'accord franco-suisse est bien hypothéqué, d'autant plus que le changement de cabinet provoqué par la crise politique du Panama élimine Roche, le seul ministre prêt à se battre pour décrocher une ratification.

Le 2 décembre 1892, le CF publie enfin son message sur l'accord conclu en juillet[497]. Il l'interprète comme un geste de bonne volonté de la Suisse afin de ne pas rompre avec le voisin. En approuvant l'accord dans sa séance du 9 décembre 1892, qui plus est à l'unanimité, le CN rejette toute la responsabilité d'un conflit commercial sur le législatif français. De manière significative, la ratification n'est accordée que conditionnellement:

495 DDS, vol. 4, n° 101, pp. 220-222.

496 *Ibidem*, n° 102, pp. 222-225.

497 FF, 1892, vol. 5, pp. 559-650, «MCF concernant l'arrangement commercial conclu entre la Suisse et la France le 23 juillet (2 décembre 1892)».

[...] pourvu que les réductions du tarif français, qui en sont le corrélatif, soient également accordées[498].

La pression mise sur la partie adverse est encore accrue par les modifications apportées le 16 décembre par le CE. Si le Parlement français n'approuve pas l'intégralité de l'accord avant le 31 décembre 1892, le tarif général suisse entre obligatoirement en vigueur; le CF reste toutefois compétent pour prendre des mesures plus radicales en vertu de l'article 34. Avant que le projet ne retourne au CN, le CF publie un nouveau message, en date du 20 décembre 1892, dans lequel il offre une porte de sortie au Gouvernement français[499]. Le CF demande la compétence d'introduire l'accord de juillet 1892, à titre provisoire, pour autant que le Gouvernement français en fasse de même:

Par là, nous estimons donner une nouvelle preuve de notre sincère et vif désir d'entente. Une rupture économique entre deux pays comme la France et la Suisse est, en effet, d'une telle gravité que nous voulons pouvoir nous rendre le témoignage d'être allé jusqu'à l'extrême limite de ce que permettent nos intérêts les plus urgents, dans le but de l'éviter[500].

Le 22 décembre, le CN accepte les modifications du CE ainsi que la demande du CF.

Le 24 décembre 1892, le couperet tombe. Le Parlement français refuse d'entrer en matière sur les entorses au tarif minimum introduites dans l'accord franco-suisse. La réplique du CF ne se fait guère attendre. Le 27 décembre, il décide d'appliquer le tarif général aux importations françaises dès le 1er janvier 1893. Estimant cette mesure insuffisante pour rétablir une réciprocité douanière acceptable, il introduit un tarif de rétorsion en vertu de l'article 34 de la loi sur les douanes. Portant sur environ 220 des 476 positions du tarif, les surtaxes oscillent entre 100 et 500% de la taxe de base[501]. Les vins français, imposés jusqu'alors à 3,50 frs le quintal, ne supporteront pas la tarification du tarif général (6 frs), mais une taxe de 25 frs – près de 60% de la valeur[502]. A l'exception des taxes frappant les produits typiquement français – vin, viande, parfumerie, etc. – l'imposition suisse reste en dessous du tarif maximum français:

[...] l'intention du conseil fédéral a été, non pas de créer un système prohibitif, mais uniquement de relever les taux du tarif suisse de telle sorte qu'il ne pût plus entrer

498 RO, 1892-1893, vol. II, 13, pp. 236-237.
499 FF, 1892, vol. 5, pp. 1045-1049, «MCF concernant l'arrangement commercial franco-suisse (20 décembre 1892)».
500 *Ibidem*, p. 1048.
501 RO, 1892-1893, vol. II, 13, pp. 238-264.
502 Calculé à partir d'un prix moyen du vin entre 1890 et 1895; SHS, 1996, p. 481.

> *dans les convenances des importateurs de s'adresser à la France plutôt qu'aux autres états avec lesquels nous avons un traité de commerce*[503].

La guerre douanière n'en est pas moins déclarée.

Une page de l'histoire commerciale de la Confédération se tourne. Erigé en doctrine d'Etat depuis l'échec du Concordat de rétorsion contre la France, en 1824, le libre-échange est définitivement abandonné au profit d'une politique commerciale interventionniste. Face à une nouvelle vague de protectionnisme en Europe, il n'est désormais plus suffisant de diversifier l'exportation vers les débouchés d'outre-mer qui sont de plus en plus quadrillés par les grandes puissances impérialistes. L'immense marché des Etats-Unis n'est plus en mesure de jouer le rôle de planche de salut comme dans les années 1830, tout au moins pour certains produits qui ne parviennent pas à franchir la barrière protectionniste construite depuis les années 1860. Une série de productions suisses ne se prêtent d'ailleurs pas bien à un écoulement sur des marchés lointains peu industrialisés. Et ce sont les industries fortement capitalisées – coton, métallurgie – ainsi que les technologies de pointe – machines, équipements électriques, chimie – qui sont dans ce cas. La poursuite du développement industriel suisse, basé sur une expansion commerciale sur les marchés internationaux, exige une réforme de la politique douanière de l'Etat central.

La situation politique a également changé. Désormais, ce sont les grands industriels des cantons de Zurich, St-Gall, Argovie, Glaris, etc., dont le poids économique et symbolique s'est fortement accru au cours du siècle, qui dominent au sein du champ étatique fédéral. Ces élites interventionnistes peuvent s'appuyer non seulement sur les élites agricoles de plaine et les classes moyennes industrielles, mais également sur les élites agricoles de montagne désormais converties à une politique douanière plus musclée. Par ailleurs, le changement de système politique intervenu en 1848 a affaibli l'influence des élites libérales. Certes, les marchands-banquiers et les exportateurs de produits de luxe de Bâle, Zurich, Genève et Neuchâtel tentent par tous les moyens de s'opposer à un abandon du libre-échange, mais cette lutte se solde par des échecs toujours plus cuisants. Entré au CF en 1875, Numa Droz incarne cette résistance. Durant toute la Grande dépression, il lutte bec et ongles afin de freiner la dérive interventionniste de la Confédération. Les évolutions structurelles, autant sur le plan économique que politique, ont cependant raison de son opiniâtreté. En décembre 1892, soit au moment du déclenchement de la guerre douanière, il annonce sa décision de quitter le CF. Simple coïncidence avec une démission causée par l'usure du

503 FF, 1893, vol. 1, p. 681, «MCF sur les mesures prises au sujet des relations commerciales avec la France (13 mars 1893)»; l'horlogerie fait l'objet d'un traitement spécial, car une stricte réciprocité est instaurée avec le tarif maximum français.

pouvoir? Effet des pressions politiques répétées du camp interventionniste à son égard? Refus de gérer une guerre douanière à laquelle il est probablement opposé? Sacrifice en vue de faciliter une réconciliation avec la France? La question reste ouverte. Dans tous les cas, la valeur symbolique de cette démission, qui coïncide avec l'abandon définitif du libre-échange, est à souligner.

A l'inverse de ce qui s'était passé en 1822, la Confédération s'engage donc dans un conflit douanier contre la France sur des bases politiques solides. Pour mener cette guerre contre le grand voisin occidental, la Confédération dispose d'atouts bien supérieurs. Sur le plan technique, elle a désormais en sa possession tous les outils douaniers nécessaires pour lutter de manière efficace. En comparaison de la situation du début du siècle, le poids économique de la Suisse s'est aussi renforcé. Principale arme du combat douanier qui s'engage, la capacité de consommation du marché intérieur helvétique est désormais importante. De plus, grâce aux traités de commerce conclus avec les pays de la Triple Alliance, l'économie suisse peut supporter sans trop de dommages une interruption relativement longue des relations commerciales avec la France.

De manière prévisible, les élites industrielles et commerçantes apportent leur soutien aux mesures du CF. Le 11 février 1893, la Chambre suisse de commerce se réunit pour faire le point et définir la stratégie à adopter vis-à-vis de la France. Une fois de plus, Cramer-Frey donne les grandes orientations. Selon lui, la Confédération doit mener la guerre douanière avec calme et fermeté, sans en arriver à des mesures vexatoires empêchant une prompte réconciliation. Dans cette perspective, il refuse de provoquer la France en renégociant les traités avec les pays de la Triple Alliance dans la perspective d'intensifier encore les relations commerciales. Par contre, il prône l'instauration de certificats d'origine empêchant le commerce français d'écouler ses productions en passant par d'autres pays:

> *Es besteht beim Vorort die Ansicht, dass wenn der Zweck des Zollkrieges erreicht werden soll, dieser letztere auch mit allen legitimen Mitteln ausgefochten werden muss*[504].

Sa position est soutenue sans condition par les représentants des industries du coton, de la broderie et de la soie[505]. Comme à l'accoutumée, l'opposi-

504 Archives USCI, PV de la Chambre suisse de commerce, 11 février 1893, p. 4.

505 Au cours de la discussion, la position de Cramer-Frey, notamment sur le délicat problème de l'instauration de certificats d'origine, est appuyée par Widmer-Heusser (président du SSZWV: filature/retordage/tissage du coton), Rieter-Bodmer (président de la KGZ: teinturerie/impression), Jenny-Kunz (président du AHIV: tricotage/rubans de soie/industrie de la paille), Rheiner-Fehr (président du KDSG: broderie), Hohl (président de la commission pour le commerce et l'industrie du canton d'Appenzell Rhodes-

tion libre-échangiste est emmenée par Geigy-Merian (BHIV). Sans s'opposer au principe même de la guerre douanière, il propose de saisir la première occasion venue pour renouer avec la France. L'industrie bâloise se contenterait même du tarif minimum. Le représentant genevois (ACIG) réclame quant à lui des allégements douaniers en faveur des Zones franches. La stratégie d'accommodement proposée par Geigy-Merian est toutefois combattue par Rieter-Bodmer, président de la KGZ. La guerre douanière a pour lui une signification symbolique de la plus haute importance. Au-delà de la conservation de débouchés pour l'industrie d'exportation, la crédibilité à venir de la politique commerciale helvétique est en jeu:

> *Herr Rieter ist der Ansicht, dass man auf den Gang der Dinge während den beiden letzten Jahren zurückblicken müsse, wenn man die heutige Lage richtig auffassen wolle. Das Verhältnis der Schweiz zu Frankreich darf nicht für sich allein, sondern nur im Zusammenhang mit ihrer ganzen handelspolitischen Situation beurtheilt werden. Wenn die Schweiz heute schon den Rückzug anträte, so würde sie damit Verzicht leisten auf ihre Stellung als handelspolitische Macht, und das müsste bei künftigen Handelsvertrags-Unterhandlungen ihr zum Schaden gereichen*[506].

Dans l'opinion publique, la guerre douanière fait presque l'unanimité. Indignés par l'attitude dédaigneuse de la grande puissance voisine, les journaux helvétiques en appellent à l'union nationale et parfois même au boycott des produits français. Certes, la presse romande adopte une attitude plus modérée, mais même le très libre-échangiste *JdG* ne désavoue pas le CF[507]. Publié le 1er juillet 1893, un article de Traugott Geering[508], chef du service statistique du DFFD, résume assez bien l'état d'esprit des élites économiques et politiques helvétiques:

> *Daneben hat aber auch jeder Krieg, und besonders jeder gerechte Krieg, noch eine tiefere positive Wirkung, die nämlich, dass er Herzen und Nieren des ganzen Volks prüft auf ihre Opferwilligkeit und Aufopferungsfähigkeit. Eine solche Prüfung hat die friedliche Schweiz von Zeit zu Zeit vielleicht besonders nötig. Sie bewahrt vor einem faulen Frieden*[509].

On est bien loin de l'idéologie libérale fondée sur l'idée d'une promotion de la paix entre les peuples grâce à l'augmentation généralisée du bien-être pro-

---

Extérieures: broderie/tissage en fin), Rütschi (ZSIG: soieries); Schmid (BVHI: lin/exportation agricole) est favorable à la guerre douanière mais voudrait éviter les certificats d'origine; absents, Grosjean (SIIJ: horlogerie) et Conod (SICVD: banque/vignoble) se prononcent par écrit; le premier s'estime incapable de prendre déjà position, le second ne s'oppose pas à une guerre douanière menée sans mesure vexatoire.

506 Archives USCI, PV de la Chambre suisse de commerce, 11 février 1893, p. 14.

507 Sur les réactions dans la presse helvétique, cf. Gern, 1992, pp. 203-205.

508 *Traugott Geering* (1859-1932) (BS), études d'histoire, de philosophie et d'économie politique, chef du Service de statistique commerciale de la Direction des douanes suisses (1887-1896), secrétaire de la Chambre de commerce de Bâle (BHIV) (1896-1919).

509 Geering, 1893, p. 23.

curée par la division du travail et le libre-échange. Confrontées à la montée de l'impérialisme politique et économique des grandes puissances, certaines élites économiques suisses en ont parfaitement intégré la culture et la logique de guerre[510]. Par le truchement du commerce et de la finance, elles sont bien décidées à mener aussi leur guerre pour conserver une place au soleil dans un monde en pleine mutation.

Fort du soutien politique des élites économiques et de l'opinion publique, le CF poursuit sur sa lancée. Le 14 février 1893, soit trois jours après la réunion de la Chambre suisse de commerce, il instaure des certificats d'origine pour éviter que l'importation de marchandises françaises puisse se faire par d'autres frontières. Le 13 mars 1893, il publie un message visant à légitimer sa politique auprès des Chambres[511]. La volonté d'exécuter efficacement les mesures de rétorsion se traduit par l'engagement de 132 garde-frontières supplémentaires pour lutter contre la contrebande. Les 25 et 29 mars, les Chambres ratifient la politique menée par le Gouvernement. Le 14 avril, le CF prend un arrêté destiné à réprimer les abus dans le domaine des colis postaux de moins de 500 grammes importés jusqu'alors en franchise. Cédant aux instantes pressions des élites économiques genevoises, qui sont âprement soutenues par le nouveau chef du Département des affaires étrangères, le Genevois Adrien Lachenal[512], le Gouvernement accorde quelques facilités douanières aux Zones franches entourant Genève[513]. Le 2 juin 1893, le CF adresse un deuxième message expliquant sa politique aux Chambres[514]. La phase de mise en place du conflit douanier est alors achevée.

La question des effets de la guerre douanière sur les deux économies en présence est difficile à traiter. Le premier problème rencontré est d'ordre statistique. D'une part, les chiffres fournis par les statistiques commerciales française et helvétique sont loin de se recouper. D'autre part, la réforme de la statistique suisse de 1892 brouille l'analyse. Alors que les exportations vers la France incluaient les produits réexportés vers d'autres pays par le com-

510 Sur les arguments développés par les milieux économiques suisses favorables à une politique de combat, qui font souvent appel au sentiment nationaliste, cf. Müller, 1966, pp. 195-276.

511 FF, 1893, vol. 1, pp. 649-697, «MCF sur les mesures prises au sujet des relations commerciales avec la France (13 mars 1893)».

512 *Adrien Lachenal* (1849-1918) (GE), cf. note 146, chapitre 5.

513 Je m'abstiens ici d'analyser l'épineuse question du traitement des Zones franches; celle-ci fait l'objet d'une série impressionnante de sources imprimées qui sont répertoriées dans la bibliographie; au sein des autorités fédérales, une intense concertation a lieu à ce sujet, notamment entre Lachenal, Cramer-Frey et Lardy; DDS, vol. 4, n°s 111/113, pp. 240-244/246-247; cf. également Gern, 1992, pp. 213-214.

514 FF, 1893, vol. 3, pp. 411-434, «2e MCF sur les mesures prises au sujet des relations commerciales avec la France (2 juin 1893)».

merce intermédiaire français, cela n'est désormais plus le cas. A l'importation, les produits en provenance de l'outre-mer ayant été naturalisés par le commerce français avant d'être expédiés en Suisse sont aussi retirés des exportations françaises. Il est dès lors délicat de juger si les variations des échanges bilatéraux entre 1893 et 1895 sont à imputer à la guerre douanière ou à la réorganisation de la statistique. Enfin, pour couronner le tout, la statistique française change également la manière d'estimer la valeur des marchandises durant la guerre douanière, compliquant l'analyse à partir des données françaises. Au peu de fiabilité des chiffres à disposition se superpose un second problème, celui de leur sélection et de leur interprétation. Le calcul objectif des coûts supportés par les deux économies nécessiterait en effet une étude extrêmement complexe intégrant plusieurs niveaux d'analyse[515].

Les différents commentateurs qui se sont penchés sur la question s'accordent pour estimer que l'économie française a plus souffert de la guerre douanière que l'économie helvétique[516]. Les mesures suisses entravent en effet les principales exportations françaises de manière décisive – sucre, vin, tissus en soie et en laine, confections, horlogerie, etc. –, alors que les exportations suisses résistent mieux[517]. Entre 1890/91 et 1894, le bétail et le fromage suisses n'enregistrent aucune baisse en raison de la pénurie de fourrages qui sévit alors. L'industrie des colorants maintient aussi son exporta-

515 Dans un premier temps, une analyse détaillée du commerce extérieur bilatéral devrait permettre de déterminer les pertes réelles des deux économies; l'effet de mesures douanières ne peut en effet pas être mesuré correctement à partir des chiffres globaux de l'importation, mais doit tenir compte de la composition de cette importation et de la valeur ajoutée qu'elle contient; par exemple, l'effet des mesures douanières suisses sur l'exportation française ne peut être correctement évalué que si les matières premières indispensables à l'économie suisse sont soustraites de l'analyse; ainsi, selon la statistique française, les exportations vers la Suisse diminuent de 243 à 130 mios entre 1890 et 1894, soit 47%; mais si on exclut les importations de matières premières, qui ne sont pas frappées par le tarif différentiel helvétique (soie/laine/coton), l'exportation française passe alors de 181 mios à 84 mios, soit une diminution de 54%; les effets de cette baisse sur l'économie nationale ne sont pas les mêmes si les produits exclus sont des montres à haute valeur ajoutée ou des savons; dans un deuxième temps, une analyse détaillée du commerce extérieur des deux pays devrait définir deux paramètres décisifs: 1) dans quelle mesure le commerce d'exportation est-il capable de compenser ses pertes en ouvrant de nouveaux débouchés? 2) dans quelle mesure l'économie indigène profite-t-elle du recul des importations ou est-ce des importations d'autres pays qui couvrent la diminution de l'offre? Enfin, les coûts occasionnés par la guerre doivent être mesurés à la lumière de la situation économique des deux pays et, plus particulièrement, des branches de production les plus atteintes par les mesures douanières; alors que la perte d'un marché peut avoir des conséquences dramatiques pour une branche en crise, elle peut être anodine pour une industrie en pleine expansion.

516 Archinard, 1894, pp. 17-34; Geering, 1902, pp. 28-47; Bricet, 1907, pp. 27-30; Eysoldt, 1913, pp. 57-115; Gern, 1992, pp. 210-212.

517 Geering, 1902, p. 37.

tion, alors que les machines développent même leurs livraisons vers la France. Les commandes des industries suisses ayant décidé de délocaliser une partie de leur production y sont probablement pour beaucoup. Touchée de manière plus marquée par les mesures françaises (-61% de l'exportation en valeur), l'industrie horlogère peut pourtant bénéficier de la réciprocité douanière instaurée par la guerre: les exportations horlogères françaises chutent de 77% entre 1892 et 1893. Côté helvétique, les grands perdants de la guerre sont apparemment les industries de la soie (-19 mios, soit -61%), du coton (-7,3 mios, soit -71%) et de la broderie (-3,3 mios, soit -50%). Une partie des pertes enregistrées est toutefois à mettre au compte de la délocalisation de la production en France, notamment dans l'industrie de la soie.

Comment l'économie suisse a-t-elle géré les variations de son commerce extérieur avec la France? Si l'on en croit la statistique suisse, le commerce d'exportation helvétique traverse une période difficile, mais pas catastrophique. Alors que la valeur des ventes ne recule que de 9%, le volume est même en légère augmentation[518]. Certes, de 1892 à 1893, les exportations vers la France diminuent de 28,3 mios de frs (4,3% du total), mais les exportations totales ne fléchissent que de 11 mios (1,7%)[519]. Une partie des pertes occasionnées par le conflit douanier sont donc compensées par d'autres débouchés, en particulier la Russie et la Grande-Bretagne[520]. Moyennant une diminution de leurs prix de vente, l'industrie de la soie zurichoise et la broderie saint-galloise parviennent à maintenir le niveau de leur production[521]. Seule l'industrie du coton ne parvient pas à compenser ses pertes à l'exportation. Une meilleure exploitation du marché intérieur lui permet toutefois d'amortir le choc[522]. En conclusion, aucune industrie d'exportation suisse n'est menacée par les conséquences de la guerre douanière franco-suisse.

La diminution de l'importation en provenance de France libère par contre des parts du marché intérieur. Selon la statistique française, le recul global peut être estimé à 36% (84,5 mios de frs), tandis que la baisse des importations de fabriqués et surtout de denrées alimentaires est encore plus

518 Alors qu'avant la guerre, l'exportation helvétique s'élève à 697 mios de frs (moyenne 1889/1891), elle se maintient à 634 mios (moyenne 1893/94) pendant la guerre, soit une diminution de 63 mios (9%); SHS, 1996, pp. 667-668.

519 SHS, 1996, pp. 696/685.

520 Eysoldt, 1913, pp. 72-115.

521 Entre 1892 et 1894, la valeur de l'exportation de soieries diminue de 12,3 mios de frs: tissus de soie (-8,1 mios), gaze à blutoir (-0,4 mios) et rubanerie (-3,8 mios); dans le même temps, le volume des exportations augmente légèrement; la broderie suit une évolution similaire; SHS, 1996, pp. 684-685.

522 L'indice de production de la filature et du tissage est en légère augmentation entre 1892 et 1894; par contre, celui de l'impression et de la teinturerie sont à la baisse; SHS, 1996, p. 622.

importante[523]. En se référant aux variations du commerce extérieur suisse, il est possible d'estimer que l'offre ainsi libérée profite pour 60% aux producteurs suisses et pour 40% aux producteurs de pays tiers[524]. Si elle ne condamne pas les principales industries d'exportation helvétiques, la guerre douanière profite donc aux industries de la laine, de la confection, du cuir, des chaussures, du savon ainsi qu'à la viticulture[525]. En octobre 1894, l'ancien Conseiller fédéral Droz considère que l'économie suisse est loin d'être à l'agonie:

> *Au point de vue matériel, nous sommes loin d'être dans la situation de demander merci. Nos souffrances ne pèsent sur aucune de nos industries et sur aucune région d'une manière accablante*[526].

De l'avis de certains commentateurs, la situation économique n'est pas aussi satisfaisante en France. Principales victimes du virage protectionniste engagé par les autorités, les branches exportatrices – vin, bétail, laine, soie, confection, etc. – ressentent la perte du marché suisse comme une petite catastrophe[527]. Ce d'autant plus que la concurrence des pays de la Triple Alliance s'engouffre dans le vide laissé par la rupture des relations franco-suisses. Sur les 40% du gâteau abandonnés aux pays tiers, une large proportion revient à l'Allemagne (fabriqués), à l'Italie (bétail) et à l'Autriche-Hongrie (sucre). En outre, les voyageurs de commerce allemands semblent déployer d'importants efforts pour s'attacher la clientèle suisse[528]. La guerre douanière accélère donc l'intensification des relations commerciales germano-suisses qui est en germe dans le traité de 1891. Les conséquences politiques de cette évolution inquiètent la diplomatie française[529]. La visite de Guillaume II en Suisse ne laisse donc pas l'Ambassadeur français à Berne indifférent:

> *Le rapprochement économique avec l'Allemagne, les relations économiques de jour en jour plus actives qui se sont établies entre la Suisse et ses voisins de la Triple Alliance n'ont pas été sans influence, sans doute, sur la décision de l'Empereur,*

523 Selon la statistique française, l'importation s'affaisse de 236 mios de frs (moyenne 1889/1891) à 151,5 mios (moyenne 1893/94), soit une baisse de 84,5 mios (-36%); les différentes catégories de marchandises ne sont cependant pas entravées de la même manière: entre 1892 et 1893, l'importation totale diminue de 34%, alors que les denrées alimentaires reculent de 71,4%, les fabriqués de 44% et les matières premières de 12%; Geering, 1902, pp. 42-43; Gern, 1992, pp. 210-212.

524 Si l'on en croit la statistique suisse, les importations en provenance de France diminuent de 67,8 mios de frs entre 1892 et 1893, alors que l'importation totale recule de 41 mios; SHS, 1996, pp. 696/668.

525 Gern, 1992, pp. 210-212.

526 Cité in Gern, 1992, p. 212.

527 Eysoldt, 1913, pp. 66-69; cf. également Geering, 1902, pp. 70/72/74.

528 Eysoldt, 1913, pp. 93-101.

529 Sur cette question, cf. Lacher, 1967, pp. 132-134.

> *qui aura jugé le moment bien choisi pour donner à ce pays un témoignage personnel de sa bienveillance et de son amitié*[530].

Les premières impulsions données à un règlement du litige douanier franco-suisse proviennent de certains milieux économiques français. Le 18 mai 1894, l'Union pour la reprise des relations commerciales avec la Suisse se constitue à Paris. Des contacts informels sont proposés à Cramer-Frey qui refuse poliment en privilégiant un rapprochement officiel[531]. Le 30 juin 1894, une Chambre de commerce française est implantée à Genève. Quant à la Société d'Economie politique et d'Economie sociale de Lyon, elle lance un concours sur les relations commerciales entre la France et la Suisse. Il débouche, en octobre 1894, sur la publication d'un travail statistique démontrant les coûts de la guerre supportés par l'économie française[532].

Du 15 au 17 septembre 1894, des réunions entre représentants des deux économies sont organisées à Mâcon. A cette occasion, Droz n'hésite pas à exercer un chantage à la neutralité:

> *Nous sommes une petite nation placée au centre de l'Europe dans des conditions d'existence difficiles; nous n'avons ni ports, ni colonies; notre sol ingrat ne suffit pas à nourrir ses habitants; nous devons acheter à nos voisins une grande partie des aliments que nous consommons. Avec quoi pouvons-nous les payer si ce n'est avec les produits de notre industrie? Or, depuis une vingtaine d'années, nos voisins nous rendent, par leurs tarifs douaniers, l'existence de plus en plus précaire. Non contents de nous emprunter plusieurs de nos industries, ils s'attachent à les protéger par des droits de plus en plus élevés, de telle sorte que la sortie de nos produits devient presque impossible. Ils veulent continuer à nous vendre leurs produits de toute sorte, mais ils ne veulent pas nous acheter les nôtres, si avantageux qu'ils puissent être. N'avons-nous pas le droit et le devoir de réagir de toutes nos forces contre un système qui menace non seulement notre existence économique, mais notre indépendance politique? L'Europe peut-elle oublier qu'elle nous a confié, dans son propre intérêt, la garde des forteresses alpestres et jurassiennes et que cette tâche nous impose de lourds sacrifices financiers? Neutres, nous le sommes et nous voulons le rester quoi qu'il en soit. Mais nous disons à nos voisins: Ne nous écrasez pas, vous grands et puissants, par vos mesures douanières; laissez-nous vivre, c'est notre droit, nous l'avons acquis au prix de notre sang, et la justice aussi bien que votre intérêt vous commandent de le respecter. Messieurs! Ce langage, nous l'avons tenu à l'Allemagne en 1886, et M. de Bismarck, qui avait proclamé quelques années auparavant la doctrine du tarif autonome, nous a cependant accordé un tarif conventionnel, renouvelé et amélioré en 1892* (sic) *[...] pourquoi la France, notre amie séculaire, pourquoi la République-sœur nous les refuserait-elle?*[533]

530 Rapport d'Arago à Develle (Ministre des Affaires étrangères) du 13 avril 1893, cité in Lacher, 1967, p. 133.
531 DDS, vol. 4, n° 135, pp. 298-299, «Le président du Vorort, C. Cramer-Frey, à M. Zablet, du 30 mai 1894».
532 Archinard, 1894.
533 Droz, 1894, pp. 7-8.

Le message est clair. Si la France désire que la Suisse poursuive sa politique de neutralité, elle doit lui en donner les moyens économiques.

Sur le niveau diplomatique, les premiers signes d'un déblocage de la situation se manifestent dès avril 1894. L'ambassadeur français est alors remplacé à Berne par Camille Barrère. Après une série de contacts infructueux, les pourparlers reprennent finalement en décembre 1894[534]. Durant les négociations, le CF décide d'assouplir le traitement douanier des Zones franches[535]. Signe de bonne volonté à l'égard de la France, cette mesure est aussi le résultat de pressions politiques en provenance de Genève[536]. Les négociants de la cité de Calvin craignent en effet que le prolongement de la guerre douanière déclenche un processus d'abolition des Zones franches. Le 25 juin 1895, un nouvel accord commercial franco-suisse est signé. Les baisses consenties par la France sont moins nombreuses et moins importantes qu'en 1892[537]. Elles profitent surtout à l'industrie de la soie, mais aussi à l'horlogerie, à la broderie, à l'industrie des machines et au commerce de fromage. L'industrie du coton se retrouve une nouvelle fois dans le camp des perdants. La réduction des concessions est doublée de la suppression du délai d'une année qui devait précéder la résiliation. La France garde ainsi sa pleine autonomie dans l'optique d'un relèvement des taxes sur les produits helvétiques. Dans ces conditions, la ratification de l'accord par le Parlement français ne pose aucun problème. Du côté suisse, une partie de la presse – *Zürcher Post, Bund, Basler Nachrichten* –, émet des critiques sur la modicité des concessions obtenues. Le 16 août 1895, les Chambres décident cependant de ratifier l'arrangement à une large majorité. Au CN, l'opposition emmenée par les milieux agricoles (viticulture et engraissement) n'obtient que 18 voix contre 109. Au CE, dix voix seulement s'opposent à l'accord[538].

Certes, à posteriori, les deux parties s'accordent sur le fait que l'accord de 1895 entérine une détérioration de la réciprocité douanière au détriment

534 Sur le détail des négociations, cf. Gern, 1992, pp. 219-226.

535 RO, 1895-1896, vol. II, 15, pp. 103-110.

536 Sur cette question, cf. DDS, vol. 4, nos 156-159, pp. 342-358; FF, 1895, vol. 2, pp. 153-169, «MCF concernant les importations de la zone franche de la Haute-Savoie et du pays de Gex (19 mars 1895)».

537 FF, 1895, vol. 3, pp. 691-710, «MCF concernant l'entente commerciale avec la France (29 juillet 1895)»; les concessions sur les positions suivantes sont refusées: bétail, lait frais, pâtes de cellulose, alliages d'aluminium, sucs tannins, lampes électriques, fils de coton teints, tissus de coton pur, blanchis, teints et façonnés, rubanerie de coton et de mi-soie, métiers à tisser, machines pour la minoterie, machines-outils, appareils à chauffage pour brasseries et distilleries, etc.; ces articles sont exportés en France pour une quinzaine de mios de frs; sous le régime du tarif général, l'exportation diminue à 11 mios de frs.

538 Gern, 1992, pp. 226-233; sur l'opposition des milieux agricoles, cf. Kupper, 1929, pp. 103-104.

de la Suisse. En 1905, Barrère estime que la seule véritable concession française concerne les soieries:

> *Je considère comme vous que la prétention d'élever les droits sur la soie équivaudrait à la dénonciation de l'accord commercial avec la Suisse. Si j'étais à Berne, je me refuserais à présenter une telle proposition. Elle peut, même sous une forme interrogative, comporter du danger; car nos voisins pourraient bien trouver fort mauvais qu'on veuille leur enlever le seul profit résultant pour eux d'un accord qui est entièrement à notre avantage. Et derrière la dénonciation de cet accord, il y a l'entrée de la Suisse dans un Zollverein allemand*[539].

En 1907, le Secrétaire du Vorort de l'USCI, Alfred Frey, arrive aux mêmes conclusions dans un discours prononcé devant la KGZ[540].

Inscrit dans une perspective commerciale de moyenne durée, l'accord franco-suisse doit cependant être interprété comme un succès de la nouvelle politique douanière suisse. A l'inverse de ce qui s'était passé en 1822, à l'occasion du Concordat de rétorsion contre la France, la Confédération parvient à faire plier son puissant voisin en le contraignant à faire certaines concessions. Bien que modeste, ce succès est d'autant plus méritoire que des pays comme la Grande-Bretagne, la Belgique, les Pays-Bas, l'Espagne ou les pays de Scandinavie n'osent pas s'engager dans un bras de fer commercial avec la France[541]. A travers l'obtention de l'accord de 1895, la Suisse acquiert alors un statut de puissance commerciale. A l'avenir, sa crédibilité vis-à-vis des grandes puissances impérialistes en sera renforcée.

En raison des problèmes statistiques déjà évoqués à plusieurs reprises, l'analyse des conséquences du tournant commercial des années 1891 à 1895 n'est pas aisée. Cette réserve réitérée, il paraît intéressant d'esquisser rapidement l'évolution commerciale consécutive à cette période de chamboulement. L'engagement d'une véritable politique de combat a porté ses fruits. A l'issue de la campagne de négociations, l'économie suisse bénéficie de

539 Lettre adressée par Barrère au directeur économique du Ministère des Affaires étrangères, le 29 février 1905; cité in Lacher, 1967, pp. 148-149.

540 Schmidt, 1914, p. 237.

541 DDS, vol. 4, n° 181, pp. 394-395, «Le Ministre de Suisse à Paris, Ch. Lardy, au Chef du Département des Affaires étrangères, A. Lachenal, du 26 juin 1895»; dans cette lettre, Lardy écarte d'un revers de la main les objections sur le contenu de l'arrangement, qui lui ont été faites par l'attaché commercial britannique à Paris, Sir Joseph Crowe: «*Je n'ai pas répondu à Sir Joseph Crowe que l'Angleterre ne perdait rien à être débarrassée de la concurrence des industriels suisses sur le marché français, mais je lui ai dit que si depuis deux ans et demi, MM. les Anglais, MM. les Belges, les Espagnols, les Scandinaves avaient fait comme les Suisses et établi des droits différentiels contre M. Méline, au lieu de nous laisser seuls sur la brèche, payant seuls les frais de la lutte pendant que nos concurrents anglais ou alsaciens prenaient une partie de notre place ici, cela aurait mieux valu que de récriminer aujourd'hui et de nous faire entrevoir d'hypothétiques représailles dans l'intérêt de la politique coloniale britannique.*»

traités à tarifs avec l'Allemagne, l'Autriche-Hongrie et l'Italie ainsi que d'un accord résiliable en tout temps avec la France. Le développement futur des industries d'exportation suisses peut donc s'effectuer en fonction de conditions douanières favorables stabilisées pour une durée de douze ans. Quant au tarif d'usage issu des négociations, il améliore notablement la protection des industries et des branches agricoles tournées vers le marché intérieur (annexe 6). Certes, la Confédération demeure parmi les Etats les plus modérés en matière d'intervention douanière, mais elle a franchi un pas qui ne permet plus à l'analyste de qualifier sa politique de libre-échangiste. Alors que les élites économiques et politiques continueront d'affirmer que la Suisse est parmi les pays les plus libre-échangistes du globe, il est plus correct de dire qu'elle figure parmi les moins protectionnistes. Et encore, ce statut ne correspond que partiellement à la réalité du protectionnisme sélectif pratiqué par la Confédération. Dans certains domaines de production, la protection est parfois plus importante que celle pratiquée par les pays réputés protectionnistes.

Le tournant commercial de 1891 à 1895 ne se traduit pas uniquement par une amélioration substantielle des conditions douanières dont bénéficie l'économie suisse. Il se traduit aussi par une réorientation géographique du commerce extérieur helvétique. Certes, les flux de marchandises ne sont pas uniquement fonction des conditions douanières obtenues par la Confédération, mais la valeur des différents traités conclus influence néanmoins l'évolution des échanges extérieurs. Déjà amorcée avec le traité de 1882, la dégradation des relations commerciales avec la France se confirme (annexe 2). Alors que l'exportation suisse progresse de 25% entre 1892 et 1899/1901, les ventes en France chutent durant les années du conflit douanier avant de se rétablir à leur niveau du début de la période (100 mios de frs)[542]. Dès l'application de l'accord de 1895, le déficit commercial suisse, qui avait régressé durant la guerre douanière, reprend vite une marche ascendante. Il dépasse les 100 mios de frs en 1902, soit près de 40% du déficit total de la balance commerciale helvétique[543]. L'évolution des échanges avec l'Italie n'est pas plus favorable. Jusqu'en 1898, l'exportation suisse continue de s'affaisser sous l'effet de la crise économique et monétaire qui sévit chez le voisin transalpin; elle atteint alors un plancher de 38,7 mios de frs, avant de reprendre enfin une courbe ascendante. En 1901, l'exportation helvétique rejoint seulement son niveau de 1891[544].

542 Les chiffres indiqués sont en frs courants; en raison de la stabilité de l'indice des prix durant cette période, il n'est en effet pas nécessaire de déflater les données.

543 SHS, 1996, p. 696; cf. également Geering, 1902, pp. 69-81.

544 Geering, 1902, pp. 83-84; il faut toutefois mentionner que les chiffres de l'exportation sont grevés par la vague d'investissements directs en Italie, notamment dans l'industrie du coton; défendant leurs intérêts commerciaux propres, les entreprises suisses en Italie font même pression sur les autorités italiennes afin que celles-ci refusent toute conces-

A première vue, le développement des relations commerciales germano-suisses n'a rien d'extraordinaire. Entre 1892 et 1899/1901, les exportations progressent de 22%, soit 3% de moins que la progression globale des exportations suisses. Ce constat doit pourtant être relativisé de plusieurs manières. Premièrement, la progression des échanges avec l'Allemagne est une des plus fortes enregistrées avec les pays d'Europe continentale. Deuxièmement, l'intensification des relations germano-suisses n'est que l'amorce d'une évolution qui s'accélère après le tournant du siècle. Alors que la part relative du continent européen diminue jusqu'à la Première guerre mondiale, le partenaire allemand continue d'absorber près du quart des exportations suisses. Troisièmement, la progression des échanges profite surtout aux industries suisses de pointe fortement capitalisées. Entre 1892 et 1900, la valeur de l'exportation progresse de 56% pour les filés de coton et de 139% pour les machines[545]. Par ailleurs, nous avons déjà mentionné que le trafic de perfectionnement est un point d'appui important pour le développement des industries du coton, des machines et de la chimie. Quatrièmement, les chiffres du commerce extérieur ne reflètent pas fidèlement le développement des relations économiques germano-suisses. Grâce aux investissements directs croisés, les deux partenaires établissent une collaboration qui échappe largement aux statistiques commerciales. Ainsi, en 1903, le journaliste saint-gallois Georg Baumberger tire un bilan extrêmement positif du traité conclu avec l'Allemagne:

> *Selten hat sich ein Vertragsverhältnis für beide Kontrahenten in so hohem Masse bewährt, wie der schweizerisch-deutsche Handelsvertrag; der gegenseitige Warenumtausch zwischen den beiden Ländern ist infolge desselben ein so allseitiger, enger und durch und durch gesunder geworden, wie nur selten zwischen zwei anderen Staaten, so enge, das unwillkürlich eine starke und feste Interessengemeinschaft daraus herausgewachsen ist*[546].

En s'appuyant sur ce solide socle commercial, l'économie helvétique sort de la Grande dépression dans une situation plutôt favorable. A partir de 1895, elle peut de ce fait profiter en plein de l'amélioration conjoncturelle générale sur le plan international. Les branches d'industrie porteuses de la seconde Révolution industrielle – machines, électricité, chimie –, qui misent sur une spécialisation dans des niches de haute technologie, sont en pleine expansion. La nouvelle politique douanière leur procure une sécurité des débouchés propice aux investissements gigantesques qui sont nécessaires à leur développement. Dès la reprise conjoncturelle, leur exportation augmente de manière

---

sion sur les produits en coton suisses; dans un article publié en janvier 1892, le *JdG* donne une liste des entreprises suisses participant à ces pressions; *JdG*, 29 janvier 1892, «Protectionnistes... italiens».

545 SHS, 1996, pp. 718-719.

546 Baumberger, 1903, p. 77.

considérable. Les anciennes industries d'exportation produisant des articles de luxe à haute valeur ajoutée – horlogerie, broderie, soierie – sortent aussi dans de bonnes conditions de la longue période de stagnation. S'appuyant sur leur savoir-faire et la qualité artistique de leur production, elles participent au boom de l'exportation helvétique. Seule, l'industrie du coton est contrainte de redimensionner son exportation. Grâce à une meilleure exploitation du marché intérieur, et moyennant des investissements directs à l'étranger, cette industrie n'en poursuit pas moins son développement.

Dans le domaine agro-alimentaire, la sortie de la crise est plus lente. Bien que les élites agricoles se considèrent flouées par la politique commerciale de Cramer-Frey, l'exportation de fromage, de lait condensé[547], de chocolat au lait et de bétail se maintient à un niveau élevé; elle demeure la clef de voûte du revenu agricole. Une protection accrue du marché suisse du bétail de rente et de boucherie permet par ailleurs de compenser l'effondrement de la céréaliculture. Un repli sur les productions végétales est par conséquent évité et la spécialisation dans les productions animales fortement capitalisées peut se poursuivre. Entre 1888 et 1910, les effectifs du secteur primaire en Suisse ne diminuent que de 2,5%[548], ce qui constitue un cas exceptionnel en Europe. Quant aux petites et moyennes industries tournées vers le marché intérieur, le tarif de 1891 et la guerre douanière leur offrent un bol d'oxygène[549], qu'elles utilisent pour moderniser leur appareil de production et améliorer leur compétitivité. Dès les années 1890, leur développement est plus rapide que celui des industries d'exportation, ce qui tend à augmenter leur poids relatif au sein de l'économie helvétique[550].

547 Profitant des drawbacks sur le sucre réexporté dans le lait condensé, qui sont accordés par l'AsF dès 1889, cette industrie développe rapidement son exportation; en 1892, la quantité de lait ainsi soustraite au marché fromager est de 40 mios de kg, ce qui équivaut à 14% de l'exportation annuelle de fromage; FF, 1893, vol. 3, pp. 296-309, «MCF concernant la prolongation de la concession de drawbacks sur le sucre contenu dans le lait condensé exporté (26 mai 1893)».

548 SHS, 1996, p. 410.

549 Alors que l'importation s'élève à 954 mios de frs en 1890, celle-ci diminue jusqu'en 1894, où elle atteint 826 mios, avant de reprendre une tendance à la hausse qui est provoquée par une amélioration de la conjoncture; si on se réfère aux quantités importées, les années 1892 et 1893 marquent un recul par rapport à 1891, alors que l'importation de 1894 dépasse déjà celle de 1891; cette distorsion entre les deux séries est probablement due à l'évolution des prix à la baisse, ainsi qu'à un changement de structure de l'importation: les fabriqués industriels sont en effet freinés par les mesures douanières suisses.

550 Sur cette question, cf. Gürtler, 1931; les tableaux des annexes 7 et 8 explicitent aussi cette évolution.

6. Durcissement de la politique douanière helvétique: bloc bourgeois-paysan contre mouvement ouvrier libre-échangiste (1894-1914)

Certes, au milieu des années 1890, le passage du libre-échange à une politique douanière interventionniste est en large mesure achevé. Au sein des différents lieux de pouvoir du champ douanier, une majorité constituée d'élites industrielles et agricoles impose désormais les grandes lignes de la stratégie douanière de la Confédération, malgré le frein mis à cette mutation par les milieux économiques libéraux. Entre 1894 et 1913, le débat douanier ne continue pas moins de défrayer la chronique. L'intervention douanière de la Confédération reste en effet l'objet de toutes les convoitises, quand bien même la situation économique s'améliore rapidement et la situation commerciale internationale se stabilise. Sous l'effet d'une restructuration du système politique – partis et associations –, le rapport de force évolue au sein du champ douanier, ce qui se traduit par un nouveau durcissement de la politique douanière helvétique.

La montée en force du mouvement ouvrier et la radicalisation de ses revendications sont les principaux éléments qui dynamisent le système politique suisse durant la Belle Epoque. Face à cette évolution, les patronats de la grande industrie et des arts et métiers ne restent pas les bras croisés. Il s'agit de s'organiser pour mener la lutte des classes contre un ennemi qui montre de plus en plus de velléités de renversement de l'ordre capitaliste. Afin de s'opposer efficacement aux mouvements de grève, une nouvelle association faîtière est créée en 1908, l'Union centrale des associations patronales. Sur le plan politique, les liens entretenus par l'aile gauche du radicalisme avec le mouvement ouvrier se distendent. Fondé en 1894, le Parti radical-démocratique suisse mène une politique de moins en moins ouverte à des mesures sociales progressistes visant à l'intégration des ouvriers. La priorité est donnée à une politique de centre-droite servant les besoins du patronat industriel. Dans cette perspective, la politique de rapprochement avec les élites agricoles interventionnistes est poursuivie. Cette stratégie est favorisée par la marche à l'intégration des catholiques-conservateurs. Après la défaite de l'initiative douanière dite du «Beutezug» (1894), lancée dans le but de renforcer la capacité financière des cantons, l'aile ultra-fédéraliste est définitivement battue. Par ailleurs, la collaboration de l'aile sociale du catholicisme avec le mouvement ouvrier s'accommode mal de la radicalisation de la gauche.

La convergence des vieux ennemis catholiques-conservateurs et radicaux se concrétise en 1897, lorsque les élites agricoles des deux partis parviennent à s'unir au sein de l'USP. L'idée est de construire une association faîtière afin de mieux défendre les intérêts de l'agriculture vis-à-vis de l'USCI. Le second objectif est d'intégrer et de contrôler le mouvement paysan qui est né du mécontentement des petits producteurs au début des années 1890. Ce faisant, les élites agricoles font d'une pierre deux coups. D'une part, elles évitent que les tendances anticapitalistes du mouvement l'emportent et que leur domination du monde agricole soit remise en question. D'autre part, elles se dotent d'une «armée référendaire» nombreuse qui leur permet de mettre les élites industrielles sous pression. Le pilier des revendications de l'USP est l'instauration d'une politique commerciale interventionniste qui permette de soutenir plus efficacement les prix agricoles.

La révision douanière qui s'effectue entre 1898 et 1902, dans le but de préparer le renouvellement des traités de commerce, précipite les évolutions politiques décrites. Face au mouvement ouvrier désormais résolument libre-échangiste, qui peut s'appuyer sur le dernier carré des élites libérales, les producteurs favorables à une politique douanière interventionniste décident d'entamer une collaboration étroite. Un bloc bourgeois-paysan est ainsi constitué par les trois grandes associations faîtières que sont l'USCI, l'USP et l'USAM. Même si l'USCI conserve une position dominante, le changement de rapport de force au sein du champ douanier provoque un infléchissement de la politique douanière suisse. Certes, le renforcement protectionniste du tarif général de 1902 est en partie imputable aux nécessités de mener une politique de combat conséquente vis-à-vis des partenaires commerciaux, mais il est surtout le résultat de concessions faites à la nouvelle USP. Une fois le référendum lancé, la lutte des classes est attisée autant par le mouvement ouvrier que par le bloc bourgeois-paysan. Alors que le premier cherche à mobiliser sa base autour d'un thème porteur, le second saisit l'occasion de cimenter ses contradictions d'intérêts dans une lutte commune contre le socialisme.

Au cours de la campagne de renouvellement des traités de commerce, de fortes tensions lézardent l'unité du bloc bourgeois-paysan. L'ennemi commun une fois battu et le tarif général voté, il s'agit de déterminer la grosseur des parts du gâteau qui reviendront à chaque partenaire de l'alliance. La politique menée par l'axe CF-USCI irrite fortement les élites de l'USP. Le tarif d'usage qui résulte des négociations marque pourtant un pas important dans la direction du protectionnisme. Avant la Première guerre mondiale, le bloc bourgeois-paysan est encore mis à l'épreuve par la polémique que provoque la taxation de la viande. Malgré de sérieux accrochages, l'alliance entre élites industrielles et agricoles résiste à ses contradictions d'intérêts. La force centripète que constitue la montée du mouvement ouvrier n'y est pas étrangère.

6.1. Exacerbation de la lutte des classes et regroupement politique à droite

Alors que la Grande dépression se caractérise par un éclatement des repères politiques traditionnels, provoquant une déstabilisation du système helvétique, la période entre 1894 et 1903 marque la restructuration des forces socio-politiques selon une nouvelle ligne de force qui déterminera la vie politique suisse durant la première moitié du XXe siècle. Face à la menace du mouvement ouvrier, élites industrielles et agricoles s'allient avec les classes moyennes pour constituer un bloc bourgeois-paysan. Amorcée avec la création du Parti socialiste suisse (PSS), en 1888, la radicalisation du mouvement ouvrier suisse a en effet de quoi inquiéter les classes possédantes. Sur le plan économique, le début des années 1890 se caractérise par une vague de grèves sans précédent. Sur le plan social, l'émeute du «Käfigturm» (1893) choque les dépositaires de l'ordre bourgeois. Jusqu'alors confinée dans les discours, la lutte des classes est désormais présente dans la rue. Sur le plan politique, l'initiative socialiste du droit au travail (1892) est considérée comme une tentative de remettre en question les fondements du système de production capitaliste. Enfin, la gauche pacifiste ose saper les bases de l'armée, alors que les milieux bourgeois la considèrent comme le pilier sacré de la nation suisse. Cette évolution intérieure s'accompagne d'une nouvelle structuration du mouvement ouvrier sur des bases supranationales, puisque la Deuxième internationale voit le jour en 1889. La crispation des milieux bourgeois devient de plus en plus perceptible. En témoigne la campagne précédant les élections fédérales de 1893, qui est menée sur le thème de la lutte des classes[1].

Dès 1894, cette nouvelle constellation se concrétise par une refonte de la famille radicale au sein du Parti radical-démocratique suisse (PRDS). L'aile gauche est intégrée dans un ensemble libéral-radical acquis à la politique d'intervention de l'USCI. Quoique minoritaires au sein du PRDS, les libéraux centralisateurs de Suisse alémanique réussissent peu à peu à dicter la ligne du parti, en s'appuyant sur l'aile droite du radicalisme, composée d'industriels, d'artisans et d'agriculteurs. Frein à la politique sociale et stratégie de partage du pouvoir avec les élites agricoles conservatrices, telles sont les options politiques qui gagnent du terrain au sein de la famille radicale. Des alliances occasionnelles sont aussi conclues avec les élites commerciales et bancaires libérales-conservatrices, surtout lorsqu'il s'agit d'éviter une intervention à caractère social.

Au début des années 1890, l'attitude politique des catholiques au sein du champ étatique fédéral est encore relativement ouverte. Or, ce sont eux qui détiennent la clef de la restructuration du système politique suisse durant ces

1 Gruner, 1978, pp. 730-734.

années. Principaux bénéficiaires de l'intervention fédérale obtenue grâce au rapprochement amorcé depuis 1884 avec les élites industrielles, les milieux agricoles de Suisse centrale et de St-Gall poussent à une collaboration avec l'USCI. Renforcée par l'entrée de Zemp au CF (1891), cette aile économique du catholicisme désire une intégration au sein de l'Etat fédéral et la formation d'un bloc nationaliste antisocialiste avec les milieux bourgeois. Cette perspective entre toutefois en contradiction avec les convictions anticapitalistes et ultramontaines de l'Eglise catholique qui sont encore ancrées chez certains membres influents du parti («Ultramontains»). Elle heurte également les convictions fédéralistes de certains milieux dirigeants des cantons catholiques («Landamänner»). Enfin, l'aile catholique sociale, qui organise la diaspora salariée, est tentée par une alliance anticapitaliste avec l'aile droite du mouvement ouvrier. Ainsi, au début des années 1890, le VMAV soutient les efforts de l'AB visant à instaurer une assurance maladie-accident, cela contre l'avis de la fraction catholique aux Chambres.

Deux événements politiques marquent le chemin des catholiques-conservateurs vers l'adoption de la stratégie du bloc bourgeois-paysan antisocialiste. En 1894, l'échec de l'initiative douanière du «Beutezug» affaiblit fortement l'aile fédéraliste du parti. L'espoir de réussir à instrumentaliser l'initiative constitutionnelle introduite en 1891, pour reconquérir le pouvoir grignoté par l'Etat central, s'évanouit devant l'ampleur de la défaite. En 1897, la nécessité de renforcer le poids politique de l'agriculture en vue de la révision douanière de la fin du siècle pousse certaines élites agricoles à participer à la création de l'USP. La délégation catholique est emmenée par Caspar Decurtins, un des dirigeants du catholicisme social. Au sein de l'association agricole, les adeptes d'une alliance rouge-verte sont rapidement étouffés par les élites favorables à une rapprochement avec l'USCI et l'USAM. En collaborant d'emblée avec l'USP, l'axe CF-USCI contribue à ce que la nouvelle association puisse quadriller l'ensemble de la population paysanne pour lui imposer cette option. Certes, le coût douanier de l'opération est relativement important pour l'industrie d'exportation, mais la consolidation d'un bloc bourgeois-paysan antisocialiste est à ce prix.

6.1.1. La naissance du Parti radical-démocratique suisse (PRDS) ou la fin d'un grand parti intégrateur et progressiste (1894)

Au début des années 1890, l'attitude toujours plus revendicative du mouvement ouvrier provoque un refroidissement des relations entretenues avec les radicaux de gauche[2]. Ainsi, en 1891, le lancement de l'initiative sur le droit au travail (PSS et SdG) fait l'objet d'une polémique entre un leader du radi-

2 Widmer, 1992, pp. 682-684.

calisme de gauche, le tout nouveau Conseiller fédéral Emil Frei, et le fondateur du PSS, Albert Steck. Bien qu'il reconnaisse l'apport des forces socialistes à la victoire contre le libéralisme manchestérien, Frei refuse de s'engager dans l'instauration d'une économie dirigée par l'Etat. Selon lui, la socialisation ne peut mener qu'à un Etat militaire liberticide et à un sentiment d'injustice dans la population:

> *Das sozialdemokratische Ideal des allgemeinen Wohlstandes lässt sich sozialdemokratisch nur auf Kosten der Freiheit und Gleichheit erreichen*[3].

Or, Frei considère que l'initiative pour le droit au travail remet en question les fondements du système économique en place. Il s'y oppose donc tout en affirmant vouloir lutter contre le fléau du chômage. Les instances dirigeantes du mouvement ouvrier, désormais dominées par l'aile gauche acquise à la lutte des classes, ne fait rien pour empêcher la distanciation des radicaux de gauche. Au contraire, une série de mesures sont prises dans le but de couper définitivement les ponts, dont la plus significative est l'interdiction pour un membre du PSS d'adhérer à une organisation politique bourgeoise (1893).

La distance prise par le radicalisme de gauche vis-à-vis du mouvement ouvrier se lit de manière significative dans le discours d'un de ses représentants, le Genevois Georges Favon[4]. A la fin des années 1880, Favon est partisan de l'intégration du mouvement ouvrier au sein du parti radical au moyen d'une politique sociale progressiste[5]. Lors d'un discours prononcé à l'occasion de la première édition de la fête du 1er mai, en 1890, il déclare au sujet du PSS:

> *Conclusion: le parti ouvrier forme la fraction agissante et stimulante du parti radical [...] Puisqu'en matière électorale et politique tout est combat, le parti ouvrier doit être l'avant-garde du parti radical, combiner ses manœuvres avec celles du corps d'armée et ne pas exagérer ses distances*[6].

Quatre ans plus tard, lors d'un débat aux Chambres, Favon en appelle aux catholiques-conservateurs pour former un bloc bourgeois nationaliste dans le but de combattre la montée de la gauche extrémiste:

> *Messieurs* (les catholiques-conservateurs, C. H.), *y pensez-vous? Au moment où vous protestez contre les excès de certain parti, où vous vous inquiétez de cette marée montante d'intérêts matériels [...] Ne devons-nous pas dire: il y a autre chose que vos instincts, vos passions, il y a quelque chose de supérieur: l'intérêt de la nation qui doit solliciter toute votre attention? Ne demandons rien à la nation qui puisse la compro-*

3 Frei, 1891, p. 8.
4 *Georges Favon-Bosson* (1843-1902) (GE), issu d'une famille de marchands conservateurs, rédacteur et copropriétaire du *Petit Genevois*, CdE (1889-1902), Cn radical de gauche (1881-1893).
5 Widmer, 1992, pp. 566-567.
6 Cité in Widmer, 1992, p. 706.

> *mettre ou la diminuer. Voilà ce que je répondrais aux exagérés internationaux et sans patrie. Voilà ce que nous entendons par patriotisme. Vous ne sauriez donc choisir justement ce moment-là pour affaiblir les forces du pays et vous devez au contraire vous opposer de toutes vos forces à des appétits matériels par la force que donne la poursuite de l'idéal et le patriotique sentiment de la dignité nationale*[7].

Poussés au centre par la radicalisation d'une partie du mouvement ouvrier, les radicaux de gauche y sont aussi tirés par les élites économiques du parti qui mènent une politique volontariste dans le but d'ancrer le grand parti au centre-droite et de renforcer la collaboration avec les catholiques-conservateurs[8]. Dès 1887, Karl Hilty[9] développe un projet de regroupement de la famille radicale («freisinnig») dans un grand parti centriste «national-libéral». L'idée nationale doit permettre de sublimer les divergences d'intérêts des différents milieux socio-politiques. Comme nous l'avons vu dans les propos de Cramer-Frey, cette aile droite dénigre les «démocrates-socialistes» qui se fourvoient dans une dangereuse collaboration avec la gauche internationaliste qualifiée de révolutionnaire. Dans cet ordre d'idée, le concept de «Sozialreform» est parfois attaqué comme une porte ouverte au socialisme. Entre 1886 et 1891, une série de fêtes nationales permettent de diffuser ce discours nationaliste et antisocialiste qui est agrémenté d'une série de mythes historiques construits pour la circonstance[10]. A noter que durant la même période, la Confédération met en œuvre les premières mesures de politique culturelle conçues notamment pour renforcer la cohésion nationale.

En 1891, une première victoire politique d'importance est remportée par les radicaux de droite. Grâce à la démission du libéral argovien Emil Welti, ils parviennent à faire entrer le catholique-conservateur lucernois Josef Zemp au CF. La même année, radicaux et conservateurs célèbrent ensemble, à Schwyz, le 600e anniversaire de l'alliance des cantons primitifs. Le 7 juin 1892, la candidature du démocrate Curti à la vice-présidence du CN est écartée au profit d'un démocrate plus à droite, le Zurichois Ludwig Forrer (84 voix à 42)[11]. Contrairement à Curti, ce dernier est un farouche partisan

7 BSO, 1894/95, n° 5, p. 91.

8 Sur l'évolution de la famille radicale, cf. Gruner, 1969, pp. 73-102; Widmer, 1992, pp. 726-737.

9 *Carl Hilty-Gärtner* (1833-1909) (SG), avocat à Coire (1855-1874), professeur de droit suisse à l'Université de Berne (1874-1909), Cn radical de tendance libérale (1890-1909).

10 Sur la création des identités nationales, cf. Thiesse, 1999; sur la prolifération des fêtes nationales en Suisse, cf. Widmer, 1992, pp. 639-642.

11 *Johann Ludwig Forrer-Dändliker* (1845-1921) (ZH), officier de police (1867-1869), procureur (1870-1873), avocat réputé défendant les ouvriers dans des procès d'accidents de travail (1873-1900), directeur de l'Office central pour les transports ferro-

du rapprochement politique avec le centre libéral[12]. En 1893, la fraction libérale se réorganise et se fixe comme but de réunir la famille radicale («freisinnig») au sein d'une même force politique. En témoigne le premier article de son programme:

> *Die liberal-demokratische Gruppe der Bundesversammlung erstrebt die Einigung der freisinnigen Elemente, die auf dem Boden der heutigen Staats- und Gesellschaftsordnung stehen, zum Zwecke der Bildung einer vaterländischen Fortschrittspartei auf der Grundlage unserer demokratischen Institutionen*[13].

Un rapprochement entre libéraux et radicaux est surtout envisagé dans les cantons de Suisse orientale, car l'alliance entre démocrates et socialistes y est menaçante. La *NZZ* en fait d'ailleurs son cheval de bataille. Quant aux libéraux romands, restés attachés à un libéralisme manchestérien pur et dur, ils y sont beaucoup moins favorables.

La flambée de lutte des classes des années 1893 et 1894 accélère le mouvement de rapprochement de la famille radicale au centre-droite. En 1893, Carl Hilty écrit dans son *Politisches Jahrbuch*:

> *Alle diese Verhältnisse drängen nun bei uns jetzt von selber zu einer völligen Ausscheidung des schweizerischen Radikalismus von der internationalen Sozialdemokratie, die zwei nicht mehr vereinbare Parteien sind*[14].

Lors de la constitution du PRDS, le 25 février 1894 à Olten, le radical de gauche bâlois Fritz Göttisheim[15], qui préside la séance, trace clairement les limites d'une collaboration à gauche:

> *Es ist uns heiliger Ernst mit der Sozialreform – aber wir wollen keine soziale Revolution, wollen den Klassenkampf nicht, sondern die Versöhnung von Ständen und Interessen*[16].

Avec l'intégration d'une partie de la fraction libérale – une majorité des libéraux de Suisse alémanique –, la naissance du PRDS représente une victoire

---

viaires internationaux à Berne (1900-1902 et 1917-1921), Cféd (1903-1917), Ca du «Gotthardbahn» (1896-1899), Cn démocrate (1875/1876-1878/1881-1900), démissionne en raison du refus de la loi sur l'assurance maladie et accident dont il est le principal promoteur, dans les années 1890 appartient à l'aile démocrate favorable à un rapprochement avec les libéraux.

12 Widmer, 1992, p. 566.

13 *Ibidem*, p. 731.

14 *Ibidem*, p. 720.

15 *Fritz Göttisheim-Breitling* (1837-1896) (BS), activité de journalisme (1859-1866), entre dans l'administration du canton de Bâle (1866-1882), succède à Emil Frei en tant que rédacteur des *Basler Nachrichten* (1882-1896), Cn radical de gauche, président du PRDS (1894-1896), défenseur des intérêts des classes moyennes, membre du comité du «Gewerbeverein Baselstadt» (1867-1895), membre d'honneur de l'USAM, cofondateur de l'«Allgemeiner Consumverein in Basel», défenseur du système de l'assurance obligatoire, s'engage en faveur de la réalisation de l'assurance maladie.

16 Cité in Widmer, 1992, p. 733.

décisive pour les adeptes d'une politique de centre-droite. Dès la séance de constitution du parti, ce succès se concrétise par un refus de l'initiative sur le droit au travail. La proposition Curti de promouvoir un contre-projet destiné à lutter contre le chômage est écrasée par 327 voix contre 15. Même si le PRDS nouveau garde le concept de «Sozialreform» en tant que bannière électorale, l'élan de politique sociale impulsé par l'aile gauche, à la fin des années 1880, est bel et bien brisé. Désormais figé dans une attitude défensive, le PRDS instrumentalisera sa position hégémonique aux Chambres pour freiner les postulats sociaux du mouvement ouvrier.

Vaincue, l'aile réformiste de Curti ne tarde pas à tirer les conséquences de sa défaite. Dans plusieurs cantons de Suisse orientale (TG, SG, GL et GR), la gauche du parti radical fait scission pour constituer des partis démocrates. En 1896, une fraction dite de politique sociale est créée aux Chambres. Elle regroupe la gauche démocrate et socialiste jusqu'en 1911, date à laquelle une fraction socialiste voit le jour. Constituée de 12 sièges en 1896, la fraction de politique sociale ne parvient pas à peser sur les débats parlementaires. En 1897, lors du remplacement d'Emil Frei au CF, Curti est battu par le radical-démocrate bâlois Ernst Brenner[17]. Les adeptes d'une réforme sociale tentent alors de conquérir le pouvoir en renforçant la démocratie directe[18]. En 1898, deux initiatives sont lancées en collaboration avec la SdG. L'élection des Chambres à la proportionnelle recueille 64 075 signatures, tandis que l'élection du CF par le peuple a un peu moins de succès (56 350). Le 4 novembre 1900, le peuple rejette les deux initiatives, sonnant ainsi le glas pour la stratégie politique de Curti et Greulich[19]. Le rêve d'une alliance populaire permettant de réaliser des réformes sociales par la voie démocratique est définitivement enterré. Une collaboration entre les classes moyennes, qui se radicalisent à droite, et le mouvement ouvrier, qui s'oriente à gauche, n'est plus à l'ordre du jour en ce début de XXe siècle. Dernier pilier du concept de «Volksgemeinschaft», la SdG se marie avec le PSS en 1901. En 1902, Curti cesse son activité parlementaire et émigre en Allemagne. A noter qu'il faudra attendre la crise des années 1930 pour qu'une alliance de centre-gauche soit à nouveau sérieusement évoquée. Elle sera alors portée par le mouvement des Lignes directrices[20].

17 *Ernst Brenner-Sturzenegger* (1856-1911) (BS), fils d'un marchand de tapis, beau-fils d'un rentier appenzellois, actif dans le bureau d'avocat de son oncle (1879-1884), CdE (1884-1897), Cféd (1897-1911), Cn radical-démocrate (1887-1897), succède à Fritz Göttisheim à la présidence du PRDS (1896-1897).

18 Gruner, 1988, vol. 3, pp. 77-80.

19 Election proportionnelle: 243 418 non contre 168 498 oui; élection du CF par le peuple: 269 174 non contre 145 559 oui; SHS, 1996, p. 1058.

20 Morandi, 1995.

6.1.2. Echec de l'initiative du «Beutezug»: accélération du processus d'intégration des élites catholiques-conservatrices (1894)

Nous avons vu que les conséquences économiques, sociales et financières de la crise agricole obligent les élites catholiques fédéralistes à collaborer toujours plus étroitement avec les élites industrielles et commerçantes qui détiennent le pouvoir fédéral. Ce rapprochement se traduit par les «deals» de 1884 et 1891. Sur le plan commercial, le soutien de la rente foncière par une politique douanière interventionniste de la Confédération est désormais indispensable. La dépendance des cantons catholiques-conservateurs est aussi forte dans le domaine financier. Face aux besoins accrus engendrés par l'introduction progressive d'une école gratuite, laïque et obligatoire, l'augmentation des frais d'assistance sociale et la nécessité d'intervenir en faveur de l'agriculture, la Confédération fait office de bouée de sauvetage. Dès 1888, l'Etat central ristourne en effet une partie de ses revenus fiscaux aux cantons – monopole de l'alcool (1888), patente des voyageurs de commerce (1893). Par ailleurs, le système des subventions se développe fortement au cours des années 1880 et 1890. Aux sommes allouées, dès les années 1850, pour stimuler la construction d'infrastructures (corrections de cours d'eau, lignes ferroviaires alpestres, etc.), l'Etat fédéral ajoute successivement des subventions pour encourager l'agriculture (1884/1893), l'enseignement professionnel (1884) et l'enseignement commercial (1891)[21].

Les modalités du soutien financier de la Confédération ne satisfont toutefois pas pleinement les catholiques-conservateurs. Ils estiment, à juste titre, que la politique des subventions ronge le principe fédéraliste. Premièrement, la dépendance financière des cantons vis-à-vis des subventions fédérales oblige les dirigeants catholiques à œuvrer en faveur d'une situation financière de la Confédération lui permettant d'assumer ses tâches. Or, les augmentations de revenus votées lors des révisions successives du tarif douanier permettent aux autorités fédérales d'intervenir aussi dans d'autres domaines intéressant moins les élites agricoles. Deuxièmement, le système des subventions débouche sur une pénétration progressive du pouvoir fédéral au sein des administrations cantonales, car «qui paie commande»:

> *Disons-le ouvertement, on trouve que la Confédération a une tendance trop marquée à intervenir, de cent façons, dans les administrations cantonales, de telle sorte que celles-ci se voient de plus en plus enserrées dans les mailles du filet fédéral.*

21 Sur le rôle du système des subventions dans l'intervention de la Confédération, cf. Halbeisen, 1994; en 1884, les subventions fédérales représentent 7,5% des dépenses fédérales, alors qu'en 1913, la proportion est passée à 21,5%; entre 1894 et 1913, les subventions se sont étendues à la formation ménagère (1901) et à l'école primaire (1903).

> *C'est un système de pénétration à outrance qui ne contribue pas peu à dépopulariser l'action fédérale [...]*[22]

L'allocation de subventions est notamment conditionnée au respect de certaines normes qui permettent à la Confédération d'orienter l'intervention, quand bien même celle-ci est appliquée par le pouvoir cantonal. Troisièmement, la collaboration instaurée en 1884 avec les élites industrielles fonctionne sur le principe du troc. Chaque ristourne financière de l'Etat fédéral est payée par l'abandon d'une partie de la souveraineté cantonale au profit de la réalisation du programme interventionniste de Cramer-Frey. Par conséquent, la faiblesse financière des cantons, consécutive au compromis financier de 1874, est le bras de levier le plus efficace des élites interventionnistes pour manœuvrer l'opposition des milieux fédéralistes. Cette situation est également dénoncée par les libéraux-conservateurs de Suisse romande:

> *Les hommes de ma génération [...] n'ont pas oublié ces paroles imprudentes qui ont été prononcées au commencement de la campagne centralisatrice: «Si vous ne voulez pas vous fédéralistes, abandonner vos droits de souveraineté, nous vous y contraindrons et s'il le faut nous vous achèterons» [...] et dès lors on a dressé la table du budget fédéral. On nous a servi l'alcool d'abord avec répartition aux cantons. Aujourd'hui, l'on parle déjà de faire passer la banque d'état grâce à une participation des cantons aux bénéfices*[23].

Critiqué pour ses avatars politiques, le système des subventions agricoles est aussi attaqué avec des arguments de justice redistributive. Certes, les contributions fédérales apportent une aide non négligeable à l'agriculture de montagne de Suisse centrale[24]. En témoigne les propos de Theodor Wirz[25], propriétaire terrien obwaldien qui a dirigé la fraction catholique dans les années 1880:

> *Zu den nützlichsten und edelsten Ausgaben des Bundes gehören unbedingt die Subsidien für die Wasserkorrektionen und für die Landwirtschaft, und die dadurch erzielten Resultate bilden ein äusserst ehrenvolles Blatt in der Kulturgeschichte der neuen Eidgenossenschaft*[26].

Cependant, le système de distribution des subventions, qui conditionne l'aide fédérale à un effort financier correspondant des cantons, est loin de faire l'unanimité:

22 FF, 1894, vol. 2, p. 1122, «Rapport de la minorité de la commission du CN concernant l'initiative demandant la répartition aux cantons d'une partie du produit des douanes (17 juin 1894)»; le rapport est rédigé par le Fribourgeois *Alphonse Théraulaz* (1840-1921) (FR), cf. note 42, chapitre 6.

23 BSO, 1894/95, n° 13, p. 195, PV de la séance du CE du 27 juin 1894, intervention du libéral genevois Richard.

24 Les effets des subventions sur l'agriculture lucernoise sont décrits in Lemmenmeier, 1983, pp. 344-348.

25 *Theodor Wirz* (1824-1901) (OW), cf. note 558, chapitre 4.

26 BSO, 1894/95, n° 13, p. 198, PV de la séance du CE du 27 juin 1894, intervention Wirz.

> *On ne saurait contester qu'en soi-même [...] le système de n'accorder des subventions aux cantons qu'en proportion des sacrifices faits par ceux-ci, dans l'intérêt public, ne présente des avantages, en ce sens qu'il stimule le zèle des cantons à entreprendre des améliorations profitables à l'ensemble du pays; mais ce mode de faire est-il en fait, compatible avec le principe de la justice distributive? Nous ne le croyons pas et la preuve en est dans les résultats obtenus jusqu'ici. Que se produit-il en effet? Les cantons riches pouvant mettre, sur l'un des plateaux de la balance, une somme quelconque, grande ou petite, sont assurés de voir la Confédération déposer, sur l'autre plateau, la somme correspondante. Les cantons moins fortunés sont dans une situation très différente. Ou bien leurs ressources ne leur permettent pas de déposer leur enjeu et, alors, pas de subside fédéral, ou bien, désireux de profiter des subsides, ils sont amenés à exécuter des entreprises dont ils se passeraient, en d'autres temps, et qui apportent la gène dans leurs finances*[27].

La plupart des cantons catholiques-conservateurs étant en proie à des difficultés financières, ceux-ci ne touchent que la part congrue de la manne fédérale qui profite surtout aux cantons de plaine fiscalement plus à l'aise. En résumé, les dirigeants catholiques se plaignent d'un système qui les assujettit politiquement sans apporter un soutien financier conséquent à leur canton[28].

La nécessité financière de mendier les miettes à la table de la Confédération, qui pourrait contraindre les fédéralistes à prêter la main à de nouvelles interventions fédérales – l'école et les chemins de fer sont notamment visés par les élites interventionnistes – peut être désamorcée de deux manières. La première consiste à opérer une réforme fiscale qui renforcerait la capacité financière des cantons. Cette solution se heurte cependant aux intérêts des élites agricoles locales qui refusent de supporter une charge fiscale directe plus conséquente – imposition de la rente et de la propriété foncière, impôt sur les successions:

> *Die grossen Ausgaben, welche die Kantone für das Schul- und Armenwesen aufzubringen haben, mussten zum grossen Teil auf dem Wege der direkten Steuer erhoben werden [...] Wir nehmen an, die direkten Steuern lassen sich für längere Zeit nicht mehr erhöhen; denn wir sind in den Kantonen auf dem Boden angelangt, wo eine Erhöhung ausgeschlossen ist*[29].

La seconde voie est de remettre une nouvelle fois en question l'équilibre financier instauré par la constitution de 1874. Après avoir obtenu gain de cause au sujet de l'indemnisation de la suppression des «Ohmgeld», qui n'était pas prévue dans la nouvelle constitution, les catholiques propo-

27 FF, 1894, vol. 2, p. 1121, «Rapport de la minorité de la commission du CN concernant l'initiative demandant la répartition aux cantons d'une partie du produit des douanes (17 juin 1894)».

28 L'initiative douanière..., 1894, pp. 13-17.

29 BSO, 1894/95, n° 6, p. 79, PV de la séance du CN du 22 juin 1894, intervention du catholique-conservateur lucernois *Joseph Anton Schobinger-Coven* (1849-1911) (LU), cf. note 72, chapitre 6.

sent de réintroduire le versement d'une partie des revenus douaniers aux cantons. Cette réforme leur permettrait en effet de financer les besoins d'intervention cantonaux sans avoir à se plier à des directives fédérales ou à conclure un nouveau marchandage avec les élites industrielles interventionnistes.

Le financement de cette quote-part des cantons aux revenus douaniers pourrait se faire selon deux modalités. La première, privilégiée par les fédéralistes de la vieille école, est d'économiser sur le budget de la Confédération. Ce sont en particulier les dépenses militaires, les frais des constructions, les coûts de l'administration centrale et parfois les dépenses sociales qui sont fustigées:

> *Es ist besser, wir bauen Festungen im Herzen des Volkes als im Hochgebirge, wo der Schöpfer ohnehin seine Bergriesen zu unserem Schutze hingestellt hat, und verwenden den vorhandenen Ueberfluss zur Stärkung der Kantone und ihrer Gemeinwesen, als dass wir für Luxusbauten ungezählte Millionen auswerfen und dem überflutenden Militärismus zunehmende Opfer bewilligen*[30].

Les représentants de l'aile sociale du catholicisme préfèrent quant à eux la voie de l'augmentation des recettes douanières. Cette solution est soutenue par les élites agricoles intéressées à un accroissement du protectionnisme agricole:

> *Was sind die Zölle? Sie sind die bequemste und dehnbarste Einnahmequelle von der Welt. Man kann da nach Belieben auf hundert verschiedene Tasten greifen und jede giebt sofort einen vollen Ton. Es ist der Garten der Hesperiden, wo überall jahraus jahrein goldene Früchte reifen*[31].

L'idée de verser une partie des revenus douaniers aux cantons n'est pas une nouveauté des années 1890[32]. En 1884 déjà, Zemp parle de ce projet lors de la défense de sa motion au CN. La même année, l'ancien Conseiller fédéral Ulrich Ochsenbein s'exprime dans le même sens devant le «Berner Volkspartei». Bélier du conservatisme protestant, ce parti a pour objectif d'éviter

30 BSO, 1894/95, n° 12, p. 188, PV de la séance du CE du 27 juin 1894, intervention du catholique-conservateur schwyzois *Karl Reichlin-Auf der Mauer* (1841-1924) (SZ), beau-fils de Gustav Auf der Mauer – propriétaire terrien –, reprend l'auberge familiale «zum Kreuz» à Schwyz, CdE (1874-1916), directeur des finances, CaE catholique-conservateur (1873-1874/1887-1905), parmi les initiants du «Beutezug».

31 BSO, 1894/95, n° 13, p. 200, PV de la séance du CE du 28 juin 1894, intervention Wirz.

32 L'histoire de l'initiative douanière communément appelée «Beutezug» n'a, à ma connaissance, pas encore été faite; les quelques informations utilisées proviennent des sources qui y sont relatives et des éléments épars rassemblés à partir des ouvrages suivants: Sigg, 1978, pp. 98-101/281-282; Winiger, 1910, pp. 329/333/347-348; Müller, 1966, pp. 124-125; Gruner, 1978, p. 739; Grossmann, 1941, p. 25; Altermatt, 1991, pp. 190-193/199/203-207; Rinderknecht, 1949, pp. 233-239; Speiser-Sarasin, 1935, pp. 190-191; Richard, 1924, pp. 670-673; Weyermann, 1960, p. 41.

de nouveaux impôts cantonaux qui chargeraient l'agriculture. Le 29 avril 1887, le Fribourgeois Paul Aeby[33] dépose une motion au CN demandant la redistribution partielle des revenus douaniers aux cantons. La Chambre du peuple refuse de l'adopter par 60 voix contre 17. En 1891, une seconde tentative du même Aeby subit un sort identique[34]. En 1894, le contexte politique se prête bien à la réactivation de cette revendication.

Depuis 1891, l'introduction de l'initiative constitutionnelle permet aux catholiques-conservateurs d'envisager une contre-offensive en direction de l'Etat fédéral. En août 1893, le «Berner Volkspartei» enregistre un succès populaire étonnant lors de la votation sur l'interdiction de l'abattage rituel de bétail. Impressionnés par ce succès, les catholiques-conservateurs en tirent les conséquences politiques. Emmenés par Gustav Muheim[35], alors chef de fraction, ils engagent la construction d'un parti national susceptible de mobiliser les masses populaires catholiques[36]. Grâce à cette organisation, les «Landamänner» de Suisse centrale et l'aile ultramontaine de Fribourg cherchent aussi à discipliner la diaspora qui devient de plus en plus remuante. Le 12 août 1894, le «Katholischer Volkspartei» voit le jour à Lucerne. Ce rassemblement catholique est dominé par les partisans d'une réaction fédéraliste.

Outre les nouvelles possibilités politiques du camp conservateur, un autre élément contribue à impulser une contre-attaque dans le domaine financier. L'application du nouveau tarif d'usage (1892) et la guerre douanière engagée contre la France (1893) provoquent une explosion des revenus douaniers. De 29,8 mios de frs (moyenne 1889/1891), ils passent à 38,1 mios en 1893, soit un accroissement de 28% (annexe 1). Cette évolution permet aux catholiques de légitimer leurs prétentions sur une partie des revenus douaniers. Aux radicaux qui crient à la rupture du contrat de collaboration instauré en 1891, les élites catholiques répondent que la ristourne

33 *Paul Aeby-Wuilleret* (1841-1898) (FR), fils de Aeby-de Gendre – officier au service de Naples – et beau-fils du Cn Wuilleret – qui est également le beau-père de Python –, liens familiaux avec des dignitaires de l'Eglise catholique, avocat à Fribourg, en novembre 1867 fonde la «Banque Weck-Aeby» avec son cousin, Cn catholique-conservateur de la tendance Python (1881/1883-1898), promoteur du «Beutezug».

34 Déposée le 17 avril 1891, la motion Aeby est signée par Schobinger (LU) et Hochstrasser (LU), Schmid (UR), von Matt (NW), Ming (OW), de Werra (VS) et Kuntschen (VS) ainsi que Keel (SG); le 16 juin 1891, le CN refuse de l'adopter par 70 voix contre 18.

35 *Gustav Muheim-Arnold* (1851-1917) (UR), fils du Cn Alexander Muheim-Epp – banquier actif dans le commerce d'expédition, propriétaire terrien –, beau-fils du Cn Josef Arnold-Muheim, politicien de carrière, CdE (1882-1903), directeur des finances (1894-1903), rédacteur et copropriétaire du journal *Urner Wochenblatt*, CA du «Gotthardbahn» (1891-1902), de la «Ersparniskasse Uri» (1888-1889/1894-1902), membre du comité du SLV (1884-1887/1889-1893), président du «Katholischer Volkspartei» (1894-1895), CaE (1877-1901), Cn (1905-1911), président de la fraction catholique-conservatrice (1892-1895).

36 Sur la constitution du «Katholischer Volkspartei», cf. Altermatt, 1991, pp. 173-203.

exigée doit être interprétée comme une contrepartie financière à leurs services politiques. Le soutien catholique a en effet été décisif lors de la votation populaire sur le tarif:

> *Ja, der eidgenössische Fiskus verdankt diese kolossale Zolleinnahme der Stimmgabe des katholischen Schweizervolkes*[37].

L'élément déclencheur de ce qu'on appellera désormais le «Beutezug» – expédition de pillage du trésor fédéral –, semble pourtant être le projet d'intervention de la Confédération dans le domaine de la scolarité obligatoire. Après l'échec d'une première tentative en 1882 («Schulvogt»), l'idée de promouvoir une amélioration du niveau de l'enseignement est alors relancée. En automne 1893, des indiscrétions font état d'un plan de subventionnement de l'école obligatoire par la Confédération. Comme un seul homme, les milieux conservateurs catholiques et protestants se lèvent pour lutter en faveur de la sacro-sainte école chrétienne. L'obtention d'une aide financière sans condition de la Confédération – 2 frs par habitant à prélever sur les revenus douaniers – doit permettre d'éviter une inféodation dans un domaine important de la diffusion des valeurs, l'école:

> *Et si ces sommes sont à disposition pour le subventionnement et la pénétration de l'école primaire, ne pourraient-elles pas, tout aussi bien être mises à la disposition des cantons, sous la forme réclamée par l'initiative? Sans doute matériellement parlant, mais l'honorable chef du département de l'intérieur n'entend pas donner gratuitement. Fidèle au système adopté en matière de subventions, il veut que le prestige, l'influence et la toute puissance de la Confédération en soient accrues d'autant. On sait que l'argent est le nerf de la guerre. On veut, en le semant généreusement qu'il rapporte une ample moisson d'avantages politiques*[38].

Derrière cette bannière culturelle, qui se superpose à l'argument fédéraliste, les milieux conservateurs parviennent à mobiliser la majeure partie des organisations catholiques et protestantes.

L'origine exacte du «Beutezug» n'est pas bien déterminée. Il est toutefois fort possible que les «Landamänner» de Suisse centrale soient les initiateurs du mouvement. Le 21 décembre 1893, des milieux conservateurs catholiques et protestants – «Berner Volkspartei» de Dürrenmatt – se retrouvent à Berne. Un comité est alors chargé de lancer une initiative constitutionnelle. Dans une première mouture du texte, les fédéralistes modérés obtiennent qu'une clause spécifie l'attribution des revenus douaniers redistribués. La moitié devrait être utilisée pour perfectionner le système scolaire et faire face aux besoins de l'assistance sociale. Sur cette base, ils espèrent trouver un

37 BSO, 1894/95, n° 13, p. 201, PV de la séance du CE du 28 juin 1894, intervention Wirz.

38 FF, 1894, vol. 2, p. 1126, «Rapport de la minorité de la commission du CN concernant l'initiative demandant la répartition aux cantons d'une partie du produit des douanes (17 juin 1894)».

terrain d'entente avec la majorité libérale-radicale. Mi-janvier 1894, une deuxième réunion des initiateurs décide toutefois de supprimer cette clause. Elle nuit en effet à l'idée directrice de certains milieux conservateurs qui est d'éviter un accroissement de la pression fiscale cantonale directe. Entre le 13 mars et le 8 avril 1894, 71 461 signatures sont récoltées sur la base du texte suivant:

> *Introduire, dans la constitution fédérale, la disposition suivante, comme article 30 bis: «La Confédération doit payer aux cantons, chaque année, sur le produit total des péages, deux francs par tête d'habitant, en prenant pour base le chiffre de la population de résidence ordinaire établi par le dernier recensement fédéral. Cette disposition entre, pour la première fois, en vigueur l'année 1895»*[39].

Après le dépôt de l'initiative, un débat public parmi les plus violents de l'histoire de la démocratie semi-directe helvétique se déchaîne.

Le 5 juin 1894, le CF adresse un message à l'AsF au sujet du «Beutezug», car il estime qu'il est de son devoir de combattre une initiative aussi dangereuse:

> *Bien que la loi fédérale précitée ne prescrive pas au conseil fédéral de se prononcer sur le fond d'une demande d'initiative semblable, nous estimons qu'il y est autorisé d'une manière incontestable par la constitution fédérale et qu'il a même le devoir de proposer à l'assemblée fédérale le rejet d'une demande qui, si elle était adoptée, ébranlerait dans ses bases la constitution fédérale actuelle*[40].

Le ton est donné. Il sera polémique. Dans un scénario catastrophe de la meilleure veine, le Gouvernement prévoit les conséquences financières d'une acceptation de l'initiative. Incapable de faire face à ses obligations, la Confédération serait contrainte soit d'abandonner son système de subventions, soit d'augmenter massivement la taxation douanière, soit encore de recourir aux contingents d'argent cantonaux:

> *[...] une partie des cantons percevrait sur les autres cantons une contribution annuelle d'environ 630 000 à 640 000 francs. L'initiative ne serait ainsi autre chose qu'une spoliation des cantons de Zurich, Berne, Argovie, Vaud, Neuchâtel, Genève et Bâle-Ville au profit des autres états*[41].

Le CF est d'avis que le problème financier de certains cantons doit être résolu par une réforme de leurs systèmes fiscaux. Dans le rapport de la minorité de la commission nommée par le CN pour examiner le «Beute-

39 FF, 1894, vol. 2, pp. 761-764; Berne apporte le plus gros contingent de signatures (13 164), suivi par Lucerne (9549) et le Valais (9399).

40 FF, 1894, vol. 2, p. 947, «MCF concernant l'attitude à prendre envers l'initiative demandant la répartition aux cantons d'une partie du produit des douanes (5 juin 1894)».

41 *Ibidem*, p. 970.

zug», le Fribourgeois Alphonse Théraulaz[42] et le Lucernois Josef Erni[43] dénoncent le manque d'objectivité du CF et le mépris affiché vis-à-vis des citoyens ayant signé l'initiative[44].

Les 21, 22 et 27 juin 1894, des débats fleuves ont lieu au CN et au CE[45]. Selon les souhaits du CF, la majorité libérale-radicale fait bloc contre la tentative de réaction fédéraliste des milieux conservateurs. Au sein de cette alliance, les différentes tendances politiques ne jugent toutefois pas le «Beutezug» de la même manière. Les libéraux-conservateurs genevois sont de loin les plus indulgents vis-à-vis de l'initiative[46]. Tout en refusant une nouvelle assiette fiscale qui augmenterait la charge douanière, ils approuvent la lutte fédéraliste des conservateurs. Au nom des libéraux-conservateurs bâlois, Speiser refuse aussi l'augmentation des revenus douaniers, de même que l'instauration de contingents d'argent cantonaux. Il exhorte les cantons catholiques à adapter leur régime fiscal aux nouveaux besoins financiers de l'Etat:

> *In der That sind die Kantone finanziell im allgemeinen nicht glänzend bestellt; allein es hängt das damit zusammen, dass die Kantone in Bezug auf die Ausgaben gewisse soziale Aufgaben übernommen haben, einen sozialen Ausgleich suchen, während sie mit Bezug auf die Einnahmen noch auf einem ganz anderen Standpunkte stehen, auf einem Standpunkte des Steuerwesens, der eben ein früherer ist, als der Standpunkt des Sozialstaates. Der Sozialstaat bedarf in der That grosser Mittel, welche ihm durch das jetzige alte System der Steuern nicht genügend gewährt werden können*[47].

Par contre, le Bâlois rejoint les conservateurs sur la nécessité d'assainir les finances fédérales en faisant des économies. Il propose de réformer l'administration fédérale et d'introduire le référendum financier.

Au nom de la fraction libérale, Cramer-Frey refuse sèchement l'initiative en invoquant les risques d'accroissement de la dette et de diminution du

42 *Alphonse Théraulaz-Chiffelle (-Weiss) (-Genoud)* (1840-1921) (FR), carrière commerciale dans le négoce de son beau-père, CdE (1874-1911), membre de nombreux CA dans les secteurs bancaire et ferroviaire, en particulier de la «Caisse d'amortissement de la dette publique» (dès 1881), membre du comité directeur du parti catholique populaire suisse (1894-1898), CaE (1883-1884), Cn (1884-1914), membre assidu du Cercle de l'Union fréquenté par le leader catholique fribourgeois Python.

43 *Josef Erni-Lütolf (-Zimmerli)* (1827-1907) (LU), agriculteur, épicier et boulanger, études dans un collège de Jésuites, Cn catholique-conservateur de la tendance ultramontaine (1878-1902), en 1873, reçoit l'évêque Lachat qui est alors l'objet des foudres du «Kulturkampf».

44 FF, 1894, vol. 2, pp. 1117-1130, «Rapport de la minorité de la commission du CN concernant l'initiative demandant la répartition aux cantons d'une partie du produit des douanes (17 juin 1894)».

45 BSO, 1894/95, n°s 5-7/11-13, pp. 37-102/141-207.

46 *Ibidem*, n° 13, pp. 188-191/193-196, interventions des CaE Odier (GE) et Richard (GE).

47 *Ibidem*, n° 7, p. 88, intervention du Cn Speiser (BS).

crédit de l'Etat. Sans que le président de l'USCI l'avoue lors du débat, il est toutefois probable que son souci principal est d'éviter qu'un succès du projet diminue la dépendance financière des conservateurs. Il est d'ailleurs significatif que lors de son intervention, Cramer-Frey esquisse les termes d'un nouveau «deal» à conclure avec les conservateurs. Leur aval à la réalisation d'une assurance maladie-accident serait troquée contre l'attribution aux cantons de la moitié des revenus d'un monopole du tabac à créer:

> *[...] man wird zu einer andern Einnahmequelle greifen müssen. Diese sehe ich nirgends, als im Tabakmonopol. Da werden Sie, meine Herren von der Minderheit, einsetzen können und Gelegenheit haben, etwas zu Gunsten der Kantone zu thun, da werden Sie an Ihre Zustimmung zum Tabakmonopol in Verbindung mit der Kranken- und Unfallversicherung die Bedingung knüpfen können, dass vielleicht die Hälfte dieses Monopolertrages den Kantonen abgegeben werde*[48].

Plutôt que de souscrire à une attaque des bases constitutionnelles de 1874, le libéral zurichois affirme préférer les améliorer de manière progressive et modérée.

La fraction radicale-démocratique attaque de manière unanime et violente la démarche des conservateurs. Le Neuchâtelois Robert Comtesse[49] dénonce leur croisade réactionnaire qui ravive les blessures du «Kulturkampf»[50]. Il souligne que leur attitude remet en question la collaboration instaurée depuis 1884 pour améliorer la compétitivité de la place économique helvétique:

> *Nous vivions dans la paix et dans le calme, nous éprouvions, semblait-il, les uns et les autres le besoin de marcher de plus en plus vers l'entente générale pour travailler ensemble à l'amélioration des conditions matérielles dans lesquelles nous nous trouvons placés, ainsi qu'à celle de notre situation économique; pour travailler à développer les ressources productives de notre pays. C'est ainsi que l'année prochaine nous aurons l'exposition fédérale d'agriculture à Berne et l'année suivante la grande exposition nationale à Genève; expositions dans lesquelles nous passerons en revue les produits de notre pays et étudierons les moyens de lutter contre la concurrence étrangère*[51].

Selon d'autres radicaux, l'offensive des catholiques-conservateurs met en danger la cohésion nationale au moment même où la radicalisation du mouvement ouvrier menace d'ébranler les bases de l'ordre établi[52]. Représentant de l'aile anticléricale du radicalisme, le Jurassien bernois Albert Gobat[53] propose purement et simplement de ne pas soumettre l'initiative au peuple:

48 *Ibidem*, n° 6, p. 71, intervention du Cn Cramer-Frey (ZH).
49 *Robert Comtesse* (1847-1922) (NE), cf. note 132, chapitre 4.
50 Aus der Debatte der eidg. Räte über die Zoll-Initiative..., 1894; les discours des trois Conseillers fédéraux Hauser, Frei et Schenk sont aussi reproduits.
51 BSO, 1894/95, n° 7, p. 85, intervention Comtesse (NE).
52 *Ibidem*, n° 7, pp. 91-92, intervention Favon (GE).
53 *Albert Gobat-Klaye* (1843-1914) (BE), avocat à Berne puis à Delémont, professeur de droit civil français à l'Université de Berne (dès 1868), CdE (1882-1912), directeur de l'instruction publique (1882-1906), membre de plusieurs CA de compagnies ferroviai-

> *La proposition d'initiative dont nous nous occupons est un acte de violence ou de félonie, un coup d'état. S'il existe encore quelque virilité au sein du parlement, si le parlement ne veut pas se réduire à faire l'office de ministre des plaisirs de la démagogie corruptrice du peuple, répondons à un coup d'état par un coup d'état. Le nôtre est légitime. J'ai l'honneur de vous proposer de ne pas entrer en matière sur l'initiative concernant le produit des péages, en conséquence, de ne pas la soumettre au peuple*[54].

Selon les intérêts économiques qu'ils représentent, les radicaux varient leur argumentation contre l'initiative. Les milieux interventionnistes insistent sur l'affaiblissement de la capacité financière de l'Etat fédéral, qui entraverait le développement indispensable de son action:

> *Nun habe ich aber noch einen andern Grund für die Ablehnung dieser Initiative. Es wird wohl niemand glauben, dass wir in Bezug auf soziale Reformen in unserem Lande vor einem abgeschlossenen Ganzen stehen, so dass gar nichts mehr zu thun wäre. In wirtschaftlicher Beziehung haben wir jedenfalls noch grosse Aufgaben vor uns, und was unsere sozialreformerische Thätigkeit anbelangt, so sind wir gegenüber andern Staaten ganz entschieden im Rückstand*[55].

Rachat des chemins de fer, subventionnement de l'école obligatoire et législation sociale minimale sont les futures tâches les plus communément dévolues à la Confédération[56]. Quant aux milieux libéraux, ils estiment qu'une hausse des revenus douaniers constituerait une injustice fiscale flagrante:

> *S'il y a des cantons, véritables Eldorados, où on ne connaît pas d'impôts cantonaux, ce n'est pas une raison pour aggraver la situation de ceux où l'on est moins privilégié et sur lesquels les douanes pèsent de tout leur poids. Il ne convient pas de prendre du cuir sur la peau des pauvres pour en faire des souliers aux riches*[57].

Face à l'opposition compacte et violente de la famille libérale-radicale, le bloc conservateur se lézarde. L'aile la plus centralisatrice du parti catholique-conservateur, qui est regroupée autour du journal saint-gallois *Ostschweiz*, refuse de défendre le projet du comité d'initiative. Au CN, quatre représentants de la section saint-galloise proposent un contre-projet[58]. Dans le dis-

---

res, membre du comité de l'USAM (1906-1912), CaE de tendance radicale (1884-1890), Cn (1890-1914), lutte pour la séparation de l'Eglise et de l'Etat et pour la suppression des couvents, Prix Nobel de la Paix (1902).

54 BSO, 1894/95, n° 5, p. 60, intervention Gobat (BE).

55 *Ibidem*, n° 12, p. 181, intervention von Arx (SO).

56 *Ibidem*, n°s 5/5/11, pp. 38-41/41-45/142-150, interventions Künzli, Gaudard et Göttisheim.

57 *Ibidem*, n° 5, p. 53, intervention Fer (NE); cf. également n°s 5/7/7/7, pp. 50-52/83-85/92-94/100, interventions Sonderegger (AR), Comtesse (NE), Tobler (SG), Jeanhenry (NE) au CN; n°s 11/11/12, pp. 158-165/165-168/182-184, interventions Monnier (NE), Blumer (GL), Jordan-Martin (VD) au CE.

58 Il s'agit de Wilhelm Good-de Gottrau (1830-1897), Gebhard Lutz-Müller (1835-1910), Johann Baptist Schubiger (1848-1920) et Othmar Staub-Zingg (1847-1933); une autre

cours prononcé à cette occasion, Othmar Staub[59] estime en effet que le paysan ne peut plus supporter un accroissement de ses charges – les chiffres avancés sont 4 à 4,5% d'intérêts sur la dette hypothécaire et 1,5% d'imposition sur la fortune. Une aide financière de la Confédération aux cantons est par conséquent jugée nécessaire. Ne voulant toutefois pas remettre en question la santé financière de la Confédération, Staub propose de fixer la ristourne douanière en termes relatifs (10% des revenus, soit environ 4 mios). Si cette manière de faire diminue la somme transférée aux cantons – environ 6 mios dans le projet initial – elle a surtout le mérite d'éviter une gêne financière de l'Etat fédéral en cas de diminution des revenus douaniers. Le refus de leur proposition de transaction au CN pousse les catholiques saint-gallois à s'abstenir lors du vote final[60]. Au CE, la proposition saint-galloise est reprise par le Fribourgeois Henri de Schaller[61], qui la rend encore plus consensuelle: la ristourne de 10% devrait être utilisée uniquement dans les domaines de l'instruction publique et de l'assistance sociale. La majorité libérale-radicale reste cependant intransigeante et refuse tout compromis.

Emmenée par Muheim, l'aile fédéraliste dure semble décidée à provoquer un affrontement en votation populaire. Après avoir écarté sans ménagement la proposition de «deal» avancée par Cramer-Frey, le chef de la fraction catholique attaque de front le compromis financier de 1874. Il se fait l'auteur d'une tirade mémorable sur les vertus du fédéralisme:

> *Der Bund der Eidgenossen besteht, wie Art. 1 der Verfassung sich ausdrückt, aus den Völkerschaften der 22 Kantone. Eine Kräftigung der Kantone bedeutet hiemit auch eine Stärkung des Bundes; die Kraft des Einen ist abhängig von der Wohlfahrt des Andern. Ein starker Bund der Eidgenossen darf nicht einen goldenen Kopf und thönerne Füsse, oder, um ein anderes Bild zu gebrauchen, ein gesundes Herz, aber schwache Glieder haben*[62].

---

contre-proposition formulée par l'Appenzellois Karl Justin Sonderegger-Locher (1842-1906) (AI), qui est un libéral-conservateur catholique, est abandonnée au cours du débat.

59 *Othmar Staub-Zingg* (1847-1933) (SG), fils d'agriculteur, enseignant (1863-1873), fonctionnaire (1873-1879), cofondateur et administrateur de la «Bank in Gossau» (1881-1908), Cn catholique-conservateur (1888-1919), cofondateur de l'association catholique «Jung St. Gallen», président de la fraction catholique-conservatrice (1905-1911).

60 Lors de la constitution définitive du «Katholischer Volkspartei», en août 1894, les sections saint-galloise et thurgovienne défendent l'idée que le nouveau parti ne doit pas prendre position sur la question du «Beutezug»; Altermatt, 1991, p. 199.

61 *Henri de Schaller-de Spaur* (1828-1900) (FR), issu d'une ancienne famille fribourgeoise engagée dans le service à l'étranger, stage d'avocat chez le Cn Wuilleret, carrière dans la magistrature, CdE (1858-1900), président de la Commission de l'Agriculture, de l'Industrie et du Commerce (dès 1865), CaE catholique-conservateur modéré (1870-1896), Cn (1896-1900).

62 BSO, 1894/95, n° 11, p. 154, intervention Muheim (UR).

La majorité des dirigeants catholiques veulent probablement tester l'influence politique que leur procure l'initiative populaire.

Au cours du débat houleux aux Chambres, les conservateurs protestants demeurent très discrets. Une attitude qui est à imputer aux divisions internes de ce courant politique[63]. Alors que les sections bernoise et zurichoise de l'«Eidgenösische Verein» soutiennent l'initiative, la section bâloise la combat. La crainte de s'afficher aux côtés des catholiques-conservateurs, qui sont accusés de relancer le «Kulturkampf», peut aussi être un élément d'explication. Les représentants du SBB, qui vient de se constituer, sont également muets aux Chambres. Sous l'impulsion de Dürrenmatt, qui représente l'aile conservatrice de la nouvelle association, les délégués de la petite paysannerie ont pourtant décidé, lors de leur assemblée du 22 juin 1894, de soutenir l'initiative. Lors des votes au CN et au CE, l'isolement des catholiques-conservateurs se traduit par des scores sans appel: 105 voix contre 22 (3 abstentions) et 27 voix contre 14.

Entre le début du mois de juillet et le 4 novembre 1894, date de la votation, un débat acharné a lieu dans l'opinion publique. Partisans[64] et adversaires[65] de l'initiative s'attaquent et se dénigrent par brochures interposées. Le débat est également houleux dans la presse. Le nouveau PRDS déploie des efforts considérables pour combattre l'attaque conservatrice. Le dernier dimanche d'octobre, vingt-trois assemblées populaires sont organisées dans le seul canton de Zurich. A Berne, les radicaux obtiennent même que le Grand Conseil débatte du «Beutezug». Le 10 octobre 1894, le législatif bernois décide de proposer le refus de l'initiative à ses concitoyens (125 voix contre 24). Certaines associations économiques font aussi campagne en faveur du non. La KGZ, le BHIV et l'USAM diffusent des appels au refus du «Beutezug». Alors que le camp libéral-radical resserre les rangs à mesure que la votation approche, les conservateurs sont de plus en plus divisés. Si l'on en croit les sources de l'époque, des conservateurs de poids combattent l'initiative[66]. Quelques jours avant la votation, l'*Ostschweiz* appelle à refuser une démarche tendant à affaiblir l'Etat fédéral.

Le résultat de la votation est sans appel: 350 639 non contre 145 462 oui[67]. Alors que le Valais (75%), Uri (74%), Schwyz (70%), Fribourg (69%), Obwald (65%) et Nidwald (65%) enregistrent de fortes propor-

63 Sur cette question, cf. Rinderknecht, 1949, pp. 233-237.

64 L'initiative douanière..., 1894; Was ist die Zollinitiative..., 1894; Schweizervolk wach auf..., 1894; Die Zollinitiative..., 1894.

65 Caflisch, 1894; Müller, 1894; Schäppi, 1894; An das Schweizervolk..., 1894.

66 Il s'agit de Benziger et Baumberger dans le camp catholique et de von Planta-Fürstenau chez les protestants.

67 FF, 1894, vol. 4, pp. 481-484, «MCF concernant la votation fédérale du 4 novembre 1894 (initiative sur la répartition du produit des douanes) (6 décembre 1894)».

tions d'acceptants, le Tessin (57%), Appenzell Rhodes-Intérieures (57%), Zoug (52%) et Lucerne (51%) disent un oui timide à la contre-offensive fédéraliste. Aucun canton protestant n'accepte l'initiative, pas même le canton de Berne. Pour le mouvement conservateur, le «Beutezug» prend des allures de catastrophe. Dans son édition du 9 novembre, la *Freitagszeitung*, journal conservateur protestant, constate l'ampleur du désastre de manière désabusée:

> *Wir sind geschlagen worden in einer nie geahnten Weise, physisch und moralisch geschlagen worden*[68].

La véritable gifle populaire infligée aux conservateurs, qui s'étaient habitués à triompher lors des luttes référendaires, n'est pas sans conséquence politique.

Le conservatisme protestant ne se remet pas de la défaite. Après vingt années d'existence, l'«Eidgenössischer Verein» commence à se disloquer. Dès 1895, la section bernoise disparaît et le comité central cesse de fonctionner régulièrement. L'association entre alors dans une lente déliquescence et son action s'étiole. Pour sa part, Dürrenmatt estime que la débâcle du «Beutezug» équivaut à la mort du fédéralisme: *«Mit dem Föderalismus ist es aus; den können wir beweinen ohne ihn wieder zum Leben zu erwecken.»*[69] Bien qu'il continue de jouer un rôle politique non négligeable, le «Konservativer Volkspartei» voit son influence politique décroître peu à peu.

Dans le camp des catholiques-conservateurs, l'aile saint-galloise triomphe. Dans son édition du 6 novembre 1894, l'*Ostschweiz* déclare:

> *Nieder mit jeglicher Intransigenz, nieder mit dem Föderalismus der Reaktion, das hat die Uhr gestern geschlagen*[70].

Le même jour, le *Solothurner Anzeiger* lui fait écho:

> *Lassen wir den Föderalismus einmal ruhen. Seine Zeit ist erfüllt. Das lehrt uns der 4. November in einer Weise, gegen die es keine Einwendungen mehr gibt*[71].

Mais si l'aile centralisatrice a gagné une bataille, elle n'a pas encore gagné la guerre. Mauvais perdants, les fédéralistes doctrinaires demeurent puissants au sein de la fraction catholique des Chambres. Les tensions entre les deux tendances provoquent d'ailleurs la mort prématurée du «Katholischer Volkspartei». Néanmoins, sous l'impulsion de Zemp, le passage d'un fédéralisme doctrinaire à un fédéralisme sélectif s'accélère. Dès 1895, Muheim quitte la tête de la fraction. Même s'il a aussi défendu le «Beutezug», son successeur a le profil parfait pour intensifier la collaboration entre catholiques et radicaux de

68 Cité in Rinderknecht, 1949, p. 237.
69 Cité in Sigg, 1978, p. 101.
70 Cité in Altermatt, 1991, p. 206.
71 *Ibidem.*

droite. Le Lucernois Joseph Anton Schobinger[72] est en effet un représentant de l'économie opposé à un dialogue avec les socialistes. En 1898, le peuple inflige un nouveau désaveu aux dirigeants catholiques lors du référendum contre le rachat des chemins de fer. Après cette défaite, l'un des plus fervents défenseurs du fédéralisme, le Grison Caspar Decurtins[73] affirme qu'un changement de stratégie politique est inévitable:

> *Wir müssen den alten Boden notwendig verlassen. Stellen wir uns auf den grossen zentralen Boden und vertreten wir da eine entschiedene, korrekte katholische Politik*[74].

La crise agricole des années 1880-1890 a ainsi eu raison du fédéralisme conservateur des régions de montagne. Obligées de quémander une intervention fédérale, les élites agricoles sont poussées à collaborer avec les élites industrielles et commerçantes au sein de l'Etat fédéral. Dans le camp catholique, la pression exercée par la diaspora favorise ce mouvement d'intégration. Dans son édition du 19 novembre 1895, le *Basler Volksblatt* exhorte les dirigeants du parti catholique à s'adapter aux mutations du capitalisme, qui exigent une centralisation accrue:

> *Unser Kapitalismus repräsentiert die grösste zentralistische Macht. Er ist nicht nur interkantonal, sondern international. Unsere Arbeiterbewegung, die Agrarfrage, sie haben nicht mehr den Charakter lokaler Krisen, und so wenig man ein kantonales Eisenbahn- oder Telegraphenrecht ausbilden kann, ebensowenig können wir unseren Kopf in den Schatten des Pilatus oder des Uri-Rostocks stecken und zu uns sprechen: «Was gehen uns eure Lohn- und Zinskämpfe da drunten in Basel und Zürich an»*[75].

Faisant fi de l'ironie de leurs coreligionnaires des villes, quelques aristocrates se battent encore avec l'énergie du désespoir pour limiter l'érosion du pouvoir qu'ils exercent dans leurs fiefs. Ils poursuivent la lutte fédéraliste en compagnie de l'aile ultramontaine qui, par fidélité à l'Eglise catholique, continue à s'opposer à une laïcisation de la société.

Contrairement à ce qu'affirme Dürrenmatt au lendemain de la défaite du «Beutezug», le fédéralisme est toutefois loin d'être mort. Dès 1891, le flambeau de la lutte contre la centralisation est repris par les élites libérales-radicales de Suisse romande. Ainsi, entre 1894 et 1898, une véritable déferlante

72 *Joseph Anton Schobinger-Coven* (1849-1911) (LU), fils de H. Schobinger – marchand de vin et administrateur d'hôpital –, architecte, CdE (1874-1908), Cféd (1908-1911), membre des CA du «Centralbahn» (dès 1894) et du «Gotthardbahn» (1896-1907), de la «Schweizerische Milchgesellschaft AG Hochdorf» (1903-1907), président du «Katholischer Volkspartei» (1895-1898), Cn (1888-1908), président de la fraction catholique-conservatrice (1895-1902), ouvert à une collaboration avec les radicaux, il s'oppose par contre à une alliance électorale avec les socialistes.

73 *Caspar Decurtins* (1855-1916) (GR), cf. note 555, chapitre 4.

74 Cité in Altermatt, 1991, note 182 p. 218.

75 *Ibidem*, p. 223.

référendaire ralentit le rythme du grignotage des compétences par la Confédération. Les articles constitutionnels concernant la protection de l'artisanat (1894), le monopole de la fabrication des allumettes (1895) et la réforme de l'armée (1895) passent à la trappe. Le référendum est saisi avec succès contre la loi sur le commerce des bestiaux (1896), la loi sur les peines disciplinaires dans l'armée (1896) et surtout la création d'une banque d'émission étatique (1897). Bien que les milieux économiques romands soutiennent le projet, la loi sur la représentation de la Suisse à l'étranger est aussi refusée (1895).

Malgré les efforts déployés par le fédéralisme romand, l'intervention réalise dans le même temps des pas décisifs. Des articles constitutionnels permettant de légiférer dans de nombreux domaines, et pas des moindres, sont votés par le peuple: police des forêts et correction des eaux (1897), commerce des denrées alimentaires (1897), unification des droits civil et pénal (1898). En 1898, le peuple approuve le rachat des chemins de fer. A partir de cette date, qui coïncide avec la conversion définitive des catholiques et l'entrée de l'USP dans le jeu politique, le référendum perd de son efficacité. Sous la conduite de l'axe USCI-USP, la collaboration entre élites industrielles et agricoles interventionnistes fait merveille. Jusqu'à la Première guerre mondiale, un seul référendum obligatoire sur six et deux référendums facultatifs sur six sont acceptés. Il s'agit de la révision du monopole de l'alcool (1903), de la Lex Forrer sur l'assurance maladie-accident (1900) – combattue par une majorité des élites industrielles –, et la loi sur l'incitation des militaires à l'insubordination (1903).

Certes, l'initiative du «Beutezug» ne signifie pas l'arrêt total et définitif de toute opposition catholique-conservatrice à l'Etat fédéral. Elle représente néanmoins un tournant politique important qui accélère l'intégration amorcée à partir de 1884 sous la pression des élites agricoles. Le corollaire d'une participation plus intense à la vie politique fédérale est une organisation permettant d'améliorer le poids politique exercé au sein du champ étatique fédéral. Certes, les deux premières tentatives de constituer un parti catholique unifié se soldent par des échecs – la troisième tentative de 1912 sera la bonne. L'influence des élites agricoles catholiques est toutefois accrue grâce à la constitution du Club de l'agriculture et à l'entrée de Zemp au CF. En 1897, un pas de plus est franchi avec la création de l'Union suisse des paysans (USP), une association faîtière regroupant les élites et les classes moyennes agricoles des deux confessions.

6.1.3. Les élites agricoles parlent d'une seule voix: création de l'USP (1897) et réaction des élites industrielles

L'idée de créer un secrétariat paysan est issue du «Bauernbund» du canton de Zurich[76]. Sollicité à ce sujet par le SBB, en 1894, le CF refuse d'en soutenir la réalisation. L'idée est toutefois relancée par un membre de la GSL, le Conseiller d'Etat zurichois Heinrich Kern[77], membre du Club de l'agriculture des Chambres. Le 18 décembre 1896, il réunit différents milieux agricoles pour discuter de la question – SLV, FSASR, SBB. Son discours introductif définit les objectifs d'une association faîtière de l'agriculture:

> *Personne ne peut mettre en doute que la situation du cultivateur ne soit devenue plus mauvaise depuis quelques dizaines d'années [...] L'évolution capitaliste de notre vie économique menace principalement les petites exploitations agricoles et fait craindre la ruine de celles-ci. La Confédération et les cantons s'intéressent vivement à l'agriculture, et il faut le reconnaître qu'on a beaucoup fait pour l'enseignement de l'agriculture, les essais agricoles, l'amélioration du sol et du bétail, les assurances. Toutefois ces mesures n'agissent que lentement et se bornent à la partie technique de l'agriculture. La partie économique proprement dite et la défense des intérêts des agriculteurs dans l'Etat ont été fortement délaissées. Les sociétés agricoles font beaucoup pour l'amélioration de l'agriculture, toutefois chacune travaille de son côté et a ses tendances particulières. Il manque une organisation centrale qui les englobe toutes ensemble et serve d'intermédiaire avec les autorités du pays [...] Les conditions du marché en Suisse, la police des denrées alimentaires, la police des épizooties sont des questions qui demandent une étude approfondie de la part de l'agriculture suisse*[78].

Il s'agit donc de s'unir pour être en mesure de dynamiser l'intervention de la Confédération en faveur de l'agriculture.

Au cours de la discussion, le projet de réunir les forces agricoles fait presque l'unanimité. Des divergences apparaissent toutefois sur le contenu de la politique à mener. Alors qu'un membre du SBB accorde la priorité à une réforme du crédit foncier, un représentant des élites agricoles s'y oppose en proposant une stratégie axée sur la politique douanière. A l'issue de la séance, une commission de neuf personnes est chargée d'élaborer des propositions et de les communiquer aux associations agricoles[79]. Les élites agri-

76 Sur la création de l'USP, cf. Baumann, 1993, pp. 37-81; Howald, 1922, pp. 9-21.

77 *Heinrich Kern-Bosshard* (1853-1923) (ZH), cf. note 79, chapitre 6.

78 Le PV original de la séance se trouve in Archives USP, PV des séances des organes dirigeants, vol. 1, 3 décembre 1896-7 février 1900; la traduction utilisée figure in *Publications du Secrétariat suisse des paysans*, n° 3, «Premier rapport annuel du comité directeur de l'Union suisse des paysans et du Secrétariat suisse des paysans (1898)», Berne, 1899, pp. 15-16.

79 *Johann Jenny-Otti* (1857-1937) (BE), propriétaire d'un domaine de 100 ha à Uettligen, membre du comité de l'«Oekonomische Gesellschaft des Kantons Bern», président de cette association (1892-1894), président du «Verband der landwirtschaftlichen Genossenschaften des Kantons Bern» (1889-1936), membre fondateur et président de l'USP

coles alémaniques sont représentées par Jenny (BE), qui est nommé président, Gisi (SO), Kern (ZH), Kraemer (ZH) et le catholique-conservateur Decurtins (GR). Les élites agricoles romandes sont représentées par Martin (NE) et Fonjallaz (VD). Deux membres du SBB représentent les petits et moyens paysans – Jäger (AG) et Schmid (ZH). Rédigée par Decurtins, la convocation à une assemblée constitutive met l'accent sur la nécessité de soutenir les prix agricoles par une politique douanière interventionniste:

> *Par suite du système protectionniste que les grandes puissances qui nous entourent ont appliqué, l'agriculteur suisse se trouve dans une situation des plus difficiles de laquelle il n'a pu se dégager jusqu'à présent. Tandis que la France, l'Autriche, l'Allemagne ont le plus grand souci de l'agriculture dans leur politique douanière, la protègent de tout leur pouvoir, on ne saurait s'empêcher de reconnaître qu'en étudiant de près la politique douanière suisse, l'agriculture de notre pays est beaucoup trop sacrifiée à l'industrie. Le dernier traité de commerce avec la France en fournit la preuve évidente*[80].

Se sentant flouées par la dernière campagne de renouvellement des traités de commerce, les élites agricoles veulent parer à une nouvelle déconvenue.

(1897-1930), CA de la BNS et de la CNA (1912-1921), Cn radical-démocrate puis PAB (1890-1935), membre de la direction du PAB (1918-1935), membre du Club de l'agriculture (dès 1890); *Joseph Gisi* (1848-1902) (SO), propriétaire du domaine «Bleichenberg» à Biberist, président du «Kantonalverband der solothurnischen landwirtschaftlichen Genossenschaften» (1880-1902), membre du comité directeur de l'USP (1898-1902), CA de la «Mobiliarversicherung» (1901-1902), Cn radical-démocrate (1887-1902), membre influent du Club de l'agriculture, adepte du protectionnisme agricole, membre de la commission douanière du CN; *Heinrich Kern-Bosshard* (1853-1923) (ZH), fils d'un agriculteur et beau-fils d'un industriel de la branche du coton, lui même agriculteur à Bülach, actif dans l'assurance «Mobilière Suisse», CdE (1896-1908), Cn radical-démocrate (1895-1902), membre du Club de l'agriculture, membre du comité de la GSL (1897-1915), principal instigateur de l'USP et membre du comité central de l'association faîtière agricole (1897-1917); *Charles-Eugène Fonjallaz-Bidaux (-Pallaz)* (1853-1917) (VD), propriétaire viticulteur à Epesses surnommé le «Napoléon du vignoble», président du Syndicat des vins vaudois, membre de la commission de l'Ecole fédérale d'horticulture, membre du comité directeur de l'USP (1897-1916), défend une protection douanière en faveur de la viticulture, CdE (1908-1917), Cn radical-démocrate (1885-1908/1910-1917), nombreuses motions déposées au CN – contre le phylloxera (1886), pour la soumission des traités de commerce au référendum (1897), pour une élection du CN plus favorable aux régions rurales (1903); *Adolf Kraemer* (1832-1910) (ZH), membre du comité de la GSL, cf. note 414, chapitre 4; *Louis Martin-Fauguel* (1838-1913) (NE), marchand de fromage, cf. note 96, chapitre 5; *Caspar Decurtins* (1855-1916) (GR), cf. note 555, chapitre 4; *Josef Jäger-Horné* (1852-1927) (AG), membre du comité du SBB, cf. note 481, chapitre 4; *Schmid* (?-?) (ZH), président de la section zurichoise du SBB.

80 *Publications du Secrétariat suisse des paysans*, n° 3, «Premier rapport annuel du comité directeur de l'Union suisse des paysans et du Secrétariat suisse des paysans (1898)», Berne, 1899, p. 20.

Le 7 juin 1897, 281 délégués de 64 associations agricoles représentant 100 000 membres se retrouvent à Berne[81]. Les présidents du SLV et de la FSASR s'opposent à une entrée en matière sur le projet de statuts. Craignant de perdre leur «leadership» politique, les associations faîtières régionales exigent que leurs relations avec la nouvelle association soient réglées avant de s'engager. Soutenue par le VOLG, le SBB, les syndicats viticoles et les syndicats d'élevage bovin, l'entrée en matière l'emporte par 196 voix contre 38. De manière significative, le «Schweizerischer Bauernbund» du projet de statuts se transforme en «Schweizerischer Bauernverband», à la demande d'un agriculteur aisé du canton de Berne[82]. La référence au mouvement des «Bauernbund» est ainsi évitée. Une autre modification des statuts permet de limiter l'influence de la base paysanne. Le nombre de membres donnant droit à l'envoi d'un délégué à l'assemblée générale passe de 200 à 500. La représentation des associations de masse défendant les petits et moyens paysans – SBB, VOLG, etc. – est ainsi diminuée. Dès sa fondation, l'Union suisse des paysans (USP) est donc en main des élites agricoles. L'inscription de la neutralité politique et religieuse de l'association faîtière permet par contre de mobiliser l'ensemble des agriculteurs, qu'ils soient protestants ou catholiques, qu'ils soient libéraux, radicaux, démocrates ou encore conservateurs. La constitution d'une force référendaire efficace sur l'ensemble du territoire suisse est ainsi rendue possible.

L'organisation de l'USP est d'emblée très autoritaire. L'assemblée des délégués est convoquée une fois tous les deux ans et son pouvoir se limite à élire les trente membres du comité central. Celui-ci élit à son tour les cinq membres du comité directeur qui rendent compte une seule fois par année de leur activité. Le comité central nomme aussi le Secrétaire paysan, dont l'activité est contrôlée par le comité directeur. L'idéologie nationaliste et xénophobe, qui caractérisera l'action future de l'USP, est déjà inscrite dans ses statuts. Ils précisent que le secrétaire *«muss Schweizerbürger sein»*[83]. Le premier comité central élu est dominé par les associations agricoles élitaires.

81 Les chiffres donnés sont surestimés du fait qu'un agriculteur peut appartenir à deux ou trois associations représentées au sein de l'USP.

82 Il s'agit de *Jakob Freiburghaus-Herren* (1854-1927) (BE), fils et beau-fils de gros agriculteurs, reprend le domaine familial, membre du comité de l'«Oekonomische Gesellschaft des Kantons Bern» (dès 1881), président de cette société agricole (1894-1900/1902-1927), membre du comité du SLV (1897-1927) et du comité central de l'USP (1897-1927), initiateur du «Bern-Neuenburg-Bahn» et président de la direction (1897-1920), CA de la «Zuckerfabrik Aarberg» (1898-1909), CA de la «Ersparniskasse Laupen» (dès 1902), Cn radical puis PAB (1896-1927), membre puis président du Club de l'agriculture (1902-1927).

83 Archives USP, PV des séances des organes dirigeants, vol. 1, 3 décembre 1896-7 février 1900, p. 14.

Sur les trente sièges, six sont occupés par les membres de la GSL[84] et cinq par ceux du SLV[85]. Si on leur ajoute les trois membres du Club de l'agriculture occupant des postes importants dans des associations cantonales[86], les élites agricoles alémaniques des cantons de plaine raflent quatorze sièges. Les élites romandes des cantons de plaine doivent se contenter de cinq sièges[87]. La présence des cantons alpestres est identique[88]. Quant aux représentants des petits paysans de plaine (SBB), ils ne sont que trois[89]. Avant de prendre congé, l'assemblée constitutive décide encore d'envoyer une demande de subsides à l'AsF (18 000 frs):

> *Bei den grossen wirtschaftlichen Kämpfen, welche nicht nur die Beziehungen zwischen den einzelnen Kulturländern vielfach bestimmen, sondern auch in einzelnen Stände innerhalb dieser Kulturländer beschäftigen, war es nur ein Gebot der harten Notwendigkeit, dass auch die Urproduktion sich endlich organisiere. Wir halten uns deshalb zu der Hoffnung berechtigt, man werde die Unterstützung, die man andern grossen Interessengruppen zu Teil werden liess, der Landwirtschaft nicht versagen*[90].

Selon l'USP, l'agriculture a aussi droit au soutien de la Confédération dans la lutte engagée contre la concurrence étrangère.

Peu satisfaites des statuts de l'USP, les élites romandes de la FSASR décident de poser certaines conditions à leur participation – augmentation des sièges au sein du comité central et indépendance vis-à-vis de l'administration fédérale. Aux chambres, elles obtiennent que la subvention fédérale soit conditionnée à une entrée des romands dans la nouvelle association faîtière. Le 17 décembre 1897, la première réunion du comité central discute de l'attitude à adopter vis-à-vis des exigences de la FSASR. Malgré l'opposition du SBB, une révision des statuts est décidée et une commission est nommée à cet effet. Lors de la même séance, un comité directeur provisoire de cinq membres est élu pour assurer l'intérim jusqu'à la révision des statuts[91]. Le 27 mars 1897, l'assemblée des délégués révise les statuts et nomme de nouvelles instances dirigeantes. Le comité central est élargi à 45 membres,

84 Il s'agit de Kern (ZH), Kraemer (ZH), Schenkel (ZH), Abt (AG), Renold (AG) et Fehr (TG); *ibidem*, p. 15.

85 Il s'agit de Heeb (SG), Riegg (SG), Nägeli (ZH), Freiburghaus (BE) et Müller (SH).

86 Il s'agit de Jenny (BE), Steinemann (ZH) et Gisi (SO).

87 Il s'agit de Fonjallaz (VD), Rubattel-Chuard (VD), Roggo (FR), Lutz (FR) et Borel (GE).

88 Il s'agit de Hofstetter (LU), Huber (LU), de Chastonney (VS), Mariani (TI) et Decurtins (GR).

89 Il s'agit de Meyer (BL), Jäger (AG) et Schmid (ZH); trois membres du comité, qui n'ont pas pu être identifiés, renforcent peut-être cette représentation; il s'agit de Klening (BE), Wüthrich (BE) et Schwarz (AG: Aargauische Weinbaugesellschaft).

90 Archives USP, PV des séances des organes dirigeants, vol. 1, 3 décembre 1896-7 février 1900, p. 17.

91 Il s'agit de Jenny (BE), président, Nägeli (ZH), Gisi (SO), Schmid (ZH) et Fonjallaz (VD); seul le président de la section zurichoise du SBB représente les petits et moyens paysans.

dont 9 Romands et 2 Tessinois, alors que le comité directeur compte désormais 9 membres[92]. L'influence des élites agricoles sur le centre de gravité de l'association est encore renforcée. La GSL est représentée par trois de ses membres – Fehr (TG), Moos (LU) et Schenkel (ZH) –, la SLV par son président – Nägeli (ZH) –, la FSASR par le président de la section neuchâteloise – Carbonnier (NE) – et la société cantonale du Tessin par son président – Mariani (TI). L'«Oekonomische Gesellschaft des Kantons Bern» y place Jenny (BE) et le syndicat des vins vaudois Fonjallaz (VD). Quant au mouvement paysan, il n'est pas représenté, sinon par le président du VOLG et membre de la GSL, Conrad Schenkel. Présent au sein de la première mouture du comité directeur, le président de la section zurichoise du SBB – Schmid (ZH) – disparaît de manière significative.

Dominée dès sa fondation par les élites agricoles, l'USP adopte une stratégie de collaboration avec l'axe CF-USCI. Pour peser au sein du champ étatique fédéral, l'association faîtière s'efforce de conquérir une crédibilité politique en devenant une machine plébiscitaire efficace. Représentant encore 30% de la population active, les milieux agricoles peuvent influencer les votations de manière décisive, à condition d'être organisés, disciplinés et motivés. Nommé au poste de Secrétaire paysan, le 19 avril 1898, Ernst Laur[93] s'y emploie avec énergie et ténacité. Dès 1900, l'USP comprend 19 sections avec 78 000 membres, soit un taux de syndicalisation de 17% – le taux réel est toutefois inférieur car certains agriculteurs sont affiliés à plusieurs sections.

92 Le président *Johann Jenny* (1857-1937) (BE) – cf. note 79, chapitre 6 – ainsi que *Viktor Fehr* (1846-1938) (TG) – cf. note 433, chapitre 4 –, *Joseph Gisi* (1848-1902) (SO) – cf. note 79, chapitre 6, *Charles-Eugène Fonjallaz-Bidaux (-Pallaz)* (1853-1917) (VD) – cf. note 79, chapitre 6 – et *Conrad Schenkel* (1834-1917) (ZH) – cf. note 445, chapitre 4 – ont déjà fait l'objet d'une notice biographique; *Hans Moos* (1862-1929) (LU/ZH), fils d'un gros paysan lucernois, enseignant à l'école d'agriculture de Sursee (jusqu'en 1898), professeur à l'EPFZ en section vétérinaire, rédacteur de l'organe de la GSL (1896-1900), membre du comité (1906-1929) et vice-président de l'association (1912-1929); *Heinrich Nägeli* (1850-1932) (ZH), ancien agriculteur, CdE zurichois (1885-1920), président du SLV (1888-1928); *Max Carbonnier* (1857-1934) (NE), gros propriétaire terrien, président de la Société neuchâteloise d'agriculture, représentant de la FSASR; *G. Mariani* (1850-1933) (TI), inspecteur scolaire cantonal, président de la société d'agriculture du Tessin.

93 *Ernst Laur* (1871-1964) (BS/AG), fils d'un agriculteur devenu administrateur d'un hôpital à Bâle, études à l'école d'agriculture de Strickhof puis à la Division d'agriculture de l'EPFZ (1890-1893), enseigne à l'école d'hiver d'agriculture de Brougg tout en obtenant un doctorat à Leipzig (1894-1897), Secrétaire paysan et directeur de l'USP (1898-1939), enseignant en politique agricole à l'EPFZ (dès 1901), successeur du professeur Kraemer à la tête de la Division d'agriculture de l'EPFZ (dès 1908), délégué du CF pour la négociation des traités de commerce (1904-1945); pour plus d'informations sur cette figure marquante de la politique agricole suisse du XXe siècle, Baumann, 1993, pp. 83-118/ 257-286; Frauendorfer, 1957, pp. 502-511; Howald, 1971.

A la veille de la Première guerre mondiale, l'USP compte 23 sections avec 164 000 membres, soit 35% des agriculteurs en activité (1912). Certes, une large partie de la paysannerie demeure en dehors de la nouvelle association, mais le taux d'organisation du monde agricole est nettement supérieur à celui de l'USAM – 54 000 membres en 1910. De plus, l'USP met sur pied un réseau très dense d'hommes de confiance, qui permet de quadriller l'opinion publique des régions rurales. Aux 3000 sociétés agricoles locales correspond un nombre presque identique d'hommes de confiance de l'association[94]. Dès 1901, l'USP dispose aussi d'un organe de presse mensuel, le *Paysan suisse*, qui diffuse les mots d'ordre de l'association faîtière. L'édition allemande est tirée à 50 000 exemplaires et l'édition française à 10 000 exemplaires. Toutes deux sont encartées dans les journaux agricoles existants.

En 1903, la votation populaire sur le nouveau tarif douanier prend la valeur d'un test. Depuis sa fondation, en 1897, l'USP s'engage alors pour la première fois dans un mouvement populaire. A cette occasion, Laur relève que la crédibilité politique de l'USP auprès des élites industrielles et commerçantes dépend de sa capacité à mobiliser l'électorat paysan:

> *Ein grosser Teil der städtischen Presse wird gegen uns auftreten. Dem Rauschen, oder auch gar dem Sturme im schweizerischen Blätterwalde müssen wir eine kräftige Volksbewegung entgegenstellen. Wir müssen den Nachweis leisten, dass hinter uns die breiten Massen der bäuerlichen Bevölkerung stehen und der schweizerische Bauernverband nicht nur ein Generalstab ohne Armee, sondern in unserm öffentlichen Leben ein Machtfaktor geworden ist, der durch viele tausende stimmberechtigter Schweizerbürger unterstützt wird*[95].

Un succès de l'opération doit aussi avoir des effets positifs sur la construction future de l'organisation:

> *Vergessen Sie nicht, dass es sich nicht nur um den neuen Zolltarif handelt. Es gilt auch Zeugnis abzulegen, dass der schweizerische Bauernstand erwacht, dass er seine beruflichen Interessen zu vertreten bereit, und noch kräftig genug ist, um seine künftigen Geschicke mit Erfolg zu lenken. Gelingt es uns, in dieser wichtigen Frage der Bauernsame klar zu machen, welche Bedeutung für sie die Wirtschaftspolitik hat, so ist der Weg für alle Zukunft geöffnet*[96].

Vu les enjeux de la votation, l'association faîtière engage une action de propagande impressionnante. En complément des articles publiés dans le *Paysan suisse*, des brochures de vulgarisation sont diffusées sur une large

94 *Publications du secrétariat suisse des paysans*, n° 17, «Cinquième rapport annuel du comité directeur de l'Union suisse des paysans et du Secrétariat suisse des paysans», Berne, 1903, pp. 15-16.

95 *Mitteilungen des Schweizerischen Bauernsekretariates*, Nr. 15, «Protokoll der Delegierten-Versammlung des Schweizer. Bauernverbandes, Samstag den 22. Februar 1902 im Grossratssaale in Bern», Bern, 1902, p. 22.

96 *Ibidem*, p. 23.

échelle. La plupart des associations agricoles mettent sur pied des conférences de mobilisation de l'électorat paysan et des journées paysannes cantonales de grande envergure sont organisées. Le financement de la campagne nécessite 14 000 frs, somme rondelette qui correspond presque à la subvention annuelle versée par la Confédération[97]. Après la votation du 15 mars 1903, l'USP s'attribue la victoire remportée par le bloc bourgeois-paysan. Dès lors, elle revendique une force référendaire décisive, dont les autorités peuvent disposer moyennant une politique de soutien à l'agriculture:

> *Am 15. März hat die schweizerische Landwirtschaft den Bundesbehörden den Beweis geleistet, dass wenn diese zum Bauernstande stehen, sie die grosse Mehrheit des Volkes hinter sich haben. Möge der Bundesrat auf dem sicheren Boden, welchen ihm die Bundesversammlung und das Volk geschaffen haben, planmässig weiterbauen, und es wird ihm gelingen ein starkes und stattliches Bollwerk zu errichten, an welchem die internationalen Wirbelstürme abprallen müssen!*[98]

Pour peser au sein du champ étatique fédéral, la nouvelle association faîtière doit aussi parvenir à imposer en son sein une unité de doctrine en matière de politique économique. Dès le 13 juin 1898, le comité central de l'USP définit un programme de travail pour le Secrétariat paysan[99]. Les priorités établies sont l'élaboration d'une statistique agraire suisse, le renouvellement des traités de commerce, la législation fédérale sur la vente des denrées alimentaires et l'approvisionnement de l'armée. Il faut souligner que la question du crédit hypothécaire n'est rangée que dans les préoccupations à plus long terme, en compagnie de la police des épizooties et des tarifs ferroviaires. Le soutien des prix agricoles au moyen d'une politique commerciale interventionniste constitue donc la ligne de force de la politique de l'USP. Encore faut-il réussir à rassembler petits et gros agriculteurs, paysans de montagne et de plaine, éleveurs et engraisseurs sous la même bannière. En présence d'intérêts douaniers aussi divergents, réaliser un programme commercial consensuel relève de la gageure. Et pourtant, l'existence même de l'USP en dépend[100]. Si les dirigeants ne parviennent pas à rassembler l'ensemble du monde agricole derrière leur politique douanière, le risque d'un éclatement prématuré de l'USP n'est pas à exclure. Estimant que la fin justifie les moyens, les autorités de l'association empruntent une voie autoritaire. Plutôt que de consulter les sections, quatre commis-

97 Neidhart, 1970, pp. 134-135.

98 *Mitteilungen des Schweizerischen Bauernsekretariates*, Nr. 18, «Stenogramm der Verhandlungen der ordentlichen Delegiertenversammlung des Schweizer. Bauernverbandes vom 4. April 1903 im Grossratssaale in Bern», Bern, 1903, p. 26.

99 *Publications du Secrétariat suisse des paysans*, n° 3, «Premier rapport annuel du comité directeur de l'Union suisse des paysans et du Secrétariat suisse des paysans (1898)», Berne, 1899, p. 25.

100 Baumann, 1993, pp. 147-150; un chapitre de l'ouvrage est intitulé *Der Zolltarif als Schicksalfrage für den SBV*.

sions d'experts – produits laitiers, animaux et productions animales, fruits et vin, matières premières – sont chargées d'aplanir les contradictions internes[101]. Le programme est ensuite discuté par le comité directeur, puis par le comité central, avant d'être adressé aux autorités. L'assemblée des délégués n'est consultée qu'après la parution du projet de tarif du CF.

Non contentes d'éluder le débat démocratique au sein de l'association, les instances dirigeantes imposent d'emblée les grandes orientations de la future politique douanière de l'USP. Dans un discours prononcé lors de la première séance des commissions d'experts, Ernst Laur définit un cadre économique et idéologique très contraignant[102]. L'axiome de la réflexion du secrétaire paysan est que l'avenir de l'agriculture dépend du renouvellement des traités de commerce programmé pour 1903. Selon lui, l'évolution du contexte commercial international menace l'écoulement des produits suisses, autant sur les marchés extérieurs (fromage, bétail et fruits) que sur le marché intérieur (afflux de produits laitiers de mauvaise qualité, vin, viande). Une baisse des prix combinée avec une augmentation des charges – hausse prévisible des taux hypothécaires[103] et dépenses liées à la future assurance maladie-accident – provoquerait un krach agricole catastrophique:

> *Man darf gar nicht daran denken, welche Folgen es haben müsste, wenn dieser Zinsaufschlag mit einem Rückgang der Milchpreise zusammentreffen müsste. Es wäre ein Landesunglück! Zur Verschärfung der Lage wird auch die Kranken- und Unfallversicherung beitragen, die der Landwirtschaft eine jährliche Mehrausgabe von Millionen bringt. Wird der Landwirtschaft bei der Erneuerung der Handelsverträge der geforderte Schutz versagt, so ist der Krach unausbleiblich. Viele Bauern, die sich heute noch durch Sparsamkeit und grosse Anstrengungen halten könnten, werden ruiniert werden. Möchte sich doch der schweizerische Bauernstand bewusst werden, dass es sich für ihn um einen Existenzkampf handelt*[104].

Selon Laur, la survie de l'agriculture suisse dépend donc de l'issue de la lutte qui doit s'engager autour de la révision du tarif douanier.

Or, et c'est le deuxième axiome posé par Laur, la paysannerie constitue un pilier social dont dépend l'existence de la Confédération helvétique, menacée de désagrégation par l'action des internationales capitalistes et ouvrières. Pour conserver un Etat sain, il est indispensable d'enrayer l'exode rural en cours:

101 Archives USP, PV des séances des organes dirigeants, vol. 1, 3 décembre 1896-7 février 1900; les différentes commissions sont nommées lors de la séance du comité central du 23 juillet 1899; elles siègent entre novembre 1899 et février 1900.

102 Archives USP, vol. 32: 63(494), «Die Bedeutung der Zolltarife für die schweizerische Landwirtschaft»; imprimé à titre confidentiel, ce document ne vise donc pas un objectif de propagande mais reflète probablement les véritables options stratégiques des dirigeants de l'USP.

103 Laur estime qu'une augmentation de ¼% coûte 5 mios de frs à l'agriculture.

104 *Ibidem*, p. 7.

> *England konnte diesen Prozess ertragen, weil es seine Kolonien hinter sich hat, die Schweiz vermöchte es nicht. Man lese die ergreifenden Schilderungen des Bauerndichters Rosegger in «Jakob der Letzte» über die Zustände in seinen heimatlichen Bergen und man wird sich bewusst werden, welch ein grosses Landesunglück wäre, wenn eine gleiche Entwicklung dem Schweizerlande beschieden sein müsste. Es wäre gleichbedeutend mit dem Zusammenbruch unseres Staatswesens. Mit dem Bauer fällt der Handwerker, und die Leute, die an ihre Stelle treten – der Kapitalist und Grossindustrielle, die goldene Internationale, einerseits, die städtische Arbeiter- und Fabrikbevölkerung, die rote Internationale, anderseits – leben nicht in Verhältnissen, in denen die republikanischen Tugenden, Sparsamkeit, Nüchternheit, Achtung vor dem historisch Gewordenen und Vaterlandsliebe gedeihen können. Ein Windstoss von aussen kann den aus so morschem Material bestehenden Bau umjagen*[105].

Laur appuie sa thèse avec un certain nombre d'arguments nationalistes, xénophobes et antisocialistes qui vont devenir des poncifs de l'idéologie de la nouvelle droite helvétique. Sur le plan social, le maintien d'une agriculture forte permet à la campagne de jouer son rôle de fontaine de jouvence de la nation suisse. Le paysan, qui est sain au triple point de vue corporel, spirituel et moral, apporte le sang nécessaire pour renouveler celui des citadins «dégénérés». Une paysannerie nombreuse permet aussi de freiner l'afflux d'étrangers:

> *Es ist gut, dass noch ein Bauernstand da ist, sonst würde der Schweizer bald fremd im eigenen Vaterlande*[106].

Face à la menace des grandes nations voisines, la campagne est aussi le meilleur point d'appui de l'armée et la vestale des valeurs suisses:

> *Auf dem Lande findet man den schweizerischen Typus, die schweizerische Sitte, das schweizerische Volksleben, das schweizerische Fühlen und Denken, alles das, was den Bestand unseres kleinen Staatswesens inmitten der ausländischen Grossmächte rechtfertigt*[107].

Enfin, sur le plan politique, la paysannerie constitue un bastion nécessaire pour empêcher l'avènement du socialisme internationaliste qui cherche à saper les bases de l'Etat.

Sans protectionnisme agricole, pas d'agriculture. Sans agriculture, pas d'Etat bourgeois. Tels sont les deux axiomes posés par Laur:

> *Ohne Schutzzoll wird der schweizerische Bauer allmählig aber sicher zu grunde gehen, das Land wird sich immer mehr entvölkern, die Städte werden dafür anwachsen, der Mittelstand verschwindet, Grossindustrie und Fabrikarbeiter bleiben schliesslich nur noch übrig, um dann den letzten Kampf zwischen Arbeit und Kapital auszufechten, bei dem unsere heutige bürgerliche Gesellschaftsordnung in die Brüche gehen wird. Ob eine bessere an ihre Stelle tritt? Wir bezweifeln es*[108].

105 *Ibidem*, p. 9.
106 *Ibidem*, p. 10.
107 *Ibidem*, p. 11.
108 *Ibidem*, pp. 14-15.

La conséquence politique de ces deux axiomes coule de source. La Confédération doit renoncer à sa politique économique de développement de l'industrie d'exportation au profit d'une politique de maintien des classes moyennes indépendantes:

> *Das Glück des Schweizerlandes ruht nicht auf möglichst hohen Exportziffern und einer möglichst zahlreichen Bevölkerung. Lieber weniger, aber ökonomisch gut situierte Menschen, als ein zahlreiches Arbeiterproletariat [...] «Erhaltung der selbständigen Leute», das muss die Devise werden, mit welcher wir den Kampf aufnehmen wollen*[109].

La Confédération doit par conséquent protéger le marché intérieur au profit des producteurs nationaux actifs dans l'agriculture, les arts et métiers et l'industrie.

Sur la base de valeurs politiques pour le moins différentes, Laur poursuit ainsi la même stratégie que le mouvement ouvrier. Au moyen d'une idéologie qui revalorise le paysan, il cherche à forger une conscience de classe qui doit permettre à l'USP de sublimer ses contradictions internes et d'engager une lutte efficace contre les autres acteurs socio-économiques[110]. En liant protectionnisme agricole et devenir de l'Etat, il réussit en outre à légitimer la défense des intérêts des élites agricoles au nom de l'intérêt général.

Devenir une force politique organisée et cohérente qui est capable d'instrumentaliser efficacement les outils de démocratie directe, telle est donc la stratégie adoptée par l'USP afin de renforcer sa position au sein du champ étatique fédéral. Tout en forgeant sa force de frappe politique, l'association faîtière adopte un double langage vis-à-vis de l'axe CF-USCI. Certes, le *Paysan suisse* regorge d'un discours cherchant à établir un climat de confiance entre l'USP et le pouvoir en place. Défense de l'armée, promotion d'un nationalisme étroit, lutte contre le socialisme, attitude de méfiance vis-à-vis d'une politique sociale, autant d'options susceptibles de plaire au patronat industriel alors aux prises avec la montée du mouvement ouvrier. Mais, simultanément, la menace est sans cesse utilisée pour maintenir la pression. La révision du tarif des douanes est ainsi conditionnée à une prise en compte des intérêts agricoles:

> *Un tarif qui a pour lui la majorité de nos conseils sera toujours accepté par le peuple, si l'agriculture lui donne son appui. Il ne faut pas surestimer l'influence des soi-disant consommateurs [...] Mais toute autre sera la situation, si on rend impossible à l'agriculture d'appuyer le tarif*[111].

109 *Ibidem*, pp. 14/15.

110 Sur le contenu et l'importance de l'idéologie développée par Laur, cf. Baumann, 1993, pp. 158-178; Gruner, 1956/2, pp. 332-334.

111 *PS*, juin 1902, «Le Conseil des Etats et le tarif douanier».

Des menaces politiques sont aussi articulées de manière récurrente lorsque les positions économiques de l'agriculture sont attaquées par les élites industrielles et commerçantes. Les épées de Damoclès suspendues au-dessus des têtes bourgeoises sont la formation de partis paysans, une démocratisation du pouvoir fédéral – élection du CF par le peuple, votation des traités internationaux par le peuple –, un changement du mode de scrutin pour les élections au CN et, en dernier recours, la menace d'une alliance rouge-verte.

Le double langage que l'USP adresse à l'axe CF-USCI est pratiqué de manière caricaturale à l'occasion de l'assemblée des délégués du 4 avril 1903. Le tarif douanier venant d'être voté par le peuple, il s'agit d'éviter que se reproduise la déconfiture subie par les milieux agricoles lors du renouvellement des traités de commerce au début des années 1890. Au cours de son intervention, le futur Conseiller fédéral vaudois Ernest Chuard[112] souffle plutôt le chaud en exprimant sa confiance envers l'axe CF-USCI:

> *J'ai dit que le Conseil fédéral avait fait la part à l'industrie en nommant les négociateurs des futurs traités de commerce, tandis que l'agriculture ne se voyait donner aucun représentant direct. Je crois néanmoins que nous pouvons avoir confiance. Les négociateurs ont reçu des instructions qui peuvent nous permettre de considérer l'expert industriel comme un mandataire restant fidèle à la ligne de conduite tracée le 15 mars par le peuple [...]*[113]

Par contre, Laur souffle le froid en livrant une anthologie de chantage politique:

> *Wird der Landwirtschaft bei den Handelsverträgen ihr wohlverdienter Anteil vorenthalten, so muss und wird ein erbitterter Kampf beginnen, der sich aber nicht nur auf dem Gebiete der Handelspolitik abspielen wird*[114].

En cas de démantèlement des acquis de l'agriculture, il propose toute une panoplie de rétorsions possibles. En matière de politique douanière, l'USP se

112 *Ernest Chuard-Pittet* (1857-1942) (VD), chimiste de formation, enseignant, assistant puis directeur du Laboratoire de chimie de la station viticole de Lausanne (1887-1907), directeur de l'Institut agricole (1903-1911), directeur de l'école cantonale d'agriculture (1911-1912), CdE (1912-1919), Cféd (1919-1928), CA de la «Société suisse d'assurance contre la grêle», des «Câbleries et tréfileries de Cossonay-Gare», de la «Caisse populaire d'Epargne et de Crédit» (1901-1912), membre de la Société suisse de surveillance (SSS) pendant la Première guerre mondiale, membre des comités des associations agricoles suivantes: Société vaudoise d'agriculture et de viticulture (président de 1900 à 1905), Fédération des Sociétés de laiterie de Vaud et Fribourg, FSASR (président 1906-1908), membre du comité central de l'USP (1907-1917), membre du comité directeur et vice-président de cette association (1917-1920), Cn radical (1907-1919), vice-président du Club de l'agriculture.

113 *Mitteilungen des Schweizerischen Bauernsekretariates*, Nr. 18, «Stenogramm der Verhandlungen der ordentlichen Delegiertenversammlung des Schweizer. Bauernverbandes vom 4. April 1903 im Grossratssaale in Bern», Bern, 1903, p. 16.

114 *Ibidem*, p. 25.

ferait le champion d'un système de double tarif. Alors qu'il garantirait des taxes minimales aux producteurs travaillant pour le marché intérieur, ce système entraverait la promotion de l'exportation industrielle. Afin d'acquérir un contrôle sur la diplomatie commerciale suisse, l'USP pourrait aussi proposer de soumettre tous les traités internationaux au référendum. Enfin, Laur envisage de relancer l'élection du CF par le peuple. Quant à Jenny, il agite le traditionnel épouvantail de l'alliance rouge-verte. De manière peu crédible, le président de l'USP se déclare prêt à oublier les invectives lancées lors de la campagne référendaire et à entamer une collaboration contre le capital international:

> *Nicht der krasse Egoismus soll unser Leitstern sein, sondern die Forderung der Gleichberechtigung aller. Auch wir haben es zu tun mit dem alten Feind, mit dem rücksichtslosen Walten der Kapitalmächte, welche in der modernen Zeit einen Sukkurs in der Bildungsaristokratie gefunden haben. Wir leben deshalb der zuversichtlichen Hoffnung, unsere Arbeiter werden sich der Einsicht nicht verschliessen dass ihr Heil nicht in der Bekämpfung des Bauernstandes liegt, dass sie damit sich ins eigene Fleisch schneiden, dass die Entwicklung unserer wirtschaftlichen Institutionen nur möglich sein wird durch gemeinsames Arbeiten von Bauer und Arbeiter. Wenn wir das Gleichgewicht den genannten feindlichen Mächten gegenüber herstellen wollen, so müssen wir unsere Volksrechte weiter ausbauen*[115].

Le message délivré par les élites agricoles de l'USP à l'axe CF-USCI est clair tout en étant apparemment ambivalent: nous sommes politiquement puissants grâce à notre organisation et à notre unité, nous sommes prêts à collaborer si vous nous accordez des concessions économiques suffisantes, nous sommes entre autres prêts à fonctionner en tant que bastion antisocialiste. Si vous adoptez une attitude intransigeante à notre égard, vous nous forcerez à adopter une attitude oppositionnelle et nous chercherons d'autres alliances politiques pour défendre nos intérêts.

De manière étonnante, l'axe CF-USCI-PRDS ne semble pas adopter une attitude hostile envers la constitution de l'USP, quand bien même le renforcement organisationnel des élites agricoles risque de déboucher sur un infléchissement de la politique économique fédérale contraire aux intérêts de l'industrie d'exportation. Pour comprendre cette attitude, il est nécessaire de prendre en compte le contexte politique. A la fin des années 1890, le patronat suisse est en effet confronté à la montée en force du mouvement ouvrier qui, en 1902, parvient à organiser une grève générale à Genève. Par ailleurs, les classes moyennes industrielles et artisanales se radicalisent et commencent à exiger une politique de restriction de la liberté du commerce et de l'industrie. Dans ce contexte, l'USP est probablement considérée comme un moindre mal politique. Autant le CF que l'USCI et le PRDS ont un intérêt à

115 *Ibidem*, p. 7.

l'instauration d'une organisation paysanne forte dirigée par des élites agricoles acquises à la conservation d'une société capitaliste.

Le souci du PRDS est d'éviter que le mécontentement des élites agricoles radicales s'accentue au point de provoquer la création de partis paysans. Dans ce cas de figure, le grand parti perdrait une majorité de sa clientèle rurale, ce qui aurait pour lui deux conséquences. A l'intérieur du PRDS, les rapports de force seraient modifiés au détriment de l'aile droite entrepreneuriale qui éprouverait alors plus de difficultés à maîtriser l'aile gauche favorable à une intervention sociale. Au sein de l'Assemblée fédérale, la situation hégémonique des radicaux pourrait être remise en question. Les milieux dirigeants du PRDS ont dès lors avantage à collaborer avec l'USP et à contenter les élites agricoles par quelques concessions.

Pour le Vorort de l'USCI, une collaboration politique avec l'USP est plus problématique, car elle implique des sacrifices économiques qui ne sont pas évidents à légitimer auprès de sa base, en particulier de son aile libre-échangiste. De toute évidence, le protectionnisme agricole exigé par l'USP ne peut que péjorer la compétitivité de l'industrie d'exportation suisse. Bien que la politique de crédit hypothécaire ne semble pas être une priorité de l'USP, la pression paysanne dans ce domaine, notamment en ce qui concerne les taux hypothécaires, risque de froisser les intérêts des élites bancaires. Toutefois, d'un point de vue politique, la création de l'USP constitue une véritable aubaine pour l'USCI. En cette fin de siècle, les tensions se multiplient en effet avec un CF encore composé en majorité de radicaux de gauche ouverts à des réformes sociales. Ceux-ci considèrent que l'intervention de la Confédération ne doit pas seulement profiter aux élites économiques, mais aussi aux classes moyennes et, dans une moindre mesure, aux milieux salariés. Après avoir été contrainte de recourir au référendum pour imposer ses vues dans le dossier de la Banque nationale (1897), l'USCI éprouve mille peines à se faire entendre dans le domaine de l'assurance maladie-accident. Des divergences apparaissent aussi quant au degré d'implication de l'économie privée dans la gestion des CFF, dont le rachat est entamé à partir de 1898. Dans ce contexte, une collaboration avec l'USP peut permettre à l'USCI de disposer d'une armée plébiscitaire efficace pour orienter l'intervention fédérale dans le sens de ses intérêts.

Or, l'évolution des rapports de force à l'intérieur de l'association favorise un rapprochement avec les élites agricoles. Décédé en 1900, Cramer-Frey est remplacé à la présidence de l'USCI par le magnat du coton Hans Wunderli-von Muralt[116]. Dès le début des années 1890, ce grand filateur prône une collaboration de la KGZ avec les milieux agricoles protectionnistes. Nommé directeur du Vorort, le secrétaire Alfred Frey[117] devient le personnage-clef de

116 *Hans Wunderli-von Muralt* (1842-1921) (ZH), cf. note 320, chapitre 4.
117 *Alfred Frey-Burger* (1859-1924) (AG/ZH), cf. note 318, chapitre 4.

l'USCI au sein du champ étatique fédéral. Il «hérite» des sièges de Cramer-Frey au CN et dans de nombreuses commissions d'experts. Contrairement à Cramer-Frey, resté fidèle à la fraction libérale, Frey intègre le groupe radical. Il se montre par ailleurs beaucoup plus tolérant que son prédécesseur vis-à-vis d'un protectionnisme douanier. A sa mort, en 1924, le *Paysan suisse* affirme que c'est le principal artisan de la constitution du bloc bourgeois-paysan qui disparaît:

> *Nous déplorons aussi sa mort. C'était à lui que l'industrie, les métiers et l'agriculture devaient leur entente dans les questions de politique douanière. Il était le plus éminent représentant de cette politique économique à laquelle notre pays doit sa prospérité [...] L'Union suisse des paysans a fait déposer sur sa tombe une couronne de lauriers portant l'inscription hautement méritée «A l'ami de l'agriculture»*[118].

Le changement de personnel de l'USCI s'accompagne d'un net renforcement de la tendance protectionniste au sein de l'association[119]. Restées jusqu'alors réticentes face à une politique protectionniste qui risquait de renchérir leurs matières premières, les industries des machines et de la chimie sont désormais partisanes d'une meilleure réciprocité douanière en faveur de leurs productions. Dans une requête adressée au CF, en 1900, la SGCI déclare:

> *Alle in der Schweiz fabrizirten Artikel sollen womöglich durch angemessene hohe Zollansätze geschützt werden, wie es alle unsere Nachbarstaaten seit Jahrzehnten tun oder es soll auf Reciprozität hingewirkt werden*[120].

Le changement d'attitude des industries d'exportation à la pointe du développement technologique s'explique par le souci de rentabiliser les capitaux investis, notamment dans la recherche de nouveaux produits. Elles craignent alors que le renouvellement des traités de commerce les prive de débouchés extérieurs. Pour prévenir cette éventualité, il leur paraît indispensable de se réserver le marché suisse, à titre provisoire en tout cas. L'industrie des chaussures et les producteurs de semi-fabriqués en soie réclament aussi une meilleure protection[121]. Plus surprenant encore est le virage amorcé au sein de certains bastions libre-échangistes du commerce. Sous l'impulsion du Conseiller national Carl Koechlin-Iselin[122], le BHIV renonce

118 *PS*, octobre 1924.

119 Signer, 1914, pp. 192-201.

120 AF, E 6351 (A)-/1, vol. 76, «Vorschläge der Schweizer Gesellschaft für chemische Industrie betreffend Abänderung des Gebrauchstarifs»; dans le même dossier figurent les PV des séances du comité du VSM des 2/6/13/27 février 1900 durant lesquelles la position de l'industrie des machines est débattue.

121 Face à l'intransigeance des producteurs d'étoffes, qui refusent tout renchérissement de leur matière première, le «Verein Schweizerischer Seidenzwirner» décide de quitter la ZSIG pour défendre ses intérêts de manière autonome; Niggli, 1954, pp. 56-58; Hauser-Dora, 1986, p. 362.

122 *Carl Koechlin-Iselin* (1856-1914) (BS), fils du CaE Alphons Koechlin-Geigy – fabricant de rubans et fondateur de la «Basler Handelsbank», cf. note 271, chapitre 3 –, neveu du

à une attitude libre-échangiste doctrinaire[123]. Même le commerce d'importation n'est plus unanime à défendre une politique libre-échangiste. Dans un communiqué publié dans la *NZZ*, le comité de l'association des grossistes de denrées coloniales – «Verband schweizerischer Grossisten der Kolonialwarenbranche» – adopte l'idée que la capacité de consommation suisse est déterminée par le potentiel de travail offert par l'économie. L'association s'engage par conséquent en faveur du nouveau tarif de combat[124].

Entre 1891 et 1900, l'idée libre-échangiste a donc encore cédé du terrain au sein des élites industrielles et commerçantes. Les dernières poches de résistance se situent à Genève, dont le commerce vit surtout des échanges avec les Zones, dans les régions horlogères de Neuchâtel et du Jura bernois, dans les grandes entreprises zurichoises de l'industrie de la soie et dans quelques milieux de la broderie. Cette évolution permet au Vorort, dont le pouvoir interne s'est notablement renforcé, de revendiquer pour la première fois la gestion d'une révision du tarif douanier. Le risque d'un éclatement de l'USCI, en raison des contradictions douanières intestines, est désormais limité. Par ailleurs, l'apparition de l'USP oblige les élites industrielles et commerçantes à constituer un front uni face à cette concurrence qui cherche à investir le champ douanier. Lors de la séance de la Chambre suisse du commerce du 28 avril 1899, le feu vert est donné au Vorort. Le lendemain, l'assemblée des délégués entérine la décision sans qu'une opposition se manifeste. Durant la révision du tarif et la négociation des traités de commerce, le Vorort cherchera à mener une politique de consensus avec les élites agricoles tout en essayant de limiter les concessions économiques au strict nécessaire[125].

Cn Rudolf Geigy-Merian – industriel de la chimie, cf. note 184, chapitre 4 –, dirigeant dans l'entreprise de chimie multinationale de son oncle, CA de l'«Elektrizitätgesellschaft Alioth» (1895-1907), «Floretspinnerei Angenstein» (1894-1913), de la BNS (1906-1907), membre du comité (1896-1906) puis président du BHIV (1906-1913), membre du comité du «Handwerker- und Gewerbeverein Basel» (1897-1903), membre de la Chambre suisse de commerce (1907-1913), Cn de tendance libérale-conservatrice (1897-1902).

123 Jusqu'alors réfractaire à toute entorse faite au libre-échange, le BHIV se divise désormais sur les options douanières à défendre; alors que Geigy-Merian continue de s'opposer à la politique de combat du CF, son neveu Koechlin la défend; l'association adopte dès lors une attitude plus nuancée que par le passé; Henrici, 1927, pp. 133-136.

124 *NZZ*, Nr. 71, 12. März 1903, «Zolltarif-Referendum»; le contenu de la déclaration est le suivant: *«1) Als Vertreter des Importhandels ist es unser erstes Augenmerk, da, wo die inländische Produktion nicht gleichwertigen Ersatz bietet, dem Inlandkonsum die Produkte des Auslandes in bester und billigster Form zuzuführen. Von diesem Standpunkte aus müssten wir Front machen gegen jede Zollerhöhung. 2) Dieser ausschliessliche Interessenstandpunkt kann aber für uns nicht einzig entscheidend sein; denn gerade so wichtig wie die gute Lebenshaltung unserer Bevölkerung ist die Erhaltung ihrer Arbeitskraft und Arbeitsgelegenheit. Die letztere bedingt die erstere [...]»*

125 Zimmermann, 1980, p. 146.

Le CF ne voit pas non plus d'un mauvais œil la constitution de l'USP. D'une part, le Gouvernement partage les préoccupations politiques des élites industrielles et commerçantes concernant la montée en force du mouvement ouvrier. La majorité radicale est aussi sensible à la volonté du PRDS de maintenir la clientèle rurale en son sein. D'autre part, le CF favorise la création de l'association faîtière en fonction de certains intérêts propres. Comme nous l'avons vu, la période de 1895 à 1898 est marquée par une série d'échecs référendaires qui entravent la politique gouvernementale. Une USP forte peut permettre de quadriller la population paysanne protestante et catholique et d'enrayer ainsi l'opposition référendaire, à condition que l'association agricole adopte une position gouvernementale. Dans le cadre des tensions qui l'opposent à l'USCI, le CF peut espérer qu'un jeu de pouvoir à trois lui permettra de mieux tenir tête aux élites industrielles quant aux orientations de l'intervention fédérale. Certes, depuis la création du PRDS, en 1894, le radicalisme de gauche est en perte de vitesse. L'exacerbation de la lutte des classes fait fondre sa clientèle en radicalisant les salariés à gauche et les classes moyennes industrielles et paysannes à droite. Mais du fait de l'inertie qui caractérise l'évolution de la composition du CF, le courant progressiste du radicalisme est alors à l'apogée de son influence au sein du Gouvernement (Deucher, Hauser, Müller, Comtesse[126]). Enfin, le CF voit dans la création de l'USP et du Secrétariat paysan le moyen de mener une politique agricole plus efficace. La mise en place d'une statistique agraire doit permettre d'améliorer l'information économique à disposition pour conclure des traités de commerce et diriger la politique de subventions à l'agriculture.

Loin d'entraver l'organisation des milieux agricoles, le CF joue au contraire un rôle non négligeable dans la constitution et la consolidation de l'USP. La création d'un Secrétariat paysan est rendue possible par l'introduction rapide d'une subvention annuelle de 18 000 frs au budget. L'allocation conditionnelle de cette somme, qui est liée à l'entrée de la FSASR dans

126 La composition du CF est la suivante: *Walter Hauser-Wiedemann* (1837-1902) (ZH), cf. note 362, chapitre 4; *Josef Zemp-Widmer* (1834-1908) (LU), cf. note 362, chapitre 4; *Ernst Brenner-Sturzenegger* (1856-1911) (BS), cf. note 17, chapitre 6; *Adolf Deucher-Schneblin* (1831-1912) (TG), cf. note 362, chapitre 4; *Robert Comtesse-Matthey-Doret* (1847-1922) (NE), cf. note 132, chapitre 4; *Eduard Müller-Vogt* (1848-1919) (BE), avocat, maire de Berne (1888-1895), Cféd (1895-1919), Cn de l'aile démocrate du parti radical (1884-1895), se bat pour des réalisations sociales tout en favorisant la répression contre les milieux anarchistes; *Marc Ruchet-Hartmann* (1853-1912) (VD), avocat associé au Cféd Louis Ruchonnet – cf. note 6, chapitre 4 –, CdE (1894-1899), Cféd (1899-1912), CA du journal *La Revue* (1893-1899), des compagnies de chemins de fer «Suisse-Occidentale-Simplon» puis «Jura-Simplon» (1890-1899), conseil de surveillance de la «Banque cantonale vaudoise» (1881-1892), membre du comité de la SICVD (1882-1895), CaE de tendance radicale (1887-1893/1896-1899).

l'USP, n'est probablement pas due au seul souci d'une représentation équitable des différentes parties du pays. Le renforcement des élites agricoles romandes favorise une orientation politique gouvernementale de l'association faîtière. Par ailleurs, l'USP ne peut jouer son rôle référendaire que si l'ensemble de la paysannerie est quadrillé. Le CF contribue de même à la réalisation d'une unité au sein de l'USP. Durant la révision du tarif douanier, qui débute en 1898, le CF délègue des responsables de l'administration fédérale auprès de l'USP. L'objectif est de faciliter l'élaboration d'un programme douanier de compromis susceptible de contenter les différentes branches de la production agricole[127]. La principale pomme de discorde pouvant provoquer un éclatement de l'USP est ainsi éliminée.

Le CF accorde d'emblée une position privilégiée à l'USP dans le processus de consultation qu'il entretient avec les milieux économiques. Certes, le principal partenaire demeure l'USCI, mais une étroite collaboration se développe entre la Division de l'agriculture (DFIAC), la Division du commerce (DFIAC), les instances dirigeantes de l'USP, le Secrétariat paysan et la Division d'agriculture de l'EPFZ. Cumulant les fonctions de directeur de l'USP, de chef du Secrétariat paysan, d'enseignant à l'EPFZ et d'expert auprès de l'administration, Ernst Laur s'impose comme l'homme-clef de cette collaboration. La position de force alors acquise par le «roi des paysans», avec la bénédiction du CF, lui permet de mener une politique autoritaire au sein du monde agricole. La légitimité acquise facilite en effet la mise au pas de la base derrière les grandes options stratégiques définies par les élites à la tête de l'association. En fait, le comité central et l'assemblée des délégués ne font qu'entériner la politique élaborée par Laur et le comité directeur.

6.2. Vers le bloc bourgeois-paysan des trois associations faîtières: l'axe douanier USCI-USP-USAM (1898-1914)

La révision douanière qui s'étale de 1899 à 1902[128] est le creuset de la constitution du bloc bourgeois-paysan des associations faîtières. Clef de voûte de la collaboration entre élites industrielles et agricoles interventionnistes, dès 1884, la politique douanière demeure le lieu de marchandage commercial et

127 Baumann, 1993, pp. 147-150; les responsables de l'administration fédérale sont également en contact permanent avec l'USCI et l'USAM, afin de coordonner l'enquête lancée par le CF auprès des trois associations faîtières.

128 La révision douanière de 1902 est certainement la période de la politique douanière suisse la plus étudiée; Müller, 1966, pp. 123-193; Signer, 1914, pp. 165-247; Baumann, 1993, pp. 147-196; von Steiger, 1933, pp. 20-93; Dérobert, 1926, pp. 80-87; Lampenscherf, 1948, pp. 72-76; Schmidt, 1914, pp. 201-210; Vogel, 1966, pp. 131-142.

fiscal par excellence. Les termes économiques d'une collaboration politique continuent d'y être négociés. En fonction du contexte politique qui vient d'être évoqué, l'axe CF-USCI est poussé à intensifier le dialogue avec les milieux producteurs agricoles et artisanaux. Mais il serait faux de croire que la collaboration au sein de ce noyau dur du pouvoir se fait sans heurt. Le rapport de force demeure et chacun tente de tirer la couverture à soi, sans pour autant le faire de manière à ce qu'elle se déchire. Tout en s'alliant contre l'ennemi commun, qui est le salarié libre-échangiste, l'USCI, l'USP et l'USAM se font une concurrence impitoyable au sein des lieux de pouvoir du champ douanier.

Les objectifs fiscaux et financiers de la révision sont par ailleurs l'objet d'un conflit latent entre le CF et les associations faîtières[129]. Emmenées par l'USCI, celles-ci ne veulent pas d'un gonflement trop important des revenus douaniers qui permettrait de financer des assurances sociales. En outre, elles exigent que la charge douanière soit déplacée massivement des matières premières et des produits de consommation – sucre, tabac, café – vers les produits agricoles et industriels indigènes, dans le but de servir des objectifs de combat et de protection. Plus sensible aux intérêts des classes moyennes et salariées, le CF cherche à se réserver une marge de manœuvre financière pour promouvoir une intervention sociale, notamment l'assurance maladie-accident qui est alors en chantier. Le CF doit par ailleurs faire face à l'augmentation régulière du budget. Une loi sur le subventionnement de la scolarité obligatoire est notamment acceptée par le peuple en 1902. Quant aux ressources financières à exploiter, le CF est lui-même divisé[130]. Emmenée par le responsable du DFFD Hauser, qui s'oppose à un nouvel accroissement de la charge douanière, une minorité estime que le surplus de recettes doit être cherché dans un nouvel impôt. La majorité du CF, à la tête de laquelle se place le chef du DFIAC Deucher, est favorable à un accroissement des revenus douaniers tout en refusant un transfert trop important de la charge vers la population salariée des villes.

6.2.1. Révision tarifaire de 1902: concessions aux protectionnismes agricole et industriel

La révision du tarif douanier, qui est à la fois un lieu de convergence et d'affrontement entre les intérêts divergents du bloc bourgeois-paysan en voie de

129 Sur les enjeux financiers de la révision, Guex, 1993, pp. 109-154; Müller, 1966, pp. 145/181-182/224-228; von Steiger, 1933, p. 68.

130 Les divergences du Gouvernement sur le transfert de la charge douanière sont flagrantes dans les PV du CF consacrés à la discussion du projet de tarif; AF, E 6351 (A)-/1, vol. 77; cf. également Henrici, 1927, p. 135.

constitution, est l'objet d'une réflexion commune quant à son organisation. Le 25 février 1899, soit cinq ans avant l'échéance des traités de commerce en vigueur, une conférence est réunie par le CF pour fixer la procédure à suivre[131]. En dehors des représentants des deux départements concernés – Deucher (DFIAC) et Hauser (DFFD)[132] – les présidents des trois grandes associations faîtières sont présents – Cramer-Frey (USCI), Jenny (USP) et Scheidegger (USAM). D'emblée, les associations représentant les consommateurs (USC) et les ouvriers (USS et AB) sont ainsi écartées. Suite à cette consultation, les contours de la procédure de révision sont tracés par le CF lors de sa séance du 28 février 1899[133]. Contrairement à la tradition en vigueur depuis la création de l'Etat fédéral, ce n'est pas le DFFD qui est chargé de diriger la manœuvre, mais le DFIAC. En collaboration avec les associations faîtières et le DFFD, la Division du commerce établit un programme de révision et un questionnaire d'enquête visant à standardiser les réponses qui lui seront adressées par ses quatre partenaires. Après avoir agrégé les intérêts divergents en leur sein, l'USCI, l'USP et l'USAM doivent livrer leurs desiderata jusqu'au premier juin 1900. Les revendications doivent porter sur le système de tarif, le niveau du tarif général, celui du tarif d'usage, le trafic de perfectionnement, etc.[134] A l'instigation de Hauser, il est décidé que les considérations d'ordre fiscal ne doivent pas être abordées.

Discutée lors de la séance de consultation des associations, l'idée de confier la direction de la révision douanière à une commission d'experts extra-parlementaire – la proposition est issue de la KGZ – n'est cependant pas adoptée par le CF:

> *Die in den bisherigen Konferenzen sorgfältig erwogene Hauptfrage, ob nicht vom Bundesrat sofort eine Kommission zum Zwecke der Einleitung und Durchführung der ganzen Enquête eingesetzt werden sollte, ist mit Rücksicht auf die grosse Schwierigkeit einer allseitig befriedigenden Zusammensetzung einer solchen Kommission verneint worden*[135].

Le Gouvernement n'exclut toutefois pas de faire appel, plus tard, à une telle commission qui pourrait aplanir les divergences existantes entre les trois associations faîtières. En procédant de la sorte, il attribue aux trois organisations une place privilégiée dans le processus législatif, tout en refusant de

131 Les traités avec les pays de la Triple Alliance peuvent être dénoncés dès la fin 1902, avec une année de délai; au pire des cas, la Suisse pourrait être privée des traités de commerce à tarif à la fin de l'année 1903.

132 Contrairement à ce qui s'était passé lors de la révision de 1891, le DFAE n'est pas partie prenante; ce changement est dû au passage de la Division du commerce au DFIAC.

133 AF, E 6351 (A)-/1, vol. 76, «PV du CF du 28 février 1899».

134 Une ébauche de programme figure in AF, E 6351 (A)-/1, vol. 76, «Lettre de Deucher aux associations faîtières du 1er mars 1899».

135 AF, E 6351 (A)-/1, vol. 76, «PV du CF du 28 février 1899».

franchir un pas supplémentaire en leur déléguant l'élaboration du projet de tarif[136]. Le CF se réserve ainsi une marge d'autonomie plus conséquente pour imposer son point de vue, en particulier dans le domaine financier.

Un dernier élément de la procédure de révision mérite d'être souligné. Durant la période d'élaboration des requêtes par les associations faîtières, une collaboration étroite est instaurée entre celles-ci et l'administration des départements concernés:

> *In der erwähnten Konferenz ist es auch für zweckmässig erachtet worden, dass während der Ausführung der Enquête eine Fühlung zwischen der beteiligten eidgenössischen Departementen und den Enquêteorganen bestehe. Zu diesem Zwecke sollten Abteilungsbeamte an allen Vorstandssitzungen und Konferenzen teilnehmen können, in welchen die Organisation der Enquête und der Berichterstattung beraten, Privatinteressen oder Experten einvernommen, Gegensätze erötert und die Desiderien zu Handen des Bundesrates festgestellt werden*[137].

Les associations faîtières, qui sont en réalité des groupes d'intérêts privés, reçoivent ainsi le statut d'annexes de l'administration fédérale. Par ailleurs, leur participation au processus législatif n'est plus «filtrée» par une autorité élue démocratiquement, puisque le CF autorise les fonctionnaires à entrer directement en contact avec elles. Certes, l'objectif de la mesure peut paraître louable, car il s'agit d'améliorer l'efficacité de la procédure d'élaboration du projet de tarif, mais sa légitimité démocratique pose problème. Le choix des collaborateurs issus du privé, déjà problématique, parce que livré à l'arbitraire du CF, est en partie abandonné à la compétence de fonctionnaires qui ne sont pas élus. La conséquence de la nouvelle procédure mise en place est que la première phase de l'élaboration du nouveau tarif échappe largement à un contrôle du pouvoir démocratique. Elle est abandonnée à l'administration et à des associations organisées et fonctionnant de manière autoritaire, sous la domination d'élites économiques. La volonté populaire au sein du champ douanier est ainsi restreinte.

A l'intérieur des associations faîtières, les procédures utilisées afin d'agréger les intérêts de la base divergent sensiblement. L'USCI adopte la démarche la plus démocratique, mais aussi la plus longue. En juillet 1899, l'enquête interne est lancée auprès des associations-membres par une circulaire du Vorort. Sur la base des résultats de la consultation écrite, des conférences de conciliation sont organisées entre les intérêts divergents afin de parvenir à une taxation consensuelle. En mars 1901, le Vorort adresse un projet de tarif au DFIAC[138]. Il est intéressant de constater que la taxation du bétail

136 Ce pas supplémentaire sera franchi lors de l'élaboration du tarif d'usage de 1921; Humair, 1990, pp. 143-150.

137 AF, E 6351 (A)-/1, vol. 76, «Lettre de Deucher aux associations faîtières du 1er mars 1899».

138 AF, E 6351 (A)-/2, vol. 48, «Entwurf zu einem schweizerischen Zolltarifgesetz».

n'est pas traitée, ce qui doit probablement être interprété comme un geste d'apaisement envers les élites agricoles de l'USP. En août 1901, soit avec une année de retard sur le délai fixé par le DFIAC, le Vorort envoie une requête définitive motivant ses propositions[139]. Estimant que l'économie suisse devra faire face à un durcissement de la politique commerciale internationale, le Vorort veut améliorer l'efficacité de la politique de combat helvétique. La conclusion de bons traités de commerce, qui reste l'objectif prioritaire de l'association faîtière, nécessite une hausse de la taxation et une plus grande spécialisation du tarif général – accroissement du nombre de positions. L'USCI refuse un tarif double à la française qui nuirait à l'ouverture des marchés internationaux.

En proposant un tarif renforcé, le Vorort est conscient d'aller au-devant de difficultés politiques, un nouveau référendum des milieux libre-échangistes étant à craindre. Pour pallier cet inconvénient, les dirigeants de l'USCI proposent de réformer le processus législatif:

> *Après ratification des traités de commerce à tarifs ou d'autres conventions de politique douanière avec l'étranger, modifiant le tarif général des douanes suisses, l'Assemblée fédérale arrêtera le tarif d'usage sur la proposition du Conseil fédéral. Dans ce tarif, les droits des rubriques du tarif général restées en dehors des conventions avec l'étranger devront être réduits de manière à favoriser l'économie nationale. Le Conseil fédéral peut faire des propositions pour l'établissement du tarif d'usage, même dans le cas où il ne serait pas conclu avec l'étranger de traités à tarifs ou d'autres conventions douanières. Le Conseil fédéral choisira dans l'un et l'autre cas le moment où il présentera ses propositions. Toutefois, avant de prendre une décision à cet égard, il conférera verbalement avec des représentants des producteurs et des consommateurs, qu'il désignera lui-même, et qu'il consultera aussi sur le contenu de ses propositions*[140].

Même si la procédure décrite permet de modifier la loi sur le tarif des douanes en éludant le référendum, l'USCI se défend de poursuivre des objectifs antidémocratiques:

> *Der Vorschlag bezweckt also nicht im mindesten eine Verkümmerung bestehender Volksrechte; er will einzig und allein eine zweckdienliche Wahrnehmung der Landesinteressen während und nach den allfälligen Verhandlungen über Handelsverträge, sowie die Beseitigung einer unter Umständen höchst nachteiligen Schutzzöllnerei ermöglichen [...]*[141]

139 AF, E 6351 (A)-/2, vol. 48, «Begründung zum Entwurf eines schweizerischen Zolltarifgesetzes»; pour une analyse plus détaillée de cette requête, cf. Signer, 1914, pp. 190-203; Müller, 1966, pp. 127-131.

140 La version française de la proposition contenue dans la requête de l'USCI figure in FF, 1902, vol. 1, p. 400, «MCF concernant la révision de la loi sur le tarif des douanes (12 février 1902)».

141 AF, E 6351 (A)-/2, vol. 48, «Begründung zum Entwurf eines schweizerischen Zolltarifgesetzes», p. 17.

Que signifie la proposition de l'USCI? En donnant des pouvoirs accrus à l'AsF, le Vorort cherche à déplacer le centre de gravité du champ douanier à son avantage. Premièrement, le contrôle du peuple sur la forme définitive du tarif serait fortement réduit. La probabilité d'un référendum contre le tarif général serait diminuée, car il n'y aurait plus beaucoup de sens à contrecarrer une tarification appelée à subir d'aussi profondes modifications ultérieures. En outre, le camp libre-échangiste pourrait être divisé. La garantie de pouvoir adapter le tarif d'usage issu des négociations désamorcerait l'opposition de certaines industries d'exportation envers un tarif de combat musclé – horlogerie, broderie, soie[142]. Le tarif général pourrait ainsi être élaboré sans tenir compte de la pression des milieux salariés libre-échangistes. Par ailleurs, le tarif d'usage définitif pourrait être fixé à la baisse sans que les milieux protectionnistes puissent s'y opposer par un référendum. Certes, le Vorort devrait tout de même tenir compte de ses alliés du bloc bourgeois-paysan, mais sa marge de manœuvre entre menaces référendaires protectionnistes et libre-échangistes serait notablement améliorée. Deuxièmement, l'influence du CF sur le tarif d'usage serait réduite. Dans le système en place, le Gouvernement a tout loisir de fixer la taxation définitive à travers les négociations. Les Chambres ne peuvent que ratifier ou refuser en bloc les modifications. La marge de manœuvre du CF pour fixer la hauteur des revenus douaniers et la répartition de la charge est de ce fait importante. En cas d'acceptation de la proposition de l'USCI, l'autonomie du CF serait limitée au profit des Chambres et des associations faîtières. Grâce à son influence au sein du législatif, qui est alors plus importante qu'au CF, l'USCI maîtriserait mieux encore la forme définitive du tarif d'usage. En s'appuyant tantôt sur les milieux protectionnistes, tantôt sur les libre-échangistes, l'association faîtière modèlerait la nouvelle loi à sa convenance.

La procédure autoritaire adoptée par l'USP a déjà été évoquée plus haut. Sans avoir consulté les sections, quatre commissions d'experts élaborent un programme douanier détaillé et consensuel qui est discuté par le comité directeur, puis par le comité central[143]. En novembre 1900, l'association faîtière agricole est la première à adresser les conclusions de son enquête au DFIAC[144].

142 Ces industries craignent notamment que la situation internationale débouche sur une impossibilité de renouveler les traités de commerce; dans cette hypothèse, le tarif général serait appliqué sans grande modification et pèserait lourdement sur le coût de la vie; des craintes de cet ordre sont formulées par le KDSG dans la requête adressée à l'USCI; AF, E 6351 (A)-/2, vol. 48, «Begründung zum Entwurf eines schweizerischen Zolltarifgesetzes», p. 13.

143 Les PV des séances figurent in Archives USP, PV des séances des organes dirigeants, vol. 1 et vol. 2.

144 AF, E 6351 (A)-/2, vol. 48, «Enquete zur Vorbereitung der künftigen Handelsverträge. Bericht des schweizerischen Bauernverbandes an das eidgenössische Handels-, Industrie- und Landwirtschaftsdepartement [...]», Band 1: Allgemeiner Teil/Band 2: Spezieller Teil; une version française peut être consultée aux archives de l'USP: «Enquête en

Partagée entre la volonté d'ouvrir les marchés extérieurs à ses productions et l'ambition de se réserver le marché intérieur, l'USP hésite quant au système de tarif à adopter:

> *Les vœux de l'agriculture dans la question des tarifs douaniers concernent et notre exportation et la protection de notre marché intérieur. L'agriculture ne saurait être satisfaite par un libre-échange exclusif non plus que par un protectionnisme inflexible*[145].

Alors que certains prônent la mise en place d'un tarif double, qui garantirait une protection minimale dans la loi, d'autres ne veulent pas d'un système défavorable à la conclusion de traités de commerce. L'USP renonce donc à prendre position et c'est à titre personnel que Laur défend ses thèses auprès du DFIAC[146].

Relevant les faiblesses d'un tarif double, le leader paysan se prononce en faveur d'une adaptation du système en vigueur[147]. Alléguant un renforcement probable du protectionnisme agricole allemand et austro-hongrois, Laur est favorable à un durcissement de la politique de combat helvétique. Selon lui, le tarif général doit être fortement augmenté, de manière à suffire en cas de rupture commerciale. Afin de désamorcer le référendum, il soutient la procédure proposée par l'USCI:

> *Une décision dans ce sens briserait certainement l'opposition contre les droits de combat. L'acceptation du tarif général serait facilitée aussi bien par l'assemblée fédérale que par le peuple [...] La révision des traités donnerait-elle au fisc de trop fortes recettes on pourrait corriger ceci en réduisant certains droits fiscaux (par exemple sur le pétrole, le café, etc.)*[148].

Renforcement de la politique de combat et limitation de la marge de manœuvre financière du CF; sur ces points, l'USCI et l'USP sont sur la même

---

vue de la préparation des futurs traités de commerce. Rapport de l'Union suisse des paysans au département fédéral du commerce, de l'industrie et de l'agriculture [...]»; pour une analyse détaillée des revendications de l'USP, cf. Kupper, 1929, pp. 117-157; Signer, 1914, pp. 166-184; Müller, 1966, pp. 132-138.

145 Enquête..., 1900, p. 198; l'exportation agricole est évaluée à 11,5% de la production totale; l'enquête estime cependant que bon nombre de prix agricoles, notamment celui du lait, sont essentiellement dictés par les conditions d'exportation; *ibidem*, p. 205.

146 *Ibidem*, pp. 205-210.

147 Selon Laur, l'exemple français montre que le tarif minimum ne constitue pas une garantie absolue pour les milieux protectionnistes: la conclusion de traités nécessite parfois de descendre en dessous de certaines taxes du tarif minimum; par ailleurs, la diplomatie commerciale suisse serait affaiblie lors des négociations du fait que les concessions maximales pouvant être faites aux partenaires seraient d'emblée affichées; enfin, les modifications du tarif minimum pouvant être l'objet d'un référendum, cela reviendrait à soumettre les résultats de traités de commerce au peuple: «*Le double tarif étant soumis au référendum les modifications ultérieures du tarif minimum et par là même les traités de commerce seraient exposés au risque d'une votation populaire, ce qui présenterait de grands inconvénients.*»; *ibidem*, p. 208.

148 *Ibidem*, p. 209.

longueur d'onde. Il n'en est pas tout à fait de même pour l'élaboration du tarif d'usage:

> *Plus les droits de combat seront élevés et plus on aura de chances d'obtenir un tarif protecteur suffisant. Si les droits du tarif général sont à peu près à la limite des droits protecteurs, on peut être sûr que le tarif d'usage n'atteindra pas le taux du tarif protecteur projeté*[149].

Alors que l'USCI veut changer le processus législatif pour mieux pouvoir gérer les concessions protectionnistes, l'USP y voit un outil de promotion du protectionnisme agricole. Pour obtenir gain de cause, Laur exige la mise sur pied d'un tarif minimum secret par une commission d'experts extra-parlementaire composée de représentants des associations faîtières. Les taxes revues à la baisse durant les négociations commerciales ne devraient en aucun cas descendre au-dessous de ce seuil. En cas de besoin absolu, la commission serait consultée avant que le CF prenne une décision. L'AsF ne devrait pas non plus enfreindre cette barre fatidique. Enfin, le Secrétaire paysan exige que la prépondérance des élites industrielles et commerçantes au sein de la délégation qui mène les négociations soit atténuée:

> *Au cas où il ne serait pas possible d'accorder aux principaux groupes économiques une représentation convenable parmi les négociateurs, ceux-ci devraient être assistés de conseils pouvant assister constamment aux délibérations*[150].

Le tarif proposé par l'USP est largement inspiré des objectifs douaniers définis par les élites agricoles de la GSL: diminution de la taxation des matières premières et des outils de production (engrais, fourrages, machines, outils, etc.), promotion de l'exportation de produits laitiers et de bétail d'élevage, renforcement d'un protectionnisme sélectif portant sur les productions animales (bétail, viande, graisses, beurre, etc.). Malgré les pressions exercées par certains milieux agricoles de Suisse romande, une protection des céréales et des pommes de terre n'est pas revendiquée par l'USP[151]. Au contraire, pour des raisons tactiques, l'USP propose de supprimer la taxation sur ces produits de première nécessité. L'association faîtière pourra ainsi nier toute volonté de renchérir la vie des consommateurs. Par contre, le protectionnisme agricole est élargi à la viticulture:

149 *Ibidem*, p. 209.
150 *Ibidem*, p. 209.
151 Au nom de la très élitaire Société d'agriculture de Suisse romande, le Vaudois de Haller demande un droit de 3 frs/quintal sur l'avoine dans le but de favoriser une diversification de la production céréalière; le Neuchâtelois Bille demande quant à lui une protection de la culture de pommes de terre (2 frs/q); sur cette question, cf. *Mitteilungen des Schweizerischen Bauernsekretariates*, Nr. 15, «Protokoll der Delegierten-Versammlung des Schweizer. Bauernverbandes, Samstag den 22. Februar 1902 im Grossratssaale in Bern», Bern, 1902, pp. 33-40.

> *Nous avons dû faire un triste tableau de la situation de notre culture de la vigne. L'augmentation de nos droits d'entrée sur les vins est aussi une des principales revendications de notre programme [...] L'abandon de nos vignobles signifierait une perte de bien des millions pour notre fortune nationale et la ruine de nombreuses personnes indépendantes*[152].

En crise, les vignerons romands, jusqu'alors libre-échangistes, réclament en effet une protection[153]. La prise en compte de leurs revendications revêt une portée politique non négligeable. Il s'agit d'intégrer définitivement les élites agricoles romandes au sein de l'USP.

Pour atteindre ses objectifs douaniers, l'USP développe des stratégies fiscales et financières appropriées[154]. Concernant la question de la répartition de la charge douanière, l'USP affirme ses priorités:

> *Les besoins fiscaux de la Confédération devront être couverts par des droits purement fiscaux que si les recettes découlant des droits protecteurs nécessaires à notre production indigène ne suffisent pas. Il est possible de protéger davantage que jusqu'ici l'industrie et l'agriculture suisses contre la concurrence étrangère sans augmentation trop forte des recettes douanières. Les droits sur les sucres, le pétrole, le café, etc. ne sont justifiés aussi longtemps qu'il ne sera pas prélevé de droits protecteurs nécessaires à notre production nationale*[155].

Dans cette perspective, Laur propose de diminuer aussi les revenus douaniers sur l'alcool:

> *Der Bundesrat schlägt hier den bisherigen Ansatz von 20 Rp. für jeden Grad reinen Alkohols vor. Diese 20 Rp. haben dem Bunde jährlich etwa 900 000 Fr. eingetragen, welche das schweizerische Alkoholamt der Eidgenossenschaft zu bezahlen hat. Wir schlagen vor, diese 20 Rp. zu streichen, damit das Alkoholamt umsomehr Gewinn macht, was den Kantonen zu gute kommt. Das ist zwar nicht wegleitend für uns, sondern viel mehr der Gedanke, dass je mehr wir dem Bunde hier an Zoll entziehen*

152 Enquête..., 1900, pp. 217/218.

153 Les principales causes de la crise viticole évoquées par les milieux vignerons sont les maladies frappant le vignoble, une importation massive de vins étrangers – en particulier de vins d'Espagne bénéficiant d'une dépréciation du change espagnol de 35 à 40% –, une augmentation du coût de la main-d'œuvre (15-20%) et les tarifs de transport préférentiels dont bénéficient les vins étrangers; Martinet, 1901, pp. 30-37; cf. également les discours tenus par les Conseillers nationaux Chuard et Fonjallaz lors des assemblées des délégués de l'USP en 1902 et 1903; *Mitteilungen des Schweizerischen Bauernsekretariates*, Nr. 15, «Protokoll der Delegierten-Versammlung des Schweizer. Bauernverbandes, Samstag den 22. Februar 1902 im Grossratssaale in Bern», Bern, 1902, pp. 24-27 (Fonjallaz); *Mitteilungen des Schweizerischen Bauernsekretariates*, Nr. 18, «Stenogramm der Verhandlungen der ordentlichen Delegiertenversammlung des Schweizer. Bauernverbandes vom 4. April 1903 im Grossratssaale in Bern», Bern, 1903, pp. 11-17 (Chuard).

154 Sur la politique financière de l'USP, cf. Mani, 1928; Geyer, 1934, pp. 205-206/230-234; Guex, 1993, pp. 133-134; Leuthold, 1937, pp. 72-73; Humair, 1990, pp. 87-89; Humair, 1992, pp. 219-241.

155 Enquête..., 1900, p. 212.

> *können, er sich umsomehr genötigt sieht, auf andern, für uns wichtigern Positionen, die Zölle zu erhöhen*[156].

Outre un déplacement de la charge fiscale vers les productions suisses écoulées sur le marché intérieur, l'USP poursuit un second objectif inavouable dans l'enquête, à savoir maintenir une dépendance maximale des finances de la Confédération vis-à-vis de la taxation douanière. En refusant l'introduction de tout impôt nouveau – monopole du tabac, imposition directe sur la fortune et le revenu, impôt sur les successions, etc. –, les élites agricoles conservent des conditions financières optimales à un accroissement du protectionnisme agricole. En règle générale, l'USP ne sera d'accord de déroger à ce principe que lorsque l'introduction d'un nouvel impôt servira directement les intérêts de l'agriculture. Dès 1899, l'USP propose ainsi l'introduction d'un impôt sur la bière, qui devrait favoriser la consommation de vin et de cidre[157].

A la suite du passage de sa section Vorort de Zurich à Berne, en 1897, l'USAM adopte une attitude plus revendicative en matière de politique douanière. Cette réorientation se lit dans la requête adressée au DFIAC en mars 1901[158]. Alors que la section zurichoise s'était contentée de rester dans le sillage de l'USCI pour ramasser les restes de sa politique de combat, la section bernoise condamne la politique de Cramer-Frey et accuse ce dernier d'avoir négligé les arts et métiers au profit de l'industrie d'exportation. A l'instar de l'USP, l'USAM exige donc une meilleure prise en compte de ses intérêts. Pour légitimer ses revendications, l'association faîtière fait valoir plusieurs arguments. Sur le plan économique, elle tente de prouver l'importance de la petite et moyenne entreprise. Ses efforts se heurtent toutefois aux carences de la statistique de la production en Suisse[159]. L'association faîtière prétend par ailleurs qu'une meilleure exploitation du marché intérieur permettrait de rééquilibrer la balance commerciale. Au moment où certains économistes imputent la faiblesse du change suisse au développement

156 *Mitteilungen des Schweizerischen Bauernsekretariates*, Nr. 15, «Protokoll der Delegierten-Versammlung des Schweizer. Bauernverbandes, Samstag den 22. Februar 1902 im Grossratssaale in Bern», Bern, 1902, pp. 44-45; cette proposition, qui sera appelée «Beutezuglein», passera la rampe des Chambres fédérales avec le soutien des milieux fédéralistes; Müller, 1966, p. 159.

157 Meierhans, 1922, p. 81.

158 AF, E 6351-/2, vol. 48, «Bericht und Anträge des Schweizerischen Gewerbeverein betreffend die Handelsverträge und den Zolltarif».

159 Adressée en août 1900, une annexe de l'enquête intitulée «Ueber die Produktion und volkswirtschaftliche Bedeutung der schweizerischen Gewerbe» se plaint de l'absence d'une statistique sur les arts et métiers; certainement exagérées, les estimations de l'USAM prétendent que les arts et métiers emploient le tiers de la population active, que la production s'élève à 1,1 milliard de frs et que la masse salariale versée correspond à 340 mios; ces chiffres figurent à la page 21 de cette annexe.

exagéré des importations, ce dernier argument n'est peut-être pas dénué de tout poids auprès des élites économiques qui ne sont toujours pas parvenues à instaurer une Banque centrale capable de mener une politique monétaire de stabilisation du franc suisse[160]. Sur le plan politique, l'USAM développe un discours proche de celui de l'USP:

> *Die Kleinbetriebe ermöglichen dem strebsamen Menschen vielfach noch eine selbständige Existenz, sie stärken also das lebenskräftigste Element, welches unserm demokratischen Staatswesen besser als eine grosse Zahl abhängiger Fabrikarbeiter entspricht*[161].

Les classes moyennes industrielles doivent être maintenues en nombre, car ce bastion antisocialiste est le pilier de la démocratie helvétique. Il est par conséquent nécessaire de leur apporter la protection douanière dont elles ont besoin afin de faire face à la forte concurrence étrangère.

La procédure de consultation adoptée par l'USAM est à mi-chemin entre celles de l'USCI et l'USP. Les 126 sections de l'association ainsi que des associations et des industriels extérieurs sont consultés pour réunir le matériel nécessaire. Des séances de consultation sont ensuite organisées sous la direction d'un membre du comité central[162]. Sur la base de ces discussions, le coordinateur élabore des propositions qui sont soumises au comité directeur puis au comité central, avant d'être transmises au DFIAC. Bien que la protection du marché intérieur soit sa priorité, l'USAM renonce d'emblée à

160 Cette thèse est défendue par un vétéran de la cause protectionniste, Henry Gautschy; l'USP la développe aussi dans sa requête; elle n'est toutefois pas le fait exclusif des milieux ayant intérêt à une restriction de l'importation, car son principal défenseur n'est autre que le secrétaire du BHIV, Traugott Geering; dans deux discours prononcés en 1897 et 1898, lors d'assemblées de la Société suisse de statistique, Geering lance un cri d'alarme: «*Soviel steht fest, und es fragt sich nun, ob die Schweiz einen Passivsaldo ihres Warenverkehrs im Betrage von jährlich 300-350 Millionen Franken, d. h. Fr. 100 pro Kopf ihrer Bevölkerung, aus den Überschüssen der übrigen laufenden Aktiva über die Passiva zu decken im stande ist oder nicht. Ich glaube das nicht und finde die Bestätigung dafür in dem ungünstigen, von Jahr zu Jahr sich verschlechternden Stande unserer auswärtigen Wechselkurse.*»; Geering, 1898, p. 3; en 1898, Geering publie également un article sur la question dans les *Schweizerische Blätter für Wirtschafts- und Sozialpolitik*, qui fait l'objet d'une réponse d'un opposant à la théorie de Geering; Eggenberger, 1898.

161 AF, E 6351-/2, vol. 48, «Bericht und Anträge des Schweizerischen Gewerbeverein betreffend die Handelsverträge und den Zolltarif», p. 11; dans un discours prononcé lors de l'assemblée des délégués, le 25 juin 1899, le deuxième secrétaire de l'USAM, Boos-Jegher, s'exprime en ces termes: «*Wo liegt unsere Interessensphäre? Vielleicht im Socialismus? Nein! Sind auch seine auf die Milderung und Beseitigung menschlichen Elends gerichteten Tendenzen gerechtfertigt, so sind es doch gewisse Mittel nicht, durch die er diese Tendenzen zu verwirklichen sucht – so die Verstaatlichung der Produktionsmittel. Der Kollektivismus tödtet die individuelle Initiative – einer verlässt sich auf den andern.*»; Archives USAM, PV de l'assemblée des délégués du 25 juin 1899.

162 Il s'agit d'Eduard Boos-Jegher (1855-1928) (ZH), cf. note 521, chapitre 4.

proposer un système de tarif double. Elle revendique par contre une protection accrue permettant de compenser les désavantages concurrentiels auxquels les arts et métiers helvétiques seraient confrontés – temps de travail réduit, salaires plus élevés, charges provenant de la loi sur la responsabilité civile (accidents de travail). A l'image des précédentes révisions, l'USAM filtre les revendications des sections, jugées parfois exagérées. Elle peut le faire sans être soumise à la pression de son aile ultra-protectionniste, puisque le comité d'Olten n'est pas réactivé lors de la révision de 1902. Pour que les concessions acquises dans le tarif général ne soient pas laminées au cours des négociations commerciales, l'USAM propose les mêmes mesures que l'USP: tarif minimum secret et participation accrue aux pourparlers. Enfin, l'USAM revendique une diminution de la charge douanière pesant sur les matières premières et les semi-fabriqués utilisés par les arts et métiers. Dans ce domaine, les anciens tarifs ont fait la part belle à la grande industrie et à l'agriculture. Les intérêts du cordonnier, du tailleur et du confiseur ont été sacrifiés aux producteurs de cuir, de tissus et de miel. Pour cette raison, l'USAM est aussi favorable à une modification du tarif d'usage après la conclusion des traités de commerce. La protection des produits artisanaux ne devrait toutefois pas être abaissée lors de ce «lifting».

Alors que le délai accordé aux trois associations faîtières courait jusqu'en juin 1900, le DFIAC reçoit les derniers éléments de l'enquête en octobre 1901. Sur cette base, un recueil des différentes propositions est constitué[163]. Contrairement à ce qui avait été envisagé au début de la révision, le DFIAC renonce à l'instauration d'une commission d'experts chargée de réaliser un projet de tarif consensuel. Il est probable que cette solution aurait par trop réduit la marge de manœuvre du CF. Par contre, des conférences d'experts sont organisées pour tenter de résoudre les divergences d'intérêts entre certaines branches de production. Un rapport, daté d'octobre 1901, signale des oppositions concernant les catégories suivantes: bois, cuir, papier, farine, sucre, bétail[164].

La procédure choisie par le DFIAC est loin de faire l'unanimité. En raison de sa faiblesse politique aux Chambres, l'USAM craint d'être à nouveau le parent pauvre de la révision. D'autant plus que de nombreuses divergences l'opposent à l'USCI – 134 positions du tarif. Le comité directeur cherche par conséquent à relancer l'idée d'une négociation entre associations faîtières permettant une meilleure prise en compte des intérêts de l'artisanat. Face au refus des autorités fédérales, des contacts sont noués avec l'USP, dans le but d'arriver à une entente informelle. L'offre est cependant

163 AF, E 6351 (A)-/2, vol. 48, «Zusammenstellung der Begehren betreffend die Revision des schweizerischen Zolltarifs».
164 AF, E 6351 (A)-/2, vol. 76, «Rapport du DFIAC au CF, octobre 1901».

rejetée poliment par Laur[165]. Le Secrétaire paysan préfère instaurer des relations privilégiées avec Frey, le directeur de l'USCI. Certes, les têtes pensantes des élites industrielles et agricoles ne concluent pas d'accord formel sur les modalités d'un soutien mutuel, mais elle passent un contrat de confiance dont les termes sont rappelés par Laur dans une lettre adressée en 1913 à Frey, durant la polémique sur la taxation de la viande:

> *Es ist richtig, dass eine ausdrückliche Verständigung oder gar ein vertragsähnliches Aktenstück zwischen uns nicht bestanden hat. Wir konnten und wollten deshalb mit dem Wort «Treuebruch» auch nicht sagen, dass Sie bzw. die Industrie ein ausdrücklich gegebenes Versprechen gebrochen hätten, sondern das Sie nicht hielten, was wir von Ihnen zu erwarten uns berechtigt hielten*[166].

Lors d'une séance de la Chambre suisse de commerce, Frey parle quant à lui d'un accord tacite, de cas en cas, sur le tarif général.

Après avoir élaboré un projet de tarif sur la base des enquêtes et des conférences de conciliation, le DFIA doit encore consulter le DFFD. Après modifications, le projet est enfin transmis au CF qui ne se contente pas de le ratifier. Du 27 janvier au 12 février 1902, plusieurs séances sont consacrées à une refonte du tarif[167]. Les denrées alimentaires et les produits agricoles sont discutés dans le détail. Hauser (DFFD), qui s'oppose à un accroissement de la charge imposée aux consommateurs, propose des baisses substantielles sur ces positions. Emmenée par Deucher (DFIAC), la majorité du CF vote des taxes à mi-chemin entre le projet et les propositions du Zurichois, notamment sur le bétail[168]. Quelques positions industrielles sont aussi revues à la baisse. Si le CF atténue le caractère protectionniste et combatif du tarif général, il lui donne une couleur fiscale plus prononcée. Alors que le projet du DFIAC proposait de libérer la majeure partie des matières premières, le CF décide de maintenir une taxation de ces positions. Il augmente par ailleurs la taxe sur le vin de 12 à 15 frs.

Publié le 12 février 1902, le message accompagnant le projet de tarif résume bien la stratégie du CF[169]. Face à l'offensive des trois associations faîtières, la majorité radicale de gauche du CF tente d'endiguer leurs revendications en défendant le statu quo:

> *Dans les conditions existant en Suisse, le système actuel, malgré ses défauts indéniables, nous paraît le seul pratique*[170].

165 Archives USAM, PV du comité directeur, 24 octobre, 13/27 novembre 1901.
166 Cité in Baumann, 1993, p. 240.
167 AF, E 6351 (A)-/1, vol. 77, «PV du CF des 27/29/30/31 janvier 1902 et 3/6/12 février 1902».
168 Les taxes sur le bétail sont diminuées de façon suivante: bœufs (50 à 35 frs); taureaux (50 à 40 frs); vaches (50 à 35 frs); jeune bétail (12 à 8 frs, 25 à 12 frs, 30 à 20 frs).
169 FF, 1902, vol. 1, pp. 393-534, «MCF concernant la révision de la loi sur le tarif (12 février 1902)».
170 *Ibidem*, p. 401.

Elle refuse notamment la possibilité de remanier le tarif d'usage après les négociations:

> *Nous n'envisageons pas ce système comme opportun. Abstraction faite des scrupules que l'on peut nourrir au point de vue constitutionnel, en éliminant le référendum par une loi, il est difficile d'admettre, en premier lieu, que le peuple adopte un tarif aussi élevé et une disposition législative lui enlevant de prime abord le droit d'exprimer son opinion sur le tarif d'usage autonome à élaborer ultérieurement*[171].

En matière commerciale, le Gouvernement concède une forte spécialisation du tarif en augmentant le nombre de positions de 476 à 1113. De plus, la majeure partie des taxes sont revues à la hausse (533 positions contre 93 à la baisse). Eu égard aux intérêts des consommateurs, le CF refuse toutefois de durcir trop la politique de combat:

> *De plus, nous ne reconnaissons pas la nécessité d'un tarif général extrême pour obtenir des concessions de l'étranger [...] Nous envisageons, à vrai dire, comme indispensable l'augmentation d'une grande partie des taux actuels vu l'élévation toujours croissante des tarifs étrangers, mais ne proposons, en principe, que des droits que nous pourrons supporter si les circonstances l'exigent*[172].

En cas de rupture des négociations commerciales, le CF se réserve la possibilité d'élaborer un tarif de rétorsion approprié.

En matière fiscale, la pression des associations faîtières et des milieux fédéralistes est si forte que le CF décide de nier l'évidence, à savoir la nécessité d'augmenter les revenus douaniers pour faire face à l'accroissement des besoins budgétaires:

> *Aucun motif fiscal ne nous a guidé, lors de la fixation des droits que nous vous proposons, sauf celui d'éviter une diminution par trop forte des recettes douanières [...] Nous sommes bien loin, par contre, de rechercher une augmentation de recettes douanières et aucune des élévations prévues ne l'est pour raison fiscale*[173].

Prétextant la difficulté d'estimer les effets financiers du futur tarif, le CF rompt avec la tradition jusqu'alors observée de donner l'augmentation de revenus que provoquerait une application du tarif général. Ce faisant, le CF se donne un véritable chèque en blanc tout en prétendant vouloir assurer le statu quo. La volonté de ne pas déclencher un débat autour des finances fédérales est confirmée par le soin mis à ne pas évoquer des enjeux fiscaux dans le message. Lors de sa séance du 12 février 1902, qui est consacrée à l'examen du message, le CF décide de tracer un passage contenant les termes *«aus fiskalischen Rücksichten»*[174].

171 *Ibidem*, p. 400.
172 *Ibidem*, p. 400.
173 *Ibidem*, p. 399.
174 AF, E 6351 (A)-/1, vol. 77, «PV du CF du 12 février 1902».

La publication du projet du CF déclenche de vives réactions. Loin d'être dupée par le discours du CF, la presse se focalise sur l'incidence financière importante du nouveau tarif[175]. Dans un article publié le 14 février déjà, le journal conservateur saint-gallois *Ostschweiz* dénonce les prétentions du CF en des termes virulents:

> *In einem ist der Entwurf freilich famos geraten, vom fiskalischen Standpunkte. Man hat das System der kleinen Schröpfköpfe mit einer wahren Virtuosität an allen Ecken und Enden angewendet, das System, das nirgends grosse, sondern nur kleine Kontributionen erhebt, dafür aber überall [...] Möchten die Handelsverträge ausfallen, wie sie wollen, mit diesem Tarife wird der Bund jährlich eine ganz schöne Anzahl Millionen mehr einnehmen*[176].

La grande presse libérale – *Gazette de Lausanne*, *JdG*, *NZZ*, – met aussi en doute la volonté du Gouvernement de stabiliser les revenus douaniers. Le prenant au mot, l'opposition libre-échangiste lance diverses idées tendant à la réalisation de cet objectif. Proche de l'ACIG, le *Bulletin commercial* propose de rétrocéder aux cantons les revenus douaniers dépassant 50 mios de frs[177]. L'USC exige une garantie de plafonnement des revenus douaniers à 60 mios de frs[178]. D'autres, comme le soyeux Robert Schwarzenbach, proposent l'instauration d'un impôt fédéral direct sur le revenu:

> *Ich bin gewiss keiner von denen, welche sich der Einsicht verschliessen, dass der Bund grosse Aufgaben zu erfüllen hat und dass er dazu viel, sehr viel Geld braucht. Aber dass er die 20 Millionen mehr, die er haben muss, ausschliesslich durch höhere Zölle aufbringen will, das beklage ich tief im Interesse unserer Arbeiterschaft und unserer Grossindustrien, welches Interesse identisch ist mit der Prosperität des ganzen Landes. Hundertmal besser wäre es, der Bund würde sich diese 20 Millionen ganz oder teilweise auf dem Wege einer schweizerischen Einkommensteuer verschaffen*[179].

La presse de gauche relaie la critique libre-échangiste en stigmatisant l'injustice sociale que représente un accroissement de l'imposition de la consommation. Les mesures de protectionnisme agricole, susceptibles de réduire le pouvoir d'achat de l'ouvrier, sont tout particulièrement fustigées.

Peu actives durant la phase préparatoire du nouveau tarif douanier – le CF ne leur donne pas voix au chapitre[180] –, les associations défendant le point de vue du consommateur se mobilisent dès la parution du projet du

175 Sur le hiatus entre le discours du CF et sa pratique financière, cf. Müller, 1966, pp. 145/181-182/224-228; Guex, 1993, pp. 111-112/118-119; Gern, 1992, p. 241; von Steiger, 1933, p. 68; Richard, 1924, pp. 659-660.

176 *Ostschweiz*, Nr. 37, 14. Februar 1902, «Ein Paar erste Bemerkungen».

177 Georg, 1936, pp. 182-183.

178 Signer, 1914, pp. 210-212; Stadelmann, 1940, pp. 52 et ss.

179 Schwarzenbach, 1903/1, p. 10; le journal saint-gallois *Ostschweiz* et l'organe de presse de l'USC lancent la même idée; Müller, 1966, pp. 262-263.

180 Dans deux requêtes envoyées en mars 1903, l'USC et l'AB reprochent au CF de ne pas avoir été consultées durant la phase d'élaboration du projet; Signer, 1914, pp. 246-247.

CF[181]. Principal moteur de l'opposition libre-échangiste, l'USC admet le principe de la politique de combat, mais condamne les velléités protectionnistes du projet. Durant la phase de délibération aux Chambres, l'association faîtière des coopératives de consommation envoie plusieurs requêtes aux autorités fédérales afin de défendre son point de vue. Le 31 mars 1902, le congrès ouvrier de l'AB décide de s'opposer au projet de tarif du CF, malgré les interventions de Greulich et Decurtins qui demeurent fidèles à leur politique de conciliation avec la paysannerie. Le 1er mai, de nombreux discours de la fête des travailleurs critiquent la politique douanière menée par la Confédération. Le 2 août 1902, c'est au tour du PSS de prendre position contre le tarif. Dans le camp bourgeois, les aspirations libre-échangistes des milieux industriels urbains sont coordonnées par un nouvel organe fondé en 1897, à savoir l'Union des villes suisses (UVS). Le 27 septembre 1902, son congrès demande aux Chambres de rediscuter les taxes sur les denrées alimentaires et de les abaisser. Enfin, durant le mois de mai, des ligues contre le renchérissement de la vie sont réactivées dans les cantons de Genève et Neuchâtel.

Bien qu'ayant participé à l'élaboration du projet de tarif douanier, les trois associations faîtières ne se déclarent pas satisfaites. Sans entrer dans une opposition de principe, l'USCI, l'USP et l'USAM critiquent les options du CF. En vue du débat aux Chambres, elles fourbissent leurs armes et mettent la pression sur les autorités. Dans un discours prononcé le 20 février 1902 devant la KGZ, Frey reproche au Gouvernement de ne pas avoir suivi les options stratégiques définies par l'USCI[182]. Outre le refus d'une modification ultérieure du tarif d'usage par l'AsF, le directeur du Vorort relève l'insuffisance du tarif en tant qu'arme de combat. Frey défend par ailleurs l'industrie cotonnière mécanisée et la meunerie, car il estime que leurs intérêts n'ont pas été suffisamment protégés. Le 21 février, une assemblée composée de 120 représentants du SSZWV décide d'exprimer sa grogne en adressant une requête à la commission des douanes du CN.

De son côté, l'USP met en branle sa machine de guerre. Lors de l'assemblée des délégués du 22 février 1902, Laur fustige les options fiscales du projet:

> *Der Bundesrat hat den Grundsatz, dass Gegenstände des notwendigen Lebensbedarfes, die in der Schweiz nicht oder nur in sehr geringem Masse produziert werden, möglichst niedrig zu verzollen seien, nicht angenommen. Massgebend waren fiskalische Gründe. Wir begreifen, dass der Bundesrat sich für die Finanzen wehrt. Wir halten es aber für unrichtig, dass der Bund solche exotische Artikel zur Deckung seiner finanziellen Bedürfnisse heranzieht, so lange auf anderen die für die Wohlfahrt der inländischen Gewerbe notwendigen Schutzzölle noch nicht voll erhoben werden*[183].

181 Signer, 1914, pp. 210-215; Müller, 1966, pp. 175-181.
182 *NZZ*, Nrn. 52/53/54/56, 21./22./23./25. Februar 1902.
183 *Mitteilungen des Schweizerischen Bauernsekretariates*, Nr. 15, «Protokoll der Delegierten-Versammlung des Schweizer. Bauernverbandes, Samstag den 22. Februar 1902 im

A cette occasion, un programme de revendications demandant l'augmentation d'une série de positions agricoles est voté et adressé aux Chambres[184]. En février et mars 1903, 296 assemblées d'associations agricoles sont réunies pour apporter leur soutien à la requête de l'USP. De surcroît, 16 journées de paysans mobilisent environ 15'000 personnes. Une liste imprimée de ces réunions de soutien est remise aux membres de l'AsF[185].

Quant à l'USAM, elle réunit ses sections le 19 février 1902 à Olten pour les consulter[186]. Sur cette base, elle adresse une requête au CN demandant une meilleure prise en compte des intérêts des arts et métiers. Le principal souci du comité directeur est toutefois de trouver les appuis nécessaires pour sauvegarder les acquis du projet lors du débat aux Chambres. De nouvelles démarches sont entreprises auprès de l'USCI et de l'USP, sans succès. Le comité décide alors de réunir un certain nombre de membres de l'AsF[187]. Lors de cette conférence, Scheidegger tente de convaincre ses auditeurs de défendre les classes moyennes industrielles:

> *Er führt die wirtschaftliche Bedeutung der Gewerbe an Hand einiger Zahlen der Produktionsstatistik nach und zeigt, dass das Gewerbe in den eidg. Räten nur durch wenige Mitglieder vertreten ist. Er hofft, es werden sich die Anwesenden mit den Wünschen der Gewerbetreibenden in den Zolltarifangelegenheiten vetraut machen*[188].

Certaines personnes présentes se disent prêtes à étudier les desiderata de l'USAM, sans pour autant s'engager formellement à les défendre. Poursuivis après la conférence, les contacts n'ont pas le succès espéré.

Les débats qui ont eu lieu aux Chambres ont fait l'objet d'une étude détaillée[189]. Nous nous contenterons par conséquent d'en esquisser les grandes lignes. Du 24 février au 12 mars 1902, la commission des douanes du CN se réunit pour discuter du projet du CF. Composée du «must» des élites industrielles et agricoles, la commission est incontestablement le centre

---

Grossratssaale in Bern», Bern, 1902, p. 19; des baisses de taxes sont exigées sur le sucre et le café, la franchise est demandée pour les céréales, la farine, le lait, les pommes de terre, les fruits frais, le bois de chauffage, l'alcool et le pétrole.

184 Ce programme figure in *Publications du secrétariat suisse des paysans*, n° 17, «Cinquième rapport annuel du comité directeur de l'Union suisse des paysans et du Secrétariat suisse des paysans», Berne, 1903, pp. 7-13.

185 *Ibidem*, pp. 14-15.

186 Sur l'attitude de l'USAM, cf. Signer, 1914, pp. 209-210/216; Müller, 1966, p. 175.

187 La délégation est composée de représentants des cantons de Berne (Hirter, von Steiger, Bürgi, Neuhaus), Zurich (Stössel, Amsler, Stadler), Argovie (Kellersberger, Jäger), Schaffhouse (Spahn), St-Gall (Wild) et des Grisons (Vital); Hirter et Wild font partie de la commission des douanes du CN.

188 Archives USAM, PV du comité directeur du 17 décembre 1901.

189 Müller, 1966, pp. 146-172.

de gravité du champ douanier de l'époque[190]. En son sein, l'USCI et l'USP élaborent un compromis répondant mieux à leurs intérêts que le projet du CF. En dehors de leurs représentants directs – Frey, Hirter, Blumer-Jenny (USCI) et Jenny, Fonjallaz, Martin (USP) – les associations faîtières peuvent compter sur l'appui de membres influents de leurs sections – Abegg (KGZ/ZSIG), Sulzer-Ziegler (VSM), Koechlin-Iselin (BHIV), Dinichert (Chambre suisse d'horlogerie) ainsi que Bühler-Greutert (SAV) et Berger («Oekonomische Gesellschaft des Kantons Bern»). Il est intéressant de constater que les différentes branches de production ne sont pas représentées par des avocats ou des fonctionnaires, mais par des entrepreneurs – Künzli (tissage en couleur), Blumer-Jenny (impression), Koechlin-Iselin (chimie), Abegg (soie et machines), Sulzer-Ziegler (machines), Fonjallaz (viticulture). Quant aux défenseurs du commerce d'importation et des salariés, ils doivent se contenter de la portion congrue. Le projet de tarif issu de la commission des douanes, qui modifie 25% des positions, reflète bien le rapport de force décrit. L'arme de combat est fortement renforcée, notamment au bénéfice de l'industrie du coton mécanisée et de l'agriculture. Par ailleurs, la charge douanière reposant sur les matières premières et les marchandises exotiques est diminuée. L'USCI et l'USP ne parviennent toutefois pas à faire adopter leur proposition de modification du tarif d'usage par l'AsF. Une majorité de la commission suit le CF et la déclare inconstitutionnelle.

Du 7 au 26 avril 1902, le CN confirme en grande partie les options prises par sa commission[191]. Les taxes sur le café, le sucre et le thé sont abaissées. L'USCI obtient une meilleure protection de l'industrie du coton. La taxe sur le gros bétail à cornes passe de 35 frs (CF) à 50 frs. La taxe sur le vin est même augmentée de 15 frs (CF) à 20 frs (CN), alors que la commission proposait 17 frs. Si on les compare au tarif général de 1891, les taxes agricoles sont relevées dans une fourchette de 75 à 200%[192]. Certes, les exigences de l'USP ne sont pas totalement comblées, mais elle ne peut cacher une certaine satisfaction. Afin d'exercer une pression sur le CE, le *Paysan suisse* continue toutefois d'agiter la menace du référendum:

> *Les voix qui dans notre camp estiment qu'il vaudrait mieux essayer les forces de notre organisation en rejetant le tarif pour obtenir de meilleures conditions dans un second projet, sont au point de vue agricole parfaitement justifiables. Nous croyons cependant qu'au point de vue national, une campagne menée contre le projet et son rejet présentent de tels dangers qui pourraient compromettre les négociations pour la*

190 La composition de la commission des douanes du CN – 21 membres – figure à l'annexe 14.

191 Un tableau des principales modifications du projet du CF votées par le CN se trouve in von Steiger, 1933, p. 78.

192 Une comparaison des taxes du tarif général de 1891 avec les taxes du projet du CN et les exigences de l'USP figure in *PS*, juin 1902, «Les décisions du Conseil national et le nouveau tarif douanier».

> *conclusion de nouveaux traités de commerce que nous voudrions assumer cette responsabilité qu'à toute extrémité [...] Si le Conseil des Etats nous fait encore quelques concessions en relevant encore en particulier les droits sur les matières grasses, les conserves de viande et les porcs, les campagnards seront enthousiastes pour le nouveau tarif*[193].

Une fois de plus, l'USAM tire la courte paille. Après avoir assisté aux débats, le secrétaire Boos-Jegher ne peut se retenir de se lamenter en séance du comité central:

> *[...] viele Mitglieder, die uns ihre Unterstützung in gewissen Positionen zugesichert hatten, blieben zu entsprechender Zeit fern oder blieben sitzen; wir hatten wenige Vertreter, die sich unserer Sache annahmen. In der nationalrätlichen Kommission haben wir auch nicht entsprechende Vertretung gefunden. Wir haben wenig erreicht und dieses wenige haben wir dem Departement zu verdanken*[194].

Le 15 juin 1902, l'assemblée des délégués débat de la question douanière. Même si le projet de tarif est jugé meilleur que le statu quo, les arts et métiers sont loin d'être satisfaits. La position de l'USAM sur un éventuel référendum est réservée[195].

Du 5 au 17 mai 1902, la commission du CE se saisit à son tour du projet de tarif. En son sein, le rapport de force est moins favorable aux forces protectionnistes, car les milieux de la finance, des transports et du commerce sont mieux représentés que dans la commission du CN[196]. Logiquement, une série de concessions en faveur des milieux consommateurs sont proposées (légumes, beurre salé, chasse, miel, etc.). Par ailleurs, les matières premières sont moins dégrevées que dans le projet du CN. Durant les débats qui durent du 5 au 24 juin 1902, le CE entérine les options de la commission[197]. Les positions agricoles les plus importantes ne sont toutefois pas remises en question: la taxe de 20 frs sur le vin est votée par 23 voix contre 17 et la taxe de 50 frs sur le gros bétail par 22 voix contre 21! Début octobre, une session extraordinaire est convoquée pour régler les divergences entre les deux Chambres. A la fin de cette session, une dernière offensive des milieux consommateurs est menée au CN. A l'initiative de l'Union des villes suisses, le libéral-radical zurichois Hans Pestalozzi-Stadler[198] propose d'abaisser une série de taxes sur les denrées de première nécessité par une procédure extraordinaire. La tentative échoue.

193 *Ibidem*; l'article fait certainement référence aux pressions exercées par l'organe de la section zurichoise du SBB qui agite clairement une menace de référendum; von Steiger, 1933, p. 83.

194 Archives USAM, PV du comité central du 28 avril 1902.

195 Archives USAM, PV de l'assemblée des délégués du 15 juin 1902.

196 La composition de la commission figure à l'annexe 14.

197 Les divergences existant entre les deux Chambres au sujet des produits agricoles figurent in *PS*, juillet 1902, «Le tarif douanier au Conseil des Etats».

198 *Hans Pestalozzi-Stadler* (1848-1909) (ZH), fils de Salomon Pestalozzi-Hirzel – négociant en soie –, architecte, maire de la ville de Zurich (1889-1909), initiant de la constitution de l'Union des villes suisses, Cn de tendance libérale-radicale (1890-1905).

A l'issue de la procédure législative, le tarif général correspond assez bien aux aspirations de l'USCI et de l'USP. En s'épaulant mutuellement au sein des différents lieux de pouvoir du champ douanier, les deux associations faîtières sont parvenues à imposer leur point de vue. Une comparaison avec le tarif de 1891, qui était déjà un outil de combat efficace, met en évidence l'ampleur de la hausse des taxes[199]. Bien qu'elle obtienne certaines concessions, l'USAM est moins heureuse. Lorsque ses intérêts entrent en contradiction avec ceux de l'USCI ou de l'USP, l'association des arts et métiers est systématiquement perdante[200].

Certes, le tarif général est appelé à être modifié à la baisse durant le processus de négociation des traités de commerce, mais l'ampleur des augmentations de taxes ne peut que déboucher sur une accentuation de la protection de la production nationale. Les grandes industries du coton, des machines et de la chimie obtiennent des conditions douanières leur permettant d'envisager de gagner des parts du marché intérieur. Mais c'est surtout les élites agricoles qui remportent une grande victoire. Moins de vingt ans après leur conversion au protectionnisme, elles obtiennent une tarification qui n'était pas même imaginable en 1885[201]. La GSL demandait alors que la taxe sur les bœufs soit relevée de 5 à 10 frs. L'USP obtient 50 frs dans le tarif général de 1902. De 5 frs dans le tarif de 1884 (tarif d'usage 3,50 frs), la taxe sur le vin en fûts est passée à 20 frs. Il est vrai que la tâche des élites agricoles a été facilitée par les besoins protectionnistes de la politique de combat de l'USCI, mais il est indéniable que les succès obtenus en 1902 sont essentiellement le fruit de leur organisation au sein de l'USP. Si elle reste mitigée lorsqu'elle tire le bilan du nouveau tarif, l'association faîtière agricole affirme tout de même avoir regagné une partie du terrain perdu sur l'industrie:

> *Nous arrivons ainsi à la conclusion que pas une branche de notre économie nationale n'est aussi intéressée à l'acceptation du tarif que la grande et la petite industrie. Nous savons aussi que le nouveau tarif est encore loin de traiter sur le même pied l'industrie et l'agriculture [...] Cependant le tarif ne manquera pas d'apporter une amélioration dans la situation de l'agriculture. Pour certaines branches, en particulier pour les vignobles, cette amélioration sera même très sensible. L'inégalité de traitement entre l'industrie et l'agriculture a quelque peu diminué*[202].

L'USP a gagné une bataille mais pas la guerre. Le sabordage du référendum, entrepris avec l'USCI, n'ayant pas abouti, il est quasi certain que le

199 Une comparaison des principales positions des différents tarifs généraux figure à l'annexe 3; des tableaux comparatifs figurent aussi in *PS*, novembre 1902, «Le nouveau tarif douanier»; Baumberger, 1903, p. 10 bis; Signer, 1914, pp. 222-223.

200 Von Steiger, 1933, p. 50.

201 Les positions intéressant l'agriculture sont détaillées in von Steiger, 1933, p. 34.

202 *PS*, novembre 1902, «Le nouveau tarif douanier».

tarif général sera soumis au peuple. Si les libre-échangistes devaient l'emporter, un coup mortel serait porté au protectionnisme agricole, dont les effets se feraient sentir sur le long terme. Jouant sa crédibilité politique, l'USP se lance corps et âme dans la bataille référendaire. En cas de victoire, il faudra encore défendre la protection agricole durant les négociations commerciales. Le chemin qui mène à des prix agricoles plus rémunérateurs est encore long...

6.2.2. La campagne référendaire de 1903: l'axe USCI-USP-USAM se consolide dans la lutte des classes

Avant même le vote de la version définitive du tarif général aux Chambres, le 10 octobre 1902, l'opposition libre-échangiste décide de s'organiser pour combattre une loi jugée anticonstitutionnelle. Le 27 septembre, des représentants de l'USC, du PSS, des Ligues contre le renchérissement des cantons de Genève et Neuchâtel ainsi que de la SSH se retrouvent à Olten pour unir leurs forces. Il est décidé de fonder une «Ligue contre le tarif» et de convoquer les associations intéressées à une assemblée constitutive. Celle-ci a lieu le 19 octobre 1902 à Olten, en présence d'environ 300 délégués représentant 187 associations (180 000 membres). La clientèle de la ligue est tout à fait semblable à celle de la Ligue contre le renchérissement de 1891. L'alliance entre les élites économiques de Suisse romande – commerce, tourisme, horlogerie –, quelques branches des arts et métiers – bouchers, confiseurs, imprimeurs, etc. – et les organisations du mouvement ouvrier se reforme. Il faut toutefois constater que le front des élites économiques de Suisse occidentale se lézarde. La viticulture vaudoise, le commerce bâlois ainsi qu'une partie du monde horloger ne se joignent pas au mouvement d'opposition[203]. De même, certains aubergistes refusent de suivre la SSH et se solidarisent avec le monde paysan[204]. Contrairement à l'attitude ambivalente qu'elle avait adoptée en 1891, l'USC s'engage avec énergie dans la lutte contre le tarif. Le 19 octobre au matin, les délégués de l'USC se prononcent de manière unanime en faveur du référendum. L'association faîtière des coopératives de consommation assume dès lors un rôle de leader au sein de la Ligue contre le tarif. Le discours introductif de la séance de constitution

203 Le monde horloger ne semble pas condamner le nouveau tarif de manière aussi unanime qu'en 1891; certes, la Chambre suisse d'horlogerie (anciennement SIIJ) participe à la création de la Ligue contre le tarif et lance un appel aux électeurs pour qu'ils refusent le tarif; mais, emmenée par le Conseiller fédéral Comtesse, une frange du patronat prend position en faveur du tarif; Gern, 1992, p. 244; Rossel, 1903, p. 12; *PS*, octobre 1902, «Monsieur le Conseiller fédéral à Colombier».

204 *PS*, septembre 1902, «Les aubergistes et le tarif douanier».

est d'ailleurs prononcé par le secrétaire de l'association, Hans Müller. La présidence du comité référendaire nommé est assumée par J. F. Schär. Au sein de cette instance dirigeante, les milieux ouvriers sont beaucoup mieux représentés qu'en 1891[205].

La propagande de la ligue est menée à coup d'articles de presse et de brochures. Alors que la Ligue contre le renchérissement de Genève a recours aux services de l'inusable pourfendeur du protectionnisme, Frank Lombard, le mouvement ouvrier réédite la brochure publiée par Seidel en 1890, tout en l'adaptant au goût du jour. Paru dans le *Bulletin commercial*, un article de l'ancien directeur de l'Exposition nationale de Genève (1896), Ch. L. Cartier, est traduit et publié en allemand par le comité d'action[206]. Le 20 janvier 1903, à l'échéance du délai référendaire, la Ligue contre le tarif est en mesure de déposer 110 167 signatures. Ce résultat est remarquable, puisqu'il représente 14% de l'électorat. Pour la troisième fois seulement depuis 1874, un référendum est déposé avec plus de 100 000 signatures[207]. Les deux précédentes votations s'étaient soldées par un rejet de la loi par le peuple. De quoi donner quelques soucis aux défenseurs du tarif. Ce d'autant plus que la récolte de signatures a obtenu des résultats sur l'ensemble du territoire suisse. L'opposition n'est plus cantonnée en Suisse romande. Au contraire, en dehors des deux bastions libre-échangistes de Neuchâtel (13 838) et Genève (9095), les scores les plus importants sont enregistrés dans les cantons alémaniques de Zurich (18 114), Berne (14 911), Bâle (9449) et St-Gall (6824)[208].

Alors que le scrutin de 1891 opposait avant tout deux aires géographiques aux intérêts économiques divergents, celui de 1903 voit se superposer deux autres niveaux d'affrontement. Le fort accroissement du protectionnisme agricole engendre un conflit opposant les villes industrialisées et tertiarisées à la campagne agricole. Alors que 50,2% des électeurs du canton de Bâle-Ville soutiennent le référendum, la récolte de signatures ne dépasse

205 Le comité de la Ligue contre le tarif est composé des personnalités suivantes: J. F. Schär et Hans Müller (USC), Dr. Kury (secrétaire de l'association des cheminots), Eugen Wullschleger (PSS), Friedrich Studer (président du «Grütli und Arbeiterverein» du canton de Zurich), Otto Weber (rédacteur du «St. Galler Stadtanzeiger», démocrate proche de Curti défendant les intérêts des fonctionnaires et des employés), Calame (secrétaire des syndicats ouvriers), J. Tschumi (président de la SSH), Amsler (rédacteur de l'organe de l'association des hôteliers), Jakob Zimmerli (Hôtel «Beau-Rivage» à Lucerne), Schindler (secrétaire de l'association des bouchers), Frank Lombard (ACIG), Dr. Wyss (président de la Ligue contre le renchérissement de Genève), Eugène Borel et Redard (Neuchâtel), Nicole (Porrentruy) et Albisser (Lucerne); *PS*, novembre 1902, «La démonstration des adversaires du tarif douanier à Olten».

206 Lombard, 1902; Seidel, 1903; Cartier, 1903.

207 Les autres référendums sont le «Schulvogt» (1882) – instauration d'un inspecteur scolaire fédéral – et la «Lex Forrer» sur l'assurance maladie-accident (1900).

208 FF, 1903, vol. 1, pp. 400-402.

pas 10% dans la plupart des cantons agricoles[209]. Toutefois, la principale ligne de force du débat douanier est désormais la contradiction entre producteurs indépendants du bloc bourgeois-paysan et salariés-consommateurs du mouvement ouvrier. A l'exception du vétéran Greulich, qui continue d'être fidèle à sa politique de conciliation avec la paysannerie, les représentants d'organisations ouvrières s'opposent de manière unanime et musclée au tarif. Même l'AB, opposé à la lutte des classes, refuse de soutenir le tarif.

L'opposition au tarif général de 1902 ne se limite pas aux associations qui sont membres de la Ligue contre le tarif. Un mouvement de protestation gagne les élites exportatrices de produits de luxe – soieries, rubans de soie, broderies. Le patronat de ces branches craint en effet que l'accroissement du protectionnisme agricole et la hausse des taxes sur les semi-fabriqués en coton réduisent sa compétitivité sur les marchés internationaux. En regard de la charge fiscale qui risque de grever les coûts de production, les avantages commerciaux d'un tarif de combat ne semblent pas très importants. D'une part, les principaux débouchés de ces industries ne sont pas les pays voisins, où des industries concurrentes se sont développées, mais les Etats-Unis et la Grande-Bretagne. Or, il n'est pas envisageable de conclure des traités de commerce à tarif avec ces deux Etats. D'autre part, les grandes entreprises de la branche de la soie ne sont que peu intéressées à l'ouverture des marchés voisins, car elles y ont établi des unités de production.

Au sein de l'industrie de la soie zurichoise, l'opposition au tarif est une nouvelle fois emmenée par le magnat de la branche, Robert Schwarzenbach-Zeuner. Les deux brochures qu'il publie dénoncent la stratégie du bloc bourgeois-paysan menée par la KGZ, grâce au soutien des industries du coton et des machines:

> *Aber das hätte ich mir doch nie und nimmer gedacht, dass gerade diese beiden Industrien ihre glorreiche Vergangenheit preisgeben und mit der Landwirtschaft und dem Kleingewerbe gemeinschaftliche Sache machen würden, um der schweizerischen Kundschaft durch höhere Eingangszölle ihre Erzeugnisse zu bessern Preisen anzuhängen*[210].

Selon lui, l'augmentation du coût de la vie ne peut que nuire à la paix sociale et accélérer l'expatriation de la production:

> *Die teurere Lebenshaltung, welche aus dem Tarif für unsere Arbeiterschaft resultiert, wird naturgemäss bei unseren Arbeitern dem Wunsche rufen, eine Kompensation auf dem Wege einer Lohnaufbesserung auszustreben. Dringen sie damit durch, so wird*

209 Fribourg (2,2%), Nidwald (3,4%), Appenzell Rhodes-Intérieures (5,1%), Argovie (5,4%), Obwald (5,9%), Bâle-Campagne (7,1%), Thurgovie (7,3%), Grisons (9,1%), Lucerne (9,2%); *ibidem*.

210 Schwarzenbach, 1903/1, p. 2.

unsere Industrie noch mehr als bisher zur Auswanderung gezwungen; denn sie verträgt schlechterdings keine höheren Löhne[211].

Il est intéressant de constater qu'en tant que représentant d'une industrie d'exportation liée à la première Révolution industrielle, Schwarzenbach continue de se référer au modèle anglais de développement économique. Reprenant le discours de Sir Robert Peel, il affirme que *«The best way to fight hostile tariffs, is to encourage free imports»*[212]. En conséquence, le soyeux zurichois combat les conceptions douanières des représentants de la seconde Révolution industrielle, qui prônent un alignement de la politique suisse sur le modèle allemand[213]. Il refuse notamment une orientation commerciale trop exclusive vers les pays voisins:

War es da doch nötig, die wirksamen Kampfpositionen ins Lächerliche zu erhöhen und hunderte von Positionen dazu, welche gar keine Kampfpositionen sind? Warum exemplieren wir aber immer nur mit unsern Nachbarn? Warum schneiden wir unsern Tarif nur auf Deutschland, Italien und Österreich zu? Gibt es denn keine andern Ländern mehr welche unsere Waren kaufen?[214]

Le 10 février 1903, une assemblée de la ZSIG est convoquée pour débattre du nouveau tarif général. Alors que Schwarzenbach soutien le référendum, Gustav Siber – président de la ZSIG de 1890 à 1895 – et Johann Jakob Abegg – commission des douanes du CN – prennent position en faveur du tarif[215]. Par 23 voix contre 17, Schwarzenbach est battu. Selon lui, les petits poissons ont mangé les gros. Si le vote s'était fait en fonction du nombre de métiers, le non au tarif l'aurait emporté[216]. A Bâle, l'opposition des rubaniers au tarif est aussi forte, mais sous la pression de Carl Koechlin-Iselin – membre de la commission des douanes du CN issu de la chimie –, le BHIV adopte une attitude de neutralité[217]. Après avoir condamné le tarif, en

211 *Ibidem*, p. 19.

212 Schwarzenbach, 1903/2, p. 9.

213 Schwarzenbach attaque deux discours prononcés en faveur du tarif général par Eduard Sulzer-Ziegler et Paul Usteri-Escher – cf. annexe 14; ces deux personnalités représentent les intérêts du grand capital zurichois au sein des commissions douanières des Chambres.

214 Schwarzenbach, 1903/2, p. 10.

215 Niggli, 1954, pp. 58-59; Signer, 1914, pp. 232-233; *NZZ*, Nr. 49, 18. Februar 1903, «Zum Zolltarif».

216 Schwarzenbach, 1903/1, p. 21.

217 Au sein du comité du BHIV, Rudolf Paravicini-Vischer, président du «Basler Bandfabrikantenverein», prend position contre la politique de combat menée par le Vorort; il évoque le risque d'un mouvement de délocalisation des grandes entreprises pour faire pression; il est soutenu par le président du BHIV, Wilhelm Alioth-Vischer, l'ancien président Rudolf Geigy-Merian et le futur président Rudolf Sarasin-Vischer; au-delà des intérêts de la chimie, qui obtient certains avantages dans le tarif de 1902, la position de Koechlin-Iselin est motivée par la nécessité de ne pas froisser les autorités responsables de la négociation des futurs traités de commerce; en observant une attitude neutre, le BHIV augmente ses chances d'être représenté dans les commissions d'experts chargées de préparer les traités de commerce; Henrici, 1927, pp. 133-136.

novembre 1902, le secrétaire Traugott Geering finit par le défendre en invoquant son utilité commerciale[218]. Le 6 mars 1903, une assemblée est convoquée pour débattre du référendum. Les avis étant partagés, le BHIV ne s'engage pas dans l'opposition au tarif.

En 1891, le patronat de la broderie figurait parmi les plus chauds partisans d'une politique de combat. La branche étant alors en pleine crise, il s'agissait de sauver le marché français d'une fermeture probable. Au tournant du siècle, la situation des brodeurs de Suisse orientale s'est notablement améliorée. Entre 1892 et 1902, l'exportation bondit de 72,1 à 125,3 mios de frs constants (+74%)[219]. En 1900, les quatre Etats voisins ne consomment que 12% des exportations, tandis que les Etats-Unis et la Grande-Bretagne en absorbent respectivement 42% et 28%[220]. Dans ces circonstances, le nouveau tarif général n'est pas accueilli avec enthousiasme en Suisse orientale. Le durcissement de la politique de combat risque de coûter cher fiscalement sans rapporter grand chose d'un point de vue commercial. L'opposition à la politique douanière des autorités est prise en charge par le journal catholique-conservateur *Ostschweiz*. Son rédacteur, Georg Baumberger[221], soumet le nouveau tarif à une critique économique et financière

218 En 1902, Geering publie une étude intitulée «Die Handelspolitik der Schweiz am Ausgange des neunzehnten Jahrhunderts»; il y attaque le nouveau tarif général: *«Mit der Annahme dieses Tarifs gehört der Freihandel der Schweiz bis auf weiteres der Geschichte an. An seine Statt ist ein neuer Kurs getreten, der auf staatliche Fürsorge und Hebung des Ertrages der Landwirthschaft und aller möglichen mittleren und kleinen Produktionszweige gerichtet ist.»;* Geering, 1902, p. 211; dans un discours prononcé le 11 novembre 1902, Geering juge le tarif inacceptable: il évalue le surcroît de la charge douanière à 30 mios de frs, ce qui se traduirait par un renchérissement de la vie de 100 mios de frs – les 70 mios de frs supplémentaires vont dans la poche des producteurs sous la forme d'une élévation des prix; certainement exagérés, les calculs de Geering sont dis- crédités par les adeptes du tarif qui les déclarent fantaisistes; *PS*, novembre 1902, «Un économiste qui n'y est plus»; *PS*, décembre 1902, «Un faux prophète»; *NZZ*, Nr. 42, 11. Februar 1903, «Die hundert Millionen des Herrn Dr. Geering»; *Beiträge zur Diskussion über den neuen Zolltarif*, Nr. 1, «Berechnungen»; Signer, 1914, pp. 239-241; en février 1903, Geering fait volte-face; en prétextant s'être trompé sur le délai de résiliation des traités de commerce, il défend alors le tarif général, qu'il juge nécessaire au renouvellement des traités de commerce, en publiant une série d'articles; *NZZ*, Nrn. 58/59/61, 27./28. Februar, 2. März 1903, «Die Annehmbarkeit des Zolltarifs und die Zollbelastung».

219 L'évolution en frs courants se trouve in SHS, 1996, p. 685; le déflateur utilisé figure in annexe 1.

220 *Ibidem*, p. 719.

221 *Georg Baumberger-Bick (-Trottmann)* (1855-1931) (SG/ZH), dirige un petit commerce de drogues et d'épices, rédacteur du journal libéral-conservateur *Appenzeller Nachrichten* (1881-1886), rédacteur en chef du journal catholique-conservateur *Ostschweiz* (1886-1904), rédacteur du journal chrétien-social *Neuen Zürcher Nachrichten* (1904-1919), Cn catholique-conservateur (1919-1931), fondateur du parti chrétien-social de Zurich.

détaillée[222]. Durant la campagne référendaire, un comité du non est créé en Suisse orientale. L'appel au peuple motive le refus du tarif ainsi:

> *Weil der neue Tarif die Existenzbedingungen unserer* ostschweizerischen Stickerei-Industrie (souligné dans l'original, C. H.) *schädigt, und zwar sehr empfindlich: a) Durch die Verteuerung der Rohstoffe [...] b)* Durch die Bedrohung der gegenwärtigen Ausfuhrmöglichkeiten *nach Amerika und England [...] c) Durch die* Verteuerung der Lebenshaltung unserer Stickereiarbeiterschaft *[...]* Nicht *ist der neue Tarif ein* Werk der Verständigung. *Den Verhältnissen der ostschweizerischen Kantone ist nach keiner Richtung Rücksicht getragen worden. Man hat unsere Interessen den Grossviehzüchtern der Zentralschweiz, den Zwirnern und Webern im Kanton Zurich und Glarus und den Waadtländer Weinbauern geopfert*[223].

Malgré les inconvénients du nouveau tarif général, le KDSG et la plupart des associations économiques représentant la broderie ne peuvent se résoudre à entrer ouvertement en conflit avec le Vorort et les autorités fédérales. Elles estiment en effet qu'une attitude oppositionnelle pourrait porter préjudice à la branche durant les négociations commerciales à venir[224]. Le 9 mars 1903, soit quelques jours seulement avant la votation du 15, ces associations appellent à voter en faveur du tarif[225].

Par rapport à la campagne référendaire de 1891, l'opposition à la politique douanière des autorités paraît plus forte. L'engagement sans retenue de l'USC et du mouvement ouvrier, qui ont renforcé leur organisation, permet d'étendre le front du refus à la Suisse alémanique. Ce phénomène d'extension géographique bénéficie aussi de l'opposition larvée d'une partie des industriels de la soie et de la broderie. Toutefois, le camp adverse apparaît aussi mieux organisé et plus soudé. Face au bloc libre-échangiste, la quasi-totalité du patronat industriel et agricole se mobilise pour défendre la politique douanière mise en place par le bloc bourgeois-paysan des trois associations faîtières. Les grandes industries du coton, des machines et de la chimie, les petites et moyennes industries tournées vers le marché intérieur, la majeure partie des arts et métiers ainsi que l'intégralité du monde agricole, y compris la viticulture, s'engagent pour défendre le nouveau tarif

222 Baumberger, 1903.

223 Cet appel au peuple, intitulé «An die stimmberechtigten Bürger der ostschweizerischen Kantone St. Gallen, Thurgau und Appenzell», se trouve dans un dossier de la Bibliothèque nationale – «Zolltarif 1903» (cote Nf 2700/11); une série d'autres appels y figurent également.

224 Politique commerciale et douanière de la Suisse, 1941, p. 33.

225 Dossier «Zolltarif 1903» Bibliothèque nationale (cote Nf 2700/11), «Zur Abstimmung über den neuen Zolltarif»; cf. également le compte rendu de la séance consacrée par l'IVSG au tarif; *Ostschweiz*, Nr. 278, 2. Dezember 1902, «Der Zolltarif im Industrieverein von St. Gallen»; le débat montre que la broderie n'est pas satisfaite du sort que lui réserve le tarif, mais qu'elle se résout à ne pas s'y opposer en raison de la faible probabilité d'obtenir plus en cas de nouvelle révision.

général. Après s'être affrontées sur le contenu du tarif durant la révision, l'USCI, l'USP et l'USAM font bloc pour éviter une défaite devant le peuple.

L'action de l'USCI en faveur du tarif douanier est surtout le fait d'Alfred Frey. Principal artisan de l'enquête douanière au sein de l'association, le directeur du Vorort prononce de nombreux discours pour défendre le tarif général[226]. Lors d'une assemblée extraordinaire de la KGZ, il réaffirme les termes de l'alliance conclue avec l'agriculture et les arts et métiers:

> *Aber noch aus andern Gründen sind die Kampfzölle des neuen Generaltarifs verstärkt und vermehrt worden [...] handelt es sich um die Bereitstellung genügender Mittel zur Wahrung auch der agrikolen Ausfuhr oder – wenn letztere wider Erwarten nicht mehr zu erreichen sein sollte – zur Beschützung gewisser landwirtschaftlicher Betätigungen. Und da auch sonst der Weisheit Schluss nicht darin gipfeln kann, grauer Theorie jede Inlandsarbeit preiszugeben, die aus der einen oder andern Ursache etwelchen Schutzes bedarf, so hofft der Generaltarif von 1902, auch die Lage des Gewerbes zu verbessern, vorzüglich in der Qualitätsarbeit*[227].

Malgré l'opposition de quelques industriels de la soie, l'assemblée confirme la décision du comité de la KGZ qui a approuvé le tarif par 9 voix contre 1[228]. La propagande de Frey en faveur du tarif est avant tout relayée par la *NZZ*. Dans une série d'articles intitulés «Zu den Broschuren der Zolltarifgegner», le directeur du Vorort s'attaque aux publications des adversaires du tarif: Lombard, Cartier, Seidel, Schwarzenbach et Baumberger passent tour à tour à la moulinette[229]. Le propos ne touche pas seulement l'argumentation, mais également la crédibilité personnelle des auteurs.

226 Le 27 octobre 1902, l'assemblée des délégués de l'AHIV vote une résolution de soutien au tarif après avoir entendu Frey; Renold, 1924, pp. 24-25; début février 1903, Frey se rend à St-Gall pour convaincre les élites industrielles de ce canton; *NZZ*, Nr. 72, 13. März 1903, «Zu den Broschüren der Zolltarifgegner, Herr Georg Baumberger»; le 14 février 1903, il prononce un long discours devant une assemblée extraordinaire convoquée par la KGZ, qui est intégralement retranscrit par la *NZZ*; *NZZ*, Nrn. 47/48/49, 16./17./18. Februar 1903, «Zum schweizerischen Zolltarif von 1902»; durant la campagne référendaire, des noms prestigieux de l'économie helvétique prennent aussi position en faveur du tarif: Hans Wunderli-von Muralt (coton), John Syz (coton), Eduard Sulzer-Ziegler (machines), Emil Huber (machines), C. F. Bally (chaussures), Carl Köchlin-Iselin (chimie), etc.

227 *NZZ*, Nr. 48, 17. Februar 1903, «Zum schweizerischen Zolltarif von 1902».

228 Un compte rendu de l'assemblée figure in *NZZ*, Nr. 46, 15. Februar 1903, «Kaufmännische Gesellschaft Zürich»; sur l'attitude de la KGZ, cf. également Richard, 1924, pp. 640 et ss; durant la discussion, des poids lourds des industries du coton et des machines se prononcent en faveur du tarif; il s'agit notamment d'Emil Huber – directeur de la «Maschinenfabrik Oerlikon» et président du VSM – et de Hans Wunderli-von Muralt – magnat de la filature du coton et président de l'USCI; début février, le SSZWV a décidé d'apporter son soutien au nouveau tarif douanier; *NZZ*, Nr. 37, 6. Februar 1903, «Die schweizerische Baumwollindustrie und der Zolltarif».

229 *NZZ*, Nrn. 65/66/70/71/72, 6./7./11./12./13. März 1903, «Zu den Broschüren der Zolltarifgegner».

De manière tout à fait significative, la *NZZ* ouvre ses colonnes à Ernst Laur. Dans une série d'articles, le directeur de l'USP s'applique à démonter les analyses douanières des libre-échangistes Geering et Baumberger[230]. Le Secrétaire paysan écrit aussi une brochure qui est diffusée massivement (205 000 exemplaires)[231]. Son principal moyen de propagande demeure toutefois le *Paysan suisse*. De novembre 1902 à mars 1903, le référendum devient le sujet quasi exclusif du journal de l'USP. Pour toucher les paysans qui ne sont pas abonnés, l'association faîtière fait appel à son réseau d'hommes de confiance. Le 27 décembre 1902, ceux-ci sont convoqués à Berne pour être «formés» à discourir en faveur du tarif. A cette occasion, Laur prononce un discours-modèle intitulé «Rüstzeug im Kampfe für den Zolltarif». Il est imprimé et remis aux hommes de confiance pour servir lors des nombreuses réunions paysannes organisées durant la campagne référendaire. Enfin, peu avant la votation, l'USP diffuse 405 000 consignes de vote et 18 000 affiches. Même le paysan de la campagne la plus reculée ne peut échapper à la propagande de la nouvelle association faîtière.

Au sein de l'USAM, l'attitude à adopter vis-à-vis du référendum est beaucoup moins unanime. Toute une série de sections ne sont en effet pas satisfaites de la mouture finale du tarif général. Par ailleurs, les autorités de l'association faîtière hésitent à entrer en conflit avec les sections libre-échangistes en affichant d'emblée leur opposition au référendum. A tel point que le comité directeur craint de convoquer une assemblée générale extraordinaire qui pourrait tourner à l'avantage des opposants au tarif. Le 7 octobre 1902, cette instance décide donc de consulter les sections. Sur la proposition de Boos-Jegher, maître à penser de la politique douanière de l'association, il est demandé aux membres de ne pas favoriser la récolte de signatures jusqu'à une prise de position de l'association[232]. Le 3 novembre 1902, le comité central discute des résultats de l'enquête. L'opposition est moins forte que présumée. Seulement six sections veulent saisir le référendum: les bouchers, les confiseurs, les forgerons, les charrons, les menuisiers et les coiffeurs. En conséquence, Boos-Jegher demande au comité de prendre position en faveur du tarif:

> *Es sollte nun ein energischer Meinungsausdruck zu Gunsten des Zolltarifs erfolgen; wir sind dies schon den Behörden schuldig und es ist auch ratsam, den vorliegenden Zolltarif zu verteidigen, da ein zweiter vermutlich ungünstiger ausfallen würde*[233].

230 *NZZ*, Nr. 42, 11. Februar 1903, «Die hundert Millionen des Herrn Dr. Geering»; *NZZ*, Nrn. 48-52, 17.- 21. Februar 1903, «Die «Ostschweiz» über den Zolltarif».

231 Laur, 1903/2; l'activité de l'USP durant la campagne référendaire est détaillée dans le rapport de gestion de 1903; *Publications du secrétariat suisse des paysans*, n° 20, «Sixième rapport annuel du comité directeur de l'Union suisse des paysans et du Secrétariat suisse des paysans, 1903», Berne, 1904, pp. 7-9.

232 Archives USAM, PV du comité directeur du 7 octobre 1902.

233 Archives USAM, PV du comité central du 3 novembre 1902.

La propagande déployée se limite toutefois à la tenue de quelques discours et à la publication d'une brochure[234]. Durant toute la campagne référendaire, l'attitude de l'USAM à l'égard des opposants au tarif reste réservée. En témoignent les modifications apportées à la brochure par le comité directeur, dans le but de ne pas heurter les sections participant au référendum[235].

Parallèlement à leur campagne de propagande, l'USCI, l'USP et l'USAM engagent une collaboration formelle pour défendre le nouveau tarif. Fin décembre 1902, soit avant le dépôt des signatures par le comité référendaire (20 janvier 1903), un comité d'action suisse pour la défense du tarif douanier est constitué. Basée à Berne, la direction du comité national est constituée de sept personnalités politiques impliquées dans l'élaboration du tarif douanier: Johann Hirter, président (USCI, commission du CN), Johann Jenny, vice-président (président USP, commission du CN), Jakob Scheidegger, caissier (président USAM), Charles-Eugène Fonjallaz (vice-président de l'USP, commission du CN), Arnold Künzli (président de la commission du CN), Edmund von Steiger (comité de l'«Oekonomische Gesellschaft des Kantons Bern»), Millet (député au Grand Conseil bernois)[236]. La direction est épaulée par un comité central de 69 membres délégués par les comités constitués dans l'ensemble des cantons suisses. Ce comité de défense du tarif est en quelque sorte la concrétisation de la collaboration instaurée entre élites industrielles et agricoles. L'USP est présente avec 18 membres des comités directeur et central de l'association faîtière[237], auxquels il faut ajouter une série de personnalités actives dans des sociétés agricoles cantonales[238]. La présence des instances dirigeantes de l'USCI est moins marquée (3 représentants). Mais la grande industrie est représentée par une série d'entrepreneurs et d'avocats faisant partie de CA[239]. L'USAM ne délègue

234 Zolltarif und Handelsverträge..., 1903.

235 Archives USAM, PV du comité directeur du 13 janvier 1903.

236 La liste des membres du comité national et des comités cantonaux figure dans un appel au peuple intitulé «An das Schweizer Volk»; dossier de la Bibliothèque nationale – «Zolltarif 1903» (cote Nf 2700/11).

237 L'USP est représentée par 6 membres du comité directeur (période 1897-1914) – Jenny (BE), Nägeli (ZH), Fonjallaz (VD), Carbonnier (NE), Mariani (TI), Lutz (FR) – et 12 membres du comité central – de Chastonay (VS), Decurtins (GR), Freiburghaus (BE), Locher (BE), Müller (SH), Riegg (SG), Rubattel-Chuard (VD), Bille (NE), Donini (TI), Caflisch (GR), Eigenmann (TG), Suter (BL).

238 Hörni (ZH), membre SLV et membre du Club de l'agriculture; Knüsel (LU), président de la «Schweizerische Braunviehzucht-Genossenschaft»; Lusser (UR), membre du comité de la SAV; Meyer (ZG), ancien président du «Landwirtschaftlicher Verein Zug»; Oyez-Ponnaz (VD), Société vaudoise d'agriculture et futur président de la FSASR; Desfayes (VS), vice-président de la Fédération des producteurs de vin du Valais; Bonnet (GE), membre du Cercle des Agriculteurs de Genève.

239 Trois personnes sont membres de la Chambre suisse de commerce jusqu'à la guerre: Hirter (BE), Bally (SO), Hohl (AR); la grande industrie est aussi représentée par: Künzli

que son président, alors que la présence des petits industriels et artisans est plutôt faible[240].

Le comité de soutien au tarif est une sorte d'annexe des commissions douanières parlementaires. On y retrouve en effet 10 membres de la commission des douanes du CN (sur 21) et 13 de la commission du CE (sur 18), soit 59% des députés ayant participé à l'élaboration du tarif en commission[241]. Par ailleurs, une certaine continuité peut être constatée par rapport au comité de 1891, puisque 3 membres de la direction et 5 membres du comité central y figuraient déjà[242]. Il faut toutefois relever la présence beaucoup plus massive des élites politiques catholiques-conservatrices. Il est même possible d'identifier certains partisans de l'initiative du «Beutezug»[243]. Enfin, il est très intéressant de constater que trois des sept Conseillers fédéraux qui seront élus entre 1903 et 1914, font partie du comité de soutien: il s'agit d'Hoffmann (SG), Motta (TI) et Calonder (GR)[244]. A la veille de la guerre, ces nominations auront permis de renverser

---

(AG), Usteri (ZH), Abegg (ZH), Gugelmann (BE), Leonhard Blumer (GL), Daniel Jenny-Jenny (GL), Dinichert (FR), Munzinger (SO), Scherrer (BS), Hoffmann (SG), Calonder (GR), Kellersberger (AG), Isler (AG), Leumann (TG), Motta (TI).

240 La présence des arts et métiers est de loin la plus faible: Jakobi (BE), fabricant de pianos; Müry-Flück (BS), membre des comités du BHIV et du «Handwerker- und Gewerbeverein Basel».

241 Il s'agit des Conseillers nationaux Hirter (BE), Jenny (BE), Künzli (AG) et Fonjallaz (VD) – direction – Abegg (ZH), Schmid (LU), Benziger (SZ), Dinichert (FR), Baldinger (AG), Eigenmann (TG) – comités cantonaux – les Conseillers aux Etats ne sont présents que dans les comités cantonaux: Usteri (ZH), von Schumacher (LU), Blumer (GL), Python (FR), Munzinger (SO), Scherrer (BS), Müller (SH), Hohl (AR), Hoffmann (SG), Isler (AG), Leumann (TG), Battaglini (TI), de Chastonay (VS).

242 On retrouve les personnalités suivantes: Hirter (BE), von Steiger (BE), Künzli (AG) – direction –, Blumer (GL), Bossy (FR), Müller (SH), Dähler (AI), Leumann (TG) – comités cantonaux.

243 Les principales personnalités catholiques-conservatrices présentes sont: von Schumacher (LU), Lusser (UR), Reichlin (SZ), Adalbert Wirz (OW), Wyrsch (NW), Python (FR), Motta (TI), Decurtins (GR); représentée en 1891 par Baumberger, l'aile saint-galloise du catholicisme lutte cette fois contre le nouveau tarif; un débat a d'ailleurs lieu au sein du parti catholique-conservateur qui se prononce majoritairement en faveur du tarif; *NZZ*, Nr. 62, 3. März 1903, «Der Zolltarif vor der katholischen Volkspartei in Zurich».

244 *Arthur Hoffmann-Moosher* (1857-1927) (SG), cf. annexe 14; *Felix Calonder-Walther* (1863-1952) (GR), employé de commerce dans plusieurs maisons en Suisse et à l'étranger, avocat, membre de nombreux CA d'assurances – «Rentenanstalt» (1903-1912/ 1920-1929), «Helvetia» – et de chemins de fer, Cféd (1913-1920), CaE radical (1899-1913), leader du radicalisme grison; *Giuseppe Motta-Andreazzi* (1871-1940) (TI), fils de Sigismondo Motta-Dazzoni – hôtelier et responsable du trafic postal entre Faido et l'Hospice du Gothard – avocat et notaire à Airolo, lien familial avec la famille de négociants Dazzoni, Cféd (1912-1940), Cn catholique-conservateur (1899-1911).

la majorité radicale de gauche au sein du CF[245]. Le bloc bourgeois-paysan des associations faîtières n'en aura que plus de facilité à imposer sa politique de centre-droite.

Dans le cadre du comité d'action pour la défense du tarif, un comité de presse est constitué par les secrétaires des trois grandes associations faîtières: Frey, Laur et Boos-Jegher. Celui-ci fournit notamment le matériel nécessaire à l'élaboration d'un journal de campagne intitulé *Beiträge zur Diskussion über den neuen Zolltarif*. Six numéros sont publiés entre le 25 février et le 10 mars. Mais l'apogée de la collaboration est atteinte lors de la grande kermesse organisée à Zurich contre le référendum. Le 6 mars 1903, une invitation à une manifestation populaire est lancée dans la *NZZ*. Elle est l'œuvre du comité cantonal zurichois pour la défense du tarif et est soutenue par la KGZ, la section cantonale de l'USAM et la société cantonale d'agriculture. Le 8 mars, devant 1200 personnes, Laur, Boos-Jegher et Frey prennent tour à tour la parole pour vanter les mérites de la politique douanière issue de la collaboration entre l'USCI, l'USP et l'USAM[246]. Hautement symbolique, cette journée peut être considérée comme le serment du Rütli du bloc bourgeois-paysan des trois associations faîtières...

La campagne référendaire des adeptes du tarif de 1891 s'était faite avant tout contre le libéralisme manchestérien. L'argument nationaliste avait aussi été instrumentalisé en invoquant la nécessité de s'armer pour soutenir la lutte commerciale engagée contre les grandes puissances impérialistes. Certes, le débat référendaire de 1903 reprend ces thématiques, mais désormais, c'est la lutte des classes qui structure les débats. Pour le bloc bourgeois-paysan des associations faîtières, désigner l'ennemi socialiste permet de renforcer et de cimenter l'opposition au référendum. A l'intérieur des associations, l'équivalence libre-échangiste = socialiste est susceptible de mettre les adversaires du tarif sous pression. La gêne éprouvée vis-à-vis d'une collaboration avec le mouvement ouvrier peut réfréner la volonté de

245 En 1914, les seuls rescapés du radicalisme de gauche sont Forrer (ZH) et Müller (BE), qui seront rapidement remplacés par deux radicaux de droite proches des milieux économiques – 1917: Haab (ZH)/1919: Scheurer (BE); bien qu'issu de la mouvance du radicalisme de gauche, Schulthess (AG) incarne rapidement la politique de l'axe USCI-USP en devenant le bras droit de Walter Boveri comme celui d'Ernst Laur, tous deux ses amis; Hoffmann (SG), Calonder (GR) et Décoppet (VD) peuvent être placés au centre-droite de l'échiquier politique; leur départ accentue encore l'orientation à droite; Hoffmann est remplacé par le libéral genevois Ador (1917), puis par le catholique-conservateur fribourgeois Musy (1919); le radical d'extrême-droite thurgovien Häberlin succède à Calonder (1920) et le radical vaudois Chuard, vice-président de l'USP, à Décoppet (1920); enfin, Motta (TI) incarne l'aile du catholicisme la plus ouverte à une collaboration avec le radicalisme.

246 *NZZ*, Nr. 68, 9. März 1903, «Die Tonhalleversammlung».

défendre des intérêts douaniers. Entre les associations, les contradictions d'intérêts s'atténuent dans la lutte contre l'ennemi commun.

Dans le registre de la lutte des classes, l'USCI est de loin la plus modérée. Alfred Frey n'en désigne pas moins l'adversaire de manière explicite:

> *Den geschlossensten und wohl auch grössten Trupp unter den Tarifgegnern machen die Sozialdemokraten aus. Mit der Devise: «Nieder mit dem Hungertarif!» haben sie ihre Stellung von Anfang an als Partei bezogen und Regungen der Minderheit sofort unterdrückt. Die Sozialdemokratie hat den Kampf gegen den Tarif unausgesetzt mit erstaunlichem Eifer und bis jetzt mit schönem Erfolg betrieben; sie würde seine Verwerfung als ihren eigensten Sieg, als verheissungsvollen Schlag gegen den Kapitalismus buchen*[247].

Tout en fustigeant le discours extrémiste de certains socialistes, Frey tente toutefois de gagner l'électorat salarié en prenant en otage Greulich, dont il cite un discours prônant la collaboration de classe contre la concurrence étrangère:

> *Als Glieder eines Staatswesens bilden wir – trotz allen Klassengegensätzen – nach aussen eine wirtschaftliche Gemeinschaft. Dies darf vor allem die Arbeiterschaft eines kleinen Landes mitten auf dem Kontinent nicht vergessen, denn ein solches Land muss doppelt wachsam auf seine wirtschaftliche Unabhängigkeit sein*[248].

Pratiquer la lutte des classes dans le but de renforcer le bloc bourgeois, tout en la fustigeant pour éviter l'exacerbation des tensions sociales, telle est la gageure que doivent tenir les représentants des élites industrielles et commerçantes.

Les classes moyennes industrielles adoptent un ton plus polémique à l'égard de l'opposition des milieux salariés. Il faut peut-être rappeler que l'existence économique des petits patrons de l'USAM est alors fragilisée par les mouvements de grève fréquents organisés par le mouvement ouvrier. La lutte des classes est de ce fait menée au quotidien. En tant que menace pour le petit commerce, le mouvement coopérateur est pris pour cible principale:

> *Die erste und Hauptopposition gegen den Tarif geht von der Zentralleitung der schweiz. Konsumvereine mit Sitz in Basel aus. Deren sozialistisch-komunistische Tendenzen sind bekannt und es muss daher nicht verwundern, wenn sie die Standpunkt des internationalen Freihandels vertritt. Sie sagt: nimm deine Waren, unbe-*

247 Discours prononcé par Frey devant la KGZ; *NZZ*, Nr. 49, 18. Februar 1903, «Zum schweizerischen Zolltarif von 1902»; lors de son discours prononcé devant l'assemblée de la «Tonhalle» à Zurich, Frey est encore plus virulent: «*Auch die Stellungnahme eines Teils der industriellen Arbeiterschaft gegen den neuen Generaltarif lässt sich einzig daraus erklären, mit der Ablehnung desselben die Aussicht auf eine grundsätzliche Aenderung der bestehenden Gesellschaftsordnung wirksam fördern zu können.*»; *NZZ*, Nr. 68, 9. März 1903, «Tonhalleversammlung»; la critique de la brochure publiée par le socialiste Seidel est aussi très agressive; *NZZ*, Beilage Nr. 70, 11. März 1903, «Zu den Broschüren der Zolltarifgegner».

248 *NZZ*, Nr. 68, 9. März 1903, «Tonhalleversammlung».

kümmert um die Landesgrenzen überall da, wo sie am billigsten zu haben sind! – (also auch da, wo man keine oder geringe soziale Gesetzgebung, mit ihrer finanziellen Belastung kennt!). Dieses Streben führe zur internationalen Arbeitsteilung und diese wieder im «Interesse des Volkes» zur «Genossenschaftlichen Produktion» d. h. zur Aufhebung des Privateigentums, sowie des individuellen Strebens überhaupt[249].

Tout au long de la campagne référendaire, les classes moyennes ne cessent de se valoriser en tant que bouclier social contre le développement du prolétariat urbain. Mais comme chez Frey, les attaques du socialisme sont relayées par une invitation à la collaboration des classes. Ainsi, Boos-Jegher présente le protectionnisme comme un moyen d'assurer la sécurité de l'emploi:

Wenn die Arbeiterschaft höhere Löhne, kürzere Arbeitszeit und Erweiterung der Haftpflicht postuliert und dann ihre Bedarfsartikel doch aus dem Ausland billigst beziehen will, wo man sie zum Teil unter wirklicher Ausbeutung der Arbeitskraft produziert, so fehlt da die verständige Wechselbeziehung. Warum kann die Arbeiterschaft sich nicht darauf beschränken, auf Sicherung der Arbeitsgelegenheit abzustellen[250].

La palme de l'agitation antisocialiste revient à l'USP. La lutte des classes étant le principal moyen de la paysannerie de se valoriser afin d'obtenir des concessions économiques, les élites agricoles ne ménagent pas leurs efforts pour attiser les tensions entre bloc bourgeois-paysan et mouvement ouvrier[251]. Il faut relever que le climat est propice à leur entreprise. En 1902, la vague de grèves lancée dans les années 1890 par le mouvement ouvrier menace de se faire raz-de-marée. Au cours de la grève générale de Genève, les bataillons campagnards interviennent pour restaurer l'ordre. Commentant l'événement, le journal de l'USP ne se fait pas faute de l'instrumentaliser pour mettre en exergue le rôle de bastion antisocialiste de la paysannerie:

Um ihnen die lästigen Arbeiter vom Halse zu halten, dazu sind die Bauern gut genug. Für den Bauer aber auch nur das kleinste Opfer zu bringen, dazu sind die Herren nicht zu haben. Sie müssen jedenfalls noch ganz andere Erfahrungen machen, bis dass es ihnen anfängt zu dämmern, welche Bedeutung es für sie habe, ob ausserhalb der Stadtgrenze noch ein zahlreicher Bauernstand wohne oder nicht[252].

Peu de temps après l'acceptation du tarif aux Chambres, le *Paysan suisse* affirme la volonté du monde paysan de battre le mouvement ouvrier sur le terrain politique:

249 Zolltarif und Handelsverträge..., 1903, p. 11.

250 Discours prononcé par Boos-Jegher devant l'assemblée de la «Tonhalle» à Zurich; *NZZ*, Nr. 68, 9. März 1903, «Die Tonhalleversammlung».

251 Sur les rapports de l'USP avec le mouvement ouvrier et l'importance de l'antisocialisme dans l'action politique de l'USP, cf. Baumann, 1993, pp. 187-196; cf. également Simmler, 1976.

252 Cité in Baumann, 1993, p. 188.

> *Mais la lutte pour le tarif douanier a encore une autre portée. C'est ici que l'on verra si les grosses questions économiques peuvent être résolues contre la volonté des chefs et des porte-paroles socialistes. Ces gens n'ont en général pas d'intelligence pour la situation économique et les besoins du petit entrepreneur travaillant à son compte. Il faut s'estimer heureux qu'ils ne tendent pas directement à la ruine économique des paysans et des artisans. Cette votation donnera aux deux partis l'occasion de mesurer leurs forces*[253].

Durant la campagne référendaire, rien n'est négligé pour discréditer l'adversaire.

A cet effet, l'USP assimile le mouvement d'opposition au tarif à un quarteron socialiste d'étrangers venus semer la panique en Suisse[254]. Jouant sur le sentiment xénophobe de la population campagnarde, le *Paysan suisse* attaque le secrétaire de l'USC:

> *Les premières résolutions contre notre tarif douanier ont été prises à la fête* internationale (souligné dans l'original, C. H.) *des ouvriers le 1er mai. Les sociétés ouvrières allemandes, italiennes ou françaises les ont votées; elles ont pris part à ces protestations. Aujourd'hui, la direction de l'opposition tout entière est entre les mains de la société de consommation de Bâle. Dans cette association, les étrangers forment bien près de la moitié de ses membres [...] A la tête du mouvement se trouve le Dr. Müller de Bâle. Il y a quelque dix ans, cet individu joua un certain rôle. Il est originaire d'Allemagne, d'où il se réfugia en Suisse pour délit politique. A Zurich il était une personnalité bien connue dans les milieux socialistes où il se distinguait par la violence de ses opinions [...] L'ancien réfugié allemand s'en va de village en village, de ville en ville colporter la bonne nouvelle; il veut engager les citoyens suisses à enlever des mains du Conseil fédéral l'arme qui doit protéger le pays contre notre puissant voisin du nord et son tarif exorbitant*[255].

Exacerbant le nationalisme économique à outrance, l'organe de l'USP en vient à traiter les adversaires du tarif de traîtres à la patrie. Dans ce registre, l'appel aux urnes adressé à la population campagnarde est un exemple du genre. Rédigé sur un ton que l'on peut qualifier de martial, il appelle la population paysanne sous les drapeaux afin de défendre l'indépendance économique de la patrie:

> *La réponse au cri de guerre des adversaires: «Le pain à bon marché; des salaires plus élevés, et à bas les paysans!» a trouvé de l'écho dans des centaines de milliers de poitrines: «Patrie et Liberté! Un pour tous, tous pour un!» [...] L'heure n'a pas encore sonné où le socialisme international et les étrangers des villes organisés en sociétés de consommation viendront nous dicter leurs lois. Peuple suisse, tes paysans sont encore là. C'est par milliers et centaines de milliers que nous écraserons tous ceux qui voudraient livrer notre prospérité et notre indépendance économique pour un plat de lentilles*[256].

253 *PS*, novembre 1902, «Le nouveau tarif douanier».
254 Sur l'argumentation xénophobe durant la campagne, cf. Müller, 1966, pp. 257-259.
255 *PS*, janvier 1903, «Qui dirige le mouvement contre le tarif douanier?».
256 *PS*, mars 1903, «Votation populaire sur le tarif douanier».

L'exacerbation de la lutte des classes n'est pas le fait d'un seul camp. Les organisations socialistes considèrent en effet que le débat douanier est un instrument idéal pour mobiliser et organiser la population salariée. Touchant au pouvoir d'achat des ouvriers et des employés, la politique douanière est un lieu béni pour attaquer l'Etat bourgeois et promouvoir la conscience de classe du prolétariat. A l'occasion du Congrès du PSS qui a lieu le 2 août 1902, Eugen Wullschleger – membre de la commission douanière du CN – fustige la politique des autorités:

> *Die ganze Tendenz der Räte ging auf eine Plünderung der Taschen des arbeitenden Volkes zugunsten besser situierter Kreise*[257].

Le ton est donné. En octobre 1902, c'est au tour du *Volksrecht* de jeter de l'huile sur le feu:

> *Nieder mit dem Lebensmittelwucher, nieder mit den Anhängern und Vertretern desselben. Keine Arbeiter stimme einem Schutzzöllner*[258].

La retenue observée par le mouvement ouvrier lors de la campagne référendaire de 1891 n'est plus de mise.

Désormais isolé, Greulich ne peut pas éviter que la doctrine douanière socialiste se radicalise et adopte les thèses de son adversaire Seidel. Ce dernier estime que le protectionnisme est un moyen d'extorsion des classes ouvrières:

> *Die Schutzzollpolitik ist eben eine Schraube ohne Ende. Sie füllt den Beutel des Staates auf Kosten der Armen, sie füllt die Kassen einzelner grosser Bauern und Unternehmer auf Kosten aller Konsumenten, und sie schädigt das Ganze des wirtschaftlichen Lebens der Nation. Sie ist eine Blüte des Kapitalismus und ein Feind der Sozialreform*[259].

De surcroît, la protection douanière est la mère des cartels qui participent à l'exploitation des consommateurs:

> *Das Schutzzollsystem ist die Brutstätte der Trusts und Kartelle, wie Nordamerika am besten zeigt [...] In der Schweiz hat der grosse Schutzzoll auf Kerzen, der jede Konkurrenz des Auslandes fernhält, dazu geführt, dass die so geschützten Kerzenfabrikanten aus Dankbarkeit gegen das Vaterland einen Ring gebildet haben, um den Preis der Kerzen beliebig festzusetzen und ihre Miteidgenossen als Milchkühe zu benutzen*[260].

Enfin, Seidel dénigre le protectionnisme en tant que prolongement de la lutte impérialiste des bourgeoisies. Il en conclut que la destruction du protectionnisme va de pair avec celle du capitalisme:

257 Cité in Signer, 1914, p. 224.

258 Cité in Signer, 1914, pp. 233-234.

259 Seidel, 1903, p. 11.

260 *Ibidem*, p. 39; à noter que le lien entre protection douanière et cartellisation est un nouvel élément du débat douanier qui est discuté par plusieurs adversaires du tarif; Müller, 1966, pp. 263-264; Signer, 1914, p. 212; sur une approche théorique du lien existant entre protectionnisme et cartellisation, cf. Fretz, 1923; Hilferding, 1970; sur le cas particulier de l'économie suisse, cf. Jaccard, 1925; Gürtler, 1931; Schmidt, 1914, pp. 260-262.

> *Also fort mit den Schutzzöllen! Die allgemeine Schutzzöllnerei ist nur ein Weltkrieg der Unternehmer gegen einander zum Nutzen einiger Gruppen von Grosskapitalisten und zum Schaden aller Völker. Fort aber auch mit dem Kapitalismus, als dem Vater der Schutzöllnerei! Ersetzen wir ihn durch den Sozialismus, d. h. durch den Gemeinbetrieb der Landwirtschaft, der Industrie und des Handels und Verkehrs durch Genossenschaften, Gemeinden und Staat (Kanton und Bund)*[261].

A l'anticapitalisme, Seidel ajoute encore une pincée d'internationalisme et d'antimilitarisme. Selon lui, la lutte contre le protectionnisme doit couper la tête helvétique de l'hydre militariste internationale:

> *Die Herren der Bundesversammlung hätten sich und ihren Klassengenossen die vielen Millionen fürs Militär nicht als direkte Steuern auferlegt, und sie dem armen Volke als direkte Steuern aufzuerlegen, das hätten sie auch nicht gewagt. Aber die grossen, wachsenden Zolleinnahmen – das waren die Säugammen des Militarismus. Während in der Schweiz der Militarismus an den Zolleinnahmen erstarkte, war der Militarismus in Deutschland eine der Hauptursachen der Einführung der Schutzzollpolitik [...] Der Militarismus ist demnach sowohl eine Ursache als auch eine Folge der Zollwirtschaft*[262].

Il est à noter que l'exploitation du lien existant entre revenus douaniers et développement du militarisme n'est pas l'apanage des milieux socialistes. Une brochure intitulée «Spese Militari e Tariffe Doganali» est publiée en 1903 par des milieux libéraux tessinois. Elle témoigne de la vigueur du mouvement pacifiste au tournant du siècle[263].

Le verdict des urnes est sans appel. L'affrontement entre bloc bourgeois-paysan et mouvement ouvrier tourne à l'avantage du premier. Avec une participation relativement élevée, 72,5% de l'électorat, le tarif général est accepté par 332 000 voix contre 225 000, soit une majorité de 59,6%[264]. 6 cantons et 2 demi-cantons le refusent. Comme en 1891, Genève (1903: 93,3%/1891: 97%), Neuchâtel (90,4%/96%) et le Tessin (66%/96%) disent nettement non. En raison du changement de camp opéré par certaines élites agricoles, les scores sont cependant inférieurs, en particulier au Tessin. Il en va de même à Glaris (54,4%/64%). De manière peu explicable, le canton d'Uri persiste dans une attitude d'opposition qui se renforce même (54,6%/51%)[265]. Dans le camp des opposants en 1891, les cantons de

261 Seidel, 1903, p. 42.

262 *Ibidem*, p. 37.

263 Maggini, 1903.

264 FF, 1903, vol. 2, pp. 785-789, «MCF concernant la votation populaire du 15 mars 1903 sur le nouveau tarif des douanes (17 avril 1903)».

265 Les hypothèses pouvant être avancées pour expliquer cette attitude sont les suivantes: craintes émises par certains éleveurs de montagne que le tarif provoque une réaction protectionniste entravant l'exportation sur les marchés voisins, pression des milieux du tourisme, survivance du réflexe fédéraliste; pour sa part, le *Paysan suisse* explique le résultat par l'absence d'une organisation agricole cantonale liée à l'USP; *PS*, avril 1903, «Le 15 mars 1903».

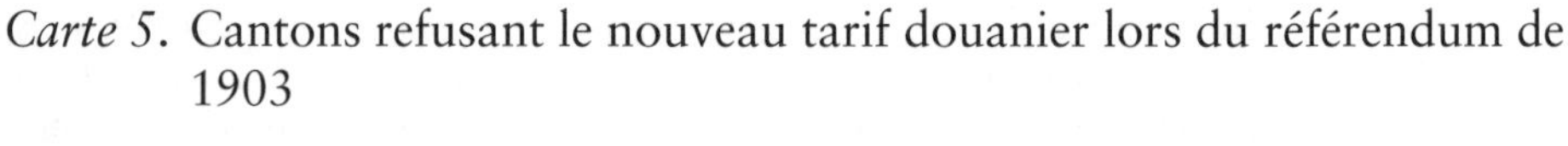

Carte 5. Cantons refusant le nouveau tarif douanier lors du référendum de 1903

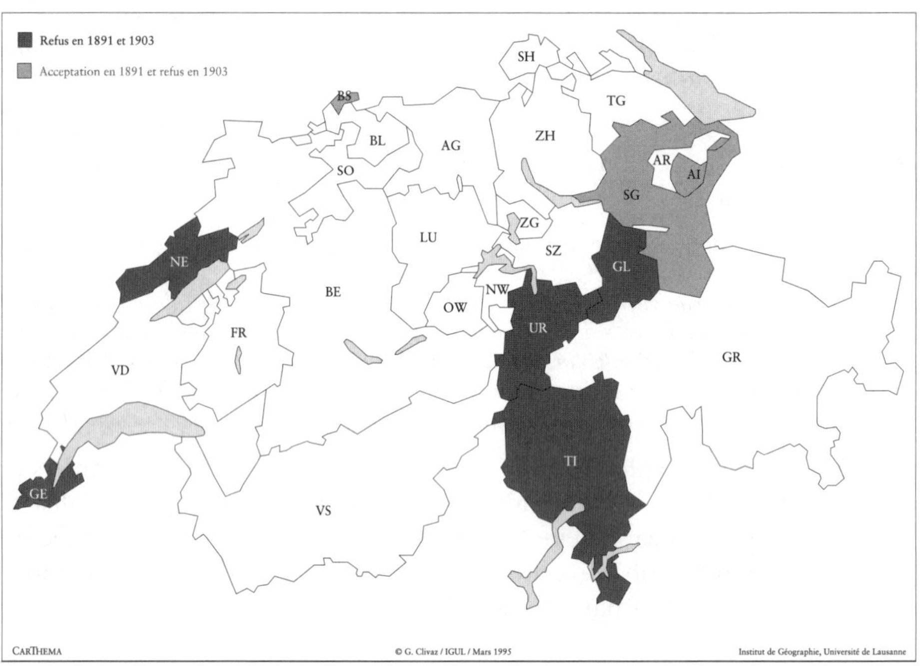

Vaud et du Valais acceptent le tarif de 1902. Les concessions faites à la viticulture ont sans doute été décisives. A l'inverse, le canton de St-Gall et les demi-cantons de Bâle-Ville et Appenzell Rhodes-Intérieures passent du camp du oui à celui du non: de justesse à St-Gall (53,5%), de manière plus claire à Bâle (73%). Dans les deux cas, le protectionnisme agricole est sanctionné par des régions à forte industrialisation. Malgré le tapage médiatique du bloc bourgeois-paysan, la majorité acceptante recule aussi dans le troisième grand centre industriel de Zurich (67,1%/73%). Les plus grandes majorités en faveur du tarif sont enregistrées dans les cantons agricoles catholiques d'Obwald (81,9%), Fribourg (77,7%) et Lucerne (74,6%) ainsi que dans les cantons d'Argovie (77,5%) et de Thurgovie (75,3%).

Les résultats du scrutin confirment donc ce que la campagne référendaire pouvait laisser augurer. La polarisation entre Suisse romande et Suisse alémanique, qui avait caractérisé le scrutin de 1891, s'atténue au profit d'une polarisation entre villes industrialisées et campagnes agricoles. Marquée par la lutte des classes, le combat référendaire tourne à l'avantage du bloc bourgeois-paysan. L'USP ne se fait pas faute de revendiquer une part prépondérante dans ce succès:

> *Pour l'Union suisse des paysans le résultat de la votation est un brillant succès. La solidarité des paysans suisses a résisté à tous les assauts. L'Union des paysans a fourni*

la preuve qu'elle a les agriculteurs pour elle, et qu'à l'avenir il y aura lieu de compter sur elle. Les campagnards ont décidé de la journée. C'est à eux que l'on doit, en première ligne, l'adoption du tarif[266].

L'association faîtière agricole se déclare vainqueur de l'affrontement engagé contre le mouvement ouvrier:

Ceux qui sortent meurtris de la lutte, ce sont les socialistes de toute nuance. On a pu voir à nouveau que leur influence n'est pas aussi grande que leurs chefs se l'imaginent, et que leur cause est perdue d'avance, si les paysans n'interviennent pas en leur faveur. Le parti socialiste a perdu par sa campagne contre le tarif douanier bien des sympathies qui lui étaient acquises dans nos campagnes; de nombreuses relations entre ouvriers et campagnards ont reçu là un coup mortel[267].

Comme Baumann et Gruner l'ont déjà relevé, l'affrontement entre les dirigeants des mouvements ouvrier et paysan durant la campagne référendaire de 1903 doit être interprété comme un tournant important de l'évolution politique de la Confédération[268]. Au-delà de la consolidation du bloc bourgeois-paysan des associations faîtières, qui marquera le système politique suisse jusqu'à la Paix du travail au moins (1937), la lutte autour du tarif enterre les derniers espoirs de l'alliance rouge-verte prônée par Greulich. Bien qu'en perte de vitesse dès le milieu des années 1890, cette option restait encore plausible grâce à la tradition du mouvement démocratique restée vivace en Suisse centrale et orientale. En 1897 encore, la campagne référendaire au sujet de l'instauration d'une Banque d'Etat révèle une communauté d'intérêts. A cette occasion, plusieurs associations et journaux agricoles appellent à une collaboration entre agriculteurs et ouvriers contre les «seigneurs de la bourse»[269]. Au sein du mouvement coopératif, les relations entretenues par le VOLG et l'USC débouchent sur la fondation du «Schweizerischer Genossenschaftsbund» (1898)[270]. Ernst Laur, lui-même, prétend avoir été un proche de Greulich et de ses idées:

In meiner Jugend schwebte mir als Ziel meines öffentlichen Wirkens die Verbindung von Bauer und Arbeiter. Sie sollten zusammen die neue Wirtschaft bauen[271].

Le Secrétaire paysan aurait entamé son activité au sein de l'USP dans l'espoir de parvenir à instaurer une collaboration entre paysans et ouvriers. Dans cette optique, il aurait même noué des relations avec Greulich.

Quelle crédibilité accorder aux confessions du Secrétaire paysan, publiées après la Deuxième guerre mondiale? La question n'est en fait pas très importante. Plus intéressante est la confirmation apportée par Laur au sujet du rôle

266 *PS*, avril 1903, «Le 15 mars 1903».
267 *Ibidem.*
268 Gruner, 1988, pp. 517-528/1393-1397; Baumann, 1993, pp. 147-196.
269 Zimmermann, 1987, pp. 152-153.
270 Stadelmann, 1940, pp. 26-29.
271 Cité in Howald, 1971, p. 94.

crucial joué par la question du protectionnisme agricole dans le divorce entre ouvriers et paysans. Sans accord sur cette question cruciale, pas de collaboration politique possible. Le Secrétaire paysan considère en effet que les alternatives proposées par la gauche – désendettement, crédit agricole bon marché, coopératives de production, monopoles, paiements directs[272] – ne sont que des emplâtres sur une jambe de bois. En mai 1902, juste après les premières protestations ouvrières contre le tarif, Laur déclare de manière on ne peut plus claire:

> *Wenn die Arbeiterschaft nicht einsehen lernt, dass die Preisfrage für die Bauern, auch für die kleinsten unter ihnen, dasselbe ist, was für die Arbeiter die Lohnfrage, so fällt jede Verständigung dahin*[273].

Le 10 août 1902, l'assemblée des délégués du VOLG décide de se retirer du «Schweizerischer Genossenschaftsbund». La raison évoquée est le rôle joué par l'USC dans la lutte contre le tarif douanier[274]. Un des derniers liens entre mouvement ouvrier et mouvement paysan est rompu. Certes, l'USP continuera d'agiter l'épouvantail de l'alliance rouge-verte pour faire pression sur les élites industrielles et commerçantes. Sur certaines questions politiques ponctuelles, comme le monopole du blé, l'USP n'hésitera pas à faire cause commune avec la gauche. Mais en tant que stratégie politique à long terme, l'alliance rouge-verte ne sera plus envisagée sérieusement avant la crise des années 1930.

6.2.3. Le bloc bourgeois-paysan collabore au renouvellement des traités de commerce (1903-1906)

Certes, le bloc bourgeois-paysan des trois associations faîtières sort consolidé de la victoire référendaire de 1903, mais il est loin d'être un monolithe politique parlant toujours à l'unisson. L'entente conclue par l'USCI, l'USP et l'USAM pour faire barrage à un mouvement ouvrier en plein essor n'empêche pas la persistance de divergences d'intérêts, entre autres dans le domaine douanier. De ce fait, le renouvellement des traités de commerce marque une nouvelle phase d'affrontement qui donne l'occasion aux trois grandes associations de redéfinir leur rapport de force au sein du champ douanier. Tout en continuant de collaborer, chacune tente de s'approprier une part maximale du monopole législatif de la Confédération dans le but de servir ses intérêts. Dans quelle mesure les autorités doivent-elles les consulter avant de prendre des décisions? Quelle participation obtiennent-elles à la prise de

272 Cette proposition, avant-gardiste s'il en est, émane de l'USC; Signer, 1914, p. 242.
273 Cité in Baumann, 1993, p. 189.
274 Signer, 1914, p. 224.

décision? Quels intérêts le tarif d'usage et les traités de commerce doivent-ils privilégier? Autant d'enjeux autour desquels l'USCI, l'USP et l'USAM luttent pour imposer leur point de vue. Bien que l'influence de l'USCI auprès du CF soit quelque peu rognée au profit de l'USP et, dans une moindre mesure, de l'USAM, l'association des élites industrielles n'en demeure pas moins le leader incontesté de la politique commerciale helvétique.

Tout en s'entredéchirant pour faire valoir leurs intérêts, l'USCI, l'USP et l'USAM continuent de converger sur un point: diminuer la marge d'autonomie de la sphère politique au profit de la sphère économique et administrative. Le CF, qui a un besoin accru de «know how» pour mener les négociations commerciales, se plie bon gré mal gré à la volonté des associations économiques de s'approprier une partie du pouvoir de décision. Ce faisant, il renforce la légitimité de la politique commerciale de la Confédération, dont il assume la responsabilité. De manière encore plus marquée que lors de l'élaboration du tarif de 1902, le centre de gravité du champ douanier glisse en direction d'un axe USCI-Division du commerce-(USP). Le CF délègue peu à peu la définition de la stratégie commerciale helvétique et sa mise en œuvre pour se cantonner dans un rôle de ratification de la politique menée par les associations faîtières. Grâce à son pouvoir décisionnel de dernière instance, il conserve toutefois un rôle d'arbitrage qu'il exerce pour résoudre les conflits d'intérêts internes – tensions entre associations – comme externes – tensions avec les partenaires commerciaux. Ce pouvoir de dernière instance lui permet aussi de garder une certaine autonomie en matière financière. Le glissement du centre de gravité du champ douanier s'accompagne d'une forte concentration du pouvoir commercial entre les mains de deux acteurs de ce champ, Alfred Frey (USCI) et Arnold Eichmann (Division du commerce). Le directeur et l'ancien secrétaire du Vorort collaborent pour réaliser les objectifs stratégiques de l'USCI, tout en concédant le minimum nécessaire à l'agriculture et aux arts et métiers pour assurer la pérennité du bloc bourgeois-paysan.

Au tournant du siècle, la situation commerciale internationale n'est pas marquée par des changements fondamentaux comparables à ceux de 1891, lorsque l'Allemagne avait remplacé la France en tant que centre de gravité de la politique commerciale européenne[275]. De même, la politique commerciale helvétique ne subit pas de réorientation décisive durant cette période[276]. En conséquence, nous n'allons pas nous lancer dans une étude détaillée du contenu des traités à tarifs conclus avec les Etats voisins, l'Espa-

275 Sur l'évolution de la politique commerciale européenne au tournant du siècle, cf. Bairoch, 1989, pp. 69-90; Graf, 1970, pp. 198-240.

276 Sur la campagne commerciale de 1903-1906, cf. Iff, 1923; von Steiger, 1933, pp. 93-115; Signer, 1914, pp. 248-257; Dérobert, 1926, pp. 87-102; Schmidt, 1914, pp. 211-248; Vogel, 1966, pp. 142-151.

gne et la Serbie, qui se révélerait peu pertinente. Après l'établissement d'une chronologie de la campagne commerciale helvétique, l'analyse se focalisera sur le fonctionnement de la prise de décision en essayant d'objectiver le rapport de force inscrit dans le champ douanier au tournant du siècle.

Dans la perspective du renouvellement des traités, l'Allemagne montre sa volonté de continuité en décidant de ne pas résilier, mais de renégocier ses principaux traités de commerce. A l'intérieur, les autorités du Reich doivent toutefois compter avec un parti agraire renforcé qui obtient un accroissement de sa protection dans le nouveau tarif douanier. A l'extérieur, l'Allemagne ne peut plus s'appuyer, comme ce fut le cas en 1891, sur une étroite collaboration avec l'Autriche-Hongrie. Miné par des dissensions internes – Autriche industrielle contre Hongrie agricole –, l'Empire austro-hongrois éprouve mille peines à mener une politique commerciale cohérente. Faisant fi des retards de la politique douanière de son ancien allié, l'Allemagne se lance en solo dans la renégociation de son système de traités de commerce.

Le 28 juin 1903, le Ministre d'Allemagne à Berne, von Bülow, informe les autorités helvétiques de la volonté allemande de réviser le traité de commerce germano-suisse. A cette date, la diplomatie commerciale helvétique est prête à engager les négociations. Avant même l'acceptation du tarif en votation populaire, le 15 mars 1903, le DFIAC a entrepris les travaux préparatoires en collaboration avec les associations faîtières. Le 14 juillet 1903, les deux Etats échangent leurs desiderata par écrit. Munie d'un tarif général renforcé, la diplomatie suisse revendique une nouvelle amélioration de la réciprocité douanière: les conditions de l'exportation suisse doivent être conservées ou même améliorées, alors que l'Allemagne doit accepter une augmentation de la taxation de ses produits. Quant aux exigences allemandes, elles débordent du cadre douanier. Comme la France l'avait fait lors du traité de 1864, l'Empire demande quelques concessions politiques à la Suisse[277]. La plus importante est l'extension de la législation suisse sur la protection des inventions. Limitée alors aux dessins et modèles, elle n'empêche pas la chimie bâloise de fabriquer des produits qui sont brevetés par l'industrie allemande. Si la Suisse ne se prête pas à une révision de la législation en question, l'Allemagne menace de contingenter l'importation de produits suisses, ce qui créerait un fâcheux précédent. Certes, les négociations s'annoncent difficiles, mais la décision allemande de ne pas résilier le traité assure à l'économie suisse de ne pas devoir subir une interruption des rela-

277 Les Allemands exigent notamment un cartel douanier pour lutter contre la contrebande, une adhésion de la Suisse à la Convention internationale sur les sucres ainsi que l'extension de la protection des inventions; ces questions sont traitées par le DFIAC dans un document daté du 26 août 1903, puis débattues par le CF, le 29 août 1903; DDS, vol. 4, nº 431, pp. 946-951.

tions commerciales avec son principal partenaire. Fort de cette garantie, le CF décide, le 17 septembre 1903, de résilier le traité de commerce italo-suisse qui s'est révélé être le plus désavantageux des accords conclus entre 1891 et 1895[278]. Le trafic commercial avec le voisin du sud a en effet continué de se dégrader[279]. Jusqu'à la fin de 1904, les priorités de la politique commerciale helvétique sont par conséquent la révision du traité avec l'Allemagne et la négociation d'un nouveau traité avec l'Italie.

Il faut souligner qu'au tournant du siècle, l'axe commercial Nord-Sud est fondamental pour le commerce extérieur suisse. En 1900, le commerce avec l'Allemagne (importations et exportations) représente plus d'un quart des échanges extérieurs (28,3%)[280]. Bien que loin derrière, l'Italie n'en est pas moins le quatrième partenaire commercial (10,6%); elle n'est précédée que par la France (16,3%), qui est en plein déclin (24,3% en 1889), et la Grande-Bretagne (12,2%). Les deux traités doivent ainsi régler près de 39% du commerce extérieur suisse. L'importation en provenance des deux Etats représente 46% du total. Alors que l'Allemagne est le premier fournisseur de produits industriels (55,2% des fabriqués), l'Italie est le second en ce qui concerne les denrées alimentaires (16,9%). De ce fait, une meilleure protection de la production industrielle et agricole suisse passe par une amélioration de la réciprocité douanière avec l'Allemagne et l'Italie. A l'exportation, les deux marchés voisins absorbent 29,4% des marchandises expédiées. Des machines, de l'horlogerie, du fromage et du bétail sont exportés vers l'Italie, qui reste toutefois un marché assez modeste (5,3%). Par contre, le marché allemand est le débouché le plus important pour l'exportation helvétique (24,1%). Les principales industries suisses y sont fortement intéressées, l'agriculture dans une moindre mesure[281].

Du 9 au 29 octobre 1903, un premier round de négociations germano-suisses a lieu à Berlin. Les résultats sont plus que mitigés[282]. Sur proposition

278 DDS, vol. 4, n° 430, pp. 942-946, «Le Chef du Département du Commerce, de l'Industrie et de l'Agriculture, L. Forrer, au Conseil fédéral: Kündigung des Handelsvertrages mit Italien, du 25 juin 1903».

279 Un afflux toujours plus important de produits agricoles italiens sur le marché suisse contraste avec une stagnation des exportations industrielles et agricoles helvétiques; il s'agit donc d'améliorer la réciprocité douanière avec ce pays, en particulier dans le domaine agricole; sur la question du déséquilibre commercial avec l'Italie, cf. Geering, 1902, pp. 85-96; SHS, 1996, p. 696.

280 Les chiffres du commerce extérieur suisse sont construits, pour l'année 1900, à partir des données tirées de Geering, 1902, pp. 83-84/186.

281 L'horlogerie (31 mios de frs), les industries de la schappe (17,8 mios), de la filature et du tissage du coton (17 mios plus le trafic de perfectionnement), des machines (11,3 mios plus le trafic de perfectionnement) et de la chimie (5 mios plus le trafic de perfectionnement) sont très intéressées au marché allemand; l'exportation agricole de fromage (11,5 mios) et de bétail (6,3 mios) est aussi importante; Geering, 1902, p. 193.

282 DDS, vol. 4, n° 436, pp. 959-961, «Summarisches, vorwegs geschriebenes Protokoll Handelsvertrags-Delegation, 10. November 1903».

suisse, un rapprochement des positions est recherché lors de pourparlers secrets entre les chefs de l'administration commerciale des deux pays. Du 11 au 20 décembre 1903, Eichmann et von Körner se retrouvent à Francfort pour négocier de manière informelle[283]. Sur la base de ces résultats, le CF adresse une note, datée du 22 janvier 1904, qui considère que les bases de négociation offertes par l'Allemagne ne sont pas suffisantes pour entamer un second round[284]. Peu pressée de conclure, la diplomatie suisse laisse alors l'initiative à l'Allemagne. Elle joue ainsi sur le fait que le Reich accorde une grande importance politique à la conclusion d'un traité de commerce avec la Suisse. Contre toute attente, l'Allemagne laisse l'affaire en suspens pour se consacrer à la conclusion d'un traité avec l'Italie. Mi-mars, la Suisse entame à son tour des négociations avec le voisin du sud, interrompues le 24 mai 1904. D'importantes dissensions concernent la taxation de l'exportation italienne de bétail et de vin, relevée dans le tarif général suisse. Après avoir négocié entre le 13 juin et le 13 juillet 1904, les deux parties signent un accord qui modifie la réciprocité douanière en faveur de la Suisse[285]. La tarification de l'exportation industrielle helvétique est abaissée, tandis que les positions agricoles du tarif d'usage suisse sont relevées. La diplomatie commerciale helvétique entame donc sa campagne par un succès. Tenu secret à la demande du Gouvernement italien, le traité ne fait l'objet d'un message du CF que le 22 novembre 1904[286].

Début juillet 1904, l'Allemagne relance le processus de négociation avec la Suisse[287]. Commencé le 24 août 1904 à Lucerne, le deuxième round se révèle très difficile. Début novembre 1904, la diplomatie suisse n'est toujours pas parvenue à atteindre ses objectifs. Dans de nombreuses branches de production, les conditions douanières obtenues ne sont pas en rapport avec les exigences helvétiques. Placé devant le choix délicat d'accepter un traité insuffisant ou d'engager une guerre douanière, le CF organise une grande conférence réunissant la délégation commerciale du CF, les négociateurs et les représentants d'associations économiques[288]. De manière tout à

283 DDS, vol. 4, nos 440/443, pp. 967-968/970-971; DDS, vol. 5, n° 1, pp. 1-7.

284 DDS, vol. 5, n° 3, p. 9.

285 RO, vol. II, 21, 1905, pp. 171-264.

286 FF, 1904, vol. 6, pp. 53-147, «MCF concernant le traité de commerce conclu avec l'Italie le 13 juillet 1904 (22 novembre 1904)».

287 DDS, vol. 5, n° 32, pp. 66-69.

288 Contrairement à l'usage observé jusqu'ici lors de négociations commerciales, ce ne sont pas des parlementaires ou des personnalités importantes représentant les diverses branches de production qui sont conviées à cette conférence de consultation visant à légitimer la politique du CF; pour la première fois, à ma connaissance, les participants sont invités en tant que membres d'associations économiques: • *Délégation commerciale du CF:* Deucher (DFIAC), Ruchet (DFFD intérim), Comtesse (président de la Confédération); • *Délégation chargée de la négociation:* Frey (USCI), Künzli (président de la commission des douanes du CN), Eichmann (chef de la Division du commerce), Schuler

fait explicite, le président de l'USCI, Hans Wunderli-von Muralt, dicte la stratégie commerciale à suivre:

> *Bei der Beurteilung der Sachlage müssen wir uns vergegenwärtigen, dass der schweizerische Handel mit Deutschland, Import und Export zusammengenommen, mehr als 1/4 unseres gesamten Warenverkehrs mit dem Auslande beträgt. Angesichts dieser Tatsache ist ernsthaft zu prüfen, was bei einem Bruch mit diesem Staate zu gewinnen oder zu verlieren wäre. Brechen wir die Verhandlungen ab, so stehen uns Repressalien bevor. Auf Bundesgenossen dürften wir nicht rechnen, am wenigsten auf Frankreich, das immer den Tertius gaudens gespielt hat. Im Gegenteil, wenn Frankreich seine Seidenstoffzölle über Gebühr erhöht, so können wir mit diesem Lande neuerdings in einen wirtschaftlichen Konflikt geraten, und gegen zwei so mächtige Nachbarn vermöchten wir nicht anzukämpfen. Suchen wir lieber Anschluss an Deutschland, auf das wir uns in einem eventuellen Zollkrieg mit Frankreich eher verlassen können als umgekehrt. Nehmen wir also an, was uns Deutschland bietet, und stürzen wir uns nicht in eine so grosse wirtschaftliche Gefahr. Es ist besser, wenn wir uns rechtzeitig darauf rüsten, Frankreich die Spitze bieten zu können, als wenn wir dies Deutschland gegenüber tun*[289].

Il s'agit de coopérer avec l'Allemagne pour mieux lutter contre la France. Malgré les difficultés accrues d'obtenir des concessions de l'Empire, le choix opéré en 1891 est donc confirmé. A l'exception du patronat de la soie zurichoise (ZSIG), l'ensemble des associations économiques acceptent le projet de traité tout en soulignant l'insuffisance des résultats. En dépit du lourd tribut à payer, l'agriculture et les arts et métiers suivent le mouvement.

Le 12 novembre 1904, un traité de commerce additionnel germano-suisse est signé[290]. Comme en 1891, la taxation issue de ces négociations constitue la colonne vertébrale du futur tarif d'usage suisse. Le 24 février 1905, un message du CF présente l'accord aux Chambres[291]. A quelques rares exceptions – bétail de boucherie, quelques machines et semi-fabriqués en coton –, les conditions douanières des principales exportations suisses sont maintenues ou améliorées. A l'importation en Suisse,

---

(secrétaire de la délégation), Thomann (secrétaire et chargé du protocole) • *Associations économiques: USCI:* Wunderli-von Muralt, Hirter; *USP:* Jenny, Schrämmli, Laur; *USAM:* Scheidegger, Boos-Jegher; *Verein Schweizerischer Käsehändler:* Sommer; *ZSIG:* Stünzi, Siber, Niggli; *SSZWV*: Syz, Stadtmann, Lang; *VSM*: Huber-Werdmüller, Sulzer-Steiner; *Chambre suisse d'horlogerie:* Calame-Colin; *KDSG*: Hoffmann, Wartmann; *ACIG*: Jaccard; *Verein schweizerischer Woll- und Halbwollindustrieller:* Pfenninger, Koch, Hefti-Trümpy; *Schweizerischer Zieglerverein:* Schmidheiny; de manière étonnante, les milieux industriels et commerçants bâlois ne sont pas représentés; DDS, vol. 5, n° 52, pp. 108-120, «Protokoll der Konferenz vom 1. November 1904 in Bern betreffend Handelsvertrags-Unterhandlungen mit Deutschland».

289 *Ibidem*, p. 113.

290 RO, vol. II, 21, 1905, pp. 407-561.

291 FF, 1905, vol. 1, pp. 528-620, «MCF concernant le traité additionnel au traité de commerce et de douane entre la Suisse et l'Empire allemand, conclu le 12 novembre 1904 (24 février 1905)».

> *[...] le nouveau traité protège, presque généralement et mieux que par le passé, notre production agricole et industrielle [...]*[292].

Bien que les résultats obtenus ne satisfassent pas complètement les élites industrielles, le nouveau traité marque tout de même une amélioration de la réciprocité douanière au profit de l'économie suisse. En comparant l'accord germano-suisse à d'autres traités conclus par le Reich, l'USP estime que la Confédération s'est vue accorder un traitement de faveur:

> *Le nouveau traité de commerce conclu avec l'Allemagne est le fait le plus marquant dans ce domaine. Comparé aux traités conclus simultanément par ce pays avec d'autres nations, le nôtre peut être jugé, à notre point de vue spécifique suisse, comme étant relativement le meilleur*[293].

Après avoir perdu beaucoup de terrain entre 1879 et 1887, la Suisse en regagne donc en 1888, 1891 et 1902. En contrepartie, la Suisse prend l'engagement d'élargir sa législation sur la protection des inventions[294]. Il faut cependant noter que la nouvelle législation, qui voit le jour en 1907, n'est pas le seul résultat de la pression allemande. Désormais dans le peloton de tête en matière de recherche, certaines entreprises de la chimie ne sont plus opposées à une protection des brevets. Le 27 juin 1906, la Confédération satisfait une autre exigence de l'Allemagne en adhérant à la convention internationale relative au régime des sucres[295].

Sur la base des traités conclus avec l'Italie et l'Allemagne, le CF promulgue un nouveau tarif d'usage qui entre en vigueur le 1er janvier 1906. La campagne commerciale helvétique est toutefois loin d'être terminée. Les traités de commerce conclus avec la France, l'Autriche-Hongrie et l'Espagne doivent encore être renouvelés. Régulant respectivement 12,4%, 5,4% et 1,8% de l'exportation suisse, ces accords ont toutefois moins d'importance pour l'économie helvétique. Les 20 août et 19 septembre 1904, le CF prend l'initiative de dénoncer les traités avec l'Espagne et l'Autriche-Hongrie. En raison

292 *Ibidem*, p. 575.

293 *Publications du Secrétariat suisse des Paysans*, n° 25, «Huitième rapport annuel du directeur de l'Union suisse des Paysans et du Secrétariat suisse des Paysans, 1905», Berne, 1906, p. 8.

294 Le 13 novembre 1903, un MCF est adressé aux Chambres; le 4 février 1904, la SGCI, qui est le principal opposant potentiel, se déclare prête à collaborer à une extension de la législation, malgré l'avis contraire de certains de ses membres; le 20 septembre 1904, la délégation suisse qui négocie avec l'Allemagne s'adresse au CF pour qu'il fasse accélérer le processus de mise sur pied d'un article constitutionnel par les Chambres; le 4 novembre 1904, le CF rassure le Reich en lui adressant une note l'autorisant à prendre des mesures commerciales contre l'exportation suisse au cas où une législation n'aurait pas vu le jour avant la fin de l'année 1907; le 19 mars 1905, l'article constitutionnel est accepté par le peuple; la législation est mise en vigueur en 1907; DDS, vol. 5, n° 42, pp. 90-91.

295 RO, vol. II, 22, 1906, pp. 328-329.

de difficultés politiques intérieures, ces deux pays ne sont toutefois pas prêts à négocier dans l'immédiat. Le 29 août 1905, un règlement provisoire des relations commerciales hispano-suisses est signé[296]. Le 18 décembre 1905, un arrangement semblable est conclu avec l'Autriche-Hongrie[297]. Le 9 mars 1906, les négociations avec le voisin de l'est aboutissent enfin à la conclusion d'un nouveau traité de commerce à tarif. Il modifie une trentaine de positions du tarif d'usage mis en vigueur le 1er janvier 1906[298]. Les positions agricoles restent acquises, à l'exception du bois qui est le principal article d'exportation autrichien. Quant à la tarification de l'exportation helvétique, elle ne subit pas de grands changements. Le nouveau traité améliore ainsi légèrement la réciprocité douanière au profit de l'économie suisse. Quant à l'Espagne, ce n'est qu'après une courte guerre douanière – taxation différentielle appliquée dès le 1er juillet 1906[299] – que des pourparlers secrets débouchent sur un nouveau traité de commerce[300]. Conclu le 1er septembre 1906, cet accord met le vin espagnol au bénéfice de la réduction de taxe accordée à l'Italie.

Pour compléter son œuvre, la diplomatie suisse doit encore trouver un terrain d'entente avec la France[301]. Après sa conversion au protectionnisme, le voisin occidental perd de son importance relative pour l'exportation suisse (annexe 2). La péjoration de la réciprocité douanière favorise aussi un accroissement considérable du déficit de la balance commerciale au détriment de la Suisse. Entre 1896/98 et 1902/05, il passe de 108,7 à 124,8 mios de frs (+15%)[302]. La France demeure toutefois le second partenaire commercial de la Suisse en 1900 avec 16,3% du commerce extérieur (importations et exportations). Elle est le premier acheteur de fromage, le deuxième de machines et le troisième de soieries. Le 29 juillet 1905, la perspective de la mise en vigueur d'un nouveau tarif d'usage suisse engage les autorités françaises à dénoncer le modus vivendi commercial instauré en 1895. Emmenée par Frey, la délégation suisse adopte une ligne de négociation dure. Il s'agit de défendre à tout prix l'exportation suisse de soieries qui est

296 FF, 1905, vol. 2, pp. 200-205, «RCF concernant le règlement provisoire des relations commerciales entre la Suisse et l'Espagne (25 septembre 1905)»; RO, vol. II, 21, 1905, pp. 401-403.
297 FF, 1905, vol. 6, pp. 479-490, «MCF concernant un arrangement commercial provisoire avec l'Autriche-Hongrie (19 décembre 1905)»; RO, vol. II, 22, 1906, pp. 16-23.
298 FF, 1906, vol. 2, pp. 655-690, «MCF concernant le traité de commerce signé avec l'Autriche-Hongrie le 9 mars 1906 et les conventions conclues à la même date avec ce pays relativement aux opérations douanières dans le service des chemins de fer et à la police des épizooties (24 mars 1906)»; RO, vol. II, 22, 1906, pp. 371-493.
299 RO, vol. II, 22, 1906, pp. 267-268.
300 FF, 1906, vol. 5, pp. 117-133, «MCF concernant le traité de commerce conclu entre la Suisse et l'Espagne le 1er septembre 1906 (2 novembre 1906)»; RO, vol. II, 22, 1906, pp. 585-622.
301 Sur cette question, cf. Gern, 1992, pp. 255-279.
302 SHS, 1996, p. 696.

menacée par les exigences protectionnistes des industriels français[303]. Par ailleurs, l'augmentation de la protection agricole suisse sur le vin et les bœufs de boucherie doit être préservée sans hypothéquer l'exportation de fromage en France, qui est importante pour maintenir le prix du lait.

Deux premiers rounds de négociations ont lieu du 12 au 19 décembre 1905 et du 9 janvier au 1er février 1906. Reprises le 19 mars à Paris, les discussions entrent dans une phase cruciale durant l'été. Contraints par une loi du Parlement français de parvenir à un consensus avant la fin du mois de juillet, les deux Gouvernements se livrent à un bras de fer pathétique[304]. Le 30 juillet 1906, le CF fait les concessions nécessaires pour éviter une nouvelle guerre douanière. Le traité est finalement signé le 20 octobre 1906 après une série de conférences à Berne[305]. Contrairement aux autres traités, dont l'échéance est fixée à fin 1917, la convention commerciale conclue avec la France est dénonçable en tout temps avec une année de préavis. Son contenu n'améliore que très peu la réciprocité douanière au profit de la Suisse. Des concessions importantes doivent être faites sur l'exportation de soieries et l'importation de bœufs de boucherie. Après avoir été ratifié par les deux Parlements, l'accord entre en vigueur le 23 novembre 1906.

La campagne de renouvellement des traités de commerce est ainsi achevée[306]. Bien que moins euphorique que celle de 1891-1895, elle améliore quelque peu la réciprocité douanière avec les Etats voisins et consolide la majeure partie des échanges extérieurs pour une durée de douze ans. Les bases commerciales du développement économique de la Suisse sont ainsi assurées sur le moyen terme. L'expansion commerciale helvétique sur les marchés internationaux peut se poursuivre jusqu'à la Première guerre mondiale en bénéficiant aussi d'une période de forte croissance économique. Les traités conclus favorisent une intensification des relations économiques avec l'Allemagne et l'Italie. Entre 1899/1901 et 1910/13, les exportations suisses progressent de 474 mios de frs courants (+58%), dont 29% sont absorbés par l'Allemagne et l'Italie. Le taux de croissance des expéditions vers ces deux pays (56%) est nettement supérieur à celui des marchés européens (+48%) et plus encore à celui de la France (+29%). Ce sont toutefois les marchés extra-européens qui se développent le plus rapidement (+95%). Il

303 Durant les négociations, la ZSIG fait à plusieurs reprises pression sur les autorités pour leur demander de préserver les intérêts de l'industrie de la soie – requêtes des 15 mars et 16 juillet 1906; la menace d'une expatriation massive de la production est sans cesse agitée; DDS, vol. 5, nos 115/133, pp. 272-274/304-306.

304 DDS, vol. 5, nos 126/128-131/135-139, pp. 294-295/296-302/307-313.

305 FF, 1906, vol. 5, pp. 1-59, «MCF concernant la convention de commerce conclue entre la Suisse et la France le 20 octobre 1906 (5 novembre 1906)»; RO, vol. II, 22, 1906, pp. 623-683.

306 Le 28 février 1907, un traité à tarif est encore conclu avec la Serbie; RO, vol. II, 23, 1907, pp. 83-117.

faut une fois de plus souligner que l'évolution des chiffres du commerce extérieur ne sont que la pointe de l'iceberg. Les investissements directs croisés et le trafic de perfectionnement avec l'Allemagne viennent encore renforcer l'intensification des relations avec l'axe Nord-Sud.

Nous allons à présent aborder cette période 1903-1906 en analysant l'évolution des rapports de force au sein du champ douanier helvétique. Un premier niveau de lutte oppose les différents lieux de pouvoir du champ (CF, délégation commerciale du CF, Division du commerce, délégation des négociateurs, AsF) qui cherchent à s'approprier le plus de compétences possible pour diriger les négociations. A cela se superposent les conflits entre les différents acteurs du champ, en particulier les trois associations faîtières, qui cherchent à investir les différents lieux de pouvoir ou à les soumettre à des pressions pour que leurs intérêts soient pris en compte. Ces deux niveaux de tensions étant liés, l'analyse procédera de manière chronologique en les associant. Un intérêt particulier sera accordé aux modalités de l'intégration de l'USP par l'axe CF-USCI.

Durant la révision du tarif général, l'USP et l'USAM avaient réactivé une vieille revendication des milieux agricoles et artisanaux, à savoir leur représentation au sein de la délégation chargée de négocier les traités de commerce. Le 23 avril 1902, le Conseiller national argovien Hans Müri[307] dépose un postulat qui reprend cette exigence. Le CF refuse toutefois d'entrer en matière[308]. Le 2 février 1903, le DFIAC fait une série de propositions au CF dans la perspective des négociations avec l'Allemagne. Avec la nomination de Roth, Frey et Künzli comme négociateurs, la formule adoptée lors de la campagne de 1891-1895 est reconduite. L'homme fort de l'USCI est accompagné d'un industriel de la branche du coton – par ailleurs président de la commission des douanes du CN – ainsi que par le Ministre suisse à Berlin. La délégation commerciale du CF est composée des titulaires du DFIAC et du DFFD ainsi que du président de la Confédération. Le système du tournus des départements étant de nouveau en vigueur depuis 1897, la composition de la délégation change tout au long des négociations. Les hommes forts en sont Deucher (DFIAC) et, dans une moindre mesure, Comtesse (DFFD). Outre les nominations d'usage, le DFIAC propose d'officialiser le rôle-clef joué par le chef de la Division du commerce, Arnold Eichmann:

> *Dem Departementsvorsteher würde es nicht möglich sein, die Leitung der Arbeiten zu besorgen, ohne sich dieser Aufgabe fast gänzlich hinzugeben. Der Chef der Han-*

307 *Hans Müri-Hiltpold* (1861-1944) (AG), fils d'agriculteur, CdE argovien influent (1895-1912), Cn de tendance radicale-démocrate (1896-1912), proche de Künzli.

308 AF, E 6351 (A)-/1, vol. 77, «PV du CF du 15 septembre 1902».

> *delsabteilung muss deshalb zu den Vertragsgeschäften in leitender Stellung herangezogen und hiezu bevollmächtigt werden*[309].

Désormais, une partie des compétences de Deucher est ainsi déléguée à l'ancien secrétaire de l'USCI. Après la permission accordée aux fonctionnaires supérieurs d'entrer directement en collaboration avec les représentants de l'économie privée, cette décision marque un nouveau glissement du centre de gravité du champ douanier vers un axe administration-associations faîtières.

La décision gouvernementale de refuser un négociateur à l'agriculture et aux arts et métiers ne signifie pas pour autant que l'USP et l'USAM soient exclues du processus de négociation. D'une part, des conférences sont organisées comme à l'accoutumée pour préparer les instructions du CF aux négociateurs. D'autre part, et c'est nouveau, les associations faîtières communiquent par écrit un tarif d'usage minimum, limite inférieure de la taxation qui ne devrait pas être franchie au cours des négociations[310]. Enfin, lors d'entretiens avec Deucher et Frey, l'USP et l'USAM obtiennent de pouvoir s'informer à tout moment du déroulement des négociations[311]. Si la nécessité de descendre en dessous du tarif minimal fixé devait se présenter, le DFIAC s'engage à consulter les associations avant de donner le feu vert aux négociateurs[312]. Consciente que tout cela reste de belles promesses, l'USP exerce une forte pression politique sur les autorités fédérales. Lors de l'assemblée des délégués du 4 avril 1903, les responsables de l'organisation agricole promettent le chaos politique au cas où l'agriculture devait être trahie de la même manière qu'au début des années 1890[313].

Au cours de la négociation avec l'Allemagne, qui est décisive pour les élites industrielles, la concentration des compétences s'accentue. Plutôt que d'être élargi aux représentants de l'agriculture et des arts et métiers, le cercle des négociateurs est encore restreint. Le 10 novembre 1903, la délégation commerciale du CF, les négociateurs et Eichmann se réunissent pour faire le point sur la première phase des pourparlers. Il est alors décidé de proposer une négociation secrète à l'Empire allemand dans le but de fixer les bases d'un arrangement futur[314]. Acceptées par l'Allemagne, les négociations

309 AF, E 6, vol. 48, «Proposition du DFIAC au CF du 2 février 1903».

310 Le tarif d'usage minimum de l'USP, qui est discuté par les commissions douanières de l'association, est adressé au DFIAC le 30 mars 1903; Archives USP, Copies de lettres, vol. 2, 1899-1907, «USP au DFIAC, 30 mars 1903».

311 Archives USAM, PV du comité central du 16 mars 1903.

312 Archives USAM, PV du comité central du 2 novembre 1903.

313 *Mitteilungen des Schweizerischen Bauernsekretariates*, Nr. 18, «Stenogramm der Verhandlungen der ordentlichen Delegiertenversammlung des Schweizer. Bauernverbandes vom 4. April 1903 im Grossratssaale in Bern», Bern, 1903; une analyse plus détaillée de cette assemblée des délégués figure dans le chapitre consacré à la fondation de l'USP.

314 DDS, vol. 4, n° 436, pp. 959-961, «Summarisches, vorwegs geschriebenes Protokoll Handelsvertrags-Delegation, Bern, 10. November 1903».

secrètes ont lieu entre Eichmann et von Körner du 11 au 20 décembre 1903. A leur issue, Eichmann décide de son propre chef et communique à von Körner que les propositions allemandes ne sont pas suffisantes pour entrer dans un second round de négociations. Le 11 janvier 1904, il fait un rapport à la délégation commerciale et aux négociateurs, mais sans communiquer le détail des concessions qu'il a offertes sur le tarif helvétique. Künzli et Forrer exigent alors d'être orientés sur cette question. Pour légitimer son attitude, Eichmann dévoile que les concessions suisses ont été discutées avec Frey avant les pourparlers secrets:

> *Was die Ansätze anbetrifft, so hat der Sprechende mit Hrn. Nationalrat Frey versucht, vor der Besprechung eine gewisse Grenze aufzustellen. Wir sind zum Teil, aber nur für wenige Artikel, auf den Statu quo gegangen, zum Teil etwas unter denselben, wo es im Interesse der betreffenden Industrie liegt, diese Artikel billig einzuführen. Sonst sind wir überall über dem Statu quo geblieben*[315].

Grâce à l'appui de Deucher et de Frey, il est décidé de renoncer à une discussion de détail. Eichmann est toutefois prié d'entretenir les négociateurs au sujet des discussions de Francfort.

A l'issue de cette première partie des négociations, le duo Eichmann-Frey a donc réussi à dessiner l'essentiel du prochain traité germano-suisse, cela sans que l'USAM, l'USP, le CF, la délégation commerciale et même les négociateurs Künzli et Roth n'aient pu véritablement participer à son élaboration. Le traité avec l'Allemagne étant la pierre d'angle du futur tarif d'usage, l'USCI a donc réussi un coup de force. Il est très intéressant de constater qu'en tant que négociateur du traité de commerce avec l'Italie, qui est aussi débattu lors de la séance du 11 janvier 1904, Laur aurait dû être présent, mais qu'il n'a pas été invité par Deucher:

> *Er hat Unterhändler Dr. Laur zur heutigen Sitzung nicht eingeladen, weil die italienische Angelegenheit nur nebenbei zur Behandlung kommen wird*[316].

Les Allemands jouent d'ailleurs parfaitement le jeu de la fermeture du processus décisionnel. Le 17 février 1904, Roth écrit à Deucher pour lui faire part d'une demande de la diplomatie allemande de poursuivre la négociation secrète:

> *Der Staatssekretär erklärt sich bereit, einige der deutschen Unterhändler für die gegenwärtig in Rom stattfindenden Verhandlungen mit Italien (z. B. die Herren von Körner, Wermuth und Johannes) zu beauftragen, sich anlässlich der in etwa acht bis zehn Tagen erfolgenden Rückreise vom Rom nach Bern zu begeben und dort mit den*

315 DDS, vol. 5, n° 1, pp. 1-7, «Protokoll der Sitzung vom 11. Januar 1904 betreffend die Handelsvertragsunterhandlungen mit dem Deutschen Reich und Italien, Bern, 11. Januar 1904».

316 *Ibidem.*

> *Herren Eichmann, Frey und eventuell auch mit Herrn Künzli die Unterhandlungen auf Grund der Frankfurter Besprechungen weiter zu führen*[317].

Ces nouvelles négociations secrètes n'auront finalement pas lieu.

En août 1904, le processus de négociation avec l'Allemagne est enfin relancé. A la demande du Gouvernement allemand, les discussions doivent avoir lieu en Suisse pour permettre la présence d'Eichmann[318]. Le 20 août 1904, le CF entérine trois propositions du DFIAC. A la demande de Frey, Eichmann est nommé en tant que quatrième négociateur. Il est par ailleurs décidé de faire pression sur les Chambres afin d'accélérer l'élaboration d'une nouvelle loi sur la protection des inventions. La troisième décision constitue une petite révolution. En opposition à tous les usages en vigueur, les négociateurs demandent de bénéficier des pleins pouvoirs pour engager le nouveau round de négociations:

> *Da über den Grund der deutscherseits bestehenden Geneigtheit zum Entgegenkommen noch grosse Ungewissheit besteht und mit der deutschen Delegation auch zunächst der zu befolgende Unterhandlungsmodus vereinbart werden muss, bevor ein bestimmtes Programm aufgestellt wird, wünschen die Herren Unterhändler, dass ihnen zur Zeit noch keine neuen bindenden Instruktionen gegeben, sondern die Vollmacht erteilt werden möchte, zunächst nach ihrem besten Ermessen zu handeln. Der Umstand, dass die Unterhandlungen in nächster Nähe stattfinden, wird den Herren Unterhändlern gestatten, sich mit der Delegation des Bundesrates und den Interessenten ins Einvernehmen zu setzen und dem Departemente bindenden Instruktionen zu beantragen, sobald eine Orientierung über die deutscherseits bestehenden Tendenzen stattgefunden hat und ein Urteil über das Mass der zu machenden äussersten Zugeständnisse möglich ist*[319].

En demandant la suppression des instructions gouvernementales, les négociateurs n'exigent pas moins que le CF leur délègue la définition des objectifs des pourparlers. La fixation postérieure d'instructions aurait pour unique fonction de légitimer les buts stratégiques définis par l'USCI en collaboration avec les milieux économiques. Le DFIAC est conscient que le bât pourrait blesser l'autonomie financière du CF. Pour faire avaler la pilule, Deucher s'empresse de préciser que les instructions du premier round de négociations offrent des garanties suffisantes à cet égard, puisqu'elles préci-

317 DDS, vol. 5, n° 6, «Der schweizerische Gesandte in Berlin, A. Roth, an den Vorsteher des Handels-, Industrie- und Landwirtschaftsdepartementes, A. Deucher, Berlin, 17. Februar 1904».

318 DDS, vol. 5, n° 37, «Der ausserordentliche Stellvertreter des Vorstehers des Handels-, Industrie- und Landwirtschaftsdepartementes, E. Müller, an den Vorsteher des Handels-, Industrie- und Landwirtschaftsdepartementes, A. Deucher, Bern, 13. August 1904».

319 DDS, vol. 5, n° 39, p. 83, «Antrag des ausserordentlichen Stellvertreters des Vorstehers des Handels-, Industrie- und Landwirtschaftsdepartementes, E. Müller, Bern, 18. August 1904».

sent que des concessions sur les principales positions fiscales doivent être refusées.

Majoritaire au sein de la délégation qui mène les pourparlers – Roth est peu présent –, le duo Frey-Eichmann a tout loisir de façonner le traité et le futur tarif d'usage suisse à sa convenance. Les deux représentants des élites industrielles prennent toutefois garde de ne pas froisser les intérêts de l'USP et de l'USAM dans une mesure qui les empêcherait de donner leur aval au traité. Au terme de la négociation, les principales associations économiques sont mises devant le fait accompli. Réunis lors de la séance du 1er novembre 1904, évoquée plus haut, leurs représentants sont soumis au choix cornélien d'accepter un traité qualifié d'imparfait ou d'assumer le déclenchement d'une guerre douanière contre le Reich allemand. Toute alternative est d'emblée exclue par les négociateurs. A l'exception de la SZIG, les sections de l'USCI (SSZWV, VSM, VSW, VSKE, KDSG, ACIG, Chambre suisse d'horlogerie) accordent leur soutien à l'œuvre des négociateurs. Bien que plus réticentes, l'USP et l'USAM en font de même[320].

Le 6 février 1905, l'USAM adresse toutefois une requête à l'AsF:

> *Aus den vorstehenden Berichten, geht unzweideutig hervor, dass die Grosszahl der Gewerbe mit dem Vertrag unzufrieden ist*[321].

Si elle renonce à faire opposition au traité, l'association faîtière exige que les matières premières et les semi-fabriqués utilisés par les arts et métiers soient baissés de manière autonome. Un bref extrait de la requête explicite à quel point l'USAM est démunie de tout poids politique. Incapable de s'opposer seule au traité, l'association faîtière des arts et métiers se réserve la possibilité de le faire au cas où d'autres organisations économiques se lanceraient dans la bataille. Quant à l'USP, qui déplore la perte du marché allemand pour une partie de son exportation de bétail, elle se console avec le maintien des conditions d'exportation du fromage. Le *Paysan suisse* approuve le traité du bout des lèvres:

> *Le nouveau traité conclu avec l'Allemagne ne répond pas à ce que l'agriculture en attendait. Cependant, on peut dire, en général qu'il n'est pas trop défavorable à notre pays*[322].

De manière significative, le travail des négociateurs n'est pas attaqué, mais au contraire légitimé:

> *Il ne faut pas faire un reproche à nos négociateurs du contraste frappant qui existe entre les concessions faites par l'Allemagne sur les articles de l'industrie et celles faites en faveur de l'exportation de nos produits agricoles. La majoration des droits agrico-*

320 DDS, vol. 5, n° 52, pp. 108-120, «Protokoll der Konferenz vom 1. November 1904 in Bern betreffend Handelsvertrags-Unterhandlungen mit Deutschland».
321 E 6351 (A)-/2, vol. 31.
322 *PS*, mars 1905, «Le traité de commerce conclu entre la Suisse et l'Allemagne».

> *les servait de directrice en Allemagne pour la conclusion des nouveaux traités de commerce*[323].

Tout en ayant eu la possibilité de forger le principal traité de commerce à leur gré, les élites industrielles de l'USCI parviennent donc à préserver la cohésion du bloc bourgeois-paysan.

Dans le cadre du traité de commerce avec l'Italie, qui est décisif pour la fixation des positions agricoles du tarif d'usage, le CF décide, le 9 décembre 1903, d'intégrer un négociateur de l'USP en la personne d'Ernst Laur. Comment expliquer cette concession politique importante faite aux élites agricoles? Certes, en prévision de la bataille diplomatique, dont les positions agricoles seront assurément un objet, la présence du Secrétaire paysan constitue un atout important pour la délégation suisse. Toutefois, l'intégration de l'USP répond avant tout au besoin politique de légitimer l'action commerciale de la Confédération. Conscient que la protection agricole contenue dans le tarif général devra être rognée, le CF veut éviter le chaos politique promis par l'USP. En raison de l'envergure prise par l'association faîtière, les pressions des élites agricoles ne peuvent plus être négligées comme par le passé. En intégrant le Secrétaire paysan dans le processus de négociation, le Gouvernement peut escompter que celui-ci sera contraint de légitimer le traité de commerce conclu avec l'Italie, même si ce dernier exige d'importants sacrifices de la part de l'agriculture.

La nomination des négociateurs helvétiques est émaillée d'un second événement qui illustre la croissance du pouvoir des associations faîtières au sein du champ douanier. Selon la coutume, le Ministre à Rome, Giovanni Battista Pioda, est nommé chef de la délégation composée de Frey, Künzli et Laur. Du fait qu'il est issu d'une famille libre-échangiste de négociants tessinois, sa présence risque toutefois de provoquer des dissensions entre les négociateurs et d'affaiblir ainsi la position suisse. A l'occasion d'une conférence avec la délégation commerciale du CF, Frey le désigne comme persona non grata:

> *Wir hatten gewünscht, dass Hr. Pioda überhaupt nicht Delegierter werden solle. Dann wäre er gänzlich ausserhalb der Situation geblieben. Nachdem er nun Mitglied ist, und zwar erstes Mitglied, kann man ihm keinen Maulkorb anlegen*[324].

Ne pouvant plus éviter la présence du Tessinois, Frey demande que les informations importantes concernant la négociation ne lui soient pas transmises. Ce faisant, il exige la suppression du contrôle exercé par la sphère politique sur les négociations. Künzli ajoute que dans le cadre des négociations avec

323 *Ibidem.*
324 DDS, vol. 5, nº 1, p. 7, «Protokoll der Sitzung vom 11. Januar 1904 betreffend die Handelsvertragsunterhandlungen mit dem Deutschen Reich und Italien, Bern 11. Januar 1904».

l'Allemagne, le Ministre Roth ne s'est jamais mêlé des problèmes de taxation. Tout en défendant son diplomate contre l'arrogance de Frey et Künzli, Forrer cède sur certains points:

> *Hr. Pioda bleibt in vollem Masse Unterhändler, und zwar der erste. Er sagte dem Sprechenden, er wolle bei den Unterhandlungen zugegen sein [...] Wir legen ihm nahe, bei den technischen Fragen die HH. Unterhändler machen zu lassen; er müsse mit denselben immer einig gehen*[325].

Lors de la séance du 23 février 1904, le CF décide de notifier à Pioda de ne pas se mêler de la négociation.

Au cours des pourparlers avec l'Italie, une grande marge de manœuvre est accordée au Secrétaire paysan pour conclure le volet agricole du traité. Des conférences spéciales sont organisées, durant lesquelles Laur négocie, en tête à tête, avec le responsable italien de l'agriculture[326]. Comme il fallait s'y attendre, plusieurs positions doivent être fixées en dessous du tarif minimum proposé par l'USP. Le 3 juin 1904, une grande conférence réunit la délégation commerciale du CF, les négociateurs et les délégués de l'USP[327]. Les taxes sur le vin et les bœufs de boucherie sont au centre du débat qui fait resurgir les antagonismes constatés lors de l'élaboration du tarif. Alors que le CF se montre soucieux de défendre les intérêts des consommateurs, l'USP exige un accroissement de sa protection. Fixée à 20 frs dans le tarif général et à 12 frs dans le tarif minimum de l'USP, la taxe sur le vin est déjà descendue à 10 frs à ce stade de la négociation. Sous la pression des événements, le représentant de la viticulture concède une dernière diminution à 9 frs. Estimant qu'une augmentation de 3,50 frs à 9 frs est exagérée, Eichmann demande un effort supplémentaire aux vignerons, mais sans succès. En ce qui concerne la taxe sur les bœufs de boucherie, fixée à 50 frs dans le tarif général, la dernière offre suisse se situe à 50 frs pour le bétail adulte et à 25 frs pour le jeune bétail. Avec le soutien de Frey, les engraisseurs fixent les taxes minimales à 40 frs et 25 frs, ou à une taxe unique de 35 frs. Après que Deucher et Comtesse se soient prononcés en faveur d'une taxe de 30 frs, Laur invoque l'exclusion des vaches de boucherie suisses du marché allemand pour exiger que le CF ne descende pas en dessous de 35 frs.

Durant la suite des négociations, d'importantes tensions se manifestent entre les négociateurs et le CF. Le 9 juin 1904, le CF modifie les instructions

325 *Ibidem.*

326 DDS, vol. 5, nº 17, pp. 33-34, «Die schweizerische Handelsvertragsdelegation an den Vorsteher des Handels-, Industrie- und Landwirtschaftsdepartementes, A. Deucher, Rom, 14. April 1904».

327 DDS, vol. 5, nº 24, pp. 46-50, «Protokoll der Konferenz der bundesrätlichen Delegation und der Unterhändler des schweizerisch-italienischen Handelsvertrages, Bern, 3. Juni 1904».

proposées par le DFIAC en abaissant la limite inférieure sur les bœufs à 30 frs. Laur réagit immédiatement en protestant auprès de Deucher:

> *Ich war überrascht, in der Instruktion unter den noch zur Verfügung stehenden Konzessionen verschiedene landwirtschaftliche Positionen zu finden, bei denen die Zustimmung der Italiener bereits erfolgt ist, ohne dass allerdings das Minimum der frühern Instruktion ausgenützt werden musste. Ich schliesse daraus, dass in Bern die Absicht besteht, auch solche bereits erledigte Positionen zum Erkaufen weiterer Zugeständnisse für den Export zu benützen [...] Die Frage bekommt eine ganz besondere Bedeutung im Hinblick auf den Ochsenzoll*[328].

Dans la même lettre, Laur demande à Deucher de se dégager de l'influence d'Eichmann, qu'il estime prêt à sacrifier la protection agricole pour promouvoir l'exportation industrielle. Suite à la proposition du CF d'offrir une taxe de 8 frs pour le vin, la délégation adresse un rapport qui demande au CF de cesser d'interférer dans les négociations en jouant son propre jeu:

> *Es hat sich unser nachgerade der Eindruck bemächtigt, als ob wir des vollen Vertrauens des h. Bundesrates nicht mehr sicher seien [...] Sollten Ihre «Schliesslichen» Limiten auf anderm Gebiete liegen, so sollten wir auch dies wissen. Die Delegation bittet, ihr diejenige Stellung zu bewahren, auf die sie glaubt Anspruch erheben zu dürfen; sonst würde sie sich gewiss mit Recht fragen müssen, wozu sie überhaupt da sei [...] Wir waren und sind entschlossen, unsere Pflicht zu tun, und diese Versicherung – wenn sie überhaupt nötig ist – sollte auch dem h. Bundesrat genügen, uns den durchaus erforderlichen Spielraum zum Handeln zu gewähren*[329].

Malgré les reproches des négociateurs, le CF joue un rôle-clef dans la phase finale des négociations. Le 6 juillet 1904, il décide d'accorder une taxe de 8 frs sur le vin en concession des efforts faits par l'Italie sur les positions industrielles:

> *Le Conseil fédéral prie Monsieur Pioda, avant de faire ces déclarations à Monsieur Tittoni, de vouloir bien en instruire ses collègues de la Délégation suisse et leur dire que le Conseil fédéral, en présence des nouvelles offres italiennes, n'a pas cru pouvoir assumer la responsabilité de risquer une rupture pour une différence relativement minime*[330].

Le 13 juillet, les deux parties arrivent enfin à un accord.

Le traité de commerce italo-suisse est toutefois gardé secret jusqu'en novembre, à la demande du Gouvernement italien. Pour cette raison, la polémique opposant la viticulture au CF n'éclate qu'en décembre 1904.

328 DDS, vol. 5, n° 26, «E. Laur als Mitglied der schweizerischen Handelsvertragsdelegation an den Vorsteher des Handels-, Industrie- und Landwirtschaftsdepartementes, A. Deucher, Rom, 20. Juni 1904».

329 DDS, vol. 5, n° 30, pp. 63-64, «Die schweizerische Handelsvertragsdelegation in Rom an den Vorsteher des Handels-, Industrie- und Landwirtschaftsdepartementes, A. Deucher, Rom, 1. Juli 1904».

330 DDS, vol. 5, n° 31, p. 65, «Protokoll der Sitzung des Bundesrates vom 6. Juli 1904».

Dans le *Paysan suisse* du même mois, Laur adresse certaines critiques contre le traité et refuse de légitimer la taxe sur le vin:

> *Encore dans les dernières semaines, l'Union suisse des paysans avait donné son adhésion, non sans de grandes hésitations et seulement dans le but d'arriver à la conclusion d'un traité, à un droit de 9 frs sur les vins. Elle avait reçu l'assurance de la délégation du Conseil fédéral et des négociateurs que ce serait la concession extrême. La réduction du droit au-dessous de ce chiffre, s'est faite ensuite sans qu'on ait consulté les intéressés, et l'Union des paysans refuse toute responsabilité sous ce rapport*[331].

Ce faisant, Laur rompt le contrat implicite le liant au CF pour prendre le parti des vignerons. Il privilégie ainsi la cohésion de l'USP au détriment du rôle paraétatique qui lui a été confié. La réaction du CF ne se fait pas attendre. Deucher lui tape sur les doigts dans une lettre où il lui reproche d'avoir trahi le secret de fonction auquel sont tenus les négociateurs. Dans sa réponse, datée du 10 décembre, Laur explicite la position tout à fait complexe qu'il occupe désormais au sein du champ douanier:

> *Ich bitte Sie, hochgeachteter Herr Bundesrat, bei der Beurteilung aller dieser Fragen die ausserordentliche Schwierigkeit meiner Stellung in Betracht zu ziehen. Ich habe meine ganze Kraft eingesetzt, um einerseits unsere Landwirte in der Frage der Handelsverträge vor Einseitigkeit und Übertreibung zu bewahren, anderseits ihnen aber doch einen billigen Anteil an den neuen Verträgen zu sichern. Jetzt muss ich das bis anhin Erreichte rechtfertigen, gleichzeitig es aber gegen die Gefahren, die ihm bei weiteren Verträgen drohen, verteidigen, und endlich bei unseren Landwirten die Ueberzeugung erhalten, dass der Bauernverband alle landwirtschaftlichen Interessen gerecht und gleichmässig vertreten habe. Alle diese drei Aufgaben sind gleich wichtig und gleich berechtigt, und mein Artikel suchte allen dreien gerecht zu werden. Das, was Ihnen daran missfällt, findet in dieser Dreiseitigkeit seines Zweckes seine Erklärung*[332].

Après s'être excusé d'avoir enfreint un secret de fonction, dont il prétend ne pas connaître l'existence, Laur promet à Deucher de calmer le mécontentement vigneron à l'occasion de l'assemblée des délégués de l'USP. Le 25 mars 1905, il obtient en effet que l'association ne fasse pas opposition aux traités avec l'Allemagne et l'Italie[333].

Dans la perspective du renouvellement des traités avec l'Autriche-Hongrie, la France et l'Espagne, auxquels il participe en tant que négociateur, Laur ne diminue en rien la pression exercée sur l'axe CF-USCI. Le 16 janvier 1905, l'USP demande au CF que la protection agricole acquise après les deux pre-

331 *PS*, décembre 1904, «Le nouveau traité de commerce entre la Suisse et l'Italie».

332 Archives USP, Copies de lettres, vol. 1, 1898-1907, «Laur à Deucher, 10 décembre 1904».

333 *Mitteilungen des Schweizerischen Bauernsekretariates*, Nr. 23, «Stenogramm der Verhandlungen der ordentlichen Delegiertenversammlung des Schweizer. Bauernverbandes vom 20. März 1905 im Grossratssaale in Bern», Bern, 1905.

mières négociations soit impérativement préservée. En particulier, la taxe sur le bétail de boucherie, finalement fixée à 32 frs dans le traité italo-suisse, ne doit plus être revue à la baisse[334]. Pour satisfaire les milieux viticoles, l'USP exige aussi que la taxe de 8 frs accordée à l'Italie ne soit pas étendue aux vins espagnols. Cela signifie que la diplomatie suisse devrait créer un précédent en limitant la clause de la nation la plus favorisée dans le traité conclu avec l'Espagne[335]. L'assemblée des délégués du 25 mars 1905 confirme ces deux exigences en votant des résolutions. De manière prévisible, l'application des postulats de l'USP se heurte aux réalités de la négociation. Si la conclusion du traité avec l'Autriche-Hongrie ne pose pas de problèmes majeurs, à l'exception de la réduction des taxes sur le bois, une entente avec la France, premier fournisseur de la Suisse en denrées alimentaires, se heurte à d'importantes difficultés. D'autant plus que les industries de la soie et de la broderie exercent une forte pression pour que la protection agricole suisse soit troquée contre une ouverture du marché français à leurs productions[336]. La réalisation des objectifs de l'USP n'est pas non plus favorisée par la composition de la délégation nommée par le CF. Frey, Künzli et Laur sont accompagnés de deux libre-échangistes notoires, le Ministre de suisse à Paris Lardy et le représentant du commerce de fromage et de l'industrie horlogère, Louis Martin[337].

Proposée à plusieurs reprises par Lardy, une baisse de 32 à 27 frs sur les bœufs de boucherie est finalement offerte à la France par le CF. Le 23 juin 1906, l'USP lui adresse une requête de protestation[338]. En juillet, le *Paysan suisse* affirme que cette concession n'est pas le résultat de pressions françaises, mais un cadeau du CF au parti des consommateurs. Il signale que le Club de l'agriculture des Chambres, fort d'une soixantaine de députés, a décidé de poser un ultimatum au Gouvernement:

> *Si le nouveau traité avec la France doit être acheté au prix de nouvelles réductions sur les droits agricoles, le groupe travaillera de toutes ses forces au rejet du traité*[339].

Durant la crise de juillet, qui menace de déboucher sur une guerre douanière, le CF joue pleinement son rôle de médiateur entre les différents inté-

334 AF, E 6351 (A)-/2, vol. 31.

335 *Mitteilungen des Schweizerischen Bauernsekretariates*, Nr. 23, «Stenogramm der Verhandlungen der ordentlichen Delegiertenversammlung des Schweizer. Bauernverbandes vom 20. März 1905 im Grossratssaale in Bern», Bern, 1905; à cette occasion, Chuard va même plus loin que Fonjallaz en demandant que le traité de commerce avec l'Espagne ne soit tout simplement pas renouvelé; sa proposition n'est toutefois pas reprise par l'assemblée des délégués.

336 *PS*, février 1906, «La situation politico-commerciale».

337 *Louis Martin-Fauguel* (1838-1913) (NE), cf. note 96, chapitre 5.

338 AF, E 13 (B), vol. 190.

339 *PS*, juillet 1906, «Le traité de commerce avec la France».

rêts. D'une part, Frey et la ZSIG exercent de fortes pressions pour que le CF évite une augmentation de la tarification française des soieries, même au prix d'un nouveau conflit douanier[340]. De l'autre, l'USP s'oppose à toute baisse de la protection agricole, tout en refusant une guerre douanière qui couperait l'exportation de fromage et aurait des conséquences désastreuses sur le prix du lait[341]. Sur la proposition de Lardy, Deucher essaye vainement de trouver une issue en tentant de convaincre les viticulteurs d'accepter de nouvelles concessions sur le vin[342]. Désireux d'éviter une nouvelle guerre douanière, le CF sauve la situation en concédant une légère augmentation sur les soieries[343]. Mauvais perdant, Frey estime que la ratification par les Chambres sera problématique[344]. Signé le 20 octobre 1906, l'accord franco-

340 DDS, vol. 5, n°s 133/137, pp. 304-307/309-310.

341 DDS, vol. 5, n° 129, p. 297, «Der Sekretär des Schweizerischen Bauernverbandes, E. Laur, an den Vorsteher des Handels- Industrie- und Landwirtschaftsdepartementes, A. Deucher, 11. Juli 1906».

342 Le 2 juillet 1906, Deucher envoie un télégramme à Fonjallaz: «*Les négociations avec la France sont sur le point de se rompre. Les ministres à Paris et l'Ambassadeur à Berne en reviennent des plus énergiquement à la question du vin. Ils nous reprochent notre intransigeance à cet égard et tout indique qu'une concession légère pourrait sauver la situation. Ne pourriez-vous pas, dans ces circonstances, accéder à une modeste réduction pour épargner à notre pays une rupture avec toutes ses conséquences. Nous vous prions de vous entendre avec vos collègues et de venir en conférer demain matin à 10 heures et demi avec Comtesse et le soussigné à son bureau.*»; AF, E 13 (B), vol. 190; l'entretien n'a certainement pas été protocolé, mais la taxe sur le vin, malgré les appels au patriotisme des vignerons vaudois, est maintenue à 8 frs.

343 DDS, vol. 5, n° 139, p. 313, «Protokoll der Sitzung des Bundesrates vom 30. Juli 1906».

344 L'attitude intransigeante de Frey vis-à-vis de la France mérite un commentaire; dès la préparation des négociations, le directeur du Vorort prône une ligne dure qui est contestée par Lardy, Martin (fromage) et Künzli (coton), favorables à une attitude plus modérée; le Zurichois obtient toutefois gain de cause, puisque l'objectif défini n'est pas moins que de ramener la France dans le système de traités de commerce européen; DDS, vol. 5, n° 86, pp. 188-190, «Notizen über den Stand der Vorarbeiten für die Unterhandlung mit Frankreich»; durant les négociations, l'attitude de Frey est si rigide que la presse et la diplomatie françaises l'accusent de jouer le jeu de l'Allemagne; dans un article du *Bulletin de la Chambre de commerce du Havre*, daté du 20 juin 1906, la Suisse est soupçonnée d'avoir conclu des accords secrets avec l'Allemagne et de s'obstiner à vouloir les honorer dans le cadre des négociations avec la France; Schmidt, 1914, p. 238; dans un rapport adressé à Forrer, le 24 septembre 1906, un membre de la diplomatie helvétique rapporte les paroles du Ministre français des Affaires étrangères: «*[...] laissez-moi vous dire l'effet déplorable produit par Mr. Frey dont le manque de courtoisie et la conduite grossière n'ont pas contribué à arranger les choses. Mr. Frey a même été peu honnête [...] Quant au fond des exigences formulées par Mr. Frey, on s'est demandé ici pourquoi on nous faisait des propositions dont l'Allemagne devait bénéficier davantage que la Suisse [...] Si nous acceptions la proposition qui nous est faite au sujet des couleurs, elle bénéficierait pour 80% aux produits allemands de Höchst et pour 10 à 20% aux produits suisses; nous ne saurions être dupes à ce point. Et, puisque j'ai fait allusion à l'Allemagne, laissez-moi vous dire en toute franchise que*

suisse est pourtant accepté sans problème. Divisée sur sa valeur, l'USP laisse la liberté de vote.

Paradoxalement, le paroxysme des tensions au sein du champ douanier est provoqué par la négociation du traité de commerce avec l'Espagne, le moins important pour l'économie suisse[345]. La constellation politique qui caractérise cette négociation est en effet propice à un affrontement entre l'USCI et l'USP, que le CF tente d'arbitrer au mieux. Echaudé par le traité italo-suisse, le monde viticole exige que le vin espagnol, qui est son principal concurrent sur le marché suisse, ne soit pas mis au bénéfice de la taxe de 8 frs accordée à l'Italie. Les vignerons prétendent que le niveau de la taxe est une question de vie ou de mort, car la dépréciation de la monnaie espagnole donne un avantage concurrentiel considérable aux vins ibériques. Une pétition couverte de 40 000 signatures est adressée aux autorités fédérales pour les convaincre du degré de mécontentement dans les régions viticoles[346]. De son côté, l'USP ne peut en aucun cas se désolidariser des revendications de la viticulture, car une sécession des élites agricoles romandes serait alors probable. Il en résulterait un affaiblissement catastrophique du potentiel de pression politique des élites agricoles, construit avec patience depuis 1897. Lors des assemblées des délégués de 1906 et 1907, l'USP vote deux résolutions faisant siennes les revendications de la viticulture. Par ailleurs, les autorités de l'association demandent au CF de prendre des mesures commerciales immédiates pour soulager cette branche de production. Même si

dès le début des négociations, nous avons eu le sentiment que Mr. Frey ne tenait pas à aboutir; cela se voyait dans sa manière d'être; et, chose curieuse, coïncidence extraordinaire, Mr. de Bülow, qui part toujours en congé au mois de juillet, est resté à Berne jusqu'au commencement d'août.»; DDS, vol. 5, n° 147, pp. 322-325, «Der schweizerische Geschäftsträger in Paris, A. Dunant, an den Bundespräsidenten und Vorsteher des Politischen Departementes, L. Forrer, Paris, 24. September 1906»; le comportement de Frey a peut-être aussi une dimension financière liée au rachat des chemins de fer; alors que le CF cherche à s'approvisionner à bon marché sur le marché des capitaux français, ce qui serait rendu difficile dans le contexte d'une guerre commerciale, le Vorort défend peut-être les intérêts du «Verband zürcherischer Kreditinstitute» – section de l'USCI depuis 1902 –, qui espère se réserver une partie des emprunts émis par la Confédération; cette hypothèse est étayée par un indice qui relève peut-être du simple hasard: en 1906, Frey entre au CA du Crédit suisse, grande banque zurichoise; le 25 juin 1906, la *NZZ* vole au secours de Frey en rejetant les attaques de la presse française; Schmidt, 1914, p. 239; après avoir fait l'objet d'une enquête, l'affaire déclenchée par les propos du Ministre français des Affaires étrangères se clôt, le 31 mai 1907, par une décharge accordée à Frey par le CF; DDS, vol. 5, n° 147, pp. 324-325.

345 Sur les relations commerciales avec l'Espagne au tournant du siècle, cf. Sanchez Fernandez, 1996, pp. 105-135.

346 *Publications du Secrétariat suisse des Paysans*, n° 25, «Huitième rapport annuel du directeur de l'Union suisse des Paysans et du Secrétariat suisse des Paysans, 1905», Berne, 1906, pp. 9-10.

l'Espagne ne constitue pas un débouché de toute première importance pour l'industrie d'exportation – 12e marché mondial en 1904[347] –, l'USCI refuse catégoriquement de renoncer à un traité de commerce avec ce pays. Elle n'accepte pas non plus de créer un précédent en restreignant la clause de la nation la plus favorisée dans un traité signé par la Suisse. Cela pourrait servir d'argument à d'autres pays pour procéder de la même manière contre l'exportation helvétique.

Le 24 juillet 1904, soit peu après la signature du traité avec l'Italie, Fonjallaz écrit à Deucher pour lui demander de dénoncer le traité avec l'Espagne pour l'été 1905:

> *Et si le droit de francs 3,50 est encore appliqué pour la récolte des vins étrangers à 1905, ce sera un désastre. Je n'exagère certainement pas la situation*[348].

Malgré de fortes réticences émises par le duo Frey-Eichmann, le CF décide de satisfaire la requête des milieux agricoles[349]. En avril 1905, le CF doit se résoudre à régler les relations commerciales hispano-suisses grâce à un accord provisoire, l'Espagne n'étant pas en mesure de négocier dans l'immédiat[350]. En juin, le *Paysan suisse* met la pression:

> *Qu'il en soit comme il voudra, nous devons déclarer dores* (sic) *et déjà qu'un traité avec l'Espagne qui ne tiendrait pas compte des vœux de la viticulture représentée par l'Union suisse des paysans, ne saurait être accepté par l'agriculture suisse, et qu'il aurait de la peine à trouver une majorité aux Chambres fédérales. Qu'on ne se fasse pas d'illusions à Berne, parce qu'on a pu apaiser l'orage soulevé par le traité conclu avec l'Italie dans les milieux vinicoles. Si l'espoir que la viticulture met dans le traité espagnol se trouve aussi déçu, il se produira de suite ou plus tard, lorsque la crise éclatera, un mouvement populaire qui se fera sentir bien au-delà du domaine économico-politique*[351].

Dans les propositions adressées à l'Espagne, le CF demande un traitement différentiel du vin espagnol. Le 16 août 1905, le CF réunit une commission d'experts pour discuter de la situation commerciale avec l'Espagne. Après le refus espagnol de souscrire à la taxation différentielle de son vin, il s'agit de se déterminer sur une éventuelle rupture. A cette occasion, Laur se déclare prêt à soutenir une guerre douanière en faveur de la viticulture. L'industrie d'exportation et le commerce de vin y sont opposés.

Le jour même, la délégation commerciale du CF et les négociateurs Frey et Künzli élaborent de nouvelles propositions à soumettre à l'Espagne.

347 SHS, 1996, pp. 696-697.

348 DDS, vol. 5, annexe au n° 36, p. 79, «Nationalrat E. Fonjallaz an den Vorsteher des Handels-, Industrie- und Landwirtschaftsdepartementes, A. Deucher, Bern, 29. Juli 1904».

349 DDS, vol. 5, nos 37/38/40, pp. 80-81/82-83/87-88.

350 DDS, vol. 5, n° 72, pp. 153-156, «Antrag des Vorstehers des Handels-, Industrie- und Landwirtschaftsdepartementes, A. Deucher, an den Bundesrat, 13. April 1905».

351 *PS*, juin 1905, «Le traité de commerce avec l'Espagne».

L'abandon du traitement différentiel du vin est décidé et approuvé par le CF[352]. Le 29 août, un accord hispano-suisse provisoire est signé. Afin d'éviter une crise politique, le CF décide de ne pas le soumettre à l'approbation des Chambres. Pour légitimer cette procédure cavalière, le Gouvernement s'appuie, de manière tout à fait discutable, sur quelques précédents[353]. Mais l'USP ne l'entend pas de cette oreille. Le 18 septembre 1905, l'association adresse une requête confidentielle aux Chambres leur demandant de faire valoir leur droit de se prononcer sur l'accord provisoire et de le refuser. Après que le CF se soit engagé à procéder à une expertise juridique, les Chambres donnent toutefois décharge au Gouvernement. En octobre et en décembre, le *Paysan suisse* réitère le soutien de l'USP à la viticulture. Le 18 décembre 1905, le CF lâche du lest. En changeant la définition du vin naturel importé, il limite quelque peu la concurrence étrangère[354]. Le 20 avril 1906, le CF nomme Frey, Künzli et Laur pour négocier un accord définitif avec l'Espagne. Mais suite à la mise en vigueur d'un tarif espagnol défavorable à l'exportation suisse, le CF décide d'entrer dans une guerre douanière. Dès le 1er juillet 1906, le tarif général suisse est appliqué aux marchandises ibériques. Quelques positions, dont le vin, sont frappées d'une surtaxe.

Le 22 août 1906, des négociations secrètes sont engagées par Frey et Eichmann, avec la bénédiction du CF. Le 28 août, un traité favorable à l'industrie d'exportation est signé. De manière prévisible, les viticulteurs n'obtiennent pas gain de cause. Eichmann est alors nommé quatrième négociateur pour pouvoir parapher le document[355]. Le 29 août, le CF invite Laur et Künzli à signer l'accord. Bien que mis devant le fait accompli, ceux-ci acceptent de le faire[356]. A la demande du Gouvernement espagnol, le traité est censé demeurer secret jusqu'à fin octobre. Mais des indiscrétions au plus haut niveau permettent aux vignerons d'être informés avant. Dans une lettre adressée à Deucher, début octobre, Laur se plaint d'avoir été agressé par une délégation vaudoise mise au courant par un membre du CF. Vu les circons-

352 DDS, vol. 5, n° 85, pp. 184-187, «Antrag des ausserordentlichen Stellvertreters des Vorstehers des Handels-, Industrie- und Landwirtschaftsdepartementes, R. Comtesse, an den Bundesrat, Bern, 17. August 1905».

353 FF, 1905, vol. 5, pp. 200-205, «RCF concernant le règlement provisoire des relations commerciales entre la Suisse et l'Espagne (25 septembre 1905)».

354 RO, vol. II, 21, 1905, pp. 687-689; l'ordonnance d'application est publiée le même jour; *ibidem*, pp. 690-691.

355 DDS, vol. 5, n° 142, p. 316, «Antrag des ausserordentlichen Stellvertreters des Vorstehers des Handels-, Industrie- und Landwirtschaftsdepartementes, Bundespräsident L. Forrer, an den Bundesrat, Bern, 28. August 1906».

356 DDS, vol. 5, n° 144, pp. 317-319, «Antrag des ausserordentlichen Stellvertreters des Vorstehers des Handels-, Industrie- und Landwirtschaftsdepartementes, Bundespräsident L. Forrer, an den Bundesrat, Bern, 30. August 1906».

tances dans lesquelles se sont déroulées les négociations, le Secrétaire paysan annonce que bien qu'ayant signé le traité, il ne le défendra pas[357].

Dans les numéros d'octobre, novembre et décembre 1906, le *Paysan suisse* attaque violemment l'accord conclu avec l'Espagne. Dans un article incendiaire, Laur lève le secret de fonction pour révéler le déroulement scandaleux des négociations. Aux Chambres, le Club de l'agriculture passe pour la première fois aux actes. Après avoir maintes fois menacé, il s'oppose à la ratification. Le traité est tout de même accepté par 118 voix contre 37 au CN et par 24 voix contre 6 au CE. Malgré cet échec, Laur estime que l'USP sort grandie de la lutte engagée pour soutenir la viticulture:

> *Une chose a pourtant dû faire plaisir aux vignerons comme aussi à tous les agriculteurs, dans toute cette (sic) épisode si peu réjouissante (sic) sans cela: c'est de voir comment les campagnards suisses unanimes ont pris parti d'une manière désintéressée pour la viticulture. En vérité, l'agriculture suisse et l'Union suisse des paysans se sont montrées dignes, en ces jours, de la devise «Un pour tous, tous pour un»*[358].

Mais à quel prix... Dans ses mémoires, Laur mentionne que cet épisode assombrit durablement ses relations avec Frey[359]. En ayant franchi le pas d'une opposition ouverte à la politique de l'axe CF-USCI, Laur a en quelque sorte trahi son rôle paraétatique. La collaboration instaurée tout au long du renouvellement des traités de commerce se termine donc sur une fausse note. Il n'en demeure pas moins qu'à l'issue de la campagne commerciale, l'USP peut tirer un bilan très favorable. Sans avoir réussi à imposer ses exigences de départ, l'association faîtière a néanmoins considérablement amélioré la protection douanière de l'agriculture, en particulier sur le vin et le bétail.

Bien que parfois longue et fastidieuse, l'analyse du champ douanier entre 1903 et 1906 nous a permis d'expliciter le fonctionnement du système politique suisse au tournant du siècle. Certes, la politique douanière n'est qu'une parcelle de l'activité de la Confédération. Pourtant, l'évolution de sa gestion est probablement significative de changements qui touchent l'ensemble du système législatif. Dans d'autres domaines, les acteurs ne sont pas forcément exactement les mêmes, mais leur participation au processus d'élaboration des lois se fait probablement selon des modalités similaires. En outre, le glissement du centre de gravité législatif des Chambres vers le CF, puis vers l'administration et les associations faîtières, est une tendance générale.

Avec la naissance de l'USP et la constitution du bloc bourgeois-paysan des associations faîtières, le processus décisionnel évolue et un nouveau

357 Archives USP, Copies de lettres, vol. 1, 1898-1907, «Laur à Deucher, 4 octobre 1906».
358 *PS*, décembre 1906.
359 Howald, 1971, p. 65.

rapport de force se met en place. Porte-parole des élites industrielles et commerçantes, l'USCI s'arroge une place toujours plus déterminante. Son représentant, Alfred Frey, définit dans une large mesure les options stratégiques à suivre en matière de politique douanière. A l'inverse, le CF s'efface et délègue de plus en plus son pouvoir à l'USCI et à l'administration (Eichmann). Il n'exerce plus qu'un rôle de contrôle et d'arbitrage dans les phases délicates de la négociation. Nouvelle venue, l'USP est intégrée en marge du processus de décision. La force politique acquise par l'organisation faîtière oblige l'axe CF-USCI à mieux tenir compte des intérêts des élites agricoles. Dans le contexte de lutte des classes qui caractérise la Belle Epoque, il est en effet important de pouvoir disposer du potentiel référendaire de l'USP pour combattre les revendications du mouvement ouvrier.

Les importantes concessions obtenues en matière de protectionnisme agricole ne doivent toutefois pas nous induire en erreur sur le pouvoir réel de l'association faîtière au sein du champ étatique fédéral. L'USP est consultée, elle est intégrée parfois à la prise de décision, mais elle ne participe que peu à la définition des grandes visées stratégiques. Lorsque les intérêts de l'industrie d'exportation entrent en conflit avec ceux de l'agriculture, ce sont presque toujours les élites industrielles qui ont gain de cause. Quant à l'USAM, sa faiblesse politique ne lui permet pas de prétendre à une intégration au sein du processus décisionnel. Elle est consultée de cas en cas, mais son avis n'a que peu de poids.

6.2.4. Le bloc bourgeois-paysan sous tension: luttes autour du renchérissement de la vie (1907-1914)

Contrairement à ce qui s'était passé durant les années 1890, la mise en vigueur d'un nouveau tarif d'usage, le 1er janvier 1906, qui est encore modifié par les traités avec l'Autriche-Hongrie, la France, l'Espagne et la Serbie, ne coïncide pas avec une trêve dans le débat douanier. Au contraire, à peine les traités conclus, les milieux libre-échangistes repartent en campagne afin d'obtenir des allégements sur les denrées de première nécessité. Cette nouvelle passe d'armes a pour toile de fond un mouvement de renchérissement du coût de la vie provoquant le mécontentement des salariés qui craignent pour leur pouvoir d'achat. Bien que l'augmentation des prix soit un phénomène mondial, les milieux libre-échangistes en rendent responsable le nouveau tarif douanier.

Entamée par certains milieux de l'industrie d'exportation et du commerce de spéculation, la manœuvre dirigée contre l'USP est relancée de plus belle par le mouvement ouvrier. Renchérissement et politique douanière deviennent le moyen privilégié pour mobiliser les salariés et les convertir à la lutte des classes. Face à ces attaques, l'USP est désormais sur la défensive. L'association faîtière appelle à la solidarité du bloc bourgeois-paysan afin de défendre ses acquis. Pris entre le marteau et l'enclume, l'axe CF-USCI-PRDS a de plus en plus de problèmes à ménager la chèvre et le chou. Faut-il lâcher du lest pour enlever leurs arguments douaniers aux socialistes, au risque d'une rupture avec l'USP, ou faut-il rester fidèle au statu quo en risquant d'attiser la lutte des classes et de mécontenter l'aile libre-échangiste de l'USCI? La politique de louvoiement adoptée par les autorités fédérales parvient à sauvegarder le bloc bourgeois-paysan jusqu'à la Première guerre mondiale, même si les très fortes tensions engendrées par le problème de la taxation de la viande le disloquent quelque peu.

Après la campagne référendaire musclée de 1903, le conflit engagé entre milieux consommateurs et milieux paysans se poursuit au sujet de la réalisation d'une loi sur le commerce des denrées alimentaires. Votée en 1905, celle-ci est attaquée en référendum par les milieux consommateurs qui y voient un instrument de protectionnisme agricole au service de l'USP. A peu de chose près, les deux camps opposés en 1903 se reforment pour s'affronter. Le 10 juin 1906, la loi est acceptée par 245 397 voix contre 146 760. L'USP peut triompher, car la victoire du bloc bourgeois-paysan est encore plus nette que lors de la votation sur le tarif douanier.

Dès la campagne de renouvellement des traités achevée, les élites industrielles et commerçantes libre-échangistes décident de lancer une contre-attaque douanière. Début 1907, l'ACIG consulte les sections de l'USCI au sujet de leur éventuel soutien à une révision à la baisse du nouveau tarif d'usage. Le 15 mai 1907, un rapport du secrétaire de l'association, le futur Conseiller national Alfred Georg[360], nous apprend que la proposition genevoise rencontre un certain succès[361]. Les Chambres de commerce de Bâle, Berne, St-Gall, Lausanne et Soleure ainsi que la Société industrielle et commerciale de Neuchâtel décident d'élaborer conjointement des propositions à soumettre aux organes dirigeants de l'USCI. Il est significatif que les frondeurs renoncent à s'adresser directement aux autorités fédérales. Désormais, la position politique acquise par le Vorort oblige les sections à passer par lui si elles veulent être entendues au sein du champ étatique fédéral.

360 *Alfred Georg-von Schlotheim* (1864-1957) (GE), d'origine bâloise, études de droit, secrétaire de Numa Droz (1892-1894), secrétaire (1895-1913) puis directeur (1914-1922) de l'ACIG, membre du comité de cette association (1899-1930), rédacteur du *Bulletin commercial et industriel suisse*, directeur de l'assurance «La Genevoise» (1913-1940), CA du «Crédit Suisse» (1919-1942), du *JdG* et de la Société suisse de surveillance (SSS) (1914-1918), Cn libéral (1907-1911), véritable champion du libéralisme.

361 Le rapport est reproduit in Georg, 1936, pp. 199-203.

Le directeur du Vorort s'oppose toutefois à la démarche de l'aile libre-échangiste de l'association. Le 24 mai 1907, Alfred Frey dénonce les dangers politiques d'une révision du tarif d'usage dans un discours prononcé devant la KGZ:

> *Soll das Land nicht in unfruchtbare Entzweiung gestossen werden, im Vergleich mit welcher der Zank um den Generaltarif als ein harmlosen Scherz erscheinen würde, so darf an den Grundlagen der damaligen zollpolitischen Ordnung nicht mehr gerüttelt werden. Der so gemeinte Ruf nach einer Revision muss also verstummen; es würde der Ruf für eine verhängnissvolle Politik des Treubruchs, die sicherlich niemand heraufbeschwören will*[362].

Selon Frey, les adaptations du tarif jugées nécessaires ont été réalisées lors de la négociation des traités. En cas de changements ultérieurs, il faudrait limiter le débat démocratique:

> *Was sich nachträglich in dieser Richtung* (adaptation du tarif d'usage, C. H.) *noch als wünschbar erweist, muss sich auf anderem Wege tun lassen. Der wird vielleicht auch den Reiz der Neuheit für sich haben, jedoch unzweifelhaft zulässig und bequem sein. Es müssen behördliche Tarifentscheide gefasst und je nachdem mit der Sanktion des Gesetzgebers versehen werden, und darüber hinaus müssen – wenn nötig – authentische Interpretationen des Zolltarifes durch die Bundesversammlung erfolgen*[363].

Les conceptions autoritaires de Frey, qui annoncent les pleins pouvoirs douaniers de 1921, sont doublées d'un discours antisocialiste visant à légitimer l'accroissement des recettes de la Confédération et, par conséquent, le nouveau tarif d'usage. Selon le directeur du Vorort, il n'est pas possible de prétendre assurer la pérennité de l'Etat bourgeois tout en lui refusant les ressources financières dont il a besoin:

> *Es dürfte zu gewärtigen sein, dass wohl anfänglich die zehn Millionen Mehreinnahmen sich einstellen, die der Bund durchaus braucht. Diese 65 Millionen dürften dann in langsamer Gangart noch etwas steigen; vielleicht können auch gelegentliche Rückschläge eintreten. Zu wünschen ist eine stetige mässige Vermehrung. Denn der moderne Staat erfordert viel Geld. Und man wird es ihm beschaffen müssen bis der Tag ausbricht, wo eine neue Gesellschaftsordnung das Volk nach ihrer Fasson nicht selig, aber doch glücklich macht*[364].

Le 28 septembre 1907, la Chambre suisse de commerce renonce à lancer une révision du tarif d'usage[365].

En décembre 1909, une polémique éclate entre l'USP et l'USCI. Dans un article intitulé «Nouvelle orientation?», Laur accuse les élites indutrielles d'abandonner la stratégie de collaboration avec les élites agricoles pour se lancer dans une politique libre-échangiste[366]. Pour étayer son propos, il

362 Cité in Richard, 1924, p. 655.
363 *Ibidem*, p. 656.
364 *Ibidem*, p. 660.
365 Wehrli, 1972, pp. 136-137.
366 *PS*, décembre 1909, «Nouvelle orientation?».

invoque les attaques lancées aux Chambres contre les subventions agricoles, le refus d'interdire les vins artificiels ainsi que la création du *Bulletin commercial et industriel de la Suisse*[367]. Bien qu'il n'en parle pas dans son article, l'attitude de Laur est probablement aussi liée au débat sur la réforme des finances fédérales lancée par l'expert financier Jakob Steiger[368]. L'USP craint qu'une modification du système fiscal permette le démantèlement du protectionnisme agricole. Attaqué personnellement par le Secrétaire paysan, Georg contre-attaque dans les colonnes du *Bulletin commercial*[369]. Quant à Frey, il publie une mise au point dans la *NZZ*. Le directeur du Vorort réaffirme sa volonté de collaborer avec les milieux agricoles tout en fustigeant les méthodes et le ton polémique utilisés par Laur. Perturbé par l'épisode du traité hispano-suisse, le climat entre l'USP et l'USCI se détériore encore. Mais en dépit des efforts déployés par les élites libre-échangistes, l'USP parvient à maintenir ses acquis et le bloc bourgeois-paysan demeure solide.

A partir de 1910, la problématique du renchérissement de la vie est au centre du débat politique. Depuis 1900, l'indice des prix à la consommation a progressé de 15,4%[370]. Le renchérissement est encore modéré jusqu'en 1906 – 0,8% par année –, mais il s'accélère à partir de 1907 – 2,6% par année. Il est intéressant de constater que durant les deux années qui suivent la mise en vigueur du nouveau tarif d'usage (1906-1907), le taux annuel du renchérissement est de 3,5%. Hasard ou conséquence de la progression du protectionnisme douanier? La question est très complexe et ne peut être résolue ici. Une chose est pourtant sûre, c'est que le nouveau tarif douanier ne peut expliquer à lui seul un mouvement de renchérissement qui se développe à l'échelle mondiale. Dès 1906, l'évolution des prix participe au freinage de la progression des salaires réels[371]. Alors qu'entre 1900 et 1906, l'indice augmente de 1,3% en moyenne annuelle, sa croissance n'est plus que de 0,6% entre 1906 et 1910. En 1907, année où le renchérissement est à son comble, l'indice est même en recul. Certes, en règle générale, les salaires réels poursuivent leur progression à un rythme plus lent, mais les ouvriers de certaines branches et de certaines régions ne sont pas en mesure d'obtenir les adaptations salariales nécessaires pour conserver leur pouvoir d'achat.

367 Début 1910, le *Bulletin commercial suisse*, qui est l'organe de presse de l'ACIG, se transforme en un *Schweizerische Blätter für Handel und Industrie-Bulletin commercial et industriel suisse* qui devient la tribune de l'ensemble des élites industrielles et commerçantes suisses; Alfred Georg continue d'en assumer la rédaction.

368 Sur cette question, cf. Guex, 1993, pp. 118-132.

369 Georg, 1936, pp. 204-209.

370 Les chiffres utilisés sont des estimations tirées in SHS, 1996, p. 502.

371 SHS, 1996, p. 448.

A Zurich, le salaire horaire réel dans les industries du bâtiment, du bois, des métaux et des machines recule de 13,2% entre 1906 et 1910[372].

Les adversaires du tarif douanier ne se font pas faute d'exploiter le problème du renchérissement. Dès la mise en vigueur de la nouvelle taxation, celle-ci est désignée comme la cause principale de l'augmentation des prix. En 1908, Laur réplique en publiant une étude qui tend à prouver l'effet négligeable du tarif sur les prix[373]. Le parti libre-échangiste émet de sérieux doutes quant à l'objectivité des chiffres construits par le Secrétaire paysan. Début 1910, le *Paysan suisse* répond à l'intensification des attaques en publiant une série d'articles intitulés «Le renchérissement, une vis sans fin»:

> *Cette expression, lancée par le Dr. Geering, secrétaire de la Chambre de commerce de Bâle (Schweiz. Finanz-Jahrbuch 1909) et reprise dernièrement par le socialiste Herman Greulich au Conseil communal de Zurich, semble tourmenter beaucoup d'âmes trop sensibles; c'est pourquoi il nous paraît utile d'examiner d'un peu plus près les particularités de cette vis sans fin*[374].

Malgré les efforts déployés par l'USP, le levier politique du renchérissement est instrumentalisé de manière toujours plus intense par le camp des consommateurs.

Dès 1910, le mouvement ouvrier s'empare de la question du renchérissement et l'utilise de manière toujours plus systématique. Il en fait son instrument de prédilection pour attiser la lutte des classes et mobiliser les salariés. En septembre, l'USS publie une brochure intitulée «La vie chère en Suisse. Etude de la situation actuelle des salariés». Après cent pages d'«analyse économique», la conclusion prend la forme d'un ordre de marche contre les capitalistes du bloc bourgeois-paysan:

> *Tous les tableaux et comparaisons ont démontré que ce sont les ouvriers et salariés qui souffrent le plus du renchérissement [...] Qui donc veut déraciner ce mal à fond doit bon gré mal gré prendre part à la lutte contre l'ordre économique capitaliste. Le renchérissement actuel est encore plus qu'un rejeton capitaliste. Précisément, en Suisse, nous avons appris à le connaître comme le résultat d'une alliance contre nature entre l'anarchie et la réaction dans le système de production sociale, dont l'unique but est l'exploitation à fond des ouvriers salariés et des consommateurs. Quiconque veut lutter avec succès contre le renchérissement en Suisse, doit en même temps lutter contre toutes les puissances qui maintiennent ou protègent le monopole de la propriété foncière et le monopole de la propriété des moyens de production [...] Il ne sera donc possible d'obtenir des succès définitifs dans la lutte contre le renchérissement, de vaincre à la fois la réaction et l'anarchie, que lorsque la totalité des ouvriers collaboreront autant à l'œuvre économique qu'à l'œuvre politique. Prolétaires, ouvriers salariés! Pourquoi n'adhérez-vous pas encore à l'organisation? Pourquoi restez-vous encore en dehors du mouvement syndical, politique et coopératif?*[375]

372 *Ibidem*, p. 449.

373 Der Einfluss des neuen Zolltarifs..., 1908.

374 *PS*, février 1910, «Le renchérissement, une vis sans fin»; la série d'articles se poursuit jusqu'en juin 1910.

375 La vie chère en Suisse..., 1910, pp. 111-112.

La même année, l'USS et le PSS font du renchérissement le cheval de bataille de leurs congrès[376]. Jakob Lorenz[377] estime rétrospectivement que l'utilisation du renchérissement comme moyen de propagande a sans aucun doute permis au mouvement ouvrier de se renforcer:

> *Jene Zeit war die für die schweizerische Arbeiterbewegung entscheidende. Ohne jenen Druck der Teuerung und mangelhaft folgender Löhne, freilich auch ohne die planvolle Ausnützung dieser Lage in der Propagandatätigkeit, wären die Gewerkschaften und wäre die Arbeiterbewegung überhaupt noch lange nicht zu einer solchen Macht geworden, wie sie es heute ist*[378].

La lutte des dirigeants ouvriers contre le renchérissement se focalise sur les taxes douanières frappant le bétail et la viande. D'un point de vue tactique, cette option est pertinente pour plusieurs raisons. Symbole de l'amélioration du niveau de vie des salariés, la consommation de viande est investie d'une dimension affective susceptible de mobiliser la base ouvrière. Or, la protection du bétail est aussi au centre du programme douanier de l'USP. Rien de tel qu'une attaque des taxes sur la viande pour attiser la lutte des classes... Enfin, d'un point de vue politique, la viande est le talon d'Achille du bloc bourgeois-paysan. Une démarche du mouvement ouvrier dans ce domaine est en effet susceptible de recevoir un soutien important des milieux bourgeois libre-échangistes. Le 20 août 1910, l'association suisse des bouchers adresse une requête au CF pour lui demander de baisser la taxe sur les bœufs de 27 à 10 frs. Le 7 décembre 1910, l'Union des villes suisses exige que l'importation de bétail et de viande soit facilitée. Il s'agit notamment d'assouplir l'application de la loi sur les épizooties qui permet de protéger le marché intérieur en invoquant des nécessités d'hygiène vétérinaire. En décembre 1910, une motion Greulich demandant au CF d'étudier les moyens de lutter contre le renchérissement, notamment grâce à une importation facilitée de viande congelée en provenance d'Argentine, est acceptée par les Chambres. La «guerre de la viande» a éclaté[379].

Le CF répond à la sollicitation des Chambres par une consultation des milieux concernés[380]. Le 11 février 1911, l'USP s'oppose à toute mesure

376 Gruner, 1988, vol. 2/2, pp. 1405-1408.

377 *Jakob Lorenz* (1883-1946), adjoint au Secrétariat ouvrier (dès 1908), économiste et publiciste indépendant, professeur de sociologie et d'économie à l'Université de Fribourg (1933-1946), représentant des idées corporatistes, éditeur du journal *Das Aufgebot.*

378 Tiré des mémoires de Jakob Lorenz publiées en 1935; cité in Baumann, 1993, p. 218; il faut mentionner que Gruner estime que les grèves et la caisse de réserve mise en place par les syndicats sont des causes plus décisives de l'organisation ouvrière.

379 Sur cette question, cf. Baumann, 1993, pp. 239-241; von Steiger, 1933, pp. 123-131; Schmidt, 1914, pp. 265-278; Jacky, 1928, pp. 387-396; Signer, 1914, pp. 258-265.

380 FF, 1911, vol. 2, pp. 474-536, «RCF concernant l'importation des viandes congelées provenant de pays d'outre-mer (24 mars 1911)».

extraordinaire favorisant l'importation de viande congelée. L'association faîtière refuse en particulier que la taxe en vigueur – 25 frs par quintal – soit abaissée au niveau de la viande fraîche (10 frs), comme le demandent les consommateurs. Le 18 février, le CF rend un jugement de Salomon. En modifiant la loi sur le commerce des denrées alimentaires, il facilite l'importation de viande congelée de manière provisoire tout en refusant d'abaisser son imposition. Le 24 mars 1911, il livre un rapport détaillé pour légitimer sa décision. En vue du débat qui doit avoir lieu aux Chambres, une polémique alimentée par les différents intérêts en présence fait rage[381]. Dans son édition de février 1911, le *Paysan suisse* réagit violemment à la décision du CF en peignant le diable sur la muraille:

> *L'importation de viande congelée signifie la ruine de l'engraissement en Suisse, et du même coup – ensuite du plus fort amortissement à faire subir aux vaches – un renchérissement extraordinaire de la production du lait et un grave danger pour l'industrie de la boucherie*[382].

Laur n'hésite pas à affirmer que la décision du CF constitue *«[...] la plus grande injustice qui se soit jamais produite du fait de l'Etat contre une de nos branches d'activité, depuis que la Confédération existe»*[383]. En fait, l'enjeu économique de la décision du CF est plutôt faible. En 1912, l'importation de viande congelée représente 7,3% de la viande de bœuf et de veau étrangère consommée en Suisse et 2,4% de la consommation totale[384]. La réaction démesurée de l'USP est inspirée par la crainte que cette attaque ne soit que le premier épisode d'une longue série aboutissant au démantèlement de la protection agricole. A l'offensive durant la crise des années 90, l'association faîtière est désormais contrainte d'adopter une stratégie de défense des acquis, qui sont menacés suite à la hausse des prix.

Comme à l'accoutumée, Laur poursuit ses objectifs avec une virtuosité oratoire sans égale. Il dénonce la mesure du CF en tant que manœuvre politique démagogique dans l'optique des élections fédérales de l'automne:

> *Ce n'est donc pas par nécessité que l'on introduit la viande congelée, mais pour d'autres raisons. On craint l'agitation socialiste et on espère mettre le grappin sur les voix des fonctionnaires, employés et cheminots, en un mot, sur celles des demi-socialistes. Grave erreur! L'acheminement vers la gauche de ces groupes populaires ne s'enraie par aucun moyen, la seule possibilité d'endiguement de ce flux socialiste réside dans le maintien des artisans et du paysan*[385].

381 Le point de vue des consommateurs est exposé dans une brochure publiée dans la collection *Sozialpolitische Zeitfragen der Schweiz*; Schatzmann, 1911.
382 *PS*, février 1911, «Importation de viande congelée».
383 *Ibidem*.
384 Le calcul est effectué à partir de la quantité de viande congelée importée in Jacky, 1928, p. 387 et des chiffres sur la consommation suisse de bétail bovin in Steiger, 1982, p. 179.
385 *PS*, février 1911, «Importation de viande congelée».

L'analyse politique de Laur n'est pas dénuée de tout fondement. Au sein de l'aile gauche du PRDS, des voix de plus en plus insistantes exigent que des concessions douanières soient faites aux populations urbaines afin de ne pas abandonner le terrain électoral du renchérissement aux socialistes. Pour faire barrage à ces velléités libre-échangistes, l'USP organise une démonstration de force à Winterthour:

> *Plus de 8000 paysans se sont trouvés au rendez-vous, pour montrer au peuple suisse et à ses autorités que la grande masse de nos agriculteurs sont en communion d'idées et de principes avec l'Union suisse des paysans, dans la question de la viande congelée et de l'interdiction du vin artificiel. La démonstration fut simple et digne. L'Assemblée fédérale ne pourra laisser passer inaperçue cette imposante manifestation*[386].

Par ailleurs, l'organe de presse de l'USP orchestre une campagne de dénigrement de l'Association des villes suisses qui est à l'origine du débat sur l'abaissement de l'imposition de la viande congelée[387]. En été 1911, la question est débattue au CN. Par 7 voix contre 6, la commission des douanes adopte un postulat invitant le CF à examiner une réduction de la taxe de 25 à 20 frs. Mais par 91 voix contre 56, le CN approuve sans restriction la décision du CF. Durant les débats, Frey s'engage sans équivoque en faveur de l'agriculture. En septembre, le CE confirme la décision du CN.

L'action engagée contre la taxation de la viande fait des émules. En mars 1910, l'USC décide de profiter de la dynamique pour lancer une action douanière de grande envergure. L'USCI, la SSH, l'UVS, l'AB et l'USS sont contactées dans l'optique de fonder une ligue d'associations permanente pour lutter contre le renchérissement de la vie[388]. Le 5 mai 1911, la Chambre suisse de commerce décide de refuser l'invitation. La participation de l'USCI à une action hostile envers les élites agricoles n'est pas jugée appropriée[389]. Malgré ce refus, et sans attendre la constitution de la ligue appelée de ses vœux, l'USC se lance dans la bataille. Le 21 octobre 1911, l'association propose au CF de diminuer la taxation d'une vingtaine de denrées alimentaires en faisant usage de l'article 4 de la loi sur le tarif de 1902 – mesures urgentes en cas de circonstances extraordinaires[390]. Le 1er novembre 1911, une demande analogue est adressée au CF par le Conseil d'Etat de Bâle-Ville. Une nouvelle fois consultée, la Chambre suisse de commerce change de cap. Dans une lettre adressée à la Direction des douanes, le 25 novembre 1911, elle recommande une baisse provisoire de la taxe sur la viande conge-

386 *PS*, avril 1911, «La journée des Paysans à Winterthour».
387 *PS*, mars et avril 1911.
388 La lettre adressée par l'USC figure in Archives USCI, Copies de lettres, «USC à USCI, 18 mars 1911».
389 Wehrli, 1972, p. 137.
390 Un exemplaire de la requête figure in Archives USCI, Copies de lettres.

lée[391]. Eu égard aux intérêts de l'agriculture, de certaines industries et de la caisse fédérale, elle renonce à proposer d'autres mesures.

Même si c'est de manière très parcimonieuse, l'USCI cède donc à la double pression de la rue et de son aile libre-échangiste[392]. Pourquoi cette entorse à la stratégie de collaboration avec les élites agricoles? L'explication la plus plausible est d'ordre politique. Les élections de l'automne 1911 se sont soldées par un véritable triomphe des socialistes. Au CN, leur nombre passe de 7 à 17, ce qui leur permet de quitter la fraction de politique sociale pour en constituer une autonome. Certes, l'augmentation des sièges au CN, de 167 à 189, explique en partie la progression socialiste, mais la représentation proportionnelle progresse tout de même de manière significative – 4,2% à 9% des sièges[393]. Apparemment, la propagande sur le renchérissement de la vie a porté ses fruits. La réaction du PRDS ne se fait guère attendre. Le 6 décembre 1911, le radical de gauche Christian Rothenberger[394] convainc 23 Conseillers nationaux d'interpeller le CF au sujet de mesures contre le renchérissement. Une interpellation similaire est faite au CE[395]. Malgré l'opposition de l'USP[396], le CF décide de faire un geste politique en direction des consommateurs. Le 14 décembre 1911, il diminue de manière provisoire les taxes sur la viande congelée (25 à 10 frs) ainsi que sur la viande conservée, salée et fumée (20 à 10 frs)[397].

La décision déclenche une polémique qu'il serait trop long de détailler ici. De nombreuses brochures sont publiées par les protagonistes[398] et une

391 AF, EVD KW 20/1, vol. 72.

392 Il est intéressant de noter qu'en juillet 1911, la «Société de Banque Suisse» se mêle au concert des reproches qui sont adressés à l'USP; les milieux bancaires s'étaient jusqu'alors peu mêlés de politique douanière; *PS*, septembre 1911, «Reproches immérités du ‹Bankverein suisse›».

393 Gruner, 1966, vol. 2, p. 198.

394 *Christian Rothenberger-Klein* (1868-1938) (BS), beau-fils du Cn Wilhelm Klein, enseignant, avocat, secrétaire du «Verband der Post-, Telegraphen- und Zollangestellten» et rédacteur de l'organe de presse de l'association intitulé *Union*, président du «Föderativverband des eidgenössischen Personals» (1905-1909), Cn radical de gauche (1908-1919).

395 Interpellation Pettavel, Lachenal, Soldini, Scherrer (BS), Scherrer (SG), Baumann, Robert, Richard, Geel, Dähler.

396 Archives USP, vol. 3373(494), «Pétition de l'Union suisse des paysans au sujet de la requête de la Commission administrative de l'Union suisse des Sociétés de consommation concernant l'abaissement des droits de douane sur les denrées alimentaires, du 4 décembre 1911»; le 15 décembre 1911, Laur prononce un discours intitulé «Die Teuerung und die Herabsetzung der Lebensmittelzölle» devant une assemblée de la GSL; Archives USP, vol. 32: 63(494).

397 RO, vol. II, 27, 1911, p. 993.

398 Roumineux, 1912; Über die wirtschaftlichen Folgen..., 1912; Antwort auf die Broschüre..., 1912.

série de requêtes sont adressées aux autorités fédérales[399]. Bien qu'ils déplorent la timidité des mesures prises, les représentants des consommateurs – importateurs de viande, organisations ouvrières, USC, AVS – défendent la décision du CF. Les bouchers, soutenus par l'USAM, s'opposent à la mesure tout en exigeant une baisse des taxes sur le bétail. Enfin, l'ensemble du monde agricole monte aux barricades pour attaquer la décision du CF. L'USP, la GSL, les syndicats d'élevage, le Club de l'agriculture font pression pour que la mesure soit rapportée. Quant à l'USCI, elle se trouve dans une situation délicate. Ayant approuvé la décision durant le processus de consultation, elle ne peut toutefois pas la défendre ouvertement sans risquer d'entrer en conflit avec les élites agricoles. Au cours du débat au CN, qui a lieu en décembre, Frey tente de calmer le jeu en insistant sur le caractère provisoire de la mesure. Il réitère le serment de loyauté au compromis douanier conclu entre l'industrie, l'agriculture et les arts et métiers.

Laur ne l'entend pas de cette oreille. Dans l'édition de janvier du *Paysan suisse*, il fustige la faiblesse politique du CF et la trahison de l'USCI:

> *L'année écoulée a apporté à l'agriculture suisse un triste cadeau de Noël. Les quinze socialistes ont fait à grand renfort de bruit et de longs discours leur entrée sur la scène parlementaire fédérale. Ils ont effrayé à un tel point le Conseil fédéral qu'il a capitulé devant eux, avant même que les interpellations relatives au renchérissement aient été abordées [...] Le résultat fut l'abaissement à 10 francs du droit sur les viandes congelées et en même temps la réduction des droits sur les viandes salées et fumées et sur le lard séché. Le fait que cette proposition émane de la Chambre de commerce suisse rend cette décision particulièrement odieuse. Ceux qui, lors de l'élaboration du nouveau tarif douanier avaient si bien su ménager leurs intérêts, rompent maintenant le compromis et prennent à l'agriculture le peu qu'elle avait reçu. Le procédé paraît à l'heure qu'il est, doublement injuste et peu sage*[400].

Dès lors, les relations entre l'USCI et l'USP ne cessent de se dégrader. En mars, Laur dénonce la manœuvre politique qui a poussé Müller à se retirer de la Division de l'agriculture. En lui soustrayant la compétence du service des épizooties, qui gère l'importation de bétail, les autorités auraient précipité délibérément sa démission[401].

En juillet 1912, Laur rappelle les élites industrielles à l'ordre. Suite à la grève générale qui s'est déroulée à Zurich, le Secrétaire paysan souligne le caractère révolutionnaire de l'événement:

399 Une partie de celles-ci sont répertoriées dans le rapport du CF; FF, 1912, vol. 3, pp. 429-464, «RCF portant sur la réduction temporaire des droits d'entrée sur certaines denrées alimentaires (19 avril 1912)».

400 *PS*, janvier 1912, «Une mauvaise fin d'année».

401 *PS*, mars 1912, «Le chef de division Müller».

> *Le conseiller national Sigg, ne s'est-il pas exprimé clairement lors des débats du Grand Conseil zurichois, lorsqu'il disait que la grève du genre de celle des peintres de Zurich n'était qu'un combat d'avant-postes de la révolution*[402].

Dans l'article qui fait suite à cette description apocalyptique de la situation sociale, Laur rappelle le prix économique à payer pour souder le bloc bourgeois-paysan. Se référant au débat engagé par le CE au sujet des finances de la Confédération, il refuse toute nouvelle source fiscale tant que l'agriculture n'aura pas acquis une protection douanière jugée suffisante:

> *Jamais, aussi longtemps qu'on lui refuse l'appui nécessaire, l'agriculture ne voudra adhérer à la création de nouveaux monopoles financiers [...] Des droits modérés ne sont-ils pas de beaucoup préférables à des monopoles comme sources de recettes?*[403]

Certaines élites industrielles et commerçantes demandent en effet la création d'un monopole du tabac, car elles cherchent à éviter une nouvelle augmentation de la charge douanière. Laur déplore que des radicaux de gauche soutiennent le mouvement et il appelle le bloc bourgeois-paysan à serrer les rangs:

> *L'avenir de la Confédération et des partis bourgeois dépend des efforts tentés pour faire régner une collaboration effective entre l'agriculture et l'industrie et les métiers. Pour accomplir ce but, il faut maintenir la politique économique poursuivie jusqu'à maintenant, lui donner un nouvel essor et ne pas la saper à la base, ainsi que la majorité de l'Assemblée fédérale semble le faire*[404].

Dans la perspective du renouvellement des traités de commerce, qui est prévu pour 1917, les signes d'un relâchement de la discipline douanière au sein de l'axe CF-USCI-PRDS inquiètent l'USP. En septembre, le *Paysan suisse* souligne que

> *[...] l'Union solidaire de l'industrie, des métiers et de l'agriculture, union qui a valu à notre pays, lors du dernier tarif, de si grands succès, menace de se désagréger*[405].

La situation est d'autant plus préoccupante que l'opposition libre-échangiste est à l'offensive. En décembre 1912, le congrès du PSS met à nouveau le renchérissement au centre de ses débats. Début 1913, Jakob Lorenz publie une étude consacrée à réfuter les analyses douanières de Laur[406]. En août 1913, les démarches de l'USC débouchent sur la constitution d'une Ligue pour l'abaissement du prix de la vie[407]:

402 *PS*, juillet 1912, «A propos des événements qui ont caractérisé la dernière grève de Zurich».
403 *PS*, juillet 1912, «Nouvelle source de revenus pour la Confédération».
404 *Ibidem*.
405 *PS*, septembre 1912, «Les préliminaires en vue du renouvellement des traités de commerce à l'étranger».
406 Lorenz, 1913.
407 La vie de la ligue sera cependant de courte durée, puisqu'elle sera dissoute en 1919.

> *A l'instar du Juif errant, la «Ligue pour l'abaissement du coût de la vie» fait, de temps à autre, sa réapparition*[408].

Aux sentiments xénophobes et antisocialistes exacerbés lors de la campagne de 1903, l'USP ajoute une pincée d'antisémitisme pour dénigrer les milieux libre-échangistes:

> *Pour faire une nouvelle apparition, le Juif errant nous semble avoir bien mal choisi le moment. En dépit de tous les efforts tentés pour donner le change, les lamentations que suscitent les droits sur les denrées alimentaires et les «mesures diverses mettant obstacle à l'importation» forment le fond de l'appel [...] L'initiative de la fondation a été prise par l'Union suisse des Sociétés de consommation, par l'Union suisse des fédérations syndicales et la Fédération ouvrière suisse. Le mouvement part ainsi de milieux plus ou moins nettement socialistes*[409].

Plus inquiétante encore que les grandes manœuvres des associations de consommateurs, est l'opinion émise par le *Journal des associations patronales suisses*[410] dans un article intitulé «A propos de la politique douanière». Le propos est jugé inamical par le *Paysan suisse*[411].

Dans ce contexte douanier défavorable, l'USP se cabre. L'association des élites agricoles fait de la restauration des taxes sur la viande le symbole de la cohésion du bloc bourgeois. En mars et en novembre 1912, l'USP demande au CF de retirer son arrêté, mais sans succès. Le 24 avril 1913, le Club de l'agriculture en fait de même. Le 27 mai 1913, le CF lâche du lest en annonçant le rétablissement de la taxe sur la viande conservée à 20 frs[412]. Il légitime cette décision en invoquant le recul des prix sur les denrées alimentaires[413]. Ce geste ne suffit toutefois pas à l'USP. En février 1914, le *Paysan suisse* remet la compresse. Profitant de l'alliance entre l'USC et la société de boucherie «Bell», il réclame une nouvelle fois la levée de la mesure décrétée par le CF. Le 26 mars 1914, l'AsF donne enfin gain de cause à l'agriculture par 105 voix contre 45. Une analyse détaillée du vote des parlementaires, qui est menée de manière inquisitrice par le *Paysan suisse*, est révélatrice du rapport de force aux Chambres. Alors que la grosse majorité des catholiques-conservateurs (27 sur 29) et des radicaux (71/91) votent en faveur du relèvement de la taxe, l'intégralité des

408 *PS*, août 1913, «Ligue suisse pour l'abaissement des prix de la vie».

409 *Ibidem*.

410 Il s'agit de l'organe de presse de l'Union centrale des associations patronales (UCAP), nouvelle association faîtière patronale créée en 1905 pour intensifier la lutte contre le mouvement ouvrier; sur la création de l'UCAP, cf. Schmid, 1983, pp. 102-107.

411 *PS*, décembre 1913, «Le journal des associations patronales suisses».

412 RO, vol. II, 29, 1913, pp. 121-122.

413 FF, 1913, vol. 3, pp. 415-427, «RCF sur l'abrogation partielle de la réduction temporaire des droits d'entrée sur certaines denrées alimentaires (30 mai 1913)».

socialistes (15/15), l'aile gauche radicale (20/91) et la majorité des libéraux (6/9) votent le statu quo[414].

A la veille de la Première guerre mondiale, la polémique autour du renchérissement de la vie et de la taxation de la viande n'a donc pas réussi à ébranler les fondements du bloc bourgeois-paysan, pas plus que sa domination au sein du champ étatique fédéral. Certes, le débat permet aux socialistes de renforcer l'efficacité de leur propagande et de gagner ainsi en poids politique. Par ailleurs, l'unité de l'USCI et du PRDS est quelque peu malmenée. Les courants libre-échangistes luttant pour la compétitivité de l'industrie d'exportation et l'intégration politique du monde ouvrier accentuent leur pression. Certes, afin de désamorcer cette opposition, l'axe CF-USCI-PRDS lâche un sucre ou plutôt un bout de viande. Il maintient toutefois le gouvernail fermement à droite, orienté vers la conservation du bloc bourgeois-paysan. Bien que les rapports avec l'USP se dégradent à partir de 1906, l'alliance entre élites interventionnistes industrielles et agricoles n'est pas véritablement remise en question. Ainsi, les tensions internes du bloc bourgeois-paysan ne l'empêchent pas d'achever et même de compléter le grand programme de capitalisme organisé esquissé par Cramer-Frey au début des années 1880.

En 1914, les élites industrielles et commerçantes disposent de traités de commerce à tarif et d'une protection douanière modérée leur procurant la sécurité commerciale nécessaire pour se lancer dans les énormes investissements que demandent le développement des branches industrielles à la pointe de la technologie (machines, électricité, chimie, etc.). Les industries d'exportation traditionnelles et les industries travaillant pour le marché intérieur bénéficient aussi de ces conditions douanières qui leur permettent de moderniser l'appareil de production. L'accroissement des revenus douaniers couvre la majeure partie de l'augmentation des dépenses de la Confédération, évitant ainsi l'instauration d'impôts directs fédéraux. Les entreprises fortement capitalisées bénéficient ainsi d'une fiscalité compatible avec leur développement. Par ailleurs, l'absence d'une fiscalité fédérale directe est un des atouts favorisant l'afflux de capital étranger qui irrigue la place financière suisse. L'obtention de capitaux bon marché par les producteurs suisses est ainsi facilitée. Avec l'ouverture de la BNS en 1907, l'ensemble du système monétaire suisse est aussi consolidé. Les désavantages que consti-

414 *PS*, mai 1914, «La votation du 26 mars 1914 au Conseil national (Rétablissement du droit légal sur la viande congelée)»; parmi les 105 partisans du relèvement figurent 27 catholiques-conservateurs, 71 radicaux, 3 libéraux, 3 membres du groupe de politique sociale et 1 indépendant; parmi les 45 opposants sont répertoriés 20 radicaux, 15 socialistes, 6 libéraux, 2 membres du groupe de politique sociale et 2 catholiques-conservateurs.

tuaient la faiblesse du franc suisse et le différentiel du taux d'escompte peuvent être combattus. Dans le domaine des transports, le rachat des chemins de fer est en voie d'achèvement. A moyen terme, la création des CFF permettra de mieux gérer le différentiel des coûts du transport de marchandises. En ce qui concerne l'électrification du réseau, l'instauration du monopole permet de réserver ce gigantesque marché aux industries suisses des machines et de l'électricité. Bien que la gestion de l'énergie électrique soit surtout prise en charge par les communes et les cantons, la Confédération se préoccupe aussi de procurer de l'énergie bon marché à la place économique suisse. Le 25 octobre 1908, un article constitutionnel sur l'utilisation des forces hydrauliques est voté par le peuple. En 1916, il débouchera sur une loi permettant à la Confédération d'exercer un contrôle sur le développement du réseau électrique.

L'industrie suisse bénéficie aussi d'une main-d'œuvre bien qualifiée. Grâce au subventionnement de l'école obligatoire par la Confédération – article constitutionnel en 1902 et loi en 1903 – le niveau d'enseignement s'uniformise et s'améliore peu à peu. Grand réservoir de force de travail, les cantons campagnards ont désormais les moyens de fournir un enseignement scolaire mieux adapté aux besoins des régions industrielles. Dans le domaine de la formation professionnelle, les subventions de la Confédération améliorent le niveau d'enseignement dans les écoles techniques, commerciales et professionnelles. Le renforcement des activités de l'EPFZ (enseignement et recherche) est un point d'appui indispensable au développement des industries de la chimie et des machines ainsi qu'à leur spécialisation dans des technologies de pointe. Mise en vigueur en 1907, l'extension de la protection des inventions favorise l'activité de recherche et l'exploitation industrielle de nouvelles technologies.

Avec l'instauration de l'assurance maladie-accident en 1912, les élites industrielles obtiennent enfin d'être déchargées d'une partie des frais que leur imposait la loi sur la responsabilité civile dans le domaine des accidents de travail. Bien moins progressiste que le projet Forrer refusé en 1900, la loi passe la rampe du référendum avec le soutien de l'USP. L'assurance accident est obligatoire et sa gestion est centralisée (CNA). L'assurance maladie, qui n'est pas rendue obligatoire, est abandonnée au secteur privé tout en étant subventionnée par l'Etat fédéral. Sur le plan militaire, enfin, le soutien de l'USP à la révision de l'organisation de l'armée (1907) permet de renforcer la crédibilité de la neutralité armée helvétique. Confrontées à une lutte des classes toujours plus exacerbée, les élites industrielles accordent également des vertus de stabilisation sociale au renforcement de l'armée.

Les élites agricoles profitent aussi de la collaboration instaurée avec les élites industrielles. Les subventions toujours plus importantes allouées à l'agriculture (loi de 1893) contribuent à moderniser l'encadrement de la production. L'enseignement agricole favorise la pénétration de nouvelles méthodes de travail permettant la réduction des coûts de production; la comptabilité des entreprises agricoles est aussi améliorée. Les investissements nécessaires à l'amélioration de l'appareil de production sont encouragés et subventionnés. Ils bénéficient aussi d'un taux hypothécaire modéré en comparaison internationale, auquel contribue probablement la pression politique de l'USP. L'instauration de stations laitières et viticoles ainsi que l'encouragement donné à l'élevage, sous forme de primes, permettent de promouvoir une production de qualité. Dans le domaine de la politique des prix, les élites agricoles retirent d'importants avantages de la nouvelle politique douanière de la Confédération. A la promotion de l'exportation de produits laitiers et de bétail vient s'ajouter une protection du marché intérieur de la viande et des vins. Le protectionnisme agricole est complété par l'instauration de la loi sur le commerce des denrées alimentaires (1906), l'interdiction des vins artificiels (1912) et la loi sur les épizooties (révisée en 1913). Dès l'instauration du monopole de l'alcool, en 1887, le marché des pommes de terre bénéficie d'un soutien étatique. La Régie fédérale des alcools fixe des prix minima de reprise, qu'elle impose aux distilleries. Les résultats obtenus par l'USP dans le domaine de l'endettement sont moins probants. Certes, dans le cadre de l'élaboration du code civil, certaines mesures sont prises afin de faciliter les successions. Mais les coûts de la dette hypothécaire continuent de peser lourdement sur l'agriculture suisse, en particulier sur les petites et moyennes entreprises.

Les parents pauvres de la politique économique du bloc bourgeois-paysan demeurent les classes moyennes et salariées. En échange de son soutien à la politique de la Confédération, l'USAM n'obtient que peu de concessions. La protection douanière acquise lors de la révision du tarif de 1902 est largement entamée par le traité conclu avec l'Allemagne. Quant à l'article constitutionnel introduit en 1908, qui permet à la Confédération de légiférer en matière d'arts et métiers, il reste lettre morte. Les salariés sont encore moins gâtés. Dans le domaine de la législation sociale, l'assurance maladie-accident instaurée ne correspond pas aux attentes du mouvement ouvrier. Signalons aussi la révision de la loi sur le travail en fabrique (1877), qui dure de 1904 à 1914 et qui tourne à l'avantage du patronat. Discutées durant les années 1890, les assurances vieillesse, survivant, invalidité et chômage ne sont pas réalisées. La caisse de pension du personnel fédéral ne voit pas non plus le jour. Dans le domaine fiscal, l'allégement de la charge douanière grâce à l'instauration de monopoles ne se concrétise pas. Alors que le monopole sur les allumettes est refusé en votation populaire, l'intégralité des revenus de la Régie fédérale des alcools est reversée aux cantons. Quant au projet d'un impôt fédéral direct progressif, il tient encore de l'utopie politique.

A l'issue de ce survol des conditions-cadre économiques en place à la veille de la Première guerre mondiale, il paraît difficile de soutenir que l'Etat central ne participe pas au développement économique suisse. Certes, le rôle assumé par la Confédération dans le modèle suisse de capitalisme organisé est peut-être moins étendu que celui du Reich en Allemagne. Mais dans toute une série de domaines-clefs, l'intervention de l'Etat central soutient efficacement le développement de la place économique suisse. Les fruits de la constitution du bloc bourgeois-paysan ont par conséquent de quoi satisfaire les élites industrielles et agricoles interventionnistes. Grâce à leur soutien mutuel, elles obtiennent les conditions-cadre qui leur permettent de relever le défi de la concurrence internationale. Les industries de pointe – machines, électricité, chimie, alimentation – profitent tout particulièrement de l'engagement de la Confédération. Certes, l'entente entre les deux partenaires n'est pas parfaite, car de fortes contradictions d'intérêts les opposent, notamment dans le domaine de la politique douanière (coût de la vie). Cependant, les avantages d'une collaboration l'emportent. Tout en obtenant l'intervention étatique indispensable à la poursuite de leur développement économique, les élites industrielles et agricoles réussissent à limiter au strict minimum les concessions de l'Etat central aux classes moyennes et salariées. Dénoncée sous le terme de «socialisme d'Etat», l'intervention pratiquée en Allemagne pour intégrer les classes défavorisées ne prend pas pied en Suisse avant la Première guerre mondiale. Dans un système de démocratie semi-directe, la performance est de taille.

Avec l'instauration d'une économie de guerre, la collaboration entre le champ étatique fédéral et les élites économiques s'intensifie de manière extraordinaire. De sorte qu'à la fin du conflit, le rôle paraétatique de l'USCI et de l'USP s'est encore accru. En outre, l'intervention massive de la Confédération dans le fonctionnement de l'économie laisse des traces indélébiles après le conflit. Malgré la volonté d'un retour à un fonctionnement plus libéral, le rôle de l'Etat dans l'économie de l'Entre-deux-guerres demeure plus important qu'avant le conflit. L'intensité de l'intervention s'accroît encore pendant la crise des années 1930 et la Deuxième guerre mondiale. Il faut toutefois attendre 1947 pour que les changements de rapports entre économie et Etat central soient légitimés par l'inscription des articles économiques dans la constitution. Amorcée durant la Grande dépression, la mise en place progressive d'un capitalisme organisé lié à la seconde Révolution industrielle, à la montée des impérialismes et à l'avènement du mouvement ouvrier est ainsi entérinée. Cela au moment même où le néolibéralisme lié à une société tertiarisée commence à développer ses racines dans le terreau suisse. En 1947, la Société du Mont-Pélerin est créée pour théoriser et promouvoir le moins d'Etat.

Quant au bloc bourgeois-paysan, il sort consolidé de l'épreuve sociale de la Grève générale de 1918. L'antagonisme avec le mouvement ouvrier est alors à son comble. Au sein de l'alliance antisocialiste, le rapport de force est quelque peu modifié durant l'Entre-deux-guerres. Aux Chambres, l'élection du CN à la proportionnelle (1918) et la création de partis cantonaux des Paysans, artisans et bourgeois (dès 1917) renforce la force de frappe des élites agricoles et des classes moyennes industrielles. Au CF, un deuxième siège est accordé aux catholiques-conservateurs qui se sont enfin structurés au niveau national (1912), alors que le PAB doit attendre 1929 pour accéder au Gouvernement. La Première guerre mondiale marque aussi le décollage de la place financière suisse. Créée en 1912, l'Association suisse des banquiers gagne progressivement en importance au sein du champ étatique fédéral. L'axe CF-USCI-(USP) doit désormais tenir compte d'un nouveau partenaire, dont les intérêts divergent parfois avec ceux des milieux producteurs. En politique extérieure, le primat de l'exportation des marchandises doit composer avec les exigences de la défense des avoirs suisses à l'étranger. Enfin, l'USAM accroît quelque peu son influence grâce à une meilleure organisation. Durant les années 1920 et 1930, le mouvement ouvrier amorce un processus d'intégration au sein de l'Etat fédéral bourgeois, qui débouche sur la Paix du travail (1937) et l'entrée des socialistes au CF (1943). A la polarisation entre bloc bourgeois-paysan et mouvement ouvrier succède alors un système de concordance marqué par la volonté de consensus. Certes, les antagonismes entre partenaires sociaux demeurent, mais la politique menée tend à les atténuer grâce à un dialogue institutionnalisé à tous les niveaux de la société.

Conclusion

A l'issue de cette épopée douanière d'un siècle, il est temps de tisser les différents fils confectionnés avec patience au cours de l'analyse. Ce sont d'ailleurs les fils en coton qui forment la trame du développement économique que nous avons parcouru. Filés à la main dans les fermes de l'Oberland zurichois aux environs de 1800, ils constituent le gagne-pain du petit paysan endetté qui ne parvient pas à nourrir sa famille nombreuse avec le lopin de terre qu'il possède. Un siècle plus tard, ces mêmes fils sont produits en masse dans d'énormes fabriques équipées de machines sophistiquées qui sont actionnées avec de l'énergie électrique. Grâce au capital accumulé par leurs ascendants, les arrières-petits-fils des «Fergger» zurichois ont exporté une partie de leur production en Italie, en Allemagne, en Autriche-Hongrie et en Russie. Entre-temps, beaucoup d'eau a coulé sous les ponts, actionnant les roues à aubes, puis les turbines, des grandes filatures mécaniques suisses. Entre-temps, la Confédération helvétique a aussi changé de visage.

A la fin des guerres napoléoniennes, le conglomérat de cantons ne tient qu'à un fil, une défense commune. Et encore, sans la pression exercée par les monarques bienveillants, il leur serait impossible de s'entendre sur le contenu d'un pacte fédéral. La division des confédérés n'a d'égale que leur faiblesse politique dans le concert international. La France, qui a interdit l'entrée des fils en coton suisses sur son territoire, rit sous cape lorsque le nain helvétique menace de lui appliquer un tarif de rétorsion. Comment accorder une quelconque crédibilité à cette mosaïque d'Etats qui sont incapables de créer un minimum de cohésion économique à l'intérieur du territoire confédéral? Sur chaque pont, à chaque carrefour, l'or blanc qui est filé dans l'Oberland, expédié en Thurgovie pour être blanchi, puis dans le Toggenbourg pour y être tissé, doit s'acquitter d'une taxe et est ainsi renchéri. Dans ces conditions, les indienneurs neuchâtelois des années 1840 préfèrent acheter en Angleterre les tissus qu'ils égayent de leurs couleurs. Avec le chemin de fer, qui fait défaut en Suisse, le transport coûte moins cher et est presque aussi rapide que depuis Zurich.

Un siècle plus tard, le fil zurichois prend le train à bon marché pour aller se faire teindre en Alsace, retourne à St-Gall pour être expédié au Vorarlberg, puis revient apposé sur de superbes broderies, le tout sans avoir été renchéri par une quelconque ponction fiscale. La Confédération a alors racheté les taxations cantonales et elle a conclu des traités de commerce pour obtenir de ses voisins la franchise sur le trafic de perfectionnement. Grâce aux barrières douanières désormais érigées aux frontières suisses, l'or blanc zurichois peut conquérir le marché helvétique. Les brodeurs saint-gallois n'ont plus intérêt à utiliser du fil étranger. Enfin, la Confédération a aussi contribué à diminuer les coûts de transport en facilitant l'instauration d'un réseau ferroviaire, puis en entreprenant son rachat. A la France, qui refusait de se parer des broderies de St-Gall, la Confédération a fait payer son outrecuidance par une guerre douanière. Après deux ans de rupture, la diplomatie tricolore est venue quémander quelques gosiers pour son vin. En l'espace d'un siècle, la Confédération suisse a donc pris du poil de la bête, mettant sa puissance politique accrue au service des grands industriels. Entre-temps, les armes ont tinté aux oreilles des conservateurs du «Sonderbund», qui donnaient du fil à retordre aux nouveaux barons de l'industrie. Emmenés par les filateurs, les bataillons zurichois ont passé les aristocrates de la Vieille suisse au fil de l'épée pour leur imposer la création de l'Etat fédéral.

Dans le dédale du temps, un fil d'Ariane guide l'historien désireux de tisser des liens entre les évolutions économiques et politiques évoquées: le profit des filateurs zurichois. Lorsqu'à la fin du XVIIIe siècle, les filés anglais fabriqués mécaniquement gagnent marché après marché, tels une toile tissée par l'araignée, l'industrie textile européenne est comme une proie engluée promise à une mort lente. Dans les campagnes zurichoises, le chômage se propage et prend à la gorge des milliers de travailleurs vivant déjà au seuil de la pauvreté. La France monte alors aux barricades et instaure le Blocus continental. En ville de Zurich, l'aubaine est vite saisie par les familles les plus huppées. Des Escher, des Wyss, des von Muralt profitent de la conjonction de l'exclusion des marchandises anglaises et du niveau ridicule des salaires suisses pour lancer une production mécanisée de fils. A la campagne, les «Fergger» emboîtent le pas avec des moyens plus modestes. Avec la chute de Napoléon et la levée du blocus, de nombreuses entreprises filent du mauvais coton et font faillite. Les plus solides financièrement supportent le choc concurrentiel en modernisant l'appareil de production et en rabotant encore les salaires, exploitant femmes et enfants, de jour comme de nuit. En 1822, les filateurs mettent leur veto au protectionnisme agricole réclamé par l'aristocratie bernoise. Alors que la rente foncière de la «Gentry» anglaise est soutenue par les «corn laws», les propriétaires terriens suisses n'obtiennent pas de privilèges douaniers. En accord avec les marchands-banquiers de Bâle et Genève, les industriels zurichois élèvent le libre-échange au statut de doctrine d'Etat. Les fabrications de luxe prennent le cap de l'outre-mer et les filateurs profitent du différentiel salarial avec l'Angleterre pour s'enrichir.

Les affaires se gâtent au cours des années 1840, car les tisseurs des campagnes sont à l'agonie. L'avance technologique anglaise fait une fois de plus des ravages en provoquant un afflux de calicots bon marché, tissés mécaniquement, sur le marché helvétique. Escher Wyss est sur le fil du rasoir. Le fleuron de la filature suisse peine à trouver preneur pour son or blanc qui lui rapporte de moins en moins. Les industriels zurichois ont bien tenté de combler le retard technologique, mais en 1832, les tisserands ont mis leur veto en incendiant une fabrique de tissage mécanique à Uster. Comment investir dans ces conditions? D'autant plus que l'eldorado américain ferme peu à peu ses portes aux cotonnades suisses. Par ailleurs, au fil du temps, le différentiel des coûts de transport avec la concurrence étrangère se creuse. Les marchands bâlois, soucieux de garder leur hégémonie commerciale, ont trahi le projet de chemin de fer Zurich-Bâle qui devait désenclaver l'Oberland zurichois. La ligne Zurich-Baden est confrontée aux pires difficultés pour trouver un point d'ancrage au réseau ferroviaire international. Certes, les petits pains qui sont véhiculés tous les matins sont bons, mais le coton arrive toujours aussi cher des ports atlantiques.

Et la Confédération me direz-vous? Empêtrée dans un fédéralisme outrancier, elle est incapable d'adapter les conditions de production aux besoins des filateurs. Les aristocrates des montagnes, qui vivent encore à un rythme moyenâgeux, s'enrichissant grâce à l'exportation séculaire de bestiaux vers l'Italie, refusent de resserrer le lien confédéral en révisant le pacte. Leur pingrerie n'a d'égale que leur étroitesse d'esprit qui paralyse toute réforme des institutions archaïques de l'Etat central. Il est temps de réagir. Intéressé à la rentabilité des capitaux investis dans les filatures avoisinantes, le banquier zurichois Conrad Pestalozzi-Hirzel sonne le rassemblement. En 1842, le «Zürcher Industrieverein» est fondé pour promouvoir une réforme des conditions-cadre de l'économie suisse, dont la trame est élaborée par le Friedrich List suisse, Christian Beyel. La même année, von Muralt renie ses convictions libre-échangistes devant la Diète. Il prie l'assemblée de regarder au-delà du Rütli pour s'adapter à un monde en pleine mutation.

De fil en aiguille, le réseau des grands industriels rebelles s'élargit à d'autres cantons. En 1843, le «Schweizerischer Gewerbsverein» est créé, dont le fil conducteur est la réalisation d'une unification douanière. Les troupes de choc de l'association sont les fileurs, tisseurs, indienneurs et autres rubaniers argoviens, glaronnais et thurgoviens qui ont souffert de la fermeture du marché allemand consécutive à la création du «Zollverein». L'incurie de la Confédération, qui n'a pas même été capable de soulager leurs maux par la conclusion d'un traité de commerce, a quelque peu énervé les Herzog, Feer, Jenny et Trümpy. L'industrie linière de Berthoud ainsi que les barons bernois du commerce de fromage propulsent leur représentant, Eugen Blösch, à la tête de l'association. Les magnats de l'industrie métallurgique, Munzinger et Brunner, espèrent améliorer leur compétitivité qui s'étiole avec l'arrivée du réseau ferroviaire international à Bâle. Les libéraux-centralisateurs, qui dominent l'association, tentent en vain de réformer le cadre de production en respectant les institutions en place. Le veto conservateur et les divergences d'intérêts entre les élites économiques suisses cassent leur élan. Et pourtant, le temps presse. La crise s'approfondit et les filatures les plus solides sont au bord du gouffre. D'énormes capitaux, qui ne tiennent plus qu'à un fil, risquent de passer à la trappe. Sous la conduite d'Alfred Escher, les Zurichois durcissent le ton en faisant alliance avec les troupes radicales des classes moyennes. Un double fil rouge est exploité pour souder les intérêts divergents des deux classes sociales. La haine du catholique est attisée et son inféodation à Rome est dénoncée comme une insulte à la patrie. En 1848, le «Sonderbund» est passé par le fil de l'épée. Les Herzog, Frey-Herosé ou autres Peyer im Hof-Neher, tous représentants de la grande industrie, assument des responsabilités au sein de l'Etat major des troupes libérales-radicales.

Unification douanière et monétaire, étatisation des postes, simplification des poids et mesures, lois-cadre sur la construction de chemins de fer et l'expropriation, instauration de l'Ecole polytechnique de Zurich, haut lieu du développement technologique, le fil à la patte qui entravait l'expansion de l'industrie zurichoise est coupé. La mécanisation du tissage explose dans les années 1850 et la fièvre ferroviaire s'empare de toute la Suisse. L'envol est favorisé par une flambée de la conjoncture internationale et le désarmement douanier en Europe. Suite au traité de commerce conclu en 1864, la France ouvre son marché à l'or blanc helvétique. A cette occasion, les filateurs zurichois tancent le Conseil fédéral qui se laisse aller à des folies de grandeur, plutôt que de servir leur intérêt matériel. Après l'occupation de la Savoie par Napoléon III, les politiques sont priés de mettre l'orgueil suisse dans leurs poches pour négocier l'ouverture du marché voisin. Le traité ne peut être conclu qu'au prix d'atteintes à la souveraineté des cantons. Le «leader» catholique-conservateur Anton von Segesser gesticule et hurle au coup d'Etat, mais la caravane du capital suit le fil de ses idées. L'écoulement de l'or blanc à Paris vaut bien quelques improvisations constitutionnelles.

L'âge d'or de la filature zurichoise prend fin au début des années 1870. Les conséquences du «boom» économique donnent du fil à retordre aux barons de l'Oberland. Il devient de plus en plus difficile de trouver de la main-d'œuvre taillable et corvéable pour des salaires de misère. La compétitivité s'essouffle et l'idée d'une nouvelle réforme des conditions-cadre germe dans le cerveau de certains industriels. Alors que le besoin de conclure de meilleurs traités de commerce commence de se faire cruellement sentir, il n'est plus admissible que le Département du commerce soit composé de deux âmes en peine privées de nourriture statistique. Dans le droit fil du SGV de 1843, l'Union suisse du commerce et de l'industrie est fondée à l'initiative du Glaronnais Peter Jenny-Blumer. Le gotha du commerce d'exportation helvétique y est représenté. Au sein du champ étatique, le bélier de l'association est l'Argovien Carl Feer-Herzog qui se démène comme un beau diable pour promouvoir la révision constitutionnelle de 1874. Afin de casser la résistance des aristocrates conservateurs, les libéraux-centralisateurs doivent une fois de plus s'acoquiner avec les classes moyennes regroupées désormais au sein du mouvement démocratique. La bannière agitée par la coalition progressiste est à nouveau cousue de fil religieux et patriotique: l'épouvantail catholique est agité par les adeptes du «Kulturkampf» et le besoin d'une réorganisation de l'armée est monté en épingle dans le but de motiver le bon peuple à aller aux urnes pour défendre la nation en péril. Le prix payé par les barons de l'industrie aux démocrates est le référendum. Pourtant, cet instrument de démocratie directe se révélera être un cadeau empoisonné pour les forces du progrès, puisqu'il sera utilisé avantageusement par les milieux conservateurs dans le dessein de freiner la construction de l'Etat fédéral.

A la fin des années 1870, le ciel tombe sur la tête de filateurs zurichois ébaubis. Alors que leur productivité souffre d'un retard technologique accumulé durant les années de vaches grasses, la Grande dépression exacerbe la concurrence et provoque un repli protectionniste dans l'ensemble de l'Europe. L'or blanc helvétique est chassé des marchés extérieurs et il est même traqué dans son antre, le marché intérieur. Par ailleurs, une défaite politique sans précédent empêche les industriels zurichois d'adapter leurs coûts de production à la situation. Par la loi sur les fabriques de 1877, la Confédération ose contrecarrer la course aux profits des filateurs en leur interdisant de faire travailler les ouvriers plus de onze misérables heures par jour. C'en est trop! Peu choyés par l'USCI, qui est dominée par les industries cotonnières de transformation, les filateurs s'organisent au sein du «Schweizerischer Spinner-, Zwirner- und Weberverein». La stratégie économique de l'association, diffusée par le publiciste Arnold Steinmann-Bucher, est cousue de fil blanc. Il s'agit d'accroître les privilèges douaniers des filateurs et des tisseurs pour donner un bol d'oxygène aux entreprises zurichoises et leur permettre de rationaliser l'appareil de production. A la tête de la lutte contre les revendications du mouvement ouvrier, le SSZWV exige aussi que la toute nouvelle loi sur les fabriques soit révisée. En parallèle, les industriels zurichois engagent une exportation massive de capital. La croissance sur sol suisse étant compromise, l'expansion de la production sur des territoires étrangers sert de palliatif à l'accumulation du capital. L'Allemagne du Sud et l'Italie du Nord sont les terrains privilégiés de la colonisation zurichoise.

A partir de sa constitution définitive, en 1879, le SSZWV part à la conquête du pouvoir fédéral qui lui est nécessaire pour éviter le «krach» de la filature produisant sur sol suisse. Les énormes capitaux investis méritent bien une petite apostasie de la doctrine libre-échangiste défendue jusqu'alors. En 1882, les filateurs s'allient aux constructeurs de machines pour imposer un programme interventionniste à la «Kaufmännische Gesellschaft Zürich». La même année, ces mêmes milieux réalisent un coup de force qui leur permet d'imposer la KGZ en tant que section Vorort permanente de l'USCI. L'arrivée de Conrad Cramer-Frey à la présidence de l'association donne un coup de fouet à la réforme des conditions-cadre de l'économie suisse. Il s'agit d'abandonner le libéralisme manchestérien, profitable à la première vague d'industrialisation, pour adopter un capitalisme organisé favorable au développement des nouveaux dragons de l'économie suisse: les machines, la chimie ou encore l'industrie alimentaire. Affamées de capitaux, ces industries ressentent notamment le besoin que la Confédération consolide leurs débouchés en modifiant sa politique douanière. Le libre-échange doit être abandonné au profit d'une politique de combat qui leur ménage des brèches dans les murailles protectionnistes des pays voisins. Pour parvenir à atteindre ses objectifs, Cramer-Frey tisse des liens toujours plus solides entre la place économique zurichoise et les bureaux bernois de la Confédération.

Main dans la main avec les autres industriels intéressés à une intervention étatique, les filateurs parviennent à ébranler l'Etat fédéral et à l'entraîner lentement hors des eaux stagnantes du libéralisme manchestérien. Toutefois, les brodeurs saint-gallois, les imprimeurs glaronnais et les soyeux zurichois se liguent pour ne pas avoir à débourser quelques centimes de plus par kilo de filés. Les barons du coton trouvent la parade à cette pingrerie en s'alliant à l'ancien ennemi juré, l'aristocratie terrienne. Protection de l'or blanc contre protection du bétail, tels sont les termes du «deal» conclu en 1891 au sein de la Ligue protectionniste d'Olten. La formule ne triomphe pleinement qu'en 1902, lorsque les filateurs achèvent leur conquête du pouvoir. A la mort de Cramer-Frey, la présidence de l'USCI est investie par le magnat zurichois de l'industrie cotonnière, Hans Wunderli-von Muralt, qui cherche à optimiser le profit d'un empire de dix filatures actionnant 244 000 broches. Avec l'appui du directeur du Vorort, Alfred Frey, une stratégie d'alliance avec la nouvelle Union suisse des paysans est poursuivie. La constitution du bloc bourgeois-paysan permet enfin de triompher des empêcheurs de filer en rond. Une protection conséquente est troquée contre une hausse de la taxation des denrées alimentaires supportée par le petit peuple. Les privilèges ainsi obtenus sont victorieusement défendus contre l'attaque référendaire du mouvement ouvrier. La fidélité des bataillons paysans de l'USP fait merveille. Au fil des années, la collaboration entre l'USCI et l'USP permet d'améliorer les conditions-cadre de l'économie suisse tout en muselant les revendications ouvrières.

Au tournant du siècle, la filature du coton n'est plus à la pointe du développement technologique. Les branches de l'électricité, des machines et de la chimie la dépassent et leur production atteint une très haute intensité en capital. Par ailleurs, la croissance soutenue de la place financière offre des crénaux d'investissements plus profitables. Il faudra cependant attendre l'Entre-deux-guerres pour que l'influence des nouveaux leaders de l'économie suisse devienne prépondérante au sein du champ étatique, consécutivement à l'écroulement de la production textile sur territoire suisse. Il serait intéressant d'analyser si les représentants des secteurs dynamiques constituent une nouvelle souche d'élites, en concurrence avec les dirigeants en place, ou s'il sont issus de grandes familles industrielles recyclées dans des activités plus lucratives. L'histoire du champ douanier de l'Entre-deux-guerres reste à faire...

A l'issue de cette conclusion, le lecteur pourrait être surpris. Il est vrai que ce survol de la période, narré en suivant le fil rouge du profit des magnats de l'industrie cotonnière zurichoise, en réduit la complexité. De surcroît, le style adopté, littéraire et imagé, détonne quelque peu dans une étude scientifique. Mais cette manière de procéder a ses avantages.

D'une part, elle permet de souligner une dernière fois les thèses esquissées en introduction et défendues tout au long de ce travail, après qu'elles aient peut-être été en partie gommées par l'approche chronologique et l'abondance du discours analytique. Contrairement à l'image majoritairement diffusée dans l'historiographie consacrée au XIXe siècle helvétique, l'Etat central a joué un rôle-clef dans le développement de la place économique suisse. En outre, la constitution de l'Etat fédéral et sa transformation progressive ont été en grande partie impulsées par la volonté des élites industrielles et commerçantes de lui faire assumer ce rôle d'encadrement de l'activité économique privée. Dans le domaine douanier, centre de gravité de l'intervention économique de la Confédération au XIXe siècle, force est de constater que les élites économiques ont su jouer un rôle décisif dans la définition des stratégies adoptées. Ce sont en particulier les grands entrepreneurs de l'industrie mécanisée ainsi que les commerçants orientés vers les échanges extérieurs qui ont ainsi pu optimiser leur profit.

D'autre part, cette relecture offre la possibilité de satisfaire encore au devoir d'analyse réflexive évoqué dans le chapitre introductif. Elle rappelle que si le récit historique scientifique se base sur des documents d'époque et des analyses chiffrées, il n'en demeure pas moins une tentative de reconstituer une réalité historique fuyante. Au lecteur de ne jamais oublier que tout ce qu'il lit lui est raconté par quelqu'un qui a projeté un télescope vers le passé. Certes, la lentille a été patiemment polie afin que l'objet historique observé ne soit pas déformé et que la description tende à l'objectivité. Mais l'angle d'observation adopté par le chercheur est le résultat d'un choix, de même que les informations sélectionnées pour figurer dans le récit construit à partir des résultats de l'analyse. La meilleure parade à cette limite incontournable du récit historique est de multiplier les points de vues sur un même objet et de superposer plusieurs images d'un même passé, construites par des historiens de formation et de sensibilité différentes. L'objet n'apparaîtra pas forcément de manière plus distincte, mais sa complexité sera ainsi pleinement révélée.

Enfin, cette conclusion nous sensibilise au fait qu'il existe certaines homologies entre les différentes phases de bouleversement des structures économiques et politiques des sociétés capitalistes modernes. Dans le cas de la Suisse, les périodes analysées ont montré toute la difficulté d'élaborer des solutions consensuelles à même de répondre aux évolutions économiques et politiques intérieures et extérieures. La forte segmentation économique et les caractéristiques du système politique helvétique – fédéralisme prononcé, éléments de démocratie directe – ont encore compliqué la résolution des problèmes. A l'heure d'une nouvelle transformation fondamentale des rapports entre économie et Etat central, provoquée notamment par un changement rapide de l'environnement économique mondial, les enseignements de ce travail fourniront peut-être quelques pistes de lecture permettant d'appréhender les enjeux des évolutions actuelles et futures.

Annexes

Annexe 1. Evolution des finances fédérales (1850-1913)[1]

	Indice des prix mixte	Revenus douaniers nominaux	Revenus douaniers réels	Revenus douaniers / revenus totaux	Revenus nominaux totaux (I)	Revenus réels totaux (II)	Dépenses nominales totales (indemnités aux cantons)	Dépenses réelles totales (IV)	Solde nominal (I-III)	Solde réel (II-IV)	Revenus redistribués aux cantons / revenus totaux
	(1890=100)	(mios de frs)	(mios de frs)	(en %)	(mios de frs)	(mios de frs)	(mios de frs)	(mios de frs)	(mios de frs)	(mios de frs)	(en %)
1850	90	4,17	4,63	*72*	5,83	6,48	5,85 (3,06)	6,50	- 0,02	- 0,02	*52*
1851	92	5,07	5,51	*72*	7,09	7,71	6,37 (3,66)	6,92	0,72	0,78	*52*
1852	100	5,72	5,72	*71*	8,01	8,01	7,00 (3,90)	7,00	1,01	1,01	*49*
1853	115	5,89	5,12	*72*	8,20	7,13	7,24 (3,95)	6,30	0,96	0,83	*48*
1854	132	5,55	4,20	*71*	7,85	5,95	7,82 (3,94)	5,92	0,03	0,02	*50*
1855	123	5,73	4,65	*72*	7,97	6,48	7,32 (3,66)	5,95	0,65	0,53	*46*
1856	121	6,16	5,09	*70*	8,90	7,36	8,18 (3,95)	6,76	0,72	0,60	*44*
1857	123	6,50	5,28	*67*	9,70	7,89	12,60 (3,95)	10,24	- 2,90	- 2,36	*41*
1858	100	6,88	6,88	*68*	10,12	10,12	9,19 (3,42)	9,19	0,93	0,93	*34*
1859	110	7,36	6,69	*67*	11,01	10,01	11,85 (4,08)	10,77	- 0,84	- 0,76	*37*
1860	126	7,72	6,12	*72*	10,75	8,53	10,93 (3,63)	8,67	- 0,18	- 0,14	*34*
1861	125	8,08	6,46	*72*	11,21	8,97	10,98 (3,77)	8,78	0,23	0,18	*34*
1862	119	8,10	6,81	*72*	11,28	9,48	10,73 (3,92)	9,02	0,55	0,46	*35*
1863	127	8,48	6,68	*73*	11,63	9,16	10,82 (4,08)	8,52	0,81	0,64	*35*

1 Les chiffres nominaux concernant les revenus douaniers, les revenus totaux et les dépenses totales sont tirés in Halbeisen, 1990, pp. 41-44; l'indice des prix qui sert de déflateur représente la moyenne des indices des prix de gros et des prix à la consommation estimés par Projer, le tout ramené à la base 1890 = 100; les indices de Projer se trouvent in SHS, 1996, pp. 485/502; les dépenses totales incluent la somme reversée aux cantons qui est indiquée entre parenthèses.

Annexe 1 (suite)

	Indice des prix mixte	Revenus douaniers nominaux	Revenus douaniers réels	Revenus douaniers / revenus totaux	Revenus nominaux totaux (I)	Revenus réels totaux (II)	Dépenses nominales totales (indemnités aux cantons)	Dépenses réelles totales (IV)	Solde nominal (I-III)	Solde réel (II-IV)	Revenus redistribués aux cantons / revenus totaux
	(1890=100)	(mios de frs)	(mios de frs)	(en %)	(mios de frs)	(mios de frs)	(mios de frs)	(mios de frs)	(mios de frs)	(mios de frs)	(en %)
1864	135	8,67	6,42	*74*	11,68	8,65	11,40 (3,92)	8,44	0,28	0,21	*34*
1865	127	8,67	6,83	*75*	11,52	9,07	11,72 (3,89)	9,23	- 0,20	- 0,16	*34*
1866	130	8,63	6,64	*74*	10,59	8,15	12,57 (3,60)	9,67	- 1,98	- 1,52	*34*
1867	135	8,26	6,12	*78*	10,63	7,87	14,56 (3,52)	10,79	- 3,93	- 2,91	*33*
1868	125	8,98	7,18	*80*	11,11	8,89	12,87 (3,33)	10,30	- 1,76	- 1,41	*30*
1869	118	8,89	7,53	*80*	11,24	9,53	12,24 (3,71)	10,37	- 1,00	- 0,85	*33*
1870	122	8,49	6,96	*80*	10,72	8,79	19,05 (3,52)	15,61	- 8,33	- 6,83	*33*
1871	132	10,73	8,13	*78*	13,66	10,35	14,34 (4,09)	10,86	- 0,68	- 0,52	*30*
1872	153	12,42	8,12	*78*	16,01	10,46	17,00 (4,14)	11,11	- 0,99	- 0,64	*26*
1873	159	14,25	8,96	*83*	17,24	10,84	18,16 (3,24)	11,42	- 0,92	- 0,57	*19*
1874	136	15,23	11,20	*85*	17,88	13,15	16,04 (3,14)	11,79	1,84	1,35	*18*
1875	129	17,04	13,21	*84*	20,35	15,78	21,89 (0,39)	16,97	- 1,54	- 1,19	*2*
1876	137	17,28	12,61	*79*	21,74	15,87	22,90 (1,13)	16,72	- 1,16	- 0,85	*5*
1877	135	15,65	11,59	*78*	20,02	14,83	21,82 (0,76)	16,16	- 1,80	- 1,33	*4*
1878	125	15,59	12,47	*74*	21,02	16,82	20,91 (0,79)	16,73	0,11	0,09	*4*
1879	119	16,71	14,04	*68*	24,48	20,57	22,44 (1,56)	18,86	2,04	1,71	*6*
1880	121	17,09	14,12	*70*	24,33	20,11	22,61 (1,43)	18,69	1,72	1,42	*6*
1881	114	17,32	15,19	*68*	25,48	22,35	24,25 (1,41)	21,27	1,23	1,08	*6*

Annexe 1 (suite)

	Indice des prix mixte	Revenus douaniers nominaux	Revenus douaniers réels	Revenus douaniers / revenus totaux	Revenus nominaux totaux (I)	Revenus réels totaux (II)	Dépenses nominales totales (indemnités aux cantons)	Dépenses réelles totales (IV)	Solde nominal (I-III)	Solde réel (II-IV)	Revenus redistribués aux cantons / revenus totaux
	(1890=100)	(mios de frs)	(mios de frs)	(en %)	(mios de frs)	(mios de frs)	(mios de frs)	(mios de frs)	(mios de frs)	(mios de frs)	(en %)
1882	115	18,48	16,07	*72*	25,83	22,46	24,76 (1,29)	21,53	1,07	0,93	*5*
1883	110	20,00	18,18	*73*	27,25	24,77	26,08 (1,35)	23,71	1,17	1,06	*5*
1884	102	21,34	20,92	*76*	28,21	27,66	25,11 (1,35)	24,62	3,10	3,04	*5*
1885	93	20,92	22,49	*73*	28,59	30,74	25,71 (1,45)	27,65	2,88	3,10	*5*
1886	91	22,12	24,31	*73*	30,26	33,25	26,96 (1,57)	29,63	3,30	3,63	*5*
1887	93	24,35	26,18	*74*	32,90	35,38	28,90 (1,56)	31,08	4,00	4,30	*5*
1888	91	25,80	28,35	*64*	40,22	44,20	37,75 (6,99)	41,48	2,47	2,71	*17*
1889	97	27,31	28,15	*63*	43,24	44,58	41,22 (6,11)	42,49	2,02	2,08	*14*
1890	100	30,93	30,93	*60*	51,48	51,48	49,52 (7,92)	49,52	1,96	1,96	*15*
1891	100	31,23	31,23	*64*	49,08	49,08	55,71 (7,64)	55,71	- 6,63	- 6,63	*16*
1892	97	35,71	36,81	*66*	54,20	55,88	61,49 (7,46)	69,39	- 7,29	- 7,52	*14*
1893	91	38,05	41,81	*71*	53,42	58,70	54,89 (7,35)	60,32	- 1,47	- 1,62	*14*
1894	93	40,86	43,94	*69*	59,21	63,67	53,95 (6,86)	58,01	5,26	5,66	*12*
1895	92	42,94	46,67	*71*	60,13	65,36	52,68 (6,76)	57,26	7,45	8,10	*11*
1896	93	45,93	49,39	*70*	65,40	70,32	56,30 (7,63)	60,53	9,10	9,78	*12*
1897	95	47,55	50,05	*72*	65,73	69,19	58,64 (8,39)	61,73	7,09	7,46	*13*
1898	96	48,44	50,45	*71*	68,25	71,09	63,90 (8,66)	66,56	4,35	4,53	*13*
1899	97	50,71	52,28	*71*	71,52	73,73	66,69 (8,73)	68,75	4,83	4,98	*12*

Annexe 1 (suite)

	Indice des prix mixte	Revenus douaniers nominaux	Revenus douaniers réels	Revenus douaniers / revenus totaux	Revenus nominaux totaux (I)	Revenus réels totaux (II)	Dépenses nominales totales (indemnités aux cantons)	Dépenses réelles totales (IV)	Solde nominal (I-III)	Solde réel (II-IV)	Revenus redistribués aux cantons / revenus totaux
	(1890=100)	(mios de frs)	(mios de frs)	(en %)	(mios de frs)	(mios de frs)	(mios de frs)	(mios de frs)	(mios de frs)	(mios de frs)	(en %)
1900	95	47,63	50,14	*69*	69,28	72,93	66,30 (8,73)	69,79	2,98	3,14	*13*
1901	94	46,09	49,03	*68*	67,68	72,00	70,30 (7,96)	74,79	- 2,62	- 2,79	*12*
1902	95	49,99	52,62	*69*	72,27	76,07	68,43 (8,42)	72,03	3,84	4,04	*12*
1903	98	52,94	54,02	*69*	77,06	78,63	70,70 (9,02)	72,14	6,36	6,49	*12*
1904	97	53,40	55,05	*70*	76,21	78,57	76,53 (9,31)	78,90	- 0,32	- 0,33	*12*
1905	99	63,04	63,68	*69*	91,07	91,99	81,03 (9,14)	81,85	10,04	10,14	*10*
1906	102	61,44	60,24	*69*	88,66	86,92	90,11 (9,34)	88,34	- 1,45	- 1,42	*11*
1907	109	71,59	65,68	*71*	101,52	93,14	88,70 (10,42)	81,38	12,82	11,76	*10*
1908	105	69,53	66,22	*70*	98,87	94,16	90,14 (10,86)	85,85	8,73	8,31	*11*
1909	107	73,60	68,79	*69*	106,15	99,21	91,42 (10,66)	85,44	14,73	13,77	*10*
1910	110	79,79	72,54	*71*	113,10	102,82	98,78 (11,53)	89,80	14,32	13,02	*10*
1911	115	80,00	69,57	*69*	115,39	100,34	106,97 (11,89)	93,02	8,42	7,32	*10*
1912	115	85,98	74,77	*70*	123,06	107,01	115,31 (12,86)	100,27	7,75	6,74	*10*
1913	115	84,10	73,13	*70*	120,33	104,63	123,19 (12,72)	107,12	- 2,86	- 2,49	*11*

Annexe 2. Evolution de la part des quatre principaux partenaires commerciaux à l'exportation suisse (en mios de frs nominaux et en pourcents du total des exportations)[1]

	France	Allemagne	Grande-Bretagne	Etats-Unis	Part des 4 pays	Exportation totale
1845	26,5 *(10)*	34,0 *(13)*	4,0 *(2)*	57,0[2] *(23)*	121,5 *(48)*	253,0
1860	58,6 *(14)*	78,4 *(19)*	26,0 *(6)*	75,0 *(18)*	238,0 *(57)*	417,0
1885	145,4 *(21)*	157,6 *(23)*	99,4 *(14)*	77,7 *(11)*	480,1 *(70)*	686,0
1892	102,6 *(16)*	162,2 *(25)*	117,4 *(18)*	76,3 *(12)*	458,5 *(70)*	658,0
1899-1901	105,2 *(13)*	197,5 *(24)*	176,7 *(21)*	91,8 *(11)*	571,2 *(69)*	823,0
1910-1913	135,5 *(11)*	289,4 *(23)*	219,9 *(17)*	139,6 *(11)*	784,4 *(62)*	1270,0

1 Les chiffres de 1845 et 1860, qui sont des estimations, sont tirés in Veyrassat, 1990, pp. 308-316; les chiffres de 1885, qui contiennent une marge d'erreur en raison de l'imprécision de la statistique commerciale suisse, sont tirés in Geering, 1902, p. 84; les chiffres suivants, qui sont plus fiables, sont tirés in SHS, 1996, pp. 696-697.

2 Le chiffre de 57 mios représente l'exportation vers l'ensemble de l'Amérique du Nord.

Annexe 3. Tarifs généraux et tarifs d'usage[1]

Produits (nouveaux francs/100 kg)	Tarifs généraux					Tarifs d'usage			
	1851	1878 (projet)	1884	1891	1902	1882	1884	1891 après traités (1897)	1902 après traités (1907)
COTON									
coton en laine	0,60	0,60	0,30	0,30	0,00	0,60	0,30	0,30	0,00
coton filé écru	4,00	7,00	6,00	7,00	16,00/20,00	4,00	6,00	7,00	16,00/20,00
toiles de coton écrues	4,00	10,00/20,00	8,00/14,00	10,00/50,00	10,00/50,00	4,00	8,00/14,00	10,00/50,00	10,00/50,00
filés de coton teints	7,00	11,00	11,00	12,00	20,00/70,00	7,00	11,00	12,00	17,00/50,00
tissus en couleur ou imprimés	16,00	35,00	25,00	45,00	70,00/80,00	16,00	25,00	40,00/45,00	50,00/65,00
SOIE									
cocons	0,60	0,60	0,30	0,30	0,00	0,60	0,30	0,30	0,00
soie grège (filée)	7,00	5,00	1,50	1,50	0,00	4,00	1,50	1,50	1,50
soie grège moulinée	7,00	7,00	7,00	7,00	7,00	—	4,00	6,00	7,00
soie à coudre (moulinée, teinte)	16,00	10,00	40,00	60,00	120,00	16,00	40,00	60,00	90,00
étoffes de soie	30,00	35,00	16,00	16,00	150,00	16,00	16,00	16,00	100,00
LIN									
lin, chanvre et étoupes bruts et peignés	0,60	0,60	0,30	0,30	0,00	0,60	0,30	0,30	0,00
fils de lin	4,00	6,00	6,00	6,00	4,00/8,00	4,00	4,00	6,00	2,00/8,00
toiles de lin	16,00	12,00/30,00	12,00/30,00	15,00/60,00	10,00/150	16,00	4,00/16,00	12,00/42,00	10,00/55,00
LAINE									
laine brute et peignée	0,60	0,60	0,30	0,30	0,00	0,60	0,30	0,30	0,00
filés de laine écrus	4,00	6,00	7,00	7,00/8,00	8,00/15,00	5,00	5,00	6,00/8,00	6,00/8,00
tissus de laine écrus	7,00	25,00	25,00	30,00/50,00	60,00/90,00	12,00	12,00	25,00/40,00	30,00/60,00

1 Tarifs généraux: RO 1850-1851, vol. I, 2, pp. 527-569 (1851); FF, 1878, vol. 3, pp. 534-573 (1878); RO, 1883-1884, vol. II, 7, pp. 489-521 (1884); RO, 1891-1892, vol. II, 12, pp. 426-470 (1891); RO, 1905, vol. II, 21, pp. 49-158 (1902); tarifs d'usage, cf. annexe 6.

Annexe 3 (suite)

Produits (nouveaux francs/100 kg)	Tarifs généraux					Tarifs d'usage			
	1851	1878 (projet)	1884	1891	1902	1882	1884	1891 après traités (1897)	1902 après traités (1907)
LAINE (suite)									
couvertures en laine	7,00	25,00	20,00	40,00	80,00	16,00	16,00	25,00	40,0
habits confectionnés, lingerie	30,00	100,00	80,00	180,00	200,00	30,00/40,00	40,00	105,00	140,00
CHIMIE									
drogueries	7,00	10,00	10,00	10,00	10,00	7,00	10,00	10,00	8,00
produits pharmaceutiques	7,00	50,00	40,00	50,00/100,00	100,00	7,00	40,00	45,00/100,00	45,00
parfumeries et cosmétiques	30,00	70,00	70,00	50,00/100,00	75,00/125,00	30,00	30,00/70,0	50,00/100,00	45,00/90,00
couleurs artificielles dérivées du goudron	—	20,00	20,00	20,00	10,00	7,00	7,00	8,00	5,00
extrait de garance, alizarine	3,00	3,00/4,00	3,00	3,00	3,00/0,60	3,00	3,00	3,00	3,00
vert et jaune de chrome	7,00	4,00	3,50	7,00	15,00	7,00	3,50	7,00	10,00
vernis	7,00	8,00	10,00	25,00	35,00	7,00	7,00	18,00	22,00
GRAISSES									
huile commune à l'usage des fabriques	0,60	1,00/2,00	1,00	1,00	1,00	0,60	1,00	1,00	0,50
savon	1,50/4,00	3,00	2,50	5,00	5,00	1,50	1,50	5,00	5,00
chandelles de suif	4,00	5,00	5,00	16,00	16,00	4,00	4,00	16,00	16,00
pétrole	—	—	1,25	1,25	1,25	—	1,25	1,25	1,25
MÉTALLURGIE									
fer brut en gueuses	0,60	0,20	0,10	0,10	0,10	0,60	0,10	0,10	0,10
fer laminé et étiré	1,50/3,00	0,60/1,70	0,60/1,70	0,60/1,70	0,60/2,00	0,60/2,00	0,60/1,70	0,60/1,70	0,60/2,00
tôle	0,60/3,00	0,60/3,00	0,60/3,00	0,60/3,00	0,60/2,50	0,60/3,00	0,60/3,00	0,60/3,00	0,60/2,50
fil de fer	3,00	4,00	4,00	4,00	5,00	3,00	4,00	4,00	4,50
ouvrages en fer et en acier grossiers	7,00	2,50/7,00	3,00-7,00	2,50/6,00	3,00-12,00	3,00-7,00	3,00-7,00	2,50-5,00	2,50-8,00

Annexe 3 (suite)

Produits (nouveaux francs/100 kg)	Tarifs généraux					Tarifs d'usage			
	1851	1878 (projet)	1884	1891	1902	1882	1884	1891 après traités (1897)	1902 après traités (1907)
MÉTALLURGIE (suite)									
ouvrages en fer forgé de toute espèce	7,00/16,0	20,00	30,00	10,00/35,00	16,00/20,00	7,00-16,00	20,00	10,00/22,00	14,00/20,00
coutellerie ordinaire	16,00	20,00	40,00	50,00	85,00	16,00	40,00	40,00	50,00
MACHINES									
machines	4,00	4,00	4,00	4,00	8,00/50,00	4,00	4,00	4,00	4,00/35,00
locomotives	10%	4,00	10,00	10,00	12,00	—	10,00	10,00	10,00
wagons	10%	8%	8%	5,00/12,00	8,00/10,00	—	8%	5,00/12,00	8,00/10,00
machines et véhicules agricoles	5%	5%	6%	6,00	8,0	—	6%	4,00/6,00	7,00/8,00
CUIR									
peaux d'animaux brutes	0,60	1,00	0,60	0,60	0,60	0,60	0,60	0,60	0,30
cuir ordinaire	4,00	8,00	8,00	12,00	20,00	8,00	8,00	8,00	16,00
ouvrages ordinaires en cuir	16,00	25,00/30,00	40,00	120,00	120,00	30,00	30,00	60,00	65,00
chaussures	30,00	50,00/60,00	35,00	60,00/130,00	60,00/150,00	30,00	30,00	40,00	45,00/65,00
gants de peau	30,00	100,00	100,00	300,00	300,00	30,00	30,00	150,00	150,00
PAPIER									
chiffons	0,30	0,20	0,20	0,20	0,00	0,60	0,20	0,20	0,00
papier d'emballage	3,00	3,50	3,50	10,00	10,00	3,00	3,00	4,00	5,00/8,00
cartonnage ordinaire	4,00	3,50	3,50	5,00	7,00	3,00	3,00	3,50	4,00
papier à imprimer, à écrire	16,00	6,00/7,00	10,00	10,00	8,00/15,00	7,00	7,00	8,00	8,00/10,00
papier en couleur	16,00	15,00	20,00	30,00	18,00/35,00	16,00	16,00	16,00	12,00/30,00
VERRE									
verre à vitre	7,00	8,00	8,00	8,00	8,00	7,00	7,00	8,00	8,00
verre à bouteille	3,00	2,00	3,50	4,00	4,00	1,50	1,50/3,50	3,00	3,50

Annexe 3 (suite)

Produits (nouveaux francs/100 kg)	Tarifs généraux					Tarifs d'usage			
	1851	1878 (projet)	1884	1891	1902	1882	1884	1891 après traités (1897)	1902 après traités (1907)
VERRE (suite)									
verre à glace	16,00	12,00/20,00	16,00	16,00	20,00/40,00	16,00	16,00	14,00/16,00	12,00
miroirs et glaces	16,00/30,00	25,00	40,00	16,00/40,00	30,00/60,00	30,00	30,00	16,00/40,00	20,00/45,00
PIERRES ET TERRES									
chaux hydraulique	0,30	0,30	0,20	0,50	0,70	0,30	0,20	0,50	0,60
ciment Portland	—	0,30	0,70	0,80	1,00	0,30	0,70	0,70	1,00
ouvrages en ciment	—	0,40	0,15	0,60	0,60	—	0,15	0,60	0,60
briques, tuiles	—	0,10	0,20	0,50/0,60	0,50/1,00	—	0,10	0,25/0,50	0,25/0,60
tuyaux, catelles	—	0,15	2,00	3,00/8,00	2,50/12,00	—	2,00	2,00/8,00	2,50/10,00
porcelaine	16,00	40,00	25,00	25,00	30,00	16,00	16,00	16,00	16,00
BOIS									
bois d'ébénisterie scié	0,60	1,00	0,50	0,50	0,60/1,50	0,60	0,50	0,50	0,40-0,80
ouvrages en bois finis, grossiers	4,00	4,00	7,00	8,00	15,00/35,00	4,00	4,00	6,00	6,00/20,00
ouvrages fins en bois, meubles	16,00/30,00	10,00/50,00	20,00/50,00	15,00/50,00	25,00/55,00	16,00	16,00	10,00/50,00	15,00/50,00
TABAC									
tabac en feuille	7,00	20,00	25,00	25,00	25,00	25,00	25,00	25,00	25,00
tabac en carottes	7,00	30,00	35,00	50,00	60,00	30,00	35,00	50,00	60,00
tabac à fumer et à priser	16,00	40,00/60,00	50,00	75,00	75,00	50,00	50,00	75,00	75,00
cigares, cigarettes	30,00	80,00/100,00	100,00	150,00	200,00	100,00	100,00	150,00	200,00
BOISSONS									
vin en tonneaux	3,00	6,00	5,00	6,00	20,00	3,50	3,50	3,50	8,00
vin en bouteilles	30,00	20,00	20,00	25,00	35,00	3,50	3,50	25,00	25,00
cidre	1,50	1,50	1,50	1,50	5,00	1,50	1,50	1,50	3,00
bière	3,00	3,50	3,50	5,00	6,00	3,00	3,50	4,00	4,00/5,00
eaux-de-vie en fûts	7,00	20,00	0,20/degré	0,20/degré	0,40 /degré	0,20 degré	0,20/degré	0,20/degré	0,40/degré
liqueurs en bouteille	30,00	20,00	30,00	30,00	40,00	16,00	16,00	30,00	30,00/40,00

Annexe 3 (suite)

Produits (nouveaux francs/100 kg)	Tarifs généraux					Tarifs d'usage			
	1851	1878 (projet)	1884	1891	1902	1882	1884	1891 après traités (1897)	1902 après traités (1907)
DENRÉES COLONIALES									
café	3,00	4,00	3,50	3,50	2,00	3,00	3,50	3,50	2,00
sucre brut	7,00	8,00	7,50	7,50	7,50	7,00	7,50	7,50	5,00
sucre raffiné	7,00	10,00	10,00	12,00	12,00	7,00	10,00	10,50	9,00
thé	30,00	60,00	40,00	40,00	25,00/40,00	30,00	40,00	40,00	25,00
DENRÉES ALIMENTAIRES PRODUITES EN SUISSE									
céréales	0,30	0,30	0,30	0,30	0,30	0,30	0,30	0,30	0,30
farine	1,00	1,25	1,25	2,50	2,50	1,00	1,25	2,00	2,50
huiles fines pour la table en bouteilles	7,00	10,00	20,00	20,00	20,00	16,00	12,00	20,00	10,00/20,00
fromage	7,00	5,00	6,00	6,00/10,00	12,00/20,00	4,00	4,00	4,00	4,00/10,00
beurre	1,50	3,00	3,00	8,00	15,00	1,50	3,00	7,00	7,00
saindoux	1,50	1,50	1,50	5,00	5,00	1,50	1,50	5,00	5,00
chocolat	30,00	20,00	20,00	30,00	30,00	16,00	16,00	30,00	30,00
fruits fins	7,00	5,00	3,00	15,00/20,00	15,00/20,00	7,00	3,00	15,00/20,00	—
sel	0,30	0,30	0,30	0,30	0,30	0,30	0,30	0,30	0,30
BÉTAIL: la pièce									
veau	0,10	0,50	1,00	6,00/10,00	15,00/20,00	0,10	1,00	5,00/10,00	10,00/12,00
jeune bétail, génisse	0,50	0,50	2,00	20,00/25,00	25,00/50,00	0,50	2,00	12,00	30,00
vache	0,50	1,00	5,00	25,00	50,00	0,50	5,00	18,00	30,00
taureau	0,50	1,00	5,00	25,00	50,00	0,50	5,00	25,00	50,00
bœuf gras	0,50	1,00	5,00	30,00	50,00	0,50	5,00	15,00	27,00
cochon de lait	0,10	0,50	1,00	8,00	20,00	0,10	1,00	4,00	20,00
porc gras	0,50	1,00	2,00	8,00	15,00	0,50	2,00	5,00	10,00
chèvre	0,10	0,50	0,50	2,00	2,00	0,10	0,50	2,00	2,00
cheval	3,00	5,00	3,00	3,00	10,00	3,00	3,00	3,00	5,00

Annexe 4. Répartition de la charge douanière, principales positions[1]

Marchandises (positions selon le tarif de 1887)	Revenu 1887			Revenu 1897			Revenu 1907			Statut de la taxe
	(en mios)	en % du total des revenus douaniers[2]	val. imp./ imp. tot. (en %)	(en mios)	en % du total des revenus douaniers	val. imp./ imp. tot. (en %)	(en mios)	en % du total des revenus douaniers	val. imp./ imp. tot. (en %)	f = fiscale f/p = mixte p = prot.
sucre (242/246a)	3,17	*13,08 (1)*	*1,98*	5,31	*11,19 (1)*	*1,88*	5,98	*8,38 (2)*	*1,83*	f
vin (251/253)	2,78	*11,45 (2)*	*3,04*	4,96	*10,46 (2)*	*3,50*	11,79	*16,54 (1)*	*1,93*	f/p
esprit de vin (254/255)	2,05	*8,45 (3)*	*0,75*	1,42	*2,99 (10)*	*0,32*	0,58	*0,82 (26)*	*0,22*	f/p
céréales et farine (215/216b)	1,68	*6,94 (4)*	*10,71*	2,88	*6,06 (3)*	*11,44*	3,60	*5,05 (3)*	*10,27*	f/p
tabacs (237/240)	1,44	*5,95 (5)*	*0,87*	2,07	*4,36 (5)*	*1,01*	2,67	*3,74 (8)*	*0,80*	f/p
total intermédiaire	11,12	*45,87*	*17,35*	16,64	*35,06*	*18,15*	24,62	*34,53*	*15,05*	
tissus de laine (330/347)	0,89	*3,68 (6)*	*4,73*	2,70	*5,69 (4)*	*3,31*	3,04	*4,26 (5)*	*2,47*	p
fer brut (120/124)	0,85	*3,49 (7)*	*2,13*	1,62	*3,41 (8)*	*3,36*	2,41	*3,37 (9)*	*3,88*	p
tissus de coton (283/291)	0,83	*3,40 (8)*	*3,02*	1,08	*2,22 (12)*	*2,41*	2,28	*3,20 (11)*	*3,48*	p
vêtements (358/360b)	0,64	*2,65 (9)*	*2,55*	1,82	*3,84 (6)*	*2,01*	3,09	*4,34 (4)*	*2,41*	p
bétail, excepté chevaux (373-379)	0,59	*2,44 (10)*	*5,38*	1,71	*3,60 (7)*	*4,13*	2,31	*3,24 (10)*	*2,69*	p
ouvrages en fer forgé (128/134)	0,58	*2,41 (11)*	*1,17*	1,52	*3,20 (9)*	*1,82*	3,02	*4,24 (6)*	*2,14*	p
verre (40/51)	0,53	*2,18 (12)*	*0,27*	1,36	*2,88 (11)*	*0,48*	1,59	*2,23 (13)*	*0,49*	p
pétrole (186)	0,48	*1,97 (13)*	*0,87*	0,95	*2,01 (14)*	*0,78*	1,09	*1,53 (15)*	*0,85*	f
espèces chimiques à usage technique (15/28)	0,45	*1,87 (14)*	*2,33*	0,35	*0,73 (31)*	*1,76*	0,35	*0,49 (39)*	*1,27*	p
comestibles fins (199/202, 233)	0,40	*1,64 (15)*	*1,18*	0,75	*1,59 (20)*	*1,59*	1,86	*2,60 (12)*	*1,92*	f/p
ouvrages en ciment, argile, porcelaine et faïence (171/172, 403/409a)	0,39	*1,63 (16)*	*0,41*	1,00	*2,11 (13)*	*0,64*	0,72	*1,02*	*0,30*	p
papier (266/276)	0,38	*1,56 (17)*	*0,58*	0,87	*1,84 (17)*	*0,63*	0,93	*1,31 (19)*	*0,42*	p
café (221/224)	0,37	*1,52 (18)*	*1,97*	0,46	*0,97 (25)*	*1,70*	0,33	*0,46 (40)*	*0,86*	f
mercerie (410/414)	0,34	*1,41 (19)*	*1,27*	0,81	*1,71 (19)*	*1,00*	0,95	*1,33 (17)*	*0,96*	p

1 Statistique commerciale de la Suisse, 1887/1897/1907, tableaux C3 (Xb/Xa/Xa): «Produit des droits sur les différents articles».

2 Le chiffre entre parenthèses indique le rang de la position dans la participation aux revenus douaniers.

Annexe 4 (suite)

Marchandises (positions selon le tarif de 1887)	Revenu 1887			Revenu 1897			Revenu 1907			Statut de la taxe
	(en mios)	en % du total des revenus douaniers[2]	val. imp./ imp. tot. (en %)	(en mios)	en % du total des revenus douaniers	val. imp./ imp. tot. (en %)	(en mios)	en % du total des revenus douaniers	val. imp./ imp. tot. (en %)	f = fiscale f/p = mixte p = prot.
bière (247/249)	0,33	*1,34 (20)*	*0,19*	0,52	*1,09 (21)*	*0,21*	0,81	*1,14 (21)*	*0,19*	f/p
chaussures (85/89)	0,30	*1,24 (21)*	*1,10*	0,50	*1,05 (23)*	*0,75*	0,84	*1,18 (20)*	*0,60*	p
machines	0,27	*1,10 (22)*	*0,94*	0,86	*1,81 (18)*	*2,13*	2,90	*4,07 (7)*	*2,67*	p
ouvrages en bois (62/69)	0,26	*1,08 (23)*	*0,45*	0,92	*1,95 (15)*	*0,71*	1,13	*1,59 (15)*	*0,49*	p
houblon et malt (79/226)	0,24	*1,00 (24)*	*0,86*	0,40	*0,86 (28)*	*1,21*	0,38	*0,53 (38)*	*0,89*	f
bois de construction	0,20	*0,82 (26)*	*0,53*	0,90	*1,91 (16)*	*1,72*	1,39	*1,94 (14)*	*1,50*	p

Revenus des différentes catégories de taxes contenues dans le tableau précédent	1887		1897		1897/1887	1907		1907/1897	1907/1887
	(mios)	en % du total des revenus	(mios)	en % du total des revenus	évolution en %	(mios)	en % du total des revenus	évolution en %	évolution en %
taxes fiscales (sucre, pétrole, café, malt)	4,26	*17,57*	7,12	*15,03*	*- 2,54*	7,78	*10,90*	*- 4,13*	*- 6,67*
taxes mixtes (vin, bière, tabac, alcool...)	8,68	*35,77*	12,60	*26,55*	*- 9,22*	21,31	*29,89*	*+ 3,34*	*- 5,88*
taxes essentiellement protectionnistes	7,50	30,96	18,02	37,95	+ 6,99	27,39	38,53	+ 0,58	+ 7,57
total	20,44	*84,30*	37,74	*79,53*	*- 4,77*	56,48	*79,32*	*- 0,21*	*- 4,98*

Annexe 5. Répartition de la charge douanière par catégories du tarif[1]

	Catégories de marchandises	1882[2]		1887		1897		1907[3]		évolution des revenus	évolution de la quantité importée
		mios de frs	*en % du revenu total*	mios de frs	*en % du revenu total*	mios de frs	*en % du revenu total*	mios de frs	*en % du revenu total*	entre 1887 et 1907 (en %)	entre 1887 et 1907 (en %)
I	Déchets et engrais	0,015	*0,08*	0,021	*0,09*	0,071	*0,15*	0,060	*0,08*	—	—
II	Espèces chimiques	0,958	*5,22*	0,808	*3,33*	1,499	*3,15*	1,807	*2,54*	*+ 124*	*+ 97*
	A) droguerie et pharmacie	—	—	0,211	*0,87*	0,283	*0,59*	0,398	*0,56*	—	—
	B) espèces chimiques à usage techn.	—	—	0,454	*1,87*	0,888	*1,87*	0,977	*1,37*	—	—
	C) couleurs	—	—	0,142	*0,58*	0,328	*0,69*	0,432	*0,61*	—	—
III	Verre	0,433	*2,36*	0,529	*2,18*	1,365	*2,88*	1,589	*2,23*	*+ 200*	*+ 183*
IV	Bois	0,360	*1,96*	0,537	*2,22*	2,005	*4,23*	2,652	*3,72*	*+ 394*	*+ 356*
V	Produits agricoles (foin, graines, etc.)	0,032	*0,17*	0,038	*0,15*	0,047	*0,09*	0,085	*0,12*	—	—
VI	Cuir	0,372	*2,02*	0,518	*2,13*	1,052	*2,22*	1,560	*2,19*	*+ 201*	*+ 143*
VII	Objets littéraires, scient. et artist.[4]	0,066	*0,36*	0,085	*0,34*	0,295	*0,62*	0,097	*0,14*	—	—

1 Statistique commerciale de la Suisse, 1887/1897/1907, tableaux C13/C4/C4 (Xa/Xa/Xa): «Récapitulation par catégories».

2 Les revenus sont calculés sur la base du tarif en vigueur en 1882 et de la moyenne des quantités importées entre 1872 et 1881; AF, E 11, vol. 17, «Révision du tarif des péages fédéraux... modifications proposées par la commission du Conseil national».

3 Le tarif de 1902 change en partie la répartition des marchandises; un travail de reconstruction des revenus selon les anciennes catégories a donc été nécessaire; pour certaines catégories, une faible marge d'erreur n'est donc pas à exclure.

4 Cette catégorie disparaît dans le tarif de 1902; le chiffre donné correspond à la partie D de la catégorie papier (livres, revues, produits des arts graphiques).

Annexe 5 (suite)

Catégories de marchandises	1882[2]		1887		1897		1907[3]		évolution des revenus	évolution de la quantité importée
	mios de frs	*en % du revenu total*	mios de frs	*en % du revenu total*	mios de frs	*en % du revenu total*	mios de frs	*en % du revenu total*	entre 1887 et 1907 (en %)	entre 1887 et 1907 (en %)
VIII Objets mécaniques	0,429	*2,34*	0,415	*1,71*	1,480	*3,12*	4,246	*5,96*	*+ 923*	*+ 435*[5]
A) montres, horlogerie	—	—	0,051	*0,21*	0,099	*0,21*	0,114	*0,16*	—	—
B) machines, matériel roulant	—	—	0,364	*1,50*	1,380	*2,91*	4,132	*5,80*	—	—
IX Métaux	1,519	*8,27*	1,857	*7,66*	4,432	*9,35*	7,036	*9,88*	*+ 279*	*+ 215*
A) fer	—	—	1,635	*6,75*	3,765	*7,94*	5,997	*8,42*	—	—
B) autres	—	—	0,222	*0,91*	0,667	*1,41*	1,039	*1,46*	—	—
X Matières minérales[6]	0,448	*2,44*	0,917	*3,78*	2,039	*4,30*	1,825	*2,56*	—	—
XI Comestibles, boissons, tabacs	10,479	*57,05*	13,218	*54,52*	20,505	*43,23*	30,490	*42,67*	*+ 131*	*+ 90*
A) céréales	—	—	—	—	—	—	4,040	*5,66*	—	—
B) fruits et légumes	—	—	—	—	—	—	0,792	*1,11*	—	—
C) denrées coloniales	—	—	—	—	—	—	6,946	*9,75*	—	—
D) denrées alimentaires animales	—	—	—	—	—	—	2,845	*3,91*	—	—
E) divers	—	—	—	—	—	—	0,313	*0,44*	—	—
F) tabacs	—	—	—	—	—	—	2,670	*3,74*	—	—
G) boissons	—	—	—	—	—	—	12,884	*18,06*	—	—

5 Chiffre approximatif du fait qu'une partie des machines est taxée en proportion de la valeur en 1887.

6 Les catégories de 1907 et de 1897 ne sont pas homogènes; pour améliorer la comparaison, les revenus du pétrole (1,09 mios en 1907), déplacés dans la catégorie chimie, sont toutefois pris en compte.

7 Cette catégorie disparaît dans le tarif de 1902; le chiffre obtenu correspond à la nouvelle catégorie D des produits chimiques (graisses, huiles...) déduction faite des revenus du pétrole.

8 Le tarif de 1902 change en partie la répartition des marchandises; un travail de reconstruction des revenus selon les anciennes catégories a donc été nécessaire; pour certaines catégories, une faible marge d'erreur n'est donc pas à exclure.

Annexe 5 (suite)

Catégories de marchandises	1882[2]		1887		1897		1907[3]		évolution des revenus	évolution de la quantité importée
	mios de frs	*en % du revenu total*	mios de frs	*en % du revenu total*	mios de frs	*en % du revenu total*	mios de frs	*en % du revenu total*	entre 1887 et 1907 (en %)	entre 1887 et 1907 (en %)
XII Huiles et graisses[7]	0,202	*1,10*	0,171	*0,70*	0,359	*0,76*	0,290	*0,41*	—	—
XIII Papier	0,198	*1,08*	0,378	*1,56*	0,912	*1,92*	2,244	*3,14*	*+ 494*	*+ 200*
XIV Textiles	2,135	*11,62*	3,354	*13,83*	7,729	*16,3*	12,578	*17,67*	*+ 275*	*- 33*
A) coton	—	—	1,117	*4,92*	1,692	*3,57*	3,948	*5,55*	*+ 253*	*- 55*
B) lin	—	—	0,279	*1,15*	0,509	*1,07*	0,740	*1,04*	*+ 165*	*+ 27*
C) soie	—	—	0,126	*0,52*	0,341	*0,72*	0,512	*0,72*	*+ 306*	*- 71*
D) laine	—	—	0,946	*3,90*	2,879	*6,07*	3,271	*4,59*	*+ 246*	*- 30*
E) caoutchouc	—	—	0,024	*0,10*	0,041	*0,09*	0,089	*0,13*	—	—
F) paille	—	—	0,053	*0,22*	0,079	*0,17*	0,188	*0,27*	—	—
G) confection, habits	—	—	0,809	*3,34*	2,188	*4,61*	3,829	*5,37*	*+ 373*	*+ 75*
XV Bétail	0,158	*0,86*	0,613	*2,53*	1,843	*3,88*	2,436	*3,42*	*+ 297*	*+ 7*
XVI Poteries	0,299	*1,63*	0,391	*1,61*	0,986	*2,08*	1,162	*1,63*	*+ 197*	*+ 58*
XVII Divers	0,263	*1,43*	0,345	*1,42*	0,815	*1,72*	1,168	*1,65*	—	—
TOTAL IMPORT	18,367		24,242		47,434		71,326		*+ 194*	*+ 25*
EXPORTATION	0,456		0,107		0,118		0,263			
TOTAL	**18,823**		**24,349**		**47,552**		**71,592**			

Annexe 6. Taux de protection offerts par les différents tarifs d'usage[1]

Produit	nouveaux francs/100 kg						en % de la valeur			
	Tarif 1851 (1864)	Tarif 1882	Tarif 1884	Tarif 1887 après traités (1890)	Tarif 1891 après traités (1897)	Tarif 1902 après traités (1907)	1877	1887	1897	1907
COTON										
coton en laine	0,60	0,60	0,30	—	0,30	0,00	*0,40*	*0,20*	*0,30*	0,00
coton filé écru	4,00	4,00	6,00	—	7,00	16,00/20,00	*1,00*	*1,90-3,10*	*1,60-4,80*	*3,30-6,90*
toiles de coton écrues	4,00	4,00	8,00/14,00	—	10,00/50,00	10,00/50,00	*1,00*	*2,20-2,40*	*2,30-6,20*	*1,40-7,90*
filés de coton teints	7,00	7,00	11,00	—	12,00	17,00/50,00	*1,00*	*2,50-3,20*	*2,80-5,50*	*3,40-10,10*
tissus en couleur ou imprimés	16,00	16,00	25,00	35,00	40,00/45,00	50,00/65,00	*1,00*	*3,10-4,20*	*4,80-10,00*	*6,70-11,60*
SOIE										
cocons	0,60	0,60	0,30	—	0,30	0,00	*0,10*	*0,04*	*0,04*	0,00
soie grège (filée)	7,00 (4)	4,00	1,50	—	1,50	1,50	*0,10*	*0,03*	*0,05*	*0,15*
soie grège moulinée	—	—	4,00	6,00	6,00	7,00	—	*0,07*	*0,15*	*0,30*
soie à coudre (moulinée)	16,00 (7)	16,00	40,00	—	60,00	90,00	*0,10*	*1,00*	*2,00*	*3,60*
étoffes de soie	30,00 (16)	16,00	16,00	—	16,00	100,00	*0,20*	*0,20*	*0,20*	*2,10*
LIN										
lin, chanvre et étoupes bruts et peignés	0,60	0,60	0,30	—	0,30	0,00	*0,50*	*0,30*	*0,40*	0,00
fils de lin	4,00	4,00	4,00	—	6,00	2,00/8,00	*1,00*	*1,80*	*2,80*	*0,50-2,70*
toiles de lin	16,00	16,00	4,00/16,00	—	12,00/42,00	10,00/55,00	*2,00*	*1,60-2,10*	*5,00-6,40*	*2,50*
LAINE										
laine brute et peignée	0,60	0,60	0,30	—	0,30	0,00	*0,30*	*0,20*	*0,30*	0,00
filés de laine écrus	4,00	5,00	5,00	—	6,00/8,00	6,00/8,00	*0,50*	*0,70-1,00*	*1,20-2,10*	*0,80-1,60*

1 Tarifications tirées in RO, 1850-1851, vol. I, 2, pp. 527-569 (1851); FF, 1882, vol. 3, pp. 603-649 (1882); Zolltarifforderungen, 1887, pp. 2-49 (1884); Zolltarifforderungen, 1890, pp. 2-45 (1887); Statistique commerciale de la Suisse (1897/1907); les taux de protection sont tirés de la Statistique commerciale de la Suisse (1887/1897/1907); pour 1877 le taux est calculé à partir de valeurs moyennes contenues in AF, E 11, vol. 14, Projet d'un nouveau tarif des péages, Berne, 1877.

Annexe 6 (suite)

Produit	nouveaux francs/100 kg						en % de la valeur			
	Tarif 1851 (1864)	Tarif 1882	Tarif 1884	Tarif 1887 après traités (1890)	Tarif 1891 après traités (1897)	Tarif 1902 après traités (1907)	1877	1887	1897	1907
LAINE (suite)										
tissus de laine écrus	7,00	12,00	12,00	—	25,00/40,00	30,00/60,00	*1,00*	*3,00*	*5,00-5,90*	*4,60-6,10*
couvertures en laine	7,00	16,00	16,00	—	25,00	40,00	*1,00*	*2,70*	*6,90*	*7,80*
habits confectionnés, lingerie	30,00	30,00/40,00	40,00	—	105,00	140,00	*0,20-1,00*	*2,50*	*9,10*	*7,20*
CHIMIE										
produits chimiques	0,60-7,00	—	—	—	—	—	—	—	—	—
drogueries	—	7,00	10,00	—	10,00	8,00	—	*5,90*	*5,20*	*8,00*
produits pharmaceutiques	—	7,00	40,00	—	45,00/100,00	45,00	—	*5,00*	*5,30-14,30*	*5,10*
parfumeries et cosmétiques	—	30,00	30,00/70,00	—	50,00/100,00	45,00/90,00	—	*7,50-14,00*	*12,50-20,00*	*3,60-10,70*
couleurs artificielles dérivées du goudron	—	7,00	7,00	—	8,00	5,00	—	*0,90-2,00*	*1,10*	*1,50*
extrait de garance, alizarine	—	3,00	3,00	—	3,00	3,00	—	*1,00-1,50*	*1,50*	*2,80*
vert et jaune de chrome	—	7,00	3,50	7,00	7,00	10,00	—	*2,30*	*4,70*	*12,50*
vernis	—	7,00	7,00	—	18,00	22,00	—	*3,30*	*8,90*	*12,00*
GRAISSES										
huile commune à l'usage des fabriques	0,60	0,60	1,00	—	1,00	0,50	*0,50*	*1,20*	*1,00-2,40*	*0,60*
savon	1,50/4,00	1,50	1,50	—	5,00	5,00	*2,00*	*2,50*	*9,80*	*8,30*
chandelles de suif	4,00	4,00	4,00	—	16,00	16,00	*3,00*	*4,40*	*16,50*	*7,30*
pétrole	—	—	1,25	—	1,25	1,25	—	*5,70*	*11,20*	*8,30*
MÉTALLURGIE										
fer brut en gueuses	0,60	0,60	0,10	—	0,10	0,10	*5,00*	*1,20*	*1,20*	*0,90*
fer laminé et étiré	1,50/3,00	0,60/2,00	0,60/1,70	—	0,60/1,70	0,60/2,00	*2,00-6,00*	*3,50-8,10*	*3,90-7,60*	*2,80-6,00*
tôle	0,60/3,00	0,60/3,00	0,60/3,00	—	0,60/3,00	0,60/2,50	*2,00-3,00*	*3,50-6,60*	*3,90-5,50*	*2,80-6,30*
fil de fer	3,00	3,00	4,00	—	4,00	4,50	*3,00*	*7,30*	*10,50*	*11,30*
ouvrages en fer et en acier grossiers	7,00	3,00-7,00	3,00-7,00	—	2,50-5,00	2,50-8,00	*14,00*	*5,00*	*8,30-10,80*	*8,50-17,70*

Annexe 6 (suite)

Produit	nouveaux francs/100 kg						en % de la valeur			
	Tarif 1851 (1864)	Tarif 1882	Tarif 1884	Tarif 1887 après traités (1890)	Tarif 1891 après traités (1897)	Tarif 1902 après traités (1907)	1877	1887	1897	1907
MÉTALLURGIE (suite)										
ouvrages en fer forgé de toute espèce	7,00/16,00	7,00-16,00	20,00	—	10,00/22,00	14,00/20,00	*6,00-13,00*	*4,70-8,00*	*6,30-10,50*	*18,20-18,60*
coutellerie ordinaire	16,00	16,00	40,00	—	40,00	50,00	*5,00*	*5,70*	*5,70*	*4,80*
MACHINES										
machines	4,00	4,00	4,00	—	4,00	4,00/35,00	*4,00*	*3,00-9,80*	*2,00-8,40*	*1,20-10,50*
locomotives	—	—	10,00	—	10,00	10,00	—	*3,40*	*5,60*	*6,90*
wagons	—	—	8%	—	5,00/12,00	8,00/10,00	—	*8,00*	*5,50-15,90*	*6,10-14,50*
machines et véhicules agricoles	—	—	6%	—	4,00/6,00	7,00/8,00	—	*6,00*	*5,20-13,30*	*10,00-15,30*
CUIR										
peaux d'animaux brutes	0,60	0,60	0,60	—	0,60	0,30	*0,20*	*0,20-0,60*	*0,20*	*0,07*
cuir ordinaire	4,00	8,00	8,00	—	8,00	16,00	*1,00*	*0,70-1,10*	*1,70*	*5,10*
ouvrages ordinaires en cuir	16,00	30,00	30,00	—	60,00	65,00	*2,00*	*1,40*	*3,90*	*4,70*
ouvrages fins (chaussures)	30,00	30,00	30,00	—	40,00	45,00/65,00	*3,00*	*1,40-3,20*	*7,10*	*7,80-9,30*
gants de peau	30,00	30,00	30,00		150,00	150,00	*0,20*	*0,20*	*1,40*	*2,00*
PAPIER										
chiffons	0,30	0,60	0,20	—	0,20	0,00	—	*0,80*	*0,90*	*0,00*
papier d'emballage	3,00	3,00	3,00	—	4,00	5,00/8,00	*4,00*	*7,50*	*13,40*	*15,60-17,20*
cartonnage ordinaire	4,00	3,00	3,00	—	3,50	4,00	*4,00*	*10,00*	*17,50*	*18,20*
papier à imprimer, à écrire	16,00 (7)	7,00	7,00	7,00/10,00	8,00	8,00/10,00	*6,00*	*5,80*	*10,10*	*11,60-16,00*
papier en couleur	16,00	16,00	16,00		16,00	12,00/30,00	*3,00-8,00*	*8,00*	*11,20*	*9,90-11,20*
VERRE										
verre à vitre	7,00	7,00	7,00	—	8,00	8,00	*10,00*	*28,00*	*37,80*	*30,70*
verre à bouteille	3,00	1,50	1,50/3,50	—	3,00	3,50	*10,00*	*10,00-20,60*	*20,00*	*19,40*

Annexe 6 (suite)

Produit	nouveaux francs/100 kg						en % de la valeur			
	Tarif 1851 (1864)	Tarif 1882	Tarif 1884	Tarif 1887 après traités (1890)	Tarif 1891 après traités (1897)	Tarif 1902 après traités (1907)	1877	1887	1897	1907
VERRE (suite)										
verre à glace	16,00	16,00	16,00	14,00	14,00/16,00	12,00	*9,00*	*15,10*	*10,00-11,70*	*14,00*
miroirs et glaces	30,00	30,00	30,00	—	16,00/40,00	20,00/45,00	*13,00*	*16,20*	*7,30-18,20*	*10,00-21,40*
PIERRES ET TERRES										
chaux hydraulique	—	0,30	0,20	0,60	0,50	0,60	—	*9,00*	*25,00*	*29,60*
ciment Portland	—	0,30	0,70	—	0,70	1,00	—	*11,70*	*16,60*	*21,70*
ouvrages en ciment	—	—	0,15	—	0,60	0,60	—	*5,00*	*24,00*	*23,20*
briques, tuiles	—	—	0,10	—	0,25/0,50	0,25/0,60	—	*2,50*	*8,70-15,50*	*11,30-18,50*
tuyaux, catelles	—	—	2,00	—	2,00/8,00	2,50/10,00	—	*11,40*	*11,00-20,00*	*31,90-41,20*
porcelaine	16,00	16,00	16,00	—	16,00	16,00	*3,00-8,00*	*12,30-20,00*	*12,20*	*10,90*
BOIS										
bois d'ébénisterie scié	0,60	0,60	0,50	—	0,50	0,40-0,80	*2,00*	*1,00*	*2,90*	*3,70-7,50*
ouvrages en bois finis, grossiers	4,00	4,00	4,00	—	6,00	6,00/20,00	*4,00-8,00*	*5,90*	*11,50*	*9,20-19,20*
ouvrages fins en bois, meubles	16,00/30,00	16,00	16,00	12,00-16,00	10,00/50,00	15,00/50,00	*10,00*	*5,70-11,40*	*9,00-12,40*	*12,80-17,00*
TABAC										
tabac en feuille	7,00	25,00	25,00	—	25,00	25,00	*5,00-7,00*	*22,70*	*20,30*	*18,50*
tabac en carottes	7,00	30,00	35,00	—	50,00	60,00	*5,00-7,00*	*22,00*	*31,30*	*36,60*
tabac à fumer et à priser	16,00	50,00	50,00	75,00	75,00	75,00	*5,00*	*20,00*	*17,70*	*17,20*
cigares, cigarettes	30,00	100,00	100,0	150,00	150,00	200,00	*3,00*	*6,70*	*12,00*	*15,80-18,40*
BOISSONS										
vin en tonneaux	3,00	3,50	3,50	—	3,50	8,00	*4,00*	*10,00*	*11,80*	*33,40*
vin en bouteille	30,00 (7)	3,50	3,50	—	25,00	25,00	*2,00*	*1,60*	*15,60*	*8,30*
cidre	1,50	1,50	1,50	—	1,50	3,00	*5,00*	*7,00*	*8,80*	*17,70*
bière	3,00 (1,5)	3,00	3,50	4,00	4,00	4,00/5,00	*4,00*	*12,70*	*14,60*	*15,80-17,60*

Annexe 6 (suite)

Produit	nouveaux francs/100 kg						en % de la valeur			
	Tarif 1851 (1864)	Tarif 1882	Tarif 1884	Tarif 1887 après traités (1890)	Tarif 1891 après traités (1897)	Tarif 1902 après traités (1907)	1877	1887	1897	1907
BOISSONS (suite)										
eaux-de-vie en fûts	7,00	0,20/degré	0,20/degré	—	0,20/degré	0,40/degré	*4-10*	—	*7,90*	*14,80*
liqueurs en bouteilles	30,00 (16)	16,00	16,00	—	30,00	30,00/40,00	*5,00*	*4,90*	*11,60*	*9,20-15,10*
DENRÉES COLONIALES										
café	3,00	3,00	3,50	—	3,50	2,00	*1,00*	*1,90*	*2,20*	*1,80*
sucre brut	7,00	7,00	7,50	—	7,50	5,00	*7,00*	*18,00*	*25,20*	*15,80*
sucre raffiné	7,00	7,00	10,00	—	10,50	9,00	*7,00*	*20,00-20,80*	*31,10*	*25,60*
thé	30,00	30,00	40,00	—	40,00	25,00	*4,00*	*8,00*	*10,00*	*7,60*
DENRÉES ALIMENTAIRES PRODUITES EN SUISSE										
céréales	0,30	0,30	0,30	—	0,30	0,30	*1,00*	*1,40*	*1,40-2,60*	*1,30-1,60*
farine	1,00	1,00	1,25	2,00	2,00	2,50	*2,00*	*4,00*	*9,10*	*9,60*
huiles fines pour la table	7,00 (1)	16,00	12,00		20,00	10,00/20,00	*0,50*	*7,00*	*16,70*	*5,60-12,10*
fromage	7,00 (4)	4,00	4,00	—	4,00	4,00/10,00	*3,00*	*2,20*	*3,20*	*3,00-6,90*
beurre	1,50 (1,0)	1,50	3,00	7,00	7,00	7,00	*0,30*	*2,40*	*3,20*	*2,50*
saindoux	1,50 (1,0)	1,50	1,50	3,00	5,00	5,00	*1,00*	*1,50*	*7,40*	*4,30*
chocolat	30,00 (16)	16,00	16,00	—	30,00	30,00	*4,00*	*6,00*	*11,10*	*12,00*
fruits fins	7,00	7,00	3,00	—	15,00/20,00	—	*8,00*	*4,00*	*12,00-53,00*	—
sel	0,30	0,30	0,30	—	0,30	0,30	*6,00*	*7,50*	*7,50*	*7,50*
BÉTAIL: la pièce										
veau	0,10	0,10	1,00	3,00	5,00/10,00	10,00/12,00	—	*2,50*	*10,70-11,40*	*9,10-12,80*
jeune bétail, génisse	0,50	0,50	2,00	5,00	12,00	30,00	—	*1,30*	*5,10*	*6,50-7,20*
vache	0,50	0,50	5,00	12,00	18,00	30,00	—	*1,40*	*5,20*	*6,50-9,40*
taureau	0,50	0,50	5,00	15,00	25,00	50,00	—	*1,40*	*6,40*	*13,70*

Annexe 6 (suite)

Produit	nouveaux francs/100 kg						en % de la valeur			
	Tarif 1851 (1864)	Tarif 1882	Tarif 1884	Tarif 1887 après traités (1890)	Tarif 1891 après traités (1897)	Tarif 1902 après traités (1907)	1877	1887	1897	1907
BÉTAIL: la pièce (suite)										
bœuf gras	0,50	0,50	5,00	15,00	15,00	27,00	—	*1,00*	*3,00*	*4,60*
cochon de lait	0,10	0,10	1,00	3,00	4,00	20,00	—	*3,30*	*11,10*	*36,80*
porc gras	0,50	0,50	2,00	5,00	5,00	10,00	—	*2,00*	*5,00*	*8,00*
chèvre	0,10	0,10	0,50	—	2,00	2,00	—	*1,70*	*8,80*	*7,00*
cheval	3,00	3,00	3,00	—	3,00	5,00	—	*0,40*	*0,40*	*0,50*

Annexe 7. Evolution de l'importation des différentes catégories de marchandises (effets de la protection douanière)[1]

Catégories de marchandises	1895	1900	1900/1895 (évolution en %)	1911	1911/1895 (évolution en %)
Matières premières					
Quantité (1000 quintaux)	27052	34756	+ *28,5*	53264	+ *97*
Valeur (mios de frs)	355	446	+ *25,5*	626	+ *79*
Fabriqués de l'industrie intérieure					
Quantité	3954	4037	+ *2,1*	5704	+ *44*
Valeur	179	225	+ *25,7*	378	+ *111*
Fabriqués de l'industrie d'exportation					
Quantité	362	510	+*40,9*	660	+ *82*
Valeur	103	136	+ *32*	242	+ *135*
Denrées alimentaires produites par l'industrie intérieure					
Quantité	527	499	- *5,3*	898	+ *70*
Valeur	15	16	+ *6,6*	38	+*153*
Denrées alimentaires produites par l'agriculture					
Quantité	7256	7922	+ *9,2*	12699	+ *75*
Valeur	264	287	+ *8,7*	550	+ *108*

1 Chiffres tirés in Gürtler, 1931, pp. 44/47.

Annexe 8. Développement des fabriques travaillant pour le marché intérieur (1895-1911)[1]

Branches	1895	1901	1911	1901/1895	1911/1901	1895	1911	1911/1895	1911	1911/1895
	nombre de fabriques			augm. en %	augm. en %	force motrice (en CV)		augm. en %	emplois	augm. en %
Industrie textile et confection	404	509	831	*+ 26*	*+ 63*	24546	34097	*+ 39*	32931	*+ 58*
Métallurgie	234	384	625	*+ 64*	*+ 63*	8956	17938	*+ 100*	23325	*+ 135*
Véhicules et appareils	90	124	150	*+ 38*	*+ 21*	1999	3566	*+ 78*	8578	*+ 92*
Industrie du bois	526	858	1269	*+ 63*	*+ 48*	6880	21075	*+ 206*	23765	*+ 100*
Alimentation, boissons et tabac	508	597	651	*+ 18*	*+ 8*	11218	22056	*+ 97*	18448	*+ 55*
Papier, cuir, caoutchouc	161	214	238	*+ 33*	*+ 11*	8868	15482	*+ 75*	9269	*+ 37*
Industrie graphique	294	351	443	*+ 19*	*+ 26*	893	3483	*+ 290*	10042	*+ 78*
Terre et pierre	293	395	437	*+ 35*	*+ 11*	7650	35288	*+ 361*	17676	*+ 83*
Industrie chimique	107	130	192	*+ 18*	*+ 48*	991	7527	*+ 660*	5366	*+ 191*
Total industrie intérieure	2617	3560	4837	*+ 36*	*+ 36*	72000	160512	*+ 123*	149400	*+ 81*
Industrie d'exportation	2316	2520	2949	*+ 9*	*+ 17*	33484	132834	*+ 297*	179441	*+ 52*
Total industrie en fabrique	4933	6080	7785	*+ 23*	*+ 28*	105484	293346	*+ 178*	328841	*+ 64*

1 Chiffres tirés de Gürtler, 1931, tabelle 1, p. 74.

Annexe 9. Tarif douanier appliqué dans le cadre du Concordat de rétorsion contre la France (1822)[1]

Produits	Concordat frsa/50 kg	Concordat frs/100 kg	taxe déflatée valeur 1851	tarif de 1851 frs/100 kg
a) Toutes sortes de blé, de farine et de pain	2,50	7,30	(9,90)	0,30/1,00
b) Boissons				
Vin, bière, vinaigre et cidre en tonneaux	0,50	1,50	—	3,00/3,00/1,50
Eaux-de-vie de moins de 20 degrés en t.	2,10	6,10	—	7,00
Esprit de vin de plus de 20 degrés en t.	4,30	12,50	—	7,00
Vins fins importés en bouteilles	20,00	58,00	—	30,00
Liqueurs et eaux-de-vie en bouteilles	30,00	87,00	—	30,00
c) Huiles (sauf huile de poisson)	5,00	14,50	(19,57)	0,60/6,00
d) Fromage	4,00	11,60	13,92	7,00
e) Porcs (par tête)	4,00	5,80	(6,30)	0,50
f) Cuirs				
Peaux et cuirs tannés	20,00	58,00	(40,00)	4,00
Cuirs travaillés	40,00	116,00	(80,00)	7,00/16,00/30,00
g) Toiles de lin	25,00	72,50	(50,00)	16,00
h) Fabriqués de coton bruts, blanchis, teints et imprimés	40,00	116,00	53,50	16,00
i) Chapeaux de castor et de laine	2,00 (la pièce)	2,90 (la pièce)	—	
k) Fabriqués de soie pure et mêlée	120,00	348,00	(240,10)	30,00
l) Tabacs				
Tabac en feuilles	2,00	5,80	—	7,00
Tabac en carottes	5,00	14,50	—	7,00
Tabac fabriqué à fumer ou priser	10,00	29,00	—	16,00/30,00

1 AdT, 1822, Beilage T, p. 18; le document original utilise la mesure bernoise pour les boissons en tonneaux; dans le tableau ci-dessus la conversion en kg a été effectuée selon le rapport une mesure bernoise = 14 l = env. 14 kg; Scheven, 1921, note 3 p. 72; ce même auteur donne également le taux de conversion de 1 franc suisse ancien = 1,45 francs suisses nouveaux qui est adopté ici; les montants exprimés dans le tableau sont arrondis à la dizaine de centimes; les déflateurs utilisés pour adapter les taxes de 1822 à l'évolution des prix sont tirés in Projer, 1987; lorsqu'aucun indice des prix de gros d'une marchandise ne figurait pour la période concernée, ce sont les indices globaux suivants qui ont été utilisés: denrées alimentaires animales (+9%), denrées alimentaires végétales (+35%) et textiles et cuirs (-31%); les résultats sont alors entre parenthèses.

Annexe 10. Projets de concordat douanier présentés lors de la conférence d'Aarau (1847)[1]

1) Ampleur de la centralisation

	SG	BE	ZH	Projet
Taxes douanières	X	X	X	X
Taxes de roulage		X	X	X
Taxes de pontonnage publiques		X	.	X
Taxes de pontonnage privées		X		
Impôts de consommation			X	X
Impôts de consommation sur vin et tabac			X	
Charge fiscale déplacée aux frontières en mios de frsa	1,00	1,50-2,00	4,00	1,65 (revenus prévus)

2) Structure et revenus du tarif

	SG 1	SG 2	BE 1	BE 2	ZH 1	ZH 2	Projet
Tarif à classes (nb de classes)		4		4	7	7	7
Taxe unique au poids: batz/50 kg	0,70		4,00				
Taxe maximale en batz	0,70	3,00	4,00	10,00	160,00	80,00	60,00
Taxe de transit: batz/50 kg			0,10		0,05		0,05
Revenus du tarif							
en mios de frsa			1,50	1,66		2,00	1,65
en batz / habitant				7,50	5,00	10,00	7,50

3) Mode de répartition des revenus.

Accord sur le principe de la population pour les taxes à l'importation et à l'exportation; pour les taxes sur le transit il est tenu compte de la fréquence du transit.

1 Construit à partir du protocole de la Conférence d'Aarau; Protokoll der Konferenz..., 1847; les unités utilisées sont le franc suisse ancien (1,45 franc suisse nouveau), le batz (0,1 franc suisse ancien), le quintal suisse (50 kg).

Annexe 11. Structure des différents projets de tarification proposés lors de l'élaboration du tarif de 1849 (en frsa)[1]

	Classes	0,05	0,10	0,20	0,25	0,50	1,00	1,25	1,50	2,00	2,50	3,00	4,00	5,00	6,00	8,00	10,00	12,00	15,00	16,00	Revenus en mios frsa
Conférence Aarau	7	X	X			X	X			X			X		6,00						1,7
Schneider (BE) Bischoff (BS)	6		X		X			X			X		X		6,00						3,3
Chambre de commerce (ZH)	6		X			X	X							X			X			16,0	4,2
Erpf (SG) Lambelet (NE)	7		X	X		X	X			X			X		6,00						3,1
Anderegg (SG)	9	X	X	X		X	X		X	X		X	4,00								2,3
Bavier (GR)	10	X	X	X		X	X		(X)	X	(X)	X	4,00								2,6
Experts																					
Projet 1	8		X		X	X	X			X			X		X		10,0				–
Projet 2	11	X	X		X	X	X			X			X		X		X			16,0	3,7
Beyel (ZH)	12	X	X		X	X	X		X		X		X		X	X		X		16,0	3,9
Anderegg (SG) Bischoff (BS) 1	10	X	X		X	X	X		X		X			X			X		15,0		3,6
Anderegg (SG) Bischoff (BS) 2	10	X	X	X		X	X		X		X			X		X			15,0		3,1
Projet CF	10		X		X	X	X		X		X		X		X		X			16,0	3,8
Majorité CN	9		X	X		X	X		X	(X)	X			X			10,0				3,2

1 Les informations sont tirées in AF, E 11, vol. 4, «Projet de tarif des péages»; AF, E 11, vol. 4, «Procès-verbal de la commission d'experts en matière douanière».

Annexe 12. Principales taxes des projets de tarif proposés en 1849 et des tarifs de 1849 et 1851[1]

Produit	Conseil fédéral	Conseil fédéral % de la valeur	Anderegg (SG)	Lambelet (NE) + Erpf (SG)	Schneider (BE) + Bischoff (BS)	Bavier (GR)	Chambre du commerce (ZH)	Majorité Commission du CN = Tarif 1849	Tarif 1849	Tarif 1851
	frsa/50kg		frsa/50kg	frsa/50kg	frsa/50kg	frsa/50kg	frsa/50kg	frsa/50kg	frs/100 kg	frs/100 kg
COTON										
coton en laine	0,25	*0,50*	0,20	0,20	0,25	0,20	0,10	0,20	0,60	0,60
coton filé écru	2,50	*3,00*	1,00	2,00	2,50	1,00	1,00	1,50	4,35	4,00
toiles de coton écrues	2,50	*4,50*	1,00	2,00	2,50	1,00	1,00	1,50	4,35	4,00
filés de coton blanchis ou teints	10,00	—	3,00	4,00	4,00	4,00	10,00	5,00	14,50	7,00
tissus blanchis, en couleur ou imprimés	10,00	*3,00*	3,00	4,00	4,00	4,00	10,00	5,00	14,50	16,00
SOIE										
cocons	0,25	*0,17*	—	0,50	0,25	0,20	0,10	0,20	0,60	0,60
soie et bourre de soie écrue, filée	2,50	—	2,00	2,00	1,25	2,00	1,00	2,00	5,80	7,00
soie à coudre	16,00	—	4,00	6,00	6,00	4,00	10,00	10,00	29,00	16,00
étoffes de soie et mêlées, bonneterie	16,00	*0,50*	4,00	6,00	6,00	4,00	16,00	10,00	29,00	30,00
LIN										
lin, chanvre et étoupes bruts et peignés	0,25	—	0,20	0,20	0,25	0,20	0,10	0,20	0,60	0,60
fils de lin, chanvre et étoupe	1,50	*1,50*	1,00	2,00	2,50	1,00	1,00	1,50	4,35	4,00
toiles et nappes de lin	6,00	*1,70*	3,00	4,00	4,00	4,00	5,00	5,00	14,50	16,00
bonneterie de lin	10,00	—	4,00	6,00	4,00	3,00	5,00	5,00	14,50	16,00

1 Construit à partir d'un document intitulé «Projet de tarif des péages» in AF, E 11, vol. 4; les chiffres de la colonne indiquant le taux d'imposition du projet du Conseil fédéral sont tirés in Schweizerische Handwerker- und Gewerbe-Zeitung, Nrn. 12/13, 20. April 1849; tirés d'une source, ils ne sont pas forcément très fiables; le tarif de la Chambre de commerce de Zurich est tiré in Gutachten der Handelskammer..., 1849, Beilage V; le tarif de 1851 est tiré in RO, 1850-1851, vol. I, 2, pp. 547-569.

Annexe 12 (suite)

Produit	Conseil fédéral frsa/50kg	Conseil fédéral % de la valeur	Anderegg (SG) frsa/50kg	Lambelet (NE) + Erpf (SG) frsa/50kg	Schneider (BE) + Bischoff (BS) frsa/50kg	Bavier (GR) frsa/50kg	Chambre du commerce (ZH) frsa/50kg	Majorité Commission du CN = Tarif 1849 frsa/50kg	Tarif 1849 frs/100 kg	Tarif 1851 frs/100 kg
LAINE										
laine brute et peignée	0,25	*0,25*	0,20	0,20	0,25	0,20	0,10	0,20	0,60	0,60
filés de laine écrus	2,50	—	1,00	2,00	2,50	1,00	1,00	1,50	4,35	4,00
draps, couvertures en laine	4,00	*1,00*	2,00	4,00	4,00	3,00	5,00	5,00	14,50	7,00
habits confectionnés, lingerie	16,00	*1,00*	4,00	6,00	6,00	4,00	10,00	10,00	29,00	30,00
METALLURGIE										
fer brut en gueuses	0,25	*4,00*	0,20	0,50	0,25	0,20	0,10	0,20	0,60	0,60
fonte de fer ordinaire	0,50	*3,00*	0,50	0,50	1,25	0,50	0,10	0,50	1,45	1,50
fer laminé, étiré anglais/fer - de 14 fr/q suisse	1,00	—	1,00	1,00	1,25	1,00	0,50	0,50	1,45	1,50
fer forgé, laminé/fer + de 14 fr/q suisse	1,00	—	1,00	1,00	1,25	1,00	0,50	1,00	2,90	3,00
tôle brute anglaise/tôle non fabriquée en suisse	1,50		0,50	0,50	1,25	0,50	0,50	0,50	1,45	0,60
tôle brute non désignée	1,50	*8,00*	0,50	0,50	1,25	0,50	0,50	1,00	2,90	3,00
tôle en fer blanc, fil de fer	1,50	—	1,00/2,00	1,00	1,25	1,00	0,50	1,50	4,35	3,00
machines	1,50	*1,50*	1,00	2,00	1,25	1,00	0,50	1,50	4,35	4,00
ouvrages en fer et en acier	1,50/2,50/4,00	—	1,50	2,00	1,25/2,50/4,00	1,00/2,00	1,00	2,50	7,25	7,00
ouvrages en tôle de toute espèce	4,00/6,00	—	3,00	4,00	4,00	4,00	—	5,00	14,50	7,00/ 16,00
coutellerie ordinaire	6,00	*4,00*	4,00	6,00	4,00	4,00	5,00	5,00	14,50	16,00
serrurerie	6,00	*4,00*	2,00	4,00	4,00	3,00	5,00	5,00	14,50	16,00
acier de toute espèce	1,50	*3,00*	1,00	1,00	1,25	1,00	0,50	1,50	4,35	3,00
fil d'acier	2,50	*4,00*	1,50	2,00	4,00	2,00	1,00	2,50	7,25	7,00

Annexe 12 (suite)

Produit	Conseil fédéral	Conseil fédéral % de la valeur	Anderegg (SG)	Lambelet (NE) + Erpf (SG)	Schneider (BE) + Bischoff (BS)	Bavier (GR)	Chambre du commerce (ZH)	Majorité Commission du CN = Tarif 1849	Tarif 1849	Tarif 1851
	frsa/50kg		frsa/50kg	frsa/50kg	frsa/50kg	frsa/50kg	frsa/50kg	frsa/50kg	frs/100 kg	frs/100 kg
CUIR										
peaux d'animaux brutes	0,25	*1,50*	0,20	0,20	0,25	0,20	0,10	0,20	0,60	0,60
cuir ordinaire	1,50	*4,00*	1,00/1,50	2,00	2,50	1,00	0,50	1,50	4,35	4,00
ouvrages ordinaires en cuir	4,00	—	3,00	6,00	4,00	4,00	5,00/10,00	5,00	14,50	16,00
ouvrages fins (cordonnier, sellier, etc.)	16,00	*4,00*	4,00	6,00	6,00	4,00	16,00	10,00	29,00	30,00
gants de peau	16,00	*0,40*	4,00	6,00	6,00	4,00	16,00	10,00	29,00	30,00
PAPIER										
chiffons	0,10	*2,00*	0,10	0,20	0,25	0,10	0,10	0,10	0,30	0,30
papier d'emballage	1,50	*7,00*	1,00	1,00	1,25	1,00	1,00	1,00	2,90	3,00
cartonnage ordinaire	4,00	—	2,00	6,00	4,00	3,00	5,00	5,00	14,50	16,00
papier à imprimer, à écrire	6,00	*8,00*	1,50	6,00	4,00	3,00	5,00	5,00	14,50	16,00
tapisserie de papier	6,00	—	4,00	6,00	6,00	3,00	10,00	10,00	29,00	16,00
VERRE										
bouteilles en verre brun et vert	2,50	*1,50*	1,00	1,25	1,50	1,50	1,00	1,00	2,90	3,00
verre à bouteille et à vitre	2,50	*8,00*	1,50	2,00	2,50	2,00	1,00	2,50	7,25	7,00
miroirs communs	6,00	*8,00*	2,00	6,00	4,00	3,00	5,00	5,00	14,50	16,00
miroirs et glaces	16,00	—	4,00	6,00	6,00	4,00	16,00	10,00	29,00	30,00
TABAC										
tabac en feuille	2,50	*6,00*	1,00	2,00	2,50	1,00	1,00	1,50	4,35	7,00
tabac en carottes	6,00	—	2,00	4,00	6,00	3,00	5,00	2,50	7,25	7,00
tabac à fumer et à priser	6,00	*10,00*	3,00	6,00	6,00	4,00	5,00	5,00	14,50	16,00
cigares	16,00	*8,00*	4,00	6,00	6,00	4,00	16,00	10,00	29,00	30,00

Annexe 12 (suite)

Produit	Conseil fédéral	Conseil fédéral % de la valeur	Anderegg (SG)	Lambelet (NE) + Erpf (SG)	Schneider (BE) + Bischoff (BS)	Bavier (GR)	Chambre du commerce (ZH)	Majorité Commission du CN = Tarif 1849	Tarif 1849	Tarif 1851
	frsa/50kg		frsa/50kg	frsa/50kg	frsa/50kg	frsa/50kg	frsa/50kg	frsa/50kg	frs/100 kg	frs/100 kg
BOIS										
bois d'ébénisterie	0,25	—	0,20	0,20	0,25	0,20	0,10	0,20	0,60	0,60
ouvrages en bois ordinaire	1,00	—	1,00	2,00	1,25	1,00	1,00	1,50	4,35	4,00
ouvrages en bois travaillé	6,00	—	3,00	6,00	4,00	4,00	—	5,00	14,50	16,00
ouvrages fins en bois, meubles	10,00	—	4,00	6,00	6,00	4,00	10,00	10,00	29,00	30,00
DIVERS										
huile commune à l'usage des fabriques	0,25	—	0,20	0,50	0,25	0,20	0,10	0,20	0,60	0,60
savon	0,50	*1,00*	0,50	0,50	1,25	0,50	0,10	0,50	1,45	1,50/4,00
produits chimiques	1,00	—	1,00	1,00	1,25	1,00	1,00	1,00	2,90	7,00
chandelles de suif	2,50	*4,50*	1,50	1,00	2,50	2,00	1,00	1,50	4,35	4,00
porcelaine	6,00	*8,00*	4,00	6,00	4,00	4,00	10,00	5,00	14,50	16,00
chapeaux	16,00	*0,70*	4,00	6,00	4,00	4,00	16,00	10,00	29,00	30,00
DENRÉES ALIMENTAIRES PRODUITES EN SUISSE										
céréales	0,10	*1,00*	0,05	0,10	0,10	0,05	0,10	0,10	0,30	0,30
farine, pain	0,50	*5,50*	0,20	0,20	0,25	0,20	0,50	0,20	0,60	1,00
huiles fines pour la table	2,50	*3,00*	1,50	6,00	6,00	2,00	1,00	5,00	14,50	7,00
fruits fins	2,50	—	3,00	6,00	4,00	4,00	1,00	5,00	14,50	7,00
fromage	1,50	—	1,50	1,00	1,25	1,00	1,00	2,50	7,25	7,00
beurre, saindoux	0,50	*5,00*	0,50	0,50	1,25	0,50	0,10	0,50	1,45	1,50
chocolat	10,00	*12,00*	4,00	6,00	6,00	4,00	10,00	10,00	29,00	30,00
sel	0,10	—	0,10	0,10	0,10	0,10	0,10	0,10	0,30	0,30

Annexe 12 (suite)

Produit	Conseil fédéral frsa/50kg	Conseil fédéral % de la valeur	Anderegg (SG) frsa/50kg	Lambelet (NE) + Erpf (SG) frsa/50kg	Schneider (BE) + Bischoff (BS) frsa/50kg	Bavier (GR) frsa/50kg	Chambre du commerce (ZH) frsa/50kg	Majorité Commission du CN = Tarif 1849 frsa/50kg	Tarif 1849 frs/100 kg	Tarif 1851 frs/100 kg
BOISSONS										
vin en tonneaux	1,00	*7,00*	1,00	1,00	1,25	1,00	1,00	1,00	2,90	3,00
vin en bouteilles	10,00	*6,00*	4,00	6,00	6,00	4,00	16,00	10,00	29,00	30,00
cidre	1,00	*30,00*	0,20	0,50	0,25	0,20	1,00	0,50	1,45	1,50
bière	1,00	*12,00*	0,50	1,00	1,25	0,50	1,00	1,00	2,90	3,00
eaux-de-vie	4,00	—	3,00	2,00	2,50	2,50	5,00	2,50	7,25	7,00
esprit de vin non dénaturé	10,00	*15,00*	4,00	2,00	2,50	2,50	16,00	2,50	7,25	7,00
liqueurs, eaux distillées spiritueuses	16,00	—	4,00	6,00	6,00	4,00	—	10,00	29,00	30,00
BÉTAIL: la pièce										
veau, chèvre, cochon de lait, mouton	0,10	—	0,05	0,05	0,05	0,05	—	0,05	0,08	0,10
vache, bœuf, taureau, cochon gras, âne	0,50	—	0,20	0,30	0,30	0,20	—	0,30	0,45	0,50
cheval, mulet, mule	2,00	—	1,00	2,00	2,00	1,00	—	2,00	2,90	3,00
DENRÉES COLONIALES										
chicorée, café	1,00	*5,00/2,50*	0,50/1,00	1,00	1,25	0,50/1,00	0,50	1,00	2,90	3,00
sucre brut, cassonade, sirop	1,50	—	1,00	1,00	1,25	1,00	1,00	1,50	4,35	7,00
sucre raffiné, sucre candi	2,50	—	1,00	1,00	1,25	1,00	1,00	1,50	4,35	7,00
épiceries	4,00	—	2,00	6,00	2,50/4,00	3,00	5,00	5,00	14,50	7,00
thé	16,00	—	4,00	6,00	6,00	4,00	10,00	10,00	29,00	30,00
EXPORTATION										
bois: en % de la valeur	5%	—	4%	5%	5%	4%	—	5%	5%	3%/5%
écorce à tan et peaux brutes	0,50	—	0,30	0,50	0,50	0,30	—	0,50	1,45	1,60
chiffons	1,50	—	1,50	1,50	1,50	1,50	—	1,50	4,35	4,00

Annexe 12 (suite)

Produit	Conseil fédéral	Conseil fédéral % de la valeur	Anderegg (SG)	Lambelet (NE) + Erpf (SG)	Schneider (BE) + Bischoff (BS)	Bavier (GR)	Chambre du commerce (ZH)	Majorité Commission du CN = Tarif 1849	Tarif 1849	Tarif 1851
	frsa/50kg		frsa/50kg	frsa/50kg	frsa/50kg	frsa/50kg	frsa/50kg	frsa/50kg	frs/100 kg	frs/100 kg
EXPORTATION (suite)										
bétail: la pièce	—	—	—	—	—	—	—	—	—	—
veau et cochon de lait, mouton, chèvre	0,025	—	0,025	0,025	0,025	0,025	—	0,025	0,05	0,05
vache, boeuf, taureau, cochon	0,10	—	0,20	0,50	0,50	0,20	—	0,50	0,75	0,50
cheval	0,10	—	0,50	1,00	1,00	0,50	—	1,00	1,45	1,50
TRANSIT										
moins de 8 lieues	0,05	—	0,05	0,05	0,05	0,05	—	0,05	0,15	0,10
plus de 8 lieues	0,20	—	0,20	0,20	0,20	0,20	—	0,20	0,60	0,60

Annexe 13. Composition du comité national de défense du tarif de 1891

Elites industrielles et commerçantes

Arnold Künzli (1832-1908) (AG), fils d'Abraham Künzli-Gugelmann – pionnier de l'industrie cotonnière dans le Murgenthal –, dirige l'entreprise de tissage en couleur «Künzli et Gugelmann» (dès 1866), fondateur d'entreprises de tricotage mécanique, d'articles en bois et de vannerie, fondateur et membre du CA de l'«Aargauische Kreditanstalt» (1873-1908), cofondateur de plusieurs sociétés d'électricité, membre de plusieurs compagnies de chemins de fer, CdE (1868-1873), Cn de tendance radicale (1864-1865/1869-1908), d'abord opposé aux libéraux de Feer-Herzog et Haberstich, pousse à la fusion des radicaux et des libéraux en 1894, délégué du CF à des négociations commerciales; **Emil Frey** (?-?) (ZH), secrétaire à plein temps de la KGZ (dès 1888), rédacteur à la *NZZ*, membre du comité de la KGZ (1893-1895), directeur de la compagnie d'assurances «Rentenanstalt»; **Othmar Blumer-Volkart (-Huber)** (1848-1900) (ZH), fils du fabricant Jakob Blumer-Schindler et beau-fils de Salomon Volkart – maison de commerce d'envergure internationale établie à Winterthour –, associé dans les maisons de commerce «Imhof et Blumer» puis «Blumer et Biedermann», actif dans une filature mécanique de coton, membre des CA de la «Mechanische Seidenstoffweberei in Winterthur» (1872-1900), de la «Bank in Winterthur» (1875-1900), des compagnies d'assurances «Rentenanstalt» (1894-1899) et «Winterthur» (1875-1884), CaE de tendance libérale puis radicale (1890-1900), remplace Heinrich Rieter-Ziegler, ami de Cramer-Frey; **Georg Leumann-Sulzer** (1842-1918) (TG), fils de Georg Leumann – teinturerie «Bürglen» – et beau-fils de Salomon Sulzer – cofondateur de l'entreprise de fabrication de machines «Gebruder Sulzer» –, industriel actif dans le textile, fonde une filature mécanique de laine peignée à Bürglen, membre de nombreux CA dans les domaines de la banque, des assurances, des chemins de fer, des industries textiles et de la chimie, président du THIV (1908-1918), CaE radical (1890-1918); **Leonhard Blumer-Paravicini (-Blumer)** (1844-1905) (GL), dirige l'entreprise de tissage mécanique de coton «L. Blumer und Cie» (270 métiers en 1888), initiateur du «Sernftalbahn», membre du comité du «Handels- und Industrieverein Glarus», CaE de tendance démocrate (1893-1905), entrepreneur patriarcal favorable à une politique sociale; **Johann Hirter-Böhlen** (1855-1926) (BE), fils de Johann Hirter – négociant en bois et constructeur de bateaux – et beau-fils de Friedrich Böhlen – commerce d'expédition et propriétaire d'une brasserie –, à la tête d'un commerce de charbon, membre de nombreux CA de banques, d'assurances, de chemins de fer ainsi que de la filature mécanique de coton «Felsenau», président de la BNS (1907-1923), président de la section ville de Berne du BVHI (1887-1891), membre du comité du BVHI (1883-1904), de la Chambre suisse de commerce (1894-1926), Cn radical (1894-1919).

Classes moyennes industrielles

Johannes Blumer-Egloff (1835-1928) (SG), dirige l'entreprise de confection, bonneterie et mercerie «Blumer et Wild», CA du «Schweizer Unionsbank in St. Gallen» (dès 1889), fondateur du «Schweizerischer Wirkerverein» dont il est président (1894-1896) puis membre du comité (1896-1902), défenseur des classes moyennes, participe à la fondation du «Schweizerischer Detaillistenverband» (1909), Cn radical-libéral; **Eduard Eckenstein-Schröter** (1847-1915) (BS), fils d'Eduard Eckenstein – fabricant de malt –, dirige l'entreprise familiale (dès 1863) et la transforme en société anonyme («Gesellschaft für Malzfabrikation AG Basel»), directeur de la nouvelle entreprise (1890-1913), Cn radical (1887-1893), membre du comité du «Handwerker- und Gewerbeverein Basel» (1867-1905), membre du comité du BVHI (1900-1902), défend les intérêts protectionnistes de la petite et moyenne entreprise; **Ambrosius Rosenmund-Mange** (1846-1896) (BL), industriel actif dans la teinturerie et la fabrication de draps, membre de la section cantonale de l'USAM, Cn de tendance radicale-démocrate (1882-1893); **Franz Hediger-Siegrist** (1829-1901) (ZG), tanneur, maire de Zoug (1874-1879), Cn catholique-conservateur appartenant à la tendance Zemp (1889-1896).

Elites et classes moyennes agricoles catholiques

Franz Xaver Beck-Leu (1827-1894) (LU), propriétaire du domaine «Beckenhof» à Sursee, cofondateur et président du «Luzerner Bauernverein» (dès 1859), Cn catholique-conservateur (1869-1894), membre du Club de l'agriculture, membre de la commission des douanes, parmi les premiers promoteurs d'une politique agricole fédérale, collabore avec Zemp au *Schweizerzeitung*, son fils J. Beck est un proche collaborateur de Decurtins au sein de l'aile catholique sociale; **Johann Joseph Keel-Benziger (-Schnüriger)** (1837-1902) (SG), beau-fils du Cn schwyzois Josef Karl Benziger-von Reding – commerce de livres et propriétaire terrien – études de droit, CdE (1870-1902), Cn catholique-conservateur (1875-1902), président du parti cantonal (1873-1899), cofondateur du journal *Ostschweiz*, défend une centralisation modérée, approuve notamment le rachat des chemins de fer, une Banque centrale étatique et la «Lex Forrer»; **Georg Baumberger-Bick (-Trottmann)** (1855-1931) (SG/ZH), dirige un petit commerce de drogues et d'épices, rédacteur du journal libéral-conservateur *Appenzeller Nachrichten* (1881-1886), rédacteur en chef du journal catholique-conservateur *Ostschweiz* (1886-1904), rédacteur du journal chrétien-social *Neuen Zürcher Nachrichten* (1904-1919), Cn catholique-conservateur (1919-1931), fondateur du parti chrétien-social de Zurich; **Franz Schmid-Schillig** (1841-1923) (UR), fils d'un officier au service de la Papauté, beau-fils d'un agriculteur, avocat, CdE (1874-1876/1903-1905), juge fédéral (1904-1923), CA de la «Erspaniskasse Uri» (1890-1893/1903-1905), membre du comité du SLV (1885-1886), CaE catholique-conservateur (1882-1890), Cn (1890-1904), ami d'Adalbert Wirz; **Vital Schwander-Weber** (1841-1909) (SZ), agriculteur et aubergiste, propriétaire terrien, CdE (1874-1909), principal initiateur de la «Schwyzer Kantonalbank», membre de l'assemblée des délégués de l'USP, Cn catholique-conservateur (1881-1908); **Peter Ming-Omlin** (1851-1924) (OW), fils d'agriculteur, médecin, CdE (1910-1924), cofondateur de la «Obwaldene Kantonalbank» et membre du CA (1887-1924), président du «Obwaldener Bauernverein» (1879-1887), Cn catholique-conservateur (1890-1924), tendance chrétienne-sociale orientée vers l'aide à l'agriculture; **Joseph Amstad-Zürcher (-Cattani)** (1846-1926) (NW), fils de Josef Maria Amstad – négoce de vin et fromage en gros –, à la tête du commerce familial, CdE (1874-1883), membre de la «Ersparniskasse Nidwalden» (1885-1926), CA de la «Kantonale Spar- und Leihkasse von Nidwalden» (1901-1907), caissier de la SAV, membre du comité du SLV (1889-1902), CaE catholique-conservateur (1884-1894); **Aloïs Bossy-Bucher** (1844-1913) (FR), fils de François Bossy-Vorlet – propriétaire terrien –, lui-même propriétaire d'un domaine, préfet de la Veveyse (1878-1880), CdE (1880-1906), président de la commission de l'industrie et du commerce, promoteur d'une fabrique de cartonnage et de l'école de vannerie l'«Industrielle», créateur de l'Ecole d'agriculture et de l'Ecole des arts et métiers, promoteur de la «Station laitière», pousse à la création de syndicats et de sociétés agricoles, CaE catholique-conservateur (1884-1898); **Hans Anton von Roten-von Riedmatten** (1826-1895) (VS), issu d'une famille patricienne, propriétaire terrien, notaire et préfet de Rarogne, CdE (1871-1881), copropriétaire de l'hôtel «Rhonegletscher», CA du chemin de fer «Suisse-Occidentale» (1881-1889) puis du «Jura-Simplon-Bahn» (1890-1895), CaE catholique-conservateur (1863-1865), Cn (1866-1895); **Edmund Dähler-Bischofberger** (1847-1927) (AI), fils du Cn Johann Baptist Dähler-Büchler – propriétaire terrien –, carrière dans l'administration, Landamann (1887-1923), cofondateur et président du Conseil de banque de l'«Appenzeller Kantonalbank» (1900-1926), CA de chemins de fer, Cn catholique-conservateur (1890-1893), CaE (1893-1920).

Elites et classes moyennes agricoles libérales-radicales

Joseph Gisi (1948-1902) (SO), propriétaire du domaine «Bleichenberg» à Biberist, président du «Kantonalverband der solothurnischen landwirtschaftlichen Genossenschaften» (1880-1902), membre du comité directeur de l'USP (1898-1902), CA de la compagnie d'assurances «La Mobilière» (1901-1902), Cn radical-démocrate (1887-1902), membre influent du Club de l'agriculture, adepte du protectionnisme agricole, membre de la commission douanière du CN; **Johannes Eschmann-Frey** (1834-1896) (ZH), reprend le domaine agricole familial, CdE (1879-1896), membre du comité de la «Sparkasse Richterswil» (1857-1896), cofondateur et responsable de la comptabilité du «Viehzuchtverein Richterswil» (1872-1896), membre du comité de la GSL (1891-1896), cofondateur de la «Versuchsanstalt für Obst-, Wein- und Gartenbau» à Wädenswil (1890), président du «Schweizerischer Milchwirtschaftlicher Verein» (1887-1892), membre de la commission cantonale d'agriculture (1878-1896), Cn libéral (1890-1896), membre de la commission du CN s'occupant de la loi sur l'agriculture; **Edmund von Steiger-von Diesbach (-Linder)** (1836-1908) (BE), fils de Franz Georg von Steiger-Marcuard – propriétaire terrien – et beau-fils de Bernhard von Diesbach-von May – propriétaire terrien –, vicaire, pasteur, CdE (1878-1908), CA de la compagnie d'assurances «Mobilière Suisse» (1878-1908), initiateur de la première caisse «Raiffeisen» en Suisse (1889), membre du comité de l'«Oekonomische Gesellschaft des Kantons Bern» (1889-1908), Cn de tendance conservatrice (1888-1890/1891-1908), dès 1890 se distancie du «Volkspartei» de Dürrenmatt en appuyant une intervention modérée de la Confédération dans les domaines économiques et sociaux, s'oppose à la formation d'un «Bauernbund» dans le canton de Berne; **Johannes Müller-Kesserling (-Waldvogel)** (1841-1913) (SH), grand agriculteur et aubergiste, viticulteur et commerçant en vins, CdE (1872-1873), CA de la «Bank in Schaffhausen» (1874-1876), membre du conseil de la banque cantonale (1883-1909), comité du SLV (1888-1906) et de l'USP (1897-1909), CaE radical (1879-1906), président du Club de l'agriculture; **Peter Bühler-Greutert** (1841-1913) (GR), grand agriculteur et avocat, CdE (1878-1879/1894-1900), secrétaire de la direction des CFF à St-Gall (dès 1902), président du Conseil de banque de la «Kantonalbank Graubünden» (1880-1894), CA de nombreux chemins de fer, président du SAV, Cn de tendance libérale-conservatrice (1883-1902); **Johann Heinrich Riniker-Schilplin** (1841-1892) (AG), fils de Johannes Riniker-Senn – grand agriculteur fortuné –, carrière de garde-forêt, CdE (1887-1892), CA de l'«Aargauer Bank» (1890-1892), promoteur du mouvement coopératif agricole, Cn radical proche de Künzli (1878-1892); **Jean-François Viquerat-Peytregnet** (1838-1904) (VD), notaire et agriculteur fortuné, propriétaire de l'ancien château des Loys de Villardin, CdE (1878-1901), créateur des stations laitière et viticole, promoteur du développement des races bovines et porcines, président d'honneur de la Société vaudoise d'agriculture et de viticulture, président de la FSASR (1899-1900), membre du comité de la SICVD (1892-1895/1897-1899), Cn radical (1883-1896).

Annexe 14. Composition des commissions douanières du CN et du CE lors de la révision tarifaire de 1902

COMMISSION DU CN

Grande industrie

Arnold Künzli (1832-1908) (AG), président, fils d'Abraham Künzli-Gugelmann – pionnier de l'industrie cotonnière dans le Murgenthal –, dirige l'entreprise de tissage en couleur «Künzli et Gugelmann» (dès 1866), fondateur d'entreprises de tricotage mécanique, d'articles en bois et de vannerie, fondateur et membre du CA de l'«Aargauische Kreditanstalt» (1873-1908), cofondateur de plusieurs sociétés d'électricité, membre de plusieurs compagnies de chemins de fer, CdE (1868-1873), Cn de tendance radicale (1864-1865/1869-1908), d'abord opposé aux libéraux de Feer-Herzog et Haberstich, pousse à la fusion des radicaux et des libéraux en 1894, délégué du CF à des négociations commerciales; **Eduard Blumer-Jenny** (1848-1925) (GL), petit fils du grand négociant glaronnais P. Blumer-Jenny, activité dans la maison de commerce familiale, fonde l'entreprise d'impression sur coton «Gebruder Blumer» (1867), membre de CA de nombreuses entreprises ferroviaires, électriques et textiles, vice-président de la banque cantonale (1884-1894), membre du comité de l'USCI (1877-1882), de la Chambre suisse de commerce (1882-1911), Landamann (1887-1888), CaE (1877-1888), Cn (1899-1925), indépendant, s'engage en faveur de réformes sociales, délégué du CF à plusieurs négociations commerciales; **Alfred Frey-Burger** (1859-1924) (ZH), frère d'Emil Frey – secrétaire de la KGZ puis directeur de la «Rentenanstalt» –, apprentissage de commerce, études de droit et d'économie à Zurich, Berlin, Leipzig et Paris, secrétaire du Vorort de l'USCI (1882-1900), directeur (1900-1917), président (1917-1924), CA de l'entreprise de fabrication d'aluminium «AIAG Neuhausen» (1915-1924), de l'assurance «Rentenanstalt» (1905-1924), du «Crédit suisse» (1906-1924), de la *NZZ* (1912-1924), Cn radical (1900-1924), reprend le siège de Cramer-Frey; **Carl Koechlin-Iselin** (1856-1914) (BS), fils du CaE Alphons Koechlin-Geigy – fabricant de rubans et fondateur de la «Basler Handelsbank» –, neveu du Cn Rudolf Geigy-Merian – industriel de la chimie –, dirigeant dans l'entreprise de chimie de son oncle, CA de l'«Elektrizitätgesellschaft Alioth» (1895-1907), «Floretspinnerei Angenstein» (1894-1913), BNS (1906-1907), membre du comité (1896-1906) puis président du BHIV (1906-1913), membre du comité du «Handwerker- und Gewerbeverein Basel» (1897-1903), membre de la Chambre suisse de commerce (1907-1913), Cn de tendance libérale-conservatrice (1897-1902); **Constant Dinichert-Kinkelin** (1832-1916) (FR), directeur de la «Société suisse d'horlogerie, fabrique de Montilier» (1878-1904), CA du «Fribourg-Morat-Annet» et de la fabrique de conserves de Saxon, CA de la «Banque de l'Etat de Fribourg» (1893-1909), membre du comité central de la Chambre d'horlogerie (1909/1911-1914), Cn radical-démocrate (1893-1911); **Johann Jakob Abegg** (1834-1912) (ZH), fabricant de soieries, copropriétaire de la firme «Kägi, Fierz et co» (1859-1889), président du CA de la fabrique de machines «Escher Wyss» (1896-1901), CA de l'assurance «Mobilière Suisse» (1895-1910), membre du comité du «Zürcher Handwerker- und Gewerbeverein» (1883-1887/1893-1911), membre du comité de la KGZ (1887-1909), membre d'honneur de la ZSIG (dès 1898), initiant de l'école de tissage de la soie à Zurich, Cn de tendance libérale (1887-1912); **Eduard Sulzer-Ziegler** (1854-1913) (ZH), fils de Johann-Jakob Sulzer-Hirzel – cofondateur de la fabrique de machines «Gebruder Sulzer» –, associé dans l'entreprise familiale, CA de la «Bank in Winterthur» (1876-1893), de la «Hypothekarbank Winterthur» (1880-1892), de nombreuses compagnies d'assurances dont la «Winterthur» et la «Rentenanstalt» (1885-1912), membre du comité de la «Kaufmännische Gesellschaft Winterthur» (dès 1910), de la KGZ (1897-1913), vice-président du VSM (1906-1913), fondateur et membre du comité du «Arbeitgeberverband der schweiz. Maschinenindustrieller» (1906-1913), Cn de tendance radicale-démocrate (1900-1913), farouche adversaire du syndicalisme, fondateur du groupe industrie aux Chambres; **Karl Emil Wild-Gsell** (1856-1923) (SG), architecte, directeur de l'«Industrie- und Gewerbemuseum St. Gallen» (1882-1923), cofondateur de la «Handelsakademie und Verkehrsschule», dirigeant de l'école de dessin pour la broderie, CA de la «Bank in St. Gallen», de l'assurance «Helvetia» (1911-1923), membre du comité du «Gewerbeverein der Stadt St. Gallen» (dès 1885), membre du comité (1889-1897) puis président (1897-1903) du «Kantonaler Gewerbeverband», membre du comité central de l'USAM (1884-1891), président de l'«Ostschweizerischer Stickereiverband» (1889-1891), responsable de la section broderie à l'Exposition nationale de 1914, membre de la «Société Suisse de Surveillance» et de la «Schweizerische Treuhandgesellschaft» durant la Première guerre mondiale, Cn de tendance libérale-radicale (1893-1919).

Commerce

Johann Hirter-Böhlen (1855-1926) (BE), fils de Johann Hirter – négociant en bois et constructeur de bateaux – et beau-fils de Friedrich Böhlen – commerce d'expédition et propriétaire d'une brasserie –, à la tête d'un commerce de charbon, membre de nombreux CA de banques, d'assurances, de chemins de fer ainsi que de la filature mécanique de coton «Felsenau», président de la BNS (1907-1923), président de la section ville de Berne du BVHI (1887-1891), membre du comité du BVHI (1883-1904), de la Chambre suisse de commerce (1894-1926), Cn radical (1894-1919); **Louis Martin-Fauguel** (1838-1913) (NE), fils de Jérémie Louis Martin-Chédel – fondateur d'une maison de commerce aux Verrières –, employé (1852-1870) puis directeur (1870-1897) de l'entreprise familiale, impliqué dans plusieurs compagnies ferroviaires, CA de la «Banque cantonale neuchâteloise», membre du comité central de la SIIJ, membre du comité de plusieurs associations agricoles et du comité central de l'USP (1897-1905), président de la Société laitière de Suisse romande, Cn radical (1878-1881/1891-1913), CaE (1881-1883), libre-échangiste convaincu; **Nikolaus Benziger-Benziger** (1830-1908) (SZ), actif dans le commerce de livres familial, CA de la compagnie d'assurances «Rentenanstalt» (1872-1878), membre du comité du «schweizerischer Buchdrucker- und Buchhändlerverein», Cn catholique-conservateur (1883-1905), proche des syndicats chrétiens-sociaux.

Agriculture

Johann Jenny-Otti (1857-1937) (BE), propriétaire d'un domaine de 100 ha à Uettligen, membre du comité de l'«Oekonomische Gesellschaft des Kantons Bern», président de cette association (1892-1894), président du «Verband der landwirtschaftlichen Genossenschaften des Kantons Bern» (1889-1936), membre fondateur et président de l'USP (1897-1930), CA de la BNS et de la CNA (1912-1921), Cn radical-démocrate puis PAB (1890-1935), membre de la direction du PAB (1918-1935), membre du Club de l'agriculture (dès 1890); **Charles-Eugène Fonjallaz-Bidaux (-Pallaz)** (1853-1917) (VD), propriétaire viticulteur à Epesses surnommé le «Napoléon du vignoble», président du Syndicat des vins vaudois, membre de la commission de l'Ecole fédérale d'horticulture, membre du comité directeur de l'USP (1897-1916), défend une protection douanière en faveur de la viticulture, CdE (1908-1917), Cn radical-démocrate (1885-1908/1910-1917), nombreuses motions déposées au CN – contre le phylloxera (1886), pour la soumission des traités de commerce au référendum (1897), pour une élection du CN plus favorable aux régions rurales (1903); **Gottlieb Berger-Dedelly** (1826-1903) (BE), issu d'une famille de paysans-épiciers-boulangers de Langnau, avocat, rédacteur et copropriétaire de l'*Emmentaler Blatt* – journal qui a alors le plus grand tirage en

Suisse –, industriel dans la branche de la poterie (dès 1863), CA du «Bern-Luzern-Bahn» et de l'«Hotel Gurnigel», membre du comité de l'«Oekonomische Gesellschaft des Kantons Bern» (dès 1885), Cn radical-démocrate (1881-1902), défend les intérêts douaniers de l'agriculture, propose la création d'un «Zollverein» de l'Europe centrale (1887); **Emil Baldinger-Bürgi** (1838-1907) (AG), issu d'une famille de Baden, garde-forestier (1860-1887), inspecteur cantonal des forêts (1887-1907), Cn libéral (1876-1907), défend les intérêts protectionnistes du lobby du bois; **Peter Bühler-Greutert** (1841-1913) (GR), avocat et gros agriculteur, CdE (1878-1879/1894-1900), secrétaire de la direction des CFF à St-Gall, CA de plusieurs compagnies de chemins de fer, président de la SAV, Cn libéral (1883-1902), président du Club de l'agriculture (1902); **Carl Eigenmann-Bauer** (1849-1931) (TG), fils d'un agriculteur-aubergiste, vétérinaire, fondateur de la «Thurg. Viehzuchtgenossenschaft», fondateur et président de la «Ostschweiz. Fleckviehzuchtgenossenschaft», membre du comité de la société cantonale d'agriculture, membre du comité central de l'USP (1909-1931), Cn indépendant puis PAB (1899-1931), autorité en police vétérinaire; **Theodor Schmid-Schmid** (1858-1918) (LU), agriculteur, CdE (1907-1918), représentant de l'agriculture de l'Entlebuch, Cn catholique-conservateur (1892-1907), remplace Zemp qui est élu au CF.

Divers

Filippo Rusconi-Mariotti (1844-1926) (TI), avocat et notaire, CdE (1890-1893), président du consortium pour la correction du «Ticino» (1895-1926), président du CA de la «Banca cantonale ticinese», Cn libéral-radical; **Alfred Vincent-Terroux (-Stülcken)** (1850-1906) (GE), médecin, directeur du bureau de la salubrité (1884-1897), professeur d'hygiène à l'Université de Genève (1889-1900), CdE (1897-1906), Cn de tendance radicale-libérale (1896-1906); **Eugen Wullschleger-Gabelmann** (1862-1931) (BS), commerçant, secrétaire central de la SdG, secrétaire général du syndicat des fonctionnaires des postes, télégraphes et douanes (1898-1902), CdE (1902-1920), Cn socialiste, principal artisan de la réunion du PSS et de la SdG.

COMMISSION DU CE

Grande industrie

Georg Leumann-Sulzer (1842-1918) (TG), fils de Georg Leumann – teinturerie «Bürglen» – et beau-fils de Salomon Sulzer – cofondateur de l'entreprise de fabrication de machines «Gebruder Sulzer» –, industriel actif dans le textile, fonde une filature mécanique de laine peignée à Bürglen, membre de nombreux CA dans les domaines de la banque, des assurances, des chemins de fer, des industries textiles et de la chimie, président du THIV (1908-1918), CaE radical (1890-1918); **Leonhard Blumer-Paravicini (-Blumer)** (1844-1905) (GL), dirige l'entreprise de tissage mécanique de coton «L. Blumer und Cie» (270 métiers en 1888), initiateur du «Sernftalbahn», membre du comité du «Handels- und Industrieverein Glarus», CaE de tendance démocrate (1893-1905), entrepreneur patriarcal favorable à une politique sociale; **Johann Jakob Hohl-Hohl (-Streiff)** (1834-1913) (AR), apprentissage de tisserand, fondateur d'une entreprise de fabrication de textiles (1856), commerçant en vins, président de la commission cantonale pour le commerce et l'industrie (1877-1880), membre de la Chambre suisse de commerce (1881-1910), CdE (1874-1880/1883-1887), CaE radical-démocrate (1877-1911); **Edmund von Schumacher-Müller** (1859-1908) (LU), lien avec la famille dirigeante de l'entreprise de métallurgie «von Moos», études de droit, stage chez Zemp, CdE (1888-1908), CA de l'«Eisenwerke von Moos» (1895-1908), président (1906-1908), CA du *Vaterland*, CaE catholique-conservateur (1895-1908); **Oskar Munzinger-Ziegler** (1849-1932) (SO), issu de la famille du Cféd Josef Munzinger, avocat, CdE (1886-

1906), CA de l'entreprise «Von Roll'sche Werke» (1898-1929), président (1906-1928), CA de la filature «Emmenhof» (dès 1891), membre du comité du SHIV, Cn radical (1879-1884), CaE (1886-1917); **Paul Scherrer-Meyer (-Pözl)** (1862-1935) (BS), avocat, président du CA de la «Basler Chemische Fabrik» (plus tard CIBA), membre d'un nombre impressionnant de CA dans les branches des machines, de la bière, de la schappe, cofondateur de la «Basler Kantonalbank», membre du Conseil de banque de la BNS (1906-1935), CaE radical de droite (1896-1919), président du PRDS (1904-1907).

Finance et commerce

Arthur Hoffmann-Moosher (1857-1927) (SG), avocat, CA d'entreprises financières, «Crédit Suisse» (1899-1911), compagnie d'assurances «Helvetia» (1891-1910), liens avec les industries de la broderie et des machines, CaE radical-libéral (1896-1911), Cfed (1911-1917); **Paul Usteri-Escher** (1853-1927) (ZH), fils de Paulus Usteri-Blumer – négociant – et beau-fils de Hans Jakob Escher vom Glas – marchand et propriétaire de filature –, directeur de la compagnie d'assurances «Rentenanstalt» (1896-1912), vice-président (1906-1923) puis président de la BNS (dès 1923), président du CA de la *NZZ*, CaE libéral puis radical (1900-1922); **Emil Isler-Wohler** (1851-1936) (AG), fils du Cn Jakob Isler-Troller – grand industriel du tressage de la paille –, avocat, CA d'entreprises financières et ferroviaires, CA dans les industries de la chaussure, du tricotage et de l'électricité, Cn libéral (1884-1890), CaE libéral puis radical (1890-1932); **Arnold Robert-Tissot** (1846-1925) (NE), fils d'Alfred Robert-Cugnier – banquier –, banquier impliqué dans des sociétés ferroviaires, président du *National suisse* (1881-1893), CaE radical (1889-1913); **Adrien Lachenal-Eggly** (1849-1918) (GE), fils de Jacques Lachenal-Jaquier – huissier judiciaire – et beau-fils de Jean-Antoine Eggly – monteur de boîtes –, avocat à la tête d'une importante étude, carrière dans la magistrature, Cféd (1893-1899), CA de la «Caisse d'épargne du canton de Genève» (1881-1893), membre de l'ACIG, CaE radical (1881-1884/1899-1918), Cn (1884-1892), membre fondateur de la Ligue suisse contre le renchérissement; **Henri Simon-Criblet (-Mermod)** (1868-1932) (VD), fils de David Simon-Marti – négociant en tabac –, dirige le négoce familial, propriétaire de grands vignobles, CA de plusieurs entreprises électriques, CdE (1919-1932), CaE radical (1901-1928); **Antonio Battaglini-Ruefli** (1845-1923) (TI), fils du Cn Carlo Battaglini-Bussolini – avocat et notaire – avocat et notaire, CdE (1901-1905), CaE libéral-radical (1893-1907), lié à des entreprises ferroviaires.

Agriculture

Johannes Müller-Kesserling (-Waldvogel) (1841-1913) (SH), grand agriculteur et aubergiste, viticulteur et commerçant en vins, CdE (1872-1873), CA de la «Bank in Schaffhausen» (1874-1876), membre du conseil de la banque cantonale (1883-1909), comité du SLV (1888-1906) et de l'USP (1897-1909), CaE radical (1879-1906), président du Club de l'agriculture; **Franz Bigler-Gisiger** (1847-1919) (BE), agriculteur puis marchand de fromage, cofondateur de la «Eisenmöbel- und Maschinenfabrik Bigler-Spichiger», président du CA de la «Bank in Bern», cofondateur et membre du CA du «Emmentaler-Burgdorf-Thun-Bahn», membre du comité du SLV (dès 1888); **Jean-Marie de Chastonay-de Werra** (1845-1906) (VS), pharmacien et propriétaire de vignobles, CdE (1893-1897), CaE catholique-conservateur (1901-1906); **Karl Kümin-Kümin (-Mächler) (-Steiner)** (1835-1906) (SZ), gros agriculteur et hôtelier, CdE (1868-1880/1884-1904), CaE catholique-conservateur (1885-1905); **Georges Python-de Wuilleret** (1856-1927) (FR), fils d'agriculteur et beau-frère du banquier privé Aeby, avocat, CdE (1886-1927), fondateur de la «Banque d'Etat de Fribourg», Cn catholique-conservateur (1884-1893), CaE (1896-1920).

Annexe 15. Glossaire de politique douanière suisse[1]

Article de rétorsion («**Kampfzollartikel**»): article de la loi sur le tarif douanier renforçant les compétences douanières du Gouvernement dans l'optique de négociations; cette disposition permet au CF d'appliquer des mesures de rétorsion de manière provisoire sans suivre la voie législative normale; le législatif est ensuite appelé à se prononcer sur les décisions du CF; du fait que cette approbation ultérieure se fait sous la forme d'un arrêté, la clause d'urgence peut lui être appliquée pour soustraire les changements de tarification au référendum; dans certaines circonstances, l'Assemblée fédérale a renforcé cet article de loi en votant un arrêté spécial régulant l'application de mesures de rétorsion.

Balance commerciale: compte statistique récapitulant les importations et les exportations d'un pays au cours d'une période donnée pour en faire apparaître le solde.

Balance des paiements: compte statistique retraçant l'ensemble des opérations intervenues au cours d'une période donnée entre un pays et l'extérieur – marchandises, services, capitaux.

Charge douanière: masse fiscale prélevée par l'Etat au moyen de douanes et de péages; sa perception peut se faire à l'intérieur du territoire ou uniquement aux frontières, ce qui modifie l'effort fiscal fourni par les différents cantons; la répartition de la charge douanière est fixée par le tarif douanier; elle peut privilégier l'imposition de l'importation, de l'exportation ou du transit; en règle générale, la taxation de l'importation fournit la majeure partie des recettes douanières; elle peut porter sur les marchandises produites dans le pays – taxes protectionnistes – ou non – taxes fiscales.

Commerce de transit: marchandises d'un pays étranger traversant la Suisse pour être acheminées et vendues dans un autre pays étranger.

Commerce d'exportation: marchandises produites en Suisse et expédiées à l'étranger pour y être vendues.

Commerce d'importation: marchandises étrangères introduites en Suisse pour y être vendues.

Commerce intermédiaire ou commerce d'entrepôt: marchandises étrangères introduites en Suisse pour y être entreposées avant d'être réexpédiées dans un autre pays pour y être vendues.

Commerce extérieur: ensemble des échanges de marchandises entre un Etat et le reste du monde – exportation et importation.

Commerce intérieur: ensemble des échanges de marchandises effectués à l'intérieur du territoire d'un pays; en Suisse, ce mouvement commercial est entravé jusqu'en 1848 par l'existence de barrières douanières cantonales.

Commerce spécial / général: compte statistique des mouvements de marchandises ne prenant en compte que les quantités importées et exportées effectivement consommées dans le pays de destination; le commerce général ajoute à ce compte les marchandises prises en charge par le commerce intermédiaire, qui ne font que transiter dans le pays avant d'être consommées ailleurs; les deux mesures excluent les marchandises en transit qui ne sont pas stockées pour un temps dans le pays.

Concordat douanier: accord entre plusieurs cantons dans le domaine de la taxation douanière – transit, rétorsion, etc.

Coûts de production: ensemble des coûts liés à la production d'une marchandise – salaires, intérêts, matières premières, énergie, recherche.

Coûts de commercialisation: ensemble des coûts liés à la commercialisation d'une marchandise – transport, frais d'assurance, taxations, trafic des paiements, publicité.

1 Certaines définitions sont inspirées des ouvrages suivants: Yves Bernard et Jean-Claude Colli, *Dictionnaire économique et financier*, Paris, 1989; *Petit Robert*, Paris, 1989.

Douanes: administration chargée de contrôler le passage des marchandises à travers la frontière ou à certains points du territoire (routes, ponts, cols, etc.) et de leur appliquer une imposition (taxes douanières, péages de roulage, pontonnage, etc.).

Drawback: remboursement des droits de douane payés à l'entrée de matières premières, lorsque les produits manufacturés qu'elles ont servis à fabriquer sont exportés.

Dumping: ensemble de pratiques destinées à abaisser le prix des biens exportés de façon qu'ils concurrencent efficacement les biens offerts par d'autres pays producteurs; il peut s'agir de réaliser des surprofits sur le marché intérieur pour exporter l'excédent de production à des prix inférieurs, de diminuer la valeur de la monnaie nationale, d'allouer des primes à l'exportation, etc.

Entrepôt: local où peuvent être déposées temporairement des marchandises provenant de l'étranger sans acquitter les taxes douanières; ces marchandises sont ensuite réexportées ou dédouanées et vendues sur le marché intérieur; le système d'entrepôt est le pendant moderne du port-franc qui permet au commerce intermédiaire d'échapper à la taxation douanière; l'entrepôt réel est géré et contrôlé par l'administration douanière; l'entrepôt fictif permet au marchand d'utiliser des locaux privés moyennant un certain contrôle administratif.

Guerre douanière: situation de rupture des relations diplomatiques commerciales entre deux Etats pendant laquelle une tarification souvent prohibitive est appliquée pour freiner l'exportation de l'adversaire; l'objectif est d'amener celui-ci à faire certaines concessions douanières – diminution de son tarif en faveur de l'exportation ou augmentation du tarif suisse.

Impôt direct: prélèvement obligatoire et sans contrepartie immédiate effectué par l'Etat sur la matière imposable – impôts sur le revenu et la fortune.

Impôt indirect: prélèvement obligatoire et sans contrepartie immédiate effectué par l'Etat sur un événement concernant la matière imposable – production, consommation, circulation – et qui est le plus souvent répercuté sur les prix payés par le consommateur.

Ohmgeld: impôt cantonal sur la consommation de vin et autres alcools.

Péage: taxe que l'on paye pour emprunter une voie de communication.

Politique de combat: pratique de l'Etat visant à favoriser l'exportation de marchandises en obligeant les Etats étrangers à conclure des traités de commerce à tarif; l'objectif est de protéger la capacité de consommation suisse par un tarif général protectionniste et de troquer des réductions de taxes contre une ouverture du marché de l'Etat contractant aux exportations suisses; le tarif d'usage issu des négociations peut être plus ou moins libre-échangiste en fonction des exigences des pays contractants et des objectifs poursuivis par l'Etat – libre-échange, fiscalisme ou protectionnisme; cette politique comporte deux risques du point de vue des libre-échangistes: la dégradation des relations commerciales avec certains partenaires pouvant déboucher sur une guerre douanière et l'accroissement de la charge douanière causé par les résidus protectionnistes maintenus dans le tarif d'usage – échec des négociations commerciales, pression des milieux protectionnistes.

Politique de libre-échange: pratique de l'Etat visant à ne pas intervenir dans la gestion des échanges extérieurs du pays et notamment à ne pas influencer le trafic par une imposition; l'objectif est par conséquent de diminuer la charge douanière à un minimum et d'orienter sa répartition vers la taxation des marchandises qui ne sont pas produites dans le pays (taxes fiscales); bien qu'elle nécessite une intervention de l'Etat, la conclusion de traités de commerce permet de poursuivre des buts libre-échangistes; défendu par les milieux libéraux, le libre-échange profite aux acteurs économiques intéressés au commerce extérieur – commerce d'importation, d'exportation et d'entrepôt (import-export ou commerce intermédiaire); en diminuant la charge fiscale imposée à la consommation, il profite aussi aux milieux salariés en améliorant leur pouvoir d'achat.

Politique de réciprocité douanière: pratique de l'Etat visant à adapter la tarification nationale au niveau de celles pratiquées par les principaux partenaires commerciaux; une grande différence de taxation entre deux Etats peut en effet provoquer un déséquilibre de la balance commerciale entre les deux pays; le but d'une négociation commerciale est notamment d'améliorer la réciprocité douanière en faveur de l'économie nationale; en Suisse, les adeptes de la réciprocité cherchent le plus souvent à augmenter l'effet protectionniste du tarif suisse en prenant comme référence les Etats voisins.

Politique douanière autonome: pratique de l'Etat visant à ne pas limiter sa marge de manœuvre en matière de politique douanière en concluant des traités de commerce à tarif; une révision du tarif douanier peut ainsi intervenir en tout temps et modifier l'ensemble des positions.

Politique fiscaliste: pratique de l'Etat visant à utiliser les douanes comme moyen de financer ses dépenses sans forcément chercher à influencer les échanges extérieurs; l'objectif est par conséquent de prélever une charge douanière suffisante pour faire face aux besoins de l'Etat; quant à la répartition de la charge, elle peut poursuivre des objectifs libre-échangistes ou protectionnistes.

Politique protectionniste: pratique de l'Etat visant à entraver l'importation de marchandises en les imposant fortement à la frontière; l'objectif principal n'est pas le gonflement de la charge douanière, mais une répartition de celle-ci favorisant les producteurs indigènes écoulant leurs marchandises sur le marché intérieur; ceux-ci peuvent en effet augmenter leurs prix tout en restant compétitif; l'effet de renchérissement d'une politique protectionniste est donc double: à la charge douanière qui tombe dans les caisses de l'Etat s'ajoute le surcroît de bénéfices réalisés par les producteurs; en stimulant le commerce intérieur et en renchérissant les productions exportées, le protectionnisme est susceptible de porter préjudice aux échanges extérieurs; à noter que les buts poursuivis par l'Etat peuvent être multiples: mise en place d'une nouvelle activité productive, encouragement à l'investissement, soutien d'une branche de production en difficulté, maintien de productions nécessaires à la défense du pays, aide à des régions périphériques ou à des classes sociales en difficulté, etc.

Politique rétorsionniste: pratique de l'Etat visant à favoriser l'exportation de marchandises en obligeant un Etat étranger à faire des concessions douanières; l'objectif est d'augmenter fortement les positions du tarif frappant l'exportation du pays concerné afin d'entraver son exportation et l'amener à mieux tenir compte des intérêts douaniers des exportateurs suisses; la taxation ne vise qu'un pays et a un caractère provisoire; elle peut accessoirement poursuivre des buts protectionnistes; l'application de mesures de rétorsion débouche souvent sur une guerre douanière.

Système douanier centralisé: système en vigueur dès la création de l'Etat fédéral en 1848; la Confédération détient le monopole de la taxation douanière qu'elle exerce aux frontières du pays; jusqu'en 1874, une partie des revenus douaniers est rétrocédée aux cantons pour les indemniser de la perte de cette ressource fiscale.

Système douanier fédéraliste: système en vigueur jusqu'à la création de l'Etat fédéral en 1848; la taxation douanière est de la compétence des cantons et s'effectue donc sur l'ensemble du territoire; la Confédération ne prélève qu'une taxe minime aux frontières pour financer les dépenses militaires.

Tarif conventionnel: tarification fixée dans un traité de commerce conclu avec un Etat étranger qui modifie certaines positions du tarif général à la baisse ou/et qui lie certaines positions pour la durée de l'accord.

Tarif de rétorsion: tarification généralement plus élevée que celle du tarif d'usage et du tarif général qui est appliquée à un seul Etat lorsque celui-ci entrave le commerce helvétique.

Tarif douanier: liste des marchandises soumises aux droits de douanes fixant la taxation imposée à chacune d'elles; en règle générale, l'imposition frappe surtout l'importation de marchandises, mais des taxes de transit et d'exportation peuvent aussi être appliquées.

Tarif d'usage: tarification réellement appliquée aux marchandises en provenance de pays au bénéfice d'un traité de commerce avec la Suisse; il est le résultat de la modification du tarif général par l'ensemble des traités de commerce à tarif conclus avec des Etats étrangers.

Tarif général: tarification fixée dans la loi sur le tarif douanier qui est appliquée telle quelle en l'absence de conventions avec des Etats étrangers; ce tarif sert souvent de base à la négociation de traités de commerce qui peuvent réduire la taxation sur un certain nombre de positions.

Taxation différenciée: application d'une taxation différente selon les catégories de marchandises, qui exige un renforcement de l'appareil douanier; la différenciation du tarif peut se faire en fonction du nombre de positions et de classes de taxation (intensité) et de l'ampleur de l'échelle de taxation; en règle générale, les milieux industriels sont favorables à une taxation fortement différenciée qui permet d'alléger la charge des matières premières et des denrées de première nécessité tout en protégeant les fabriqués industriels; une spécialisation du tarif permet aussi de mener une politique de traités de commerce plus efficace; les milieux commerçants et agricoles préfèrent une taxation faiblement différenciée qui limite les tracasseries douanières et tend à réduire la contrebande.

Taxation différentielle: application d'une taxation différente selon la provenance des marchandises qui exige un renforcement de l'appareil douanier; une tarification plus élevée est généralement mise en vigueur pour les pays ne bénéficiant pas d'un traité de commerce avec clause de la nation la plus favorisée (tarif général au lieu du tarif d'usage).

Taxes fiscales/protectionnistes/mixtes: les taxes fiscales frappent les marchandises qui ne sont pas ou peu produites dans le pays importateur; elles ne profitent donc pas aux producteurs indigènes et la quasi-totalité de la ponction fiscale effectuée sur la consommation va dans les caisses de l'Etat; en Suisse, les taxes fiscales sont le sucre, le café, le pétrole et certaines matières premières; les taxes protectionnistes frappent les marchandises produites dans le pays importateur et écoulées de manière importante sur le marché intérieur; la charge douanière qui va dans les caisses de l'Etat ne représente qu'une partie de la charge totale imposée à la consommation, une autre partie profitant au producteur par le biais d'une augmentation du prix de ses marchandises; à taxation égale, une position protectionniste a ainsi un effet de renchérissement supérieur à celui d'une taxe fiscale; en Suisse, les taxes protectionnistes frappent notamment la viande, les produits en métaux, les matériaux de construction, certains textiles et les habits; les taxes mixtes jouent un rôle protectionniste tout en procurant une partie importantes des revenus de l'Etat; il s'agit surtout du vin, des alcools et du tabac.

Taxes liées: positions du tarif d'usage qui ne peuvent être modifiées à la hausse pendant la durée de validité d'un traité de commerce; cette pratique stabilise les conditions d'échange mais elle diminue la marge de manœuvre financière de l'Etat.

Trafic de perfectionnement: mouvement de marchandises envoyées dans un pays pour y être travaillées avant de revenir dans le pays d'origine, le tout sans payer de taxes douanières; le trafic de perfectionnement actif désigne les marchandises étrangères envoyées en Suisse pour y être travaillées, alors que le trafic de perfectionnement passif désigne les marchandises suisses envoyées à l'étranger.

Traités de commerce à tarif: contrat d'une durée fixe ou indéterminée conclu avec un Etat étranger, qui régule les pratiques commerciales entre les deux pays et définit notamment la hauteur maximale de la taxation appliquée à certaines marchandises dans un tarif conventionnel; ce genre d'accord diminue l'imposition des spécialités exportées par chaque pays et stabilise la taxation sur la moyenne durée; il restreint par contre l'autonomie douanière des Etats et par conséquent, leur marge de manœuvre financière; à noter que la plupart des traités à tarif contiennent la clause de la nation la plus favorisée.

Traités de commerce à clause de la nation la plus favorisée: contrat d'une durée fixe ou indéterminée conclu avec un Etat étranger, qui régule les pratiques commerciales entre les deux pays mais ne définit pas de tarif conventionnel; la clause de la nation la plus favorisée assure aux marchandises exportées vers le pays contractant de bénéficier de toutes les réductions de taxes accordées par ce pays à des Etats tiers et, par conséquent, de ne pas être taxées différentiellement; ce genre d'accord préserve l'autonomie douanière des Etats contractants qui peuvent en tout temps augmenter leur tarif pour faire face à des besoins financiers ou commerciaux.

Valeur ajoutée: différence pour un producteur, entre la valeur de la production évaluée aux prix du marché et celle de sa consommation intermédiaire – valeur des biens autres que de capital fixe et des services marchands consommés dans le processus de production (matières premières, énergie); elle est composée des salaires, des intérêts versés sur le capital, de l'amortissement, des coûts de commercialisation et des bénéfices.

Annexe 16. Chronologie de politique douanière suisse et évolution du contexte international (1815-1914)

	Evénements internationaux	Evénements en Suisse	Politique douanière suisse
		1798-1803 République helvétique	
1801		Fondation de la première filature mécanique à St-Gall	
		1803-1813 Médiation	
1803		Acte de Médiation, restauration partielle du fédéralisme	
1804	Bonaparte est sacré empereur		
1806	Début du Blocus continental		Le commerce extérieur de la Suisse est entravé par les diverses mesures douanières liées au Blocus continental
1810	Durcissement du Blocus continental: tarif français du «Trianon»	Occupation du Tessin décidée par Napoléon afin de mettre un frein au trafic de contrebande	Mise en place d'un tarif douanier renforcé sous la pression de la France (9.11.1810)
1812	Campagne de Russie Guerre entre la Grande-Bretagne et les Etats-Unis		
1813	Fin du Blocus continental	Fin de l'Acte de médiation	Mise en place éphémère d'un tarif douanier fédéral (1.12.1813-31.7.1814)
		1813-1830 Restauration	
1814	Exil de Napoléon Bonaparte		
1815	Congrès de Vienne Bataille de Waterloo La Grande-Bretagne introduit les «corn laws»	Pacte fédéral de 1815: Neuchâtel, Genève et le Valais entrent dans la Confédération Le Congrès de Vienne reconnaît la neutralité suisse	Retour à un système douanier fédéraliste Mise en place de la taxe de frontière fédérale pour financer la caisse de guerre de la Confédération

Annexe 16 (suite)

	Evénements internationaux	**Evénements en Suisse**	**Politique douanière suisse**
1816	Introduction de l'étalon-or par la Grande-Bretagne Premières mesures protectionnistes françaises touchant l'exportation suisse Les Pays-Bas renforcent leur protectionnisme	Crise de l'industrie textile Famine en Suisse orientale Premier hôtel de montagne au Rigi	Renouvellement des capitulations militaires avec la France: la Confédération n'obtient pas de privilèges commerciaux
1817	Crise économique dans toute l'Europe L'Autriche étend sa politique protectionniste au Tyrol, au Vorarlberg, à la Lombardie et à la Vénétie		Le canton de Berne provoque un premier débat douanier à la Diète au sujet des relations avec la France
1820	Les Etats de l'Allemagne du Sud engagent des pourparlers au sujet d'une union douanière	Vague d'émigration au Brésil	Deuxième débat douanier à la Diète au sujet des relations avec la France
1822	Nouvelles mesures protectionnistes de la France Le Bade et le Wurtemberg lancent un ultimatum douanier à la Suisse exigeant la mise en place de mesures de rétorsion contre la France La Russie renforce son protectionnisme douanier		Mise en place de mesures de rétorsion contre la France par certains cantons suisses: Concordat de rétorsion contre la France
1823	Proclamation de la doctrine Monroe aux Etats-Unis	Le premier bateau à vapeur suisse navigue sur le lac Léman (Guillaume Tell)	Lucerne et Uri se retirent du Concordat de rétorsion contre la France
1824	La Sardaigne met en vigueur un tarif protectionniste	Le canton de Glaris interdit le travail de nuit	Echec du Concordat de rétorsion contre la France
1825	Premier chemin de fer en Grande-Bretagne Fin de l'empire colonial espagnol en Amérique du Sud	Le premier billet de banque en Suisse est émis à Berne	

Annexe 16 (suite)

	Evénements internationaux	Evénements en Suisse	Politique douanière suisse
1828	La Grande-Bretagne introduit le système des droits de douane mobiles sur les blés	Le KDSG crée une commission pour développer les échanges avec les Etats-Unis	
1830	Révolution de Juillet en France	La route du col du Gothard est achevée Une série de cantons suisses adoptent des régimes libéraux	
		1830-1848 Régénération	
1832		Les ouvriers d'Uster incendient une fabrique de tissage mécanique pour protester contre le machinisme Les cantons libéraux et conservateurs créent deux ligues de soutien mutuel La révision du pacte de 1815 échoue	
1833	Constitution du «Zollverein» en Allemagne	Séparation entre Bâle-Ville et Bâle-Campagne	Saint-Gall demande à la Confédération de réagir à la création du «Zollverein»
1834		Première banque cantonale à Berne Mouvement d'expatriation de la production en Allemagne	
1835	Premier chemin de fer en Allemagne Le Bade adhère au «Zollverein»		
1837	Victoria monte sur le trône d'Angleterre Incendie de New York, ralentissement économique sur le continent américain et crise commerciale pour les exportations suisses		Rapport de l'Anglais Bowring faisant l'éloge du libre-échange suisse L'échec des négociations commerciales avec les Etats de l'Allemagne du Sud provoque un débat douanier à la Diète
1838		Concordat intercantonal sur les mesures Fondation de la SdG à Genève	

Annexe 16 (suite)

	Evénements internationaux	Evénements en Suisse	Politique douanière suisse
1839	Guerre de l'opium entre la Grande-Bretagne et la Chine	«Escher-Wyss» construit la première machine à vapeur de Suisse Putsch de Zurich: les conservateurs renversent les libéraux Putsch des libéraux au Tessin	Le statu quo douanier est voté par la Diète
1841		L'industrie cotonnière suisse entre dans une crise structurelle Echec du projet ferroviaire Zurich-Bâle Le Gouvernement argovien supprime les couvents	Zurich rejoint le camp des centralisateurs et lance un mouvement de réformes à la Diète Fribourg propose de centraliser le système douanier helvétique à la Diète
1842	Construction du premier transatlantique à hélice	Une enquête industrielle est lancée par la Diète Création du ZIV	Berne entame des négociations d'unification douanière avec les cantons voisins
1843		Grande exposition industrielle à St-Gall Création du SGV	Beyel publie son projet de réforme des conditions-cadre de l'économie suisse
1844	Réformes libre-échangistes de la Grande-Bretagne	Bâle est connecté au réseau ferroviaire international Première expédition des corps francs contre Lucerne après l'appel des Jésuites par ce canton	Les exportations suisses sont soumises à une taxation différentielle en Belgique
1845		Seconde expédition des corps francs Constitution du «Sonderbund» Révolution radicale vaudoise Constitution libérale à Zurich	La Diète refuse la centralisation du système douanier

Annexe 16 (suite)

	Evénements internationaux	Evénements en Suisse	Politique douanière suisse
1846	Guerre hispano-américaine Crise de l'approvisionnement dans l'ensemble de l'Europe Les Etats de l'Allemagne du Sud imposent une taxe de 25% de la valeur sur les céréales exportées en Suisse	Introduction des machines à vapeur dans l'industrie textile Création de la compagnie de chemins de fer zurichoise du «Nordbahn» Les mauvaises récoltes font augmenter le coût de la vie Emigration massive des Glaronnais aux Etats-Unis Révolution radicale à Genève Constitution libérale à Saint-Gall	Berne relance l'idée d'un «Zollverein» suisse réalisé par la voie concordataire
1847	Crise économique en Europe	Ouverture du premier chemin de fer suisse entre Zurich et Baden Violente crise conjoncturelle dans l'industrie: les plus grandes filatures en difficulté Guerre civile du «Sonderbund»	Berne, Soleure, Argovie et Bâle-Campagne signent un concordat qui est toutefois bloqué par le veto des communes bâloises Zurich se déclare intéressé à se joindre au projet bernois Conférence douanière d'Aarau
		1848-1914 Etat fédéral	
1848	Ruée vers l'or en Californie Insurrections ouvrières et Printemps des Peuples dans toute l'Europe Manifeste du Parti Communiste	Nouvelle constitution fédérale Fondation de la Suisse moderne Révolution neuchâteloise Création du SIV	Abolition des barrières douanières intérieures et centralisation des compétences au profit de l'Etat fédéral
1849	Turbine hydraulique de Francis Insurrection démocratique à Dresde Nouvelles réformes libre-échangistes en Grande-Bretagne	Loi sur les postes Création du SHGV	Loi fédérale sur les douanes et premier tarif douanier

Annexe 16 (suite)

	Evénements internationaux	Evénements en Suisse	Politique douanière suisse
1850		Premier recensement fédéral: 2,3 mios d'habitants en Suisse Le système monétaire est unifié sur la base du franc français: le franc suisse est né Loi sur l'expropriation en faveur des services publics	Les modalités de rachat des taxations douanières cantonales sont votées par les Chambres
1851	Coup d'Etat de Louis-Napoléon Première exposition universelle à Londres	«Bally» fabrique ses premières chaussures Loi sur le monopole télégraphique de la Confédération	Révision du tarif douanier consécutive à la réforme monétaire Traité de commerce avec la Sardaigne Les Chambres renoncent à engager une politique de rétorsion contre le «Zollverein»
1852	Fondation du «Crédit mobilier» à Paris Napoléon III empereur	Loi sur les chemins de fer qui entérine une construction par le privé Fondation définitive de la compagnie ferroviaire bâloise du «Centralbahn»	
1853	Guerre de Crimée	Tentative de putsch des conservateurs fribourgeois	
1854	Interdiction des sociétés ouvrières en Allemagne	Première fabrique de broderie à Saint-Gall Loi sur l'école polytechnique fédérale de Zurich Fondation de la ZSIG	
1855	Invention du convertisseur Bessemer (acier)		
1856	Premières couleurs d'aniline industriellement utilisables (Perkins) Fin de la guerre de Crimée	Fondation du «Crédit Suisse» Affaire de Neuchâtel	

Annexe 16 (suite)

	Evénements internationaux	Evénements en Suisse	Politique douanière suisse
1857	Crise économique mondiale déclenchée aux Etats-Unis	Fondation de la «Rentenanstalt»	
1858	Pose du premier câble transatlantique Rattachement de l'Inde à la Couronne britannique Ouverture du Japon au commerce occidental		
1859	Commencement du percement du canal de Suez Naissance du Royaume d'Italie	Interdiction du service mercenaire Fondation de la SICVD (VD)	
1860	Lenoir invente le moteur à explosion Traité de commerce franco-britannique Cobden-Chevalier Annexion de la Savoie par Napoléon III	Fondation du BVHI (BE)	
1861	Début de la guerre de Sécession aux Etats-Unis Emancipation des serfs en Russie	Incendie de Glaris Les Chambres décident de subventionner la construction de routes alpines	
1862	Exposition universelle de Londres	Subvention fédérale à la correction du Rhin	Traité de commerce à tarif avec la Belgique
1863	Fabrication d'engrais de potasse	Premiers voyages organisés en Suisse par «Cook» Le mouvement démocratique obtient ses premiers résultats dans le canton de Bâle-Campagne: instauration d'éléments de démocratie directe Fondation du SAV Fondation du SLV	

Annexe 16 (suite)

	Evénements internationaux	Evénements en Suisse	Politique douanière suisse
1864	Convention de Genève: naissance de la Croix-Rouge Fondation de la 1ère Internationale	En dix ans, le réseau de chemin de fer est passé de 38 à 1300 km Nouvelle carte de la Suisse par Dufour Le canton de Glaris instaure une loi sur le travail en fabrique Fondation de l'ACIG (GE)	Conclusion du premier traité de commerce à tarif d'envergure avec la France Traité de commerce avec le Japon
1865	Fin de la guerre de Sécession Assassinat de Lincoln	La Suisse adhère à l'Union monétaire latine (France, Belgique et Italie)	
1866	Guerre prusso-autrichienne: victoire des Allemands à Sadowa 1er Congrès de l'Internationale à Genève	Usine de produits lactés ouverte à Cham Révision partielle de la Constitution fédérale: le droit d'établissement des juifs est libéralisé	
1867	Dynamo de Siemens Exposition universelle à Paris Extension du suffrage universel en Grande-Bretagne		
1868	Nobel invente la dynamite Machine à écrire de Sholes Révolution en Espagne	Grèves importantes dans le bâtiment à Genève	Traités de commerce à clause de la nation la plus favorisée avec l'Italie et l'Autriche-Hongrie
1869	Le canal de Suez est ouvert à la navigation L'Etat du Wyoming accorde le droit de vote aux femmes	Les démocrates imposent une nouvelle constitution dans le canton de Zurich	Traité de commerce à clause de la nation la plus favorisée avec le «Zollverein»

Annexe 16 (suite)

	Evénements internationaux	Evénements en Suisse	Politique douanière suisse
1870	Fondation de la «Standard Oil Co» Guerre franco-allemande. Concile du Vatican: dogme de l'infaillibilité pontificale	Le chemin de fer du Rigi est mis en exploitation Fondation d'un premier parti socialiste suisse sous la houlette de Greulich Fondation de l'USCI Fondation du «Spinner-Verein»	
1871	Ecrasement de la commune de Paris Création de l'Empire allemand Le traité de Francfort oblige la France à accorder la clause de la nation la plus favorisée à l'Allemagne Début du «Kulturkampf»	Fabrique de ciment Portland à Soleure Le percement du tunnel du Gothard est entrepris Internement de l'armée Bourbaki	
1872	Bismarck devient Chancelier du Reich	Le premier projet de révision totale de la constitution est rejeté en votation populaire Nouvelle loi sur les chemins de fer Un «Volksverein» tente d'unifier la famille radicale	Une tentative de révision du tarif douanier avorte.
1873	Début de la Grande dépression	Exacerbation du «Kulturkampf» Fondation de la KGZ (ZH) Premier «Arbeiterbund»	La forme du tarif douanier est modifiée Réorganisation de l'administration fédérale: créations du DFFD et du DFCC
1874	Fondation de l'Union postale universelle	Révision de la constitution fédérale de 1848: l'instruction primaire est déclarée obligatoire et le référendum législatif facultatif est introduit Fondation du AHIV (AG)	Les articles douaniers ne subissent pas de modifications fondamentales, excepté la suppression des indemnités versées aux cantons

Annexe 16 (suite)

	Evénements internationaux	Evénements en Suisse	Politique douanière suisse
1875	Automobile à moteur à explosion de Marcus Bicyclette à roue libre et à frein Les socialistes allemands s'unissent et adoptent le programme de Gotha	La troupe tire sur les ouvriers du Gothard et tue quatre ouvriers Les conservateurs protestants s'organisent en créant un «Eidgenössischer Verein»	Le traité franco-suisse est dénoncé par la France
1876	Graham Bell invente le téléphone Les industriels allemands constituent une association centrale à tendance protectionniste	Loi sur l'entretien des forêts Fondation du BHIV (BS) Fondation de la SIIJ	Une révision du tarif douanier de 1851 est lancée
1877	Victoria est couronnée impératrice des Indes Première moissonneuse-lieuse aux Etats-Unis La Russie, l'Autriche-Hongrie et l'Espagne augmentent leur taxation douanière	Ouverture d'une bourse à Zurich Echec de la première tentative d'instaurer une Chambre fédérale de commerce Loi fédérale sur le travail en fabrique: la durée journalière maximale de travail est fixée à 11 heures Entrée en vigueur de la loi de 1875 sur l'unification des poids et mesures	
1878	Le Congrès de Berlin reconnaît l'indépendance de la Bulgarie, du Monténégro, de la Roumanie et de la Serbie Bismarck impose une loi d'exception contre les socialistes L'Italie révise son tarif à la hausse	Votation d'une subvention fédérale en faveur du chemin de fer du Gothard La loi sur le prélèvement de la taxe militaire est votée par le peuple après deux échecs (1876 et 1877) Création du poste de Secrétaire du Vorort de l'USCI	Tarif général voté en première lecture. Mise en place d'un article de rétorsion (Feer-Herzog)

Annexe 16 (suite)

	Evénements internationaux	Evénements en Suisse	Politique douanière suisse
1879	Berlin éclaire ses rues avec des lampes électriques L'Allemagne établit un tarif protectionniste	Crise économique en Suisse Fondation de la «Société de Banque Suisse» Fondation de l'USAM Le «Spinner-Verein» devient le «Spinner und Weberverein»	Mesures douanières financières: augmentation des taxes sur le tabac et l'alcool Une partie de l'industrie cotonnière revendique une protection douanière Création d'un Département fédéral du commerce et de l'agriculture
1880	Alliance entre l'Allemagne et l'Autriche-Hongrie	Fondation de l'USS	
1881	Début du percement de l'isthme de Panama La France occupe la Tunisie Nouveau tarif français marquant un retour modéré au protectionnisme	Lois fédérales sur l'émission de billets de banque et le code des obligations Loi sur la responsabilité civile des industriels en matière d'accidents de travail Les catholiques-conservateurs fondent la «Konservative Union» Fondation de la FSASR	Traité de commerce à clause de la nation la plus favorisée avec l'Allemagne Création de la Division du commerce
1882	Première usine électrique à New York (Edison) Constitution du premier trust américain par Rockfeller («Standard Oil Co») Triple Alliance (Autriche-Allemagne-Italie)	Inauguration de la ligne du Gothard La tentative d'instaurer un contrôle de la Confédération sur l'école obligatoire se solde par un échec en votation populaire («Schulvogt») Club de l'Agriculture Echec de la deuxième tentative d'instaurer une Chambre de commerce fédérale Réorganisation de l'USCI et subvention de la Confédération à cette association Fondation de la GSL Fondation des associations de branche suivantes: SSH, VSW, VSL, SGCI	Renouvellement du traité de commerce à tarif avec la France: le résultat est un demi-échec Lancement d'une enquête économique pour satisfaire la petite et moyenne entreprise Etablissement d'un tarif d'usage provisoire sur la base du tarif conventionnel avec la France

Annexe 16 (suite)

	Evénements internationaux	Evénements en Suisse	Politique douanière suisse
1883	Fondation du trust «AEG» en Allemagne Le premier gratte-ciel est construit à New York Bismarck introduit l'assurance maladie obligatoire pour les ouvriers (accident 1884)	Première Exposition nationale (Zurich) Fondation du VSM	La révision définitive du tarif douanier est dans l'impasse Création d'une Division de l'agriculture
1884	Inventions de la soie artificielle et du film photographique Conférence de Berlin: partage de l'Afrique et fondation de la puissance coloniale allemande Le suffrage universel en Grande-Bretagne	«Chameau à quatre bosses» et acceptation de la motion Zemp par les Chambres Arrêtés fédéraux sur l'encouragement de l'agriculture et sur le soutien à la formation professionnelle Forme définitive du SSZWV	Tarif douanier de 1884: sa base est le tarif conventionnel du traité franco-suisse de 1882
1885	Motocyclette Daimler et Benz L'Allemagne prend de nouvelles mesures protectionnistes La Russie augmente sa taxation douanière	L'article constitutionnel sur le monopole de l'alcool est voté par le peuple Union de Fribourg Fondation du ZSOV	La GSL se prononce en faveur de mesures de protectionnisme agricole
1886	Découverte de gisements d'or au Transvaal Débuts de l'industrie automobile Proclamation du 1er mai par les syndicats américains	Fondation de la coopérative agricole du VOLG	Pression des milieux protectionnistes en faveur d'une révision partielle de la tarification et de la conclusion de traités de commerce à tarif avec les Etats voisins
1887	Loi sur les cartels aux Etats-Unis Traité germano-russe L'Allemagne prend de nouvelles mesures protectionnistes L'Autriche-Hongrie et l'Italie révisent leurs tarifs à la hausse	Zemp est nommé à la présidence du Conseil national La loi sur l'application du monopole de l'alcool est acceptée par le peuple Fédération horlogère Ligue protectionniste d'Olten Fondation de l'AB	Révision partielle du tarif douanier (taxes non liées par le traité avec la France) La Division du commerce passe avec Droz au Département fédéral de politique extérieure; un Département fédéral de l'industrie et de l'agriculture est créé

Annexe 16 (suite)

	Evénements internationaux	**Evénements en Suisse**	**Politique douanière suisse**
1888	Avènement de Guillaume II Guerre douanière entre l'Italie et la France	L'«Aluminium-Industrie AG» est fondée à Neuhausen Fondation du PSS Fondation du VMAV Réorganisation du SLV	Application du tarif de 1887 pour faire pression sur les Etats voisins Signature d'un complément au traité de commerce de 1881 avec l'Allemagne (traité à tarif) Traité de commerce à tarif avec l'Autriche-Hongrie
1889	Exposition universelle à Paris Le Congrès ouvrier international de Paris revendique les huit heures	Tensions avec l'Allemagne: affaire Wohlgemuth Loi sur les dettes et les faillites	Traité de commerce à tarif avec l'Italie
1890	Chute de Bismarck Les Etats-Unis restreignent l'immigration Tarif Mac Kinley très protectionniste aux Etats-Unis	Putsch radical au Tessin L'article constitutionnel sur l'assurance maladie-accident est accepté par le peuple Fondation de l'USC Fondation de la Ligue contre le renchérissement de la vie	L'aile protectionniste du mouvement ouvrier est minorisée au sein de la SdG
1891	Première transmission à distance de courant triphasé («Oerlikon») Alliance franco-russe et prolongation de la Triple Alliance Encyclique «Rerum Novarum»: doctrine sociale de l'Eglise catholique L'Allemagne sort de sa politique douanière autonome La Russie révise son tarif à la hausse	L'initiative populaire constitutionnelle est acceptée par le peuple Le catholique-conservateur Zemp est élu au Conseil fédéral Célébration des 600 ans de la Confédération L'article constitutionnel sur le monopole de l'émission fiduciaire est voté par le peuple Extension du soutien fédéral à la formation en faveur des écoles commerciales Apparition de groupements politiques paysans appelés «Bauernbund» dans certains cantons	Tarif général de 1891 accepté en votation populaire La France dénonce son traité avec la Suisse La Suisse conclut des traités de commerce à tarif avec l'Allemagne et l'Autriche-Hongrie

Annexe 16 (suite)

	Evénements internationaux	**Evénements en Suisse**	**Politique douanière suisse**
1892	Scandale de Panama Un double tarif protectionniste est adopté par la France L'Espagne vote un double tarif renforcé	Visite du Kaiser Wilhelm à Lucerne Une initiative sur le droit au travail est lancée par le PSS et la SdG Fondation du «Bauern- und Arbeiterbund Baselland»	Entrée en vigueur d'un nouveau tarif d'usage Traité de commerce à tarif avec l'Italie La Division du commerce réintègre le Département fédéral du commerce, de l'industrie et de l'agriculture
1893	Moteur diesel Crise économique aux Etats-Unis	Emeute à Berne («Käfigturmkrawall») Fondation du SBB Réorganisation de la fraction libérale	Nouvelle loi sur l'organisation des douanes Début de la guerre douanière contre la France
1894	Affaire Dreyfus Guerre entre la Chine et le Japon	L'initiative sur le droit au travail est largement rejetée en votation populaire Fondation du PRDS «Katholischer Volkspartei»	Echec de l'initiative du «Beutezug»
1895	Mise en service du Transsibérien Premier cinématographe des frères Lumière Renforcement du protectionnisme agricole italien	Ouverture de la Bibliothèque nationale «Verband Schweizerischer Elektrizitätswerke»	Conclusion d'un accord commercial limité avec la France
1896	Fondation du prix Nobel Premiers Jeux olympiques modernes à Athènes	Création d'«Hoffmann-La Roche» à Bâle Exposition nationale (Genève) Fondation du VSKE	
1897	Clément Adler effectue le premier vol en avion Convention balkanique austro-russe	Fondation de l'USP	
1898	Pierre Curie découvre le radium Guerre hispano-américaine Loi allemande sur la flotte	Ouverture du Musée national Le rachat des chemins de fer est voté par le peuple	

Annexe 16 (suite)

	Evénements internationaux	Evénements en Suisse	Politique douanière suisse
1899	Début de la guerre des Boers Convention de La Haye	«Schweizerischer Genossenchaftsbund» (VOLG+USC)	Lancement de la révision douanière dans la perspective du renouvellement des traités de commerce en 1904
1900	Début du taylorisme aux Etats-Unis Exposition universelle de Paris Insurrection des Boxers à Pékin	Les initiatives des démocrates sur l'élection du Conseil fédéral par le peuple et l'élection du Conseil national à la proportionnelle sont rejetées La SIIJ est remplacée par une Chambre suisse de l'horlogerie	
1901	«Brown Boveri» produit la première turbine à vapeur du continent Mort de la Reine Victoria	La SdG fusionne avec le PSS	
1902	Nouveau tarif douanier allemand renforçant le protectionnisme agricole Convention de Bruxelles sur le commerce du sucre	Grève générale à Genève L'article constitutionnel sur le subventionnement de l'école obligatoire par la Confédération est accepté par le peuple	Tarif général de 1902
1903	Premier vol des frères Wright	Création de syndicats chrétiens-sociaux	Le tarif général est accepté en votation populaire
1904	Guerre russo-japonaise	Le PSS vote un programme axé sur la lutte des classes	Traités de commerce à tarif avec l'Italie et l'Allemagne
1905	Travaux d'Einstein sur la relativité restreinte Défaite de la Russie face au Japon et révolution russe	Le Conseil fédéral réunit à Berne une conférence internationale pour la protection légale des travailleurs	

Annexe 16 (suite)

	Evénements internationaux	**Evénements en Suisse**	**Politique douanière suisse**
1906	Téléphonie sans fil Dreyfus est acquitté	Le tunnel du Simplon est percé La loi sur le commerce des denrées alimentaires est acceptée par le peuple	Entrée en vigueur d'un nouveau tarif d'usage Traités de commerce à tarif avec l'Autriche-Hongrie et l'Espagne Accord commercial avec la France
1907	Procédé du béton coulé Deuxième Conférence de La Haye Tensions entre la France et l'Allemagne au sujet du Maroc	La BNS ouvre ses portes Nouvelle loi sur la protection des inventions La réforme de l'organisation militaire est votée par le peuple	Offensive des milieux libre-échangistes qui demandent une réduction du tarif d'usage sur les denrées alimentaires
1908	Caoutchouc synthétique (Hofmann) Convention internationale de l'acier Le Congo devient propriété belge	L'article constitutionnel sur le contrôle des forces hydrauliques par la Confédération est voté par le peuple	
1909	«Ford» produit des automobiles en série Accord germano-français sur le Maroc		
1910	Le Japon annexe la Corée Nouveau tarif douanier français; le tarif maximum est encore augmenté	L'élection du Conseil national à la proportionnelle est à nouveau refusée par le peuple	
1911	Début de la révolution en Chine Guerre italo-turque	Victoire socialiste aux élections fédérales	La guerre sur la taxation de la viande est engagée: le Conseil fédéral accorde des réductions contre l'avis des milieux paysans
1912	Crise économique Naufrage du Titanic Au Reichstag, les socialistes forment le groupe le plus nombreux Guerres balkaniques Révision du tarif douanier espagnol à la hausse	Grève générale à Zurich Entrée en vigueur du code civil fédéral Loi sur l'assurance maladie-accident «Schweizerische Konservative Volkspartei» Fondation de l'ASB	

Annexe 16 (suite)

	Evénements internationaux	**Evénements en Suisse**	**Politique douanière suisse**
1913	«Ford» inaugure le montage à la chaîne Au Reichstag, la majorité des socialistes allemands votent les crédits militaires Les femmes norvégiennes obtiennent le droit de vote	Loi fédérale sur les épidémies et les épizooties	Le Conseil fédéral rapporte une partie des mesures prises en 1911
1914	Début de la Première guerre mondiale	Exposition nationale (Berne)	La taxation sur la viande est rétablie à son niveau de 1906

Bibliographie

Archives fédérales

Fonds		Volume	Objet
E 11			
Zollwesen		vol. 1-6	révision du tarif douanier (1849-1851)
		vol. 13-20	révisions douanières (1878-1891)
E 6351			
Zolldirektion	(A) -/1	vol. 74-77	révision douanière de 1902
	(A) -/2	vol. 31-48	révision douanière de 1902
E 6			
Handel und Gewerbe		vol. 48	traités de commerce (1903-1906)
E 13 (B)			
Relations commerciales bilatérales		vol. 148	conflit douanier avec le «Zollverein»
		vol. 190	traité commercial franco-suisse (1906)
E EVD KW 20/1			
Kriegswirtschaft (1914-1918)		vol. 72	débat sur la taxation de la viande
E 2			
Auswärtige Angelegenheiten		vol. 2307	correspondance de Numa Droz

Archives des associations économiques

Archives de l'Union suisse du commerce et de l'industrie (USCI) 1870-1914

PV de l'assemblée des délégués
PV du comité central / Chambre suisse du commerce
PV du Vorort
Divers dossiers sur la constitution de l'association et la problématique d'une Chambre de commerce fédérale

Archives de l'Union suisse des arts et métiers (USAM) 1879-1914

PV de l'assemblée des délégués
PV du comité central
PV du comité directeur

Archives de l'Union suisse des paysans (USP) 1897-1914

PV des séances des organes dirigeants
Copies de lettres, vol. 1 (1898-1907), vol. 2 (1899-1907)
Divers dossiers de sources imprimées, vol 32: 63(494), vol. 3373(494)

Imprimés officiels

Bulletin sténographique officiel
Feuille fédérale
Recueil officiel des lois et ordonnances de la Confédération suisse

Presse et périodiques

Journal de Genève
Monatblatt des schweizerischen Gewerbsvereins (organe du SGV)
Neue Zürcher Zeitung
Paysan suisse (organe de l'USP)
Publications du secrétariat suisse des paysans/Mitteilungen des Schweizerischen Bauernsekretariates
Schweizerische Blätter für Wirtschafts- und Sozialpolitik (1893-1916); *Schweizerische Zeitschrift für Volkswirtschaft und Sozialpolitik* (1917-1927)
Schweizerische landwirtschaftliche Zeitschrift (organe de la SLV)
Schweizerisches Centralblatt für Industrie, Handel und Verkehr
Schweizerisches Gewerbeblatt oder Mittheilungen über Volkswirthschaft, Handel und Industrie
Schweizerisches landwirtschaftliches Centralblatt (organe de la GSL)
Wochenblatt des schweizerischen Industrievereins (organe de la SIV)
Zeitschrift für schweizerische Statistik (1865-1915); *Zeitschrift für schweizerische Volkswirtschaft* (1916-1944); *Schweizerische Zeitschrift für Volkswirtschaft und Statistik* (dès 1945)

Sources: 1ère partie (1815-1869)

Classement chronologique

NdA: les recueils de délibération de la Diète *(Abschied der Tagsatzung)* figurent dans cette liste

Bericht an den Löblichen Vorort zu Handen der Hohen Gemeineidgenössischen Tagsatzung, von Seite der im Juni 1820 in Luzern versammelten Eidgenössischen Berathungskommission über die Handelsverhältnisse, vom 19. Juni 1820, in *Abschied der Tagsatzung*, 1820, Beilage K.
Erste schriftliche Berichterstattung der Kommission über die Schweizerischen Handelsverhältnisse, in *Abschied der Tagsatzung*, 1822, Beilage P.
Nachträgliche und vervollständige Berichterstattung der Mitglieder der Kommission über die Schweizerischen Handelsverhältnisse; mit vorzüglicher Hinsicht auf die Denkschrift der Minorität, in *Abschied der Tagsatzung*, 1822, Beilage R.
Drey Briefe aus dem Uechtland über die gegenwärtigen Handelsverhältnisse der Schweiz zu Frankreich, Zürich, 1822.
Concordat sur les relations commerciales avec les décrets de lois et arrêtés y relatifs, Lausanne, 1822.
LOYS DE CHANDIEU Jean Samuel de, *Observations sur la réponse adressée à M. Lullin de Chateauvieux, concernant le commerce de la Suisse,* Lausanne, 1822.
LULLIN-DE CHATEAUVIEUX Jacob Frédéric, *Du commerce des Suisses avec la France*, Genève/Paris, 1822.
Minoritätsmeinung eines Mitgliedes der Kommission, betreffend die Schweizerischen Handelsverhältnisse, in *Abschied der Tagsatzung*, 1822, Beilage Q.
PREVOST Alexandre Louis, *Lettre à Monsieur Lullin de Chateauvieux en réponse à son écrit sur le commerce des Suisses avec la France*, Genève/Paris, 1822.
Wort eines Schweizers an seine Landsleute über die neuerdings erhöhten Eingangszölle in Frankreich, Zürich, 1822.

Nachträgliche Bemerkungen über das Retorsionskonkordat, Zürich, 1823.

Denkschrift des Löblichen Standes Basel an die Hohe Eidgenössische Tagsatzung, betreffend das Retorsionskonkordat vom 28. Augstmonath 1822, in *Abschied der Tagsatzung*, 1823, Beilage R.

Kommissionsbericht an die Hohe Eidgenössische Tagsatzung, über die Handelsverhältnisse in Hinsicht auf das Innere der Schweiz, in *Abschied der Tagsatzung*, 1823, Beilage P.

Erster Nachtrag zu der Schrift: Das Retorsions-Concordat, aus seinem wahren Gesichtspunkte betrachtet, Bern, 1823.

Über das Retorsionskonkordat, Zürich, 1823.

Das Retorsionsconcordat aus seinem wahren Gesichtspunkte betrachtet, Bern, 1823.

Bericht des eidgenössischen Zollrevisors J. C. Zellweger an den eidgenössischen Vorort, Luzern, 1826.

Bericht über die Zoll- und Handelsverhältnisse im Innern der Schweiz, erstattet an den eidgenössischen Vorort von der in Angelegenheiten des Handels im Christmonat 1833 einberufenen eidgenössischen Kommission, Zürich, 1833.

Bericht über einige Industrieverhältnisse im Kanton Zürich, Zürich, 1833.

Bericht über die schweizerischen Handelsverhältnisse zu den verschiedenen Staaten des Auslandes erstattet an den eidgenössischen Vorort von der in Angelegenheiten des schweizerischen Handels im Christmonat 1833 einberufenen eidgenössischen Expertenkommission, in *Abschied der Tagsatzung*, 1834, Beilage FF.

STROMEYER Franz, *Der preussische Mauthverein und sein Einfluss auf die Handelsverhältnisse der Nachbarländer mit besonderer Beziehung auf Frankreich und die Schweiz*, Bern, 1834.

Gutachten der Handelskammer an den Regierungsrath über die Regulierung der Zollverhältnisse im Kanton Zürich, Zürich, 1835.

La Suisse doit-elle établir le principe de la liberté du commerce d'une manière absolue, et pourquoi? Ou bien existe-t-il des cas où par mesure exceptionnelle elle doit s'écarter de ce principe? S'il en existe, quels sont-ils et quelle marche la Suisse doit-elle suivre dans ces cas? Rapport de M. le doyen Frei, in *Actes de la Société suisse d'utilité publique*, rapport 1835, Genève, 1836, pp. 277-326.

(GEGUF J. C.,) *Beleuchtungen über die Handels- und Zollverhältnisse der schweizerischen Eidgenossenschaft mit dem Auslande*, Luzern, 1837.

BOWRING John, *Bericht an das englische Parlament über den Handel, die Fabriken und Gewerbe der Schweiz*, Zürich, 1837.

JACQUET Louis, *Du commerce suisse et des douanes françaises*, Paris/Genève/Lausanne, 1837.

Übersicht über Einfuhrzollansätze in den verschiedenen Nachbarstaaten der Schweiz, Zürich, 1837.

(GEGUF J. C.,) *Entwurf eines Grenzzoll-Gesetzes für die schweizerische Eidgenossenschaft*, Sursee, 1838.

Bericht der in Angelegenheiten des schweizerischen Handels einberufenen eidgenössischen Expertenkommission, in *Abschied der Tagsatzung*, 1839, Beilage SS.

BEYEL Christian, *Über die Handels- und Gewerbsverhältnisse der Schweiz, die sie bedrohenden Gefahren und die möglichen Mittel zur Abhilfe*, Zürich/Frauenfeld, 1840.

CAILLAT J., fils, *Du commerce de Genève, du transit et d'un bâtiment d'entrepôt*, Genève, 1840.

GONZENBACH August von, *Einige Gedanken über die Aufstellung eines schweizerischen Schutzzollsystems*, Zürich, 1840.

NAVILLE M., *Considérations relatives au commerce de transit de la Suisse*, Genève, 1840.

(GEGUF J. C.,) *Erwiderung und Beleuchtung der Druckschriften der Herrn A. von Gonzenbach und Herrn Christian Beyel in Beziehung eines schweizerischen Grenzzollsystems*, Zürich, 1841.

Gedanken über Handel, Industrie und Eisenbahnen mit Bezug auf die hiesigen Zustände, Zürich, 1841.

WILD J. J., *Andeutungen über eine zeitgemässe Handelsstrasse von Basel nach Mailand*, Zürich, 1841.

Quels avantages l'établissement des chemins de fer en Suisse peut-il présenter pour l'industrie et pour le commerce en général? Rapport de M. Bernoulli-Bär, in *Actes de la Société suisse d'utilité publique*, rapport 1841, Lausanne, 1842, pp. 171-196.

GONZENBACH August von, *Exposé du mouvement commercial entre la Suisse et la France pendant l'année 1840*, Berne, 1842.

BEYEL Christian, *Commissionalbericht über die schweizerischen Verkehrs-Verhältnisse zu Handen der Zürcherischen Industriegesellschaft*, Zürich/Frauenfeld, 1843.

Commissional-Rapport der Zürcherischer Kantonalabtheilung der schweizerischen gemeinnützigen Gesellschaft über die Frage: Fördert nicht die Ehre und das wohlverstandene Interesse des Schweizervolkes [...] ein Schutzzollsystem, Zürich, 1843.

L'industrie, le commerce et le fédéralisme, in *Le Courrier suisse*, n°s 47/48/49/50, 13/16/20/23 juin 1843.

SCHMUTS D., *Dissertation sur l'état actuel et les moyens d'améliorations de l'agriculture, de l'industrie, du commerce et des péages de la Suisse*, Fribourg, 1843.

SCHNEIDER Johann Rudolf, Über das Projekt einer Zollvereinigung zwischen den Kantonen Bern, Solothurn und Aargau, in *Schweizerische Viertel-Jahrschrift*, 2, Bern, 1843.

Übersicht der industriellen Verhältnisse des Kantons Zürich, Zürich, 1843.

Votum über die Verkehrs- und Gewerbs-Verhältnisse der Schweiz, St. Gallen, 1843.

Zweites Votum über die Verkehrs- und Gewerbs-Verhältnisse der Schweiz, St. Gallen/Bern, 1843.

Schweizeriche Zollvereinigung, in *Der Erzähler*, Nrn. 55/59/61/64, 11./25. Juli, 1./11. August 1843.

Bericht über die im Sache des Gewerbwesens ausgeschriebene Frage: Fordert nicht die Ehre und das wohlverstandene Interesse des Schweizervolkes [...] ein Schutzzollsystem, von Herrn Alt-Rathsherr P. Jenni von Schwanden, in *Neue Verhandlungen der schweizerischen gemeinnützigen Gesellschaft*, Bericht 1843, Glarus, 1844, pp. 226-277.

DANNER Christoph, *Einige Worte über National-Oekonomie, die Bestrebungen der Gewerbsvereine und über den letzten Handels-Experten-Bericht*, Frauenfeld, 1844.

PESTALOZZI Adolf, Über die Zweckmässigkeit eines schweizerischen Zollvereins. Versuch einer Widerlegung des Commissionalberichtes über die schweizerischen Verkehrsverhältnisse, als Manuscript gedruckt, in *Verhandlungen der technischen Gesellschaft in Zürich*, 1844, pp. 40-44.

Rapport de la Commission fédérale d'experts en matière de commerce sur les relations commerciales de la Suisse avec l'étranger, Lucerne, 1844.

Drittes Votum über die Verkehrs- und Gewerbs-Verhältnisse der Schweiz, Zürich, 1844.

GONZENBACH August von, *De la réforme du tarif anglais et de ses conséquences probables pour le commerce suisse*, Zurich, 1846.

Kommissionalbericht an den Grossen Rath des Kantons St. Gallen über die schweizerischen Zoll- und Handels-Verhältnisse, St. Gallen, 1846.

HUNGERBÜHLER Mathias, *Ein Wort über die schweizerische Zoll- und Handelsfrage*, St. Gallen, 1847.

Protokoll der Conferenz zur Abschliessung eines Zollvereinigungs-Vertrages zwischen den Kantonen Zürich, Bern, Glarus, Solothurn, Baselstadt, Baselland, Schaffhausen, Appenzell a. R., St. Gallen, Aargau, Thurgau, Bern, 1847.

SULZBERGER Jakob, *Betrachtung über die wohlthätigen Wirkungen und Folgen der Arbeit im Allgemeinen, namentlich der Manufactur-Industrie mit besonderer Beziehung auf die Schweiz und ihre derzeitige commerzielle Stellung zum Ausland*, Zürich, 1847.

Zollvereinigungsvertrag zwischen den Kantonen Bern, Solothurn, Basel-Landschaft und Aargau, Liestal, 1847.

Protocole des délibérations de la commission chargée le 16 août 1847 par la haute Diète fédérale de la révision du Pacte fédéral du 7 août 1815, Berne, 1848.

Rapport de la commission qui a élaboré le projet de Constitution fédérale du 8 avril 1848, Lausanne, 1848.

ROTH Abraham, *Ideen zur Wiederherstellung eines soliden Gewerbswesens im Sinne unserer Zeit*, Zürich, 1848.

STRÄHL W., *Über den schweizerischen Gewerbs- und Handwerkszustand und die Nothwendigkeit eines eidgenössischen Schutzzolles*, Solothurn, 1848.

SULZBERGER Jakob, *Beitrag zur Beleuchtung und Begründung der Vorstellung schweizerischer Handwerker, Gewerbsleute und Freunde vaterländischer Arbeit an die hohe Bundesversammlung*, Frauenfeld, 1848.

Ernste Bedenken gegen die Einführung eines Schutzzollsystems in der Schweiz, Herisau, 1849.

Ein Beitrag zur Lösung der materiellen Fragen in der Schweiz von einem Mitgliede des Nationalrathes, Bern/Zürich, 1849.

BEYEL Christian, *Über die schweizerische Zollfrage in Bezug auf den Tarif*, Frauenfeld, 1849.

Du commerce des fers en Suisse, réflexions d'un négociant suisse, Berne, 12 juin 1849.

Denkschrift der Industriekommission der St. Gallisch-Appenzellischen gemeinnützigen Gesellschaft über die schweizerischen Industrie-, Handels- und Zollverhältnisse, St. Gallen/Bern, 1849.

DU PASQUIER Henri, *La question des douanes*, s.l., s.d.

DU PASQUIER Henri, *Mémoire sur le projet de loi relatif aux péages adressé à la Haute Assemblée Fédérale*, Berne, mai 1849.

Eingabe an die Mitglieder der Bundesversammlung betreffend den Vorschlag des Bundesgesetzes über das Zollwesen vom 7. April 1849. Vom kaufmännischen Direktorium in St. Gallen, s.l., 1849.

FAZY-PASTEUR Marc Antoine, *Examen du nouveau système de douanes fédérales*, Genève, 1849.

Gutachten der Handelskammer des Kantons Zürich betreffend den Vorschlag eines Bundesgesetzes über das Zollwesen, Zürich, 1849.

HERZOG Karl, Das neue schweizerische Zollsystem und der Entwurf des Zolltarifs, Bern, 1849.

(HUNGERBÜHLER Mathias,) *Über die Klagen des Handwerkstandes ihre Ursachen und die Mittel, denselben abzuhelfen*, St. Gallen, 1849.

Das Komité des schweizerischen Handwerker- und Gewerbevereins an die hohe Bundesversammlung, Zürich, 1849.

A Monsieur le Président et à Messieurs les Membres de la Commission fédérale chargée de préparer un Projet de Loi sur les Péages et Droits d'entrée fédéraux, Genève, 1849.

Un dernier mot sur la situation de l'industrie du fer en Suisse, Berne, 1er mai 1849.

ODIER-CAZENOVE Louis, *Examen rapide du projet de loi fédérale sur les péages*, Genève, 1849.

ODIER-CAZENOVE Louis et BONNETON François, *Réflexions sur le projet de loi des péages et sur l'état actuel de cette question*, Berne, 1849.

REVERCHON-VALLOTON et Co, *Quelques idées en faveur de l'industrie suisse présentées à l'Assemblée fédérale dans sa session d'avril 1849*, Lausanne, 1849.

Ein Wort über schweizerische Industrie und eine schweizerische Export-Anstalt, Basel, 1849.

La Commission du commerce genevois à ses concitoyens, Genève, 1850.

Beleuchtung der Denkschrift über die Verhältnisse des deutschen Zollvereins zur Schweiz, Bern, 1851.

MEYER VON SCHAUENSEE Bernard F., *Denkschrift über das neue eidgenössische Zollgesetz*, Schaffhausen, 1851.

ODIER-CAZENOVE Louis, *Mémoire sur la loi fédérale des péages et sur son application au canton de Genève*, Genève, 1851.

ODIER-CAZENOVE Louis, *Observations sur le traité de commerce conclu le 8 juin 1851 entre la Confédération suisse et le royaume de Sardaigne, en regard des anciens traités reconnus encore en vigueur. Note lue à la classe d'Industrie et de Commerce, dans sa séance du 17 novembre 1851*, Genève, 1851.

Petition an den hohen Bundesrath, zu Handen der beiden hohen eidgenössischen Räthe in Bern, Glarus, 31. Mai 1851.

RESSEGUEIRE Ch., *De l'entrepôt de Genève*, Genève, 1851.

ROTH Jean-Isaac, *Réflexions sur la loi fédérale des péages et sur l'établissement d'un entrepôt à Genève*, Genève, 1851.

SCHMIDLIN Wilhelm, *Der Einfluss der Eisenbahnen mit besonderer Berücksichtigung der nicht industriellen Theile der Schweiz*, Basel, 1851.

SCHMIDLIN Wilhelm, *Schutzzölle oder Handelsfreiheit*, Hamburg, 1851.

HAGENBACH Peter, *Handwerke und Arbeiter in Bezug auf Freihandel und Schutzzoll und andere Verhältnisse*, Basel, 1852.

HOFFMANN-MERIAN Theodor, *Denkschrift über das neue eidgenössische Zollgesetz. Eine Antwort auf die gekrönte Preisschrift des Herrn F. Bernhard Meyer von Schauensee*, Basel, 1852.

SULZER Eduard, *Ein Beitrag zu Lösung einer der wichtigsten Fragen unserer Zeit*, Zürich, 1852.

CHERBULIEZ Antoine-Elisée, *Rapport sur les actes du Congrès international des réformes douanières, tenu à Bruxelles en septembre 1856*, Berne, 1857.

(MOLINARI Gustave de,) *L'industrie de la Suisse sous le régime de la liberté commerciale. Rapport de MM. les Délégués de l'Association belge pour la Réforme douanière à l'Exposition de Berne*, Bruxelles, 1857.

(FEER-HERZOG Carl,) *Deux lettres d'un négociant suisse à un négociant français sur les échanges commerciaux de la France et de la Suisse*, s.l., 1859.

NINET John, *Pas de traité de commerce avec le Japon*, Berne, 1861.

WEBER Jost, *Die schweizerische Landwirthschaft und der französische Handelsvertrag. Bericht an die Versammlung schweizerischer Landwirthe und Handlungshäuser in landwirthschaftlichen Produkten vom 14. Februar 1863 in Olten*, Luzern, 1863.

Ein Wort an Basels Handelsstand, Basel, 1863.

Négociations commerciales entre la Suisse et la France (procès-verbaux), in *Traités avec la France 1864*, s.l., s.d.

Rapport final touchant les traités convenus avec la France. Imprimé comme copie (rapport du négociateur J. C. Kern), in *Traités de commerce avec la France 1864*, s.l., s.d.

Rede des Herrn Nationalrath Dr. von Segesser betreffend die französisch-schweizerischen Verträge. Gehalten in der Sitzung des hohen Nationalrathes vom 21. September 1864, Schwyz, 1864.

Verhandlungen der eidgenössischen Räte über die Verträge mit Frankreich im Herbstmonat 1864, ihrem wesentlichen Inhalte nach dargestellt aus Auftrag der Bundeskanzlei, Bern, 1864.
(HALLAUER Johannes,) *Denkschrift zur Wahrung der schweizerischen Interessen der Landwirthschaft, insbesondere des inländischen Weinbaues, bei Abschluss eines Handelsvertrages mit den deutschen Zollvereinsstaaten*, Schaffhausen, 30. Mai 1866.
Correspondence, Petition, Memorial and Other Papers Relating to Seizure of Swiss Silk Goods by the United States Customs Authorities at New York, s.l., 1867.
Beitrag zur Lösung der Preisfrage: Welche Industrie- und Erwerbszweige sind in der Schweiz einer grössern Entwicklung fähig; welche könnten und durch welche Mittel neu eingeführt werden, s.l., 1868.
Compte-rendu de la conférence des délégués des sociétés industrielles et commerciales suisses tenue à Lausanne le 1er mai 1869, Lausanne, 1869.

Sources: 2e partie (1870-1914)

Classement chronologique

CHALLET-VENEL Jean-Jacques, *Etude préliminaire concernant un impôt fédéral sur le tabac*, Berne, 1870.
Ein schweizerischer Zeuge vor der wirthschaftlichen Kommission der französischen Kammer, Zürich, 1870.
BÖHMERT Karl Viktor, Die Revision des eidgenössischen Zolltarifs, eine gemeinnützige Nothwendigkeit, in *Schweizerische Zeitschrift für Gemeinnützigkeit*, Nr. 10, 1871, pp. 546-555.
Eingabe der Regierung des Cantons Basel-Stadt an die eidgenössischen Räthe betreffend die beabsichtigte Aufhebung der Zoll- und Postentschädigungen, Basel, 1871.
CHALLET-VENEL Jean-Jacques, *Etablissement d'un Bureau international de péages et de douane à la gare de Genève*, Genève, 1873.
STEINMANN-BUCHER Arnold, *Die Fabrik-Gesetzgebung und die Arbeiter-Frage*, Zürich, 1874.
FLÜCKIGER Daniel, Der schweizerische Handelsvertrag mit Italien, in *Bernische Blätter für Landwirtschaft*, Nr. 30, 1875.
Eingabe des Vorortes des schweizerischen Handels- und Industrie-Vereins an das Tit. Eidgen. Zolldepartement betreffend die schweizerische Zollrevision, Basel, 1876.
Enquête et rapport relatifs à la révision du tarif des péages fédéraux présentés au Conseil d'Etat du canton de Genève par l'Association commerciale et industrielle genevoise, Genève, 1876.
Gutachten über die Revision des schweizerischen Zolltarifs und die Erneuerung der Handelsverträge. Erstattet an den hohen Regierungs-Rath des Kantons Zürich von der kantonalen Kommission zur Beratung des Handelsvertrages mit Frankreich, Zürich, 1876.
Pétition adressée au Haut Conseil fédéral suisse au sujet des traités de commerce par les fabriques de verre à vitres, Moutier/Bellelay, 1876.
Rapports présentés dans la séance du 7 juillet 1876 à la Commission nommée pour le renouvellement des traités de commerce et la révision des péages fédéraux. Association commerciale et industrielle, Chambre de commerce, Genève, 1876.
Rapports relatifs au renouvellement du traité de commerce avec la France. Association commerciale et industrielle, Chambre de commerce, Genève, 1876.
STÖPEL F., *Die Industrie- und Handelspolitik der Schweiz. Ein Beitrag zur exakten Behandlung nationalwirtschaftlicher Fragen*, Frankfurt a. M., 1876.

Die Admissions temporaires. Antwortschreiben des Vorortes des schweizerischen Handels- und Industrie-Vereins an das Tit. eidg. Handelsdepartement, Basel, 1877.

A la haute Assemblée fédérale suisse, à Berne. Au nom de la réunion des fabricants de laineries à Aarbourg, Hätzingen, 1er septembre 1877.

Schweizerisches Centralblatt für Industrie, Handel und Verkehr. Organ für die materiellen Interessen der Schweiz, Zürich, 1877-1880.

COHN Gustav, *Die Finanzlage der Schweiz*, Zürich, 1877.

Eingabe des Vorortes des schweizerischen Handels- und Industrie-Vereins an das Tit. Eidg. Finanz- und Zoll-Departement über den neuen Zolltarif, Basel, 1877.

Zweite Eingabe der schweizerischen Eisenwerke betreffs Revision des Zoll-Tarifes. An den hohen Bundesrath der schweizerischen Eidgenossenschaft zu Handen der hohen Bundesversammlung, Solothurn, Oktober 1877.

FLÜCKIGER Daniel, Die Hauptinteressen der schweizerischen Landwirthschaft bei Erneuerung des Handelsvertrages mit Frankreich, in *SLZ*, Nr. 5, 1877, pp. 1-4.

Petition der Schweizerischen Baumwollwebereien an die Hohe Bundesversammlung, betreffend Gesuch um gerechtere Eintheilung und Erhöhung der Einfuhr-Zölle von Baumwollgeweben, s.l., Dezember 1877.

Rapport du comité central de la Société intercantonale des industries du Jura aux délégués des sections réunis le 9 juillet 1877 à Yverdon, Neuchâtel, 1877.

Rapports relatifs au projet d'un nouveau tarif des péages fédéraux. Association commerciale et industrielle genevoise, Chambre de commerce, Genève, 1877.

Über Revision des Handelsvertrages der Schweiz mit Frankreich. Referat von Herrn Glaser zum Löwen in Muri, in *Mittheilungen über Haus-, Land- und Forstwirtschaft*, Nr. 12, 1877.

Revision des allgemeinen schweizerischen Zolltarifes. Bericht der vom Regierungsrath des Kantons Bern niedergesetzten kantonalen Kommission, Bern, 1877.

STEINMANN-BUCHER Arnold, *Wie wir Volkswirthschaft treiben*, Zürich, 1877.

SULZER-STEINER Heinrich, *Zoll-Conferenz vom 26.-28. April 1877 in Bern*, Winterthur, Mai 1877.

Veredlungsverkehr. Eingabe des Schweizerischen Handels- und Industrievereins an das schweizerische Eisenbahn- und Handelsdepartement in Bern, Basel, 1877.

Der Vorstand der landwirthschaftlichen Gesellschaft des Kantons Aargau an das tit. eidg. Zoll- und Handels- Departement in Bern, in *Mittheilungen über Haus-, Land- und Forstwirthschaft*, Nr. 13, 1877.

BODENHEIMER *Constantin, Zur Frage einer eidgenössischen Steuer auf Tabak und Branntwein*, Bern, 1878.

DEMIERRE Charles, *Chemins de fer et péages fédéraux, ou réflexions sur la situation présente et future de notre Canton au point de vue économique*, Genève, 1878.

FEER-HERZOG Karl, *Zur Lage der schweizerischen Industrie*, Basel, 1878.

La fin de l'affaire des fraudeurs genevois, Genève, 1878.

LOMBARD Frank, *Etudes sur les finances de la Confédération. Conséquences de la Constitution de 1874*, Zurich/Genève, 1878.

Zur eidgenössischen Zollrevision. Rede von Feer-Herzog, Mitglied des Nationalraths, Basel, 1878.

ANDEREGG Felix, *Landwirthschaftliche Gespräche. Winke zur Hebung und Förderung der schweizerischen Landwirthschaft. Eine Volksschrift*, Chur, 1879.

An den hohen schweizerischen Bundesrath in Bern zu Handen der hohen Bundesversammlung. Im Auftrage des Vereines Schweizerischer Spinner und Weber, Zürich, 3. Dezember 1879.

Eingabe der schweizerischen Malzfabrikanten betreffend Zollerhöhung auf Malz an den hohen Bundesrath zu Handen der Bundesversammlung, Basel, 1879.
HOFFMANN-MERIAN Theodor, *Über die Hebung des inländischen Gewerbes. Referat. Erstattet im Namen der Basler Gemeinnützigen Gesellschaft zu Handen der 1879er Jahresversammlung der Schweizerischen Gemeinnützigen Gesellschaft in Bern*, Basel, 1879.
Mémoire concernant la situation des salines suisses en regard des nouveaux tarifs des péages de la Confédération suisse et de l'Empire allemand, ainsi que du futur traité de commerce et de péages entre les deux pays. Adressé aux Hautes Autorités fédérales de la Confédération suisse, Berne, 1879.
Mittheilungen an die Gerber der Schweiz in Zollsachen. Eine Beleuchtung zu der beifolgenden Zoll-Petition von einem Verein ostschweizerischer Gerber, Winterthur, 1879.
OTT Adolf, *Zur Frage des Bundeszolles auf Tabak. Eine volkswirthschaftliche Studie*, Zürich, 1879.
Referate über Textil-Industrie gehalten an der am 25. Mai d. J. in Lenzburg stattgefundenen Versammlung des aarg. Handels- und Industrievereins, s.l., 1879.
STEIGER Edmund von, *Die Hebung des inländischen Gewerbes. Referat für die Jahresversammlung der Schweizerischen gemeinnützigen Gesellschaft 3. September 1879 in Bern*, Zürich, 1879.
STEINMANN-BUCHER Arnold, *Frankreich oder Deutschland? Eine zollpolitische Studie aus der Schweiz zugleich ein Beitrag zum schweizerisch-französischen Handelsvertrag*, Zürich, 1879.
BAUMGARTNER Bonaventur, Die landwirthschaftlichen Zollfragen, in *Landwirthschaftliches Volksblatt*, Nr. 24, 12. Juni 1880.
BRUNNER Johann-Caspar, *Schutzzoll und Freihandel*, Aarau, 1880.
An den hohen schweizerischen Bundesrath, in *Der Zürcher Bauer,* Nr. 6, 1880.
FEHR Viktor, Der schweizerische Zolltarif in seiner Beziehung zur Landwirthschaft. Referat, erstattet in der Generalversammlung des schweizerischen landwirthschaftlichen Vereins zu Liestal am 30. Mai 1880, in *SLZ*, Nr. 8, 1880, pp. 289-302.
FEHR Viktor, Die landwirthschaftliche Zollfrage, in *Landwirthschaftliches Wochen-Blatt*, Nr. 25, 19. Juni 1880.
LANG Emil, *Ein Beitrag zur Diskussion der Zollfrage*, Zofingen, 1880.
MESSIKOMMER Jakob, Freihandel oder Schutzzoll für die schweizerische Landwirthschaft?, in *SLZ,* Nr. 8, 1880, pp. 157-160.
PLANTA Andreas Rudolf von, Zu unseren Zollverhältnissen. Rede, gehalten im Nationalrathe, in *Bernische Blätter für Landwirthschaft*, Nrn. 1/2/3/4, 3./10./17./24. Januar 1880.
RÖDIGER Fritz, Die landwirthschaftliche Zollfrage. Gegenreferat, gehalten in der Generalversammlung des schweizerischen landwirthschaftlichen Vereins zu Liestal am 30. Mai 1880, in *SLZ*, Nr. 8, 1880, pp. 479-493/562-575.
Die Schweizerischen Zollverhältnisse. Bericht der Kaufmännischen Gesellschaft Zürich über die am 5. Februar 1880 auf der «Meise» in Zürich stattgehabte Versammlung Zürcherischer Kaufleute und Industrieller, Zürich, 1880.
Gutachten des Regierungsrathes des Kantons Zürich an das Schweizerische Handelsdepartement in Bern betreffend die Unterhandlungen mit Frankreich hinsichtlich eines neuen Handelsvertrages, s.l., Mai 1881.
HANHART Heinrich, *Der gegenwärtige Stand der schweizerischen Volkswirthschaft*, Zürich, 1881.
HOFFMANN-MERIAN Theodor, Noch ein Wort über die Zollfrage, in *Schweizerisches Gewerbeblatt*, Nr. 12, 1. Dezember 1881.
Révision du Traité de commerce franco-suisse. Travaux préparatoires. (Recueil de requêtes disponible à la Bibliothèque nationale) s.l., 1881.

STEINMANN-BUCHER Arnold, Schweizerische Landwirthschaft: Eine zollpolitische Betrachtung, in *SLZ*, Nr. 9, 1881, pp. 445-449.

STEINMANN-BUCHER Arnold, Zollfrage und Landwirthschaft, in *Landwirthschaftliches Wochen-Blatt*, Nr. 33, 1881.

STEINMANN-BUCHER Arnold, *Zolltarif und Handelsverträge. Beiträge zur schweizerischen Handelspolitik*, Zürich, 1881.

Was wir wollen. Aus den Kreisen der Baumwoll- und Woll-Fabrikanten, Zürich, 1881.

Zur Zollfrage, Zwei Referate im Auftrag des Vorstandes des schweizerischen Gewerbevereins für dessen Sektionen bearbeitet von Th. Hoffmann-Merian und Steinmann-Bucher, Zürich, 1881.

An den hohen Bundesrath der schweizer. Eidgenossenschaft. Namens der schweiz. Teigwaarenfabrikanten, St. Gallen, 1882.

An den hohen Bundesrath zu Handen der hohen Bundesversammlung in Bern. Namens des Schweizerischen Spinner- und Webervereines, Wetzikon, 1882.

CRAMER-FREY Conrad, *Der schweizerisch-französische Handelsvertrag. Annahme oder Verwerfung? Kurze Beleuchtung aus Auftrag der Vorstände der Kaufmännischen Gesellschaft Zürich und der Seidenindustrie- Gesellschaft des Kantons Zürich*, Zürich, 1882.

An das hohe Handels- und landwirthschaftliche Departement in Bern. Im Auftrag des Vereines schweizerischer Spinner und Weber, s.l., 1882.

EGLI-REINMANN und Comp., *Über die Erhöhung des schweizerischen Eingangszolles auf Mehl und andere Mühlenfabrikate*, Langenthal, Dezember 1882.

FREI Emil, *Über den Entwurf eines Programmes für die radikal-demokratische Partei*, Basel, 1882.

Gutachten der vom Regierungsrathe des Kantons Zürich bestellten Expertenkommission für die Revision des Handelsvertrages mit Italien, Zürich, 1882.

Gutachten der vom Regierungsrathe des Kantons Zürich bestellten Expertenkommission für die Revision des Handelsvertrages mit Spanien, Zürich, 1882.

Schweizerisch-französischer Handelsvertrag. Eingabe an die hohe Bundesversammlung im Auftrage der Delegiertenversammlung schweizerischer industrieller und gewerblicher Vereine vom 17. März 1882 im Saale zur «Zimmerleuten» in Zürich, St. Gallen, 1882.

MAGGI Julius, *Der schweizerische Mehlzoll*, Zürich, 1882.

Ministère des Affaires étrangères. Traité de commerce et conventions annexes entre la France et la Suisse conclus le 23 février 1882. Texte et procès-verbaux des conférences, Paris, 1882.

Petition der Anglo-Swiss Condensed Milk Co in Cham an die hohe schweizerische Bundesversammlung in Bern, Cham, 15. Dezember 1882.

Die Revision des schweizerischen Zolltarifs. Eingabe der Kaufmännischen Gesellschaft Zürich an die hohe schweizerische Bundesversammlung, Zürich, 1882.

SCHRAMM Carl, Die Ansätze des schweizerischen Zolltarifs auf verschiedene landwirtschaftliche Produkte und Verbrauchsgegenstände. Ein Gutachten an die Kaufmännische Gesellschaft in Zürich, erstattet von der Gesellschaft schweizerischer Landwirthe, in *Mittheilungen der Gesellschaft schweizerischer Landwirthe*, 2. Heft, Zürich, 1882.

STEINMANN-BUCHER Arnold, *Die Arbeitslosigkeit*, Separat-Abdruck aus der schweizerischen Zeitschrift für Gemeinnützigkeit, Jahrgang 1882, Zürich, 1882.

Was verlieren wir durch die Verwerfung des französischen Handelsvertrages und was können wir hiedurch gewinnen. Der Vorstand der Versammlungen von Zürich und Olten, Zürich, März 1882.

BOVET-BOLENS Henri, *L'avenir économique de la Suisse*, Genève, 1883.

CRAMER-FREY Conrad, *Zur Zolltariffrage*, Zürich, 1883.

DEMIERRE Charles, *La liberté du commerce et l'avenir de Genève ou étude sur les conséquences du régime douanier en ce qui concerne ce canton*, Genève, 1883.

DROZ Numa, La crise agricole, in *Bibliothèque universelle et Revue suisse*, 17/18, 1883, pp. 193-220 et 531-563/pp. 71-101.

DROZ Numa, *Protectionnisme ou libre-échange*, Lausanne, 1883.

Entgegnung des schweizerischen Spinner- und Webervereines auf die Eingabe des glarnerischen Druckerconsortiums vom 25. Januar a.c., an den hohen Bundesrath und die hohe Bundesversammlung der schweizerischen Eidgenossenschaft die Gewebezölle betreffend, Wetzikon, 1883.

Gewerbliche Enquête, 1-3 Theile, Winterthur/Basel, 1883.

Gutachten betreffend Förderung der Landwirthschaft durch den Bund, erstattet an das hohe eidgenössische Handels- und Landwirthschafts-Departement von der Gesellschaft schweizerischer Landwirthe, in *Mittheilungen der Gesellschaft schweizerischer Landwirthe*, 4. Heft, Zürich, 1883.

Die Herabsetzung des Eingangszolles auf Drahteisen (Walzdraht). Kurze Bemerkungen auf das Memorial der Firma Gebrüder von Moos und Cie in Luzern, Biel, 1883.

An die Mitglieder der hohen schweizerischen Bundesversammlung. Im namen des Vorstandes der schweizer. Gesellschaft für chemische Industrie, Glarus und Basel, 5. April 1883.

(MOOS Gebruder von,) *Memorial betreffend die Herabsetzung des Eingangszolles auf Drahteisen (Walzdraht) von Franken 2. – auf 60 Centimes pro 100 Kilos. An den hohen Bundesrath in Bern zu Handen der hohen Bundesversammlung*, Luzern, 27. März 1883.

La production du fer et les droits d'entrée suisses sur les fers. Mémoire adressé aux membres de l'Assemblée fédérale par la direction des forges Louis de Roll, Berne, 1883.

(BOREL Charles,) *Rapport au Département fédéral du Commerce et de l'Agriculture sur les mesures à prendre pour l'amélioration de l'agriculture en Suisse*. Fédération des Sociétés d'agriculture de la Suisse romande, Genève, 1883.

ARNOLD Johann Heinrich, *Die Einführung neuer und Verbesserung bestehender Industrien in der Schweiz*, Frauenfeld, 1884.

Délibérations du Conseil national sur la question de la révision de la Constitution fédérale provoquée par la motion de MM. les conseillers nationaux Zemp et consorts, s.l., s.d.

Eingabe der Bekleidungs-Industrie an die hohen schweizerischen Bundesbehörden in Sachen der Zölle, Basel, 1884.

FISCHBACH Friedrich, *Die Einführung neuer und Verbesserung bestehender Industrien in der Schweiz*, Frauenfeld, 1884.

LOMBARD François, *Le tarif des péages et l'avenir économique de la Suisse*, Genève, 1884.

Tarif des péages. Recueil des imprimés, IIème délibération,1882-1884, s.l., s.d.

Beiträge zu der schweizerischen Zollfrage. Eingesandt von J. L., Aktuar des lanwirthschaftlichen Bezirksvereins Winterthur, in *SLZ*, Nr. 13, 1885, pp. 379-385.

BERGER Gottlieb, *Die Landwirthschaft und der Zuckerzoll*, Langnau, 1885.

BLUMER-EGLOFF, *Ueber den deutsch-schweizerischen Handelsvertrag*, Buchs, 1885.

ENGELER J. M., Die schweizerischen Zölle und die landwirthschaftlichen Interesse, in *SLZ*, Nr. 13, 1885, pp. 220-226.

Enquête sur la situation agricole, industrielle et commerciale du canton de Vaud, Lausanne, 1885.

Enquête sur la situation économique du canton de Genève en 1884. Rapport du groupe commercial présenté au Conseil d'Etat par G. de Seigneux, président du groupe et rapporteur, Genève, 1885.

FREY Emil, *Die Zolltarife der Schweiz, des Deutschen Reiches, Österreich-Ungarns, Frankreichs und Italiens*, Brugg, 1885.

Über den deutsch-schweizerischen Handelsvertrag. Vortrag des Herrn Blumer-Egloff, gehalten im Gewerbeverein St. Gallen, Buchs, 1885.

Die Handelsverträge und der Zolltarif der Schweiz vom Standpunkte der landwirtschafthlichen Interessen. Eine Eingabe der Gesellschaft schweizerischer Landwirte an die hohe Bundesversammlung der schweizerischen Eidgenossenschaft, in *Mittheilungen der Gesellschaft schweizerischer Landwirthe,* 9. Heft, Zürich, 1885.

Die schweizerische Metallwaarenfabrikation und der neue Zolltarif, Zürich, 1885.

SCHENKEL Konrad, Die Zollfrage und unsere Landwirthschaft. Circular des landwirthschaftlichen Bezirksvereins Winterthur an sämmtlichen schweizerischen landwirthschaftlichen Vereine, in *Landwirthschaftliches Wochenblatt*, Nr. 40, 3. Oktober 1885.

Die Schutzzollfrage im landwirthschaftlichen Bezirksverein Winterthur, in *Der Zürcher Bauer*, Nr. 16, 1885.

ZBINDEN Fritz, *Aus gedeihlicher Landwirtschaft erwächst blühende Industrie*, Zürich, 1885.

BERTHEAU Friedrich, *Vortrag gehalten in der General-Versammlung des Schweiz. Spinner-, Weber- und Zwirner-Vereins am 30. April 1886*, Wetzikon, 1886.

CURTI Theodor, *Die soziale Frage in der Schweiz. Vortrag gehalten vor der Delegirtenversammlung des schweizerischen Grütlivereins am Centralfest in Grenchen 26. Juni 1886*, St. Gallen, 1886.

DARIER Sch. Edm. et CHALLET-VENEL Jean-Jacques, *Ports-francs et drawbacks au point de vue des Forces motrices du Rhône*, Genève, 1886.

Über die Einführung des Schutzes der Erfindungen, Muster und Modelle. Herausgegeben vom Bureau der Kaufmännischen Gesellschaft Zürich, Zürich, 1886.

GAUTSCHY Heinrich, *Unsere zollpolitische Lage und unsere Handelsbilanzen mit den Nachbarstaaten. Auf Grund der officiellen schweizerischen Handelsstatistik bearbeitet. Vortrag gehalten in Olten den 7. November 1886*, Basel, 1886.

Handelsverträge und Zolltarif der Schweiz in Beziehung zur schweizerischen Landwirthschaft. Referat von E. Kollbrunner, Staatschreiber, an der Versammlung des thurgauischen landwirthschaftlichen Vereins vom 2. Mai 1886 in Frauenfeld, Eschlikon, 1886.

Mémoire adressé à la haute Assemblée fédérale de la Confédération suisse par les administrations de chemins de fer suisses pour demander le maintien de la franchise des droits d'entrée sur les rails destinés au premier établissement des chemins de fer, Lausanne, 1886.

ONCKEN August, *Die Maxime laissez faire et laissez passer, ihr Ursprung, ihr Werden: Ein Beitrag zur Geschichte der Freihandelslehre*, Bern, 1886.

Vernehmlassung der Direktionskommission des thurgauischen landwirthschaftlichen Vereins betreffend eine Eingabe an die Bundesversammlung über Handelsverträge und Zolltarif bezw. die Kündigung des schweizerisch-deutschen Handelsvertrages, in *Thurgauer Blätter für Landwirthschaft*, Nr. 10 (Beilage), 1886.

ZIMMERMANN Josef, *Die schweizerischen Zollverhältnisse und die Kündigung des Handelsvertrags mit Deutschland. Referat gehalten an der Frühlingsversammlung des Schweizerischen landwirthschaftlichen Vereins am 16. Mai 1886 in Luzern*, Bern, 1886.

Die Zollfrage und unsere Landwirthschaft, in *Landwirthschaftliches Wochen-Blatt*, Nrn. 25/26, 19./26. Juni 1886.

Schweizerischer Zolltarif und Handelsverträge, in *SLZ*, Nr. 14, 1886, pp. 535-539.

ANDEREGG Felix, *Die schweizerischen Zollverhältnisse und die Kündigung des italienischen Handelsvertrages. Vortrag gehalten in Lyss den 1. Mai 1887*, Lyss, 1887.

Eingabe des Basler Handels- und Industrieverein an die hohe schweizerische Bundesversammlung, s.l., März 1887.

Eingabe des Schweizerischen Spinner-, Zwirner- und Weber-Vereines an das hohe schweizerische Zolldepartement zu Handen des hohen Bundesrathes und der hohen Bundesversammlung betreffend Erhöhung der Eingangszölle auf Garn, Zwirn und rohen Tüchern aus Baumwolle, Wetzikon, 11. März 1887.

Eingabe an die Tit. vorberathende Zolltarif-Commission des hohen Ständerathes von dem Verbande schweizerischer Schuhindustrieller betreffend die Zollansätze auf Schuhwaaren und Leder, Zürich, 1887.

Eingabe der Dampfsäge Safenwyl an den Hohen Bundesrath zu geehrten Handen der Tit. Bundesversammlung in Bern, Safenwyl, 5. Dezember 1887.

Eingabe des Vereins der vier schweizerischen Rhein-Salinen an die hohe Schweizer. Bundesversammlung, Basel, Mai 1887.

Zur Erneuerung des schweizerisch-italienischen Handelsvertrages. Bericht des Vorortes des S.H.I.V. an das Eidgenössische Handels- und Landwirtschaftsdepartement, Zürich, September 1887.

Gutachten des Herrn Dr. Hermann Christ in Basel betreffend die Beanstandung der Rede des Herrn Olivier Zschokke in Olten vom 9. Oktober 1887. Seitens des hohen Bundesrathes, Basel, 1887.

Kammgarnfärberei. Eingabe an die hohe Bundesversammlung der schweizerischen Eidgenossenschaft von Jenny und Weigel in Aarau, Aarau, 12. März 1887.

LOMBARD Frank, *Des moyens de développement du commerce extérieur de la Suisse: Système douanier; Etablissements coloniaux; Représentation des intérêts commerciaux et consulats professionnels, musées commerciaux, etc.*, Genève, 1887.

MOSER Henri, *Les relations commerciales de la Suise avec l'étranger*, Genève, 1887.

Pétition au haut Conseil fédéral suisse de l'Union suisse des meuniers et négociants en grains concernant l'augmentation des droits d'entrée sur la farine, Zurich, 12 mars 1887.

Zur Revision des schweizerischen Zolltarifes. Eingabe der Kaufmännischen Gesellschaft Zürich an die hohe Schweizerische Bundesversammlung, Zurich, 1. Juni 1887.

Die Stellung der Landwirthschaft der Schweiz zur Frage des italienisch-schweizerischen Handelsvertrages. Eingabe der Gesellschaft schweizerischer Landwirthe an das eidgenössische Handels- und Landwirthschafts-Departement in Bern, in *SLC*, Nrn. 25/26, 1887.

STOCKER M., Die Landwirthschaft und die Zollfrage, in *Der Landwirth*, Nr. 48 (Beilage), 2. Dezember 1887.

Vorschläge des Zentralvorstandes des Schweizerischen Gewerbevereins an das Schweizerische Zolldepartement betreffend Revision des schweizerischen Zolltarifs, Zürich, 1887.

Zur Zollfrage, in *Bernische Blätter für Landwirthschaft*, Nr. 25, 1887.

Die Zollfrage vom Standpunkte der Landwirthschaft, in *Mittheilungen der Gesellschaft schweizerischer Landwirthe*, 13. Heft, Zürich, 1887.

Zolltarifforderungen 1887. Eingabe einer Anzahl schweizerischer landwirtschaftlicher, industrieller und gewerblicher Vereinigungen an die hohe Bundesversammlung in Bern betreffend Revision des schweizerischen Zolltarifs, Olten, 1887.

Zolltarifnovelle 1887, Aktensammlung 10 Stücke, s.l., s.d.

BERTHEAU Friedrich, *Die gegenwärtige Lage der schweizerischen Baumwollspinnerei, nebst Angabe der Mittel und Wege, wie dem Verfall derselben entgegengewirkt werden kann*, Wetzikon, 1888.

DROZ Numa, L'anarchie économique en Europe (1888), in *Essais économiques*, Genève/Paris, 1896, pp. 55-75.

GREULICH Hermann, *Die Nothlage in der Landwirthschaft und die Mittel zur Besserung*, Zürich, 1888.

*Anträge des Schweizerischen Spinner-, Zwirner- und Weber-Vereins bezüglich Revision des schweizerischen Zolltarifs. An das hohe schweizerische Zolldepartement für sich und zu

Handen des hohen Bundesrathes, der hohen Zolltarifkommission und der hohen Bundesversammlung, Wetzikon, November 1889.

BERGER Gottlieb, *Der Ausfuhrzoll auf kondensirte Milch*, Langnau, 1889.

CRAMER-FREY Conrad, *Der schweizerisch-italienische Handelsvertrag. Rede gehalten in der Sitzung des Nationalrates vom 27. März 1889*, Zürich, 1889.

Eingabe des zürcherischen kantonalen landwirthschaftlichen Vereines betreffend Zollrevision, in *Der Zürcher Bauer*, Nr. 29, 1889.

Zur Frage der Zolltarif-Revision. Eine Eingabe der Gesellschaft schweizerischer Landwirthe an das Tit. schweizerische Industrie- und Landwirthschafts-Departement, in *Mittheilungen der Gesellschaft schweizerischer Landwirthe*, 16. Heft, Zürich, 1889.

Requête de l'Union suisse des bouchers concernant la révision des tarifs suisses de douane, Zurich, 1889.

Zur Revision des Bundesgesetzes über das Zollwesen. Eingabe der Kaufmännischen Gesellschaft Zürich an die hohe schweizerische Bundesversammlung, Zürich, November 1889.

Zur Revision des schweizerischen Zolltarifs, in *Landwirthschaftliches Wochen-Blatt*, Nrn. 26/27/29/30, 1889.

SCHENKEL Conrad, *Der schweizerische Getreidezoll. Referat gehalten am 4. Verbandstag des Verbandes ostschweizerischer landwirtschaftlicher Genossenschaften*, Wülflingen, 1889.

FREY Emil, *Die Zolltarife der Schweiz, des Deutschen Reichs, Österreich-Ungarns, Frankreichs und Italiens*, Brugg, 1890.

NÄF Emil, Die Stellung der Landwirthschaft zur Zollfrage, in *Der Zürcher Bauer*, Nr. 39, 1890.

Observations présentées par M. le Conseiller Fédéral Droz dans la séance du Conseil National du 18 juin 1890, s.l., s.d.

Pétition de l'Union suisse des sociétés de consommation concernant le tarif des péages. Au haut Conseil fédéral suisse pour lui et pour transmettre à l'Assemblée fédérale à Berne, Bâle/Genève, 1890.

Zur Revision des Zolltarifes, in *SLC*, Nr. 26, 28. Juni 1890.

Zur Revision des schweizerischen Zolltarifs. Eingabe der Kaufmännischen Gesellschaft Zürich an die hohen Schweizerischen Behörden, Zürich, 1890.

Révision du tarif des péages 1890. Enumération dans l'ordre des rubriques du tarif tel qu'il résulte des lois du 26 juin 1884 et du 17 décembre 1887 des demandes contenues dans les pétitions provoquées par cette révision. Arrêtée au 15 mars 1890, s.l., s.d.

Die schweizerische Schuhindustrie, ein Beitrag zur Beleuchtung der Zollfrage, Olten, 1890.

SCHWARZENBACH Robert, *Referat über den Anschluss der Seidenindustrie-Gesellschaft des Kantons Zürich an die Liga gegen die Verteuerung des Lebens. Gehalten am 16. November 1890 in der Generalversammlung der Seidenindustrie-Gesellschaft Zürich*, Zürich, 1890.

SEIDEL Robert, *Die Lebensmittelzölle und die Sozialreform. Rede an einer Protestversammlung in Zürich am 28. Juli 1890*, Zürich, 1890.

An den hohen Ständerat. Der leitende Ausschuss des Oltener Comités, Zürich, 30. September 1890.

Ein Wort über Schutzzölle, Milchwirthschaft und Viehaufzucht, in *Thurgauer Blätter für Landwirthschaft*, 1890, Nrn. 16/17.

Die Zolltarifforderungen 1890. Eingabe einer Anzahl schweizerischer landwirthschaftlischer, industrieller und gewerblicher Vereinigungen an die hohe Bundesversammlung in Bern betreffend Revision des schweizerischen Zolltarifs, Bern, 1890.

Zur Zolltarif-Revision, in *SLC*, Nr. 21, 1890.

Freihandel, Betrachtungen am Vorabend des Abschlusses neuer Handelsverträge von einem Achtundvierziger, Zürich, 1891.

FREI Emil, *Sozialdemokratie und Sozialreform*, Basel, 1891.

HALLER Albert de, Le tarif douanier, in *Journal de la Société d'Agriculture de la Suisse romande*, n° 10, 1891.

LOMBARD Frank, *Le protectionnisme et la Ligue contre le renchérissement de la vie*, Genève, 1891.

MÜLLER Franz, *Les droits d'entrée agricoles. Rapport au Département fédéral de l'agriculture*. Imprimé comme manuscrit, Berne, 2 mars 1891.

In der Rendez-vous-Stellung. Eine zollpolitische Betrachtung, in *Landwirthschaftliches Wochen-Blatt*, Nr. 23, 1891.

SCHÄR Johann Friedrich, *Stellung des Verbandes der schweiz. Konsumvereine zum neuen Zolltarif. Vortrag gehalten bei Anlass der Delegiertenversammlung des Verbandes schweiz. Konsumvereine am 31. Mai 1891 in Zürich*, Basel, 1891.

Le nouveau tarif des péages. Deux mots d'explication au Peuple suisse, St. Gallen, septembre 1891.

WATTENWYL-ELFENAU Jean von, *Der neue schweizerische Zolltarif und die Hebung der Landwirtschaft*, Bern, 1891.

Unsere Handelsbeziehungen zu Frankreich, in *SLC*, Nr. 7, 1892.

Schutzzoll und Landwirtschaft, in *SLC*, Nr. 17/18, 1892.

GEERING Traugott, Der Zollkrieg der Schweiz mit Frankreich, in *SBWS*, 1, 1893, pp. 16-24.

GEIGY-MERIAN Johann Rudolf, *Unsere handels- und zollpolitischen Beziehungen zu Frankreich*, Basel, 1893.

SCHATZMANN Friedrich, *Zum Kampf ums Dasein des Schweizervolkes mit den Nachbarstaaten. Social-politische Ideen und Anregungen zur Hebung von Industrie und Handel, Gewerbe und Landwirtschaft*, Lenzburg, 1893.

Zur eidgenössischen Abstimmung über den Beutezug. 4. November 1894. An das Schweizervolk, vom Centralvorstand der freisinnig-demokratischen Partei der Schweiz, Basel, 1894.

ARCHINARD Edouard, *Etat des relations commerciales entre la France et la Suisse. Leur importance. Leur développement possible. Le préjudice causé aux deux pays par les tarifs actuels. Situation particulière aux zones frontières*, Lyon, 1894.

BORGEAUD Charles, Le plébiscite du 4 novembre 1894, in *Revue du droit public et de la science politique en France et à l'étranger*, novembre/décembre 1894, pp. 533-540.

CAFLISCH Johann Bartholomäus, *Ein freimüthiges Wort zur Zollinitiative bzw. zum Beutezug, auch im Namen von Gesinnungsgenossen*, Winterthur, 1894.

Correspondance échangée à la suite de la conférence de Mâcon entre l'Association de la soierie lyonnaise et M. Numa Droz, Berne, 1894.

Aus der Debatte der eidgenössischen Räte über die Zoll-Initiative. Reden der Herren Bundesrat Hauser, Nationalrat Comtesse, Bundesrat Frey und Bundesrat Schenk, Basel, 1894.

Discours prononcés le 15 septembre 1894 à Mâcon par Jules Roche, Georges Favon, Numa Droz, etc., Union pour la reprise des négociations commerciales avec la Suisse, Paris, 1894.

DROZ Numa, *Discours prononcé à Mâcon à l'occasion des fêtes franco-suisses des 15-17 septembre 1894*, Berne, 1894.

MÜLLER Karl, *Der Beutezug eine nationale Gefahr. Aus einem Referat gehalten vor der bernischen Männer-Helvetia*, Bern, 1894.

(DÜRRENMATT Ulrich,) *Une proposition populaire pour le rétablissement de l'équilibre financier entre la Confédération et les Cantons*, publié par le Comité d'initiative pour la votation populaire du 4 novembre 1894, Fribourg, 1894.

SCHÄPPI Johann, *Gegen den Beutezug*, Zürich, 1894.

Schweizervolk wach auf! Ein Wort zur Beherzigung auf die Volksabstimmung vom 4. November 1894 über den «Beutezug», s.l., 1894.

An das Schweizervolk. Zur eidgenössischen Abstimmung über den Beutezug, 4. November 1894, Basel, 1894.

Was ist die Zollinitiative? Ein Wort an das Schweizervolk, Münsingen, 1894.

Die Zollinitiative. Ein Wort an das Luzernervolk, Luzern, 1894.

Die Zweifrankeninitiative vor dem Grossen Rat des Kantons Bern, s.l., 10. Oktober 1894.

COMTESSE Robert, *Quelques considérations sur la représentation diplomatique et consulaire de la Suisse et la votation populaire du 4 février 1895*, La Chaux-de-Fonds, 1895.

GEERING Traugott, Zum Handelsabkommen mit Frankreich, in *SBWS*, 1895, pp. 561-565.

MODAS Léon, *La Zone du pays de Gex en 1895*, s.l., 1895.

PEYER IM HOF Johann Friedrich, Die schweizerische Zoll- und Handelspolitik von heute, in *SBWS*, 1895, pp. 201-219.

DROZ Numa, *La démocratie fédérative et le socialisme d'Etat*, Genève/Paris, 1896.

DROZ Numa, *Essais économiques*, Genève/Paris, 1896.

DROZ Numa, *La politique fédérale en matière de banque, d'assurances et de chemins de fer*, La Chaux-de-Fonds, 1896.

Ausfuhr von Käse und kondensierter Milch, Separatabdruck aus dem Jahresbericht des schweiz. Zolldepartements pro 1897, s.l., s.d.

KUONI Andreas, *Die schweizerische Zollpolitik ist die Hauptursache der Notlage der schweizerischen Bauernsame. Ein Vortrag gehalten im landwirtschaftlichen Verein im Wädenswil*, Chur, 1897.

GEERING Traugott, *Die Handelsbilanz der Schweiz*, s.l., 1898.

EGGENBERGER J., *Die Beurteilung unserer Handelsbilanz*, s.l., 1898.

HAUSER Edwin, *Die Lösung der Frage unserer volkswirtschaftlichen Existenz*, Zürich, 1899.

LAUR Ernst, *Die Bedeutung der Zolltarif für die schweizerische Landwirtschaft*, Bern, 1899.

Matériaux pour les préliminaires des traités de commerce rassemblés par le Secrétariat des paysans, Brougg, 1899.

Rapport de la Chambre vaudoise du Commerce et de l'Industrie au sujet de l'enquête ouverte par le Vorort de l'Union suisse de l'Industrie et du Commerce en vue de la préparation des futurs traités de commerce. Séances des 13 février et 6 mars 1900 à Lausanne, Lausanne, 1900.

Das Tarifsystem für die Erneuerung der Handelsverträge. Vom schweizerischen Bauernsekretariats, Bern, 1900.

MARTINET G., *Situation de l'agriculture et de la viticulture*, Lausanne, 1901.

L'Agriculture et le Nouveau Tarif Douanier de la Suisse. Dédié au peuple suisse par l'Union suisse des paysans, Brougg, 1902.

GAUTSCHY Henry, *Volkswirtschaftliche Streiflichter. Ein offenes Wort an seine Mitbürger und die hohen Behörden anlässlich der Schaffung eines neuen Zolltarifes und der Erneuerung unserer Handelsverträge*, Basel, 1902.

LOMBARD Frank, *Les douanes et le renchérissement de la vie.* Brochure publiée par la Ligue genevoise contre le renchérissement de la vie, Genève, 1902.

Petition betreffend Zoll-Tarif. Der schweizer Hotelier-Verein an die Hohe schweizerische Bundesversammlung, Lausanne, Juni 1902.

Projet de loi sur le tarif des douanes. Procès-verbal de la séance extraordinaire de la Chambre vaudoise du Commerce et de l'Industrie [...] à Lausanne, le 27 mars 1902. En annexe: tableau des propositions de la Chambre, Lausanne, 1902.

Der Zolltarifgegner. Korrespondenzblatt des Aktionskomitees der Liga gegen den Zolltarif.

BAUMBERGER Georg, *Der neue schweizerische Zolltarif. Eine wirtschafts-, handels- und zollpolitische Studie*, St. Gallen, 1903.

Beiträge zur Diskussion über den neuen Zolltarif. Korrespondenzblatt, herausgegeben vom Schweizerischen Aktionskomitee zur Verteidigung des Zolltarifs, 25. Februar – 10. März 1903.

CARTIER Charles-Louis, *Die Schweiz und der Schutzzoll*, herausgegeben und ins Deutsche übersetzt im Auftrage des Aktionskomitees der Liga gegen den Zolltarif, Basel, 1903.

LAUR Ernst, *Rüstzeug im Kampfe für den Zolltarif. Referat von Herrn Bauernsekretär Dr. Laur an einer Vertrauensmännerversammlung in Bern, Samstag den 27. Dezember* 1902, Brugg, 1903.

LAUR Ernst, *Der neue schweizerische Zolltarif*, Basel, 1903.

LAUR Ernst, Die «Ostschweiz» über den Zolltarif, in *NZZ*, Nrn. 48/49/50/51/52, 17./18./19./20./21. Februar 1903.

MAGGINI Carlo, *Spese Militari e Tariffe Doganali. Appunti e note*, Lugano, 1903.

ROSSEL Arnold, *Le nouveau tarif général suisse devant servir de base à la discussion des traités de commerce qui entreront en vigueur en 1904*, Genève, 1903.

SCHWARZENBACH-ZEUNER Robert, *Noch einmal zum Zolltarif. Mit besonderer Berücksichtigung der Referate der Herren Nationalrat Sulzer-Ziegler und Ständerat Dr. Usteri*, Zürich, 1903.

SCHWARZENBACH-ZEUNER Robert, *Referat gegen den neuen General-Zolltarif. Gehalten in der Versammlung Zürcherischer Seidenindustrieller vom 10. Februar 1903*, Zürich, 1903.

SEIDEL Robert, *Lebensmittelzölle und Sozialreform*, 16. Auflage, ergänzt durch Vorwort: «Geschichte des Zollkampfes von 1890/91» und «Die Zollfrage im Jahre 1902/03», Zürich, 1903.

Zolltarif und Handelsverträge: Ihre Wichtigkeit für unseren Nationalwohlstand. Veröffentlicht vom Zentralvorstand des Schweizerischen Gewerbevereins, Glarus, 1903.

CLERGET Pierre, La politique douanière de la Suisse et les nouveaux tarifs de 1902, in *Revue économique internationale*, vol. 3, n° 4, 1904, pp. 890-898.

OLIVETTI Angelo Oliviero, La Politica commerciale svizzera ed i recenti trattati di commercio, Torino, 1905.

TISSOT Edouard, *Rapport présenté à l'assemblée générale de l'Union des villes suisses, réunie à Lugano le 7 octobre 1905, par la commission chargée d'étudier la question du ravitaillement des villes suisses en bétail de boucherie et de la police sanitaire fédérale*, Brougg, 1905.

LAUR Ernst, *Volkswirtschaftliche Leitgedanken der schweizerischen Bauernpolitik. Vortrag gehalten an der Herbstabgeordnetenversammlung des schweizerischen landwirtschaftlichen Vereins in Appenzell, am 30. September 1906*, Brugg, 1906.

Schweizerische Zollpolitik, in *NZZ*, Nr. 144, 26. Mai 1907.

Causes et importance de l'accroissement de l'importation des farines panifiables allemandes en Suisse. Mémoire publié par l'Union des Meuniers Suisses, Zurich, 1908.

Deutschland und der schweizerische Mehlzoll, Zürich, 1908.

Der Einfluss des neuen Zolltarifs auf die Lebenshaltung der schweizerischen Bevölkerung unter besonderer Berücksichtigung der Lage der industriellen und gewerblichen Lohnarbeiter, in *Mitteilungen des schweizerischen Bauernsekretariates*, Nr. 35, Bern, 1908.

Der deutsch-schweizerische Mehlzollkonflikt, herausgegeben vom Verband schweizerischer Müller, Zürich, 1908.

BINDSCHEDLER Rudolf, *Die rechtliche Seite des schweizerisch-deutschen Mehlzollkonfliktes*, Zürich, 1909.

FORNALLAZ Jean, *Le conflit des farines avec l'Allemagne et ses conséquences économiques pour la Suisse, conférence donnée à Yverdon le 23 avril 1909*, Yverdon, s.d.

STEIGER Jacob, *Die Entwicklung des Mehlzollkonfliktes mit Deutschland im Jahre 1909*, Zürich, 1910.

La vie chère en Suisse, publié par l'Union syndicale, Berne, 1910.

ALTHERR Hans, *Article 29 der Bundesverfassung und die Zollfrage im Lichte der Wahrheit. Eine orientierende, verfassungsrechtliche und wirtschaftspolitische Betrachtung über die schweizerischen Lebensmittelzölle. Eine Antwort auf das Begehren des schweizerischen Städteverbandes*, Bern, 1911.

Pétition de l'Union suisse des paysans au sujet de la requête de la Commission administrative de l'Union suisse des Sociétés de consommation concernant l'abaissement des droits de douanes sur les denrées alimentaires. Au Département fédéral des Douanes à Berne, Brougg, 4 décembre 1911.

SCHATZMANN Hans, *Fleischnot und Einfuhr argentinischen Gefrierfleisches*, Zürich, 1911.

(GIGER Hans,) *Antwort auf die Broschüre des schweizerischen Gewerbevereins: Über die wirtschaftlichen Folgen der vermehrten Fleischeinfuhr vom August 1912*, Verband schweizerischer Gefrierfleisch-Importeure, Basel, 1912.

Über die wirtschaftlichen Folgen der vermehrten Fleischeinfuhr, Schweizerischer Gewerbeverein, Bern, 1912.

LAUR Ernst, Die Teuerung und die Herabsetzung der Lebenmittelzölle, in *Mitteilungen der Gesellschaft schweizerischer Landwirthe*, Nr. 1, Januar 1912, pp. 2-22.

ROUMIEUX Francis, *La cherté de la viande. Pourquoi le consommateur demande le maintien de la réduction du droit sur la viande congelée*, Genève, 1912.

ALTHERR Hans, *Sollen in der Zollpolitik die Interessen der Produzenten oder die der Konsumenten massgebend sein?*, Bern, 1913.

LORENZ Jakob, *Der Einfluss des Zolltarifes auf die Lebenshaltung. Kritische Bemerkungen zur Methode Dr. Laur's in Nr. 35 des Mitteilungen des schweizerischen Bauernsekretariates*, Basel, 1913.

LORENZ Jacob, *La classe ouvrière et la politique douanière. Conférence de Jacob Lorenz au Congrès ouvrier suisse à Lucerne*, Zurich, 1914.

MORI Paul, *Der Exporthandel der Schweiz und die Handelsbeziehungen mit den Nachbarstaaten*, Bern, 1914.

Littérature secondaire

L'aide de la Confédération à l'agriculture 1925-1937. Rapport publié par la Division de l'agriculture du Département fédéral de l'économie publique à l'occasion de la Xe Exposition suisse d'agriculture, Berne, 1939.

ALLAIN Jean-Claude, La convention européenne de Bruxelles du 5 mars 1902 sur les sucres, in *Relations internationales*, 15, 1978, pp. 255-283.

ALTERMATT Urs, *Der Weg der schweizer Katholiken ins Ghetto. Die Entstehungsgeschichte der nationalen Volksorganisationen im Schweizer Katholizismus 1848-1919*, Zürich, 1991.

AMMANN Jakob, *Der zürcherische Bauernbund*, Zürich, 1925.

ANTENEN Anton, *Die Agrarpolitik der landwirtschaftlichen Verbände in der schweizerischen Milchwirtschaft und ihre Stellung in Staat und Wirtschaft*, Winterthur, 1959.

ARLETTAZ Gérald, Les finances de l'Etat fédéral de 1848-1939. Structures financières, administratives et documentaires, in *Etudes et Sources*, 3, Berne, 1977, pp. 9-142.

ARLETTAZ Gérald, *Libéralisme et société dans le canton de Vaud 1814-1845*, Lausanne, 1980.

ARLETTAZ Gérald, Libre-échange et protectionnisme. Questions aux archives de la République helvétique, in *Etudes et Sources*, 7, Berne, 1981, pp. 7-76.

ARLETTAZ Gérald, Crise et déflation. Le primat des intérêts financiers en Suisse au début des années 1930, in *Relations internationales*, 30, 1982, pp. 159-175.

Aspects des rapports entre la France et la Suisse de 1848 à 1939, Neuchâtel, 1982.

AUBERT Jean-François, *Petite histoire constitutionnelle de la Suisse*, Berne, 1974.

AUER Andreas (éd.), *Les origines de la démocratie directe en Suisse*, Bâle/Frankfort-sur-le Main, 1996.

BÄRTSCHI Hans-Peter, *Industrialisierung, Eisenbahnschlachten und Städtebau. Die Entwicklung des Zürcher Industrie- und Arbeiterstadtteils Aussersihl. Ein vergleichender Beitrag zur Architektur- und Technikgeschichte*, Basel/Stuttgart/Boston, 1983.

BAILLOD Paul-André, *Die Zollbelastung der Einfuhr. Eine methodische Untersuchung statistischer Messungsversuche*, Zürich, 1957.

BAIROCH Paul, *Commerce extérieur et développement économique de l'Europe au XIXe siècle*, Paris/La Haye, 1976.

BAIROCH Paul, Le volume des exportations de la Suisse de 1851 à 1975, in *RSH*, 28, 1978, pp. 29-50.

BAIROCH Paul, Protectionnisme et expansionnisme économique en Europe de 1892 à 1914, in *Relations internationales*, 15, 1978, pp. 227-233.

BAIROCH Paul, L'économie suisse dans le contexte européen, 1913-1939, in *RSH*, 34, 1984, pp. 468-497.

BAIROCH Paul, European trade policy 1815-1914, in Peter Mathias, Sidney Pollard (ed.), *The Cambridge economic history of Europe*, vol. 8: The industrial economies: the development of economic and social policies, Cambridge, 1989, pp. 1-160.

BAIROCH Paul, Les chemins de fer suisses dans le contexte européen, in Roger Durand, Daniel Aquillon (éd.), *Guillaume Dufour dans son temps 1787-1875, Actes du Colloque Dufour*, Genève, 1991, pp. 215-230.

BAIROCH Paul, La Suisse dans le contexte international aux XIXe et XXe siècles, in Paul Bairoch, Martin Körner (éd.), *La Suisse dans l'économie mondiale (XVe-XXe siècles)*, Zurich, 1990, pp. 103-140.

BAUER Hans, Johann Jakob Speiser (1813-1856), in *Schweizer Pioniere der Wirtschaft und Technik*, 18, Zürich, 1967.

BAUMGARTNER Max, Die Berücksichtigung wirtschaftlicher Interessen im schweizerischen Zollrecht, in *Staat und Wirtschaft, Festgabe Hans Nawrasky*, Einsiedeln/Zürich/Köln, 1950, pp. 147-168.

BAUMANN Werner, *Bauernstand und Bürgerblock. Ernst Laur und der schweizerische Bauernverband 1897-1918*, Zürich, 1993.

BECK Bernhard, *Lange Wellen wirtschaftlichen Wachstums in der Schweiz 1814-1913. Eine Untersuchung der Hochbauinvestitionen und ihrer Bestimmungsgründe*, Bern/Stuttgart, 1983.

BEHRENDT Richard, *Die Schweiz und der Imperialismus. Die Volkswirtschaft des hochkapitalistischen Kleinstaates im Zeitalter des politischen und oekonomischen Nationalismus*, Basel, 1932.

BELOW Fritz, Zollprobleme und deren quantitative Beurteilungsmöglichkeiten im internationalen Vergleich, in *ZSV*, 89, 1953, pp. 193-220.

BERGIER Jean-François, *Histoire économique de la Suisse*, Lausanne, 1984.

BERNEGGER Michael, RHONHEIMER Hans Georg, La soierie zurichoise, de la révolution industrielle à nos jours, in Jean-Pierre Jelmini, Caroline Clerc-Junier, Roland Kaehr (éd.), *La soie. Recueil d'articles sur l'art et l'histoire de la soie*, Neuchâtel, 1986, pp. 141-161.

BERNEGGER Michael, *Die schweizer Wirtschaft 1850 bis 1913: Wachstum, Strukturwandel und Konjunkturzyklen*, Lizentiatsarbeit, Universität Zürich, 1983.

BERNEGGER Michael, Die Schweiz und die Weltwirtschaft: Etappen der Integration im 19. und 20. Jahrhundert, in Paul Bairoch, Martin Körner (éd.), *La Suisse dans l'économie mondiale (XVe-XXe siècles)*, Zurich, 1990, pp. 429-464.

BEUCHAT Jacques, *Conjoncture et structures industrielles de la Suisse dans l'Entre-deux-guerres*, Mémoire, Genève, 1980.

BICKEL Wilhelm, *Die Wandlungen in der ökonomischen Begründung der Freihandelspolitik seit dem 18. Jahrhundert*, Zürich, 1926.

BICKEL Wilhelm, Die öffentlichen Finanzen, in *Ein Jahrhundert schweizerischer Wirtschaftsentwicklung*, hrsg. von der schweizerischen Gesellschaft für Statistik und Volkswirtschaft, Bern, 1964, pp. 273-301.

BILLETER Geneviève, *Le pouvoir patronal*, Genève, 1985.

BINDSCHEDLER Leo, Aussenhandelspolitik bis zum Jahre 1914, in *HSV*, 1939, pp. 129-133.

BINSWANGER Hans Christoph, Europäische Zollunionspläne in der Schweiz vor dem ersten Weltkrieg, in *Aussenwirtschaft*, 1958, pp. 277-283.

BINSWANGER Hans Christoph, Der Zollschutz in den Ländern der EWG und in der Schweiz, in *Aussenwirtschaft*, 1959, pp. 119-146.

BINSWANGER Hans Christoph, Die Berechnung der Zollbelastung in der Schweiz, in *Aussenwirtschaft*, 1959, pp. 147-151.

Biographisches Lexicon Verstorbener Schweizer, in Memoriam, Zürich, 1961.

BITSCH Marie-Thérèse, Les relations commerciales franco-suisses de 1909 à 1914, in *Aspects des rapports entre la France et la Suisse de 1848 à 1939*, Neuchâtel, 1982, pp. 73-84.

BIUCCHI Basileo, The Industrial Revolution in Switzerland, in C. M. Cipolla (ed.), *The Fontana Economic History of Europe*, vol. 4, London, 1970, pp. 627-655.

BLASER Fritz, *Bibliographie de la presse suisse*, Basel, 1956.

BLEULER Werner, *Studien über Aussenhandel und Handelspolitik der Schweiz*, Zürich, 1929.

BLÖSCH Hans, Der schweizerische Gewerbsverein und seine Bestrebungen für eine schweizerische Zolleinheit, in *ZSV*, 64, 1928, pp. 397-409.

BLUMER J. J., *Handbuch des schweizerischen Bundesstaatsrechtes, erster Band,* Schaffhausen, 1877.

BODMER Walter, *Die Entwicklung der schweizerischen Textilwirtschaft im Rahmen der übrigen Industrien und Wirtschaftszweige*, Zürich, 1960.

BÖHI Hans, Hauptzüge einer schweizerischen Konjunkturgeschichte, in *Ein Jahrhundert schweizerischer Wirtschaftsentwicklung*, hrsg. von der schweizerischen Gesellschaft für Statistik und Volkswirtschaft, Bern, 1964, pp. 71-105.

BÖHME Helmut, Big-business, pressure groups and Bismarck's turn to protectionism 1873-1879, in *Historical journal*, 10, 1967, pp. 218-236.

BÖHME Helmut, *Deutschlands Weg zur Grossmacht. Studien zur Verhältnis von Wirtschaft und Staat während der Reichsgründungszeit 1848-1881*, Köln, 1972.

BOHRER Heidi, *Zwischen Sonderbund und Kulturkampf*, Luzern/Stuttgart, 1981.

BOSSHARDT Alfred, Die Schweiz im Kampf mit dem Protektionismus der Grossmächte, in *Die Schweiz als Kleinstaat in der Weltwirtschaft*, hrsg. vom schweizerischen Institut für Aussenwirtschafts- und Marktforschung an der Handels-Hochschule St. Gallen, St. Gallen, 1945, pp. 105-194.

BOSSHARDT Alfred, Die Aussenpolitik des schweizerischen Bundesstaates 1848-1948, in *Aussenwirtschaft*, 1948, pp. 145-165.

BOSSHARDT Alfred, Die Gemeininteresse im handelspolitischen Protektionismus – Realität oder Fiktion?, in *Individuum und Gemeinschaft. Festschrift zur Fünfzigjahrfeier der Handels-Hochschule St. Gallen*, St. Gallen, 1949, pp. 179-199.

BOSSHARDT Alfred, Die schweizerische Aussenhandelspolitik im Wandel der Jahrzehnte, in *Handel und Industrie im Kanton St. Gallen. Denkschrift zum 75 jährigen Bestehen des Handels- und Industrievereins St. Gallen 1875-1950*, St. Gallen, 1950, pp. 89-101.

BOSSHARDT Alfred, Zollpolitk, in *HSV*, 1955, pp. 671-678.

BOSSHARDT Alfred, NYDEGGER Alfred, Die schweizerische Aussenwirtschaft im Wandel der Zeiten, in *Ein Jahrhundert schweizerischer Wirtschaftsentwicklung*, hrsg. von der schweizerischen Gesellschaft für Statistik und Volkswirtschaft, Bern, 1964, pp. 302-327.

BOURDIEU Pierre, Esprits d'Etat. Genèse et structure du champ bureaucratique, in *Actes de la recherche en sciences sociales*, 96/97, 1993, pp. 49-62.

BOURDIEU Pierre, avec Loïc J. D. Wacquant, *Réponses*, Paris, 1992.

BOURGEOIS Daniel, Notes de lecture. Notice bibliographique sur les publications récentes concernant les relations internationales de la Suisse de 1848 à nos jours, in *Relations internationales*, 30, 1982, pp. 231-248.

BRAND Urs, *Die schweizerisch-französischen Unterhandlungen über einen Handelsvertrag und der Abschluss des Vertragswerkes von 1864*, Bern, 1968.

BRÄNDLE Thomas, *Die Grundlagen des schweizerischen Zollrechtes*, Freiburg, 1924.

BRAUN Rudolf, *Le déclin de l'Ancien Régime en Suisse*, Lausanne, 1988.

BRICET Pierre, *Les relations commerciales entre la France et la Suisse de 1892 à nos jours*, Grenoble, 1907.

Briefwechsel Philipp Anton von Segesser (1817-1888), Victor Conzemius (Hg.), Band I 1840-1848, Freiburg, 1983.

BRUGGER Hans, *Die schweizerische Landwirtschaft in der ersten Hälfte des 19. Jahrhunderts*, Frauenfeld, 1956.

BRUGGER Hans, *Schweizerischer landwirtschaftlicher Verein 1863-1963. Festschrift*, Zürich, 1963.

BRUGGER Hans, *Statistisches Handbuch der schweizerischen Landwirtschaft*, Bern, 1968.

BRUGGER Hans, *Die schweizerische Landwirtschaft 1850 bis 1914*, Frauenfeld, 1979.

BRUGGER Hans, *Die schweizerische Landwirtschaft 1914 bis 1980*, Frauenfeld, 1985.

BRUGGER Hans, *Landwirtschaftliche Vereinigungen der Schweiz 1910-1980*, Frauenfeld, 1989.

BRUNN Denis, Le traité de commerce franco-suisse de 1864 et les relations commerciales entre la France et la Suisse de 1864 à 1873, in *Aspects des rapports entre la France et la Suisse de 1848 à 1939*, Neuchâtel, 1982, pp. 49-58.

BRUNNER John, *Die zollpolitischen Interessen des gewerblichen und kaufmännischen Mittelstandes der Schweiz*, Zürich, 1926.

BÜRGIN Alfred, Schweizerisches und baslerisches Unternehmertum im 19. Jahrhundert, in *Schweizer Pioniere der Wirtschaft und Technik*, 18, Zürich, 1967.

BUFF Regula, SPECKER Louis, *Die Plattstichweberei – eine alte Appenzeller Heimindustrie*, Herisau, 1992.

Die schweizer Bundesräte. Ein biographisches Lexicon, Urs Altermatt (Hg.), Zürich/München, 1991.
BURCKHARDT W., *Kommentar der schweiz. Bundesverfassung vom 29. Mai 1874*, Bern, 1905.
BURG Walter von, *Die Entwicklung der schweizerischen Bundesfinanzen 1848 bis 1912*, Bern, 1916.
BURI Adolf, Die Tätigkeit des bernischen Vereins für Handel und Industrie 1860-1910, in *Bernischer Verein für Handel und Industrie, Denkschrift zur Feier des 50jährigen Bestehens*, Bern, 1910.
BUSER Jakob, La statistique du commerce suisse, in *La Suisse économique*, Lausanne, 1918, pp. 184-215.
BUSINO Giovanni, Les théories des élites: problèmes et perspectives, in *Cahiers Vilfredo Pareto. Revue européenne des sciences sociales*, 22-23, 1970, pp. 247-273.
BUSINO Nicolas, *Le commerce extérieur bilatéral entre l'Empire allemand et la Confédération helvétique de 1872 à 1912*, Mémoire, Genève, 1990.
BUSSET Thomas, ROSENBUCH Andrea, SIMON Christian (Hg.), *Chemie in der Schweiz. Geschichte der Forschung und der Industrie*, Basel, 1997.
BUXCEL Emile, *Aspects de la structure économique vaudoise 1803-1850*, Lausanne, 1981.
CARONI Pio, Kathedersozialismus an der juristischen Fakultät (1870-1910), in *Hochschulgeschichte Berns 1528-1984*, Universität Bern, 1984.
Centenaire de la Chambre de commerce et d'industrie de Genève, 1865-1965. 100 ans au service de l'économie genevoise, Genève, 1965.
CERENVILLE Bernard de, *Le système continental et la Suisse 1803-1813*, Lausanne, 1906.
CHAPPUIS André, *Le volume du commerce extérieur de la Suisse de 1851 à 1913*, Mémoire, Genève, 1975.
COLLART Yves, DURRER Marco, GROSSI Verdiana, Les relations extérieures de la Suisse à la fin du XIXe siècle. Reflets d'une recherche documentaire, in *Etudes et Sources*, 9, Berne, 1983, pp. 35-120.
La démocratie référendaire en Suisse au XXe siècle, Roland Ruffieux (éd.), Fribourg, 1972.
DENOTH Caspar, *Die bündnerischen Zölle und Gefälle von der Mediation bis zu ihrer Ablösung*, Zürich, 1930.
DEROBERT Eugène, *La politique douanière de la Confédération suisse. Etude sur la politique douanière de la Suisse depuis la constitution de l'Etat fédéral jusqu'à nos jours et exposé du problème douanier actuel*, Genève, 1926.
DEROBERT Eugène, *La politique douanière suisse de 1921 à 1936* (dactylographié), Genève, 1936.
Dictionnaire Historique et Biographique de la Suisse, Neuchâtel, 1921-1933.
DIETSCHI Erich, *Die Schweiz und Deutschland in ihren handelspolitischen Beziehungen in der Zeit des deutschen Zollvereins 1815-1835*, Basel, 1930.
DIETSCHI Erich, Die Schweiz und der entstehende deutsche Zollverein 1828-1835, in *Zeitschrift für die Geschichte des Oberrheins*, 44, 1930, pp. 287-344.
Documents diplomatiques suisses, 1848-1945, Berne.
Les Douanes suisses, publié par la Direction générale des douanes, Berne, 1948.
DUDZIK Peter, *Innovation und Investition. Technische Entwicklung und Unternehmerentscheide in der schweizerischen Baumwollspinnerei, 1800 bis 1916*, Zürich, 1987.
DÜBLIN Jürg, *Die Anfänge der schweizerischen Bundesversammlung. Untersuchung zur politischen Praxis der eidgenössischen Räte in den zwei ersten Legislaturperioden*, Bern, 1978.
DURTSCHI Ernst, *Festschrift zum 50 jährigen Bestehen des VOLG 1886-1936*, Winterthur, 1936.

EGLOFF Robert, Basels Handel und Handelspolitik von 1815-1835, Basel, 1930.

Encouragement de l'agriculture par la Confédération dans les années 1851 à 1912. Rapport élaboré par le Département fédéral de l'Agriculture à l'occasion de l'Exposition nationale suisse de Berne, Berne, 1914.

Encouragement de l'agriculture par la Confédération dans les années 1913-1924. Rapport élaboré par la Division de l'Agriculture du Département fédéral de l'Economie publique, à l'occasion de la IXe Exposition suisse d'Agriculture, de Sylviculture et d'Horticulture, Berne, 1925.

ETEMAD Bouda, DAVID Thomas (éd.), *La Suisse sur la ligne bleue de l'Outre-mer*, Lausanne, 1994.

ETEMAD Bouda, BATOU Jean, DAVID Thomas (éd.), *Pour une histoire économique et sociale internationale. Mélanges offerts à Paul Bairoch*, Genève, 1995.

EULENBURG Franz, Die handelspolitischen Ideen der Nachkriegszeit, in *Weltwirtschaftliches Archiv*, 25, 1927, pp. 59-103.

EYSOLDT Grete, *Der Zollkrieg zwischen Frankreich und der Schweiz*, Stuttgart/Berlin, 1913.

FABER Marc, *Finanzreform von Sir Robert Peel*, Zürich, 1970.

FAVARGER Philippe, *La noble et vertueuse Compagnie des Marchands de Neuchâtel. Contribution à l'histoire du commerce dans le pays de Neuchâtel*, Neuchâtel, 1913.

FERRARI Pier Mattia, *Contributo allo studio della crescita economica svizzera nel XIX secolo: le esportazioni dell' industria tessile*, Lugano, 1977.

Festgabe für Bundesrat Dr. h.c. Edmund Schulthess, Zürich, 1938.

Festschrift zur Feier des 50jährigen Bestehens des schweizerischen landwirtschaftlichen Vereins 1863-1913, Brugg, 1913.

Festschrift zur Feier des 75jährigen Bestehens des schweizerischen landwirtschaftlichen Vereins 1863-1938, Bern, 1938.

FISCHER Eduard, *Bundesrat Bernhard Hammer 1822-1907 und seine Zeit*, Solothurn, 1968.

FISCHER Elmar, *Bundesrat Dr. med. Adolf Deucher 1831-1912. Zwischen Liberalismus und Staatssozialismus*, Zürich, 1996.

FISCHER Hans, *Dr. med. Johann Rudolf Schneider. Retter des westschweizerischen Seelandes*, Bern, 1963.

FISCHER Thomas, Toggenburger Buntweberei auf dem Weltmarkt. Ein Beispiel schweizerischer Unternehmerstrategien im 19. Jahrhundert, in Paul Bairoch, Martin Körner (éd.), *La Suisse dans l'économie mondiale (XVe-XXe siècles)*, Zurich, 1990, pp. 183-205.

FLORA Peter, *State, Economy and Society in Western Europe 1815-1975*, Frankfurt/London/Chicago, 2 vol. 1983/1987.

FOHLEN Claude, Bourgeoisie française, liberté économique et intervention de l'Etat, in *Revue économique*, 1956, pp. 414-428.

FRAUENDORFER Sigmund, HAUSHOFER Heinz, *Ideengeschichte der Agrarwirtschaft und Agrarpolitik im deutschen Sprachgebiet*, Bonn/Wien/München, 1957.

FREI Karl, Achilles Bischoff (1797-1867), in *Schweizer Pioniere der Wirtschaft und Technik*, 18, Zürich, 1967.

FRETZ Max, *Die Wechselbeziehungen zwischen der modernen Kartellbewegung und der herrschenden Schutzzollpolitik*, Innsbruck, 1923.

FREY Emil, Die schweizerische Handelspolitik der letzten Jahrzehnte, in *Schriften des Vereins für Sozialpolitik*, 1892, pp. 453-519.

FRITZSCHE Bruno, Switzerland, in Mikulas Teich, Roy Porter (ed.), *The industrial Revolution in national Context*, Cambridge, 1996, pp. 126-148.

FUETER Eduard, *Die Schweiz seit 1848. Geschichte, Politik, Wirtschaft*, Zürich/Leipzig, 1928.

FUNK Friedrich, *Die eidgenössischen Volksabstimmungen von 1874 bis 1914*, Bern, 1925.

GAGLIARDI Ernst, *Alfred Escher. Vier Jahrzehnte neuerer Schweizergeschichte*, Frauenfeld, 1919.

GARBANI Philippe, SCHMID Jean, *Le syndicalisme suisse: histoire politique de l'Union syndicale 1880-1980*, Lausanne, 1980.

GASSER-STÄGER Wilhelm, Strukturwandlungen in der schweizerischen Lanwirtschaft seit dem 19. Jahrhundert, in *Ein Jahrhundert schweizerischer Wirtschaftsentwicklung*, hrsg. von der schweizerischen Gesellschaft für Statistik und Volkswirtschaft, Bern, 1964, pp. 106-131.

GEERING Traugott, *Die Handelspolitik der Schweiz am Ausgange des neunzehnten Jahrhunderts*, Berlin, 1902.

GEERING Traugott, Johann Rudolf Geigy-Merian 4.3.1830-17.2.1917, in *Basler Jahrbuch*, Basel, 1919, pp. 1-62.

GEERING Traugott, HOTZ Rudolf, *Wirtschaftskunde der Schweiz*, Zürich, 1923.

GEIGES Lukas A., *Strukturwandlungen in der schweizerischen Textilindustrie. Eine historische und statistische Studie*, Zürich, 1964.

GEORG Alfred, La politique douanière de la Suisse, in *La Suisse économique*, Lausanne, 1918, pp. 175-181.

GEORG Alfred, *Souvenirs de lutte 1894-1927. Contre l'étatisme et la bureaucratie*, Genève, 1936.

GERN Philippe, Approche statistique du commerce franco-suisse de l'an V à 1821, in *Etudes et Sources*, 7, Bern, 1981, pp. 77-117.

GERN Philippe, Les origines de la guerre douanière franco-suisse (1891-1892), in *Aspects des rapports entre la France et la Suisse de 1848 à 1939*, Neuchâtel, 1982, pp. 59-71.

GERN Philippe, ARLETTAZ Silvia, Les échanges entre la France et la Suisse au XIXe siècle. Libéralisme ou protectionnisme, in Paul Bairoch, Martin Körner (éd.), *La Suisse dans l'économie mondiale (XVe-XXe siècles)*, Zurich, 1990, pp. 207-226.

GERN Philippe, ARLETTAZ Silvia, *Relations franco-suisses. La confrontation de deux politiques économiques*, Genève, 1993.

GERSTER Hans, *Die Arbeitgeberorganisationen der Schweiz*, Zürich, 1921.

GESUNDHEIT Ludwig, *Kritische Betrachtungen über die in der schweizerischen nationalökonomischen Literatur vertretenen Theorien über die Zahlungsbilanz und die Wechselkurse*, Bern, 1929.

Schweizerischer Gewerbeverein 1879-1904. Denkschrift zur Feier seines 25jährigen Bestandes, Bern, 1904.

GEYER Ernst, *Charakter und Ideengehalt der veranlagten Steuern der schweizerischen Eidgenossenschaft*, Aarau, 1934.

GIGER Hans-Georg, *Die Mitwirkung privater Verbände bei der Durchführung öffentlicher Aufgaben*, Bern, 1951.

GIGON Marie-Louise, *La viticulture vaudoise dans l'Entre-deux-guerres. Les rapports Etat/viticulture*, Mémoire, Lausanne, 1988.

GILOMEN Hans-Jörg, MÜLLER Margrit, VEYRASSAT Béatrice (éd.), *La globalisation – chances et risques. La Suisse dans l'économie mondiale XVIIIe-XXe siècles*, Zurich, 2003.

GLAUSER Fritz, Handel mit Entlebucher Käse und Butter vom 16. bis 19. Jahrhundert, in *RSH*, 21, 1971, pp. 1-63.

GRAF Kurt, *Die zollpolitischen Zielsetzungen im Wandel der Geschichte*, St. Gallen, 1970.

GREYERZ Hans von, Der Bundesstaat seit 1848, in *Handbuch der Schweizer Geschichte*, Band 2, Zürich, 1980, pp. 1019-1246.

GRIEDER-TSCHUDI Wilhelm, *100 Jahre Glarner Handelskammer 1864-1964*, Glarus, 1965.

GROSS Thomas, *Die Entwicklung der öffentlichen Ausgaben in der Schweiz mit besonderer Berücksichtigung des Kantons Zürich 1860-1910*, Bern/Frankfurt am Main/Las Vegas, 1980.

Der schweizerische Grosshandel in Geschichte und Gegenwart, Basel, 1943.

(JEZLER Henri,) *Schweizerischer Grossisten-Verband. 25jähriges Jubiläum 1904-1929. Festschrift*, Basel, 1929.

GROSSMANN Eugen, Die Finanzgesinnung des Schweizervolkes, in *ZSV*, 66, 1930, pp. 165-191.

GROSSMANN Eugen, Das Problem der Steuerlast, mit besonderer Berücksichtigung der Schweiz, in *ZSV*, 71, 1935, pp. 83-109.

GROSSMANN Eugen, Steuerentlastungskämpfe in der Schweiz, in *Schweizerische Wirtschaftsfragen. Festgabe für Fritz Mangold*, Basel, 1941, pp. 21-36.

GROSSMANN Eugen, *Gedanken über Finanzpolitik in der reinen Demokratie*, Bern, 1948.

GRUNER Erich, Wirtschaftsverbände und Staat. Das Problem der wirtschaftlichen Interessenvertretung in historischer Sicht, in *ZSV*, 90, 1954, pp. 1-27.

GRUNER Erich, Der Einfluss der schweizerischen Wirtschaftsverbände auf das Gefüge des liberalen Staates, in *RSH*, 6, 1956, pp. 315-368.

GRUNER Erich, Werden und Wachsen der schweizerischen Wirtschaftsverbände im 19. Jahrhundert, in *RSH*, 6, 1956, pp. 33-101.

GRUNER Erich, Der Einbau der organisierten Interessen in der Staat, in *ZSV*, 95, 1959, pp. 59-79.

GRUNER Erich, Zur Theorie und Geschichte der Interessenverbände, in *ZSV*, 95, 1959, pp. 335-342.

GRUNER Erich, Wirtschaftliche und politische Macht in der Schweiz, in *Jahrbuch für politische Wissenschaft*, 1961, pp. 27-46.

GRUNER Erich, 100 Jahre Wirtschaftspolitik, in *Ein Jahrhundert schweizerischer Wirtschaftsentwicklung*, hrsg. von der schweizerischen Gesellschaft für Statistik und Volkswirtschaft, Bern, 1964, pp. 35-70.

GRUNER Erich, *L'Assemblée fédérale*, Berne, 1966.

GRUNER Erich, *Die Parteien in der Schweiz*, Bern, 1969.

GRUNER Erich, La Suisse et le tournant historique de 1870-1871, in *Revue d'histoire moderne et contemporaine*, 19, avril-juin 1972, pp. 235-245.

GRUNER Erich, Die Einkommenslage des schweizerischen Industriearbeiters im 19. Jahrhundert, in Rudolf Braun (Hg.), *Gesellschaft in der industriellen Revolution*, Köln, 1973, pp. 291-320.

GRUNER Erich, *Politische Führungsgruppen im Bundesstaat*, Bern, 1973.

GRUNER Erich, Mouvements paysans et problèmes agraires en Suisse de la fin du XIIIe siècle à nos jours, in *Cahiers internationaux d'histoire économique et sociale*, 6, 1976, pp. 282-295.

GRUNER Erich, *Die Wahlen in den schweizerischen Nationalrat, 1848-1919*, Bern, 1978.

GRUNER Erich, *Arbeiterschaft und Wirtschaft in der Schweiz 1880-1914*, Zürich, 1988.

GRUNER Erich, BALTHASAR Andreas, *Tensions sociales – transformation économique. Documents d'histoire suisse (1880-1914)*, Berne, 1989.

GUBLER Ferdinand, *Die Anfänge der schweizerischen Eisenbahnpolitik auf Grundlage der wirtschaftlichen Interesse 1833-1852*, Zürich, 1915.

GUEX Sébastien, *Politique monétaire de la Confédération suisse 1919-1924*, Mémoire, Lausanne, 1985.

GUEX Sébastien, *La politique monétaire et financière de la Confédération suisse (1900-1920)*, Lausanne, 1993.

GUEX Sébastien, Körner Martin, Tanner Jakob (éd.), *Financement de l'Etat et conflits sociaux XIVe-XXe siècles*, Zurich, 1994.

GUEX Sébastien, *L'argent de l'Etat. Parcours des finances publiques au XXe siècle*, Lausanne, 1998.

GUGERLI David (Hg.), *Allmächtige Zauberin unserer Zeit. Zur Geschichte der elektrischen Energie in der Schweiz*, Zürich, 1994.

GÜRTLER Hans, *Der Einfluss der Handelspolitik auf die schweizer Inlandindustrie und deren Entwicklung seit Anfang der 1890er Jahre*, Basel, 1931.

GUTERSOHN Alfred, *Les arts et métiers dans la vie économique de la Suisse: 1879-1954.* Adaptation française par Robert Jaccard, Lausanne, s.d.

HAHN André, *Les régimes douaniers spéciaux du point de vue de l'économie suisse*, Neuchâtel, 1949.

HAHN Eduard, *Die Auswirkungen der Zollpolitik des Auslandes auf die drei Basler Hauptindustrien: Seidenband-, Schappe- und Teerfarbenfabrikation, seit der Freihandelsaera der 1860er Jahre*, Osterode am Harz, 1934.

HALBEISEN Patrick, LECHNER Roman, *Öffentliche Finanzen in der Schweiz von 1850-1913: Finanzstatistik des Bundes, des Kantons Zürich und des Kantons Bern. Wertschöpfung des öffentlichen Sektors*, Lizentiatsarbeit, Zürich, 1990.

HALBEISEN Patrick, LECHNER Roman, Politik im Föderalismus: Die Rolle der Finanzen in der schweizerischen Bundespolitik von 1848 bis 1913, in Andreas Ernst (Hg.), *Kontinuität und Krise. Sozialer Wandel als Lernprozess. Beiträge zur Wirtschafts- und Sozialgeschichte der Schweiz, Festschrift für Hansjörg Siegenthaler*, Zürich, 1994, pp. 33-50.

HALBEISEN Patrick, MÜLLER Margrit, Ökonomische Motive und Erwartungen – ihr Einfluss auf die Bundesstaatsgründung, in Andreas Ernst, Albert Tanner, Matthias Weishaupt (Hg.), *Revolution und Innovation. Die konfliktreiche Entstehung des schweizerischen Bundesstaates von 1848*, Zürich, 1998, pp. 117-136.

Handwörterbuch der schweizerischen Volkswirtschaft, Sozialpolitik und Verwaltung, (3 éditions), Bern, 1903-1911/1939/1955.

HANDSCHIN Hans, *L'Union suisse des coopératives de consommation 1890-1953*. Traduction française par Isabelle Dardel, Bâle, 1955.

HAUSER Albert, Die wirtschaftlichen Beziehungen der Schweiz zu Deutschland in der ersten Hälfte des 19. Jahrhundert, in *RSH*, 8, 1958, pp. 355-382.

HAUSER Albert, Die Schweiz und der deutsche Zollverein, in *ZSV*, 94, 1958, pp. 482-494.

HAUSER Albert, *Schweizerische Wirtschafts- und Sozialgeschichte von den Anfängen bis zur Gegenwart*, Zürich/Stuttgart, 1961.

HAUSER-DORA Angela Maria, *Die wirtschaftlichen und handelspolitischen Beziehungen der Schweiz zu überseeischen Gebieten 1873-1913*, Bern/Frankfurt am Main/New York/Paris, 1986.

HAUSER Benedikt, *Wirtschaftsverbände im frühen schweizerischen Bundesstaat (1848-1874). Vom regionalen zum nationalen Einzugsgebiet*, Basel/Frankfurt am Main, 1985.

HENRICI Hermann, *Die Basler Handelskammer 1876-1926*, Basel, 1927.

HEUSSER Jakob, Denkschrift zum 50jährigen Bestehen der Gesellschaft schweizerischer Landwirte, in *Schweizerische landwirtschaftliche Monatshefte*, 12, 1931, pp. 299-322.

HEUSSLER Heinz, *Die Auseinandersetzungen über den Beitritt der Schweiz zum deutschen Zollverein und ihre Auswirkungen auf die Entstehung des schweizerischen Bundesstaates*, Zürich, 1971.

HIGY Camille, Staatshaushalt und Finanzsystem der Schweiz, in W. Gerloff und F. Neumark (Hg.), *Handbuch der Finanzwissenschaft*, 3. Band, Tübingen, 1958, pp. 304-317.

HILFERDING Rudolf, *Le capital financier*, Paris, 1970.

HILSHEIMER J., *Interessengruppen und Zollpolitik in Frankreich: die Auseinandersetzungen um die Aufstellung des Zolltarifs von 1892*, Heidelberg, 1973.

HIS Eduard, *Basler Handelsherren des 19. Jahrhunderts*, Basel, 1929.

HOBSBAWM, Eric J., *L'Ere du Capital 1848-1875*, Paris, 1978.

HOBSBAWM Eric J., *L'Ere des Empires 1875-1914*, Paris, 1989.

HÖCH Ulrich, *Das Budget und seine Gestaltung in der Eidgenossenschaft*, Lörrach, 1950.

HOFMANN Emil, *Die Schweiz als Industriestaat*, Zürich, 1902.

HOFMANN Hannes, *Die Anfänge der Maschinenindustrie in der deutschen Schweiz, 1800-1875*, Zürich, 1962.

HOLZACH Cornelius, Die Steuerverteilung und Steuerbelastung in der Schweiz vor Ausbruch des Weltkrieges, in *ZSV*, 54, 1918, pp. 197-228.

HOTZ Jean, Zollpolitik, in *HSV*, 1939, pp. 606-610.

HOWALD Oskar, L'Union suisse des paysans 1897-1922, in *Publications du secrétariat des paysans*, 69, Brougg, 1922.

HOWALD Oskar, Cinquantenaire de l'USP 1897-1947, in *Publications du secrétariat des paysans*, 140, Brougg, 1947.

HOWALD Oskar, *Ernst Laur 1871-1964. Ein Leben für den Bauernstand. Ein Beitrag zur schweizerischen Wirtschaftsgeschichte*, Aarau, 1971.

HUBER Albert, *Die Entwicklung des eidgenössischen Zollwesens vom Beginn der Ersten Tarife bis zur Bundesverfassung des Jahres 1848*, Bern, 1890.

HULFTEGGER Otto, *Der schweizerische Handels- und Industrieverein, 1870-1882*, Zürich, 1920.

HUMAIR Cédric, *Politique douanière de la Confédération suisse: 1919-1925. «Les paysans montent aux barricades»*, Mémoire, Lausanne, 1990.

HUMAIR Cédric, L'influence de l'Union Suisse des Paysans sur la politique douanière de la Confédération durant les années 20, in Albert Tanner, Anne-Lise Head-König (Hg.), *Les paysans dans l'histoire de la Suisse*, Zurich, 1992, pp. 219-241.

HUMAIR Cédric, Entre adaptation et résistance à l'évolution commerciale: lutte à propos de la politique douanière suisse durant le XIXe siècle, in Jean-Claude Favez, Hans Ulrich Jost, Rémy Python (éd.), *Les relations internationales et la Suisse*, Lausanne, 1998, pp. 9-43.

HUMAIR Cédric, Etat fédéral, centralisation douanière et développement industriel de la Suisse, 1798-1848, in Andreas Ernst, Albert Tanner, Matthias Weishaupt (Hg.), *Revolution und Innovation. Die konfliktreiche Entstehung des schweizerischen Bundesstaates von 1848*, Zürich, 1998, pp. 103-116.

IFF Werner, *Der Einfluss des Zolltarifs von 1902 und der Handelsverträge von 1904-1906 auf die Gestaltung der wirtschaftlichen Verhältnisse der Schweiz bis zum Ausbruch des Weltkrieges. Mit besonderer Berücksichtigung von Import und Export*, Aarau, 1923.

IMBODEN Johann Heinrich, *Dreivierteljahrhundert eidgenössische Staatsschulden 1848-1923*, Basel, 1925.

Innen und Aussenpolitik, Primat oder Interdependenz. Festschrift zum 60. Geburtstag von Walther Hofer, Urs Altermalt und Judit Garamvölgyi (Hg.), Bern/Stuttgart, 1980.

IRMIGER François, *Politique douanière et commerciale de la Suisse*. Circulaire de la Direction générale des douanes n° 359, Berne, 1920.

JACCARD Robert, *Les syndicats industriels en Suisse. Contribution à l'étude des coalitions d'industriels*, Lausanne, 1925.

JACKY Wilhelm, Der Konsum von Gefrierfleisch in der Schweiz, in *ZSV*, 64, 1928, pp. 387-396.

Ein Jahrhundert schweizerischer Wirtschaftsentwicklung. Festschrift zum hundertjährigen Bestehen der schweizerischen Gesellschaft für Statistik und Volkswirtschaft, 1864-1964, Bern, 1964.

JENNY-TRÜMPY Adolf, *Handel und Industrie des Kantons Glarus*, Glarus, 1898/1900.

JÖRIN Robert, RIEDER Pierre, *Parastaatliche Organisationen im Agrarsektor*, Bern/Stuttgart, 1985.

JÖHR Walter Adolf, *Staatswirtschaft und Privatswirtschaft in der Schweiz*, Zürich, 1927.

JÖHR Walter Adolf, *Schweizerische Kreditanstalt 1856-1956. Hundert Jahre im Dienste der schweizerischen Volkswirtschaft*, Zürich, 1956.

JOST Hans Ulrich, Unternehmer und Politik. Eine Untersuchung zu den Verhältnissen in der Schweiz im 19. Jahrhundert, in *Bund*, 12. Mai 1975.

JOST Hans Ulrich, Staat und Industriekapitalismus. Die Beziehungen von Bund, Bevölkerung und Wirtschaft um 1900, in *Bund*, 6. Oktober 1976.

JOST Hans Ulrich, Politisches System und Wahlsystem der Schweiz unter dem Aspekt von Integration und Legitimität, in *Annuaire suisse de science politique*, 16, 1976, pp. 203-219.

JOST Hans Ulrich, Aperçus théoriques des relations entre l'Etat, l'économie et le capital entre 1870 et 1913. Le cas de la Suisse, in *Bulletin du département d'histoire économique de l'Université de Genève*, 10, 1979/80, pp. 21-28.

JOST Hans Ulrich, La culture politique du petit Etat dans l'ombre des grandes puissances, in D. Kosary (éd.), *Les «petits Etats» face aux changements culturels, politiques et économiques de 1750 à 1914*, Lausanne, 1985, pp. 25-32.

JOST Hans Ulrich, Switzerland, in Marcel van Der Linden, Jürgen Rojahn (ed.), *The Formation of Labour Movements 1870-1914*, vol. I, New York/Leiden, 1990, pp. 271-291.

JOST Hans Ulrich, *Les avant-gardes réactionnaires. La naissance de la nouvelle droite en Suisse 1890-1914*, Lausanne, 1992.

JOST Hans Ulrich, Pour une histoire européenne de la Suisse, in *Traverse*, 1994/3, pp. 19-39.

JOST Hans Ulrich, Des chiffres et du pouvoir. Statisticiens, statistique et autorités politiques en Suisse du XVIIIe au XXe siècle, in *Forum Statisticum*, 35, octobre 1995.

JOUVET Robert, *Aperçu de l'activité de la Chambre de commerce de Genève 1865-1940*, Genève, 1940.

JUNKER Beat, L'agriculture suisse de la fin du XIXe siècle à la première guerre mondiale, in *Cahiers internationaux d'histoire économique et sociale*, 6, 1976, pp. 296-307.

KAHLERT Joachim, *Das schweizerische Alkoolmonopol als Mittel zur Förderung der Landwirtschaft*, Kiel, 1954.

Organisierter Kapitalismus. Voraussetzungen und Anfänge, Heinrich Winkler (Hg.), Göttingen, 1974.

KAUFMANN Robert, *Jüdische und christliche Viehhändler in der Schweiz 1780-1930*, Zürich, 1988.

KELLER Willy, *Tableaux synchroniques 1800-1955. Les événements les plus importants: Technique, économie, politique, etc. à l'étranger et en Suisse*, Zürich, 1955.

KEMPTER Gerhard, *Agrarprotektionismus: landwirtschaftliche Schutzzollpolitik im Deutschen Reich von 1879 bis 1941*, Frankfurt am Main/Bern, 1985.

KERN Johann Conrad, *Souvenirs politiques*, Berne, 1887.

KIENTSCH Albert, *Die Zollgesetzgebung als wirtschaftliche Massnahme zur Sicherung der bäuerlichen Existenz*, Bern, 1950.

KNESCHAUREK Francesco, Struktur und Entwicklung der aussenwirtschaftlichen Leistungsbilanz der Schweiz, in *Aussenwirtschaft*, 1957, pp. 236-251.

KNESCHAUREK Francesco, Wandlungen der schweizerischen Industriestruktur seit 1800, in *Ein Jahrhundert schweizerischer Wirtschaftsentwicklung*, hrsg. von der schweizerischen Gesellschaft für Statistik und Volkswirtschaft, Bern, 1964, pp. 153-166.

KÖLZ Alfred, *Neuere schweizerische Verfassungsgeschichte. Ihre Grundlinien vom Ende der Alten Eidgenossenschaft bis 1848*, Bern, 1992.

KÖNIG Mario, *Die Angestellten zwischen Bürgertum und Arbeiterbewegung. Soziale Lage und Organisation der kaufmännischen Angestellten in der Schweiz 1914-1920*, Zürich, 1984.

KOLLER Christophe, *L'industrialisation et l'Etat au pays de l'horlogerie. Contribution à l'histoire économique et sociale d'une région suisse*, Courrendlin, 2003.

KRÄULIGER Franz, *Die Tabakbesteuerung in der Schweiz*, Breitenbach, 1938.

KUPPER Walter, *Die Zollpolitik der schweizerischen Landwirtschaft seit 1848*, Bern, 1929.

LACHER Adolf, *Die Schweiz und Frankreich vor dem ersten Weltkrieg. Diplomatische und politische Beziehungen im Zeichen des deutsch-französischen Gegensatzes 1883-1914*, Basel/Stuttgart, 1967.

LAMPENSCHERF Margaretha, *Die Stellungnahme der basler und zürcher Handelsherren und Exportindustriellen zum Problem «Freihandel, Kampfzoll und Schutzzoll» 1848-1902*, Schwarzenbach, 1948.

LANDMANN Julius, *Die Agrarpolitik des schweizerischen Industriestaates*, Jena, 1928.

LARDY Charles, *Feer-Herzog*, Genève, 1880.

LAUR Ernst, *Le paysan suisse, sa patrie et son œuvre*, Brougg, 1939.

LEIMGRUBER-DIDIERJEAN Evi, *Die Wende von 1878 in der schweizerischen Politik*, Zürich, 1980.

LEMMENMEIER Max, *Luzerns Landwirtschaft im Umbruch. Wirtschaftlicher, sozialer und politischer Wandel in der Agrargesellschaft des 19. Jahrhunderts*, Luzern, 1983.

LEON Pierre, *Histoire économique et sociale du monde*. Tomes IV et V, Paris, 1977/1978.

LEUENBERGER Rudolf, *500 Jahre Kaufmännische Corporation St. Gallen*, St. Gallen, 1966.

LEUTHOLD Hedwig, *Stukturwandlungen der schweizerischen Zolleinnahmen 1848-1935*, Zürich, 1937.

LEUTHOLD Hedwig, Zolleinnahmen, in *HSV*,1939, pp. 603-606.

Lexique de l'économie suisse, publié sous le patronage de la Société suisse de statistique et d'économie politique, Neuchâtel, 1965.

LINCKE Bruno, *Die schweizerische Maschinen- und Elektroindustrie. Zum 50jährigen Bestehen des Vereins schweizerischer Maschinenindustrieller*, Zürich, 1933.

LITSCHI Josef, Das Retorsionskonkordat vom Jahre 1822, in *ZSV*, 28, 1892, pp. 1-22.

LÖRTSCHER Clive, Propositions pour une analyse de l'Etat. Pourquoi et comment étudier l'Etat, in *Annuaire suisse de science politique*, 16, 1976, pp. 43-63.

LÜCHINGER Adolf, *Die Tragweite der Zollartikel der Bunderverfassung als Grundlage für die schweizerische Aussenhandelspolitik*, Zürich, 1956.

LÜDI Martin, Libre-échange ou protectionnisme. Une décision prise par la Suisse il y a cent ans, in *Hispo*, 5, 1985, pp. 40-59.

LÜNENBÜRGER Friedrich, *Der deutsch-schweizerische Handelsvertrag vom 10. Dezember 1891*, Strassburg, 1901.

LÜTHY Herbert, *La Banque Protestante en France de la Révocation de l'Edit de Nantes à la Révolution*, Tome II, Paris, 1961.

LUNGE Georg, *Zur Geschichte der Entstehung und Entwicklung der chemischen Industrie in der Schweiz*, Zürich, 1901.

MADDISON Angus, *L'économie mondiale 1820-1992. Analyse et statistiques*, Paris, 1995.

MANGOLD Fritz, Johann Jakob Speiser, in *Basler Biographien*, 1904, pp. 41-57.

MANGOLD Fritz, *Basler Wirtschaftsführer*, Basel, 1933.

MANI Benedikt, *Die Bundesfinanzpolitik des schweizerischen Bauernstandes in der neueren Zeit*, Romanshorn, 1928.

MARGAIRAZ Michel, *L'Etat, les finances et l'économie: histoire d'une conversion 1932-1952*, Paris,1991.

MASNATA Albert, *L'émigration des industries suisses*, Lausanne, 1924.

MASNATA Albert, Les rapports réciproques entre l'émigration industrielle et l'exportation suisses sous l'action de la politique douanière étrangère (1925-1939), in *Schweizerische Wirtschaftsfragen, Festschrift für Fritz Mangold*, Basel, 1941, pp. 171-178.

MASNATA François et RUBATTEL Claire, *Le pouvoir suisse 1291-1991*, Lausanne, 1991.

MAURER Ernst, *Die schweizerischen Handelskammer, ihr Wesen, ihre Entwicklung, Organisation und Tätigkeit*, Zürich, 1924.

MAURER Peter, *Anbauschlacht. Lanwirtschaftspolitik, Plan Wahlen, Anbauwerk 1937-1945*, Zürich, 1985.

MAURER Rolf, *Die Zollverwaltung 1848-1914. Aufbau und Entwicklung einer Staatsverwaltung für Zoll- und Handelsgelegenheiten am Beispiel der Schweiz*, Lizentiatsarbeit, Bern, 1988.

MAZBOURI Malik, *Léopold Dubois (1859-1901): jeunesse et formation d'un grand banquier suisse*, Mémoire, Lausanne, 1991.

MAZBOURI Malik, *L'émergence de la place financière suisse (1890-1913)*, Lausanne, 2004.

MEIER Heinz K., *The United States and Switzerland in the Nineteenth Century*, The Hague, 1963.

MEIERHANS Paul, *Zur Steuerpolitik der schweizerischen Sozialdemokratie*, Zürich, 1922.

MEISTER Jürg, In Zürich gebaut – im Ausland versenkt. Schicksale schweizerischer Schiffe, in *NZZ*, 8./9. April 1978.

MENZEL Ulrich, *Der Entwicklungsweg der Schweiz (1780-1850). Ein Beitrag zum Konzept autozentrierter Entwicklung*, Forschungsbericht, Universität Bremen, 1979.

MESSMER Beatrix, Wirtschaftsbarometer und Unternehmerfreiheit. Eine Fallstudie zum Einfluss der Wirtschaftsverbände auf die schweizerische Völkerbundspolitik, in Urs Altermatt und Judit Garamvölgyi (Hg.), *Innen und Aussenpolitik, Primat oder Interdependenz, Festschrift zum 60. Geburtstag von Walther Hofer*, Bern/Stuttgart, 1980, pp. 315-330.

MESSMER Heinz, Die Errichtung einer definitiven Getreideordnung in der Schweiz (1919-1929), in Roland Ruffieux (éd.), *La démocratie référendaire en Suisse au XXe siècle*, Fribourg, 1972, pp. 183-257.

MEYER Karl, *Verbände und Demokratie in der Schweiz*, Olten, 1968.

MEYER Robert Paul, Conrad Cramer-Frey (1834-1900), in *Schweizer Pioniere der Wirtschaft und Technik*, 21, Zürich, 1969, pp. 9-35.

MEYNAUD Jean, *Les organisations professionnelles en Suisse*, Lausanne, 1963.

MOLTMANN Günter, Die Ambivalenz des amerikanisch-schweizerischen Vertrages von 1850/1855, in *RSH*, 26, 1976, pp. 100-133.

MORANDI Pietro, *Krise und Verständigung. Die Richtlinienbewegung und die Entstehung der Konkordanzdemokratie 1933-1939*, Zürich, 1995.

MÜLLER Edouard, Le rôle de l'industrie alimentaire dans l'économie suisse, in *Festgabe für Bundesrat Dr. h.c. Edmund Schulthess*, Zürich, 1938, pp. 201-225.

MÜLLER Renate, *Volk, Parlament und schweizerische Zollpolitik um 1900*, Bern, 1966.

MULERTT Max, *Die deutsch-schweizerischen Handelsbeziehungen vor und nach dem Kriege: ein Beitrag zur Erkenntnis des Einflusses der Währungsverhältnisse auf die Handelsbeziehungen beider Länder*, Göttingen, 1925.

NABHOLZ Hans, Die Entstehung des Bundesstaates wirtschaftlich betrachtet, in *Mélanges offerts à Charles Gilliard*, Lausanne, 1944, pp. 574-591.

NACHIMSON Meer, *Imperialismus und Handelskriege. Eine volkswirtschaftliche Untersuchung über die Entwicklungstendenzen der modernen Wirtschaft- und Handelspolitik*, Bern, 1917.

NAPOLSKI Friedrich von, *Der Weg zum ersten Handelsvertrag zwischen der Schweiz und Deutschland*, hrsg. als Festgabe der Arbeitsgemeinschaft der Geschäftsführer von Auslandshandelskammern, Bergisch Gladbach, 1961.

Nationalrat Dr. Alfred Frey. Reden gehalten an der Bestattung, Zürich, 1924.

NEIDHART Leonhard, *Plebiszit und pluralitäre Demokratie. Eine Analyse der Funktion des schweizerischen Gesetzreferendums*, Bern, 1970.

NEIDHART Leonhard, Repräsentationsformen in der direkten Demokratie. Aspekte des schweizerischen Staatsbildungsprozess, in Beat Junker, Peter Gilg und Richard Reich (Hg.), *Geschichte und politische Wissenschaft. Festschrift für Erich Gruner zum 60. Geburtstag*, Bern, 1975, pp. 299-328.

NEUHAUS Jean, *Die Entwicklung der bundesstaatlichen Agrarpolitik seit 1848*, Bern, 1948.

NIGGLI Thomas, *100 Jahre Zürcher Seidenindustriegesellschaft*, Zürich, 1954.

NORDKÄMPER Hans-Joachim, *Motive und Wandlungen der schweizerischen Aussenhandelspolitik in der drei Jahrzehnten bis zum Kriegsausbruch*, Freiburg in Brisgau, 1943.

NÜSCHELER Eugen, *Die Anleihen der schweizerischen Eidgenossenschaft*, Zürich, 1914.

ÖCHSLIN Hanspeter, *Die Entwicklung des Bundessteuersystems der Schweiz von 1848 bis 1966*, Einsiedeln, 1967.

PAQUIER Serge, *Histoire de l'électricité en Suisse. La dynamique d'un petit pays européen 1875-1939*, Genève, 1998.

Les paysans dans l'histoire de la Suisse, Albert Tanner, Anne-Lise Head-König (Hg.), Zürich, 1992.

PERRET César, *Le régime fiscal de l'alcool en Suisse*, Neuchâtel, 1937.

PEYER Hans Conrad, *Von Handel und Bank im alten Zürich*, Zürich, 1968.

PEYER Hans Conrad, Basel in der Zürcher Wirtschaftsgeschichte, in *Basler Zeitschrift für Geschichte und Altertumskunde*, 69, 1969, pp. 223-238.

PFLEGHART Adolf, *Die schweizerische Uhrenindustrie, ihre geschichtliche Entwicklung und Organisation*, Leipzig, 1908.

PIOTET Georges, *Restructuration industrielle et corporatisme. Le cas de l'horlogerie en Suisse 1974-1987*, Lausanne, 1988.

POIDEVIN Raymond, Protectionnisme douanier et protectionnisme financier (fin XIXe siècle à 1914), in *Relations internationales*, 15, 1978, pp. 211-225.

Politique commerciale et douanière de la Suisse, publié par la Direction générale des douanes suisses, Berne, 1941.

POLLI Marco, *Zollpolitik und illegaler Handel. Schmuggel in Tessin 1868-1894. Soziale, wirtschaftliche und zwischenstaatliche Aspekte*, Zürich, 1989.

POLLUX, *Trusts in der Schweiz*, Zürich, 1944.

Probleme der öffentlichen Finanzen und der Währung. Festgabe für Eugen Grossmann, Zürich, 1949.

Probleme der schweizerischen Zolltarif-Revision. Veröffentlichung Nr. 12 des schweizerischen Institutes für Aussenwirtschaft- und Marktforschung an der Handels-Hochschule von St. Gallen, Zürich/St. Gallen, 1951.

PROJER Erich, *Die schweizerischen Grosshandelspreise 1806 bis 1928*, Lizentiatsarbeit, Universität Zurich, 1987.

RAPPARD William Emmanuel, *La révolution industrielle et les origines de la protection légale du travail en Suisse*, Berne, 1914.

RAPPARD William Emmanuel, *L'individu et l'Etat en Suisse*, Zürich, 1936.

RAPPARD William Emmanuel, Des origines et de l'évolution de l'étatisme en Suisse, in *Festgabe für Bundesrat Dr. h.c. Edmund Schulthess*, Zürich, 1938, pp. 95-121.

RAPPARD William Emmanuel, La Suisse et le marché du monde, in *Die Schweiz als Kleinstaat in der Weltwirtschaft*, hrsg. vom schweizerischen Institut für Aussenwirtschaft- und Marktforschung an der Handels-Hochschule St. Gallen, St. Gallen, 1945, pp. 35-76.

RAPPARD William Emmanuel, *La Constitution fédérale de la Suisse*, Neuchâtel, 1948.

RAPPARD William Emmanuel, *L'évolution de la politique économique de la Suisse de 1848 à 1948*, Zurich, 1948.

REICHESBERG Naum, *Handwörterbuch der schweizerischen Volkswirtschaft, Sozialpolitik und Verwaltung*, Bern, 1911.

REICHESBERG Naum, *Betrachtungen über die schweizerische Handelspolitik in Vergangenheit und Zukunft*, Bern, 1918.

REICHLIN August, *Der schweizerische Zolltarif und seine Schutzwirkung. Das Mass des Zollschutzes bei den verschiedenen Wirtschaftszweigen*, Zürich, 1932.

RENOLD W., *50 Jahre Aarg. Handels- und Industrieverein 1874-1924*, Separatabdruck des Anhangs zum Jahresbericht des Aarg. Handelskammer, s.l., 1924.

Revolution und Innovation. Die konfliktreiche Entstehung des schweizerischen Bundesstaates von 1848, Andreas Ernst, Albert Tanner, Matthias Weishaupt (Hg.), Zürich, 1998.

REY Adolf, *Die Entwicklung der Industrie im Kanton Aargau*, Aarau, 1937.

RICHARD Emil, *Die Kaufmännische Gesellschaft Zürich 1873-1903*, Zürich, 1904.

RICHARD Emil, *Kaufmännische Gesellschaft Zürich und Zürcher Handelskammer*, Zürich, 1924.

RINDERKNECHT Peter, *Der «Eidgenössische Verein» 1875-1913. Die Geschichte der protestantisch-konservativen Parteibildung im Bundesstaat*, Zürich, 1949.

RITZMANN Franz, Die Entwicklung des schweizerischen Geld- und Kreditsystems, in *Ein Jahrhundert schweizerischer Wirtschaftsentwicklung*, hrsg. von der schweizerischen Gesellschaft für Statistik und Volkswirtschaft, Bern, 1964, pp. 235-272.

ROBERT Samuel, *Numa Droz. Un grand homme d'Etat 1844-1899*, Neuchâtel/Paris, 1944.

RÖTHLIN Niklaus, Le commerce de Bâle et l'évolution des relations commerciales en Europe (du XVIe au XVIIIe siècle), in P. Bairoch et A.-M. Piuz (éd.), *Les passages des économies traditionnelles européennes aux sociétés industrielles*, Genève, 1985, pp. 119-144.

RÖTHLIN Niklaus, *Die Basler Handelspolitik und deren Träger in der zweiten Hälfte des 17. und im 18. Jahrhundert*, Basel/Frankfurt am Main, 1986.

ROTH Alfred, *Streiflichter zu 75 Jahren VSKE 1896-1971. Referat gehalten anlässlich der Jubiläumsversammlung des Verbandes Schweizerischer Käseexporteure vom 3.9.1971 im «Kreuz» zu Sumiswald im Emmental*, Burgdorf, 1972.

RÜCKERT Franz, *Die Handelsbeziehungen zwischen Deutschland und der Schweiz mit besonderer Berücksichtigung der handelspolitischen Verhältnisse seit Beginn des neunzehnten Jahrhunderts*, Würzburg, 1926.

RUFFIEUX Roland, *Histoire du gruyère en Gruyère du XVIe au XXe siècle*, Fribourg, 1972.

RUFFIEUX Roland, Les groupes de pression et la démocratie semi-directe en Suisse, in Beat Junker, Peter Gilg und Richard Reich (Hg.), *Geschichte und politische Wissenschaft. Festschrift für Erich Gruner zum 60. Geburtstag*, Bern, 1975, pp. 95-109.

RUPLI Walther, *Zollreform und Bundesreform in der Schweiz 1815-1848. Die Bemühungen um die wirtschaftliche Einigung der Schweiz und ihr Einfluss auf die Gründung des Bundesstaates von 1848*, Zürich, 1949.

RUTZ Wilfried, *Die schweizerische Volkswirtschaft zwischen Währungs- und Beschäftigungspolitik in der Weltwirtschaftskrise – wirtschaftspolitische Analyse der Bewältigung eines Zielkonflikts*, St. Gallen, 1970.

SALAIS Robert et STORPER Michael, *Les Mondes de production. Enquête sur l'identité économique de la France*, Paris, 1993.

SALZMANN Martin, *Die Wirtschaftskrise im Kanton Zürich 1845 bis 1848*, Bern/Frankfurt am Main/Las Vegas, 1978.

SANCHEZ FERNANDEZ Beatriz, *Proteccionismo y liberalismo. Las relaciones comerciales entre Suiza y Espagna 1869-1935*, Frankfurt/Madrid, 1996.

SCHAFFNER Martin, *Die demokratische Bewegung der 1860er Jahre. Beschreibung und Erklärung der zürcher Volksbewegung von 1867*, Basel/Frankfurt am Main, 1982.

SCHANZ Georg, *Die Steuern der Schweiz in ihrer Entwicklung seit Beginn des 19. Jahrhunderts*, Stuttgart, 1890.

SCHEURER Frédéric, *Les crises de l'industrie horlogère dans le canton de Neuchâtel*, Neuveville, 1914.

SCHEVEN Waldemar von, *Die Wechselwirkung zwischen Staats- und Wirtschaftspolitik in den schweizerisch-französischen Beziehungen der Restaurationszeit*, Bern, 1921.

SCHLAEPFER Walter, *Wirtschaftsgeschichte des Kantons Appenzell Ausserrhoden*, Gais, 1984.

SCHMID Erich, *Die schweizerische Zollpolitik von 1945 bis 1960*, Zürich, 1964.

SCHMID Hans, *Bundesrat Frey-Herosé 1801-1873. Drei Jahrzehnte Aargauer- und Schweizergeschichte*, Aarau, 1917.

SCHMID Hanspeter, *Wirtschaft, Staat und Macht. Die Politik der schweizerischen Exportindustrie im Zeichen von Staats- und Wirtschaftskrise (1918-1929)*, Zürich, 1983.

SCHMID Hans-Rudolf, Alfred Escher 1819-1882, in *Schweizer Pioniere der Wirtschaft und Technik*, 4, Zürich, 1956.

SCHMIDT Peter Heinrich, *Die schweizerischen Industrien im internationalen Konkurrenzkampf*, Zürich, 1912.

SCHMIDT Peter Heinrich, *Die Schweiz und die europäische Handelspolitik*, Zürich, 1914.

SCHMIDT Peter Heinrich, *Fünfzig Jahre schweizerisch-deutscher Wirtschaftsbeziehungen 1871-1921*, St. Gallen, 1920.

SCHNEIDER Salome, *Steuersystem und Steuerpolitik in der Schweiz*, Berlin, 1925.

SCHOOP Albert, *Johann Conrad Kern*, 2 Bände, Frauenfeld, 1968/1976.

SCHRÖTER Harm G., Etablierungs- und Verteilungsmuster der schweizerischen Auslandsproduktion von 1870 bis 1914, in Paul Bairoch, Martin Körner (éd.), *La Suisse dans l'économie mondiale (XVe-XXe siècles)*, Zurich, 1990, pp. 391-407.

SCHRÖTER Harm G., *Aufstieg der Kleinen. Multinationale Unternehmen aus fünf kleinen Staaten vor 1914*, Berlin, 1993.

SCHRÖTER Harm G., Unternehmensleitung und Auslandsproduktion: Entscheidungsprozesse, Probleme und Konsequenzen in der schweizerischen Chemie vor 1914, in *RSH*, 44, 1994, pp. 14-53.

SCHULER Hans Andreas, *Der Absatz der schweizerischen Baumwollindustrie in der Vor- und Nachkriegszeit*, Weinfelden, 1927.

SCHWARZ Jutta, *Bruttoanlageinvestitionen in der Schweiz von 1850 bis 1914. Eine empirische Untersuchung zur Kapitalbildung*, Bern, 1981.

SCHWARZENBACH James, Robert Schwarzenbach 1839-1904, in *Schweizer Pioniere der Wirtschaft und Technik*, 10, Zürich, 1959.

Die Schweiz als Kleinstaat in der Weltwirtschaft, hrsg. vom schweizerischen Institut für Aussenwirtschafts- und Marktforschung an der Handels-Hochschule St. Gallen, St. Gallen, 1945.

SEGESSER Jürg, Die Einstellung der Kantone zur Bundesrevision und zur neuen Bundesverfassung im Jahre 1848, in *Archiv des Historischen Vereins des Kantons Bern*, 49, 1965.

SERODINO Christian, *Le commerce vaudois, approche quantitative par le biais des comptes et recettes des péages 1803-1850. Tentative de construction d'un indice commercial et analyse des flux commerciaux*, Mémoire, Genève, 1974.

SIEGENTHALER Hansjörg, Switzerland 1920-1970, in C. M. Cipolla (ed.), *The Fontana Economic History of Europe*, vol. 6, Glasgow, 1976, pp. 530-576.

SIEGENTHALER Hansjörg, Kapitalbildung und sozialer Wandel in der Schweiz 1850 bis 1914, in *Jahrbücher für Nationalökonomie und Statistik*, 193, 1978, pp. 1-29.

SIEGENTHALER Hansjörg, Die Bedeutung des Aussenhandels für die Ausbildung einer schweizerischen Wachstumsgesellschaft im 18. und 19. Jahrhundert, in N. Bernard und Q. Reichen (Hg.), *Gesellschaft und Gesellschaften. Festschrift zum 65. Geburtstag von Ulrich im Hof*, Bern, 1982, pp. 325-340.

SIEGENTHALER Hansjörg, Konsens, Erwartungen und Entschlusskraft: Erfahrungen der Schweiz in der Überwindung der Grossen Depression vor hundert Jahren, in *ZSV*, 119, 1983, pp. 213-235.

SIEGENTHALER Hansjörg, Die Schweiz 1850-1914, in W. Fischer (Hg.), *Handbuch der europäischen Wirtschafts- und Sozialgeschichte*, vol. 5, Stuttgart, 1985, pp. 443-473.

SIEGENTHALER Hansjörg, Die Schweiz 1914-1984, in W. Fischer (Hg.), *Handbuch der europäischen Wirtschafts- und Sozialgeschichte*, vol. 6, Stuttgart, 1985, pp. 482-512.

SIEGENTHALER Jürg, Zum Lebensstandard schweizerischer Arbeiter im 19. Jahrhundert, in *ZSV*, 101, 1965, pp. 423-444.

SIEGRIST Hannes, *Pioniere der Sozialpartnerschaft. Geschichte der Angestellten-Hausverbände in der schweizerischen Maschinenindustrie*, Zürich, 1985.

SIGG Oswald Georg, *Die eidgenössischen Volksinitiativen 1892-1939*, Einsiedeln, 1978.

SIGNER Hans, *Die treibenden Kräfte der schweizerischen Handelspolitik*, Zürich/Leipzig, 1914.

SIMMLER Hans, *Bauern und Arbeiter in der Schweiz in verbandlicher, politischer und ideologischer Sicht*, Winterthur, 1976.

SMITH M. S., *Tariff Reform in France 1860-1900. The Politics of Economic Interest*, London, 1980.

SPEISER-SARASIN Paul, *Erinnerungen aus meiner öffentlichen Tätigkeit von 1875 bis 1919*, Basel, 1935.

Staat und Wirtschaft. Festgabe Hans Nawiasky, Einsiedeln/Zürich/Köln, 1950.

STADELMANN Alfred, *Die Beziehungen der schweizerischen Konsumgenossenschaften zur einheimischen Landwirtschaft unter besonderer Berücksichtigung der Geschäftsverbindungen mit den landwirtschaftlichen Genossenschaften*, Basel, 1940.

STADELMANN Bruno, *Die handelspolitischen Beziehungen der Schweiz zu den Vereinigten Staaten von Amerika*, Bern, 1933.

STAMPFLI Walter, Die schweizerische Handelspolitik seit 1848, in *Helvetia*, 1948, pp. 244-252.

Statistique historique de la Suisse, édité par Heiner Ritzmann-Blickenstorfer, sous la direction de Hansjörg Siegenthaler, Zürich, 1996.

STEIGER-ZÜST Ernst August, *Denkschrift zum 50jährigen Bestehen des Industrievereins St. Gallen 1875-1925*, St. Gallen, 1925.

STEIGER Jakob, *Der Finanzhaushalt der Schweiz*, 2. Band: der Bund, Bern, 1919.

STEIGER Kurt von, *Die schweizerische Zollpolitik von 1900 bis 1930*, Bern, 1933.

STEIGER Thomas, *Die Produktion von Milch und Fleisch in der schweizerischen Landwirtschaft des 19. Jahrhunderts als Gegenstand bäuerlicher Entscheidungen: Das statistische Bild der Entwicklung der Rindviehhaltung und ihre ökonomische Interpretation*, Bern/Frankfurt am Main, 1982.

STEINER Irene, *Schweizerisches Zolltarifrecht*, Zürich, 1934.

STEINMANN Arthur, *Die schweizerische Stickereiindustrie, Rückblick und Ausblick*, Zürich, 1905.

STEINMANN Ernst, *Geschichte des schweizerischen Freisinns*, Bern, 1955.

STEINMANN Walter, *Zwischen Markt und Staat. Verflechtungsformen von Staat und Wirtschaft in der Schweiz*, Konstanz, 1988.

STOCKER Paul, *Veränderung und Struktur der schweizerischen Importzollbelastung*, Bern, 1957.

STRASSER Werner, *Die Zollinzidenz*, Neuchâtel, 1957.

STRAUMANN Tobias, *Die Schöpfung im Reagenglas. Eine Geschichte der Basler Chemie (1850-1920)*, Basel/Frankfurt am Main, 1995.

STREBEL Heinrich, *Die Diskussion um den Rückkauf der schweizerischen Privatbahnen durch den Bund 1852-1898*, Zürich, 1980.

Strukturwandlungen der schweizerischen Wirtschaft und Gesellschaft. Festschrift für Fritz Marbach zum 70. Geburtstag, R. Behrendt, W. Müller, H. Sieber, M. Weber (Hg.), Bern, 1962.

STUCKI Walter, 25 Jahre schweizerische Aussenhandelspolitik, in *Festgabe für Bundesrat Dr. h.c. Edmund Schulthess*, Zürich, 1938, pp. 123-143.

STUDER Brigitte (Hg.), *Etappen des Bundesstaates. Staats- und Nationsbildung der Schweiz, 1848-1998*, Zürich, 1998.

STUDER W., *Der Veredelungsverkehr zwischen Deutschland und der Schweiz, seine Bedeutung und geschichtliche Entwicklung*, Würzburg, 1927.

STUPANUS Johann Jakob, *Schweizerische Beiträge zur handelspolitischen Theorie seit der Mitte des XIX. Jahrhunderts*, Basel, 1926.

La Suisse économique et sociale, ouvrage publié par le Département fédéral de l'Economie publique, Einsiedeln, 1927.

SULZER Klaus, *Vom Zeugdruck zur Rotfärberei. Heinrich Sulzer (1800-1876) und die Türkischrot-Färberei Aadorf*, Zürich, 1991.

TANNER Albert, *Spulen, Weben, Sticken. Die Industrialisierung in Appenzell Ausserrhoden*, Zürich, 1982.

TANNER Albert, *Arbeitsame Patrioten – wohlständige Damen. Bürgertum und Bürgerlichkeit in der Schweiz 1830-1914*, Zürich, 1995.

TANNER Jakob, *Bundeshaushalt, Währung und Kriegswirtschaft. Eine finanzsoziologische Analyse der Schweiz zwischen 1938 und 1953*, Zürich, 1986.

TEMPERLI Ernst, *Die Kreditpolitik der schweizerischen Landwirtschaft insbesondere des schweizerischen Bauernverbandes*, Zürich, 1945.

THIESSE Anne-Marie, *La création des identités nationales. Europe XVIIIe-XIXe siècle*, Paris, 1999.

TISSOT Laurent, *Naissance d'une industrie touristique. Les Anglais et la Suisse au XIXe siècle*, Lausanne, 2000.

TSCHUMI Hans, JACCARD Robert, *L'Union Suisse des Arts et Métiers. Histoire et activité, 1879 à 1929*, Lausanne, 1929.

UHL Othmar, *Die diplomatisch-politischen Beziehungen zwischen Grossbritannien und der Schweiz in den Jahrzehnten vor dem Ersten Weltkrieg, (1880-1914)*, Stuttgart, 1961.

VEYRASSAT Béatrice, Les centres de gravité de l'industrialisation en Suisse au XIXe siècle. Le rôle du coton, in *L'industrialisation en Europe au XIXe siècle, Colloques internationaux du CNRS*, 1970, pp. 481-495.

VEYRASSAT Béatrice, *L'industrialisation dans le secteur cotonnier en Suisse (1760-1830/40)*, Lausanne, 1982.

VEYRASSAT Béatrice, De Sainte-Croix à Rio de Janeiro: fromages et absinthe, dentelles et musiques contre café (1820-1840). Entreprise, région et marché mondial, in L. Mottu-Weber et D. Zumkeller (éd.), *Mélanges d'histoire économique offerts au professeur Anne-Marie Piuz*, Genève, 1989, pp. 267-280.

VEYRASSAT Béatrice, La Suisse sur les marchés du monde. Exportations globales et répartition géographique au XIXe siècle. Essai de reconstruction, in Paul Bairoch, Martin Körner (éd.), *La Suisse dans l'économie mondiale (XVe-XXe siècles)*, Zurich, 1990, pp. 287-316.

VEYRASSAT Béatrice, *Réseaux d'affaires internationaux, émigrations et exportations en Amérique latine. Le commerce suisse aux Amériques*, Genève, 1994.

VEYRASSAT Béatrice, Chocs macro-économiques et négoce international. Le développement des relations de la Suisse avec l'outremer au XIXe siècle, in *Relations internationales*, 82, 1995, pp. 123-140.

VEYRASSAT Béatrice, Manufacturing flexibility in nineteenth-century Switzerland: social and institutional fondations of decline and revival in calico-printing and watchmaking, in Charles F. Sabel, Jonathan Zeitlin (ed.), *World of possibilities. Flexibility and Mass Production in Western Industrialisation*, Cambridge, 1997, pp. 188-237.

VEYRASSAT Béatrice, Intégration économique, intégration politique: les enjeux de la construction de l'Etat national. L'exemple de la Suisse et de l'Allemagne 1815-1874, in Jean-Marc Barrelet et Philippe Henry (éd.), *Neuchâtel, la Suisse, l'Europe: 1848-1998: actes du colloque international de Neuchâtel – La Chaux-de-Fonds, 26-28 février 1998*, Fribourg, 2000, pp. 119-142.

VINCE André, *La diplomatie commerciale et les institutions pour favoriser le commerce extérieur de la Suisse*, Lyon, 1939.

VOGEL René Maurice William, *Les conditions de la politique commerciale de la Suisse*, Montreux, 1966.

VOGLER Albert, *Die schweizerischen Militärausgaben von 1850-1963 und ihre Auswirkungen auf die wirtschaftliche Entwicklung der Schweiz*, Freiburg, 1965.

VOLMAR Fr., *Die Anfänge des Eisenbahnwesens im schweizerischen Bundesstaate*, Bern, 1904.

VOLMAR Fr., *Briefe und Dokumente aus den ersten Anfängen bernischer Eisenbahnpolitik (1845-1846)*, Bern, 1924.

VOLMAR Fr., Die ersten Bemühungen um ein schweizerisches nationales Eisenbahnsystem (1838-1848), in *SBWS*, 31, 1925, pp. 1-17/38-47.

WALLISER Thomas, *Die Vereinheitlichung des schweizer Zollwesens 1848-1851 am Beispiel Bern*, Lizentiatsarbeit, Basel, 1997.

WARTMANN Hermann, *Industrie und Handel des Kantons St. Gallen auf Ende 1866. In geschichtlicher Darstellung*, St. Gallen, 1875.

WARTMANN Hermann, *Atlas über die Entwicklung von Industrie und Handel der Schweiz in dem Zeitraum von Jahre 1770 bis 1870*, Winterthur, 1873.

WARTMANN Hermann, *Industrie und Handel der Schweiz im 19. Jahrhundert*, Bern, 1902.

WARTMANN Hermann, *Das Kaufmännische Direktorium in St. Gallen*, Bern, 1917.

WEBER Hans, *Bundesrat Emil Welti. Ein Lebensbild*, Aarau, 1903.

WEBER Max, Wirtschaftsverbände und Machtproblem, in *ZSV*, 93, 1957, pp. 315-325.

WEBER Max, Geschichte der schweizerischen Bundesfinanzen, Bern, 1969.

WEGELIN W., 75 Jahre Handels- und Industrieverein St. Gallen, in *Handel und Industrie im Kanton St. Gallen. Denkschrift zum 75jährigen Bestehen des Handels- und Industrievereins St. Gallen 1875-1950*, St. Gallen, 1950, pp. 5-22.

WEHRLI Bernhard, *Le Vorort, mythe ou réalité?*, Neuchâtel, 1972.

WEHRLI Bernhard, Die «Bundesbarone». Betrachtungen zur Führungsschicht der Schweiz nach der Gründung des Bundesstaates, in *Neujahrsblatt auf das Jahr 1983*, 146, Zürich, 1983.
WEIRICH Heinrich, *Die schweizerischen Banken und ihr Verhältnis zur Industrie, Landwirtschaft und Handel*, Novisad, 1936.
WEISZ Leo, *Die zürcherische Exportindustrie. Ihre Entstehung und Entwicklung*, Zürich, 1936.
WEISZ Leo, Der Zürcher Industrieverein vor 100 Jahren, in *NZZ*, Nrn 132/173, 1942.
WEISZ Leo, *Die Neue Zürcher Zeitung im Kampfe der Liberalen mit den Radikalen 1849-1872*, Zürich, 1962.
WEISZ Leo, *Die Neue Zürcher Zeitung auf dem Wege zum freisinnigen Standort 1872-1885*, Zürich, 1965.
WEYERMANN Walter, *100 Jahre kantonaler Bernischer Handels- und Industrieverein*, Bern, 1960.
WICK Fritz, *Der schweizerische Aussenhandel mit den Tropen 1906-1945*, Zürich, 1948.
WIDMER Thomas, *Die Schweiz in der Wachstumskrise der 1880er Jahre*, Zürich, 1992.
WINIGER Josef, *Bundesrat Dr. Zemp. Lebens- und zeitgeschichtliche Erinnerungen*, Luzern, 1910.
Schweizerische Wirtschaftspolitik zwischen gestern und morgen. Festgabe Hugo Sieber, Egon Tuchfeld (Hg.), Bern/Stuttgart, 1976.
WITSCHI Beat, *Schweizer auf imperialistischen Pfaden. Die schweizerischen Handelsbeziehungen mit der Levante 1848 bis 1914*, Stuttgart, 1987.
WITTMANN Walter, Die Take-Off-Periode der schweizerischen Volkswirtschaft, in *Zeitschrift für die gesamte Staatswissenschaft*, 119, 1963, pp. 592-615.
WITTWER Bruno, *Die Intervention in der Landwirtschaft. Ursachen, Methoden, Auswirkungen*, Basel, 1956.
Im Zeichen der Revolution. Der Weg zum schweizerischen Bundesstaat 1798-1848, Thomas Hildbrand und Albert Tanner (Hg.), Zürich, 1997.
ZIHLMANN Alfred, *Wandlungen der handelspolitischen Ideen in der Schweiz seit dem Abschluss der letzten Vorkriegshandelsverträge*, Basel, 1930.
ZIMMERMANN Beat R., Cramer-Frey. Ein Zürcher als Schrittmacher der modernen schweizerischen Wirtschaftspolitik, in *Turicum*, Sommer 1979, p. 30.
ZIMMERMANN Beat R., *Verbands- und Wirtschaftspolitik am Übergang zum Staatsinterventionismus. Dargestellt anhand der Mitwirkung des Schweizerischen Handels- und Industrievereins und der Kaufmännischen Gesellschaft Zürich bei der Ausgestaltung der schweizerischen Aussenhandelspolitik im ausgehenden 19. Jahrhundert*, Bern/Frankfurt am Main, 1980.
ZIMMERMANN Hans, *Das solothurnische Zollwesen von der Helvetik bis zur Ablösung durch die Bundesverfassung von 1848*, Bern, 1940.
ZIMMERMANN Rolf, *Volksbank oder Aktienbank? Parlamentsdebatten, Referendum und zunehmende Verbandsmacht beim Streit um die Nationalbankgründung, 1891-1905*, Zürich, 1987.
ZITT Hans, Die Steuerpolitik der freisinnig-demokratischen Partei der Schweiz, Affoltern, 1928.
ZUMBRUNN Armin, *Direkte und indirekte Beziehungen zwischen Zollpolitik und Militär. Eine Betrachtung schweizerischer Verhältnisse*, Bern, 1936.

Index

Index des associations

S

T

U

V

Z

Index des personnes

Le chiffre en gras indique la page où figure une notice biographique de la personne.

H

I

J

K

T